Freeden, W. von

Hansa

23. Jahrgang

Freeden, W. von

Hansa

23. Jahrgang

Inktank publishing, 2018

www.inktank-publishing.com

ISBN/EAN: 9783750103047

HANSA

Redigirt und herausgegeben von **W. von Freeden**, BONN, Thomastrasse 5. Telegramm-Adresse: Freeden Bonn, oder Neuer Alterwall 28 Hamburg. Verlag von *H. W. Silomon* in Bremen. Die „*Hansa*" erscheint jeden Sonntag. **Bestellungen** auf die „*Hansa*" nehmen alle Buchhandlungen, sowie alle Postämter und Zeitungsexpeditionen entgegen, desgl. die Redaktion in Bonn, Thomastrasse 5, die Verlagshandlung in Bremen, Obernstrasse 14 und die Druckerei in Hamburg, Alterwall 28. Sendungen für die Redaktion oder Expedition werden an den letztgenannten drei Stellen angenommen. **Abonnements** jederzeit, frühere Nummern werden nachgeliefert.

Abonnementspreis: vierteljährlich für Hamburg 2½ ℳ, für auswärts 3 ℳ = 3 sh. Sterl. **Einzelne Nummern 60 ₰ = 6 d.**

Wegen Inserate, welche mit 25 ₰ die Petitzeile oder deren Raum berechnet werden, beliebe man sich an die Verlagshandlung in Bremen oder die Expedition in Hamburg oder die Redaktion in Bonn zu wenden.

Frühere, komplete, gebundene Jahrgänge v. 1873, 1874, 1876, 1877, 1878, 1879, 1880, 1881, 1882, 1883, 1884 sind durch alle Buchhandlungen, sowie durch die Redaktion, die Druckerei und die Verlagshandlung zu beziehen. Preis ℳ 4; für kleinen und verletzten Jahrgang ℳ 3.

Zeitschrift für Seewesen.

No. **1.** HAMBURG, Sonntag, den 10. Januar 1886. **23.** Jahrgang.

Inhalt:

Hiezu eine Beilage, enthaltend:

Titel und Inhalts-Verzeichnis für den Jahrgang 1885.

Rückblicke.

Ja, worauf? Auf das verflossene Jahr! Oh weh! Aber die Mode will es so! Trotzdem schon der fromme Aeneas seufzte, als seine erlauchte Gastgeberin, die Königin Dido, von ihm einen Bericht über die Zerstörung Trojas und den Tod seines greisen Vaters verlangte:

Infandum regina jubes renovare dolorem «unsäglichen Schmerz zu erneuern gebietest du Königin!» Nun ja, was kann ein Rückblick auf das verflossene Rhedereijahr anders als den fortdauernden Rückgang der Segelschiffsrhederei und damit des Schiffergewerbes überhaupt zu bestätigen, das zu drei Viertel bei der Segelschiffahrt beteiligt ist. Die sechsfache Mehrzahl aller Schiffe der Erde sind noch immer Segelschiffe; wenn auch das letzte Sechstel, die Dampfschiffe, durch Grösse und Rührigkeit schliesslich als Sieger aus dem ungleichen Kampfe hervorgehen werden, so liegt doch auf viele Jahre hinaus die Majorität der persönlichen und teilweise auch der materiellen Interessen immer noch bei der Segelschiffahrt und ihrer Rhederei. Mag es darum auch jetzt heissen von der Segelschiffahrt, wie damals von Troja und seinem ruhm- und ehrenreichen Herrschergeschlecht:

Ἔσσεται ἦμαρ ὅτ' ἄν ποτ' ὀλώλῃ Ἴλιος ἱρὴ
Καὶ Πρίαμος καὶ λαὸς ἐϋμμελίω Πριάμοιο,

»Einst wird kommen der Tag, da die heilige Ilios hinsinkt,
Priamos selbst und das Volk des lanzenkundigen Königs«,

so wollen wir doch wünschen, dass der Todeskampf nicht in einem wehrlosen eintönigen Hinsiechen sich manifestire, sondern dass noch manche Periode eines wenn auch vorübergehend aufflackernden Lebens beweise, dass hier ein Jahrtausende altes, ehren- und gewinnreiches Gewerbe den wenn auch noch so hoffnungslosen Kampf ums Dasein mit allen gerechten und ehrlichen Kampfesmitteln ausfechte, und dass jedenfalls seine eigenen Gewerbsgenossen nicht im brudermörderischen Ringen die Hand gegen die alte Stammmutter kehren und eine überflüssige Bestätigung des alten Spruches beibringen, dass «die Revolution ihre eigenen Kinder verschlingt.» Doch halt! Hier mahnt uns unser Unfallversicherungs-Korrespondent, dass wir ihm «zur Abwehr» einen kleinen Raum bewilligen, auf welchem er die falschen Stimmen von der untern Weser und Ems zur richtigen Harmonie zurückführen möchte. Derselbe schreibt uns wie folgt:

«Ich habe es nicht anders erwartet, dass mein Artikel in No. 26 v. J., «die Unfallversicherung für Seeleute» betreffend, an einzelnen Stellen nicht gerade mit günstigen Augen angesehen werden würde. Aber mag er immerhin einzelnen Herren an der nördlichen und südlichen *Ostsee* gegen den Strich laufen, so kann ich doch aus einigen mir durch gefällige Vermittelung der Redaction zugegangenen Briefen bestätigen, dass er an andern Stellen, deren Einfluss wohl nicht geringer sein dürfte, als der jener Herren, wie eine «Erlösung von einem Alpdruck» gewirkt habe, dass ferner noch in keiner Zeitung ein Wort davon verlautet hat, dass der Bundesrat mit dieser sehr fragwürdigen Vorlage beschäftigt worden sei. Ich glaube auch, dass man dort die Bedeutung der Beschlüsse einiger Führer und eines weniger redegewandten Gefolges d. h. im Ganzen ca. 20 wirklich an der Schiffahrt und Rhederei beteiligter Personen zu würdigen wissen wird, und dass man, wenn auch ein Teil unserer Rhederei durch minder günstige geographische Lage schwerer unter dem Druck der Umstände leidet, als der von der geographischen Lage mehr begünstigte Teil, nun auch diesen (im Uebrigen gegen *denselben* erbarmungslosen Gegner ankämpfenden) Teil nicht durch eine neue Gegnerschaft resp. durch neue Druck- und Zwangmittel *ebenso tief herunterdrücken* möchte. Ich glaube, dass wir das «après nous le déluge» «nach uns die Sündflut»! den romanischen Erfindern allein überlassen können und dass wir im protestantischen Norden nicht der Welt das ungewohnte Schauspiel geben sollten, gegen unser eigen Fleisch und Blut zu wüten, um danach die Hände in den Schooss zu legen, und das Aufgehen der Drachensaat abzuwarten.

Ich glaube vielmehr, es ist in unserm Norden noch gesunder Menschenverstand genug übrig geblieben, um mit klarem Sinne und festem Bewusstsein der Sachlage in die Augen zu sehen, altbewährte Zustände nicht ohne schwerwiegende Gründe zu beseitigen und eine Jahrtausende alte gewerbliche Entwickelung nicht durch Neuerungssucht und nicht bewährte Theorien zu durchbrechen. In dieser festen Hoffnung werde ich auch nicht erschüttert, wenn ich an der untern Weser und Ems gewisse Kreise sich den Anregungen der Ostseeleute anschliessen sehe. Vor mir liegen zwei Nummern von dorther, ein Bericht aus dem Seeschifferverein Weser d. d. Bremerhaven 21. Dec. in der Weserzeitung, und ein erläuternder Kommentar dazu in der Nordseezeitung d. d. Geestemünde, d. 24. Dec. Von ihnen bringt der erste höchstens das neue, dass die jetzige von mir als «*historische Folge gewisser Entdeckungen* betrachtete und mit Naturgewalt wirkende Kalamität» nur als eine »*momentan schlechtere Zeitspanne*« angesehen wird, aber «*von grossen Gesichtspunkten aus* die Förderung eines ganzen und so bedeutenden Standes wie der Schiffsmannschaften für alle Zeiten« angestrebt werden müsse. Dabei wird zugleich erwähnt, dass «in Königsberg und Memel die verschiedensten Rhedereien ihre Schiffsmannschaften schon lange gegen Unfall versichert und *Vorteil dabei gefunden*« hätten. Dann frage ich aber, warum Kreise, die sich so gern und laut auf Selbsthülfe, oder »Help yourself« oder »Aide-toi« berufen, den Rhedereien nicht ferner diesen selbstgewählten und *profitabeln* Weg der Selbsthülfe lassen wollen, und warum geborene Freihändler, Manchestermänner oder wie sie sich sonst nennen, sich in diesem speziellen Fall der von ihnen sonst so laut perhorrescirten Regierung mit gebundenen Händen überliefern wollen. Wenn man einen alten Schiffskapitän so unlogisch verfahren sieht, braucht man sich freilich auch nicht zu wundern, dass er »von seinem grossen Gesichtspunkt aus« die Erfindung der Dampfschiffahrt und ihre Folgen für eine »momentane Kalamität« und »schlechte Zeitspanne« ausgiebt. Nun

> Das preisen die Schüler aller Orten
> Sind aber keine — Schiffer geworden.

Was nämlich noch den Geestemünder Kommentator angeht, so hätte ich zu Ehren der Sache lieber gesehen, dass er hätt »geschwiegen fein und 's plaudern lassen sein!« Denn was hilft es, die offenkundigen Thatsachen so zu verdrehen, dass ich nur als »kleiner Anteilrheder eines notleidenden Schuners« gesprochen hätte, wo ich doch im Interesse der ganzen Segelschiffahrt meine Stimme erhoben habe. Nein, Herr Kommentator, die ganze Seeschiffahrt leidet not, nicht bloss die kleinen Schuner, sondern auch die Rhedereien der grossen Schiffe und selbst die Dampferrhedereien. Den Protest aber habe ich dagegen erhoben, dass man in dieser Zeit der schweren, durch allgemeine Ueberproduktion verschärften Kämpfe, **ohne dringende äussere Veranlassung** — denn bis vor 5 Jahren, als unser alter Kaiser mit seinem liebevollen Herzen von dem stolzesten Throne der Erde herunter unserm grossen Kanzler befahl, sich gewisser Uebelstände in unserm industriellen Leben anzunehmen, hat Keiner von Euch ein Wort für den Schifferstand gehabt — in solcher Ueberstürzung und liebedienerischen Hast nun auch ein Gewerbe in diese Kreise hineinziehen will, welches sich seit Urzeiten selber auf zeit- und sachgemässe Art in seiner **Ausnahme**-*Stellung geholfen und bewährt hat.* Das ist der Angelpunkt, um den sich Alles dreht, Herr Kommentator, viel mehr als die auch noch nicht spruchreife Tariffrage, und um so mehr leid thut es mir, wenn Sie mich nötigen, durch Ihre anzügliche Herabsetzung der Gefahr, nun auch meinerseits aggressiv vorzugehen und Ihnen die Larve abzuziehen. Wenn Sie behaupten zu dürfen glauben, dass in der «Hansa« Nummer 25 irgend »ein beliebiges 1/128 Part eines kleinen Schuner- oder Galiot-Rheders« sich das Wort zur Klage gestattet habe, so sei Ihnen darauf zunächst erwiedert, dass der Einsender des Artikels »mit Gut und Blut« in des Worts verwegenster Bedeutung bei Segel- und Dampfschiffahrt interessirt ist, und dass mir das viel mehr gilt, als wenn ein bekannter Kommentator unter Führung eines bekannten Altschiffers den kleinen Krieg gegen mich und meinen Protest eröffnet, weil er glaubt »nachdem er Worte gehört, dass man sich etwas dabei denken lassen müsse«. Ich bewundere nur die Kühnheit, dass Sie Beide der Welt und speziell den Reichstagsabgeordneten, denen Sie »aufdringlicher Weise« mit Schriftstücken in ihrem Heim sich nähern, glauben machen möchten, als stecke hinter Ihnen eine grössere Zahl von Angehörigen des Schiffer- und Rhederstandes, da doch Jedermann durch Anfrage sofort erfahren kann, dass hinter Ihnen nur einige andere Altschiffer stehen, welche in der guten frühern Zeit sich das *Nötige zum Leben* verdient haben, dass dagegen die jüngere schiffahrttreibende Welt draussen sich herumtummelt und von Ihren Bestrebungen zum Teil nichts weiss, zum Teil nichts wissen will, so gern auch sie sich auf generöse Weise an der Linderung mancher Not ihrer Kameraden beteiligt.

Doch genug davon! Mit persönlichen Blossstellungen kommen wir in dieser ernsten Sache nicht weiter.

Sie führen äussere hohle, philantropisch-schimmernde, ich innere, klingende, historisch-bewährte Gründe an; Sie »Freihändler« und was nicht sonst, rufen die Hülfe der Regierung an, ich »Schutzzöllner« etc. kämpfe in der »unter falscher Flagge segelnden« »Hansa« für bereits allerorten, nicht bloss in Königsberg und Memel, bewährte Selbsthülfe; Sie verläumden »die Rheder und Kaufleute, welche sich stets ihren Vorteil zu sichern gewusst«, ich streite für Rheder und Kaufleute **und**, aus noch kräftigerer Ueberzeugung, für die von Ihnen allein (?) protegirten »Schiffsmannschaften«. — Wissen Sie was, eigentlich sollten Sie mir deshalb als Ihrem Bundesgenossen die Hand schütteln; ich sage in Gottes Namen »soyons amis, Cinna« und rufe Ihnen und allen Ihren Freunden und meinen unwillkürlichen Bundesgenossen darum auch ein wohlgemeintes »Prost Neujahr« zu! Selbst wenn auch andere, natürlich böse, Menschen singen sollten:

> »B'hüt Dich Gott, es wär' so schön gewesen!
> »B'hüt Dich Gott, es hat nicht sollen sein!«

Soweit unser Correspondent! Wir aber wollen den letzten Zollbreit Raum, der uns heute zur Verfügung steht, dazu benutzen, unserer Freude über die glücklich inaugurirte Kolonialpolitik des Reichs Ausdruck zu geben, und alle übrigen Wünsche in dem einen Rufe zusammenfassen:

Gott bewahre Kaiser und Reich!

Deutscher Nautischer Verein.

Fünftes Rundschreiben.

Unter Hinweis auf die Ziffer des vorgehenden Rundschreibens beehre ich mich den Einzelvereinen mitzuteilen, dass Herr Kommerzienrat Gibsone in Danzig über den darin angedeuteten Gegenstand mir eine Zuschrift hat zugehen lassen, die einen Antrag *auf Abänderung des Gesetzes vom 25. Oktober 1867* enthält, welche er zu begründen sucht. Gleichzeitig ist in dem Schreiben des Herrn Gibsone noch eine andere Angelegenheit berührt, welche, ohne dass zunächst ein formeller Antrag vorliegt, doch der Erörterung in nautischen Kreisen würdig erscheint. Ich lasse daher die gesamte Zuschrift des Herrn Gibsone in ihrem Wortlaut folgen.

„Betreffend Zwangsverkauf der in den Besitz von Ausländern übergegangenen Antheilscheine in deutschen Schiffen und betreffend eine Minimalgrenze bei der Zerlegung eines Schiffes in Parten."

Laut § 2 des Gesetzes vom 25. Oktober 1867 sind Kauffahrteischiffe zur Führung der Bundesflagge nur dann berechtigt, wenn sie in dem ausschliesslichen Eigentum solcher Personen sich befinden, welchen das Bundesindigenat zusteht.

§ 2 des Gesetzes vom 16. April 1871 überträgt diese Bestimmung auf das deutsche Reich.

Es ist vorgekommen, dass Personen, welche durch Erbschaft oder in anderer Weise in den Besitz von Anteilen in deutschen Schiffen gelangt sind, Bürger eines fremden Staates waren oder wurden, und dass das so betroffene Schiff der Gefahr ausgesetzt wurde, die Berechtigung zur Führung der Reichsflagge zu verlieren.

Ein Mitrheder darf zwar seinen Schiffsanteil laut Art. 470 H. G. B. an Ausländer nur mit Zustimmung aller Mitglieder veräussern (welche Zustimmung wohl in keinem Falle erteilt werden wird oder kann), dagegen bestehen meines Wissens keine gesetzlichen Bestimmungen, welche verordnen, was geschehen soll, wenn der Teilhaber an einem deutschen Schiffe das Reichsindigenat aufgiebt.

Darin scheint mir eine Lücke zu liegen, und in Anbetracht unserer starken Auswanderung und der regen Familienbeziehungen zwischen der Heimath und dem Auslande schlage ich vor:

bei der zuständigen Reichsbehörde einen Antrag zu stellen, wonach in Zukunft, sobald der Anteil in einem deutschen Schiffe ganz oder teilweise in den Besitz eines Ausländers übergeht, die Registerbehörde oder ein anderes Amt von Amtswegen befugt sein solle, den betreffenden Anteil für Rechnung des Besitzers öffentlich zu verkaufen.

Das einzige Mittel, welches eine Rhederei jetzt besitzt, einen Mitrheder los zu werden, der der Mehrzahl der Rheder nicht genehm ist, besteht darin, dass nach Art. 473 H. G. B. die Rhederei aufgelöst wird. Die zu diesem Zwecke vorzunehmende Veräusserung des ganzen Schiffes, welche nur im Inlande stattfinden darf, ist aber mit Geschäftsstörungen und bedeutenden Kosten verknüpft, wie aus Art. 473 H. G. B. ersichtlich ist.

Bei dieser Gelegenheit erlaube ich mir die Aufmerksamkeit des Deutschen Nautischen Vereins, ohne dass ich freilich einen Antrag stelle, auf folgenden verwandten Gegenstand zu richten:

Die Merchant Schippingact vom 10. August 1854 (17 u. 18 Victoria-Cap. 104) enthält im § 37 folgende Bestimmungen:

Bei Eintragungen in das Schiffsregister soll Folgendes massgebend sein:

1. Die Beteiligung an einem Schiffe geschieht nach Vier und sechzigsteln.
2. Aktiengesellschaften ausgenommen, darf die Anzahl von registrirten Parten in ein und demselben Schiffe die Zahl von 32 nicht überschreiten.
3. Kein Besitzer eines Bruchtheils einer Schiffspart hat das Recht zu verlangen, dass er in das Schiffsregister mit derselben eingetragen werde, dagegen ist es gestattet, dass bis zu fünf Personen als gemeinschaftliche Besitzer einer Schiffspart im Schiffsregister aufgeführt werden.
4. Solche gemeinschaftliche Besitzer einer Schiffspart dürfen über ihre Bruchtheile an Schiffsparten nur gemeinschaftlich verfügen.

In Deutschland kennt man keine gesetzlichen Bestimmungen, betreffend die Kleinheit der Schiffsanteile.

Besonders an der Ostsee ist es aber gebräuchlich, bei der Gründung einer Rhederei eine Beteiligung mit sehr kleinen Parten ($^1/_{100}$ oder gar $^1/_{128}$) zu gestatten. Stirbt nun ein derartiger Besitzer und wird sein Nachlass gleichmässig unter die Erben verteilt, so kann es vorkommen und ist es vorgekommen, dass Schiffe in so winzige Anteile zerlegt werden, dass für den Korrespondentrheder der Konnex mit den Interessenten ungemein erschwert wird, das Register auch so komplizirt wird, dass es selbst für die dasselbe führenden Beamten fast unmöglich wird, sich herauszufinden.

Um diesem Uebelstande abzuhelfen, könnte gesetzlich bestimmt werden, dass entweder ein Schiff nicht mehr als eine gewisse Anzahl registrirter Eigentümer haben dürfe, oder es müsste ein Minimalteil festgesetzt werden, unter welchen bei der Registrirung nicht heruntergegangen werden kann. Beides ist aber kaum zu empfehlen, da Schiffe von sehr verschiedenem Werte sind und z. B. $^1/_{100}$ Anteil im Segler ein sehr geringes, im grossen Dampfer aber bereits ein beträchtliches Wertobjekt darstellen kann. Anderseits wäre auf diesen Einwand zu erwidern, dass eine Rhederei, welche auf Grund vieler kleiner Anteile begründet werden soll, die dazu besser geeignete Form der Aktiengesellschaft wählen könne.

Mir kommt es vor, dass ein Misstand in dieser Beziehung bereits besteht, und ich fürchte, dass er sich mit der Zeit immer mehr geltend machen wird. Ich stelle anheim, ob die Mitglieder des Deutschen Nautischen Vereins imstande sind, Vorschläge zur Abhilfe zu machen, ohne das bereits ganz darniederliegende Rhedereigewerbe noch mehr zu schädigen."

Ausserdem bringe ich nachstehendes, mir heute zugegangenes Schreiben des Herrn Ministers für Handel und Gewerbe vom 13. d. M. datirt, zur Kenntnis.

„Den Verein setze ich auf die an den Herrn Reichskanzler gerichtete Vorstellung vom 3. März d. J., betreffend die *Befeuerung der britischen Insel Fair Island* und der *Klippe Märket im bottnischen Meerbusen*, davon in Kenntnis, dass die finnische Lotsenbehörde auf der gedachten Klippe einen Leuchtturm errichtet, welcher voraussichtlich noch in diesem Jahre in Benutzung treten wird und einen Beleuchtungsapparat dritter Klasse erhalten soll.

Was die Errichtung eines Leuchtfeuers auf Fair Island betrifft, so ist die zuständige britische Behörde hierbei auf besondere Schwierigkeiten gestossen, welche einstweilen die Ausführung dieses Planes noch nicht thunlich erscheinen lassen. Sie hat sich deshalb vorläufig darauf beschränkt, im Mai d. J. einen Raketenapparat mit Schallsignalen einzurichten, der sich auf der Mitte der Insel befindet und eine Hörweite von zwei Seemeilen und darüber besitzt. Der Apparat soll zunächst einige Zeit im Betrieb erhalten werden, und wenn sich herausstellt, dass diese Einrichtung dem vorliegenden Bedürfnisse nicht entspricht, so soll zur Aufstellung eines Nebelhorns und eventuell zur Errichtung von Leuchtfeuern geschritten werden."

Kiel, den 15. December 1885.

Der Vorsitzende des Deutschen Nautischen Vereins.
Sartori.

Die Aussichten für den Handel mit dem östlichen aequatorialen Afrika.

Die nachstehenden Mitteilungen bilden das XXI. oder Schlusskapitel einer binnen kurzer Zeit bei F. A. Brockhaus in Leipzig erscheinenden Uebersetzung des unlängst in London ausgegebenen Reisewerkes von H. D. Johnston: „Der Kilima-Ndjaro, oder Bericht über wissenschaftliche Forschungen im östlichen aequatorialen Afrika, mit 6 Karten und über 80 Illustrationen u. s. w.", und enthalten eine kurze, zeitgemässe Schilderung des Landes und der von ihm für Handel und Verkehr gebotenen Aussichten. D. Red.

Gestatten meine Leser mir, ihnen zunächst die physikalische Geographie dieses Landes kurz vorzuführen, welches ich als das *östliche aequatoriale Afrika* zu nennen pflege. Für den vorliegenden Zweck genügt es, seine Grenzen also zu bezeichnen: im Süden der Fluss Rufu oder Pangani; westwärts folgen wir dann dem Breitenparallel von 4° Süd bis zu 32° Ostlänge von Greenwich, umfassen das Becken des Victoria-Njansa-Sees und kehren in östlicher Richtung vom Nordufer des Sees über Baringo- und Kenia, Fluss Tana zur Küste zurück.

Die am meisten hervortretenden Eigentümlichkeiten dieser Gegend bilden die ungeheuren, vereinzelt sich erhebenden Bergmassen, welche meistenteils wie der Kenia und der als der höchste Berggipfel Afrikas bekannte Kilima-Ndjaro, vulkanischen Ursprunges sind, — die geräumigen Ebenen, oder genauer gesprochen, Hochflächen, und endlich die Abwesenheit marschiger und sumpfiger Strecken, welche in anderen Gegenden Afrikas so häufig vorkommen. Die Regenmenge ist ziemlich reichlich und gleichmässig verteilt, obgleich es nur einen überhaupt schiffbaren Strom, den Tana oder Pokomo, giebt. Ausser dem ungeheuren Victoria Njansa giebt es noch eine Anzahl viel kleinerer Seen, von denen einige salziges, die meisten aber süsses Wasser führen. Die Hochlande, bis zu 3000 m Meereshöhe, sowie die Ufer der Flüsse und Bäche, sind durchweg mit Wäldern von kostbarem Bauholz bestanden, die Hochflächen oft auch stellenweise mit Gebüsch und kurzem Grase bedeckt, — aber nicht mit dem schrecklichen Riesengras von 2—3 m Höhe, welches so viele afrikanische Landschaften unzugänglich macht. Andere Gegenden sind nichts anderes als hübsche natürliche Lichtungen mit herrlichem, elastischen Rasen, den die weidenden Antilopen kurz abfressen, und mit Gruppen schöner, schattiger Bäume, welche so regelmässig verteilt auftreten, als hätte die Hand des Menschen und nicht die Natur sie gepflanzt. Solcher Art ist das Land zwischen Pareh und Usambara, in der Nähe des Dschipe-Sees oder auch im Süden und, wie Thomson schreibt, selbst im Norden des Kilima-Ndjaro.

Diese weiten Flächen sind sehr ungleichmässig bevölkert. An der Küste finden wir einen Saum mit oberflächlich civilisirten Rassen, welche dem Namen nach die Oberherrschaft des Sultans von Sansibar anerkennen. Diese Völkerschaften gehören ursprünglich zu der Negerfamilie der Bantu, welche mit geringen Ausnahmen alle Einwohner Afrikas vom Victoria Njansa bis zum Cap der guten Hoffnung und von Fernando Po bis Mombas umfasst. Auch kommen im Norden Gallas vor zwischen den Flüssen Sabaki und Dana, ferner einige Somali-Eindringlinge in derselben Gegend, sodann reinblütige Araber sowohl als arabische Mischlinge jeden Grades längs der ganzen Küste, und ausserdem 4000 Banjanen und andere Eingeborene aus Britisch-Indien, welche hierher kommen um Handel zu treiben, zuweilen auch um sich dauernd niederzulassen. Zu diesem Rassengemisch treten dann öfters stellenweise auch Überbleibsel alter persischer und portugiesischer Kolonisation, doch bleibt, wie schon bemerkt, als Hauptstamm der Küstenbevölkerung der Bantuneger, eine Rasse, welche die meisten fremden Beimischungen leicht zu absorbiren und zu assimiliren scheint. Die übliche Lingua franca ist das bekannte Suaheli, eine Bantusprache, welche als das Französische des östlichen Afrika anzusehen ist.

Geht man von der Küste landeinwärts, so findet man das Land auf den ersten 150 Km. in der Regel sehr dünn bevölkert, ausgenommen in gewissen Gebirgsgegenden oder längs der Ufer des Rufu, Sabaki oder Tana; was dort an Einwohnern vorkommt, gehört zur Bantufamilie und spricht einen dem Suaheli verwandten Dialect. Alle Volksstämme aber, welche in diesem Teil Afrikas Bantudialecte sprechen, sind ausnahmslos festangesiedelte Ackerbauer und niemals Nomaden. Im Gegensatze zu ihnen müssen an dieser Stelle die berüchtigten Massai-Neger aufgeführt werden, eine Negerrasse von auffallend schöner Körperentwickelung. Die Massai sind Halbnomaden, insofern jeder Stamm ein ihm gehörendes Land bewohnt, in welchem die verheiratheten Männer und Weiber hausen und sich innerhalb eines festen Umkreises bald hier bald dort niederlassen, während die gesetzlich unverheirateten Krieger aber unendliche Flächen umherstreifen, um zu plündern. Dieses Volk war und ist noch immer, wenn auch in geringerem Grade, die Geissel des östlichen aequatorialen Afrika. Sie haben aus früher gut bevölkerten gedeihenden Gegenden verlassene Wildnisse gemacht, indem sie alles Vieh wegtrieben, die sich widersetzenden Einwohner töteten und die übrigbleibenden dem Hungertode preisgaben. In den letzten Jahren sind dieser Verwüstung Schranken gesetzt. Zwischen der Küste und dem Kilima-Ndjaro trifft man sie nur noch selten an, und begegnet man ihnen zufällig fern von ihrer Heimath, so kommt der weisse Reisende ziemlich leicht mit ihnen aus. Der Handel führt langsam aber sicher die Massai zu menschlicherer Auffassung des Lebens. Die meisten von ihnen handeln schon lieber als dass sie fechten. Jährlich kommen viele Karawanen Eingeborener von der Küste zu ihnen, und kaufen von ihnen Elfenbein gegen Eisen, Draht, Tuch und Perlen. Einzelne Stämme der Massai, welche das Küstenvolk unter dem allgemeinen Namen Wa-Kwafi zusammenfasst, haben das herumschweifende Räuberleben gänzlich daraufgegeben und bewohnen jetzt weite Districte als ruhige, emsige Ackerbauer. Alle Massai sind grosse Viehzüchter und besitzen nicht allein unzählige Heerden prächtiger Rinder, sondern halten als Lasttiere auch zahlreiche Esel. Diese Esel sind sehr schöne Tiere, ähneln durchaus dem aethiopischen Esel und stammen sicherlich von ihm her. Die Massai bilden ein Volk, welches in absehbarer Zeit sicherlich sich der Civilisation zuwenden wird, und dem Handel wird es vorbehalten bleiben, sie von ihrem wilden Leben abzubringen. Sie sind durchaus verschieden von den tollen Fanatikern, mit welchen die Engländer im Sudan Krieg geführt haben, und wenn alle Europäer so gut mit ihnen fertig werden wie Mr. Joseph Thomson, so werden wir bald als Händler und Ansiedler von ihnen willkommen geheissen.

Im allgemeinen darf man dahin unterscheiden, dass zwischen der Küste und dem Victoria Njansa die Ebenen oder Hochflächen von den Massai und den ihnen unterworfenen Stämmen bewohnt werden, während die Berge und Gebirge dem Bantuvolk gehören. Letztere bewohnten augenscheinlich das Land vor dem von Norden her erfolgten Einbruch der Massai und lebten hier in früheren Zeiten in grösserer Zahl als gegenwärtig. In neuerer Zeit sind ihre Aussichten besser geworden. Während ihres Kampfs ums Dasein gezwungen, die dem Angriff eines Feindes weniger zugänglichen Hochlande zu bewohnen, sind sie ein abgehärteteres unabhängigeres Volk als ihre Verwandten von der Küste und durch ihr Bestreben, ihren Gebirgsboden möglichst erfolgreich auszunutzen, zu gescheidten und fleissigen Ackerbauern geworden. Jetzt haben sich ihre Beziehungen zu den Massai merkbar verbessert, die Raubzüge der letztern haben vor den kunstlosen Befestigungen der Bergbewohner haltgemacht, und beide Parteien können jetzt auf gleichem Fuss mit einander Handel treiben. Die Bergbewohner verkaufen jetzt ihren Honig, ihr Getreide, ihre Schmiedearbeiten und gegerbten Felle gegen Elfenbein, Rhinoceroshörner und das von den Räubern in der Ebene aufgesammelte Natron. Diese beiden getrennten Stämme, deren Berührung früher stets in Raub und Todschlag endete, tauschen jetzt friedlich ihre Producte, und dabei zugleich ihre Ideen, Sitten und Gebräuche aus. Der Bantu vom Kilima-Ndjaro und Taweta ahmt mit Vorliebe des Massai Kostüm und Fechtweise nach, nimmt viele Wörter und Begrüssungen aus dem Massai in seine eigene Sprache hinüber, während der einst nomadische und ruhelose Massai in zunehmendem Grade den Ackerbau in der Nähe der Bantu-Niederlassungen liebgewinnt und sich aus einem gesetzlosen Räuber in einen ruhigen, ehrlichen Ackerbürger umwandeln lässt.

Um den — beiläufig mehr als 1300 geographische Quadratmeilen, d. h. mehr als die Oberfläche des Königreichs Bayern bedeckenden — Victoria Njansa See herum wird die Bevölkerung sehr dicht, so dass die Uferbevölkerung allein wahrscheinlich die Zahl von 10 bis 12 Millionen erreicht. Mit Ausnahme eines kleinen Stammes sind sie alle Bantuneger, reden altertümliche Sprachen, welche der typischen Bantu-Muttersprache näher stehen als alle anderen bis dahin angetroffenen. Die Ausnahme bildet ein kleines Völkchen von Nilnegern, welche sich in der Landschaft Kawirondo am Ostufer des Sees niedergelassen haben, und bis jetzt noch nicht mit Europäern in Berührung gekommen sind. Durch die Suaheli-Händler wissen wir etwas von ihrer Sprache und gehören sie demgemäss zu derselben Gruppe wie die Schiluk des weissen Nil.

Ausser den oben erwähnten Rassen sollen Zwergstämme in dem unbekannten Lande zwischen dem Victoria Njansa und Kilima-Ndjaro wohnen, wie auch merkwürdige hörige Stämme als Jäger, Schmiede oder Sklaven unter den Massai sich aufhalten, welche ihre eigene Sprache reden und deren Verwandtschaft bis jetzt nicht hat festgestellt werden können.

Von allen in dieser kurzen Uebersicht erwähnten Stämmen geben die Bantu die sicherste Gewähr der Civilisation. Der Bantu ist so fleissig, so nachahmungssüchtig und so fragbegierig, dass er sich instinktiv zum weissen Mann hingezogen fühlt. Er ist ein geborener Handelsmann und macht meilenweite Reisen, um ein Huhn zu verkaufen, während seine Würdigung der Chemnitzer Tuche und Nürnberger Perlen ihm die Gunst der deutschen Kaufleute sicher zuführen sollte.

Die Produkte dieses weiten Landes aus dem Tierreiche sowohl wie aus dem Pflanzenreich sind gleich charakteristisch für Afrika. Zunächst gestatte ich mir zu wiederholen, dass es das Paradies des Jägers ist. Solche Mengen schweren Wildes werden sicherlich nirgendwo sonst angetroffen. Wer meine Aussagen über diesen Gegenstand bestätigt sehen möchte, lese Thomson's Buch „Durch Massai Land". In einigen Gegenden sieht man von einem kleinen Hügel aus die Ebenen zu seinen Füssen bedeckt mit dichten Heerden von Antilopen, die sich schwadronenweise vorwärtsstürzen, mit Compagnieen von Giraffen auf den Flügeln und mit Schwärmen von Straussen vor und hinter der Front. Büffel giebt es in gefährlicher Menge. Rhinoceros sind so zahlreich, dass ihre Hörner einen wichtigen Ausfuhrartikel bilden, da man sie im Innern für wenige Groschen an Tuch kaufen und an der Küste für 6—8 ℳ das Stück verkaufen kann. Flusspferden begegnet man häufig in Flüssen und Seen. Der Vicekonsul in Lamu, an der Küste in der Nähe des Flusses Pokomo, erzählte mir, dass, wenn die Hippopotamus-Felle richtig vorbereitet werden (indem man die Haut in lange, schmale Streifen schneidet und diese an der Sonne trocknet), sie bis 5 £ Lt. in Port Natal bedingen. Aber der grosse Reichtum des Landes beruht in seinem Elfenbein, welches auf dem Markt von Sansibar jede andere Sorte aussticht. Der Elefant kommt in der Nähe des Kilima-Ndjaro allein zu Tausenden vor. Er ist hier zum vollständigen Gebirgsbewohner geworden und schweift durch die prächtigen Wälder, welche die oberen Abhänge dieses Riesen unter den afrikanischen Bergspitzen bedecken. Die Eingeborenen stellen ihm auf seinen Waldwegen mit künstlich verteilten Gruben und Fallen nach, indem sie es vorziehen, auf diesem heimtückischen Wege zum Elfenbein zu gelangen, statt dem Tier in ehrlicher Jagd entgegen zu treten. Andere Stämme im Norden und Westen des Kilima-Ndjaro töten den Elefanten mit vergifteten Pfeilen oder Wurfspiessen und scharfen Schwertern. Es soll sogar nach Thomson eine Gegend an den nördlichen Grenzen des Massailandes geben, wo die Elefanten unbehelligt umherschwärmen und ihr Elfenbein unberührt verfault, weil das Volk der naheliegenden Gegend keine Handelsbeziehungen nach auswärts unterhält und folglich den Wert des kostbaren Artikels nicht kennt. Ein Zahn, der in Europa seine 3000 ℳ wert ist, kann hier für nichts aufgelesen werden, oder von einem Eingeborenen für Perlen oder Tuch im Wert einiger Groschen gekauft werden. Wie dem auch sein mag, ob die Elefanten wegen ihres Elfenbeins getötet werden, oder ob es wie in den Erzählungen des Matrosen Sinbad Distrikte giebt, in welchen seine Zähne einfach zwischen den Gebeinen der Elefanten aufgesammelt werden können, welche Jahrhunderte hindurch in diesen unbereisten Wildnissen unbeachtet verendet und verstorben sind, Elfenbein wird auf irgend eine Weise und zwar in solchen Massen gewonnen — selbst trotz der unglaublich ungeschickten Fang- und Beförderungsmittel der Träger, — dass immer mehr als genug vorhanden ist, um die vielen von muselmannischen Eingeborenen von der Küste geführten Karawanen zu befriedigen, welche jährlich das Land zwischen dem Victoria Njansa und dem indischen Meere durchziehen. Ein anderer Ausfuhrartikel darf ebenfalls nicht übergangen werden, nämlich die wertvollen und schönen Felle der wilden Tiere, welche man entweder auf der Jagd sich selber verschaffen oder billig von den Eingeborenen einkaufen kann. Ein Leopardfell, das man für Waare im Wert von 2—3 ℳ einkaufen kann, hat an der Küste einen Wert von 8—9 ℳ. Löwenfelle sind nicht so leicht von den Eingeborenen zu erhandeln, weil das Tier selten von den Einheimischen getötet wird, aber europäische Jäger könnten sie in jeder Zahl schiessen, da sie so zahlreich als frech sind. Affenfelle, von der hübschen Art des weissschwänzigen Colobus, der nur hier allein vorkommt, sind als wertvolle Felle zu hohen Preisen an der Küste zu begeben.

Strausse giebt es ungemein viel in der Nachbarschaft des Kilima-Ndjaro. Als ich im Sommer und Herbst des Jahres 1884 zu Taweta lebte, pflegten ich und meine Leute hauptsächlich von ihren Eiern zu leben, welche uns zahlreich von den Eingeborenen das Stück für einen Groschen in Tuch verkauft wurden. Zuweilen suchten wir selber die Nester der Tiere auf. Im Oktober kaufte ich zwölf junge Strausse, das Stück für eine Elle Tuch. Ich hätte viel mehr kaufen und eine Straussenzucht anfangen können, aber wegen der nahe bevorstehenden Rückreise zur Küste mochte ich mich nicht auf ein solches Unternehmen einlassen. Ich versuchte, diese jungen Strausse mitzunehmen, aber sie starben alle vor meiner Ankunft in Sansibar, weil sie wegen ihrer Jugend den langen Überlandweg nicht hatten vertragen können. Natürlich ist dies Land sehr interessant für einen Ornithologen, aber dem mir näher stehenden Gelehrten muss ich doch bekennen, dass es nicht genug seltene oder schöne Vögel hier giebt, welche ihn zur Aufschliessung eines neuen Landes verlocken könnten; in ökonomischer Beziehung sei jedoch erwähnt, dass es hier zahlreiche Perl- und Haselhühner, Tauben und Trappen giebt, welche alle durch ihr Fleisch den Reisenden mit schmackhafter Kost versehen.

Von den Reptilien des Landes ist nicht viel zu sagen, weil nur wenig Arten die Aufmerksamkeit des Reisenden auf sich ziehen würden, und für den Handel meines Wissens höchstens die Krokodile des Dschipe-Sees von Bedeutung sein könnten, nachdem ihr Leder zur Herstellung von Taschen aller Art so sehr in die Mode gekommen ist; indessen ist die Seltenheit und Nichtaufdringlichkeit dieser Reptilien ein negativer Vorteil. Wie in den meisten von mir besuchten Teilen Afrikas kommen Schlangen hier wenig vor und zeigen sich noch seltener. Obendrein sind die meisten Arten nicht giftig.

In vielen Bächen, Flüssen und Seen leben Fische in grossen Mengen, und sind die meisten Süsswassergeschlechter Afrikas hier vertreten. Nur wenige sind nicht essbar, einige Arten sogar ganz ausnehmend schmackhaft und von beträchtlicher Grösse und Schwere. In Taweta konnte ich oft die ganze Karawane eine Woche hindurch und länger mit den in dem kleinen Lumiflusse gefangenen Fischen ernähren, und im Dschipe-See waren sie so zahlreich, dass eine Fischräucherei gleich denen am oberen Kongo Lebensunterhalt für lange Reisen hätte gewähren können. Suaheli-Träger vertragen und lieben nichts mehr als Fischspeise.

Die Insecten bieten für den Handel kein Interesse, so wenig als die übrigen wirbellosen Tiere. Doch möchte ich in diesem Fall dasselbe Gewicht auf einen Umstand legen, wie ich schon bei den Schlangen gethan habe, nämlich dass schädliche Arten so selten sind oder ganz fehlen. Es giebt hier keine Tsetse-Fliege, welche nur eine kleine Strecke weiter südlich die Einfuhr von Pferden und Vieh unmöglich macht. Muskitos kommen nur an gewissen Stellen in der Nähe der Flüsse und Seen vor und fehlen in den meisten Teilen des Landes gänzlich. Flöhe und Bettwanzen sind unbekannt, und die Pest des Kongo, der amerikanische Sandfloh, ist noch nicht eingeführt worden. Weisse Ameisen sind nicht sehr zahlreich, und gehen nicht über eine gewisse Meereshöhe hinaus. Vom Bandwurm, welcher in anderen Teilen Afrikas so bekannt ist, ist nie etwas zu meiner Kunde gekommen.

Ich möchte noch erwähnen, dass eine kleine essbare Süsswasserkrabbe in den Flüssen vorkommt.

Die Produkte aus dem Pflanzenreich sind wertvoll, ganz abgesehen von den durch die Einwohner kultivirten und eingeführten Pflanzen. Ausgezeichnet schönes Bauholz wächst an vielen Stellen, besonders auf dem Kilima-Ndjaro und in den gebirgigen Gegenden nordwärts von ihm, sowie im Westen des Victoria Njansa-Sees. Die Wälder von Usambara und Pareh, näher an der Küste, strotzen von hohen, herrlichen Bäumen, welche in Sansibar für Schiffsbauzwecke sehr gesucht sind. An der Küste und in Sansibar wird der Cubikmeter Bauholz mit 75—150 ℳ je nach der Güte bezahlt.

Gummi wird im Innern gewonnen, sowohl Copalgummi als eine andere falsches Copal genannte Sorte. Federharz liefert wenigstens eine Schlingpflanze, Landolphia florida, und wie ich glaube noch eine andere, eine Art Feige. Kaffee wächst wild, besonders im nördlichen Teil unseres Gebietes, wo er derselben Art ist, wie die abessinische Pflanze; diese soll ja zuerst aus dem Königreich Kaffa nach dem südlichen Abessinien eingeführt sein, und daher der Name stammen. Kaffeepflanzungen würden in Gegenden wie Usambara ausgezeichnet gedeihen; dieser Distrikt kann als die eigentliche Heimat dieser Staude betrachtet werden, welche in der That auf dem afrikanischen Festland einheimisch ist. Auch Cardemum wird hier produzirt, desgleichen Sesamöl zum Verschneiden des echten Olivenöls.

Auf den Waldbäumen des Kilima-Ndjaro und in den Wäldern von Usambara wächst die Orseilleflechte in unglaublichen Mengen. Halb rein, d. h. mit Zweigen und Sand gemischt, abgeliefert bedingt sie an der Küste 12—15 ℳ per Frasilah von 35 ℔ englisch oder 15½ Kilo. Von Mineralien wird Eisen und anscheinend auch Kupfer in ziemlicher Menge gefunden; ich schliesse es schon daraus, dass die Eingeborenen roh gearbeitete Ringe und Schmucksachen aus letzterem Metall besitzen, welche nicht von der Küste herrühren. Salpetersaures Natron bedeckt weite Ebenen im Süden, Westen und Norden des Kilima-Ndjaro.

Gute Bausteine finden sich in vielen Teilen des Landes. Kalkstein tritt öfters auf.

Nachdem ich so die Produkte kurz erwähnt habe, mit welchen die Natur diesen Teil Afrikas gesegnet hat, mögen andere folgen, deren Einführung oder Entwickelung menschlicher Thätigkeit zu verdanken ist.

Grosse Viehheerden werden nicht allein von den Massai gehalten, deren ganzer Lebensberuf, wie es scheint, in der Viehzucht aufgeht, sondern auch von den Ackerbau treibenden Rassen an den Ufern des Victoria Njansa und überall in den gebirgigen Gegenden. Als ich auf dem Kilima-Ndjaro wohnte, kaufte ich nicht allein ausgezeichnetes Rindfleisch nach dem Satze 10 ℳ für das Rind, sondern verschaffte mir auch täglich soviel Milch, dass ich an Rahm, Butter und Käse immer reichlichen Vorrat besass. Die Ochsen sind in der Regel nicht so gross als die Cap-Rasse und stammen in der That von einem ganz anderen Schlage, da sie Abkömmlinge der asiatischen Varietät mit einem Höker sind — des Zebu, — welche von den alten Egyptern in Afrika eingeführt wurde. Die Felle werden von den Eingeborenen so gering geachtet, dass man sie um die geringste Kleinigkeit von ihnen kaufen kann. Wie ich bereits erwähnte, halten die Massai grosse Heerden schöner starker Esel, welche sie immer zu billigem Verkauf bereitstellen.

Ziegen und Schafe giebt es massenhaft. Die Ziegen sind klein, plump, geben aber reichlich Milch. Die Schafe gehören zur fettschwänzigen Art, und liefern wirklich ausgezeichnet saftiges, gutes Fleisch. Die Besucher von Usambara werden mir zugeben, dass das ostafrikanische Bergschaf in

Zartheit und Kürze mit den Schafen von Wales und Schottland wetteifert. Gleich allen afrikanischen Schafen tragen sie Haare und keine Wolle. Geflügel wird von den Massai nicht gezogen, kommt dagegen in grosser Menge am Victoria Njansa und bei allen ackerbautreibenden Hantustämmen vor. Am Kilima-Ndjaro kostet es das Stück eine Elle Zeug, d. h. nach dem örtlichen Wert des Tuchs 25 Pfennige. In Mandaras*) Hauptstadt kaufte ich in zwei Tagen 80 Hühner. Einige von ihnen sind von einem sehr schönen Schlage, rein weiss, die Hähne mit langen Schwanzfedern. Eine andere Art ist plump [illegible] gute Eierleger.

Die vegetabilischen von den Eingeborenen gezogenen Produkte bestehen in Bananen, süssen Kartoffeln, essbaren Aronswurzeln, Zuckerrohr, Mais, Mtama oder roter Hirse und vielen nicht speziell benannten Arten Bohnen und Erbsen.

In einigen Gegenden namentlich in Taweta und am Tanafluss wächst etwas Reis, Taback dagegen überall massenweise, weshalb er äusserst billig ist.

Mit dem Anbau europäischer Gemüse auf dem Kilima-Ndjaro habe ich fast unglaubliche Erfahrungen gemacht. Unmittelbar nach meiner Ankunft legte und säete ich einige Kartoffelaugen, Zwiebeln, Senf, Kresse, Radieschen, weisse Rüben, Wurzeln, Erbsen, Bohnen, Spinat, Porre, Salbei, Liebesäpfel, Gurken und Melonen. Alles ging auf und gedieh erstaunlich. Binnen einem Vierteljahr hatte ich ein Dutzend schöner Gurken von einem Stamm, und soviel Kartoffeln, dass ich davon an meine Leute abgeben konnte, ohne meinem eigenen Bedarf Eintrag zu thun. In kurzer Frist erntete ich von allem im Übermass. Vor der Abreise hatte ich mein Land zu Taweta mit Weizen und Kaffee, Limonen, Orangen, Mangos und Kokosnüssen bestellt. Eine Menge nützlicher Sämereien verteilte ich obendrein an die Eingeborenen.

Ich hatte noch vorher am zugehörigen Ort erwähnen sollen, dass köstlicher Honig in grosser Menge im ganzen Lande gewonnen wird. Das Wachs ist sehr gut, doch haben die Eingeborenen keine Verwendung dafür und werfen es deshalb weg.

Lassen Sie mich jetzt noch die hauptsächlichsten Handelsprodukte erwähnen mitsammt den Preisen derselben im Innern und an der Küste. Gegenwärtig bezahlt sich ohne Zweifel Elfenbein am besten. Dasselbe kann in den Massai Ländern, zwischen dem Victoria Njansa und der Küste um 1 bis 3 Mark das Pfund, je nach seiner Güte eingekauft werden. Wenn ich die Preise im Innern erwähne, so meine ich den Geldeswert in Tüchern oder anderen Handelsgegenständen. An der Küste kostet das Pfund Elfenbein 6 bis 10 ℳ, zuweilen noch mehr.

Häute kann man im Innern fast für nichts kaufen, und hat man also nur die Transportkosten zu bezahlen. An der Küste bezahlt man trockene Häute mit etwa 4 bis 4½ ℳ für jede 7 Pfund. Rhinoceroshörner habe ich bereits erwähnt. Sie verkaufen sich glatt weg an der Küste und bedingen im Durchschnitt 5 ℳ das Paar.

Lebende Tiere aller Art sind im Innern billig zu haben und finden einen guten Markt an der Küste.

Noch eine Quelle des Verdienstes fliesst hier, in welcher ich, wenn auch einige Leute über meinen Vorschlag lachen werden, doch nichts Lächerliches erkennen kann, nämlich der Fang und Verkauf wilder Tiere. Wenn es sich für Hamburger und Wiener Firmen lohnt, Jäger nach den Grenzen Abessiniens zu schicken, um von da aus die zoologischen Gärten der ganzen Welt mit wilden Tieren zu versehen, warum sollten sie dasselbe Geschäft nicht auch hier fortsetzen, wo es von Tieren in einem so hohen Grade wimmelt, dass Abessinien und der östliche Sudan völlig in Schatten gestellt werden. Wenn man 2000 bis 4000 ℳ für junge Rhinoceros, Elefanten, Flusspferde oder Giraffen, und nach Verhältnis geringere Beträge für grosse Antilopen, Zebras, Büffel, Strausse, Löwen, Leoparden, Schlangen und Krokodile bekommen kann, so lohnt sich sicherlich die Jagd in Gegenden wie diese, welche thatsächlich näher an der See liegen als die Jagdgründe der deutschen Häuser, und wo die Eingeborenen bereits mit diesem Handel und mit der Kunst, wilde Tiere lebendig zu fangen, vertraut sind. So lange ich auf dem Kilima-Ndjaro und in Taweta wohnte, brachten die Eingeborenen mir stets lebende Tiere zum Kauf, und ich habe bereits erwähnt, wie billig ich junge Strausse erstanden habe.

Ein anderer wichtiger Handelsgegenstand würde die Orseille sein, welche sich in den weiten Wäldern des Kilima-Ndjaro umsonst einsammeln lässt. Den Kaufpreis an der Küste habe ich bereits angegeben.

Eisen, Kupfer und salpetersaures Natron werden den Transport lohnen, sobald die Verbindungen zwischen dem Innern und der Küste erleichtert sind.

Trotzalledem bleibt es dabei, dass der spezielle Reichtum des Landes in der Zukunft seiner Bodenculturen liegt. Es giebt hier Gegenden, welche die Kornkammern der Welt werden könnten, da weite Gebiete derselben ein europäisches Klima haben. Andere Gegenden eignen sich durch ihre Höhenlage ganz besonders für den Anbau der Chinarinde. Zuckerrohr gedeiht schon halbwild, und sein Anbau kann bis zu beliebiger Ausdehnung gesteigert werden. Kaffee, Thee, Kakao, Vanille würden in Landschaften und Gegenden gedeihen, welche sich ganz besonders für ein ausgiebiges Wachsthum eignen. Ueber allem aber steht die Frage, wenn es sich lohnt andere Teile Afrikas dem Handel und Verkehr zu erschliessen, warum sollten denn diese eminent fruchtbaren Gebiete davon unberührt bleiben, wenn sie noch dazu eines weit gesunderen Klimas sich erfreuen als irgend ein anderer Teil dieses Kon-[illegible]

In der Nachbarschaft und nahe am Fuss des Kilima-Ndjaro betrug die höchste von mir beobachtete Wärme 27,2° C., die höchste Wärme im Innern war 32,8° C. Die mittlere nächtliche Wärme in hügeligen Gegenden beträgt 15,6° C., in den Ebenen 20,0°. Mit Ausnahme der höchsten Berge und am Victoria Njansa See, wo es in jedem Monat einige Tage regnet, zerfallen die Jahreszeiten im östlichen aequatorialen Afrika regelmässig in trockene und nasse. Von Juni bis Ende Oktober fällt fast gar kein Regen, vom November bis Mai einige Monate hindurch desto reichlicher. Am Kilima-Ndjaro bis zu einer Höhe von 2500 m. hinauf stimmt das Klima mit dem des südlichen England überein, in grösserer Höhe kann man es sich so kalt aussuchen als man will, wenn man angemessen aufsteigt.

Ich glaube hiermit den Beweis erbracht zu haben, dass, wenn Afrika überhaupt es verdient, aufgeschlossen zu werden, die Gegend zwischen der Küste und dem Victoria Njansa in hohem Grade Anspruch darauf erheben kann. Es leidet keinen Zweifel, dass Afrika die Neue Welt des 19. Jahrhunderts ist. Was Amerika für Europa im 16. und 17. Jahrhundert war, das ist Afrika jetzt. In den letzten zwei Jahren haben England, Frankreich, Deutschland, Portugal, Spanien, Italien, Belgien und selbst Schweden entschiedene Schritte zur Bildung afrikanischer Kolonien gethan. Ich schliesse daraus wohl mit Recht, dass, wenn Land in Afrika des Besitzes wert ist, es um so wertvoller sein muss, wenn es in einer schönen Gegend mit gesundem Klima zwischen einem grossen Landsee und dem indischen Ocean liegt.

(Schluss folgt.)

*) Mandara ist ein weltbekannter, einflussreicher Häuptling von Moschi im Südwesten des Kilima-Ndjaro. Mit uns Aerger über Johnston's Abreise scheint er sich jetzt unter deutschen Schutz gestellt zu haben. Anm. d. Red.

Uebersicht

sämtlicher auf das Seerecht bezüglichen Entscheidungen der deutschen und fremden Gerichtshöfe, Reskripte etc. der betreffenden Behörden etc., einschliesslich der Literatur der dahin bezüglichen Schriften, Abhandlungen, Aufsätze etc.

Titel VIII. Grosse Havarie.

b) Schaden durch Zusammenstoss von Schiffen.

Schaden an den noch nicht verladenen Gütern durch Zusammenstoss von Schiffen. Begriff von „Ladung".

Als „Ladung" im Sinne des Artikel 736 H.-G.-B.'s, wonach *beim Zusammenstoss von Schiffen* der Rheder des schuldigen Schiffes zum Ersatze des dem anderen Schiffe und dessen Ladung zugefügten Schadens verpflichtet ist, sind nur diejenigen Güter zu betrachten, welche sich beim Zusammenstoss *bereits im Schiffe befinden*, nicht aber die *noch nicht verladenen* Güter, welche für das betreffende Schiff bestimmt sind, und deren Beförderung in Folge der erforderlichen Reparatur des Schiffes verzögert wird; für den durch die Verzögerung der Beförderung der noch nicht verladenen Güter erwachsenen Schaden haftet der Rheder weder handelsrechtlich noch nach gemeinem Recht. Aus den *Entscheidungsgründen*: „Artikel 736 H.-G.-B.'s verpflichtet den Rheder des schuldigen Schiffes nur zum Ersatze des dem anderen Schiffe und dessen Ladung zugefügten Schadens und dem Berufungsrichter ist darin beizutreten, dass hier unter „*Ladung*" nicht schon die für das betreffende Schiff *bestimmten* Frachtgüter verstanden werden können, sondern dass als Ladung eines Schiffes im Sinne des Artikel 736 a. a. O. nur diejenigen Güter zu betrachten sind, welche durch die Uebernahme in das Schiff bereits in *einem thatsächlichen Zusammenhange* mit demselben gebracht sind, so dass dadurch eine seerechtliche Gemeinschaft zwischen Schiff und Frachtgütern hergestellt ist und diese gewissermassen ein Ganzes bilden. Zwar ist die Ausdrucksweise des H.-G.-B.'s eine schwankende, indem verschiedentlich (vergl. z. B. Art. 486, 543; No. 4, 561, 568, 574, 575, 577, 578, 581, 582, 584, 637 und 642) auch schon die in ein bestimmtes Schiff erst einzunehmenden Güter als „*Ladung*" bezeichnet werden. Ebenso bestimmt aber werden in einer Reihe anderweiter Bestimmungen unter „*Ladung*" vom Gesetze nur die bereits an Bord des Schiffes befindlichen in dasselbe verladenen oder übergeladenen Frachtgüter verstanden und hierzu gehört, ausser den in den Abschnitten von der Bodmerei und der grossen Havarie von der „*Ladung*" sprechenden Artikeln, auch der Artikel 736 H.-G.-B.'s. Wie in den vom Berufungsgericht gebilligten Gründen des ersten Richters mit Recht bemerkt ist, beschränken sich auch schon nach dem älteren Rechte (vergl. Titel VIII Art. 1 der Hamburg. Assekuranz- und Havarie-Ordre von 1731) die Haftung von

Schiff und Ladung für den einem anderen Schiffe und dessen Ladung durch einen Zusammenstoss zugefügten Schaden auf denjenigen Teil der Ladung, welcher zur Zeit des Zusammenstosses sich an Bord des ansegelnden Schiffes befand und ein vorher bereits gelöschter oder auch nur in Leichterfahrzeuge übergeladener Teil der Ladung kontribuirte nicht zum Ersatze des dem angesegelten Schiffe und dessen Ladung zugefügten Schadens. An dem Begriffe der Ladung in diesem Sinne hat aber durch den Artikel 736 H.-G.-B.s nichts geändert werden sollen, sondern es wurde nur bezweckt, in Betreff der Ersatzpflicht zu den allgemeinen Rechtsgrundsätzen zurückzukehren. Auch nach Artikel 736 a. a. O. trifft daher ein vor der Entstehung der Gemeinschaft zwischen Schiff und Ladung dem einen oder anderen Teile zugestossener Unfall nur das Schiff oder das Frachtgut als solches. Mit Recht hat daher der Berufungsrichter angenommen, dass, wenngleich (zufolge der gesetzlichen Gemeinschaft, welche durch die Verladung zwischen dem Schiffe und den Frachtgütern entsteht und zufolge der nach Massgabe der Grundsätze über die aquilische Klage im Artikel 736 a. a. O. ausgesprochener Ersatzpflicht auch bei den mit der kulposen Handlung nur mittelbar im ursächlichen Zusammenhange stehenden Schaden) auch dann, wenn nur das Schiff, nicht auch die Frachtgüter, durch die Kollision beschädigt worden sind, doch auch die in Folge der Kollision für die letzteren, bezw. deren Eigentümer entstandenen Unkosten und Schäden von dem schuldigen Schiffe getragen werden müssen, es dennoch, um einen desfallsigen Anspruch aus Artikel 736 a. a. O. zu begründen, nicht an der Voraussetzung fehlen darf, dass die Frachtgüter wirklich bereits Ladung des Schiffes in dem obengedachten Sinne geworden sind. Die Ansicht des Klägers, dass der Anspruch aus Artikel 736 schon durch das dem Befrachter zustehende Recht auf Benutzung des Schiffes begründet werde, findet in dem Wortlaute und in der Ratio des Gesetzes keinen Anhalt." „Die Haftung der beklagten Rhederei für den hier fraglichen Schaden liesse sich daher nur daraus herleiten, dass die schuldige Person der Schiffsbesatzung nach dem subsidiär zur Anwendung kommenden allgemeinen bürgerlichen Rechte, im vorliegenden Falle also nach den Grundsätzen des *gemeinen Rechts*, als schadenersatzpflichtig anzusehen wäre. Auch dies ist aber vom Berufungsrichter mit Recht verneint worden. In ausserkontraktlichen Verhältnissen besteht nach gemeinem Rechte eine allgemeine Verpflichtung zum Ersatze verursachten Schadens nur im Falle des Dolus, nicht auch im Falle blosser Culpa. Die Voraussetzungen der schon wegen einer blossen Culpa gegebenen aquilischen Klage liegen hier aber nicht vor, da durch den Zusammenstoss des „Admiral" mit der „Amelia" nur das letztere Schiff selbst, nicht auch die zur Einladung in dasselbe vom Kläger bestimmten Frachtgüter beschädigt sind und der Berufungsrichter mit Recht annimmt, dass dem nur obligatorisch in Betreff der „Amelia" berechtigten Kläger wegen des durch die Beschädigung derselben auch ihm verursachten Schadens weder eine aquilische Klage noch eine derselben gleichstehende actio in factum zustehe." (Erkenntnis des I. Civilsenats des Reichsgerichts vom 10. Febr. 1883; Dr. Auerbach, Entscheid. Bd. II, S. 89 ff.)

Gesetze, Verordnungen etc.

Deklaration zwischen Oesterreich-Ungarn und Russland, betr. gegenseitige Anerkennung der Aichungscertificate österreich-ungarischer und russischer und finnländischer Seehandelsschiffe vom 23. Novbr. 1882. (Deutsch. Handelsbl. 1882, I, S. 831.)

Schwedisch-norwegische Verordnung, betr. Abänderung der Verordnung vom 15. Febr. 1881 über das Lotsenwesen. Vom 17. Febr. 1882. (Ebend. 1883, S. 252.)

Verordnung für Honduras, betr. Erteilung von Flaggenattesten. Vom 1. Januar 1883. (Ebend. S. 523.)

Französisches Uebereinkommen vom 2. Februar 1882, zwischen *Frankreich* und *Grossbritannien* über die gegenseitige Regelung der Handels- und Schiffahrts-Beziehungen. (Ges. v. 11. Mai 1882.)

Französische Verordnung vom 6. August 1882, wonach Handelsgesellschaften, welche in den Vereinigten Staaten von *Nord-Amerika* mit Staatsgenehmigung errichtet sind, in Frankreich zugelassen werden.

Französischer Handels- und Schiffahrts-Verträge vom 31. Oktbr. 1881 mit angefügter Erklärung vom 9. März 1882 zwischen *Frankreich* und *Belgien*. (Ges. v. 11. Mai 1882, Verordn. v. 13. Mai 1882.)

Französischer Handels- und Schiffahrtsvertrag vom 6. Febr. 1882 zwischen *Frankreich* und *Spanien*. (Ges. v. 11. Mai 1882, Verord. v. 13. Mai 1882.)

Französische Handels- und Schiffahrtsverträge v. 30. Dezbr. 1881 zwischen *Frankreich* und *Schweden-Norwegen*. (Ges. v. 11. Mai 1882, Verord. v. 13. Mai 1882.)

Französischer Handels- und Schiffahrtsvertrag v. 19. Dezbr. 1881 nebst Zusatzvertrag vom 6. Mai 1882 zwischen *Frankreich* und *Portugal*. (Ges. v. 13. Mai 1882, Verord. v. 14. Mai 1882.)

Italienischer Handels- und Schiffahrtsvertrag u. Zusatzprotokoll v. 15. Juni 1883, zwischen *Italien* und *Grossbritannien*. (Ges. v. 30. Juni 1883.)

Dsgl. und Schlussprotokoll v. 4. Mai 1883 zwischen *Italien* und *Deutschland*. (Ges. v. 30. Juni 1883.)

Erklärung vom 30. Juni 1883 zwischen *Italien* und der *Schweiz* über die Fortdauer des bestehenden Handelsvertrages. (Verord. v. 30. Juni 1883.)

Zusatzartikel vom 4. Aug. 1883 zum Vertrage v. 29. Aug. 1866 zwischen *Belgien* und *Siam* über Einfuhr und Verkauf von geistigen Getränken. (Ges. v. 29. Dezbr. 1883.)

Hafen- und Revier-Ordnung von *Lübeck* vom 29. Septbr. 1883. (Samml. Lüb. Verordn. u. Bek. 1883, No. 31.)

Speisetaxe am Bord der in die *Hamburgischen* Schiffsregister eingetragenen Schiffe vom 12. März 1884. (Ges.-Samml. 1884, Nr. 6.)

Hafenordnung für den Sicherheitshafen *Bremen* einschl. des Schiffahrtskanals und des Hafens am Walter Wied vom 20. Januar 1884. (Br. G.-Bl. 1884, No. 1.)

Hafengesetz für *Bremerhaven* vom 30. März 1884. (Br. G.-Bl. 1884. No. 7.)

Hafenordnung für *Bremerhaven* vom 15. April 1884. (Br. G.-Bl. 1884, No. 9.)

Verschiedenes.

Die „**Andromeda**", das in No. 19 d. vor. Jahrgangs von uns beschriebene Petroleumtank-schiff ist nach einer glücklichen Reise von kleinen 4 Monaten Mitte December glücklich von Newyork wieder in Geestemünde angekommen, und hat sich die von dem Schiffsbaumeister Tecklenborg dem Schiffe gegebene Einrichtung somit praktisch bewährt. Das eiserne viermastige Schiff hat 13 700 Barrel zu je 50 Gallons oder 225 Liter angebracht, und kann man sich einen Begriff von der Schnelligkeit der Beladung machen, wenn man erfährt dass 5 000 Barrel in 6 Stunden eingenommen wurden.

Man hat früher bereits die Beförderung von Petroleum in Tanks versucht, allein man kam davon zurück, weil stets durch Explosionen die Schiffe vernichtet wurden. Nunmehr ist die Aufgabe gelöst, und es werden wohl bald mehr Fahrzeuge wie die „Andromeda" gebaut werden.

Mit dem neuen **Panzer „Oldenburg"** ist der deutschen Panzer- und Schlachtenflotte eine ganz eigenartige neue deutsche Schiffskonstruktion zugewachsen. Das Schiff ist ein Breitseitenschiff, aber die Aufstellung der Geschütze, zehn 24 Ctm.-Ringkanonen, und die Bauart des Schiffskörpers gestatten die fünf Geschütze jeder Breitseite, von denen sich drei unter Deck und zwei auf Deck aufgestellt befinden, sämmtlich auf einen Punkt zu richten, und dabei nach links und rechts, über Heck und über Bug zu feuern. Das Einschlagen der Geschosse einer dieser Breitseiten in einen feindlichen Schiffskörper würde sicher genügen, auch den stärksten Panzer in Gefechtsunfähigkeit zu versetzen. Das Schiff selber steht bei 5200 Tons Wasserverdrängung den Schiffen der „Sachsen"-Klasse um 2200 Tons Raumgehalt nach, die Maschinen indicirten 3900 Pferdekraft, man erwartet damit eine Fahrgeschwindigkeit von 14 Seemeilen in der Stunde zu erzielen.

Die **Yacht „Eureka"**, welche versuchsweise unter Anwendung von Electricität bewegt werden soll, ist kürzlich in Brooklyn vom Stapel gelassen. Die innere Einrichtung dieses Schiffes ist in Folge des Umstandes, dass dasselbe mit einer durch Electricität in Bewegung zu erhaltenden Schraube versehen ist, eine von der bisher gebauten Schiffe gänzlich verschiedene. Die Erfindung ist die des Herrn John A. Secor, dessen Vater, ein reicher Eisenwerksbesitzer, selbstredend das grösste Interesse am Erfolge dieser zu erprobenden Erfindung nimmt. Es hat sich bereits eine Aktien-Gesellschaft gebildet, die, im Falle die „Eureka" den gehegten Erwartungen entsprechen sollte, damit umgeht, die Erfindung des Herrn Secor im grossen Masstabe zu verwerten. Es heisst, das deren Zuversicht in den Erfolg dieses Unternehmens eine so grosse ist, dass bereits sämmtliche Aktien der Gesellschaft in Newyork und Brooklyn gezeichnet sind.

Was nun die Form und Einrichtung der „Eureka" anbetrifft, so besitzt dieselbe eine Länge von 100 Fuss und die Takelung eines zweimastigen Schooners. Unter dem Vorder- und Hinterdeck desselben sind zwei gleich breite, wie lange Räume angebracht, von denen einer nach dem vordern, der andere nach dem hinteren Teile des Schiffes zu ausmündet und in welchem fortgesetzte, durch elektrische Funken zu entzündende Gasexplosionen erzeugt werden. Die ganze Maschinerie des Schiffes besteht aus einer mit Petroleum gespeisten Dynamomaschine. Natürlich kann bis jetzt das Ganze nur ein Versuch genannt werden, sollte sich die Erfindung indess bewähren, so ist dieselbe vielleicht bestimmt, eine grosse Umwälzung im ganzen bisherigen System des Schiffbaus hervorzurufen.

Die **Miesmuschel-Epidemie in Wilhelmshaven** scheint jetzt völlig aufgehellt, und ist unsere Annahme von der Gefährlichkeit der stagnirenden und durch allerlei Zuflüsse verunreinigten Dockgewässer für die Gesundheit und das Leben aller Fische, sowie von der Ungefährlichkeit der in freier See gefangenen Miesmuschel dadurch lediglich bestätigt. Es geht dies aus folgenden 2 Mitteilungen unzweideutig hervor. Die *Oldenburger Zeitung* schreibt: Die neuerdings durch den Kreis-Physikus Herrn Dr. Schmidtmann angestellten Versuche mit den vielbesprochenen Miesmuscheln haben ergeben, dass nicht giftige, im Werft-Bassin ausgesetzte Miesmuscheln innerhalb 14 Tagen ungemein giftig geworden sind, während umgekehrt giftige Muscheln in der Hafen-Einfahrt ausgesetzt, in demselben Zeitraum ihre gefährliche Eigenschaft vollkommen verloren hatten. Hiernach müssen die im Werft-Bassin vorkommenden Muscheln unter allen Umständen als giftig angesehen werden. Die Oberwerft-Direction ersucht daraufhin die Ressortchefs, die unterhabenden Arbeiter etc. von dem Vorstehenden auf geeignete Weise in Kenntnis zu setzen und dieselben nochmals vor dem Genuss von aus dem Werft-Bassin entnommenen Miesmuscheln zu warnen.

Und die *Vossische Zeitung* berichtet unter dem 13. Dec. v. J. aus Kiel: Bekanntlich sind in Wilhelmshaven in Folge des Genusses von Miesmuscheln schwere Erkrankungen und selbst mehrere Todesfälle vorgekommen. Die hiesigen Professoren Möbius und Falk haben jetzt zahlreiche Untersuchungen mit Miesmuscheln aus den verschiedensten Stellen des Kieler Hafens angestellt und nirgends hat man giftige Tiere gefunden. Es ist nach den bisherigen Ermittelungen Grund zu der Annahme vorhanden, dass die Muscheln im Wilhelmshavener Hafenkanal erst degenerirt und in Folge ganz bestimmter Ursachen, welche einen rein lokalen Charakter haben, giftig geworden sind. In dem Wilhelmshavener Hafenkanal, resp. im Bassin, befindet sich ein stagnirendes Wasser, welches in seinen unteren Schichten gar nicht bewegt werden kann. Da alle Abflüsse in diesen Kanal münden und alle Abfälle aus den Schiffen in denselben geworfen werden, so kann man sich leicht vorstellen, dass Fische in demselben nicht leben können; wenn sie durch die Schleuse in den Kanal gelangen, so werden sie betäubt.

Baron **Lüdorff**, auch Geh. Kommerzienrat, auch Sachsen-Koburg-Gothaischer Baron, hauptsächlich aber in ostasiatischen Gewässern bekannt als der famose Gründer der ostsibirischen Handelsgesellschaft schmerzlichen Andenkens, scheint das Sprichwort bestätigen zu sollen, dass „der Krug so lange zu Wasser geht, bis er bricht". Nachdem er jahrelang mit der Hamburger Firma Dieckmann prozessirt und in zweiter Instanz verurteilt worden ist, soll er jetzt des Betrugs und der Unterschlagung sich schuldig gemacht haben. Auf Antrag der Staatsanwaltschaft verhaftet, ist er einen Augenblick gegen eine Kaution von 15 000 ℳ wieder auf freien Fuss gestellt, da er behauptete krank zu sein. Weil man indes glaubte, Ursache zu haben, einen Fluchtversuch befürchten zu müssen, war schon seit einigen Tagen eine polizeiliche Bewachung des „Barons" eingeleitet. Auf Beschwerde des Oberstaatsanwalts beim Oberlandesgericht beschloss dieses darauf die sofortige Verhaftung des angeblich leidenden Barons und fuhr kürzlich in aller Frühe ein Krankenwagen bei letzterem vor, um ihn nach dem Untersuchungsgefängnis überzuführen. Er wird sich nun gegen die Anklage wegen betrügerischen Bankerotts zu verantworten haben. Diese Nachricht wird in ostasiatischen Kreisen, in welchen man seit langer Zeit gegen den „Baron" grossen Groll hegte, — uns liegen eine Menge bezüglicher und höchst anzüglicher Daten vor — mit grosser Befriedigung aufgenommen werden.

Das **deutsche Reich** zählt nach der **neuesten Volkszählung** nicht weniger als 24 Städte über 100 000 Einwohner. Es sind dies Berlin, Königsberg, Danzig, Breslau, Magdeburg, Altona, Hannover, Frankfurt a. M., Hamburg, Bremen, Dresden, Leipzig, Chemnitz, Strassburg, Köln, Elberfeld, Barmen, Aachen, Düsseldorf, München, Nürnberg, Stuttgart, Dortmund und Crefeld. Das ungeheure Anwachsen der grossen Städte zeigt sich wieder deutlich. Noch in der Mitte der fünfziger Jahre gab es in Deutschland nur 4 Städte über 100 000 Einwohner. Es waren dies Berlin, Hamburg, Breslau, München. Köln und Dresden hatten damals die Zahl 100 000 nicht erreicht, obwohl sie sich lange Zeit dicht davor befanden. Berlin, das jetzt 1 300 000 Einwohner zählt, hatte damals 450 000. Die ausserordentlich rasche Vermehrung der über 100 000 Bewohner zählenden Orte beginnt erst nach 1866.

Verlag von H. W. Silomon in Bremen. Druck von Aug. Meyer & Dieckmann, Hamburg, Alterwall 86.

HANSA

Redigirt und herausgegeben
von
W. von Freeden, BONN, Thomastrasse 9.
Telegramm-Adresse:
Freeden Bonn,
oder
Neuer Alterwall 28 Hamburg.

Verlag von *H. W. Silomon* in Bremen.
Die „*Hansa*" erscheint jeden 2ten Sonntag.
Bestellungen auf die „*Hansa*" nehmen alle Buchhandlungen, sowie alle Postämter und Zeitungsexpeditionen entgegen, desgl. die Redaktion in Bonn, Thomastrasse 9, die Verlagshandlung in Bremen, Obernstrasse 44 und die Druckerei in Hamburg, Alterwall 18. Sendungen für die Redaktion oder Expedition werden an den letztgenannten drei Stellen angenommen. Abonnement jederzeit, frühere Nummern werden nachgeliefert.

Abonnementspreis:
vierteljährlich für Hamburg 2½ ℳ.
für auswärts 3 ℳ = 3 sh. Sterl.
Einzelne Nummern 60 ₰ = 6 d.

Wegen Inserate, welche mit 25 ₰ die Petitzeile oder deren Raum berechnet werden, beliebe man sich an die Verlagshandlung in Bremen oder die Expedition in Hamburg oder die Redaktion in Bonn zu wenden.

Frühere, komplete, gebundene Jahrgänge v. 1872, 1874, 1876, 1877, 1878, 1879, 1880, 1881, 1882, 1883, 1884 sind durch alle Buchhandlungen, sowie durch die Redaktion, die Druckerei und die Verlagshandlung zu beziehen. Preis ℳ 6; für letzten und vorletzten Jahrgang ℳ 8.

Zeitschrift für Seewesen.

No. 2. HAMBURG, Sonntag, den 24. Januar 1886. 23. Jahrgang.

Inhalt:

Deutscher Nautischer Verein.

Sechstes Rundschreiben.

1. Die *siebzehnte Jahresversammlung des Deutschen Nautischen Vereins* berufe ich hiermit auf den 22.—24. Februar d. J. nach Berlin, „Norddeutscher Hof", Mohrenstrasse No. 20, ein.

2. Der Vorstand der *Nautischen Gesellschaft* zu *Greifswald* hat mich ersucht, folgende beiden Gegenstände auf die Tagesordnung des bevorstehenden Vereinstages zu setzen:

a. *Belegung der Oderbank mit einem Leuchtschiffe;*
b. *Anschaffung eines Lotsendampfers für Memel.*

In Betreff der ersteren Sache wird darauf hingewiesen, dass dieselbe bereits früher von Barth angeregt, aber immer noch nicht zur Ausführung gelangt sei. Zur Begründung des zweiten Antrages heisst es: „Die Lotsenbesetzung der in Memel ankommenden Schiffe ist eine ungemein schwierige, weil dem Lotsenkommandeur nicht immer ein kleines Dampfschiff zu diesem Zwecke zur Verfügung steht. Es soll früher besser gewesen sein, solange der Dampfer „Agamemnon" noch dort war. Derselbe ist jedoch nach England verkauft worden und der jetzige Regierungsdampfer steht hauptsächlich zur Verfügung des Wasserbaumeisters und anderer Behörden. Die Memeler Kapitäne sollen schon öfter dieserhalb petitionirt haben, aber ohne Erfolg. Infolge dessen scheint es angebracht, diese wichtige Angelegenheit durch den Deutschen Nautischen Verein behandeln zu lassen, um eine Abänderung des besagten Uebelstandes zu bewirken." — Weitere Verhandlungsgegenstände für die nächste Jahresversammlung bitte ich baldmöglichst an mich gelangen lassen zu wollen.

Der Vorsitzende des Deutschen Nautischen Vereins.
Sartori.

Die Aussichten für den Handel mit dem östlichen aequatorialen Afrika.

(Schluss.)

Nachdem ich also auseinander gesetzt habe, dass von meinem Standpunkt aus dieses Land ein wertvoller Besitz genannt werden darf, wünsche ich jetzt noch in aller Kürze anzugeben, wie das Land am besten dem Handel und der Civilisation eröffnet werden kann. Von einem guten Küstenplatz ausgehend — und man hat hier die Wahl zwischen 3 bis 4 Häfen, welche längs der Küste auf einer Strecke von 160 km liegen —, sollte sich die Expedition zuerst in dem gesunden und schönen Usambara niederlassen. Die Strassen nach dem Innern laufen nördlich oder südlich von dieser kleinen Schweiz hin und vereinigen sich im Westen von ihr. In Usambara müsste die erste Station angelegt werden, weil das Land so sehr gesund ist. Hier kann man obendrein alle Arten Getreide säen oder Gemüse bauen, denn die Nähe der See macht die Ausfuhr leicht und billig. Hinter Usambara kreuzt man das reiche und fruchtbare Thal des Mkomasi und tritt in die Hügellandschaft Pareh ein, während die Handelsstrasse längs der Ebene am Fuss der Hügel weiterzieht. Die Landschaft Pareh ist geradezu entzückend schön. Bewaldete Felsspitzen, Wasserfälle, abgeschlossene Alpenthäler, prächtige Aussichten, Alles ist da. Die Leute sind angenehm im Umgange und Lebensmittel in Fülle vorhanden. Von Pareh geht es nach Ugweno, gegenüber dem Dschipeh-See, die Strasse folgt immer der Ebene, die Stationen liegen auf den Hügeln. Von Ugweno hat man nicht mehr weit bis zum Kilima-Ndjaro, welcher Raum bietet für weitläufige Niederlassungen und ebenfalls an Lebensmitteln keinen Mangel hat. Vom Kilima-Ndjaro aus bieten sich zwei Wege, der eine und wichtigste führt am Berge Maeru vorbei, einer zweiten angenehmen Lage für eine Handelsstation, auf dem geraden Wege zum Speke-Golf am Njansa. Der andere ist mehr oder weniger der Weg Thomsons und führt zum Baringo-See und dem Nordwesten. Dies ist das an Elfenbein reichste Land. Hierher kommen jedes Jahr die Suaheli-Karawanen, welche bis zu den Grenzen Abessiniens und dem Nil Handel treiben. In allen wichtigen Gegenden müssten nach Art der Stanley'schen am Kongo Stationen angelegt werden, und diese würden mit der Zeit die Mittelpunkte der Civilisation, Cultivation und des Handels werden. Obgleich es keinem Zweifel unterliegt, dass eine unter britischen Auspicien zur Verbindung des Victoria Njansa mit der Küste angelegte Eisenbahn den ganzen Handel des östlichen aequatorialen Afrika in englische Hände liefern würde, so erscheint ein solches Unternehmen vor der Hand völlig unmöglich. Britischen Kaufleuten, Schiffsrhedern und Manufakturisten ist der Geist der „handeltreibenden Abenteurer“ abhanden gekommen; sie betrachten jedes Wagnis, welches sich nicht unmittelbar bezahlt oder die aufgewandten Unkosten deckt, mit verzeihlicher Schüchternheit. Dennoch scheint es mir noch junge kräftige Männer in unserm Lande zu geben, welche ein Wanderleben lieben und nicht deshalb vor dem Eindringen in die wilden Gegenden Afrikas zurückschrecken, weil keine Eisenbahn sie zur Stelle bringt. Ziehen doch ganze Scharen derselben Jahr aus Jahr ein in die wenig anziehenden Gegenden zwischen der Kapkolonie und dem Sambesi, lediglich angelockt durch die Lust an der Jagd oder das schier unvernünftige Gefallen, welches der Engländer daran findet, seine Nase in neue Länder zu stecken. Warum thun sich nicht einige von ihnen zusammen und stossen, statt Geld, Zeit und Kraft an die unfruchtbaren Gegenden des Betschuana-Landes zu verschwenden, kühn hinein in die Landschaften im Westen und Norden des Kilima-Ndjaro, um zu handeln, zu schiessen und auszukundschaften? Ich kann ihnen wenigstens viel grösseren Reichtum an Wild versprechen als in den meistbejagten Gegenden des südlichen Afrika, während sie nicht leicht solche ungesunde Landesteile wie das Thal des Sambesi antreffen. „Aber die Massai“! wendet man furchtsam ein. Ei, die Massai sind am Ende nicht schlimmer als die Kaffern, Sulus und selbst die Hottentotten für die ersten Ansiedler im südlichen Afrika waren. Sie wollen ein wenig geschickt behandelt werden, das ist Alles, und jeder neue Europaer wird seinen Weg von seinen Vorgängern geebnet finden, wenigstens sollte es so sein. Sodann giebt es in einigen der schönsten Länder keine Massai. Auf der directen Strasse vom Victoria Njansa nach der Küste wird blos ein Streifen von etwa 150 km. Breite, d. h. etwa ein Viertel der Entfernung von Massai durchstreift, ausserdem aber jährlich von Suaheli-Karawanen begangen.

Die nächste Aufgabe für die Entwickelung dieses Landes ist den Handel zu ermutigen und den Ackerbau einzuführen. Auf vielen Wegen der Eingeborenen, selbst in ihrem gegenwärtigen Zustande, finden starke Wagen keinerlei Hindernis, wenigstens nicht bis zu den Umgebungen des Maeru und Kilima-Ndjaro, d. h. bis zur Mitte der Strecke bis zum Victoria Njansa. Maulesel kann man in Menge in Sansibar kaufen und werden im Lande gut gedeihen, oder man kauft sich Esel von den Massai. Ochsen lassen sich zweifelsohne ebensogut zu den Wagen verwenden, als an der Küste. Wie ich schon bemerkt habe, *es existirt keine Tsetse-Fliege im Lande*, so dass mit der Zeit auch die Pferdezucht versucht werden darf.*) Menschenhülfe ist reichlich an der Küste und für nicht viel Geld zu haben. Gute starke Träger kann man mieten für 5 Dollars oder 21 M den Monat, und ihre tägliche Ernährung kostet etwa 20 Pf. Viele dieser Leute geben ganz anständige Soldaten und Polizisten ab, wie auch Stanley am Kongo erfahren hat. In der Regel sind die Sansibar-Träger treue, vertrauenswürdige Leute — so habe ich sie stets erfunden, und ausserdem noch sehr schöne Charakteigenschaften an ihnen entdeckt. Können sie sich einmal nicht mit einem weissen Mann stellen, so liegt die Schuld höchstwahrscheinlich an ihm; ein wenig Zucht und ein gütiges, ruhiges Benehmen hält sie immer in Ordnung. Viele von ihnen können ihre eigene Sprache in arabischer Schrift lesen und schreiben, sodass man nach Gefallen ihnen briefliche Mitteilungen in die Ferne schicken kann. Die Kosten des Unterhalts dieser Leute im Lande würden sich nach den ersten Jahren bedeutend niedriger stellen, weil man bald hinlängliche Lebensmittel zur Ernährung der ganzen Expedition selber würde ziehen können. Diese Sansibarer lassen sich leicht zufriedenstellen. Sie leben ohne zu klagen von einigen Hand voll Mais täglich, oder ein wenig Reis mit getrocknetem Fisch oder einfach von Bananen; und gelingt es einem ein Zebra oder eine Antilope zu schiessen, so sind sie überglücklich. In 2 Tagen erbauen 10 Mann dem Europäer ein geräumiges Haus, und in viel kürzerer Zeit sind ihre eigenen einfacheren Wohnungen hergerichtet. Sie sind ganz ausnehmend geschickt, können Gärten bepflanzen, Wege machen, Tiere fangen, Häute salzen, Vogelkäfige machen, Kleider waschen und ausbessern, ja selbst machen, eine Mittagsmahlzeit bereiten und mit gleicher Leichtigkeit einen Blumenstrauss binden. Sie sind viel erfindungsreicher als englische Matrosen, ertragen Entbehrungen viel leichter, und sind viel höflicher in ihrem Benehmen als diese. Ohne Frage sind sie das Mittel und die Kraft, durch welche Ostafrika aufgeschlossen werden wird.

Die Weissen, welche als die Unternehmer einer grossen Handelsexpedition in Mittelafrika auftreten wollen, müssen junge, kräftige und thätige, nicht aber wie so häufig abgenutzte, geknickte Männer sein, welche ihren Beruf verfehlt haben und in Afrika ihre letzten Karten ausspielen. Sie sollten hinreichend gebildet sein, um ein verständiges Interesse an der wundervollen Natur zu nehmen, welche sie hier umgiebt. Es spielt niemand eine jämmerlichere Rolle in Afrika als so ein gänzlich ungebildeter Mensch; er härmt sich ab und siecht dahin, weil er kein Gefühl für seine Umgebung hat, während solche Freunde der Natur dieses Landes welche sich von der interessanten Fauna und Flora des aequatorialen Afrika angezogen fühlen, niemals das Gefühl der Einsamkeit empfinden, noch Zeit dazu haben, krank zu werden. Hat er obendrein Lust zur Jagd, so kann er sich niemals unglücklich fühlen, denn dieses Land bietet allüberall die prächtigsten Jagdgründe der Welt. In diesem Fall wird die Jagd auch nicht zur nutzlosen Schlächterei schöner Tiere. Vielmehr kann er seine Karawane kostenlos mit frischem Fleisch versorgen und manche schöne Felle und Häute für später zurücklegen. Trifft man Elefanten, so ist ein Jäger ein wahrer Schatz für die Gesellschaft, weil er Elfenbein umsonst gewinnt. Ich selber habe Leute im südwestlichen Afrika kennen gelernt, welche sich mit Elfenbein und Straussenfedern ein Vermögen erworben haben.

Dass die Eröffnung dieses Landes dem Handel ein neues Feld zuführen würde, davon bin ich fest überzeugt. Wohin ich kam, waren die Eingeborenen auf Handelsgeschäfte erpicht, — sie wollten immer lieber handeln als fechten. Beständig sagten sie zu mir, „warum kommst du nicht zu uns und errichtest einen Laden — Laden heisst bei ihnen *Djuka*, was sie von den Sansibarern übernommen haben —, damit wir unsere Sachen gegen deine Waaren umtauschen können?“ An 250 km. von der Küste entfernten Örtern habe ich Leute, welche nie zuvor einen weissen Mann gesehen hatten, im Besitz von Maria-Theresia-Thalern und indischen Rupien gesehen, wofür sie von mir Tücher kaufen wollten. Sie hatten natürlich diese Münzen von den Küstenhändlern bekommen, aber das beweist doch, dass sie den Wert des Geldes zu verstehen anfangen; Mandara, der Fürst von Moschi, am Kilima-Ndjaro, wollte durch meine Vermittelung sich sogar ein Bankkonto in Sansibar verschaffen und hatte eine bestimmte, wenn auch rohe, Idee von Anweisungen. Selbst die stolzesten Stämme hier haben ein Bedürfnis nach fremden, ausländischen Gegenständen welches befriedigt werden muss. Des weiteren wird man, sobald der Handel begonnen hat und ein fester Markt eingerichtet ist, dadurch den Sklavenhandel unterdrücken. Die Häuptlinge verkaufen jetzt ihre Leute in die Sklaverei, weil die Araber nichts anderes von ihnen kaufen und Sklaven für den Küstenhändler die nützlichste Geldanlage sind; aber man überzeuge sie einmal — und die Afrikaner sind viel praktischer als man gewöhnlich glaubt — dass sie mehr Geld verdienen können, wenn sie ihre Sklaven dazu anhalten, den Boden zu bebauen und Nahrungsmittel und andere Handelsprodukte zu erzeugen, und ich bin ganz sicher, dass der Verkauf dieser Unglücklichen ins Ausland aufhören wird. Jetzt führt ein Häuptling gegen den andern Krieg lediglich zu dem Zweck, um sich Gefangene zu verschaffen und sie als Sklaven zu verkaufen, aber der Handelstrieb wird den Frieden herbeiführen, indem er das Schwert in eine Sichel umwandelt und die verlassenen Felder mit schönen, marktfähigen Ernten bedeckt. Diese Menschen verdienen recht wohl die Segnungen der Civilisation — ja selbst die stolzen und räuberischen Massai nehmen schon mildere Sitten an, wo sie mit dem Küstenhandel in Berührung kommen.

Ich würde vorschlagen, bei jeder Unternehmung zur Aufschliessung des östlichen aequatorialen Afrika den Kilima-Ndjaro zum Mittelpunkt der Operationen zu machen, sowohl wegen des schönen Klimas und der Verträglichkeit der Eingeborenen, als auch aus dem ferneren Grunde, weil das Land zwischen dem Kilima-Ndjaro und der Küste keine Gefahren birgt.

Es unterliegt für mich keinem Zweifel, dass einige, wenn nicht viele meiner Leser verschiedenen meiner Behauptungen mit reizbarer Ungläubigkeit zugehört haben. Für die beschauliche Natur eines Engländers, welcher genug verdient hat um davon leben zu können und seinen Besitz in Ruhe zu geniessen wünscht, ist es etwas langweilig, unter Reisende zu geraten, — deren Werke er sonst im bequemen Lehnstuhl überfliegt — welche hartnäckig darauf bestehen, ihn mit neuen und wundervollen Landstrichen bekannt zu machen, welche möglicher Weise Dorados werden können, an welchen er Interesse nehmen und in welchen er sein Geld anlegen soll, weil sie sonst ihn nicht in Ruhe lassen, sondern beständig seine Ohren mit der fürchterlichen Nachricht betäuben, dass er eine unwiederbringliche Gelegenheit versäumt hat, seinen Patriotismus und seinen Scharfsinn in Handelsangelegenheiten zu zeigen. Wir kennen ja diese Klagen und Ausrufe sattsam, welche immer wieder durch die Presse gehen und John Bull beim Frühstück angreifen und auf dem Rückweg aus dem Geschäft martern. „Du hast schon die Kornkammer von Afrika oder Amerika verloren,“ so rufen die Stimmen eine um die andere „Jetzt bist Du im Begriff, den Garten von Asien den Franzosen, Russen, Deutschen zu überlassen!“ und so geht es weiter. Ich für meinen Teil bekenne gern, dass ich eher mit

*) In Usambara, im Norden von Massai-Land, kommen Pferde im Ueberfluss vor und werden oft zum Verkauf nach der Sansibar-Küste geführt.

solchen Lesern sympatisire, welche nach Durchlesung eines Kapitels wie dieses eine gewisse ruhelose Keckheit verraten. Das Gefühl entspringt teilweise aus einer versteckten Überzeugung von einem Element von Wahrheit in diesen Berichten und zum andern Teil aus dem Verdruss, dass man diese günstigen Verhältnisse nicht übersehen darf, sondern sie entweder selber sich zu eigen machen oder in andere Hände übergeben muss. „Warum könnt Ihr uns nicht in Frieden lassen?" fühlen sie sich geneigt auszurufen, „wir haben genug verdient für unsern unmittelbaren Bedarf, wir wollen uns auf neue Unternehmungen nicht weiter einlassen." Oder sie bemühen sich, mit Behagen über den Störenfried herzufallen, indem sie Beweis gegen Beweis stellen und seine verführerische Statistik angreifen. Ja, lieber Leser, es thut mir ja selbst leid, dass ich Sie damit gequält und getäuscht habe, indem ich einige Blätter, mit einer kommerziellen Propaganda gefüllt, in ein, wie Sie glaubten als Sie dem Buchhändler die Bestellung aufgaben, Durchschnittsbuch über Afrika einschmuggelte, in welchem Sie nichts als Abenteuer mit Löwen, Luftsprünge durch Büffel, Begegnungen mit widerwärtigen Eingeborenen u. s. w. zu finden erwarteten. Glauben Sie mir, dass ich es nicht aus eigenem Interesse gethan habe. Ich bin kein afrikanischer Händler und werde es nie werden. Ich will keine Gesellschaft gründen, um Ostafrika aufzuschliessen und in Landbesitz zu spekuliren. Wenn eine Eisenbahn zum Kilima-Ndjaro gebaut wird, so werde ich von diesem Fortschritt wahrscheinlich in den Wäldern von Borneo oder auf den Schneegipfeln der Anden hören und mich dabei erinnern, dass ich einstmals auch in jener Gegend der Erde war. Wissenschaftliche Bestrebungen und eine gewisse Wanderlust haben mich in jene reich ausgestatteten Gegenden geführt, wie sie mich vielleicht nächstes Jahr in eine andere Gegend führen werden, und ich habe es für richtig gehalten, meinen Landsleuten nicht zu verschweigen, welche Vorteile sie bieten, damit, wenn britische Kaufleute und Menschenfreunde den Verlust jenes grossen afrikanischen Sanatoriums beweinen, sie wenigstens nicht Unbekanntschaft mit seiner Lage und seinen Vorteilen vorschützen können.

Damit seien denn diese meine armseligen Bemerkungen dem gütigen Ermessen des Publikums übergeben, welches über die Schriftsteller des Tages zu richten hat.

Die Benutzung der Quai-Anlagen in Hamburg in den Jahren 1883—85.

Die Quai-Anlagen in Hamburg umfassen den Sandthor-, Kaiser-, Dalmann-, Hübener-, Strand-Quai sowie den Quaispeicher und wurden dieselben fast ausschliesslich von Dampfern, ausser von einzelnen deutschen, englischen, französischen, dänischen Seglern benutzt. Die Quaiverwaltung bezw. die Deputation für Handel und Schiffahrt veröffentlicht jedes Jahr über die Benutzung dieser Anlagen ausführliche Uebersichten, denen wir Nachstehendes entnehmen.

1. Nach *Flagge* und *Bauart* geordnet kamen an:

	1885		1884		1883	
	Schiffe	Register-Tons	Schiffe	Register-Tons	Schiffe	Register-Tons
Deutsche	865	816 455	792	759 893	643	637 626
Englische	1 359	902 400	1 345	940 237	1 346	927 575
Französische	80	56 331	116	83 407	118	82 285
Norwegische	62	31 919	41	30 851	51	23 165
Dänische	2	1 376	1	182	2	1 284
Belgische	2	2 318		—	—	—
Schwedische	51	16 628	53	16 178	52	14 621
Holländische	168	61 865	156	56 136	151	66 814
Spanische	86	55 960	80	49 641	48	22 122
Total	2 675	1 945 259	2 604	1 936 515	2 411	1 774 282
Von diesen Schiffen enthielten Ladung	2 513	1 846 924	2 452	1 849 637	2 223	1 661 412
Leer kamen an	162	98 335	152	85 878	188	112 870

31 namhaft aufgeführte Rhedereien und Agenten teilen sich in die Expeditionen dieser Schiffe, mit 329 (H. J. Perlbach & Co.) 282 (A. Kirsten) 273 (C. Hugo) 245 (Wilhelm Pott) 143 (D. Fuhrmann) 125 (H.-A. P.-A.-Gesellschaft) 116 (H. C. Röver) 115 (W. Zoder) bis herunter 1 Schiff (J. Silvain).

Die meisten dieser Dampfer sind natürlich regelmässige Packetschiffe und kommen deshalb alljährlich mehrere Male in den Hamburger Hafen. So machten im verflossenen Jahre

160 deutsche Schiffe 865 Reisen, durchschnittlich 5.1 Reisen
159 englische » 1 359 » » 8.6 »
9 französische » 80 » » 8.9 »
20 holländische » 168 » » 8.4 »
7 schwedische » 51 » » 7.3 »
22 norwegische » 62 » » 2.8 »
2 dänische » 2 » » 1.0 »
17 spanische » 86 » » 5.1 »
2 belgische » 2 » » 1.0 »

2. Nach den *Abgangshäfen* geordnet, so kamen von:

	1885		1884		1883	
	Schiffe	Register-Tons	Schiffe	Register-Tons	Schiffe	Register-Tons
Amsterdam	100	36705	104	38078	97	38 360
Antwerpen	51	26920	53	28670	52	26 281
Bordeaux	16	10847	20	13635	8	6 242
» u. Hâvre	43	31119	43	30330	60	55 831
Bremen	4	2832	6	1606	4	813
Bristol	34	19399	17	7804	14	9 018
Boulogne	—	—	—	—	1	205
Cardiff	1	1096	1	1721	—	—
Dublin	—	—	1	445	—	—
Dundee	55	30479	53	31661	51	32 465
Goole	197	90856	193	90098	174	79 274
Grimsby	133	85116	107	78239	112	70 601
Gothenburg, Copenhagen etc.	49	16228	51	14429	52	14 631
Harwich	123	70478	55	30244	—	—
Hull	210	152835	209	177107	207	164 984
Hartlepool	104	56145	104	56143	105	56 780
Häfen des Mittelländ. Meeres	82	72775	67	56255	62	53 151
Häfen a. d. Elbe	55	23415	81	34669	63	29 529
Hâvre	22	14623	62	42802	29	22 674
Kings Lynn	81	35413	85	36384	90	37 780
Leith	106	101694	103	97621	114	96 012
Liverpool	93	87507	93	91480	100	102 900
London	499	320263	518	327274	520	352 241
Nantes	—	—	3	788	—	—
Norwegen, div. Häfen	71	31569	54	28696	42	19 884
Odessa	1	1098	—	—	—	—
Oporto	54	25813	39	19252	31	10 321
Patras	1	347	—	—	—	—
Rotterdam	66	26055	58	24146	67	26 264
Schottland div. Häfen	57	10807	68	14022	58	13 744
Spanien	85	55853	76	49293	51	28 062
Southampton	15	15245	2	2192	—	—
Stockholm	1	306	1	306	1	306
Transatlantische Häfen	289	492595	287	505498	252	411 517
Total	2 675	1 945 259	2 604	1 935 515	2 411	1 774 282

3. Wie endlich die Quais unter sich von den verschiedenen Schiffen und Nationalitäten besucht wurden, ergiebt sich aus nachstehender Uebersicht. Demnach benutzten im Jahre 1885

der Nationalität nach	den — Quai					Quai-Speicher	Total Schiffe	Register Tons
	Sandthor-	Kaiser-	Dalmann-	Hübener-	Strand-			
Deutsche Schiffe	232	268	173	80	92	—	865	816 455
Englische »	479	382	207	100	101	—	1 359	902 400
Französische »	1	2	66	3	8	—	80	56 332
Holländische »	67	101	—	—	—	—	168	61 865
Schwedische »	1	—	—	48	2	—	51	16 628
Norwegische »	3	3	1	—	56	—	62	31 919
Dänische »	1	—	—	—	1	—	2	1 375
Spanische »	1	1	2	—	82	—	86	55 959
Belgische »	—	—	—	1	1	—	2	2 311
Total	785	777	449	322	342	—	2 675	1 945 259

Die Entweichungen von Seeleuten der deutschen Handelsmarine im Jahre 1884.

Nach den im Oktoberheft der „Monatshefte zur Statistik des Deutschen Reichs", 1885, gegebenen Nachweisen sind im Laufe des Jahres 1884 im Ganzen 4 109 Entweichungen von Seeleuten der deutschen Handelsmarine zur Anzeige gekommen, von denen 79 noch in das Vorjahr fallen. Dagegen hatte die Zahl der zur Anzeige [illegible] 4400, 1881: 4082, 1880: 3662 und im Durchschnitt der Jahre 1880/84: 4159 betragen.

Während demnach vom Jahre 1880 bis 1883 die Zahl der Desertionsfälle von Jahr zu Jahr gestiegen war, (von 1880 auf 1881 um 11,5 %, von 1881 auf 1882 um 7,8 %, von 1882 auf 1883 um 3,2 %, und von 1880 auf 1883 um 24,0 %), ist sie im Vergleich zu letzterem Jahre im Jahre 1884 wieder um 9,5 % zurückgegangen.

Vergleiche man die bezüglich der Zahl der Desertionsfälle in den Jahren 1880 bis 1884 gemachten Angaben mit denjenigen Zahlen für die Gesamtbesatzung der deutschen Kauffahrteischiffe, welche am 1. Januar jedes dieser Jahre ermittelt worden sind, so kommen auf 1000 Mann Besatzung im Jahre 1880: 91, 1881: 103, 1882: 113, 1883: 116 und 1884: 101 Entweichungen, sodass auch bei dieser Vergleichung für das letztgedachte Jahr gegenüber den beiden Vorjahren ein wesentlicher Rückgang der Desertionsfälle sich ergiebt.

Der Jahreszeit nach kommen von den für das Jahr 1884 verzeichneten Entweichungen auf die Monate April bis Oktober durchschnittlich je 385, November bis März dagegen durchschnittlich nur 267, und die geringste Zahl mit 120 auf den Monat Dezember. In ähnlicher Weise haben auch in den Vorjahren die Sommermonate vor den Wintermonaten durch eine grössere Zahl von Entweichungsfällen sich ausgezeichnet, ohne Zweifel deshalb, weil der Schiffsverkehr der deutschen Handelsflotte in den erstgedachten Monaten stärker ist als in den letzteren, in welchen ein nicht unbeträchtlicher Teil derselben wegen schwieriger Schiffahrt, höheren Risikos u. s. w. ganz still liegt.

Nach der dienstlichen Stellung, dem Alter und der Nationalität unterscheiden sich die Deserteure folgendermassen für die Jahre 1880 bis 1884.

Dienstliche Stellung der Entwichenen	Zahl der Entwichenen 1880	1881	1882	1883	1884
Steuerleute und Bootsleute	36	44	53	33	25
Schiffshandwerker	316	330	347	334	290
Matrosen u. Leichtmatrosen	2 185	2 356	2 602	2 599	2 340
Schiffsjungen	431	479	459	381	423
Maschinisten u. Assistenten	7	12	14	11	14
Heizer u. Kohlenzieher etc.	564	757	811	954	925
Lagermeister etc.	59	62	51	51	49
Personen unbek. Stellung	64	42	60	174	43
Von den Entwichenen waren:					
unter 15 Jahr alt	5	14	8	5	6
von 15 bis unter 20 Jahr alt	669	703	833	792	708
„ 20 „ „ 25 „ „	984	992	1 063	1 158	1 092
„ 25 „ „ 30 „ „	672	827	793	827	716
„ 30 „ „ 40 „ „	394	463	483	500	420
„ 40 „ „ 50 „ „	93	110	101	128	85
50 Jahr und darüber alt	10	7	26	12	13
unbekannten Alters	835	960	1 147	1 118	1 069
Unter den Entwichenen befanden sich:					
Deutsche	2 207	2 643	2 800	2 880	2 645
Ausländer	1 315	1 330	1 517	1 586	1 424
Personen unbek. Herkunft	140	129	83	74	40
In Bezug auf die angegebene Zahl der deutschen Angehörigen war die engere Heimat:					
unbekannt bei	391	505	1 624	1 640	1 350
Preussen	1289	1 518	910	907	982
Hamburg	164	191	48	94	85
Bremen	91	120	45	46	52
Oldenburg	84	64	30	34	29
Mecklenburg	55	69	48	44	29
das übrige Deutschland	153	136	89	115	118

Mit Heuer, also mit Aneignung eines noch nicht verdienten Vorschusses sind entwichen 599 Seeleute oder 14,6 % der Gesamtzahl gegen 851 oder 18,7 % im Jahre 1883, 915 oder 21,5 % im Jahre 1882, 942 oder 23,1 % im Jahre 1881 und 757 oder 20,7 % im Jahre 1880. Bestimmte Schlüsse lassen sich aus diesen Zahlen nicht iehen.

In *deutschen* Häfen betrug die Zahl der angezeigten [illegible] kommen 191 auf Hamburg, 71 auf Bremen, 33 auf Danzig und 11 auf Swinemünde. Unter den Entwichenen waren 273, also die weit überwiegende Mehrzahl, Deutsche.

Wie sich die Entweichungen auf die ausserdeutschen Häfen verteilen, geht aus den nachstehenden Zahlen hervor.

Es sind entwichen im Jahre 1884: In den Vereinigten Staaten von Amerika 2545 (61,9 %), davon in New-York 1694 (41,2 %), Baltimore 328 (8,0 %), S. Francisco 91 (2,2 %), Philadelphia 199 (4,8 %), in britischen Häfen 301 (7,3 %), davon in Cardiff 69 (1,7 %), Shields 14 (0,3 %), London 59 (1,4 %), Liverpool 25 (0,6 %), Newcastle 13 (0,3 %), Hull 16 (0,4 %), in Central- und Südamerika 338 (8,2 %) Australien und Südsee 243 (5,9 %), Ostindien 60 (1,5 %), Frankreich 66 (1,6 %), Russland 24 (0,6 %), China 66 (1,6 %), Niederland 40 (1,0 %), Belgien 38 (0,9 %), Afrika 23 (0,6 %). —s—

Hafengebühren in Ecuador.

Eine Verordnung der Nationalversammlung der Republik Ecuador vom 8. August v. J. lautet wie folgt:

Jedes in die Häfen der Republik einlaufende Segelschiff zahlt für jede Registertonne die Steuer von 10 Centavos de Sucre für jedes Leuchtfeuer oder jeden Leuchtturm, welche sich in den Hafen befinden, in welche es einläuft.

Dampfschiffe zahlen die Hälfte der genannten Steuer.

Kein Schiff von mehr als 30 T. darf ohne Lotsen in die Mündung des Guayaquil ein- oder aus derselben auslaufen, und dasjenige, welches dies thut, hat die entsprechende Gebühr bis zur Insel Puná zu zahlen.

Das Lotsengeld wird nach der Fusszahl des Tiefgangs jeden Schiffes in den nachstehenden Beträgen bezahlt.

Von Santa Clara bis Guayaquil 2 Sucres für jeden Fuss und 1,60 Sucre von Puná bis Guayaquil, wobei die Steuer für die Einfahrt gleich derjenigen für die Ausfahrt ist.

Die inländischen Kriegsschiffe sind von dieser Abgabe befreit, auch sind die Lotsen verpflichtet, ihnen ihren Dienst unentgeltlich zu leisten.

Den Hafenkapitänen gebühren als Nebeneinnahme 3,20 Sucres, welche ihnen jedes inländische oder fremde Schiff zu zahlen hat, wenn es aus einem fremden Hafen kommt, und 80 Centavos für jede einzelne Abfertigung einer Musterrolle.

Alle Schiffe von 20 T. und darunter und diejenigen inländischen, welche an den Küsten der Republik Küstenhandel treiben, sind von der Zahlung dieser Abgabe befreit —s—

Bestand der französischen Handelsmarine im Jahre 1884.

Der Bestand der Handelsmarine, Segel- und Dampfschiffe zusammen genommen betrug im Jahre 1884 15 352 Fahrzeuge von 1 003 829 T.

Davon entfallen auf:

Kleinfischerei	10 075	83 332
Grossfischerei	535	57 767
Küstenfahrt	2 160	106 [illegible]
Schiffahrt in europäischen Meeren und im mittelländischen Meere	648	220 960
Lange Fahrt	766	530 690
Lotsenfahrzeuge, Schlepper, Yachten etc.	1 168	34 846

—s—

Von der österreichischen Kriegsmarine.

Während der ersten Woche des Dezembers 1885 wurden mit dem von der Marine-Sektion des Reichs-Kriegsministeriums bei der englischen Firma Armstrong in Bestellung gegebenen Torpedokreuzer „Panther“ mehrere Probefahrten unternommen, die von dem günstigsten Erfolge begleitet waren und zu der Hoffnung berechtigen, dass der „Panther“, sowie sein schon im September 1885 vom Stapel gelaufenes Schwesterschiff „Leopard“, den höchsten an diese moderne Schiffsklasse zu stellenden Forderungen entsprechen werden. Die in Verwendung gebrachte neuartige Maschine mit künstlichem Zuge ist ein Motor, der eine bisher in der österreichischen Marine ungeahnte Leistungsfähigkeit und dabei trotzdem ein so geringes Gewicht besitzt, dass den gestellten Anforderungen schon bei viel mässigeren als den für gewöhnliche Propeller berechneten Dimensionen des Schiffes entsprochen werden kann.

Bei einer der unternommenen Dauerfahrten hat der „Panther“ mit natürlichem Zuge 16.2, bei einer anderen Probefahrt mit künstlichem Zuge 18.3 Meilen in der Stunde zurückgelegt. Das sind ganz zufriedenstellende Leistungen, und dabei ist das Maximum der Leistungsfähigkeit noch keineswegs erreicht, denn die Maschinen-Ingenieure der englischen Firma betrachten die Experimente mit der Maschine noch nicht als abgeschlossen, da sie positive Anhaltspunkte für die Möglichkeit einer weiteren Steigerung der Leistungsfähigkeit der Maschine mit künstlichem Zuge zu besitzen glauben. Es ist daher wahrscheinlich, dass der „Panther“ ebenso wie der „Leopard“ bei der offiziellen Übergabe an die österreichische Marine eine Schnelligkeit von 19 Meilen in der Stunde besitzen werden.

Vorläufig werden diese beiden Torpedokreuzer vollständig zu- und ausgerüstet, mit Ausnahme der Artillerie, denn die für jeden dieser beiden Kreuzer in Aussicht genommenen zwei 12 cm Hinterladegeschütze werden erst in Pola installirt. Voraussichtlich werden beide Schiffe, deren jedes eine Wasserverdrängung von 1530 T. und deren Maschine eine Pferdekraft von 3500 besitzt, anfangs 1886 nach Pola übergeführt. Hier erfolgt dann die Bestückung, die ausser den erwähnten je zwei Hauptgeschützen noch aus mehreren Boots- und Landungsgeschützen, sowie aus Mitrailleusen und Torpedos bestehen wird. Sobald diese Schiffe in Pola anlangen, wird nach dem Modell derselben auf der Marine-Werft (Oliveninsel) der Bau eines dritten schnellen Torpedokreuzers, der mit allen seinen Bestandteilen im Inlande hergestellt werden soll, in Angriff genommen.

Schliesslich mag noch erwähnt werden, dass der Fortgang des Baus der nun ebenfalls in Pola hergestellten Yarrowboote ein derartiger ist, dass die österreichische Kriegsmarine im Frühjahr d. J. bereits über 28 Torpedoboote (zwei erster, zwanzig zweiter und sechs dritter Klasse) verfügen wird.

F. K.

Berichte über das Rhedereigeschäft im III. Quartal 1885.

Memel. Im abgelaufenen Quartal sind in den hiesigen Hafen

184 Schiffe in Ballast
3 „ Nothafen und versegelt
126 „ mit Frachten

eingekommen, dagegen

13 Schiffe in Ballast
3 „ Nothafen und versegelt
290 „ mit Frachten

ausgelaufen.

Danzig. Während der Monate Juli und August verharrten die Holzfrachten auf dem bisherigen niedrigen Stand, und erst im September trat, weil die meisten anlangenden Schiffe aufgelegt wurden, trotz schwachen Begehrs eine kleinere Steigerung ein. Dampfer litten hier unter dem Mangel an Frachtgütern, namentlich von Getreide; erst gegen Schluss des September stellte sich einiger Bedarf, besonders für Belgien und die Niederlande ein, ohne dass es gelang, die Frachten in die Höhe zu bringen. Rückfrachten für Kohlen hierher schliessen eine Kleinigkeit fester, dagegen bleiben Petroleumfrachten von den Vereinigten Staaten von Amerika nach der Ostsee sehr niedrig. Mehrere grössere zur hiesigen Rhederei gehörige Dampfer waren aus Mangel an nutzbringender Beschäftigung während des Quartals aufgelegt, andere werden jetzt bereits ins Winterlager gebracht.

Im abgelaufenen Quartal sind in unserem Hafen 582 Schiffe eingekommen und 533 Schiffe aus demselben ausgelaufen.

Stettin. Der Schiffsverkehr hat sich mit Beginn des Herbstes wesentlich gehoben; in Folge dessen sind auch die Frachtraten besser geworden, indessen nicht in dem Masse, dass dadurch ein entsprechendes Aequivalent für die durch die vorgerückte Jahreszeit bedingten Mehrkosten und Gefahren geboten wurde. Dampfer haben besonders von Petersburg bezw. Kronstadt aus für den Transport russischen Getreides reichliche Beschäftigung gefunden.

Kiel. Das Befrachtungsgeschäft ist bei dem beschränkten Verkehr auch in den letzten drei Monaten ein recht ungünstiger gewesen, und wohl überall hat eine nicht geringe Anzahl von Dampfern keine Beschäftigung finden können.

Bei dem geringen Begehr nach Räumten und dem Übermass der angebotenen Schiffe war selbstverständlich der Druck auf die Frachtraten ein recht grosser und die in Fahrt gebliebenen Schiffe haben durchschnittlich wohl eher mit einem Verlust als mit einem kleinen Nutzen arbeiten müssen.

Lübeck. In der Zeit vom 1. Januar bis 30. September liefen in unseren Hafen ein:

1885 . . 1098 Dampfer u. 636 Segelschiffe = 1735 Schiffe
1884 . . 1002 „ „ 716 „ = 1718 „
1885 + 97 Dampfer u. — 80 Segelschiffe = + 17 Schiffe

Flensburg. Dampferfrachten — Segelschiffe kommen fast garnicht in Betracht — haben gegen das zweite Vierteljahr eher noch einen kleinen Rückgang erfahren; so sind im Laufe des dritten Quartals verschiedene Dampferladungen in britischen und deutschen Schiffen zu nur 4 Schill. für die Ton und selbst darunter hierher gebracht worden.

Gegen den Herbst hin, und da mehrere Dampfer wegen Mangels an lohnenden Frachten bereits aufgelegt sind, ist eine kleine Besserung eingetreten.

—4—

Werte von Schiffsanteilen.

Das zweimal wöchentlich erscheinende „Flensburger Kursblatt“ veröffentlichte in seiner Nummer vom 23. Dec. v. J. nachstehende Uebersicht über Werte und Grössen von Schiffsanteilen.

Actien.	Stücke à Mark	Betrag d. Einzahlung.	Abschlusstermin.	Dividenden in % d. Abschlusses pro 81	82	83	84	85	Verkäufer %	Käufer %
Flensbg. Schiffsbau-Gesellsch.	1500	voll	30/6	10	19	17	18	4	80	70
Flensbg. Dampfschiffahrt-Ges. v. 1869	3000 / 1500 / 1000	„	31/12	17	15	5	0	—	87½	83
Flensbg. Dampfschiffahrt-Ges. „Globus“ . .	1000	„	„	—	—	0	6	—	90	—
Flensb.-Stettiner Dampfschiffahrt-Gesellsch. . . .	1000	„	„	—	—	4½	4	—	100	—
Flensb.-Ekens. Dampfsch.-Ges.	1500	„	„	8	19	7	6	—	133	—
Privat-Seevers. v. 1876	500	30%	31/12.86	—	—	—	—	—	—	106½

Rhederei-Antheile	In Fahrt seit	Zahl der Antheile	Stck. in Mk.	Netto Raumgehalt Cbm.	Letzt. Abschluss am	Dividenden in % d. Abschlusses pro 82	83	84	85	Verkäufer %	Käufer %
Ein Vollschiff „Schiffswerft"	[illegible]77	31	7500	2457,[illegible]	[illegible]85	—	6⅔	9	2	—	—
Dampfer											
[illegible]	[illegible]	[illegible]	[illegible]	[illegible]	[illegible]	[illegible]	[illegible]	0			
Perkin	[illegible]80	80	[illegible]	1146,[illegible]	"	28	20	0	—	—	—
Idna	[illegible]79	48	3000	918,[illegible]	[illegible]83	15	0	—	0	70	—
Fortuna	[illegible]81	56	3000	1065,[illegible]	[illegible]84	28	21[illegible]	0	—	—	—
Thyra	[illegible]81	100	3000	2130,[illegible]	"	20	12⅔	0	—	—	—
Diana	[illegible]83	45	3000	778,[illegible]	"	—	—	9	—	80	—
Hulda	[illegible]83	40	3000	702,[illegible]	"	—	—	0	—	55	—
Ellida	[illegible]83	68	3000	1199,[illegible]	"	—	—	0	—	55	—
Stern	[illegible]82	54	5000	1397,[illegible]	"	12½	17½	7½	—	—	—
Sirius	[illegible]83	60	5000	1709,[illegible]	"	—	—	7½	—	—	—
Spica	[illegible]84	46	5000	1297,[illegible]	"	—	—	3	—	—	—
Wega, 10 % Einz.	[illegible]85	46	5000	1706,[illegible]	—	—	—	—	—	—	—
Nereo	[illegible]82	315	1000	2129,[illegible]	[illegible]84	—	9	2	—	55	—
Gerda	[illegible]83	50	4000	1104,[illegible]	"	—	—	0	—	—	—
Norma	[illegible]84	300	1000	1766,[illegible]	"	—	—	2	—	—	—
Fero	[illegible]84	315	1000	2212,[illegible]	"	—	—	0	10*)	—	—
Valuta	[illegible]83	315	1000	2140,[illegible]	[illegible]85	—	7	—	9	50	—
Activa	[illegible]83	290	1000	1101,[illegible]	"	—	—	0	0	—	—
Velox	[illegible]83	312	1000	2134,[illegible]	"	—	—	2	0	60	—
Union	[illegible]83	135	1000	713,[illegible]	"	—	—	—	0	50	—
Avance	[illegible]84	135	1000	746,[illegible]	"	—	—	—	0	50	—
Melita	[illegible]83	85	3000	1101,[illegible]	—	—	—	—	—	—	—
Rapid	[illegible]83	35	3000	540,[illegible]	[illegible]84	—	—	0	—	—	—
Fides	[illegible]83	36	3000	742,[illegible]	"	—	—	0	—	—	—

Laufende Zinsen kommen nur bei Anleihen, dagegen bei Aktien und Rhederei-Antheilen nicht in Anrechnung. — Etwaige Uebertragungskosten halbschiedlich zu Lasten beider Teile.

Es verdient alle Anerkennung, dass unter vorliegenden Umständen die *Flensburger Dampfschiffs-Rhederei* noch den Mut zu ferneren Neubauten hat. Wir lesen darüber in derselben Nummer: Die Flensburger Rhederei hat sich wieder um einen Seefrachtdampfer vermehrt, indem der von der Flensburger Schiffbau-Gesellschaft s. Z. für eigene Rechnung in Bau genommene und inzwischen fertig gestellte Dampfer, Stapel No. 73, an eine hiesige Rhederei-Gesellschaft übergegangen ist. Dieses Schiff, welches den Namen „Wega" erhalten hat, hat bereits am 1. Dec. v. J. unter Führung des Kapitän Hansen (bisher Führer des Dampfers „Spica") den Hafen verlassen. Correspondentrheder sind die Herren Holm & Molzen hieselbst. Nach dem s. Z. ausgegebenen Prospekte beträgt der Kaufpreis des Schiffes 232 500 ℳ und das Rhederei-Kapital 230 000 ℳ, in 46 Anteilen à 5000 ℳ, worauf die Einzahlung mit 10 % zum 30. November d. J. und mit 90 % zum 1. März 1886 zu geschehen habe.

Eine gleichlautende Notiz in den dortigen Zeitungen über die zur allseitigen Zufriedenheit ausgefallene Probefahrt dieses Dampfers sagt: Das Schiff, welches zur Klasse Britisch Lloyds 100 A 1 unter Specialaufsicht gebaut ist, hat folgende Masse: Grösste Länge 207' 6", grösste Breite 30', Tiefe 15' 3". Die Tragfähigkeit ist etwa 1160 Tons Schwergut. Der Dampfer, mit Wasserballast im doppelten Boden nach dem Cellularsystem versehen, hat eine Maschine von 90 nomin. Pferdestärken, welche mit 100 Pfd. Druck pro □-Zoll arbeitet. Die bei der Probefahrt geloggte Geschwindigkeit von 10¼ Knoten entsprach vollständig den gehegten Erwartungen. Die Maschine indizirte 460 P.-K. bei einem Kohlenverbrauch von nur 1,33 Pfd. für die indizirte Pferdestärke.

Verkehr deutscher Schiffe im Jahre 1884.

Porto. Im Jahre 1884 sind 19 deutsche Schiffe hier ein- und ausgegangen. Sämmtliche Schiffe kamen beladen an, 7 liefen in Ballast, die übrigen mit Wein und Kork beladen wieder aus.

*) Gezahlte Abschlagsdividende.

Malta. Im abgelaufenen Jahre sind 63 deutsche Handelsschiffe (57 Dampfschiffe und 6 Segelschiffe) hier eingegangen, darunter 1 Segelschiff in Ballast. In demselben Jahre sind von jenen Schiffen 62 wieder ausgegangen, darunter 2 Segelschiffe in Ballast. Am Jahresschlusse verblieb ein deutsches Segelschiff im Hafen; dasselbe versegelte Mitte Januar v. J. in Ballast.

Batavia. 19 deutsche Schiffe (1 Dampfschiff, 18 Segelschiffe) von zusammen 12 291 Reg.-Tonnen liefen im Jahre 1884 ein, davon 1 Segelschiff in Ballast. Von jenen Schiffen sind im Laufe des Jahres 17 (1 Dampfschiff, 16 Segelschiffe) wieder ausgegangen, darunter 9 (1 Dampfschiff und 8 Segelschiffe) in Ballast. 1 Segelschiff von 737 Reg.-Tonnen wurde durch Verkauf arabisches Eigenthum. Am Jahresschluss war 1 deutsches Segelschiff von 1158 Reg.-Tonnen im Hafen.

Hiogo-Osaka. In dem Hafen von Kobe kamen ein im Jahre 1884:
25 deutsche Schiffe mit einem Gehalt von 21 373 Reg.-T. und gingen aus:
23 deutsche Schiffe mit einem Gehalt von 19 781 Reg.-T.
Unter den angekommenen Schiffen befanden sich:
11 Segelschiffe mit einem Gehalt von 6 501 Tonnen
14 Dampfer " " " 15 472 "
Von den eingegangenen Schiffen waren 20 befrachtet, 5 in Ballast, von den ausgegangenen 19 befrachtet, 4 in Ballast.

Swatau. Im Jahre 1884 sind hier 67 deutsche Fahrzeuge von zusammen 63 963 Tonnen angekommen, davon waren 64 Dampfschiffe und 3 Segelschiffe. 5 Dampfschiffe kamen in Ballast an. Von jenen Schiffen sind im Laufe des Jahres 63 Dampfschiffe und 3 Segelschiffe wieder ausgegangen, darunter 7 Dampfschiffe und 2 Segelschiffe in Ballast.

Futschau. Im Jahre 1884 verkehrten hier 11 deutsche Fahrzeuge (6 Dampfschiffe und 5 Segelschiffe) von zusammen 5455 Reg.-Tonnen. In Ballast kamen an 3 Segelschiffe und liefen aus 2 Dampfschiffe.

Capstadt. Im Jahre 1884 sind 31 deutsche Fahrzeuge von zusammen 10 499 T. hier eingegangen, darunter 2 in Ballast. 1 derselben kam behufs Einnahme von Kohle, 2 behufs Einnahme von Proviant und 3 behufs Vornahme von Reparaturen. Von jenen Schiffen sind 30 im Laufe des Jahres wieder ausgegangen, darunter 4 in Ballast, 5 mit ihrer Ladung und 1 mit einem Theil der ursprünglichen Ladung.

Port Elizabeth. Im Jahre 1884 sind 13 deutsche Fahrzeuge (11 Segelschiffe und 2 Dampfschiffe) hier ein- und ausgegangen. Sämmtliche Schiffe kamen beladen, 7 (Segelschiffe) liefen in Ballast aus.

Rio Grande do Sul. Im Jahre 1884 sind 61 deutsche Segelschiffe hier eingegangen, darunter 1 in Ballast. Von diesen Schiffen sind in demselben Jahre wieder ausgegangen 57, darunter 28 in Ballast. 1 Schiff wurde als seeuntüchtig verkauft. Die übrigen 3 Schiffe befanden sich am Jahresschlusse im Hafen. 1 der letzteren ging Anfangs Januar v. J. in Ballast, und die beiden übrigen gingen im Februar beladen wieder aus. Von deutschen Häfen direkt liefen hier und in Porto Alegre 17 nichtdeutsche und ferner 10 deutsche Schiffe ein, sämmtlich von Hamburg mit Stückgütern kommend.

Callao. Im Jahre 1884 sind hier 37 deutsche Fahrzeuge von zusammen 31 964 Reg.-Tonnen angekommen und zwar 23 Dampfschiffe von 26 830 Reg.-Tonnen und 14 Segelschiffe von 8134 Reg.-Tonnen. 1 der letzteren kam in Ballast an. Von jenen Schiffen sind in demselben

Jahre 34 von zusammen 33 353 Reg.-Tonnen wieder ausgegangen, und zwar sämtliche Dampfschiffe und 11 Segelschiffe von 6 523 Reg.-Tonnen, 10 Schiffe liefen in Ballast aus. 1 Segelschiff von 382 Reg.-Tonnen, welches in Havarie eingekommen war, wurde verkauft. Am Jahresschlusse waren 2 deutsche Segelschiffe von zusammen 1229 Reg.-Tonnen im Hafen; dieselben liefen Anfang Januar d. J. in Ballast aus.

Valparaiso. Bei Beginn des abgelaufenen Jahres waren 8 deutsche Fahrzeuge (7 Segelschiffe und 1 Dampfschiff) im Hafen. Während des Berichtjahres sind eingegangen 132 solcher Fahrzeuge (47 Dampf- und 85 Segelschiffe), darunter 3 (Segelschiffe) in Ballast. 3 Schiffe liefen zur Entgegennahme von Ordre, 2 um Trinkwasser und Proviant einzunehmen und 4 in Havarie ein. Von jenen, zusammen 140 Schiffen, liefen im Jahre 1884 wieder aus 128 (47 Dampfschiffe und 81 Segelschiffe), darunter in Ballast 31 (Segelschiffe). 3 Segelschiffe wurden verkauft. Am Jahresschluss waren 9 deutsche Schiffe (1 Dampfschiff und 8 Segelschiffe) im Hafen.

Rosario. Im abgelaufenen Jahre sind 59 deutsche Fahrzeuge hier angekommen, und zwar 33 Dampfschiffe und 26 Segelschiffe, unter letzteren 4 in Ballast. Jene Schiffe sind im Laufe des Jahres bis auf 2, welche erst Anfang Januar d. J. versegelten, wieder ausgegangen, darunter 13 (1 Dampfschiff und 12 Segelschiffe) in Ballast.

Sydney. Im abgelaufenen Jahre sind 41 deutsche Fahrzeuge (14 Dampfschiffe und 27 Segelschiffe) von zusammen 36 981 Reg.-Tonnen angekommen, darunter 3 Segelschiffe in Ballast. Gebaut wurde für deutsche Rechnung 1 Segelschiff von 51 Reg.-Tonnen und angekauft 1 Dampfschiff von 112 Reg.-Tonnen. Von diesen zusammen 43 Fahrzeugen von im Ganzen 37 141 Reg.-Tonnen sind im Laufe des Jahres 1884 40 (14 Dampfschiffe und 26 Segelschiffe) ausgegangen, darunter 12 (4 Dampfschiffe und 8 Segelschiffe) in Ballast. Am Jahresschlusse waren 3 deutsche Schiffe (1 Dampfschiff und 2 Segelschiffe) von zusammen 2859 Reg.-Tonnen im Hafen.

Newcastle (Neusüdwales). Im Jahre 1884 verkehrten im hiesigen Hafen 27 deutsche Schiffe von zusammen 23 119 Reg.-Tonnen, und zwar 8 Dampfschiffe und 19 Segelschiffe. Sämmtliche Schiffe kamen in Ballast an und nahmen 31 185 T. Kohle in Ladung.

Southampton. Im Jahre 1884 sind im hiesigen Hafen 185 deutsche Handelsschiffe von zusammen 406 382 Reg.-Tonnen ein- und wieder ausgegangen, und zwar 172 Dampfschiffe und 13 Segelschiffe.

Hongkong. Im Jahre 1884 sind 296 deutsche Fahrzeuge hier eingegangen und zwar 201 Dampfschiffe und 95 Segelschiffe; 40 derselben (30 Dampfschiffe und 10 Segelschiffe) kamen in Ballast und 2 (1 Dampfschiff und 1 Segelschiff) teilweis in Ballast an. 1 Dampfschiff wurde für deutsche Rechnung hier gebaut. Von diesen zusammen 297 Schiffen gingen in demselben Jahre 285 (192 Dampfschiffe und 93 Segelschiffe) wieder aus, darunter in Ballast 78 (44 Segelschiffe und 34 Dampfschiffe).

Canton. Im Hafen von Kiongtschau sind im Jahre 1884 93 deutsche Fahrzeuge (Dampfschiffe) von zusammen 42068 Reg.-Tonnen ein- und ausgegangen. Von denselben liefen leer 27 ein und 28 aus.

Singapore. Im Jahre 1884 sind hier angekommen 240 deutsche Fahrzeuge und zwar 175 Dampfschiffe und 65 Segelschiffe. Davon kamen 14 (10 Segel- und 4 Dampfschiffe) in Ballast und 1 Segelschiff theilweise in Ballast.

Von jenen Fahrzeugen liefen in demselben Jahre wieder aus 226 und zwar 172 Dampfschiffe und 54 Segelschiffe, darunter 80 (49 Dampfschiffe und 31 Segelschiffe) in Ballast.

Am Jahresschlusse waren 14 deutsche Fahrzeuge (3 Dampfschiffe und 11 Segelschiffe) im Hafen.

Manila. Im Jahre 1884 sind hier 40 deutsche Fahrzeuge von 31 709 Reg.-Tonnen angekommen, darunter 10 in Ballast. Von diesen Schiffen sind in demselben Jahre 37 von zusammen 30 401 Reg.-Tonnen wieder ausgegangen, darunter 19 in Ballast. 1 deutsches Fahrzeug von 256 Tonnen wurde verkauft. Am Jahresschlusse waren 2 deutsche Schiffe von zusammen 1249 Reg.-Tonnen im Hafen; dieselben gingen Mitte Januar v. J. wieder aus, davon eins in Ballast.

Soerabaya. Im Jahre 1884 sind hier 27 deutsche Fahrzeuge (11 Dampfschiffe und 16 Segelschiffe) eingelaufen, darunter 5 (1 Dampfschiff und 4 Segelschiffe) in Ballast. Von jenen Fahrzeugen sind im Laufe des Jahres 26 (11 Dampfschiffe und 15 Segelschiffe) wieder ausgegangen, darunter 7 (4 Dampfschiffe und 3 Segelschiffe) in Ballast. Am Jahresschlusse war 1 deutsches Segelschiff im Hafen.

Rio de Janeiro. Im Jahre 1884 liefen im hiesigen Hafen 171 deutsche Schiffe ein, gegen 187 im Jahre 1883.

In demselben Zeitraum liefen aus 165 Schiffe, gegen 187 in 1883. Unter den 171 eingelaufenen Schiffen befinden sich 108 Dampfer von 168 400 T. und 63 Segelschiffe von 19 640 T.

In langer Fahrt liefen 130, in Küstenschiffahrt 41 Schiffe ein. Es ist anzunehmen, dass die Küstenfahrt von hier nach den Hafen von Rio Grande do Sul zunehmen wird, da die Provinzen St. Catharina und Parana sich voraussichtlich immer mehr vom Markte von Rio de Janeiro ab- und den Einfuhrhäfen der genannten südlichsten Provinz zuwenden werden. Letztere besitzt einen eigenen niedrigeren Zolltarif. Grosse Seeschiffe können aber die Barre von Rio Grande do Sul nicht passiren, der europäische Import muss daher zunächst nach hier dirigirt werden, um in flachgehende Dampfschiffe umgeladen zu werden. Derartige Dampfschiffe unter deutscher Flagge fahren bisher nicht, die ankommenden deutschen, für die Südprovinzen bestimmten Waaren müssen vielmehr auf Brasilianische und Britische Dampfschiffe umgeladen werden.

Unter den fremden Flaggen nimmt die deutsche den zweiten Rang ein, sowohl in der Ocean- als in der Küstenfahrt

Montevideo. Im abgelaufenen Jahre sind 66 deutsche Fahrzeuge hier eingegangen, darunter 4 in Ballast; bezüglich 3 Schiffe liegen nähere Angaben nicht vor. Von jenen Schiffen sind in demselben Jahre wieder ausgegangen 58, darunter 21 in Ballast. 7 deutsche Fahrzeuge wurden verkauft und bezüglich eines fehlen nähere Angaben.

Porto Alegre. Im Jahre 1884 sind 31 deutsche Schiffe von zusammen 3577 Reg.-Tonnen, sämtlich beladen, hier eingegangen. Wieder ausgegangen sind von denselben 28, von zusammen 3240 Reg.-Tonnen, darunter 4 in Ballast. Am Jahresschlusse verblieben 3 deutsche Fahrzeuge von zusammen 317 Reg.-Tonnen im Hafen.

—s—

Nautische Literatur.

Rang- und Quartierliste der Kaiserl. Deutschen Marine für das Jahr 1886. (Abgeschlossen am 1. November 1885). Auf Befehl Sr. Maj. des Kaisers und Königs. Redaction: Die Kaiserl. Admiralität. Berlin, Verlag von E. S. Mittler & Sohn, Kgl. Hofbuchhandlung. V. und 121 Seiten gr. Oct. Preis: M 2,50.

Die „Rang- und Quartierliste der Kaiserl. Deutschen Marine" hat seit einigen Jahren eine etwas veränderte Gestalt erhalten. Abgesehen von der äusseren Gestalt — Ersatz der *Antiqua*- durch *Frakturschrift* — sind die nachfolgenden Aenderungen die auffälligsten.

1. Bei dem Abschnitte „Admiralität" fehlt die Aufführung der einzelnen *Decernate*.

2. Die den beiden Marine-Stationen unterstehenden Behörden werden nicht mehr wie früher *geographisch* (d. h. zuerst „Ostsee", dann „Nordsee"), sondern der *Beschaffenheit nach zusammengestellt* angeführt, z. B. Technische Institute, Wissenschaftliche Institute, Marine-Bildungswesen, Verwaltungsbehörden u. s. w.

3. Von den „Werftbeamten" sind nur die Ingenieure und Rendanten angeführt.

[illegible] *fehlen* die in *Bau* befindlichen Schiffe und Fahrzeuge, sowie alle *Torpedoboote*.

Der Personalstand der Kaiserlichen Marine war am 1. Nov. 1885 folgender: 2 Vize-Admirale, 7 Kontre-Admirale, 1 General-Major, 26 Kapitäne zur See, 51 Korvetten-Kapitäne, 101 Kapitän-Lieutenants, 165 Lieutenants zur See, 111 Unterlieutenants zur See, 5 Offiziere à la suite der Marine, 4 Offiziere à la suite des Seeoffizierkorps, 79 Seekadetten, 32 Kadetten, 38 Offiziere des Seebataillons, 1 Offizier à la suite des Seebataillons, 4 Maschinen-Ober-Ingenieure, 15 Maschinen-Ingenieure, 34 Maschinen-Unter-Ingenieure, 1 Torpeder-Ingenieur, 2 Torpeder-Unter-Ingenieure, 14 Feuerwerksoffiziere, 10 Zeugoffiziere, 2 Torpeder-Kapitän-Lieutenants, 3 Torpeder-Lieutenants, 4 Torpeder-Unter-Lieutenants, 1 General-Arzt I. Klasse, 4 Ober-Stabs-Ärzte I. Klasse, 4 Ober-Stabs-Ärzte II. Klasse, 24 Stabs-Ärzte, 20 Assistenz-Ärzte I. Klasse, 18 Assistenz-Ärzte II. Klasse, 2 Unter-Ärzte, 3 Marine-Ober-Zahlmeister, 17 Marine-Zahlmeister, 25 Marine-Unter-Zahlmeister, 7 evangelische Marine-Pfarrer, 1 katholischer Marine-Pfarrer, 6 Justizbeamte, 13 Intendanturbeamte, 2 Bekleidungsverwaltungs-Beamte, 2 Garnisonbau-Beamte, 4 Garnison- und Lazarethverwaltungs-Beamte, 2 Schiffsbau-Direktoren, 3 Maschinenbau-Direktoren, 2 Hafenbau-Direktoren, 6 Schiffsbau-Ober-Ingenieure, 9 Maschinenbau-Ober-Ingenieure, 2 Hafenbau-Ober-Ingenieure, 18 Schiffsbau-Ingenieure, 16 Maschinenbau-Ingenieure, 7 Rendanten, 22 Ober-Boots- und Ober-Steuerleute, 34 Boots- und Steuerleute, 13 Ober-Feuerwerker, 41 Feuerwerker, 30 Ober-Maschinisten, 91 Maschinisten, 5 Ober-Torpeder, 7 Torpeder, 5 Ober-Mechaniker, 10 Mechaniker, 10 Ober-Meister, 15 Meister, 10 Ober-Materialienverwalter, 16 Materialienverwalter, 18 Zahlmeister-Aspiranten, 6 Zeugfeldwebel.

Die *Reserve* zählt: 11 Lieutenants zur See, 35 Unterlieutenants zur See, 1 Lieutenant zur See der Matrosen-Artillerie, 6 Unterlieutenants zur See der Matrosen-Artillerie, 15 Offiziere des Seebataillons, 46 Ärzte, 30 Maschinisten, 23 Vize-Maschinisten.

Die *Seewehr* zählt: 3 Kapitän-Lieutenants, 14 Lieutenants zur See, 8 Unterlieutenants zur See, 1 Hülfs-Unter-Lieutenant, 8 Offiziere des Seebataillons, 14 Ärzte, 22 Maschinisten, 8 Vize-Maschinisten.

Die „Liste S. M. Kriegsschiffe und Kriegsfahrzeuge, sowie Liste der Fahrzeuge zum Hafendienst" führt an: 13 Panzerschiffe, 14 Panzerfahrzeuge, 9 Kreuzer-Fregatten, 10 Kreuzer-Korvetten, 5 Kreuzer, 4 Kanonenboote, 8 Avisos, 10 Schulschiffe und -Fahrzeuge, 1 Vermessungs-Fahrzeug, 2 Transport-Fahrzeuge, 12 Fahrzeuge zum Hafendienst, 10 Lotsenfahrzeuge und Feuerschiffe (*Torpedoboote fehlen!*)

In Dienst gestellt waren am 1. November 1885 folgende Schiffe und Fahrzeuge:

A. In ausserheimischen Gewässern.

1. *Auf der ostasiatischen Station*: 1 Kreuzer, 1 Kanonenboot.
2. *Auf der australischen Station*: 1 Korvette, 1 Kreuzer.
3. *Auf der ostamerikanischen Station*: 1 Fregatte, 1 Korvette, 1 Brig.
4. *Auf der westamerikanischen Station*: Fehlt.
5. *Auf der ostafrikanischen Station*: 1 Korvette, 1 Kanonenboot.
6. *Kreuzergeschwader*: 2 Fregatten, 1 Kreuzer.
7. *Auf der westafrikanischen Station*: 1 Kreuzer, 1 Kanonenboot.
8. *Auf der Mittelmeer-Station*: 1 Aviso.
9. *Schulgeschwader* (Westindien): 2 Fregatten, 2 Korvetten
10. *Kreuzergeschwader* (auf der Heimreise): 2 Fregatten.

B. In heimischen Gewässern.

3 Panzerschiffe, 1 Panzerfahrzeug, 1 Artillerie-Schulschiff 1 Torpedo-Schulschiff.

F. K.

Verschiedenes.

Der Kolonialbesitz Spaniens. Der gesamte Besitzstand der überseeischen Besitzungen, welche Spanien noch als sein Eigentum betrachtet, ist folgender:

	Quadratkilometer	Bewohner
Cuba	118 833	1 521 664
Puertorico mit den nächsten der Jungfern-Inseln	9 314	754 313
Philippinen	296 182	6 561 232
Palaos	750	14 000
Marianen	1 140	8 665
Guinea, Fernando-Po, Corisco, Ellobey, Annobon, Territorium von San Juan	2 303	35 000
zusammen	428 542	8 894 874

Aus diesem Verzeichnis ersieht man, das die bedeutendste Kolonie nicht Cuba ist, sondern die Inselgruppe der Philippinen. Diese hat 12 grössere und mehr als 1000 kleinere Inseln mit einem Flächeninhalt von nahezu 300 000 Quadratkilometer und über $6\frac{1}{2}$ Millionen Einwohnern. Der Flächeninhalt ist ungefähr so gross wie der des Königreichs Preussen vor 1866, während die Einwohnerzahl die des Königreichs Bayern übertrifft. D. R.

Die Kauffahrteiflotte Bremens bestand vor 50 Jahren aus 131 Schiffen mit 24 640 Reg.-Tons, dagegen am 1. Januar d. J. aus 300 Schiffen, worunter 213 Segler mit 214 416 Reg.-T. und 87 Dampfer mit 100 026 R.-T. Die Firma D. H. Wätjen & Co., verfügt, wie vor 50 Jahren, auch heute noch über die grösste Anzahl von Schiffen. Auf den Werften von Bremerhaven sind im Bau begriffen: ein viermastiges eisernes Schiff von ca. 3000 Tons, ein Schiff von ca. 1300 T., ein Dampfschiff von 300 T., sowie eine grössere Bark. Sämtliche Schiffe werden für eigene Rechnung gebaut.

Die Durchquerungen von Mittel- und Süd-Afrika. Nach A. J. Wauters stellen wir im Folgenden einige interessante Angaben über die bis jetzt erfolgten Durchkreuzungen von Mittel- und Südafrika zusammen.

Name des Reisenden	Abreise	Ankunft	Dauer der Reise	Länge des zurückgel. Weges
D. Livingstone, Missionär	St. Paul de Loanda (Westkst.) 20. Septbr. 1854	Quilimane 12. Mai 1856	1 Jahr 8 Monate	4000 Kilom.
V. L. Cameron, engl. Marine-Lieutenant	Bagamoyo (Ostküste) 15. März 1873	Catombela 6. Nov. 1875	2 Jahre 8 Monate	4000 Kilom.
Henry M. Stanley, amerik. Journalist	Bagamoyo (Ostküste) 17. Novbr. 1874	Boma 4. Aug. 1877	2 Jahre 9 Monate	11 500 Kilom.
Serpa Pinto, Major in der portug. Armee	Benguela (Westküste) 12. Novbr. 1877	Durban 19. März 1879	1 Jahr 4 Monate	3700 Kilom.
Herm. Wissmann, königl. preuss. Lieutenant	St. Paul de Loanda (Westkst.) Januar 1881	Sadani 15. Nov. 1882	1 Jahr 10 Monate	4000 Kilom.
Arnot, schott. Missionar	Durban (Ostkst.) August 1881	Benguéla 11. Nov. 1884	3 Jahre 3 Monate	3500 Kilom.
Brito Capello und Rob. Ivens, Lieutenants i. d. portug. Marine	Mossamedes (Westküste) 11. März 1884	Quilimane Mai 1885	1 Jahr 2 Monate	4500 Kilom.

W. W.

Verlag von H. W. Silomon in Bremen. Druck von Aug. Meyer & Dieckmann, Hamburg, Alterwall 38.

H    

Redigirt und herausgegeben
von
W. von Freeden, BONN, Thomasstrasse 8.
Telegramm-Adressen:
Freeden Bonn,
oder
Hansa Alterwall 28 Hamburg.

Verlag von H. W. Silomon in Bremen.
Die „Hansa“ erscheint jeden 2ten Sonntag. Bestellungen auf die „Hansa“ nehmen alle Buchhandlungen, sowie alle Postämter und Zeitungsexpeditionen entgegen, desgl. die Redaktion in Bonn, Thomasstrasse 8, die Verlagshandlung in Bremen, Obernstrasse 41 und die Druckerei in Hamburg, Alterwall 28. Sendungen für die Redaktion oder Expedition werden an den letztgenannten drei Stellen angenommen. Abonnement jederzeit, frühere Nummern werden nachgeliefert.

Abonnementspreis:
vierteljährlich für Hamburg 2½ ℳ,
für auswärts 3 ℳ = 3 sh. Sterl.
Einzelne Nummern 50 ₰ = 6 d.

Wegen Inserate, welche mit 15 ₰ die Petitzeile oder deren Raum berechnet werden, beliebe man sich an die Verlagshandlung in Bremen oder die Expedition in Hamburg oder die Redaktion in Bonn zu wenden.

Frühere, komplete, gebundene Jahrgänge v. 1873, 1874, 1876, 1877, 1878, 1879, 1880, 1881, 1882, 1883, 1884, 1885 sind durch alle Buchhandlungen, sowie durch die Redaktion, die Druckerei und die Verlagshandlung zu beziehen. Preis ℳ 8; für letzten und vorletzten Jahrgang ℳ 6.

Zeitschrift für Seewesen.

No. 3. HAMBURG, Sonntag, den 7. Februar 1886. 23. Jahrgang.

Inhalt:

Deutscher Nautischer Verein.

Siebentes Rundschreiben.

Kiel, den 23. Janr. 1886.

Den Vereinen wird unverzüglich die Tagesordnung für die bevorstehende Jahresversammlung zugehen. Mit Bezug darauf erlaube ich mir die ergebene Bemerkung, dass die Nautische Gesellschaft zu Greifswald den in meinem sechsten Rundschreiben erwähnten Antrag, betr. die Anschaffung eines Lotsendampfers für Memel, vorläufig wieder zurückgezogen und Herr Kapitän Oberländer in Berlin das Referat für den zweiten Antrag Greifswald, („Belegung der Oderbank mit einem Leuchtschiff“) übernommen hat. Ausserdem ist auf Wunsch des Nautischen Vereins zu Rügenwalde die „*Vermehrung deutscher Konsularvertretungen in ausländischen Hafenplätzen*“ auf die Tagesordnung gesetzt worden.

Aus der mir zugegangenen vorläufigen Begründung zu diesem Antrage teile ich Nachstehendes mit: „Von mehreren Mitgliedern des hiesigen Nautischen Vereins wurde in Anregung gebracht, dahin wirken zu wollen, dass an ausländischen Hafenplätzen, welche von deutschen Schiffen in neuerer Zeit häufiger frequentirt werden, jedoch noch nicht Sitz eines deutschen Konsuls sind, solche resp. Konsular-Agenten angestellt würden. Die Zahl solcher Hafenplätze ist jedenfalls eine grössere. Im diesseitigen Verein sind zwei Häfen, *Dortrecht* und *Ipswich* namhaft gemacht worden, in welchen die Kapitäne der nach dort bestimmten deutschen Schiffe die Zeit und Geld erfordernde Verpflichtung haben, in Konsulatsangelegenheiten nach Rotterdam resp. Harwich zu fahren. Dortrecht hat bis vor einigen Jahren einen Konsularagenten gehabt, doch hat derselbe wegen angeblicher Differenzen mit dem deutschen Konsul in Rotterdam sein Amt niedergelegt und ist ein Nachfolger desselben seitdem nicht ernannt worden.“

Empfohlen wird schliesslich, das Bedürfnis von Konsulaten resp. Konsularagenturen in ausländischen Hafenplätzen, wo noch keine Konsularvertretungen vorhanden, durch Umfrage bei den einzelnen Vereinen festzustellen und eventuell eine bezügliche Petition des Deutschen Nautischen Vereins an den Herrn Reichskanzler gelangen zu lassen.

Ich empfehle den Vereinen, diese Angelegenheit in ihren Versammlungen zur Vorberatung zu bringen.

Der Vorsitzende des Deutschen Nautischen Vereins.
Sartori.

Die Konferenz für Küsten- und Hochseefischerei

ist trotz der Ungunst der Jahreszeit und Witterung, welche manche Freunde der Fischerei am Besuche verhinderte, am 21. und 22. Januar in Bremerhaven abgehalten worden. Gegenwärtig waren 9 Vertreter von Regierungen aus Berlin, Schwerin, Bremen, Stade, Cuxhaven, Schleswig, eine Anzahl Mitglieder des deutschen Fischereivereins, Ortsbehörden und Landräte aus näher und ferner benachbarten Küstendistrikten; daneben aber etwa 40 praktische Fischer aus Bremerhaven, Geestemünde, Finkenwärder, Blankenese, Kranz, Norderney, Spiekeroog, nebst 4 Fischmeistern und dem Direktor der Emder Häringsfischerei, 10 Fischhändler aus Bremerhaven, Geestemünde, Norderney, Dresden und eine Anzahl Kaufleute, Kapitäne, Angestellte u. s. w., im Ganzen ca. 120 Personen, so dass die Zusammensetzung eine reiche Veranlassung zum öffentlichen und wohl noch mehr zum privaten Ideenaustausch bieten mochte.

Der erste Gegenstand der Tagesordnung betraf die *Frage, wie eine ausreichende Statistik über die deutsche Küsten- und Hochseefischerei zu beschaffen und auf dem Laufenden zu erhalten ist.* Als bisher unerreichte Muster galten die Fischereibehörden in Schottland, Holland und namentlich Norwegen, und dürften speziell unsere Verhältnisse uns zur Nachahmung des Nachbarlandes hinweisen, dessen Lage eine der unsrigen ziemlich gleiche, dessen Thätigkeit freilich eine bedeutend grössere ist. Aus einer dem Reichstag als Motiv für die Bewilligung der bekannten 100 000 M. unterbreiteten Vorlage ergiebt sich, dass in der Ostsee 8226 Berufsfischer und 8189 Gehülfen mit 11 653 Booten, in der Nordsee aber nur 500 Berufsfischer und 394 Gehülfen mit 431 Schiffen und Fahrzeugen dem Fischfange obliegen; das auffällige Missverhältnis der Nordsee gegen die Ostsee gleicht sich dadurch grossenteils aus, dass die Nordseefahrzeuge bedeutend grösser sind. Ersichtlich ist eine stete Zunahme der Nordseefischereibevölkerung. — Wünschenswert wäre bei dieser Statistik, dass Hochsee- und Küstenfischerei getrennt würden, so dass Doppelzählungen vermieden werden. Was die Statistik der Fahrzeuge, die Art und Zahl der Geräte anbelangt, so soll solche in guten Händen sein. Die Hauptfrage ist bei der Statistik die, wie man am besten die Menge der gefangenen Fische, namentlich der Privatfischer, feststellen könne. Früher hat man diese Frage kaum aufzuwerfen gewagt, jetzt aber, wo die Fischer sehen, welche Teilnahme ihr Gewerbe findet, sind sie auch gerne bereit, der Statistik zu helfen, so hat z. B. die Blankeneser Fischereikasse sich dazu bereit erklärt und die Finkenwärder wird demnächst darüber beschliessen. Für die Statistik handelt es sich natürlich nicht um den Fang des Einzelnen, sondern nur um den Gesamtfang sowie um die Statistik der Verluste. Um welche Beträge unsere Handelsbilanz im Fischgeschäft gegenüber dem Ausland sich ungünstig erweist, geht aus dem Nachweis für 1881 deutlich hervor, dass die Einfuhr von Fischereierzeugnissen (in 7 Rubriken) ins deutsche Reich 200 200 Doppelcentner und 1 370 160 Fass Häringe betrug, welche Mengen einen Wert von 69 178 000 M. hatten. Die Ausfuhr betrug aber nur in Menge 61 165 Doppelcentner und 285,115 Fass Häringe. Diese Mengen der Ausfuhr hatten einen Wert von 20 749 000 M. Die Einfuhr überstieg mithin die Ausfuhr um ein Bedeutendes, nämlich um 139 035 Doppelcentner Fische und 1 094 715 Fass Häringe im Gesamtwert von 48 429 000 Mark; diesen Betrag von nahezu 50 Mill. M. zahlen wir jedes Jahr ins Ausland für Waaren, welche wir bei vernünftiger Einrichtung unserer Zölle und Fischereimethoden selber verdienen könnten. Nachdem noch ein dritter Referent sich über die naturwissenschaftliche Einteilung der Fischarten und sonstigen Wassertiere, die in Binnen- und Seegewässern vorkommen, über ihr Zusammenleben, ihre Nahrung, Häufigkeit des Vorkommens, den wirtschaftlichen Wert derselben, sowie über die Art des Fanges ausgesprochen hatte, wurde nunmehr die allgemeine Beratung eröffnet. Sie ergab noch fernere Einzelheiten, namentlich über den Fang in der Ostsee, wandte sich dann aber speziell der Statistik zu und wurde gegenüber verschiedenen Versuchen, dieselbe durch alle *mögliche* Fragen zu einer *unmöglichen* zu machen, darauf stets von neuem hingewiesen, dass man im Anfange nur wenig fragen dürfe und speziell die Menge der *marktfähigen* Fische zur Charakteristik des Fanges überhaupt genüge. Eine Resolution gab der Ansicht der Mehrheit den formalen Ausdruck in folgender Fassung:

1. Zur Beurteilung der Fortschritte der deutschen Küsten- und Hochseefischerei ist eine möglichst genaue und stets auf dem Laufenden zu erhaltende Statistik notwendig.

2. Diese Statistik hat sich zunächst in Uebereinstimmung mit den bereits in anderen Staaten regelmässig stattfindenden Erhebungen auf folgende Punkte zu erstrecken: 1) die bei der Fischerei beschäftigten Personen; 2) die dabei benutzten Fahrzeuge und Fanggeräte; 3) die Art und Weise des Fischereibetriebes; 4) die Fangergebnisse; 5) die Verluste an Menschenleben und Betriebsmaterial.

3. Zur Gewinnung einer solchen Statistik ist die Hülfe der amtlichen Organe (der Kieler Kommission, Fischereibeamten, Vereinen, Hafenbehörden, Eisenbahnverwaltungen und der Gemeindebehörden), der freiwilligen Vereinigungen (Fischerkassen und Fischereivereinen) und der Fischer und Fischhändler zu erbitten.

4. Die Versamlung ersucht den Vorstand der Sektion für Küsten- und Hochseefischerei des deutschen Fischereivereins, die Einleitung der Angelegenheit in die Hand zu nehmen.

Der zweite Punkt der Tagesordnung war ebenso wenig harmlos und betraf *die Missbräuche bei der Küstenfischerei*, die schliesslich ein ziemlich scharfes Wortgefecht über behauptete Schäden an der Unterweser herbeiführte. Die Übelstände resultiren in ihrem letzten Grunde aus dem Fischereigesetz, in dessen Motiven ein Unterschied zwischen der *Binnenfischerei* und der *Küstenfischerei* dahin gemacht wird, dass erstere den politischen Gemeinden übertragen, letztere aber frei sein solle, während die zur Unterscheidung dienenden Bestimmungen weniger für die Nordsee als für die Ostsee passen. Die Nordseeströme müssen in ihrem untern Teil auf weite Strecken aufwärts als grosse der Ebbe und Flut unterworfene Süsswasserseen angesehen werden; die gesetzlichen Grenzen der Küstenfischerei liegen aber bis 100 km höher hinauf als wo das Wasser brakisch wird, und obendrein haben die Regierungen fortwährend die Fischerei in den unteren Stromstrecken verpachtet und damit die vorhandene Rechtsunsicherheit vergrössert. Sodann ist es ein Missbrauch, wenn auf Fischbrut und ganz kleine Fische gefischt wird, bloss um mit diesen kleinsten Tieren Hühner zu füttern, oder minderartige Fische zu fangen; es sollte überhaupt mit Netzen mit zu engen Maschen nicht gefischt werden. Dabei muss freilich ein grosser Spielraum obwalten, je nach dem Zweck: für Störe sind 10 cm Maschweite die untere zulässige Grenze, für Aale dürfte bis 1 cm genügen. Mehrseitig wurde die Notwendigkeit einer gewissen individuellen Schonzeit, die für die Hochseefischerei nicht gilt, für die Küstenfischerei als erspriesslich betont, desgleichen die Anlage von Fischereihäfen und Nothäfen, an denen namentlich unsere Nordseeküste so arm ist. Dass die missbräuchliche Ausnutzung unserer Küstengründe seitens fremder Fischer hervorgehoben wurde, verstand sich von selbst; wenn auch gegen diese Ungebühr Schutz von unserer Marine noch mehr als bisher gewünscht wurde, so wurde doch eine polizeiliche Einmischung in die Verhältnisse der Fischereipächter im Küstengebiete vielfach für bedenklich angesehen, und verlief die Debatte ohne formellen Abschluss durch eine Resolution.

Die Tagesordnung des zweiten Tages eröffnete mit der Frage, *wie die Berliner Markthallen für die Küsten- und Hochseefischerei möglichst schnell und ausgiebig nutzbar zu machen seien.* Dass hier noch viel zu thun bleibt, ergiebt sich aus der einfachen Thatsache, dass Berlin nur 45 000 Centner Seefische im Jahre verzehrt, während das allerdings viel günstiger gelegene London 17 Mal so viel, und Paris in gleicher Lage mit Berlin noch immer 2½ Mal so viel verzehrt. Im Jahre 1881 gingen auf dem Londoner Fischmarkt in Billingsgate im Durchschnitt täglich 8000 Ctr Seefische ein, im Ganzen 2 778 540 Ctr., in den Halles centrales in Paris wurden im Ganzen etwa 460 000 Ctr. Fische verkauft. Wenn nun London trotz der haarsträubenden Zustände seines Marktes dennoch einen derartigen Konsum aufweist, so liegt die Frage nahe, wie kommt es, das dies nicht auch in Deutschland der Fall ist? Daran kann nur der Markt schuld sein. Freilich müssen Besserung des Betriebes, Beschleunigung der Transportes auch eintreten, aber das Wesentliche ist der Markt. Wie dieser jetzt abgehalten wird, entspricht er den modernen Anforderungen nicht. Ihm soll durch die Markthalle eine Organisation geschaffen werden, die einen dauernden Verkauf gestattet, Raum und Platz für die Waare bietet und so nahe als möglich bei dem Platze ist, wo die Ware aufgegeben wird. Um dies zu erreichen, ist der direkte Anschluss an die Eisenbahn eine conditio sine qua non, er ist nach zweijährigem Kampfe in Berlin zu Gunsten der neuen, 11 000 Quadrat-Meter grossen Markthalle erreicht worden. Es wird möglich sein, jede Nacht zwei Züge von 60 Achsen in die Markthalle zu bringen, was 6000 Centner täglich bedeutet. Das setzt natürlich eine bedeutende Vermehrung der Seefischer voraus, es wird aber dann auch ermöglicht werden, den Überschuss, den der Berliner Markt nicht verbraucht, *ohne Umladung* auf andere Märkte, wie nach Dresden, Breslau, Magdeburg übergehen zu lassen, da ein grosser Marktplatz nie lediglich den Ortsverbrauch im Auge behalten soll, sondern auch die Ausfuhr. Gute Marktbestimmungen, besonders geschickte Kontrole über die Güte der Fische werden dann schon dahin wirken, dass das bekannte Berliner Vorurteil, nur lebende Fische kaufen zu wollen, in die Rumpelkammer veralteter landstädtischer Anschauungen geworfen wird.

Es kamen dann verschiedene Wünsche einzelner Distrikte zur Beratung: seitens Norderney, die Anlage von Schutz- und Nothafen auf Norderney und am gegenüberliegenden Norddeich, seitens Finkenwärder, die Erleichterung des Eisenbahnversandts durch Herabsetzung der Tarife, Vereinfachung der so lumigen Zollrevision, Einführung von Auktionen des Fanges durch staatsseitig angestellte Beamte, Anlage von Fischräuchereistellen, wobei unter andern auch eine Lanze gegen die Bildung von Fischereirhedereien eingelegt, und der Einzelfang befürwortet wurde. Alle diese Anträge und Wünsche, sowie specielle Unterstützungsgesuche von Fischern aus Kranz a. Elbe zur Gründung einer Versicherungskasse, von Fischern aus Ditzum a. Ems zur Bildung einer Hochseespec. Häringsfischerei, endlich eine längere Ausführung des Direktors der Emder Häringsfischereigesellschaft und Anträge auf Trennung der Fischerfahrzeuge und der Kauffahrteifahrer bei der Registrirung, Einführung einer besonderen Seemannsordnung für Mannschaften der Fischerfahrzeuge, kostenfreie zollamtliche Ueberwachung der Fischerfahrzeuge, Herabsetzung der Hafen- und Lotsengebühren, staatliche Ueberwachung des Branntweinvorrats an Bord der Fischerfahrzeuge, Verbot des Handels mit Branntwein auf See, Einsetzung einer staatlichen Kommission für Seefischerei wurden der Kommission zu weiterer Veranlassung überwiesen. Wir vermuten, dass die ungünstige Aufnahme der beiden vorhergenannten Anträge aus Kranz und Ditzum, welche die Versammlung von dem „idealen“ auf den praktischen Boden leiten wollten, dem letzten Redner es erschwert haben wird, seine Lanze für einen **höheren Schutzzoll auf Häringe** kräftiger zu schwingen; die Wirkung des Schutzzolls auf die Hebung der Hochseefischerei würde entschieden grösser sein als alle andern dort vorgetragenen, wenn auch noch so wohlgemeinten Wünsche. Die anderen Nationen sind uns mit erprobtesten Erfahrungen vorangegangen.

In Holland wurde die Einfuhr der von fremden Nationen gefangenen Häringe erst dann gestattet, nachdem die eigene Fischerei erstarkt war. Die Franzosen haben hohe Eingangszölle für die meisten Fische, z. B. 15 Frcs. per Tonne für gesalzene Häringe. In Frankreich finden viele kleine Fahrzeuge, die in der Handelsrhederei nicht mehr benutzt werden, in der Neufundland-Fischerei lohnende Verwendung. Eine einseitige Förderung des Frischfischfangs ist nicht gerechtfertigt. Man sollte vor Allem den Häringsfang in's Auge fassen, dem sich ein so grosses Absatzfeld in Deutschland bietet wie oben die Einfuhren aus Schottland, den Niederlanden etc. bewiesen haben. Die Heringsfischerei beschäftigt auch eine Menge Leute am Lande, ferner bietet sie den Netzfabriken lohnenden Verdienst. Ein jedes Häringsfangfahrzeug bedarf 30 000 Quadratmeter Netzwerk. Der Redner ging auch auf die Geschichte der jetzigen Emder Häringsfischerei näher ein. Schottland hat seinen eigenen grossartigen Betrieb durch Einführung engmaschiger Netze, welche den Fang kleiner, wenig Wert habender Häringe geschadet.

Der letzte Punkt der Tagesordnung befürwortete das Genossenschaftsprinzip bei der Küstenfischerei, insbesondere bezüglich des Versicherungswesens, sowie bezüglich der Hebung der Fangergebnisse. Dasselbe hat sich an der Ostsee wegen der beschränkten Entwickelung der „Küstenfischerei“ nicht so ausgedehnt als an der Nordsee mit ihrem stärkeren Hange zur Hochseefischerei und zeigt den Freunden der Ausdehnung des Unfallsgesetzes auf Seeleute auch hier wieder das Unzeitgemässe ihrer Bestrebungen, da seit einer Reihe von Jahren in der Nordsee schon verschiedene lebensfähige in gutem Zustande befindliche Kassenvereine und Compakte wirken. Natürlich werden diese Verbände desto segensreichere Folgen aufweisen, je zahlreicher ihre Teilnehmer sind. Die Gewähr aber des Bestehens wird darin liegen, dass nicht nur die einzelnen Fischer, sondern ganze Genossenschaften selbst sich verbinden müssen. Das Risiko muss auf Alle verteilt werden und zwar nach dem Grundsatz, welche Summe von Gefahren die einzelne Genossenschaft für den Verband birgt, wie dies in dem Mitteldeutschen Feuersocietäts-Verbande der Fall ist. Damit wird das Princip der gegenseitigen Bewachung und Hülfeleistung gewahrt. Die Regierung kann durch Staatszuschüsse zur Bildung von Genossenschaften ermuntern, und so den alten Trieb der Fischer nach Innungen unterstützen. Dieselben könnten auch eine lohnende Thätigkeit dahin entwickeln, dass nur von berufsmässig vorgebildeten Fischern der Fischfang geübt werde. Schliesslich wurde noch die Entwerfung von Statuten für Küsten- und Hochseefischerei in Aussicht genommen und damit in das alte Fahrwasser der Schulbildung und Regulirung von oben eingelenkt.

Ueber Farbenblindheit

wurde am 21. Decbr. 1883 in Moskau im Anthropologischen Verein eine interessante Mitteilung gemacht. Bekanntlich besteht die Farbenblindheit darin, dass eine Anzahl Personen gewisse Farben nicht zu erkennen vermögen, wodurch mitunter schlimme Verwechselungen entstehen, namentlich im Schiffs- und Eisenbahndienste. Erst im letzten Jahrzehnt haben verschiedene gelehrte Gesellschaften und administrative Institutionen dieser Krankheit ihre ernste Aufmerksamkeit zugewandt. In England sind seit 1879 nicht weniger als 85 Personen vom Schiffer-Examen zurückgewiesen worden, weil sie sich farbenblind erwiesen. (Matrosen, Lotsen, ältere Schiffer der Handelsflotte werden in England, Deutschland etc. einer Prüfung auf Farbenblindheit leider noch nicht unterworfen, und es ist begreiflich, dass farbenblinde Seeleute sich auf's Äusserste sträuben, bei einer Prüfung ihre Untauglichkeit zum Seewesen an den Tag kommen zu lassen, wodurch auch die Prüfung erschwert wird.) In Folge dieser höchst überraschenden Entdeckung beginnt man zu argwöhnen, dass die vielen neueren Zusammenstösse von Dampfschiffen, wobei so viele Millionen an Eigentum und Tausende von Menschenleben zu Grunde gehen, zum Teil der Farbenblindheit einiger Seeleute zuzuschreiben sind.

Die Moskauer Kaiserliche Gesellschaft zur Beförderung des Seewesens hat nun im Mai 1885 ein gedrucktes Cirkular über Farbenblindheit an alle (42) Navigationsschulen, Hafenverwaltungen etc. Russlands versandt, um die Nichtzulassung farbenblinder Navigationsschüler zum Examen, ferner die Examinirung von Lotsen, Matrosen auf Farbenblindheit in Russland anzubahnen. In Folge dieses Cirkulärs erhielt die Gesellschaft von dem Herrn Kriegsgouverneur die Mitteilungen des Herrn Okulisten A. W. Ljubinsky über Ermittelung der Farbenblindheit seit 1879 unter den für die Kriegsflotte ausgehobenen Matrosen.*) Diese Ermittelungen werden nach der Metode des schwedischen Professors Holmgreen ausgeführt, und es hat sich bisher unter Anderm ermitteln lassen, dass z. B. unter den Rekruten des waldreichen Gouvernements Ologda nicht weniger als 7,3 % Farbenblinde vorkamen. In dem anstossenden Gouvernement Onega dagegen nur 3,1 %. Die Mitteilungen A. W. Ljubinskis wurden von der Moskauer Kaiserl. Ges. zur Hebung des [illegible] wiederum durch Cirkulär zur Kenntnis der am Handelsseewesen Interessirten gebracht.

Jetzt bringt auf Anlass des letzterwähnten Cirkulärs die Moskauer Anthropologische Gesellschaft (die Prüfungsmetode Holmgreens, als die relativ beste, für die Einführung in Russland seitens der erwähnten nautischen Gesellschaft empfehlend) die Bemerkung des Doktors med. Maklakow, *dass die Farbenblindheit nur in Bezug auf das rote und das grüne Licht vorkomme*, also sich auf diejenigen Farben beschränke, die auf Eisenbahnen, Dampfschiffen, Leuchttürmen die hervorragendste Rolle spielen. Er proponirt also, die Moskauer Gesellschaft zur Hebung des Handels-Seewesens möge, statt des schwierigen Studiums der besten Metoden zur Erforschung der Farbenblindheit lieber dahin zu wirken suchen, *dass die roten und grünen Lichter auf Schiffen und Eisenbahnen abgeschafft, und etwa durch blaue und gelbe Lichter ersetzt werden*, die eben so grelle Beleuchtung bieten dürften. Mit dieser Ansicht erklärte sich auch der Professor Sernow einverstanden.

Das heisst nun in der That ein grosses Wort gelassen aussprechen! Rot und Grün durch Blau und Gelb auf den Dampfschiffen, Leuchttürmen, Eisenbahnen der ganzen Welt zu ersetzen, ist eine kolossale praktische Aufgabe, die eine Menge Voruntersuchungen, Konferenzen und internationale Verständigung erfordert. Es muss nun also, da die Sache an sich von eminenter Wichtigkeit ist, an die Voruntersuchungen gegangen und zunächst ermittelt werden: *ist es wahr* (ganz oder zum Teil wahr) *dass die Farbenblindheit nur in Bezug auf das rote und grüne Licht vorkommt?* Detaillirte, vieljährige Prüfungen einer grossen Anzahl von Personen in verschiedenen Ländern müssen zuerst *diese* Frage bejahen, eher weitere Schritte gethan werden können.

Vielleicht werden schon jetzt einige wissenschaftliche Forscher, Gesellschaften etc. auf die vorstehende Anregung der „Hansa“ über diese Frage wertvolle Mitteilungen zu liefern und an die Öffentlichkeit zu bringen die Gewogenheit haben. Zusendungen an die „Hansa“ zum Abdruck, sowie an den Unterzeichneten werden sehr erwünscht sein.

C. Waldemar
Sekretär der Moskauer Kaisert. Gesellschaft zur Hebung des Handels-Seewesens.

*) Auch bei den Eisenbahnen Russlands findet Prüfung auf Farbenblindheit statt, die Handelsflotte ist auch hier der Aschenbrödel geblieben — wie es scheint, in allen Ländern. Da thut denn wahrlich Selbsthilfe not! Jeder Tagverzug kann den Verlust von vielen Menschenleben und von Millionen an Vermögen bringen. Die Versicherungsgesellschaften sollten das ihre in der Sache thun.

Statistischer Bericht über die Geschäftsthätigkeit des Seemanns-Amtes zu Bremen für das Jahr 1885.

Die *Bemannung der Bremischen Seeschiffe* am 1. Jan. 1885 betrug: 314 Schiffe mit 5828 Personen. Von 33 Schiffen ist die Bemannung nicht anzugeben. 23 Schiffe lagen still ohne Bemannung. Zusammen 217 Segelschiffe mit 2956 Personen und 97 Dampfschiffe mit 2872 Personen.

Von den 5828 Personen waren 377 Bremer, 35 aus dem Bremer Gebiet, 134 Vegesacker, 336 Bremerhavener, 696 Oldenburger, 3069 Preussen, 526 Angehörige der übrigen deutschen Staaten, 655 Angehörige fremder Nationen.

Von den Seemanns-Aemtern Bremen, Bremerhaven und Vegesack wurden:

angemustert 8039 Pers. durch 313 Verhandlungen,
nachgemustert 3251 „ „ 540 „

demnach gemustert 11290 Pers. durch 853 Verhandlungen,
gegen 12899 Pers. durch 883 Verhandlungen im Vorjahre.

An- resp. nachgemustert wurden:
10848 Personen durch 654 Verhandl. für Bremer Schiffe
und 442 „ „ 199 „ „ sonst. dtsch. „

Unter den 654 Verhandlungen für Bremer Schiffe befanden sich: 454 für Dampfschiffe mit 9460 Personen und 200 für Segelschiffe mit 1388 Personen.

Unter den 199 Verhandlungen für sonstige deutsche Schiffe befanden sich 16 für Dampfschiffe mit 69 Personen und 183 für Segelschiffe mit 373 Personen.

Von den 11290 Personen wurden in den einzelnen dienstlichen Stellungen an- resp. nachgemustert: 617 Bremer, 71 aus dem Bremer Gebiet, 101 Vegesacker, 1034 Bremerhavener, 1161 Oldenburger, 6951 Preussen, 1029 Angehörige der übrigen deutschen Staaten und 393 Angehörige fremder Nationen.

Von den 472 angemusterten Jungen waren 230 unbefahren. Dagegen waren von den 578 im Vorjahre angemusterten Jungen 285 unbefahren.

Nach den einzelnen Monaten aufgeführt, stellte sich die *Anmusterung* folgendermassen. Es fanden statt im:

Monat				Personen
Januar	73	Verhandlungen	über	1414 Personen
Februar	41	„	„	1030 „
März	39	„	„	402 „
April	18	„	„	583 „
Mai	22	„	„	656 „
Juni	15	„	„	324 „
Juli	22	„	„	761 „
August	20	„	„	1139 „
September	23	„	„	732 „
October	17	„	„	409 „
November	12	„	„	363 „
December	11	„	„	223 „

Zusammen 313 Verhandlungen über 8039 Personen.

Nach den einzelnen Monaten aufgeführt, stellte sich die *Nachmusterung* folgendermassen. Es fanden statt im:

Monat				Personen
Januar	30	Verhandlungen	über	162 Personen
Februar	39	„	„	205 „
März	51	„	„	383 „
April	51	„	„	321 „
Mai	49	„	„	365 „
Juni	60	„	„	356 „
Juli	54	„	„	186 „
August	43	„	„	212 „
September	48	„	„	312 „
October	58	„	„	326 „
November	26	„	„	198 „
December	28	„	„	245 „

Zusammen 540 Verhandlungen über 3251 Personen.

Von den 1903 Personen, die bisher noch nicht in Bremen, Bremerhaven oder Vegesack angemustert wurden, waren 115 Bremer, 12 aus dem Bremer Gebiet, 10 Vegesacker, 60 Bremerhavener, 119 Oldenburger, 1166 Preussen, 266 Angehörige der übrigen deutschen Staaten und 155 Angehörige fremder Nationen.

Von den Seemanns-Aemtern *Bremen*, *Bremerhaven* und *Vegesack* wurden:
abgemustert 11762 Pers. durch 913 Verhandlungen
gegen 13557 Pers. durch 1025 Verhandl. im Vorjahre.

Abgemustert wurden:
11118 Personen durch 725 Verhandl. für Bremer Schiffe
und 644 „ „ 218 „ „ sonst. dtsch. „

Unter den 725 Verhandlungen für Bremer Schiffe befanden sich: 532 für Dampfschiffe mit 9682 Personen und 193 für Segelschiffe mit 1436 Personen.

Unter den 218 Verhandlungen für sonstige deutsche Schiffe befanden sich: 11 für Dampfschiffe mit 74 Personen und 207 für Segelschiffe mit 570 Personen.

Nach den einzelnen Monaten aufgeführt stellte sich die *Abmusterung* folgendermassen: Es fanden statt im

Januar	97	Verhandlungen	über	895	Personen,
Februar	69	„	„	848	„
März	73	„	„	811	„
April	68	„	„	799	„
Mai	75	„	„	995	„
Juni	79	„	„	1079	„
Juli	94	„	„	1296	„
August	66	„	„	1205	„
September	80	„	„	1027	„
October	85	„	„	709	„
November	70	„	„	810	„
December	87	„	„	1288	„
Zusammen	943	Verhandlungen	über	11762	Personen.

Die Musterungen vertheilen sich wie folgt:

Seemanns-Amt	Bremerhaven	1211	Verh.	über	21626	Pers.
„	Bremen	525	„	„	1271	„
„	Vegesack	57	„	„	155	„
	Zusammen	1793	„	„	23052	Pers.

Verhandlungen für Schiffe: Nach Hamburg, auf der Weser und den angrenzenden Gewässern 224, nach See 23, für die Fahrzeit 1885 40, auf Küstenfahrt 2, nach Häfen der Nord- und Ostsee 72, nach europäischen Häfen 17, nach England 112, nach Norwegen und Schweden 36, nach Dänemark 11, nach Russland 13, nach den Niederlanden 12, nach Frankreich 7, nach Portugal 9, nach Spanien 4, nach dem Mittelmeere 16, nach den Vereinigten Staaten von Nord-Amerika 188, nach Central-Amerika 7, nach Süd-Amerika 37, nach den Capverdischen Inseln 1, nach der Ostküste Afrika's 1, nach Ostindien 21.

Von den im Laufe des Jahres angemusterten Seeleuten waren im Alter:

Vom 14.—20. Jahre	2176	Personen.
„ 20.—30. „	4893	„
„ 30.—40. „	2641	„
„ 40.—50. „	1185	„
Ueber 50 Jahre	412	„
Zusammen	11290	Personen

Von den 718 angezeigten *Deserteuren* waren 17 Bremer, 4 aus dem Bremer Gebiet, 1 Vegesacker, 15 Bremerhavener, 40 Oldenburger, 404 Preussen, 124 Angehörige der übrigen deutschen Staaten, 113 Angehörige fremder Nationen. Unter ihnen befanden sich: 5 Untersteuerleute, 2 Bootsleute, 7 Zimmerleute, 9 Köche, 186 Matrosen, 61 Leichtmatrosen, 10 Jungen, 41 Aufwärter, 1 Arzt! 34 Heizer, 326 Kohlenzieher, — aber keine Obersteuerleute, Aufwärterinnen, Proviant- und Zahlmeister und Maschinisten.

Als *Oerter der Desertion* werden genannt: Bremerhaven in 43, Hamburg in 3, auf der Eider in 1, Wisby in 1, Antwerpen in 6, Rotterdam in 1, Cette in 1, Dünkirchen in 1, Cardiff in 15, Falmouth in 1, London in 1, Newcastle a. T. in 2, Portland in 1, Southampton in 2, Queenstown in 1, Valentia in 1, Newyork in 503! Baltimore in 77, Philadelphia in 20, Neworleans in 9, Charleston in 2, Galveston in 1, San Francisko in 6, Santos in 12, Buenos Ayres in 4, Sidney in 1, Rangoon in 2 Fällen.

Bestrafung wurde beantragt in 313 Fällen. — Bestraft wurden 136 Personen.

Heimschaffung hülfsbedürftiger Seeleute. Es wurden von Deutschen Konsulaten den Seemanns-Aemtern 60 hülfsbedürftige Seeleute überwiesen und betrugen die Auslagen für deren Heimschaffung vom Auslande bis Bremerhaven resp. Bremen ℳ 1625.—, die Weiterbeförderung nach dem Inlande ℳ 187.75, zusammen ℳ 2112.75.

Von den 41 angezeigten *Sterbefällen* waren veranlasst durch Ertrinken 3, Vermisst 3, Herzschlag 4, Hitzschlag 1, Gehirnschlag 4, Schädelbruch 1, Lungenschwindsucht 6, Lungenblutung 1, Lungenlähmung 1, Luftröhrenentzündung 2, Erschöpfung, Altersschwäche, Magenkrebs, Fall aus den Masten, Krämpfe, Zahnkrämpfe, Stickhusten, Durchfall je 1, Brechdurchfall 2, Blutvergiftung, Scrophulose, Unbekannt, Selbstmord, Selbstmord durch Ertrinken, Selbstmord durch Erhängen je 1. Ausserdem sind 18 Personen verschollen.

Angezeigte *Geburten:* Männlichen Geschlechts 3, weiblichen Geschlechts 4.

Klagesachen wurden anhängig gemacht wider 164 Personen und zwar:

Geldbusse, von den Seemanns-Aemtern erkannt, wider 90 Personen, Berufung gegen den Bescheid des Seemanns-Amtes legten ein 1 Person, dem Gerichte direkt überwiesen (ohne Desertionsfälle) 73 Personen, zusammen 164 Personen.

Die *mittlere Matrosenheuer* betrug ℳ 46.95 pro Monat.

Der Schiffsverkehr in Geestemünde in 1885

umfasste 786 *angekommene* Schiffe von 286 366 R.-T. mit einer Bemannung von 7299 Köpfen. Unter den 786 Schiffen waren 544 beladene, 242 unbeladene Schiffe und ferner 226 Seedampfer (127 deutsche, 66 britische, 10 norwegische, 8 spanische, je 3 niederländische und griechische, 2 französische und je ein russischer, dänischer, schwedischer Dampfer).

Ausgegangen sind 782 Schiffe von 272 937 R.-T. mit einer Bemannung von 7377 Köpfen. Unter diesen 782 Schiffen waren 491 beladene, 291 in Ballast und ferner ebenfalls 226 Seedampfer (130 deutsche, 65 britische, 11 norwegische, 7 spanische, je 3 niederländische und griechische, je 2 dänische und französische, je 1 russischer, schwedischer, persischer Dampfer).

Es kamen ferner an 2569 Fluss-, Watt- und Leichterschiffe mit 69 815 R.-T., 1143 Fischkutter etc. (Deutscher und Englischer Flagge) mit 19 894 Reg.-T., zusammen 3712 Fahrzeuge mit 109 709 R.-T. und gingen ab 2543 Fluss-, Watt- und Leichterschiffe mit 90 115 R.-T. und 1116 Fischkutter etc. (Deutscher und Englischer Flagge) mit 19 901 R.-T., zus. 3659 Fahrzeuge mit 110 016 R.-T.

Endlich wird vom Hafenamt zu Geestemünde noch folgende *Gesamt-Uebersicht des Schiffsverkehrs seit Eröffnung des Hafens* veröffentlicht.

Es liefen ein:

Im Jahre	Seeschiffe	Grösse	Fluss-, Watt-, Leichterschiffe etc.	Grösse	Total
1864	307	66701 R.-T.	986	2534 R.-T.	69235 R.-T.
1865	292	[illegible] „	892	12284 „	81184 „
1866	402	117513 „	771	13813 „	131326 „
1867	594	156444 „	1070	33264 „	189708 „
1868	483	138578 „	1248	49897 „	188475 „
1869	575	148135 „	1157	48165 „	196300 „
1870	432	115278 „	1140	41176 „	156454 „
1871	804	159960 „	1293	50080 „	210040 „
1872	701	168868 „	1152	53679 „	222547 „
1873	789	168421 „	1906	51013 „	219437 „
1874	722	178589 „	1800	61687 „	240276 „
1875	617	180054 „	2058	86003 „	267061 „
1876	820	260144 „	1140	78758 „	[illegible] „
1877	593	213786 „	1807	88039 „	292225 „
1878	673	210579 „	3045	93290 „	303869 „
1879	871	278613 „	3543	98464 „	377077 „
1880	771	254111 „	3176	72971 „	327412 „
1881	861	245103 „	3121	84911 „	329121 „
1882	759	267786 „	3491	86267 „	354048 „
1883	733	298809 „	3593	96038 „	395847 „
1884	763	258257 „	3081	103450 „	361517 „
1885	786	286366 „	3712	109709 „	396075 „

Aus Briefen deutscher Kapitäne.

I.

Chinesische Küstenfahrt gegen den Monsun. Nachträge zum Kriege. Sichtbarkeit von Shantung-Feuer.

Ist man im Mai von Amoy nach Taiwanfu oder Takao bestimmt, so empfiehlt es sich gegen südliche Winde in der Mitte des Kanals aufzukreuzen, um südlich von beiden Plätzen Land zu machen, denn es laufen in diesem Monat scharfe Tideströme, sowohl in der Nähe der Pescadoren, als auch unter Formosa und läuft die Tide unter den

Pescadoren mit dem Winde bis zu 3 Sm, unter Formosa bis zu 2 Sm. Der Tidewechsel in Taiwanfu geschah unregelmässig vom 16.—22. Mai, und war die Tide sowohl in Stärke als Dauer von den herrschenden Winden abhängig. — Obgleich während der Blokade in 6 Monaten kein Zucker ausgeführt wurde, ist doch verhältnismässig wenig Zucker am Platze, weil die Chinesen wenig Zucker gepflanzt haben, und der grösste Teil davon erst jetzt, [illegible] neue Zucker also erst nach ein oder zwei Monaten zur Verschiffung gelangen kann. — Man ist hier sowie an der Chinesischen Küste über die Kriegführung der Franzosen ziemlich enttäuscht worden, und ist die Stellung der Europäer den Chinesen gegenüber augenblicklich schlechter als vor dem Kriege. Die beste That der Franzosen war die Beschiessung der Pogoda-Rhede und wären sie unmittelbar darnach, als der Schrecken den Chinesen noch in den Knochen sass, bei Tamsui oder hinter den Pescadoren gelandet, so wäre ihnen die Insel in kurzer Zeit zur Beute gefallen; anstatt dies zu thun, landeten sie aber in Keelung, einer richtigen Mausefalle, von der nur Saumpfade über die Gebirge in's Innere der Insel führten. — Die ganze französische Kriegführung in Formosa wurde äusserst nachlässig geführt und die Blokade hatte gar keinen Sinn, denn man liess ruhig während der ganzen Blokade Truppen, Munition, Waffen und Geld von den Pescadoren vermittelst Junken nach Formosa hinüberschaffen; anstatt die Inseln mit dem sicheren Hafen Makong, der für die schwersten Schiffe zugänglich ist, gleich am Anfange der Blokade zu nehmen oder zwischen den Inseln zwei Kanonenboote zu stationiren, nahm man dieselben erst am Ende derselben. Ich war anfangs Februar dort, zu welcher Zeit eine Masse Truppen dort lag, um nach Formosa mit Junken des Nachts übergesetzt zu werden; dieselben gebrauchten etwa 3 Stunden vom Makong-Hafen bis zur Formosa-Küste, ausserdem wurde Makong nur durch zwei sehr kleine alte Forts vertheidigt, welche gegen die französischen Geschütze gar nicht in Betracht kommen konnten, sonst waren keine Befestigungen mehr vorhanden. — Die chinesische Regierung hatte letzten Winter einige Dampfer zum Transport von Waffen und Munition gechartert und es wurde gesagt sowie auch in den englischen Zeitungen geschrieben, dass der dänische Dampfer Activ, die beiden englischen Dampfer Waverley und Pigeon Truppen in Taiwanfu und an der W.-Küste während der Blokade gelandet hätten. In Wirklichkeit haben aber diese Dampfer nur Truppen und Munition auf den Pescadoren, wo gar keine Gefahr dabei war, oder an der Küste, die garnicht blokirt war, bei Double Peak gelandet, aber nirgends an der W.-Küste; das einzige Schiff, welches die Blokade gebrochen hat, ist der deutsche 3m. Schuner F. B. Der erste Versuch anfangs Februar misslang, der zweite Ende März gelang und lag der Schuner während 6 Stunden an der Barre von Takao; leider konnten die europäischen Kaufleute in Takao sich nicht entschliessen, das Schiff zu befrachten und musste der Schuner ohne Frachtabschluss wieder segeln. — Der Eingang zum Hafen ist nicht vollständig dicht gewesen, sondern es ist ein 100' breiter Kanal offen gelassen.

In No. 180 der Nachrichten für Seefahrer 1884 ist die Sichtbarkeit der Blinkfeuer auf dem S.O. Shantung-Vorgebirge zu etwa 15 Sm. angegeben.

In der Nacht vom 14. zum 15. September (1885) wurde der Schein dieses Feuers aus 16 Fuss Augeshöhe bei klarer Luft in 29 Sm. Abstand gepeilt, dasselbe geschah wieder unter denselben Verhältnissen in der Nacht vom 15. zum 16. October.

Nimmt man die Sichtbarkeit des Scheines zu 7 Sm. an, so wird mithin das Feuer 22 Sm. sichtbar sein.

E. K.

Uebersicht

sämtlicher auf das Seerecht bezüglichen Entscheidungen der deutschen und fremden Gerichtshöfe, Reskripte etc. der betreffenden Behörden etc., einschliesslich der Literatur der dahin bezüglichen Schriften, Abhandlungen, Aufsätze etc.

Titel XI.

Versicherung gegen die Gefahren der Seeschiffahrt.

F. Bezahlung des Schadens.

[illegible] dieses Grundsatzes für den Indossatar. Ordrepolizen.

Art. 886, Abs. 2, Art. 887, 891—896 H.-G.-B.'s;
§ 144, Abs. 1, § 145 der Allgem. Seevers.-Bedingungen.

Geklagt ist aus einer auf eine Deckladung bezüglichen Seeversicherung und zwar wird für solche Güter Ersatz verlangt, welche während der Reise teils geworfen, teils über Bord gespült sind. Obgleich die Versicherung auf Grundlage der „Allgemeinen Seeversicherungs-Bedingungen" von 1867 geschlossen ist und diese im § 107 Abs. 1 die Bestimmung enthalten, dass die Versicherung für Deckladung nur *„frei von Beschädigung, sowie frei von Werfen und Ueberbordspülen"* gelte, so ist doch der erhobene Anspruch an sich zweifellos rechtsbegründet, da sich, was insbesondere den hervorgehobenen Punkt anlangt, in der Police neben der Bemerkung: *„auf Deck geladen"* die Klausel eingeschrieben findet: *„frei von Beschädigung; jedoch haftet die Versicherung für Werfen und Ueberbordspülen"*.

Es handelt sich nur um die verschiedenen, von den Beklagten vorgeschützten Einreden. Von diesen würde die Einrede der Doppelversicherung jedenfalls erledigt sein durch den zutreffenden Grund des Ober-Landesgerichts, dass sie trotz Ausübung des richterlichen Fragerechts nicht genügend substantiirt worden sei. Im Uebrigen ist das Berufungsgericht auf die Beurteilung der Einreden im Einzelnen nicht näher eingegangen, weil es annahm, dass sie, da ihre thatsächlichen Grundlagen, jedenfalls nur dem Verhältnisse zwischen der Beklagten und den Versicherungsnehmern A. W. & Co. angehörten, während der Kläger durch ein von den Letzteren auf die an ihre Ordre lautende Police gesetztes Blankoindossament legitimirt ist, nach Artikel 896 verglichen mit Artikel 303 H.-G.-B.'s keinenfalls *dem Kläger* entgegengesetzt werden könnten. Dieser Entscheidungsgrund würde wenigstens in Ansehung einzelner unter den vorgeschützten Einreden vielleicht selbst dann nicht zutreffen, wenn der Kläger bei der vorliegenden Versicherung in keiner anderen Eigenschaft denn als Indossatar der Police in Betracht käme; dann würde der Streitfrage näher getreten werden müssen, wie der Begriff der *„nach Massgabe der Urkunde selbst"* zustehenden Einreden in seiner Anwendung auf eine an Ordre gestellte *Versicherungspolize* abzugrenzen sei, ob nicht insbesondere die Einrede der verletzten Anzeigepflicht hier noch von diesem Begriffe mit umfasst werde. Doch bedurfte dieser Punkt hier keiner Entscheidung, weil jedenfalls darin das Ober-Landesgericht rechtlich geirrt hat, dass es den Umstand, dass der Kläger zugleich der ursprüngliche Versicherte ist, für dessen Rechnung und in dessen Auftrage A. W. & Co. die Versicherung genommen haben, für unerheblich hielt. Dem Versicherten selbst können vielmehr, wenn er auch zugleich als Indossatar der an Ordre gestellten Police legitimirt sein sollte, mindestens alle diejenigen, im Verhältnis zwischen dem von ihm verschiedenen Versicherungsnehmer und dem Versicherer begründeten Einreden entgegengehalten werden, mittelst deren geltend gemacht wird, dass von vornherein der Versicherer nicht wirksam obligirt worden sei. Dies folgt schon daraus, dass ein Anspruch aus der Police niemals mit Erfolg erhoben werden konnte, ohne dass zugleich klar gelegt wurde, wer der eigentliche Versicherte sei. Es ist nämlich, wie man auch über die oben bezeichnete Streitfrage in Ansehung der *Einreden* denken möge, doch keinenfalls darin der Ansicht von Voigt (Seeversicherungsrecht, Abt. 1, S. 71 u. 73) beizutreten, dass nach der Indossirung der Indossatar in Ansehung der Frage nach dem Interesse schlechthin als der Versicherte gelten müsste; vielmehr kann sich das *Klagefundament* durch Indossirung keinenfalls ändern. Auch der Indossatar muss daher, wenn er Klage erhebt, ebenso wie die anderen im Art. 886, Abs. 2 des H.-G.-B.'s, bezw. § 144, Abs. 1 der „Allgemeinen Seeversicherungs-Bedingungen" aufgeführten Punkte, das Interesse des Versicherten an der genommenen Versicherung und folglich bei der Versicherung für fremde Rechnung nach Art. 887 H.-G.-B.'s, bezw. 145 der Allgemeinen Seeversicherungs-Bedingungen auch den Antrag des Versicherten, bezw. die Geschäftsführung des Versicherungsnehmers darlegen. (Vergl. Makower, H.-G.-B. 9. Aufl., S. 795 f., Anm. 14.) Gehört es demnach auch für den auf Grund eines Indossamentes klagenden Versicherten wesentlich zur Begründung seiner Klage, dass er sich selbst als den ursprünglich Versicherten enthülle, so würde es allen Grundsätzen von Treu und Glauben widersprechen, wenn er sich über Einreden hinwegsetzen wollte, welche ihm, falls er ohne Indossament auf Grund des Versicherungsvertrages klagte, entgegenstehen würden. Dies könnte höchstens von dem Standpunkte aus bezweifelt werden, dass man auf Grund des

Versicherungsvertrages an sich nur den Versicherungsnehmer als Gläubiger des Versicherers betrachte, von welchem bei der Versicherung für fremde Rechnung, wie von jedem anderen Kommissionär, welcher in eigenem Namen kontrahirt, das Forderungsrecht auf den Kommittenten erst durch besonderen Akt übertragen werden musste; aber diese Auffassung, mag sie auch die allgemeinen Rechtsgrundsätzen mehr entsprechende und die geschichtlich ursprüngliche sein, wie sie auch heutzutage noch im französischen und im englischen Seeversicherungsrecht herrscht, ist für das deutsche Recht durch das Handels-Gesetzbuch verlassen worden, indem dieses durchaus den Versicherten selbst ohne Weiteres als den eigentlichen Inhaber des Forderungsrechtes behandelt und nur gewisse Abschwächungen der hieraus sich ergebenden Konsequenzen zu Gunsten der Stellung des Versicherungnehmers feststellt. — Art. 894 — 895 H.-G.-B.'s (vergl. Voigt a. a. O. Abt. I, S. 28 ff.)

Gerade auch in Ansehung der Orderpolizen ist es im Art. 896 des H.-G.-B.'s als etwas Singuläres hingestellt, dass bei der Versicherung für fremde Rechnung der ersten Uebertragung das Indossament des Versicherungsnehmers *genuge*; auch hier wird also „davon ausgegangen, dass der Versicherte der eigentliche Gläubiger sei, als dessen Vertreter nur der Versicherungsnehmer indossire, wenn er, und nicht der Versicherte selbst, es thue. Bei dieser Sachlage ist es ganz undenkbar, dass der ursprüngliche Versicherte, auch wenn er ein Indossament des Versicherungsnehmers für sich hat, nicht allen, auf den Abschluss des Vertrages bezüglichen Einreden ausgesetzt sein sollte." (Erk. des I. Civilsenats des Reichsgerichts vom 6. Mai 1885; Dr Blum, Urteile und Annalen, Bd. II, S. 176 ff.)

Titel VIII. Havarie.

Schaden durch Zusammenstoss von Schiffen.

Am 7. April 1885 langte der französische Dampfer „*Ville de Pernambuco*" unter Befehl eines Lotsen auf dem Tajo an und dampfte in langsamer Fahrt gegen die Ebbe den Tajo hinauf. Um zu dem Ankerplatz zu gelangen, musste derselbe zwischen den um 150 Yards von einander entfernt liegenden Dampfern Helga und Nith hindurchsteuern, wobei letzterer mittschiffs angerannt wurde und solche Beschädigungen erhalten hat, dass er in weniger als 10 Minuten mit seiner Maisladung sank. In Folge dessen sind die Ladungsempfänger, Bensaude & Comp. in Lissabon, sowie die Versicherer gegen die Rhederei der „Ville de Pernambuco" auf Schadenersatz klagbar geworden. Aus den Zeugenaussagen hat das Gericht entnommen, dass die „Kollision nicht durch ein falsches Manöver, sondern durch die Strömung herbeigeführt worden sei", sodass es sich also nur um die Frage handele, ob diese Strömung, welche die „Ville de Pernambuco" auf den Nieth trieb, als ein Fall von „*höherer Gewalt*" anzusehen sei, welche den Rheder von der Verantwortlichkeit befreie. Die Aussagen der Portugiesischen Zeugen und der „Ville de Pernambuco" lassen aber erkennen, dass der Tajo in Folge heftiger Regengüsse stark angeschwollen war und mit der Ebbe eine sehr rasche Strömung lief, sowie dass das Fahrwasser des Flusses oft sehr gefährliche Strömungen verursache, ohne dass man wisse, wo und wann dieselben eintreten. Die „Ville de Pernambuco" war jedoch unter der Führung eines Lotsen, welcher die Gefährlichkeit der Schiffahrt auf dem Tajo zur Ebbezeit kennen musste und deshalb sich vor solchen Strömungen hätte hüten müssen, selbst wenn der Kapitän sie nicht kannte. Unter solchen Umständen durfte der Lotse nicht den Versuch machen, bei Ebbe zwischen den beiden Dampfern durchzupassiren. Der Unfall sei mithin *nicht* auf „*höhere Gewalt*" zurückzuführen, vielmehr der Dampfer für denselben verantwortlich zu machen." (Erk. des Handelstribunals zu Havre, 1885, Datum konstirt nicht; Zeitschr. für Versicherungswesen 1885, No. 36.)

Verordnungen etc.

Oesterreichische Ministerial-Verordnung, betr. Abänderung einiger Bestimmungen der Schiffsmanifest-Ordnung vom 23. März 1881, vom 12. Januar 1884.

Handels- und Schiffahrtsvertrag vom 18. Januar 1883 zwischen Frankreich und Serbien. (Gesetz vom 17. Juli 1883 und Verordn. v. 23. Mai 1883.)

Französische Verordnung vom 1. September 1884 mit neuen umfassenden Reglements über Massnahmen zur Vermeidung des Zusammenstosses von Seeschiffen. (Goldschmidt und Hahn, Zeitschr. f. Handelsrecht, N. F., Band XVI., S. 331 f.)

Italienisches Uebereinkommen vom 25. Januar 1884 zwischen Italien und Frankreich, wonach die italienische Konsulargerichtsbarkeit in Tunis auf die dortigen Gerichte übergeht.) (Das. S. 336.)

Italienische neue Erklärung vom 29. März 1884 zwischen Italien und Russland, über gegenseitige Anerkennung der Schiffsaiche (V. v. 6. April 1884.)

Desgl. vom 29. Juli 1881 zwischen Italien und Belgien in gleichem Betreff. (Ital. V. vom 11. August 1881.)

Italienisches Gesetz vom 30. Juli 1884, wodurch die Regierung ermächtigt wird, den Schiffsvertrag mit Frankreich bis 30. Juni 1885 zu verlängern.

Italienische Verordnung vom 6. Juli 1884, wodurch der Vollzugsverordnung vom 20. November 1879 zum Gesetzbuch über die Handelsflotte einige Sätze beigefügt werden (über *Lichter*, welche verschiedene Schiffe zu führen haben.)

Englisches Zoll- und Steuergesetz vom 11. August 1881. (Goldschmidt & Hahn, Zeitschrift f. Handelsrecht. N. F., Bd. XVI., S. 650 ff.)

Germanischer Lloyd.

Deutsche Handels-Marine Seeunfälle vom Monat Decbr. 1885, soweit solche bis zum 15. Januar 1886 im Central-Bureau des Germanischen Lloyd gemeldet und bekannt geworden sind.

I. Segelschiffe.	Gesammtzahl	Ladung	Klasse [1]) I. II. O.	Klasse unbekannt	Alter (Jahre)	Rhederei
a. m. gering. Schaden eingekom.	4	2 … 1 … 1	4			
b. m. schwer. Schaden eingekom.	5	1 … 1 1	3	2		
c. an Strand gerat. od. gestrd. u. abgebr.	4	1 1	2			
d. gestrandt. und nicht abgebr.	1	1	1			
e. Collision.	8			1		
f. Totalverlust [2])	13	1 2 1 … 1 … 1 … 1 1 1	13		1 2 2 6	6 1 1 5
Summa	3[illegible]					
II. Dampfschiffe.						
a. m. Schad. eingekom.	1					
b. an Grund geraten	4					
c. Collision	3					
d. Totalverlust	[illegible]					
Summa	10					

[1]) soweit zu ermitteln, Klasse einer Schiffsklassifizirungs-Gesellschaft. O. = keine Klasse. Umgekommene Seeleute: 35.
[2]) Tonnengehalt von 13 Schiffen 4[illegible] Tons.

BERLIN, d. 15 Januar 1886.

Verschiedenes.

Die **Nordostsee-Kanalvorlage** ist nun einstimmig in der Kommission nach der Regierungsvorlage zur Annahme gelangt, mit der einzigen Aenderung, dass § 3 jetzt folgende Fassung hat: „Von den nicht zur kaiserlichen Marine und zur Bauverwaltung gehörigen Schiffen, welche den Kanal benutzen, ist eine entsprechende Abgabe zu entrichten. Die Feststellung des hierfür zu erlassenden Tarifs bleibt weiterer gesetzlicher Regelung vorbehalten".

Der **diesjährige Verkehr durch den Eiderkanal** hat betragen 4 161 Segel-, Dampfschiffe und Boote gegen 4 321, 4 260, 3 848 und 3 569 in den vier Vorjahren. Die Schiffe waren hauptsächlich mit Getreide, Bauholz, Ziegel- und Kalksteinen, Brennholz und Stückgut beladen.

Die **Rhein-Ems-Kanal-Vorlage** wird demnächst wieder im preussischen Landtage eingebracht werden, und macht der westdeutsche Fluss- und Kanal-Verein grösste Anstrengungen, damit sie nicht wieder zu Fall gebracht wird. Der Geschäftsführer des Vereins, Herr Ingenieur Fritz Geck in Münster i. W., versendet eine Denkschrift, welche auch den Mitgliedern des Abgeordneten- und Herrenhauses gleich nach Bekanntwerden der Thronrede zugegangen ist. Die Schrift, welcher eine Karte des Kanals beigegeben ist, stellt in gedrängter Kürze die Bedeutung des Rhein-Ems-Kanals sowol für die niederrheinisch-westfälische Industrie, wie für die Landwirthschaft und die Emshäfen dar, erläutert die Lage und sonstigen technischen Einzelheiten der Wasserstrassen und hebt besonders die günstige Beschaffenheit des Längenprofils des Kanals gegenüber denen französischer Kanäle hervor. Eine kleine vergleichende Zusammenstellung, welche die Längenprofile verschiedener französischer Kanäle und des Kanals Dortmund-Emshäfen verbildlicht, zeigt zur Genüge, wie günstig unser Kanal in Bezug auf die Anzahl der Schleusen gestaltet sein wird. Während nämlich beim Kanal Dortmund-Emshäfen nur auf je 9 Kilometer eine Schleuse kommt, trifft man beim Kanal von Burgund schon alle 1,30 Kilometer eine Schleuse an. Die Denkschrift erwähnt auch, wie grosse Summen jährlich an Frachtkosten allein für nach den Emshäfen beförderte Steinkohlen nach Fertigstellung des Kanals würden gespart werden, da nach zuverlässigen Berechnungen die Fracht für einen Doppellader [illegible] beträgt, auf dem Kanal nur 25 ℳ ausmachen würde. Die Ersparnisse belaufen sich je nach der jährlichen Transportmenge auf 4½ bis 12 Millionen ℳ, also gerade so viel, als die Zinsen und die Amortisation des Kanals mit allen kostspieligen Nebenanlagen ausmachen würden. Ausserdem ist der Frachtunterschied gerade so gross, als die englische Kohle billiger nach den heimischen Nordseehäfen gebracht wird. Nach Fertigstellung des Kanals würde also die westfälische Kohle die englische von den deutschen Nordseehäfen ebenso verdrängen können, wie ihr das mit Hülfe des Rheinstroms und der anschliessenden Kanäle in den belgisch-holländischen Häfen bereits längst gelungen ist. Die Denkschrift erhalten die Mitglieder obengenannten Vereins kostenfrei.

Die Schiffer-Witwen- und Waisenkasse „Eendragt“ zu Emden ist eine der vielen Wohlthätigkeitsanstalten, durch welche die Schiffer- und Rhederwelt die vielen Härten des Seelebens zu mildern seit langen Jahren bestrebt ist, und die jetzt plötzlich aufgetauchten Beglücker der Seeleute sich veranlasst sehen sollten, zunächst die wirklichen Thatbestände zu studiren. Die Ostfriesische Zeitung berichtet darüber unter:

Emden, 16. Januar. Unter dem Vorsitze ihres buchführenden Direktors Herrn K. H. Valk hielt gestern die Schiffer-Witwen- und Waisenkasse „Eendragt“ hierselbst ihre diesjährige 59. Generalversammlung ab. Aus der vorgelegten Rechnung geht hervor, dass im Jahre 1885 111 Witwen Austeilung erhielten im Betrage von 8139 ℳ, so dass seit Errichtung der Kasse nun im Ganzen 399,649 ℳ 50 ₰ verteilt worden sind. Das Vermögen der Kasse, welches sich im Jahre vorher um 975 ℳ 95 ₰ verringert hatte, hat sich in diesem letzten Jahr um 165 ℳ 3 ₰ vermehrt und war es daher möglich, wiederum eine Austeilung von 76 ℳ für die bezugsberechtigten Witwen, deren Zahl wieder 111 für 1886 ist, zu beschliessen. In gegenwärtiger Zeit der Bedrängnis und des Zurückgehens des Schifferstandes ist es erfreulich zu sehen, wie vielseitig Sympatie und Unterstützung den Hinterbliebenen der Mitglieder eines früher so blühenden Zweiges ostfriesischen Erwerbslebens zu Teil wird. Eine noch immer grosse Zahl von Ehrenmitgliedern hilft dazu, den Witwen und Waisen Hülfe zu bringen und auch die ostfriesische Landschaft hatte eine sehr zur Zeit gekommene Beihülfe gespendet. Im Laufe der Verhandlungen kamen auch die Vermächtnisse aus früheren Jahren zur Verlesung; es ist ein schöner Brauch, durch jährliches Verlesen derjenigen, die Legate gestiftet haben, das dankbare Andenken an dieselben wach zu halten. Wir wünschen dieser so segensreichen Kasse fröhliches Gedeihen für die Zukunft.

Eine zweite Anstalt, die seit Jahren für materielle Verluste zu entschädigen sucht, ist die **Effekten-Versicherungs-Gesellschaft für Seefahrer zu Oldersum**, welche am 19. Januar ihre 15. ordentliche Generalversammlung zu Oldersum abhielt. Der zeitige Buchhalter eröffnete um 12½ Uhr die Versammlung und gab dem ersten Punkt der Tagesordnung gemäss zunächst einen Bericht über die Lage des Geschäfts mit einem Rückblick auf die Erfolge der Gesellschaft in der Zeit ihres 15jährigen Bestehens. Bei einem Gesamtversicherungskapitale von 1 230 106 ℳ durch 3010 Personen wurden an 142 Personen Entschädigungen zu einer Gesamtsumme von 42,596 ℳ gezahlt. Bis zum Jahre 1875 war die Mitgliederzahl in stetem Steigen begriffen, dann nahm die [illegible] ℳ zurückgekommen. Die beiden letzten Jahre haben wieder einen Halt angenommen, was wohl den in dieser Zeit notwendig gewesenen geringeren Beiträgen zuzuschreiben ist. Die so sehr darnieder liegenden Schiffahrtsverhältnisse üben einen merkwürdigen Druck auf die Gesellschaft aus, daher ermahnte der Buchhalter beim Schluss des Berichts die Anwesenden, auch ferner der Gesellschaft treu zu bleiben, betonend den guten Zweck und die erzielten Erfolge. Der knappe Verdienst rechtfertige durchaus nicht, wegen des geringen Beitrages sich von der Gesellschaft fern zu halten; gerade der knappe Verdienst gäbe bei Schiffsunfällen mehr als in den blühenden Jahren die Veranlassung dazu, sich um die Rettung der Habseligkeiten zu bekümmern. Der geringe Beitrag sei für die Masse erträglicher, als der ganze Verlust der Habseligkeiten für den Einzelnen oder gar der Verlust des Lebens für die Familie. — Die von dem Rendanten vorgelesene, von dem Verwaltungsrat revidirte Rechnung gab zu Bemerkungen keine Veranlassung und wurde daher die Decharge erteilt. Die angemeldeten Verluste wurden zum Teil fest bewilligt, ein Fall wegen Fehlens der Papiere der Direktion zur Beschlussfassung überlassen. Die Generalversammlung gab ihre Zustimmung zur Hebung eines Beitrages von 2 % der versicherten Summe zuzüglich ¼ % Prolongationsgebühren. Die in der letzten Generalversammlung beschlossenen Statutenänderungen haben die Genehmigung hoher Behörde gefunden; darnach sind die Beiträge bis zum 31. Januar zu entrichten; auch treten die Winterprämien für die Monate November und December (¼ % pro halben Monat) dieses Jahr in Kraft.

Der Tunnel unter dem Mersey ist in der Länge von 1650 m fertig gestellt, und am 15. Januar im Beisein des Kronprinzen eröffnet worden.

Verlag von H. W. Silomon in Bremen. Druck von Aug. Meyer & Diekmann, Hamburg, Alterwall 48.

HANSA

Redigirt und herausgegeben
von
W. von Freeden, BONN, Thomastrasse 8.
Telegramm-Adresse:
Freeden Bonn.
oder
Neuer Alterwall 20 Hamburg.

Verlag von M. W. Sitomen in Bremen
Die „Hansa“ erscheint jeden 2ten Sonntag.
Bestellungen auf die „Hansa“ nehmen alle Buchhandlungen, sowie alle Postämter und Zeitungsexpeditionen entgegen, desgl. die Redaktion in Bonn, Thomasstrasse 8, die Verlagshandlung in Bremen, Obernstrasse 44 und die Druckerei in Hamburg, Alterwall 20. Sendungen für die Redaktion oder Expedition werden an den letztgenannten drei Stellen angenommen. Abonnement jederzeit, frühere Nummern werden nachgeliefert.

Abonnementspreis:
vierteljährlich für Hamburg 2½ ℳ,
für auswärts 3 ℳ = 3 sh. Sterl.
Einzelne Nummern 60 ₰ = 6 d.

Wegen Inserate, welche mit 30 ₰ die Petitzeile oder deren Raum berechnet werden, beliebe man sich an die Verlagshandlung in Bremen oder die Expedition in Hamburg oder die Redaktion in Bonn zu wenden.

Frühere, komplete, gebundene Jahrgänge v. 1872, 1874, 1876, 1877, 1878, 1879, 1880, 1881, 1882, 1883, 1884, 1885 sind durch alle Buchhandlungen, sowie durch die Redaktion, die Druckerei und die Verlagshandlung zu beziehen. Preis ℳ 8; für letzten und vorletzten Jahrgang ℳ 9.

Zeitschrift für Seewesen.

No. 4. HAMBURG, Sonntag, den 21. Februar 1886. 23. Jahrgang.

Inhalt:

Deutscher Nautischer Verein.

Achtes Rundschreiben.

Kiel, den 30. Januar 1886.

Wie ich bereits in meinem 4. Rundschreiben vom 30. November v. J. andeutete, wird sich der bevorstehende Vereinstag abermals mit der Frage der *Unfallversicherung der Seeleute* zu beschäftigen haben. Unmittelbare Veranlassung bildet dafür der Umstand, dass im Laufe des vorigen Jahres von Seiten des Reichsamtes des Innern der Entwurf eines Gesetzes, betreffend die Unfallversicherung der Seeleute, ausgearbeitet worden ist, der die im Oktober zusammengetretene technische Kommission für Seeschiffahrt beschäftigt hat. Der Entwurf mit Begründung ist s. Zt. durch die Blätter veröffentlicht worden; in der Gestalt, wie die „Hamburger Nachrichten“ in No. 216, Beilage, vom 11. September, denselben abgedruckt haben, bringe ich ihn hiermit zur Kenntnis der Einzelvereine. Ich habe Grund zu der Annahme, dass der Text identisch ist. Ueber die Verhandlungen der technischen Kommission selbst ist nichts bekannt geworden, da bei denselben die Oeffentlichkeit ausgeschlossen war. Es kann daher nur davon die Rede sein, den Gesetzentwurf in der ursprünglichen Fassung zur Diskussion zu stellen.

Die Vorlage entspricht insofern dem Standpunkt, den eine Mehrheit des Deutschen Nautischen Vereins in der jüngsten Jahresversammlung vertrat, als es sich nur um die gesetzliche Neuregelung der *Unfall*versicherung handelt, während an den bestehenden Vorschriften über die Fürsorge in Krankheitsfällen nichts geändert werden soll.

Wir dürfen es gewiss als ein Recht und eine Pflicht des Deutschen Nautischen Vereins ansehen, zu der Vorlage Stellung zu nehmen. Selbst wenn es nur ein erster Entwurf sein mag, der vor seiner endgültigen Feststellung behufs der Behandlung durch die gesetzgebenden Faktoren noch manche Aenderung erfahren wird*), so kann es doch allerseits angezeigt erscheinen, schon jetzt das Urteil der Interessentenkreise darüber zu erfahren. Ein solches Urteil möchte ich durch die Beschlüsse des Vereinstages provoziren.

Selbstverständlich ist es völlig ausgeschlossen, den ganzen Gesetzentwurf durchzuberaten, und nur möglich, die eigentlichen *Hauptpunkte* desselben zu erörtern. Ich möchte mir deshalb gestatten, auf gewisse Einzelheiten hinzuweisen, die der für diese Angelegenheit bestellte Referent (Handelskammer-Sekretär Hansen-Kiel) vor Allem zu behandeln gedenkt. Diese Einzelheiten sind folgende:

1. Umfang der Versicherung (§ 1).
   Ist die Einbeziehung *der Lotsen- und Rettungsmannschaften* in die Seeschiffahrt gerechtfertigt?
   Soll die Versicherungspflicht bei Fahrzeugen von 30 cbm *Bruttoraumgehalt* an beginnen?
   Sind Personen, deren Jahresverdienst an Lohn oder Gehalt 2000 ℳ übersteigt, auszuschliessen?
   Soll die *Selbstversicherung* (§ 2) *zulässig* oder bis zu einem gewissen Grade *obligatorisch* sein?
2. Empfiehlt sich die *Ermittelung des Jahresverdienstes* in der Weise, wie es der § 3 vorschreibt?
3. Sind event. Wünsche bezüglich *des Gegenstandes der Versicherung und des Umfanges der Entschädigung* zu äussern? §§ 5, 6 und 10.)
4. Zulässigkeit der Übernahme der Lasten aus der *Seemannsordnung* resp. dem *Handelsgesetzbuch* auf die Berufsgenossenschaft. (§ 7, Abs. 2.)
5. „Träger der Versicherung“ sind nach § 13 die Rheder etc., womit die später behandelte Pflicht zur Aufbringung der Mittel *ausschliesslich von ihrer Seite in Verbindung steht*. Abgesehen von diesem Punkte ist auf den in demselben Paragraphen er-

*) Anm. Aus diesem Grunde glauben wir von dem Abdruck der umfangreichen Versuchsarbeit absehen zu sollen. D. Red.

wählten *Bevollmächtigten im Heimatshafen* des Fahrzeuges aufmerksam zu machen.

6. Die *Aufbringung der Mittel* zur Deckung der zu leistenden Entschädigungsbeiträge etc. *erfolgt durch eine alljährliche Umlage* auf die Mitglieder (§ 14.)
7. Bei der Bildung der Berufsgenossenschaft ist das *Stimmenverhältnis*, wie es der § 18 normirt, von besonderer Wichtigkeit.
8. Bezüglich der Bildung des *Reservefonds* ist das System der Zuschläge im § 20 ins Auge zu fassen.
9. Die § 30—33 betreffen die fakultative Einführung von *Gefahrenklassen*. Es steht zur Frage, ob diese zu befürworten oder anderweite Vorschläge zu machen sind.
10. Der § 40 ordnet die *Vertretung der Versicherten, d. h. der Seeleute etc.* Es gilt zu entscheiden, ob einer derartigen Vertretung die dort stipulirten Rechte eingeräumt werden können; ferner wie eine Heranziehung dieser Vertretung (§ 43 und 44) zu bewirken ist.
11. Bei dem § 62 ist zu beachten, dass auch *Ausländer* nicht grundsätzlich von den Benefizien des Gesetzes ausgeschlossen sind.
12. Das *Umlage und Erhebungsverfahren* wird in § 6b ff behandelt. Die §§ 13 und 14, welche, wie gesagt, einseitig dem Rheder die Last der Unfallversicherung auferlegen, erhalten hier ihre Ausführung. Es steckt darin ein Kardinalpunkt der Vorlage.
13. Die §§ 76—82 ordnen die *Unfallverhütung* sowie die *Ueberwachung durch die Genossenschaft*. Man wolle prüfen, ob die bezüglichen Vorschriften nicht in manchen Stücken zu Bedenken Veranlassung geben.
14. Ein Gleiches gilt von den *Strafbestimmungen* in den §§ 92, 93, 100—106.

Ich möchte den Einzelvereinen empfehlen, bei den Erörterungen des hierneben folgenden Gesetzentwurfs vor Allem die vorstehenden Gesichtspunkte in's Auge zu fassen, um darüber, soweit möglich, zu bestimmten Beschlüssen gelangen zu können.

Nachdem der deutsche Nautische Verein sich im Vorjahre dahin ausgesprochen hat, *dass die staatliche Ordnung der Unfallversicherung in der Seeschiffahrt dringend erwünscht sei*, haben wir nunmehr die Frage zu beantworten, ob der vorliegende Gesetzentwurf geeignet ist, *dabei den Interessen der Rhederei wie der Seemannschaft gerecht zu werden.* Ich meinerseits hege die Auffassung, dass der Gesetzentwurf — mag derselbe auch in mancher Hinsicht der Abänderung und Verbesserung bedürfen — als eine brauchbare Unterlage für die Lösung der Frage zu erachten ist.

Der Vorsitzende des Deutschen Nautischen Vereins.
Sartori.

Deutscher Nautischer Verein

Neuntes Rundschreiben.

Kiel, den 3. Februar 1886.

Behufs Ausarbeitung der Grundsätze eines *einheitlichen Systems zur Bezeichnung der Fahrwasser und Untiefen in den deutschen Küstengewässern* ist auf Veranlassung des Herrn Staatssekretärs des Innern gestern in Berlin eine Kommission von Sachverständigen zusammengetreten. In einem mir zugegangenen Schreiben Sr. Excellenz des Herrn Staatssekretär von Boetticher vom 21. v. Mts. wurde es als erwünscht bezeichnet, dass an den Sitzungen der Kommission, welche im Dienstgebäude des Reichsamt des Innern, unter dem Vorsitze des Kaiserlichen Geheimen Oberregierungsrats und vortragenden Rats im Reichsamt des Innern Herrn Weymann stattfinden sollten, ein mit dem Gegenstande vertrauter praktisch erfahrener Vertreter des Deutschen Nautischen Vereins teilnehme und mir anheimgeben, die Abordnung einer dafür geeigneten Persönlichkeit zu veranlassen. Ich habe daraufhin meinen Stellvertreter, den Herrn Kapitän Chr. Oberländer in Berlin, Vorsitzenden des dortigen Nautischen Vereins mit der Vertretung des Deutschen Nautischen Vereins in diesem Falle beauftragt; derselbe hat das Mandat bereitwillig übernommen.

Der Antrag der *Stettiner Nautischen Gesellschaft* betreffend die *Verpflichtung der Seeleute zur Führung von Zeugnissen*, den ich auf die Tagesordnung gesetzt habe, ist nach der mir gewordenen Mitteilung aus Stettin, allen Einzelvereinen von dort aus direkt zugegangen.

Der laut meinem 7. Rundschreiben vorläufig zurückgezogene Antrag der Nautischen Gesellschaft zu Greifswald betreffend die Anschaffung eines *Lotsendampfers für Memel* ist von dem *Nautischen Verein zu Papenburg* wieder aufgenommen worden. Da bei Eingang der bezüglichen Mitteilung die Tagesordnung von mir bereits endgültig festgestellt war, so steht nunmehr dem Vereinstage die Entscheidung darüber zu, ob der Gegenstand zur Verhandlung gelangen soll. Ich beehre mich zunächst die Begründung des Papenburger Vereins zu seinem Antrage wiederzugeben:

„In der Sitzung vom 14. Februar 1885 wurde im hiesigen Nautischen Verein laut Auszuges aus dem Protokoll Folgendes verhandelt: Kapt. M. teilt einen Fall mit, den er am 26. November 1881 vor Memel erlebte. Dort seien nämlich zwei Dampfer zum Schleppen stationirt, ein Privatdampfer und ein Regierungsdampfer oder besser gesagt, so sei es früher gewesen; der Regierungsdampfer habe nämlich die Schiffe gratis geschleppt; dabei habe der Privatdampfer sein Bestehen nicht finden können, und sei es daher, auf Antrag dieser Gesellschaft, dem Regierungsdampfer untersagt worden, Schiffe zu schleppen. An dem gedachten Tage hat Kapt. M. bei 18° Kälte und N.W.-Wind sich vor dem Eingange nach Memel befunden; gleichzeitig mit ihm ist auch eine Memeler Bark dort anwesend gewesen. Auf das gegebene Signal kommt sodann der Privatschleppdampfer heran und schleppt die Memeler Bark binnen, wogegen man ihn seinem Schicksale überlässt. Der Wind sei darauf nach Osten verändert, und nachdem er noch zwei Tage mit einem Lotsen an Bord sich angesichts der Küste aufgehalten, während welcher Zeit sein Schiff einem Eisklumpen ähnlich geworden, habe ihn der Regierungsdampfer eingeschleppt. Bemerkt wurde von ihm, dass er unrettbar verloren gewesen, wenn der Wind wieder auf N.W. mit Sturm gegangen. Der Verein war der einstimmigen Ansicht, dass Schritte wegen Abstellung des beregten Uebelstandes dringend geboten seien."

Von demselben Kapt. M. wird der obigen Verhandlung heute das Folgende hinzugefügt: „Gegenwärtig ist in Memel gar kein Dampfer zum Schleppen vorhanden, denn die Rhederei des früheren Schleppdampfers „Agamemnon" hat denselben unlängst nach England verkauft und der jetzige Regierungsdampfer steht hauptsächlich zur Verfügung des Wasserbau-Inspektors und anderer Behörden. Es ist also jetzt ein vollständiger Notstand vorhanden und Abhülfe daher dringend geboten. Es dürfte sich vielleicht empfehlen, wenn, analog wie vor der Eider, auch vor Memel ein Regierungsdampfer stationirt würde, um Schiffe gegen eine mässige Taxe zu schleppen."

Von dem *Verein Hamburger Rheder* ist dem Herrn Dr. Gütschow das Referat über die Frage der *Abfassung des Konnossements-Formulars* übertragen worden. Ich bemerke, dass derselbe im allgemeinen für Annahme der wohl allseitig bekannten Rules der Hamburger Handelskammer eintreten wird; über Einzelheiten finden innerhalb des Vereins noch Beratungen statt.

Der Vorsitzende des Deutschen Nautischen Vereins.
Sartori.

Die Tages-Ordnung des siebzehnten Vereinstages des Deutschen Nautischen Vereins

am 22., 23. und 24. Februar 1886 im Hotel zum Norddeutschen Hof, Mohrenstrasse 20 in Berlin, ist folgende:

Erster Tag.

Geschäftliches: Wahlen, Vereinsrechnung, Berichte, Mitteilungen.

1. *Resolution über die Gesetzesvorlage, betreffend den Nordostseekanal.* (Antrag Kiel).
2. *Abänderung des Gesetzes vom 25. Oktober 1867, betr. die Nationalität der Kauffahrteischiffe.* (Referent Herr Kommerzienrat Gibsone-Danzig, Korreferent: Herr Syndikus Dr. jur. Marcus-Bremen).
3. *Befeuerung der Oderbank* (Antrag Greifswald, Referent Herr Kapt. Oberländer-Berlin).
4. *Farbenblindheit der Seeleute.* (Referent Herr Kapt. Rud. Meyer-Hamburg).
5. *Einführung des Zeugniszwanges für Seeleute.* (Referent: Herr Domcke-Stettin).

Zweiter Tag.

6. *Die Unfallversicherung der Seeleute.* (Referent: Herr Handelskammersekretär Hansen-Kiel).

Dritter Tag.

7. *Die Abfassung des Konnossementsformulars.* (Referent: wird vom Verein Hamburger Rheder bestellt).
8. *Vermehrung der deutschen Konsularvertretungen in ausländischen Hafenplätzen.* (Antrag Rügenwalde).

Eventuell: Die am ersten und zweiten Tage unerledigt gebliebenen Gegenstände der Tagesordnung.

Um 5 Uhr *Festessen* im Vereinslokale für die Mitglieder und die von ihnen eingeführten Gäste.

Bezeichnung der verschiedenen Leuchtfeuer.

Die in der Kaiserlichen Marine festgestellte Bezeichnung der Leuchtfeuer, wie solche auch in dem, von dem Hydrographischen Amt der Admiralität herausgegebenen „Verzeichnis der Leuchtfeuer aller Meere" gebraucht wird, ist laut den Nachrichten für Seefahrer No. 1, 1886, folgende:

1. *Festes Feuer* (Oestr.: festes Feuer; Brit.: fixed light; Franz.: feu fixe; Dän.: fast Fyr; Schwed.: fast fyr; Ital.: luce fissa; Amerik.: fixed light) zeigt ein einfarbiges Licht von gleichmässiger Stärke.

2. *Festes Feuer mit Blinken* (Oestr.: festes Feuer mit Blinken; Brit.: fixed and flashing light; Franz.: feu fixe à éclats; Dän.: fast Fyr med Blus; Schwed.: fast fyr med Blänk; Amerik.: fixed flashing light), ist ein festes Feuer, welches in gleichmässigen Zeitabschnitten von wenigstens 5 Sekunden Dauer lichtstärkere Blinke zeigt, welche auch eine von dem festen Feuer verschiedene Farbe (oder Farben) haben können.

3. *Blinkfeuer* (Oestr. Blinkfeuer; Brit.: revolving light; Franz.: feu tournant oder feu à éclipses; Dän.: Blinkfyr; Schwed.: blänkfyr; Ital.: luce a splendori; Amerik.: revolving light) sind weisse oder farbige Feuer, welche durch gleichlange Dunkelpausen geschiedene Blinke von allmälig zu- und abnehmender Lichtstärke zeigen.

4. *Funkelfeuer* (Oestr.: Funkelfeuer; Brit.: quick flashing light; Franz.: feu scintillant oder clignotant; Dän.: Blinkfyr; Schwed.: Tindrande fyr; Amerik.: flashing light), ist ein Blinkfeuer, dessen Blinke von kurzer Dauer in sehr kurzen Pausen oder ohne jene Verdunkelung auf einander folgen.

5. *Gruppenblinkfeuer* (Oestr.: Gruppenblinkfeuer; Brit.: group flashing light; Franz.: feu à éclats; Dän.: Gruppefyr med dobbelt eller tredobbelt Blink; Schwed.: Gruppblänkfyr; Amerik.: flashing light) zeigen zwei oder mehrere durch kurze Pausen geschiedene, allmälig zu- und abnehmende Blinke, denen eine längere Dunkelpause folgt.

6. *Blitzfeuer* (Oestr.: Blinkfeuer; Brit.: flashing light; Dän.: Blinkfyr; Schwed.: Klippfyr; Amerik.: flashing light) zeigen entweder durch gleichmässig kurze Pausen geschiedene, plötzlich auftauchende Blitze von gleichmässiger Stärke oder mehrere schnell aufeinander folgende Lichtblitze, denen eine längere Dunkelpause folgt.

7. *Unterbrochenes Feuer* (Oestr.: festes Feuer mit Verfinsterungen; Brit.: intermittent oder occulting light; Franz.: feu intermittant; Dän.: fast Fyr med Formörkelser; Schwed.: intermittent fyr; Ital.: luce intermittente; Amerik.: intermittent light), ist ein festes Feuer, welches in gleichen längeren Zeitabschnitten durch eine oder mehrere kurze Verdunkelungen unterbrochen wird.

8. *Wechselfeuer* (Oestr.: Wechselfeuer; Brit.: alternating light; Franz.: feu alternatif; Dän.: vexlende fyr; Schwed.: Vexelfyr; Ital.: luce alternata; Amerik.: alternating light), ist ein festes Feuer von annähernd gleicher Stärke, welches abwechselnd verschiedene Farben zeigt.

Bezeichnung der verschiedenen Tonnen u. Seezeichen.

(Laut derselben Quelle.)

1. *Bakentonnen* (Oestr.: Bakenboje; Brit.: beacon buoys; Franz.: bouée balise; Niederl.: Bakentonnen oder Zee baken; Dän.: Spidstönder; Schwed.: båk- oder tunn-pyramid bojar; Ital.: boa con pallone; Amerik.: beacon buoys), sind grosse Tonnen mit bakenartigem Aufbau.

2. *Spitze Tonnen* (Oestr.: Kegelboje; Brit.: conical oder nun boys; Franz.: bouées ordinaires oder coniques; Niederl.: Boeien; Dän.: Cigartönder; Schwed.: konformige bojar; Ital.: gavitello conico; Amerik.: conical buoys), zeigen über Wasser eine konische oder ogivale Form (mit oder ohne Abzeichen).

3. *Stumpfe Tonnen* (Oestr.: Klapboje; Brit.: can buoys; Franz.: bouées tronquées; Niederl.: Balktonnen; Dän.: Töndervagere; Schwed.: platte oder cylindriska bojar [kompricker, wenn dieselben mit einer Stange versehen sind]; Ital.: gavitello cilindrico; Amerik.: cylindrical buoys), zeigen über Wasser die Form eines Cylinders, mit der abgeplatteten Seite nach oben, oder die Form eines wenig verjüngten abgestumpften Kegels (mit oder ohne Abzeichen).

4. *Platte Tonnen* (Oestr.: flache oder platte Bojen; Brit.: trunk buoys; Franz.: coffres; Niederl.: Meertonnen; Schwed.: Moringsbojar; Ital.: cassa d'ormeggio, cilindrica oder quadrata; Amerik.: mooring buoys), sind stumpfe Tonnen, deren Höhe über Wasser wesentlich geringer ist, als deren Durchmesser. (Werden meistens als Festmachetonnen benutzt.)

5. *Spierentonnen* (Oestr.: Spierenbojen; Brit.: spar buoys; Niederl.: Groote Dryfbaken; Schwed.: Remmaren oder kompickarne; Amerik.: spar buoys), sind aus einem Tonnenkörper bestehende Seezeichen, welche in der Form sich einer Spiere nähern (mit oder ohne Abzeichen).

6. *Treibbaken* (Oestr.: Treibbaken; Franz.: Perches flottantes; Niederl.: Dryfbaken; Dän.: Vagere; Schwed.: Prickarne (mindre Remmaren); Ital.: Mede contre aste di ferro; che soppartano un piccolo cilindro o cono; Amerik.: spar buoys), bestehen aus einer hölzernen Stange (Spiere) und einem zur Vermehrung des Auftriebs dienenden, wenig über der Wasseroberfläche hervorragenden Tonnenkessel (meistens mit Abzeichen).

7. *Kugeltonnen* (Oestr.: Kugelbojen; Brit.: spherical buoys; Niederl.: Bolronde tonnen; Dän.: Oggeformet Tönder; Schwed.: sferiska bojar; Amerik.: spherical buoys), sind von annähernd kugelförmiger Gestalt.

8. *Fasstonnen* (Oestr.: Tonnenbojen; Brit.: Mooring buoys; Niederl.: Okshoofds; Dän.: Almindelig Tönder; Schwed.: tunn bojar; Ital.: botte per tonneggio od indicare pericolo; Amerik.: barrel buyos) haben die Form eines Fasses oder eines Cylinders; die gewölbte Seite ist nach oben gekehrt.

9. *Leuchttonnen* (Oestr.: Leuchtbojen; Brit.: light oder gasbuoys; Franz.: Bouées à gaz oder Bouées éclairées; Niederl.: Licht Boeien; Schwed.: Lysbojar;

Amerik.: lighted buoys) sind Tonnen, welche mit einem Leuchtapparat versehen sind.

10. *Heultonnen* (Oestr.: Selbstthätige Signalbojen; Brit.: Automatic, Whistle oder Signal buoys; Niederl.: Fluitboeien; Schwed.: Ljudbojar; Amerik.: Whistling buoys) sind Tonnen, welche mit einem Apparat versehen sind, durch welchen automatisch ein Ton erzeugt wird, welcher dem der Dampfpfeife ähnlich ist.

11. *Glockentonnen* (Oestr.: Glockenbojen; Brit.: bell buoys; Franz.: Bouées à cloche; Niederl.: Bel Boeien; Dän.: Klokke-tönder; Schwed.: Klockbojar; Ital.: Boa con campana, boa con campana e pallone; Amerik.: bell buoys) sind Tonnen, welche mit einer durch die Bewegung der See zum Tönen gebrachten Glocke versehen sind.

12. *Stangenseezeichen* (Oestr.: Pricken; Brit.: Perches, posts, poles, beacons; Niederl.: Baken; Schwed.: Prickar, flyttende oder faste prickar; Ital.: Mede aste di ferro con banderolo, con pallone, con cilindro o con cono; Amerik.: Poles) bestehen aus einer glatten Stange (mit oder ohne Abzeichen), welche entweder verankert sind (schwimmende Stangenseezeichen) oder im Grunde befestigt sind (feste Stangenseezeichen).

13. *Pricken* (Oestr.: Pricken; Niederl.: Steekbaken; Dän.: Prikkar), sind im Grunde befestigte Baumzweige.

Statistik des Seemanns-Amtes zu Hamburg für das Jahr 1885.

Der Bestand der *Hamburgischen Rhederei* war Ende 1885: 292 Segelschiffe mit ca. 3909 Mann, 190 Seedampfschiffe mit ca. 5603 Mann, zusammen 482 Schiffe mit ca. 9512 Mann, gegen 485 Schiffe mit 9394 Mann im Vorjahre.

An- und *abgemustert* wurden im Ganzen 2419 Schiffe mit 47274 Mann, gegen 2414 Schiffe mit 45600 Mann im Vorjahre.

Angemustert wurden 23907 Mann für 1220 Schiffe, nämlich 2317 Hamburger, 20124 sonstige Deutsche und 1466 Ausländer.

Unter den *Angemusterten* befanden sich 21073 Mann für 937 Hamburger Schiffe und 2831 Mann für 283 sonstige Deutsche Schiffe.

Unter den 937 Hamburger Schiffen befanden sich 806 Dampfschiffe mit 19471 Mann und 131 Segelschiffe mit 1602 Mann. — Unter den 283 sonstigen Deutschen Schiffen befanden sich 38 Dampfschiffe mit 278 Mann und 245 Segelschiffe mit 2556 Mann.

Nach den einzelnen Monaten aufgeführt, stellte sich die *Anmusterung* folgendermaassen:

im Januar	89	Schiffe	mit	2008	Mann
„ Februar	86	„	„	1611	„
„ März	111	„	„	2100	„
„ April	93	„	„	1989	„
„ Mai	120	„	„	2263	„
„ Juni	106	„	„	2108	„
„ Juli	105	„	„	1897	„
„ August	109	„	„	2067	„
„ September	110	„	„	2185	„
„ October	108	„	„	2159	„
„ November	90	„	„	1674	„
„ December	90	„	„	1850	„
zusammen	1220	Schiffe	mit	23907	Mann

Abgemustert wurden 23367 Mann von 1199 Schiffen.

Unter den *Abgemusterten* befanden sich 20654 Mann von 915 Hamburger Schiffen und 2713 Mann von 284 sonstigen Deutschen Schiffen.

Unter den 915 Hamburger Schiffen befanden sich 787 Dampfschiffe mit 19251 Mann und 128 Segelschiffe mit 1403 Mann. — Unter den 284 sonstigen Deutschen Schiffen befanden sich 59 Dampfschiffe mit 461 Mann und 225 Segelschiffe mit 2252 Mann.

Nach den einzelnen Monaten aufgeführt, stellte sich die *Abmusterung* folgendermaassen:

im Januar	91	Schiffe	mit	2016	Mann
„ Februar	85	„	„	1531	„
„ März	100	„	„	1932	„
„ April	97	„	„	1892	„
„ Mai	103	„	„	2207	„
„ Juni	108	„	„	2044	„
„ Juli	[illegible]	„	„	[illegible]	„
„ August	122	„	„	2410	„
„ September	101	„	„	1909	„
„ October	113	„	„	2221	„
„ November	93	„	„	1714	„
„ December	86	„	„	1620	„
zusammen	1199	Schiffe	mit	23367	Mann

Zur Kenntniss gelangte Sterbefälle. Es starben: 37 Hamburger, 95 sonstige Deutsche und 14 Ausländer, zusammen 146 Mann.

Von den zur Kenntniss gelangten Sterbefällen waren: a. durch Krankheit herbeigeführt 41, b. durch Unglücksfall 45, c. durch Selbstmord 4, zusammen 90; ausserdem sind verschollen 56 Personen; total 146 Personen.

Unter den durch *Krankheit* herbeigeführten Sterbefällen figuriren:

1 Fall am gastr. Fieber	2 Fälle am gelben Fieber
1 „ „ Malaria „	2 „ an Blasenentzdg.
1 „ „ Typhus „	2 „ „ Magenentzdg.
1 „ „ Gehirnentzdg.	6 „ „ Schlaganfall
1 „ „ Delir. tremens	5 „ „ Schwindsucht
1 „ „ Leberkrankheit	17 „ „ unbk. Krankh.
1 „ „ Nierenleiden	

Uebersicht der in den Jahren 1880 bis 1885 vorgekommenen Sterbefälle:

im Jahre	Angemustert	Davon gestorben	Procentsatz	
1880	17359 Mann	151 Mann	0,87	Ergiebt im Durchschnitt 0,8 Procent
1881	19359 „	124 „	0,64	
1882	21535 „	187 „	0,87	
1883	22376 „	320 „	1,43	
1884	24716 „	157 „	0,64	
1885	23907 „	146 „	0,61	

Zur Kenntniss gelangte *Desertionsfälle* betrafen: [illegible] Hamburger, 287 sonstige Deutsche, 98 Ausländer, zusammen 392; darunter waren 4 Zimmerleute, 5 Köche, 3 Segelmacher, 139 Matrosen, 33 Jungleute, 26 Aufwärter, 1 Maschinist, 118 Feuerleute, 30 verschiedenen Standes; kein Obersteuermann, Arzt*), Verwalter, Bootsmann, Quartiermeister. — In Hamburg desertirten nach geschehener Anmusterung 98 Seeleute. — Es stellten sich im Laufe des Jahres beim Seemanns-Amte 40 Deserteure; von diesen wurden 22 bestraft, 18 gingen straffrei aus.

Uebersicht der in den Jahren 1880 bis 1885 vorgekommenen Desertionsfälle:

Im Jahre	Angemustert	Davon desertirten im Auslande	Procentsatz
1880	17359 Mann	569 Mann	3,22
1881	19359 „	731 „	3,78
1882	21535 „	702 „	3,26
1883	22376 „	532 „	2,38
1884	24716 „	421 „	1,70
1885	23907 „	394 „	1,61

* *NB.* Dem Desertionsfall eines *Arztes* in der Bremer Seemannsamts-Statistik von vor. No. scheint auch keine eigentliche Desertion zu Grunde zu liegen. Wir hörten gelegentlich von einem binnenländischen Arzt, welcher, in einem südamerikanischen Zwischenhafen an Land gekommen, Bekannte vorfindet und sich bei ihnen verspätet. Das Schiff fährt ohne seinen Arzt weiter, und er gilt in Bremen als Deserteur in den Listen. In Wirklichkeit ist derselbe mit einem andern Schiff derselben Gesellschaft nach Bremen zurückgekehrt, hat seine Effekten wieder an sich genommen und dann sich empfohlen. So wird uns auf Befragen erzählt. *D. Red.*

In demselben Zeitraum vorgekommene Musterungen:

im Jahre	Angemustert	Abgemustert	Summe der Mannschaft	Schiffe
1880	17359 Mann	16528 Mann	33887	1686
1881	19359 „	17875 „	37234	1706
1882	21535 „	20303 „	41838	1868
1883	22376 „	21007 „	43383	2023
1884	24716 „	23884 „	48600	2414
1885	23907 „	23367 „	47274	2419

Bestimmungshäfen und Zahl der angemusterten Schiffe:

In Nord-Amerika	a. Ost-Küste	228	Schiffe
	b. West-Küste	3	„
„ Süd-Amerika	a. Ost-Küste	107	„
	b. West-Küste	73	„
„ West-Indien		53	„
„ Mexico	a. Ost-Küste	14	„
	b. West-Küste	4	„
„ Afrika	a. Ost-Küste	8	„
	b. West-Küste	33	„
„ Australien		37	„
„ der Südsee		3	„
„ Asien	a. Ost-Indien	12	„
	b. China	30	„
	c. Japan	2	„
	d. Russ. Asien	3	„
„ Europa	a. Mittelmeer	74	„
	b. sonstige Häfen	536	„
	zusammen	1220	Schiffe

Unbefahrene Schiffsjungen.

Von den im Jahre

1885	angemusterten	815	Schiffsjungen	waren	351	unbefahren.
1884	„	868	„	„	385	„
1883	„	946	„	„	476	„
1882	„	958	„	„	443	„
1881	„	896	„	„	303	„
1880	„	1004	„	„	410	„

Korrespondenzen wurden erledigt:

Militair-Kontroll-Korrespondenzen 9123, allgemeine und Consulats-Korrespondenzen 4968, Haftbefehle und Vorladungen wurden ausgefertigt 215, erledigte Musterrollen wurden an die respectiven Seemanns-Aemter gesandt 267, ausserdem wurden an Nachlass-Sachen erledigt 356, zusammen 14929, gegen 13672 im Vorjahre.

Privat-, Polizei- und Militair-Recherchen wurden erledigt ca. 2000.

An *Straf-* und *Streitsachen* kamen 155 Fälle gegen 271 Personen zur Verhandlung. Hiervon wurden 131 Fälle vom Seemanns-Amte erledigt, den Gerichten überwiesen wurden 10, der Polizeibehörde 11, unerledigt blieben 3. Unter den 155 Verhandlungen waren 137 Strafsachen betr. 238 Mann und 18 Civilsachen betr. 33 Mann. — Von den Strafsachen kamen vor auf Hamburger Schiffen 120 Fälle betr. 212 Mann, auf sonstigen Deutschen Schiffen 17 Fälle betr. 26 Mann. — Ferner wurden 19 Termine abgehalten behufs Herbeiführung gütlichen Vergleichs. Von diesen Güteversuchen, Civilklagen betr., scheiterten 9, während 10 von Erfolg waren. — Beim Seemanns-Amte eingegangene Strafanträge wegen Desertion von Seeleuten im Auslande wurden der Staatsanwaltschaft resp. der Amtsanwaltschaft überwiesen: 211.

An *Strafgeldern* und *milden Gaben* wurden eingenommen: a. für die Seefahrer-Armen-Casse in Hamburg ℳ 4077.59, b. für die Seemanns-, resp. Seefahrer-Armen-Kasse anderer Deutscher Häfen ℳ 892.30, zusammen ℳ 4969.89, gegen ℳ 5802.54 im Vorjahre.

Heimschaffung hülfsbedürftiger Seeleute. Es wurden von Deutschen Konsulaten dem Seemanns-Amte 280 hülfsbedürftige resp. schiffbrüchige Seeleute überwiesen und betrugen die Auslagen für deren Heimschaffung vom Auslande bis Hamburg ℳ 6064.50, von Hamburg nach dem Inlande ℳ 4858.47, Gesammt-Auslagen ℳ 10922.97, gegen ℳ 9079.83 im Vorjahre.

Von Seeleuten ersparte Gage wurden auf Grund des Reichsgesetzes vom 15. Juni 1877 durch Vermittelung verschiedener Konsulate kostenfrei an das Seemanns-Amt zur Veranlassung des Weiteren eingesandt ℳ 2677.81.

An *Nachlass-Baarschaft* wurden an die resp. Erben und Behörden ausgekehrt ℳ 40712.59.

Güter-Expedition. An Effecten verstorbener und schiffbrüchiger Seeleute und Passagiere wurden spedirt 802 Colli.

Beim Seemanns-Amt verrechnete resp. ausgezahlte Gagen. Handgelder wurden bei der Anmusterung ausgezahlt ℳ 1,150,612.45, verdiente Gage wurde bei der Abmusterung ausgezahlt resp. verrechnet ℳ 3,194,201.78, zusammen ℳ 4,344,814.23, gegen ℳ 4,133,082.69 im Vorjahre.

Die *mittlere Matrosenheuer* betrug im Jahre 1885 ℳ 49.75 pr. Monat.

Der Jahresbericht der Handelskammer in Bremen über das Jahr 1885

ist in seinem ersten allgemeinen Teil wieder mit gewohnter Pünktlichkeit zu Anfang des neuen Jahres dem „Kaufmannsconvent" und damit der Oeffentlichkeit übergeben. Die statistischen Mitteilungen, welche den Inhalt des zweiten Teils zu bilden pflegen, werden wie sonst üblich im Monat Mai nachfolgen, nachdem die bezüglichen Zahlen vollständig beschafft sind.

Die Einleitung verbreitet sich über „die allgemeine Lage des bremischen Handels, über welche sich leider auch dieses Mal wenig Günstiges berichten lässt. Nach wie vor waren, von einigen wenigen Artikeln abgesehen, äusserst gedrückte Preise und wenig lohnender Absatz die *Signatur des Marktes.* Zwar hat ein oder der andere Geschäftszweig eine gewisse Entschädigung darin finden können, dass es ihm gelungen ist, seine Geschäftsbeziehungen zu erweitern, dafür kommen aber andere in Betracht, welche, wie im Laufe der verflossenen, so auch im letzten Jahre, erhebliche Einbussen erlitten haben. Auch die *Rhederei* hat wieder ein überaus ungünstiges Jahr hinter sich, indem trotz der äussersten Zurückhaltung auf dem Gebiete des Schiffsbaues das Angebot von Schiffsräumten die Nachfrage nach denselben weit überflügelte.

Sind sonach die Ergebnisse des bremischen Handels im Wesentlichen als sehr unerfreuliche zu bezeichnen, so hat andererseits das Berichtsjahr zwei für Bremens Handel und Schiffahrt hochwichtige Vorgänge aufzuweisen: wir meinen den mit dem Reichsgesetze vom 31. März v. J. herbeigeführten Austrag der „Zollanschlussfrage" und die auf Grund des Reichsgesetzes vom 6. April v. J. getroffene Entscheidung in Sachen der „Postdampfschiffsverbindungen mit Ostasien und Australien". Ist mit der bezüglich der ersteren getroffenen Entscheidung wieder eine feste Grundlage für die Fortentwickelung der bremischen Verkehrseinrichtungen geschaffen worden, so ist der Ausgang, welchen die Verhandlungen betreffs der Postdampfschiffsverbindungen mit Ostasien und Australien genommen haben, von kaum minderer Wichtigkeit für die Zukunft des bremischen Handels. — Leider hat das abgelaufene Jahr, entgegen den dieserhalb gehegten Erwartungen, noch keine Entscheidung bezüglich der Frage der „Unterweserkorrektion" gebracht. Da jedoch dem Vernehmen nach an massgebender Stelle die Auffassung keine dem Projekt ungünstige ist, darf gehofft werden, dass die der Ausführung desselben bislang noch im Wege stehenden Schwierigkeiten demnächst behoben werden. Dass eine Beseitigung derselben bremischerseits nur auf's dringendste gewünscht werden kann, geht unter Anderem daraus hervor, dass die neuen Hafenanlagen in der Stadt im Hinblick auf den auf den 1. Oktober 1888 festgesetzten Termin des Zollanschlusses bereits in Angriff genommen werden mussten, bei Projektirung der Tiefe und des Umfangs des Hafens aber, um doppelte Arbeit zu vermeiden, von vornherein auf die Verhältnisse zu rücksichtigen war, wie sich dieselben nach der Korrektion der Unterweser gestalten werden.

Nach diesen einleitenden Bemerkungen wendet sich die Handelskammer *zur Berichterstattung über ihre Thätigkeit im verflossenen Jahre,* zunächst zur Besprechung der *zollpolitischen Massnahmen der Reichsregierung* in den Gesetzen vom 22. Mai 1885, betr. Abänderung des Zolltarifgesetzes vom 15. Juli 1879, dem Sperrgesetz für Getreide, Mühlenfabrikate, Schaumwein etc. vom 20. Februar 1885, der Roggenklausel im span.-deutschen Handelsvertrage etc., welche vom gemässigt freihändlerischen Standpunkt erörtert werden. In der *Währungsfrage* steht die Handelskammer entschieden auf dem Boden der bestehenden Zustände, auch die „Massnahmen der Reichsregierung auf kolonialpolitischem Gebiete" hat die Handelskammer bereits in ihrem letzten Berichte mit Freuden begrüsst, und den Grundsätzen, welche der Reichskanzler als massgebend für seine Kolonialpolitik proklamirt hatte, ihre vollste Anerkennung gezollt. Dass diese Grundsätze, namentlich im Betreff der Berücksichtigung aller Rechte Dritter, auch in der

Praxis gehandhabt werden, davon hat die weise Mässigung, welche der Reichskanzler in der Regelung des Karolinenstreites bewiesen hat, das glänzendste Zeugnis abgelegt. Die Handelskammer kann nur wünschen, dass diese Grundsätze auch des Ferneren massgebend sein werden und dass die deutschen Besitzergreifungen sowohl dem Deutschen Reiche als auch den Bewohnern der in Besitz genommenen Landesteile zum Heile gereichen mögen.

Auch in Bezug auf das „Konsulatswesen" erkennt die Handelskammer dankend an, dass die Reichsregierung stetig bedacht ist, den mit der Erweiterung der Handels- und überseeischen [illegible] Konsulatsstellen und Umwandlung von Wahl- in Berufskonsulate Rechnung zu tragen. Dagegen hat sie zu den Bestrebungen, den im „Reichsstempelabgabengesetz" v. 1. Juli 1881 vorgesehenen Fixstempel durch einen Prozentualstempel zu ersetzen, an der Hand der Erfahrungen, welche in Bremen mit der daselbst bestandenen, am 1. Juli 1883 aufgehobenen prozentualen Umsatzsteuer gemacht worden sind, eine scharf ablehnende Stellung eingenommen. Jedoch sind alle seitens der berufenen Vertreter von Handel und Industrie auf dem deutschen Handelstage geltend gemachten Gesichtspunkte, was die Frage der prozentualen Besteuerung anlangt leider völlig unberücksichtigt geblieben, indem das inzwischen zur Annahme gelangte Gesetz (29. Mai 1885), betreffend Abänderung des Gesetzes wegen Erhebung von Reichsstempelabgaben, den Fixstempel beseitigt und dafür den Prozentualstempel aufgenommen hat. Eine wesentliche Verbesserung ist freilich dadurch herbeigeführt worden, dass nach dem Gesetze vom 29. Mai 1885 nicht mehr steuerpflichtig sind Rechnungen, Noten, Geschäftsbücherauszüge u. s. w., womit ein grosser Teil von Kontroversen aus der Welt geschafft worden ist.

„Eine Entscheidung von grosser prinzipieller Bedeutung hat der Bundesrat in Bezug auf die Verzollung von Petroleumfässern getroffen. Während der Zolltarif den Zollsatz für Petroleum mit 6 ℳ per 100 kg festsetzt und § 2 Abs. 1b des Zolltarifgesetzes vorschreibt, dass die Gewichtszölle bei Waren, für welche der Zoll 6 ℳ von 100 kg nicht übersteigt, vom Bruttogewicht derselben erhoben werden, hat der Bundesrat in seinen Sitzungen vom 18. und 25. September v. J. in Vervollständigung der von ihm erlassenen Bestimmungen über die Tara verfügt, dass beim Eingang von Mineralöl in Fässern, welche tarifmässig einem höheren Zollsatz unterliegen, als die darin enthaltene Flüssigkeit, die Fässer, soweit sie nicht unter zollamtlicher Kontrole zur Wiederausfuhr gelangen, nach ihrem Eigengewicht besonders mit einem Zollsatz belegt werden sollen, welcher der Differenz zwischen den Tarifsätzen für das Mineralöl und für die Fässer entspricht. Diese besondere Verzollung der Umschliessungen widerspricht sowohl der klaren Vorschrift des vorstehend angeführten § 2 Abs. 1b, als auch der bisherigen Praxis der deutschen Zollverwaltung, welche zwar in einzelnen Fällen, wo es sich nämlich um äussere Umschliessungen ungewöhnlicher Art, wie Fässer von Metall, Guttapercha etc., handelt, die besondere Verzollung derselben angeordnet hat, im allgemeinen aber von der Auffassung ausgegangen ist, dass die äusseren Umschliessungen, sofern sie als Fabrik- oder handelsübliche Verpackung anzuerkennen sind, — wie dies ja bezüglich der Petroleumfässer unzweifelhaft der Fall ist — einer gesonderten Verzollung nicht unterliegen. Die Handelskammer hat Gelegenheit gehabt, sich dem Senate gegenüber wiederholentlich gegen diese besondere Heranziehung der Fässer auszusprechen. Für die materielle Tragweite der Massregel ist selbstverständlich von nicht geringer Bedeutung, dass der Zuschlagszoll nicht zur Erhebung gelangt, wenn die Fässer unter zollamtlicher Kontrole wieder zur Ausfuhr gelangen."

Da infolge dieser Auslegung des § 2 des Zolltarifgesetzes eine Menge Fässer, weil einmal verzollt, nicht wieder ausgeführt werden, so trifft die Bestimmung des Bundesrats, welche zugunsten des heimischen Böttchergewerbes erlassen wurde, zugleich die *Rhederei*, welche sich vielfach mit der Zurückschaffung der leeren Fässer nach Newyork befasste.

Nach verschiedenen Mitteilungen über die Mitwirkung der Handelskammer an den reichsseitig angeordneten Erhebungen über Sonntagsarbeit (auf welche die Rhederei gelegentlich nicht verzichten darf), den Verrat von Fabrik- und Geschäftsgeheimnissen, Schutz des gewerblichen Eigentums überhaupt, sowie über die Reorganisation des Handelstags, bestätigt die Handelskammer, dass sie stets auf das Nachdrücklichste dafür eingetreten ist, dass trotz der aus den handelspolitischen Kämpfen der letzten Jahre sich ergebenden Gegensätze der im Handelstage für Handel und Industrie geschaffene Vereinigungspunkt den beteiligten Kreisen erhalten bleibe, und auch anderweit sich nach Kräften bemüht hat, über dem sie von ihren wirtschaftspolitischen Gegnern Trennenden das sie mit denselben Einigende nicht aus den Augen zu verlieren und mit denselben speziell in allen Fragen neutralen Charakters in stetiger Fühlung zu bleiben.

Von diesem Standpunkte aus hat sie es u. A. auf das Lebhafteste begrüssen müssen, als der Verein zur Wahrung der gemeinsamen wirtschaftlichen Interessen von Rheinland und Westfalen, dessen wirtschaftspolitisches Programm bekanntlich in wesentlichen Punkten von dem übrigen abweicht, an sie die Aufforderung ergehen liess, als Gast des Vereins den rheinisch-westfälischen Industriebezirken einen Besuch abzustatten, um von der Leistungsfähigkeit dieser Bezirke, und zwar insbesondere im Hinblick auf den überseeischen Export durch Augenschein Kenntnis zu nehmen.

Infolge dieses Besuchs hat die Frage der Hebung der überseeischen Ausfuhr der westfälischen Kohle einen erneuten Aufschwung genommen, um im Wege eines organisirten Ausfuhrbetriebes die deutsche Kohle auf den überseeischen Märkten einzuführen, und in erster Linie diejenigen Häfen zu berücksichtigen, welche mehr oder minder regelmässig von den [illegible] Erneuerung ihrer Kohlenvorräte angelaufen werden und daher voraussichtlich auch für die vom Reiche subventionirten deutschen Dampferlinien nach Ostasien und Australien wichtige Kohlenstationen sein werden, also Gibraltar, Malta, Brindisi, Port Said, Aden, Kolombo und Singapore. Das Ergebnis bezüglich derselben ist nun gewesen, dass bei derzeitiger Lage der Transportfrage (bis zum Verschiffungshafen) die deutsche Kohle nur nach einzelnen der vorgenannten Plätze zu einem genügend billigen Preise hinauszulegen sein wird, um die Konkurrenz mit der englischen Kohle in nachhaltiger Weise aufzunehmen, dass sich aber ein Herausgreifen einzelner Plätze nicht empfiehlt, weil die in den ostasiatischen Linien verkehrenden Dampfer in der Lage sein müssen, ihre Kohlenvorräte nach Bedarf in den verschiedenen, auf ihrer Route liegenden Häfen zu ergänzen und dementsprechend sich nicht darauf einlassen werden, mit einer deutschen Gesellschaft nur bezüglich einzelner dieser Häfen Kontrakte abzuschliessen.

Während die Frage der billigen Beförderung nach jenen Konkurrenz-Häfen wohl nicht eher gelöst werden wird, bis die Ausführung des Rhein-Ems-Weser-Elbe-Kanals die westfälischen Kohlen billiger nach der See zu schaffen gestattet, ist die umfangreiche Frage des überseeischen Vertriebs westfälischer Kohle in Bezug auf einen *anderen Punkt* in Angriff genommen worden, indem von einer unter der Firma Breuer & Co. errichteten Kommanditgesellschaft, an welcher eine grössere Anzahl von Bergwerksgesellschaften und Gewerkschaften im Oberbergamtsbezirke Dortmund beteiligt ist, in *Porto Grande auf St. Vincent* (Cap Verdische Inselgruppe), *ein Lager westfälischer Kohlen* für die diesen Platz anlaufenden Dampfer errichtet worden ist. (Vergl. unsere No. 24 v. vor. Jahre, wo über diesen Gegenstand ausführlich berichtet ist.) Die Handelskammer kann dem Unternehmen, dem ersten derartigen, welches von Deutschland aus ins Leben gerufen worden ist, nur die besten Erfolge wünschen.

Das auf den meisten Gebieten des heutigen Erwerbslebens beobachtete Missverhältnis zwischen Angebot und Nachfrage hat sich im verflossenen Jahre in hervorragendem Masse auch in der Seeschiffahrt geltend gemacht, tritt doch hier als das Angebot von Schiffsraum steigernder Faktor hinzu, dass die Entwicklung immer mehr auf den Uebergang von der Segel- zur Dampfschiffsrhederei hinweist.

Wenn bei dem internationalen Charakter der Seeschiffahrt jeder Versuch, den so hervortretenden wirtschaftlichen Kalamitäten durch staatlichen Schutz zu begegnen, sich als undurchführbar erweisen muss, so konnte, dem prinzipiellen Standpunkt der Handelskammer gemäss, ihr Bestreben bei Vertretung der Interessen dieses Gewerbes nur darauf gerichtet sein, dass dem diesseitigen Schiffahrtsbetriebe die völlig freie Entfaltung seiner Kräfte auf dem Weltmarkt ermöglicht, thunlichste Erleichterungen durch inländische Einrichtungen und Gesetze, sowie auf internationalem Wege geschaffen, endlich jede Beeinträchtigung, sei sie Ausfluss heimischer oder ausländischer Gesetzgebung oder internationaler Normen, beseitigt oder hintangehalten werde. Der Umstand, dass die internationalen Normen einer der Schiffahrt unter Umständen sehr schädlichen Dehnbarkeit fähig sind, hat die Handelskammer gelegentlich des zu Anfang des Berichtsjahres zwischen Frankreich und China ausgebrochenen Konflikts zu Vorstellungen über die von Frankreich proklamirte Behandlung von Reis als Kriegskontrabande, sowie anlässlich der englisch-russischen Streitigkeiten in Afghanistan über die befürchtete Behandlung von Chilisalpeter als Kriegskontrabande veranlasst, und eine internationale Regelung dieser Fragen in die Wege zu leiten.

Auf dem Wege internationaler Regelung wird man auch den in interessirten Kreisen jetzt häufig laut werdenden Klagen über die namentlich in englischen und amerikanischen Seekonnossementen üblich gewordene Art der Verklausulirung derselben, wodurch formell fast jede Verantwortlichkeit des Rheders ausgeschlossen wird, gerecht werden müssen. Da in unserm Bericht über die am 18. August v. J. in Hamburg stattgehabte Versammlung der Association for the Reform and Codification of the Law of Nations diese Angelegenheit einer eingehenden Erörterung in unserer No. 21 unterzogen worden ist, so mag hier nur noch die Ansicht der Handelskammer einen Platz finden. Nach derselben wird eine Regelung der Angelegenheit am Zweckmässigsten derart zu erfolgen haben, dass in der Weise der York and Antwerp Rules internationale Regeln mit der Massgabe vereinbart werden, dass im Konnossement auf diese Regeln Bezug genommen und dieselben so für den Seefrachtvertrag bindend gemacht werden.

(Schluss folgt.)

Verschiedenes.

Drückende Eisenbahntarife. Während wir bei uns „im Lande des Schutzzolls", wie die sog. Deutschfreisinnigen sagen, viel darüber zu klagen haben, dass die Unkosten des Kohlentransports auf den Eisenbahnen von den Gruben bis zu den Ausfuhrhäfen uns die Konkurrenz auf dem Weltmarkt erschweren, erschallen ähnliche Klagen aus dem „Lande des Freihandels" über ähnliche „Bevorzugung des Auslands". Dass die irischen Fische von Liverpool nach London weniger Bahnfracht bezahlen als von Engländern gefangene und ebenfalls in Liverpool aufgegebene Fische, mag noch als grossmütige Ausgleichung der mit den Kosten des Seetransports von Irland nach Liverpool mehrbelasteten irischen Fische entschuldigt werden, damit sie den Londoner Markt einigermassen gleich belastet erreichen. Aber diese Grossmut auf amerikanisches Vieh auszudehnen, erscheint doch mehr als Härte gegen die eigenen Viehzüchter. Der *schottische* Viehzüchter bezahlt für den Transport von Glasgow nach London per Ton 77 sh. 6 d. auf dem Güterzug und 90 sh. auf dem Personenzug, während der *amerikanische* Viehzüchter, der sein in Glasgow angebrachtes Vieh oder Fleisch *in demselben Zug, von derselben Station, nach demselben Markt* verladet, 45 sh. bezw. 65 sh. d. h. mehr als 30% weniger bezahlt. Da braucht es einen nicht zu wundern, wenn die englischen Pächter über die Not der schweren Zeit u. dergl. klagen. Es dient aber dies Beispiel zur Signatur des sog. *Freihandelssystems.*

Untergewicht. In England ist jetzt anerkannter Grundsatz, dass Rheder nicht verantwortlich sind für mangelndes Gewicht gegen das in dem Frachtbrief angegebene Gewicht, wenn sie beweisen können, dass die ganze eingenommene Ladung wieder ausgelöscht wurde.

Fairplay S. 259. Jan. 22. 86.

Garnierung. Für Getreideladungen von Amerika bedarf es keines Garniers über den Wasserballast-Tanks.

Ebendas.

Dampftrawlers. Die Zahl der Schleppnetzfischerfahrzeuge, welche mit Dampf arbeiten, vermehrt sich von Jahr zu Jahr. In Hull liefen am 18. Januar 2 solche Fahrzeuge von den Werften der Earle-Gesellschaft für Schiff- und Maschinenbau, welche für eine Tiefseefischerei-Gesellschaft von Boston bestimmt waren. Ihre Grössen sind 95' auf 19' 9" und 10' engl., mit Glattdeck hinten und mässig hoher Back vorn. Klasse 90 A 1. bei Lloyd. Das Logis für Kapitän und Steuerleute befindet sich hinten, das für das Volk vorn; der ganze mittlere Raum ist für die Maschine, den Eisvorrat und den Fischsegen reservirt. Die Schiffe fahren zwei Pfahlmasten mit zugehörigen Schratsegeln. Die Maschinen, welche die Schleppnetztrosse einzuholen haben, sind direkt wirkende Compound-Maschinen mit Cylindern von 12" und 22" Durchmesser und 20" Hub und arbeiten mit Dampf von 90 # Druck, der von einem Stahlkessel nach Fox Wellblech-System geliefert wird.

Die ausgeworfenen Stoffe beim Ausbruch des Krakatau erreichten, wie die Untersuchung ergeben hat, zum Teil eine Höhe von 50 km, die feinsten Teile jedoch wurden noch höher hinaufgeführt. Die Oberfläche des Teils der Erde, wo ausgeworfene Asche fiel, wird auf 15 020 geographische Quadratmeilen berechnet; die Cocosinseln und Singapore bilden die nördliche und südliche, Benkulen und etwa der Patuha auf Java die östliche und westliche Grenze. Durch eine sorgfältig ausgeführte Berechnung wird eine Totalmenge von 18 000 000 cbm an ausgeworfenen Stoffen gefunden. Feinere Stoffe scheinen noch lange schwebend geblieben zu sein, wie die Beobachtung der farbigen Sonnen und des Abendrots beweisen, welche Erscheinungen übrigens, was ihre Ursache betrifft, von einander getrennt werden müssen. Das zuerst genannte Phänomen muss direkt den Staubteilchen zugeschrieben werden, die Abendröte dagegen hauptsächlich dem Wasserdampf, welcher den grössten Teil der Wolke bildete und sich in höheren Lagen condensirte und zu Eis wurde. Der Weg, den die „Staub-Dampf"-Wolke zurückgelegt haben muss, lässt sich leicht verfolgen: Am 9. September erreichte sie Ceylon, nachdem sie einmal um die Erde gegangen war; dies würde einer Schnelligkeit von 37 m per Sekunde entsprechen; einzelne Teilchen haben bald nach dem Ausbruche dieselbe Wirkung im Osten, in Australien, gehabt. Da nun die Aschen- und Dampfteilchen der Wolke, welche zuerst dem Aequator nahe stand, vermutlich durch die NW.- und SW.-Antipassatwinde nach Norden und Süden bewegt wurden, haben wir hier die Erklärung, weshalb man die wundervollen Erscheinungen erst später in den entfernteren tropischen Erdstrichen gesehen hat; es geschah dies nach und nach, als die mitgeführten Stoffe sich mehr verteilten.

Kautschuckpanzer. Das Panzerschiff „Resistance", eines der ältesten der englischen Flotte, wird gegenwärtig zu einem höchst wichtigen Versuch vorbereitet. Das Schiff erhält nämlich einen Kautschuckpanzer, System Fitzgerald, Linienschiffs-Kapitän der englischen Marine, von welchem der Erfinder behauptet, dass sich die ihm durch die Geschosse beigebrachten Schusslöcher nach dem Schuss von selbst schliessen. Bei den Versuchen mit diesem neuen Panzermaterial wird zunächst mit Schnellfeuerkanonen begonnen werden, und schliesslich werden Fischtorpedos mit allmählich gesteigerter Sprengladung gegen denselben lancirt werden.

Von der **Musterungsbehörde zu Leer** sind im Laufe des Jahres 1885 angemustert 49 Vollmatrosen zu einer durchschnittlichen Monatsheuer von ℳ 50,71, gegen 60 Vollmatrosen zur durchschnittlichen Monatsheuer von ℳ 46,13 im Jahre 1884. In 1885 betrug die höchste bedungene Monatsheuer ℳ 60, die niedrigste ℳ 40; mit Selbstbekästigung wurden für das Dampfschiff „Kronprinz" angemustert 2 Vollmatrosen zu einer Monatsheuer von ℳ 66 resp. 92. Angemustert wurden ferner 16 Schiffsjungen, welche noch nicht auf Kauffahrteischiffen gefahren hatten, zur Heuer von 10 bis 26 ℳ per Monat. Die Zahl der bis zum 31. Dezember 1885 ausgefertigten Neufahrtsbücher betrug 48 gegen 67 im Jahre 1884. Die *Rhederei- und Schiffahrtsverhältnisse von Leer* erscheinen laut dem dortigen Anzeigeblatt überhaupt in wenig günstigem Licht. Am 1. Januar 1885 betrug der Bestand der dort heimatlichen Seeschiffe mit Einschluss der Dampfschiffe „Stadt Leer", „Stadt Witten" und „Kronprinz" 39 Schiffe mit einem Netto-Raumgehalt von 4709 Br. Reg.-Tons. Abgegangen sind 4 Schiffe, welche gestrandet, verkauft oder verschollen sind. Hinzugekommen ist ein in Holland angekaufter Schoner. Der Totalbestand sämmtlicher dort heimatlichen Seeschiffe betrug nach den vorgenommenen Zu- und Abschreibungen und vorgenommenen Neuvermessungen und Vergrösserung des Dampfschiffes „Stadt Witten" am 1. Januar 1886 — 36 Schiffe zu 4386 Br. Reg.-Tons Netto-Raumgehalt. Nach Zeitungsberichten soll im Dezember v. J. noch der Schoner „Arion" zu 141 Br. Reg.-Tons im Atlantischen Meere gesunken sein, der Abgang dieses Schiffes würde event. noch hinzukommen. Vorstehende Schiffe haben unter Zurechnung von zwei Binnenfahrzeugen im abgelaufenen Jahre 541 Reisen gemacht, davon das Dampfschiff „Kronprinz" im Personenverkehr von Emden nach den Badeinseln 72 Reisen, der Dampfer „Stadt Leer" 22 Reisen, hauptsächlich nach den Ostseehäfen, der Dampfer „Stadt Witten", hauptsächlich auf England, 72 Reisen, in der aussereuropäischen Fahrt wurden 8 Schiffe verwandt.

Die Schiffsfrachten waren im Ganzen wenig lohnend, verschiedene Schiffe wurden daher früh aufgelegt. Der Schiffsbau liegt noch immer sehr darnieder unter den wenig einladenden Schiffahrtsverhältnissen. Auf jedem der beiden hiesigen Schiffswerfte steht ein Schiff unverkauft, welche schon in 1883 aufgelegt sind. Nur ein Fluss- und Wattschiff ist in 1885 neu aufgelegt.

Der *Schiffsverkehr* im dortigen Hafen hat wieder wesentlich abgenommen. Während im Jahre 1884 507 See- incl. Dampfschiffe zu 35 372 Br. Reg.-Tons Ladungsfähigkeit eingegangen und 456 See- incl. Dampfschiffe von 34 337 Br. Reg.-Tons Ladungsfähigkeit ausgegangen, sowie 3150 Fluss- und Wattschiffe zu 42 023 Br. Reg.-Tons ein- und 3186 Fluss- und Wattschiffe zu 41 525 Br. Reg.-Tons ausgingen, sind in 1885 eingegangen 454 See- und Dampfschiffe [illegible] See- und Dampfschiffe zu 33 299 Br. Reg.-Tons, eingegangen 2987 Fluss- und Wattschiffe zu 39 726 Br. Reg.-Tons, ausgegangen 3048 Fluss- und Wattschiffe zu 39 170 Br. Reg.-Tons. Von den Seeschiffen gingen in 1885 ein beladen 284 zu 26 504 Br. Reg.-Tons, gingen aus 1885 beladen 442 zu 22 061 Reg.-Tons, unbeladen gingen ein 170 Seeschiffe zu 5 566 Br. Reg.-Tons, gingen aus 56 Seeschiffe zu 11 168 Br. Reg.-Tons. Von den Fluss- und Wattschiffen gingen ein in 1885 beladen 2496 zu 32 194 Br. Reg.-Tons, gingen aus beladen 514 zu 6 335 Br. Reg.-Tons; unbeladen gingen ein 491 Fluss- und Wattschiffe zu 7 532 Br. Reg.-Tons, gingen aus 2534 Fluss- und Wattschiffe zu 32 815 Br. Reg.-Tons.

Wie erheblich in den letzten sechs Jahren der Schiffsverkehr im hiesigen Hafen abgenommen erhellt daraus, dass in 1880 eingingen 740 See- und Dampfschiffe zu 58 201 Br. Reg.-Tons, ausgingen 712 See- und Dampfschiffe zu 59 079 Br. Reg.-Tons, eingingen 3975 Flussschiffe zu 47 218 Br. Reg.-Tons, ausgingen 3975 Flussschiffe zu 47 218 Br. Reg.-Tons. Im Jahre 1881 sind sogar ein- und ausgegangen 4859 Fluss- und Wattschiffe zu 50 815 Br. Reg.-Tons, in 1879 gingen ein 687 Seeschiffe zu 67 342 Br. Reg.-Tons, gingen aus 699 Seeschiffe zu 68 756 Br. Reg.-Tons, die höchste Tonnenzahl in den letzten 10 Jahren.

Fischerfahrzeuge, welche nicht zum Sinken zu bringen sind. In London ist augenblicklich das Modell eines von John White angefertigten Fischerfahrzeuges ausgestellt, welches angeblich nicht zum Sinken gebracht und jeder Zeit auch als Rettungsboot benutzt werden kann. Das Fahrzeug hat eine Länge von 32 Fuss und kostet ohne die Fischereiausrüstung 250 £, während der Preis der Rettungsbote der Lifeboat-Institution sich auf 1000 £ stellt. Grössere Bote würden 500 bis 600 £ kosten.

Der Norddeutsche Lloyd wird seine neuen, grossartigen Werkstätten, welche an Stelle der abgebrannten errichtet wurden, sowie seine Docks electrisch beleuchten. Die Anlagen sind fast vollendet und fand vor einigen Wochen eine Probebeleuchtung derselben statt, die zur Zufriedenheit ausfiel. Es ist dieses dann das dritte grosse Etablissement zwischen Weser und Geeste, welches die Electricität als Beleuchtung bei seinen Arbeiten eingeführt hat. Das erste war die Leher Eisfabrik, das zweite Tecklenborgs Werft in Geestemünde und das dritte der Lloyd.

Die **Erhöhung der Fahrtaxen** von Europa nach Amerika scheint beschlossene Sache zu sein. Wie engl. Blättern aus Newyork gemeldet wird, haben die Nordatlantischen Dampferlinien die Zwischendecksraten von Europa nach Amerika von 15 auf 20 Dollar erhöht. Der Passagepreis nach europäischen Häfen bleibt 20 Dollar.

Schorers Familienblatt kündigt für seinen Jahrgang 1886 einen überaus reichen Inhalt an. Wir teilen unsern Lesern nachstehend die Titel einiger besonders interessanter Beiträge aus demselben mit: „Der Günstling der Präsidentin". Roman v. Hermann Sudermann. — „Ulanenliebe". Roman von H. Schobert. — „Unter der Blume". Von Stefanie Keyser. Illustrirt. — „Das Medium". Von Hans Blum. Nach einem wirklichen Erlebnis aus dem Spiritistenleben. — „Meine Schwiegermutter". Von Emmy von Rhoden. Illustrirt. Eine lebenstreue Schilderung einer jungen Ehe. — „Wilhelmine Buchholz", die weltberühmte Frau, [illegible] lassen. — „Rosenzauber". Von Robert Hamerling. — „Fragen aus dem modernen Gesellschaftsleben". Von Eduard von Hartmann. Der berühmte „Philosoph des Unbewussten" bespricht hier in allgemein fasslicher Weise verschiedene soziale Uebel unserer Zeit". — „Das Ewig Weibliche." Von Ernst Eckstein. — Clemens Denhardt, der hochverdiente Erforscher des nunmehr deutschen Ostafrikas, hat Berichte über seine ostafrikanischen Erlebnisse zugesagt. — „Sollen Frauen Ärzte werden?" Von Sanitätsrat Dr. Paul Niemeyer. — „Hygieinische und medizinische Vorurteile und Verkehrtheiten". Von Dr. Fr. Dornblüth. — „Hinter dem Vorhang. Blicke in das Bühnenleben". Von Max Grube. Illustrirt. — „Erlebnisse eines Dienstmädchens". Von Emil Peschkau. Die Beobachtung des kleinbürgerlichen Lebens durch ein junges Dienstmädchen mit hellen Augen und gesundem Verstand sucht der durch seinen wohlthuenden Humor beliebte Autor nach den Tagebüchern jenes originellen Mädchens zu reproduziren. — „Zur Augenpflege". Von Sanitätsrat Dr. Katz. Ratschläge auf dem Gebiete der Augenhygieine. — „Aus dem Bilderbuch eines Antimaterialisten". Von Gerhard von Amyntor. — „Berliner Nachtcafés". Von A. Oskar Klaussmann. Eine Wanderung durch die Stätten der Anfänge des Verbrechertums. — Die Tagebücher des Berliner Kriminalbeamten und des Einjährig-Freiwilligen Paul Koppelmann werden in der bisherigen Weise fortgesetzt werden.

Den grossen Bewegungen unsrer Zeit wird das Familienblatt auch ferner in Wort und Bild mit Aufmerksamkeit folgen und die mannigfaltigen eingebürgerten Rubriken des Blattes, als: Plauderecke, Briefkasten, Sprechsal, Rätsel, Schach, Berliner Stimmungsbilder, Aus der Frauenwelt, Gute Gedanken, Unsre Dienstboten, Für Haus und Herd, Damenbriefkasten, Humoristisches, Der Zauberer der Familie, Ärztlicher Ratgeber etc. etc. werden fortgeführt und durch ihre Vielseitigkeit nach wie vor in belehrender und unterhaltender Weise allerlei Anregung bringen.

Verlag von H. W. Silomon in Bremen. Druck von Aug. Meyer & Dieckmann, Hamburg, Alterwall 36.

HANSA

Redigirt und herausgegeben
von
W. von Freeden, BONN, Thomasstrasse 9.
Telegramm-Adresse:
Freeden Bonn.
oder
Hansa Alsterwall 28 Hamburg.

Verlag von *H. W. Silomon* in Bremen.
Die „*Hansa*“ erscheint jeden Sonntag.
Bestellungen auf die „*Hansa*“ nehmen alle Buchhandlungen, sowie alle Postämter und Zeitungsexpeditionen entgegen, desgl. die Redaktion in Bonn, Thomasstrasse 9, die Verlagshandlung in Bremen, Obernstrasse 44 und die Druckerei in Hamburg, Alsterwall 28. Sendungen für die Redaktion oder Expedition werden an den letztgenannten drei Stellen angenommen. **Abonnement** jederzeit, frühere Nummern werden nachgeliefert.

Abonnementspreis:
vierteljährlich für Hamburg 2½ M,
für auswärts 3 M = 3 sh. Sterl.
Einzelne Nummern 60 ₰ = 6 d.

Wegen **Inserate**, welche mit 25 ₰ die Petitzeile oder deren Raum berechnet werden, beliebe man sich an die Verlagshandlung in Bremen oder die Expedition in Hamburg oder die Redaktion in Bonn zu wenden.

Frühere, komplete, gebundene Jahrgänge v. 1873, 1874, 1876, 1877, 1878, 1879, 1880, 1881, 1882, 1883, 1884, 1885 sind durch alle Buchhandlungen, sowie durch die Redaktion, die Druckerei und die Verlagshandlung zu beziehen. Preis M 8; für letzten und vorletzten Jahrgang M 9.

Zeitschrift für Seewesen.

No. **5.** HAMBURG, Sonntag, den 7. März 1886. **23.** Jahrgang.

Inhalt:

Die Nord-Ostseekanal-Vorlage im Reichstage.

Da die Beratung des Gesetzentwurfs im Reichstage voraussichtlich ziemlich dürftig und mager ausfallen wird, so glauben wir den Lesern der „Hansa“ einen Dienst zu erzeigen, wenn wir dafür den *Bericht der Reichstags-Kommission* ausführlich bringen, weil in ihm die eigentlichen *Lebensfragen des Kanals* zur Erörterung gelangten, der Reichstag sich dagegen wohl mehr der Tariffrage als dem politisch gefärbten Teil zuwenden wird. (Wie auch geschehen. D. Red.)

Der Gesetzentwurf, welcher der Kommission vorlag, hatte folgende Fassung:

Entwurf eines Gesetzes,
betreffend
die Herstellung des Nord-Ostseekanals.

Wir, *Wilhelm*, von Gottes Gnaden Deutscher Kaiser, König von Preussen etc.

verordnen im Namen des Reichs, nach erfolgter Zustimmung des Bundesrats und des Reichstags, was folgt:

§ 1.

Es wird ein für die Benutzung durch die deutsche Kriegsflotte geeigneter Seeschiffahrtskanal von der Elbmündung über Rendsburg nach der Kieler Bucht unter der Voraussetzung hergestellt, dass Preussen zu den auf 156 000 000 M veranschlagten Gesamtherstellungskosten desselben den Betrag von 50 000 000 M im Voraus gewährt.

§ 2.

Der Reichskanzler wird ermächtigt, die Mittel zur Deckung der vom Reich zu bestreitenden Kosten bis zum Betrage von 106 000 000 M im Wege des Kredits zu beschaffen und zu diesem Zweck eine verzinsliche, nach den Bestimmungen des Gesetzes vom 19. Juni 1868 (Bundes-Gesetzbl. S. 339) zu verwaltende Anleihe aufzunehmen und Schatzanweisungen auszugeben.

Die Bestimmungen in den §§ 2 bis 5 des Gesetzes vom 27. Januar 1875, betreffend die Aufnahme einer Anleihe für die Zwecke der Marine- und Telegraphenverwaltung (Reichs-Gesetzbl. S. 18) finden auch auf die nach dem gegenwärtigen Gesetz aufzunehmende Anleihe und auszugebenden Schatzanweisungen Anwendung.

§ 3.

Von den nicht zur Kaiserlichen Marine gehörigen Schiffen, welche den Kanal benutzen, ist eine entsprechende Abgabe *nach einem vom Kaiser im Einvernehmen mit dem Bundesrat festzustellenden Tarif* zu entrichten.

§ 4.

Die vom Reich auf Grund dieses Gesetzes alljährlich zu verwendenden Beträge sind in den Reichshaushalts-Etat des betreffenden Jahres aufzunehmen.

Urkundlich etc.

Gegeben etc.

NB. Alle § 1—4 sind von der Kommission unverändert angenommen, bis auf § 3, welcher also gefasst wurde:

§ 3.

Von den nicht zur Kaiserlichen Marine *und zur Bauverwaltung* gehörigen Schiffen, welche den Kanal benutzen, ist eine entsprechende Abgabe zu entrichten. *Die Festsetzung des hierfür zu erlassenden Tarifs wird weiterer gesetzlicher Regelung vorbehalten.*

Hierzu wurde in zweiter Lesung noch der Zusatz beschlossen: „Bis zum Ablauf des ersten Jahres nach Inbetriebsetzung der ganzen Kanalstrecke wird dem Kaiser im Einvernehmen mit dem Bundesrate die Festsetzung des Tarifs überlassen“, und darauf das ganze Gesetz, auch in dritter Lesung endgültig angenommen.

Die Kommission beschloss zunächst in eine informatorische Beratung der Vorlage einzutreten, und einigte sich dahin, die folgenden Punkte getrennt zu besprechen,

1. die militärische und maritime Bedeutung des Kanals,
2. die technischen Anlagen,
3. die wirtschaftliche Bedeutung des Kanals
   a) in Bezug auf Handel und Schiffahrt,
   b) in Bezug auf die binnenländischen und landwirtschaftlichen Interessen,
4. finanzielle Gesichtspunkte:
   a) Kostenberechnung,
   b) Rentabilität des Kanals.

Bei der Besprechung traten von keiner Seite prinzipielle Bedenken gegen die Vorlage hervor, vielmehr wurde von allen Seiten nur der Wunsch geltend gemacht, in der Kommission die Bedeutung des Kanals in Bezug auf die erwähnten Gesichtspunkte nach allen Richtungen hin klarzustellen.

In Bezug auf die **militärische und maritime Bedeutung des Kanals** fragt ein Mitglied der Kommission an, ob das Auslaufen der Schiffe aus Wilhelmshaven in die Elbe und umgekehrt angesichts einer feindlichen Flotte bei Helgoland stets sicher erfolgen könne?

Von anderer Seite wurden genaue Informationen über die Vorteile erbeten, welche der Kanal für die Hebung der maritimen Wehrkraft des deutschen Reiches schaffe. Ueber die Stellung der Marineverwaltung zur Kanalfrage sei eine ausreichende Auskunft bei Beratung der Vorlage im Plenum nicht gegeben, und doch trage die Marineverwaltung als die höchste technische Autorität in Fragen der maritimen Wehrkraft, unbestreitbar eine hohe Verantwortung, sowohl betreffs ihrer Stellung in der Vergangenheit als betreffs der Entwickelung in der Zukunft. Entsprechend dem Flottengründungsplan und den sonstigen Denkschriften der Marineverwaltung sei der Bau der Schiffe, der Marineetablissements u. s. w. unter der Voraussetzung erfolgt, dass die Verteidigung der deutschen Küsten eine in sich geteilte sein und bleiben werde; der Bau des Kanals sei bei allen Vorschlägen niemals in Rechnung gezogen. Wenn trotzdem die Admiralität den Bau stets für notwendig gehalten habe, wie in den Motiven der Vorlage angedeutet, so habe mithin der Reichstag die wichtigsten Beschlüsse über die Flotte und ihre Einrichtungen ohne volle Kenntnis der Sachlage fassen müssen. Auf der anderen Seite müsse eine eingehende Auskunft über den Wert des Kanals für die künftige Entwickelung unserer maritimen Wehrkraft gewünscht werden. Wenn im Plenum die Behauptung ausgesprochen worden, der Bau des Kanals komme in seinem Effekt nahezu einer Verdoppelung der vorhandenen Flotte gleich, so sei dies doch wohl eine Übertreibung. Wenn aber in der That eine solche ausserordentliche Steigerung der maritimen Wehrkraft durch die Ausführung des Projekts erzielt werden könne, so müsse man doch auch erwarten, dass als eine gute Folge die Forderungen für neue Schiffsbauten etc. in Zukunft werden herabgemindert werden können.

Darauf gab der *Chef des Stabes der Admiralität* die folgenden Erläuterungen:

Der Zweck des Kanals sei, die Verteidigung der Küsten gegen eine feindliche Blockade zu erleichtern, selbst angesichts einer feindlichen Flotte vor Helgoland seien unter dem Schutze einer starken Küstenverteidigung keine unüberwindlichen Schwierigkeiten zu erwarten, wenn Schiffe von Wilhelmshaven in die Elbe und umgekehrt auslaufen würden. Wenn auch in dem Flottengründungsplane der Kanal nicht speziell gefordert sei, so sei dennoch in der gegenwärtigen Vorlage kein Widerspruch gegenüber der Vergangenheit zu sehen. Es sei zur Beurteilung dieser Frage unumgänglich notwendig die Flottenverhältnisse anderer Länder zu berücksichtigen. Nach dem Flottengründungsplane seien 14 Panzer in Aussicht genommen; 13 seien davon erst fertiggestellt. Gegenüber dem Etat der deutschen Marine von 31 Millionen *M* im Ordinarium habe die englische Marine einen Etat von 247 Millionen *M*. Der Bestand der Schiffe beider Länder stehe in demselben Verhältnisse. Bezüglich der französischen Flotte, so sei der Etat und Flottenbestand ungefähr viermal so hoch als die deutsche; erst in neuerer Zeit seien 16 grosse Panzer hinzugekommen. Das russische Marinebudget übersteige das deutsche nahezu um das Dreifache; die Flotte habe 11 Panzer; unter den vorhandenen Schiffen seien allerdings veraltete, es werden aber wieder neue Schiffe gebaut; ausser auf den russischen Werften, deren Leistungsfähigkeit sich in den letzten Jahren wesentlich gesteigert habe, lasse Russland in Frankreich, England, Schweden und Dänemark bauen. Das dänische Budget der Marine betrage 6½ Millionen *M*. Dänemark habe es aufgegeben, sich Deutschland gegenüber auf die Offensive einzurichten, verbessere aber seine Defensive und betreibe den Bau von Torpedobooten. Alle Mächte haben das Bestreben, ihre maritimen Kräfte zu vermehren. Dem gegenüber dürfe Deutschland die Hände nicht in den Schooss legen. Mit Küstenfahrzeugen und Torpedobooten könne man die Küsten verteidigen; gegen eine Blokade könne uns nur eine Offensivflotte schützen; die speziell für die Lokalverteidigung bestimmten Küstenfahrzeuge würden den Kanal nur ausnahmsweise benutzen. Bei der Kanalfrage handle es sich um die 13 Panzer Deutschlands gegenüber den 71 Panzern Englands, den 51 Panzern Frankreichs, den 20 Panzern Russlands und den 4 Panzern Dänemarks. Unsere zentrale Lage zwinge uns zur Teilung unserer Flotte im Frieden in eine Ost- und eine Nordseeflotte. Die Küsten beider Meere seien für uns gleich bedeutsam; es werde für jedes der beiden Meere eine dem Angreifer an Stärke annähernd gewachsene Flotte erforderlich sein, um die Blockade zu verhindern, und das sei nur zu erzielen durch eine Konzentrirung der im Frieden getrennt in der Nord- und Ostsee stationirten Schiffe. Zu einer wirksamen Blokade seien demnach nach Fertigstellung des Kanals unseren Kräften etwa um das Doppelte überlegene feindliche Kräfte erforderlich.

Das gefährliche Wagnis, die eventuell mit Minen reich besetzten dänischen Meerengen zu passiren, sei nach Herstellung des Kanals nicht mehr zu unternehmen notwendig. Die Behauptung, dass durch den Kanal unsere maritimen d. h. die speziell für den Küstenschutz bestimmten Offensivkräfte gewissermassen verdoppelt werden können, sei demnach nicht übertrieben. Der thatsächlichen Verdoppelung der Marine stehen schwerwiegende Hindernisse im Wege. Insbesondere die Beschaffung der notwendigen Offiziere und Mannschaften. Während der Kanal eine lange Reihe von Jahren Dienste leisten würde, seien Schiffe bei den gewaltigen Fortschritten der Schiffsbautechnik meist nach 20 Jahren veraltet und nicht mehr voll diensttauglich, ausserdem erfordern Schiffe grosse Ausgaben an Unterhaltungskosten für Mannschaften etc., welche bei dem Kanal in Wegfall kommen, da diese durch Abgaben der Handelsschiffe gedeckt werden. Nur durch den Bau eines Kanals sei die Möglichkeit der erwünschten Vereinigung unserer Kriegsflotte im Kriegsfalle gesichert. Der Wert des Kanals steigere sich mit dem Werte der Schlachtflotte. Diese Schlachtflotte müsse in der durch die Denkschrift von 1873 vorgesehenen Stärke auf der Höhe der Situation stehen, also durch Ersatzbauten die erforderliche Ergänzung erfahren. Die Panzerflotte müsse [illegible] also von der Lokalverteidigung freigemacht werden, für welche ausser Torpedobooten noch eine zunächst noch nicht genau festzusetzende Zahl von Küstenfahrzeugen erforderlich sei.

Der Herr Staatssekretär des Innern beantwortete insbesondere die Frage: wenn der Kanal ein so brennendes Bedürfnis sei, weshalb derselbe dann nicht schon früher beantragt worden sei? etwa wie folgt:

Das Kanalprojekt habe seit 1863 niemals geruht; die Forderung der Verbindung der Ost- und Nordsee durch einen leistungsfähigen Kanal sei eine alte und habe sich mit der Forderung der Hebung der Seetüchtigkeit Deutschlands wiederholt; dabei seien stets die Handelsinteressen mit in Betracht gezogen worden. Nachdem sich die Unmöglichkeit herausgestellt habe, auf privatem Wege den Kanal zustande zu bringen, habe man sich jetzt entschlossen, die Sache auf den Reichsweg zu bringen. Wenn das Erfordernis des Kanals in früheren Denkschriften, betreffend die Marine nicht hervorgehoben worden sei, so liege das daran, dass es sich bei diesen Denkschriften um Dinge gehandelt, mit denen der Kanal nichts zu thun habe. Die Kanalfrage entbehre jeder politischen Bedeutung, sie sei nur eine Frage der Landesverteidigung und des Handelsinteresses.

Von einem Mitgliede der Kommission wurde demgegenüber nochmals darauf hingewiesen, dass es in der bisherigen Diskussion unaufgeklärt geblieben, warum die Marineverwaltung nicht die Notwendigkeit des Kanalbaues zu jener Zeit zur Sprache gebracht habe, als auf Grund des Flottengründungsplans die Basis für die Entwickelung unserer Flotte und die Anlage der Marineetablissements vom Reichstag genehmigt sei. Aber die Marineverwaltung habe den Bau des Kanals nicht allein niemals in ihre Anträge aufgenommen, sondern sie habe sogar, als im Jahre 1873 Graf Moltke in seiner vielzitirten Rede den Kanal energisch bekämpft habe, weil derselbe die dafür erforderlichen Kosten niemals lohnen werde, nicht den geringsten Widerspruch erhoben. Bei den damals über die Verwendung der französischen Kriegsentschädigung gefassten Beschlüssen sei finanziell die beste Gelegenheit gewesen, die Kosten ohne Schwierigkeit aufzubringen. Aus der Mitte des Reichstags sei damals sogar ein Antrag auf Reservirung von 30 Millionen Thaler aus der Kriegsentschädigung für den Bau des Kanals gestellt worden, und wenn die Marineverwaltung nur einen dahin gehenden Wunsch geäussert hätte, so wäre die Ausführung des Projekts bereits vor 13 Jahren gesichert gewesen. Jetzt werde der Kanalbau in einer Zeit als notwendig und unaufschiebbar bezeichnet, in welcher die finanzielle Lage des Reiches keineswegs günstig sei. Eine befriedigende Auskunft über diesen Verlauf der Angelegenheit bleibe noch immer zu wünschen. Auch sei Aufklärung darüber zu erbitten, ob nicht nach dem Bau des Kanals eine Reduktion der Forderungen betreffs des Schiffsmaterials etc. eintreten könne. Im Gegensatz hierzu sei jetzt erwähnt, dass zur Sicherung der Passage der Flotte von der Jahde nach der Elbebucht vielleicht noch einige gepanzerte Küstenfahrzeuge nötig sein würden. Hiernach müsse auch Auskunft darüber erbeten werden, ob etwa in Verbindung mit dem Kanal und zur Sicherung der Benutzung neue Schiffsbauten und Marineanlagen notwendig sein würden.

Der Chef des Stabes der Admiralität erwiderte darauf, dass es sich zwar seiner Beurteilung entziehe, weshalb die Marineverwaltung seiner Zeit den Bau des Kanals nicht gefordert habe, wohl aber sei in der Denkschrift, betreffend die Entwickelung der Kaiserlichen Marine, vom Jahre 1873 (S. 5 Al. 6) auf die Wichtigkeit des Kanals für die Verteidigung unserer Küsten hingewiesen. Die Marine habe stets die Realisirung dieses Projektes erhofft, der Wunsch nach einer uns jeder Zeit offen stehenden inneren Kommunikationslinie sei allerdings ein um so intensiverer geworden, als einmal unsere Nachbarn gerade in den letzten Jahren bemüht gewesen seien, ihren Einfluss auf dem Meere auszudehnen durch die Vermehrung ihres schwimmenden Materials, sich sodann aber auch der unter allen Umständen zu erstrebenden Vereinigung unserer Schlachtenflotte in Folge der Vervollkommnung der unterseeischen Kampfmittel noch weitere Schwierigkeiten in den Weg gestellt hätten.

Eine Reduktion der Forderungen betreffs des Schiffsmaterials werde unter keinen Umständen eintreten können, da — wie bereits angegeben — der Wert des Kanals für die Marine mit dem Wert der Schlachtenflotte steige und diese in der vorhandenen Stärke nur eben stark genug sei, um nach erfolgter Konzentration gegen die feindliche Flotte bezw. gegen Teile derselben einen Erfolg erhoffen zu können.

Zur Sicherung der Passage der Flotte von der Jahde nach der Elbe und zum Austritt aus der letzteren werde allerdings, da die Schlachtenflotte behufs Verwendung zu Offensivzwecken in den an unsere Küsten unmittelbar angrenzenden Gewässern von der Lokalverteidigung gänzlich freizumachen sei, eine besondere Küstenverteidigung erforderlich sein. Ob neben den Küstenwerken die vorhandenen Torpedoboote und Panzerfahrzeuge hierzu ausreichend sein würden, lasse sich unter der Berücksichtigung, dass der Bau des Kanals einen Zeitraum von 8 Jahren in Anspruch nehmen würde, zur Zeit bei der gewaltigen Entwickelung der Kampfmittel zur See noch nicht übersehen, doch sei es nicht ausgeschlossen, dass sich die Beschaffung einiger Küstenfahrzeuge als notwendig herausstellen könnte.

Von anderer Seite wird darauf hingewiesen, dass von Seiten Dänemarks bereits beabsichtigt gewesen sei, den Kanal in grösserem Masse auszubauen, dass diese Frage in Dänemark wiederholt ventilirt worden sei, dass aber der russische Einfluss den Bau des Kanals inhibirt habe; diese Vorgänge seien aber nunmehr Anlass, den Bau des Kanals jetzt zu fördern.

Ueber die **technischen Anlagen des Kanals** berichtet sodann der Herr Geheime Oberbaurat *Baensch* wie folgt:

Die Ausmündungen des Kanals seien von selbst gegeben, und zwar im Osten in die Kieler Förde und im Westen in die Elbmündung. Im Westen seien an der ganzen Schleswigschen Küste die Watten ein Hinderniss, diejenigen richtigen Tiefen zu schaffen, welche die Militärverwaltung beanspruchen müsse; diese seien nur in der Elbe vorhanden. Ausserdem gestalte das grosse Flutgebiet der Elbe die Schiffbarkeit derselben so günstig. Die Gestaltung des Elbstromes sei eine Gewähr dafür, dass die Tiefen erhalten bleiben würden. Aehnlich sei es in Kiel; die Holtenau sei die natürliche und sichere Mündung des Kanals mit guter und geschützter Rhede, welche Vorteile die Eckernförder Rhede nicht bieten würde. Die Trace habe nur die Wasserscheide zwischen Elbe und Eider zu durchschneiden; sie gehe ab Brunsbüttel zuerst durch eine Niederung und habe bei Grünthal die grösste Höhe von 24 bis 25 Meter über dem Kanalspiegel zu durchschneiden; dann falle die Linie bis Wittenbergen zur Eider und gehe bis Rendsburg in der Ebene, viele Male den Lauf der Eider durchschneidend. Ab Rendsburg gehe die Trace durch die Obereiderseen in das Gebiet des alten Eiderkanals hinein. Das Niveau der Obereiderseen werde auf den Spiegel des neuen Kanals herabgesenkt werden. Gerade diese Trace sei gewählt, weil sie mit den geringsten Kosten ausgeführt werden könne. Das *Dahlström*sche Projekt nehme den Querschnitt des Kanals mit 58 Meter Spiegelbreite, 22 Meter Sohlenbreite und 8 Meter Tiefe an, die Krümmungen seien mit einem Radius von 750 Metern angenommen. Das Niveau sei nach dem mittleren Niveau des Ostseespiegels angenommen; wenn die Schleusen des Kanals an der Elbmündung geschlossen werden, würde dieses Niveau in glatter Fläche bis zur Elbe durchgehen. Die Elbe habe einen in Folge der Flutbewegung stetig wechselnden Spiegel, derselbe schwanke um $2,_{6}$ Meter, $1,_{4}$ Meter über dem Spiegel und $1,_{2}$ Meter unter dem Spiegel der Ostsee. Der höhere Wasserspiegel würde Strömungen und Deteriorationen der Ufer verursachen, weshalb die Schleuse in der Elbmündung notwendig sei. Das Niveau der Ostsee dagegen wechsele nicht in dem Masse, nur gelegentlich bei starken Ostwinden staue sich das Wasser. Die höchste Höhe am 13. November 1872 habe $3,_{3}$ Meter über dem gewöhnlichen Wasserstande betragen. Die gewöhnlichen Hochfluten seien 3 Meter über dem gewöhnlichen Niveau, es sei daher auch an dieser Seite eine Schleuse erforderlich. Der Wasserstand des Kanals könne aber nicht auf gleicher Höhe erhalten werden, weil er viele Binnengewässer aufnehme und dadurch zu hoch werden könne. Der Kanal werde deshalb in den niedrigeren Wasserstand entwässern müssen. Der Kanalspiegel werde dadurch ein Gefälle bekommen und bei niedrigem Wasserstand in der Elbmündung werde eine Senkung desselben um etwa $1,_{8}$ Meter eintreten, und dadurch die Tiefe nicht 8 Meter, sondern nur $6,_{2}$ Meter betragen.

Diese Senkung und in Folge deren die zu geringe Tiefe sei für die Schiffe der Marine und auch häufig für die Handelsschiffe ungenügend. Nach dem *Dahlström*schen Projekte solle deshalb die Schleuse in der Elbmündung für solche Fälle geschlossen werden. Doch würde dadurch viel Zeit für die den Kanal passirenden Schiffe verloren gehen.

Starke Uferdeckungen des Kanals seien notwendig, weil beim Passiren der Schiffe eine Welle entstehe, welche sehr auf das Ufer wirken und dasselbe abbröckeln würde. Die Mündungen des Kanals habe *Dahlström* sich wie folgt gedacht: An der Elbseite sollen zwei Moolen gebaut werden, welche 8 Meter tief sein sollten. In diese Moolen hinein sollten 2 Schleusen, eine grössere und eine kleinere, hineinführen; in der grösseren sollten 4 Handelsschiffe oder 1 Kriegsschiff Platz finden. An der Kieler Seite habe *Dahlström* eine einfache Schleuse angenommen, weil für gewöhnlich die Schiffahrt dort ohne Schleuse arbeiten könne, welche nur bei den höheren Wasserständen notwendig werde.

Ueber den Kanal führen Eisenbahn- und Landverbindungen. Die Eisenbahnbrücken seien als Drehbrücken gedacht, ausserdem sei eine Verbindung der Ufer durch Fähren geplant worden.

Gegenüber diesem *Dahlström*schen Projekte weise das von der Regierung vorgelegte Projekt manche Aenderungen auf. Insbesondere seien Aenderungen an der Mündung des Kanals in die Elbe notwendig geworden. *Dahlström* habe sich hauptsächlich durch Sparsamkeitsrücksichten bei der Anlage leiten lassen, und mit dem Interesse des Handels den militärisch-maritimen Interessen nebenbei dienen wollen, die Regierung aber müsse zunächst die militärisch-maritime Seite im Auge behalten, deren Durchführung auch dem Handel in vermehrter Weise zu Gute kommen werde. Für Letzteren insbesondere sei es erforderlich, dass beim Einlaufen in den Kanal möglichst wenig Zeit verloren werde. Für die Marine sei das Querprofil des Kanals das Wichtigste. Wenn man annehme, dass die Handelsschiffe den Kanal mit einer Geschwindigkeit von 10 Kilometer per Stunde passiren sollten, so bedinge der Kanal ein Querprofil, welches sechsmal so gross sei, wie der Querschnitt der passirenden Schiffe. Auch zum Begegnen der Schiffe müsse ein ausreichender Spielraum übrig bleiben. Die Marine müsse für ihre grossen Schiffe auf einer Tiefe des Kanals von 8½ Metern bestehen. Dazu sei ein Querprofil des Kanals von 366⅔ Quadratmetern erforderlich, und zwar im Spiegel eine Breite von 60 m, in der Sohle eine Breite von 26 Metern und eine Tiefe von 8½ m. Wenn man die Breite der Handelsschiffe mit 9 m annehme, so könnten sich zwei Handelsschiffe bequem begegnen, auch ein Kriegsschiff und ein Handelsschiff, nicht aber zwei grosse Kriegsschiffe. Die oben erwähnten Schwankungen des Längenprofils haben es notwendig gemacht, der Sohle des Kanals ein Gefälle von $1,_{2}$ Metern zu geben, um auch bei der Elbmündung stets die erforderliche Tiefe zu behalten und Misstände zu vermeiden, wie sie oben bei dem *Dahlström*schen Projekte bei einer Senkung des Kanalspiegels geschildert wurden. Dadurch seien vermehrte Erdarbeiten und eine entsprechende Erhöhung des Anschlages entstanden. Die Kosten der Uferarbeiten seien von *Dahlström* unterschätzt worden; die Deckung der Ufer sei mit Rücksicht auf den wechselnden Wasserstand nicht in genügender Höhe vorgesehen.

Die Verbindung des Kanals mit der Untereider sei in dem *Dahlström*schen Projekte ebenfalls durch eine Schleuse gedacht worden; man habe demnach drei Mündungen: Elbe, Untereider und Ostsee. Die Mündung an der Elbe habe ganz abgeändert werden müssen. Die *Dahlström*schen Projekte lehnen sich an die Anlagen bei Ymuiden und den neueren Ostseehäfen an; dort sei aber Sandboden und in der Elbe Schlickboden; hier dürfe man keine grossen Bassins ohne Strömung bauen, weil sie immer verschlicken würden. Die aus dem Kanal kommende Strömung treie durch ein solches Bassin durch einen offen gehaltenen Mittellauf, während an der Seite die Verschlickung kräftig vorschreite. Das Einlaufen der Fahrzeuge rechtwinklig zur Richtung des Flut- und Ebbestromes sei mit solchen Gefahren verknüpft, dass die Notwendigkeit entstanden sei, dieses Einlaufen möglichst parallel zur Flut- und Ebbeströmung zu ermöglichen. Auch die Marine habe ein Einlaufen der Schiffe in der Längsrichtung des Stromes beansprucht, sowie ebenfalls, dass eine starke Strömung das Bassin spüle. Man habe deshalb der Kanalmündung die Längsrichtung mit dem Elbstrome geben müssen; ausserdem habe die Marine gefordert, dass eine Schleuse gebaut werde, welche vier grosse Panzerschiffe gleichzeitig aufnehmen könne. Die zweite Mündung nach der Untereider habe *Dahlström* in den Dimensionen des alten Kanals angenommen. Auch diese Schleuse muss vergrössert werden und habe eine Länge von 71 m, eine Breite von $11,_{4}$ m und eine Tiefe von 5 m erhalten. Weniger bedeutend seien die Modifikationen der Schleuse an der Mündung der Ostsee gewesen, man habe indessen noch eine zweite Schleuse projektirt, um dem etwaigen Bedürfnis Rechnung zu tragen.

Bei den Drehbrücken über den Kanal kommen aus militärischen Rücksichten zwei Chausseebrücken in Betracht, ausserdem seien Fähren zur Verbindung beider Kanalufer geplant. Die Eisenbahnen sollen alle in ihrer gegenwärtigen Höhenlage über den Kanal geführt werden, die Kosten dafür seien ebenfalls mit veranschlagt. Für Gebäude habe man einen höheren Betrag annehmen müssen. Ebenfalls seien die Betriebseinrichtungen für die Schleusen und Werkstätten in dem *Dahlström*schen Projekte ungenügend geplant gewesen. Ferner seien Anlagen von elektrischer Beleuchtung in Aussicht genommen.

(Fortsetzung folgt.)

Aus Briefen deutscher Kapitäne.

II.

Beiträge zu unserer Kenntnis der Taifune. Von E. K.

Bis zu Ende der siebziger Jahre war unter den „Küsters" die Annahme verbreitet, dass der Formosa-Kanal sowie das gelbe Meer vom Taifun verschont blieben; die Arbeiten zweier Männer, des Jesuitenpaters Marc Dechevrens in Zikawei bei Shanghai und des Herrn E. Knipping in Tokio, haben diese Annahme wohl gründlich zerstört.

Seit 1863 wurden von den Jesuitenmissionen in Nanking und Shanghai meteorologische Beobachtungen angestellt und in 1871 eine Wetterwarte in Zikawei erbaut. — In 1873 wurde Pater Dechevrens, ein Schweizer, aus Genf gebürtig, Direktor dieser Warte und veröffentlichte 1880 seine erste Bahnbestimmung des Taifun vom 31. Juli 1879. Seit dieser Zeit wurden nicht allein eine Masse täglicher Wetterberichte von Schiffen nach Zikawei eingeliefert, sondern auch die chinesische Regierung stellte die Witterungsbeobachtungen der chinesischen Feuertürme und Zollhäuser Pater Dechevrens zur Verfügung; auch wurden seit 1881 tägliche Wettertelegramme zwischen Zikawei und Tokio ausgewechselt. — Herr E. Knipping, ein Deutscher, aus Kleve am Rhein gebürtig, ein Kauffahrteiseemann, also einer der Unsrigen, ging mit 18 Jahren nach See und brachte es bis zum Steuermann, übernahm in dieser Eigenschaft 1871 als Lehrer die japanische Steuermannsschule in Kobe, wurde 1876 Mitglied der nautischen Prüfungskommission, trat 1882 in den japanischen Witterungsdienst über und ist seit Anfang 1884 selbständiger Leiter derselben. — Die japanische Regierung errichtete im Juli 1875 die erste meteorologische Station in Tokio, welche aber rasch vermehrt wurden, denn 6 Jahre später waren schon 12 Stationen in Thätigkeit und wurde ein tägliches Wettertelegramm zwischen Nagasaki und China ausgetauscht. Mit dem Eintritt des Herrn Knipping in den Witterungsdienst wurde der Plan eines Sturmwarnungsdienstes seitens der japanischen Regierung angenommen und mit der Gründung neuer Stationen rasch vorgegangen, so dass Ende 1883 schon 21 Stationen mit der Hauptwarte in Tokio telegraphisch verbunden waren und seit Juni 1884 drei tägliche Telegramme übermitteln; ausserdem erhält die Hauptwarte täglich ein Sammeltelegramm mit je 2 Beobachtungen, 4 Nm. und 10 Vm., von Wladiwostock, Shanghai, Amoy, Hongkong und Manilla. Alle diese Beobachtungen, sowie die mutmasslichen Wetteraussichten werden täglich in 3 Wetterkarten veröffentlicht und nötigenfalls Sturmwarnungen erlassen. Von den 21 Stationen waren Ende 1883 schon 14 mit Anemometern ausgerüstet.

Anfang 1879 veröffentlichte Herr Knipping seine ersten Taifun-Bahnbestimmungen, die September-Taifuns von 1878, und sind dann von ihm sowohl als von Pater Dechevrens in den nächsten 5 Jahren im Ganzen 51 Taifunbahnen bestimmt worden, unter denen ich die Bahnbestimmung des Taifuns vom 15.—21. Sept. 1878, des Prinz Adalbert Taifun vom 10.—16. Sept. 1879, der Taifune vom 19.—27. August und 25. Sept. bis 4 Oktober 1880 von Knipping, meinen Kollegen zum Studium empfehlen kann.

Dem Vorgehen von Japan und China folgend, errichtete Hongkong ebenfalls eine Wetterwarte und berief in 1883 den Astronomen Doberck zum Vorsteher derselben; der telegraphische Witterungsdienst ist daher jetzt an der ganzen Küste gut ausgebildet, da in Manilla schon seit Jahren von der Jesuitenmission meteorologische Beobachtungen gemacht worden. Sind Taifunanzeichen ostwärts der Philippinen vorhanden, so wird von Manilla aus Hongkong telegraphisch gewarnt und von hier aus werden sämtliche chinesische Küstenplätze sowie Japan benachrichtigt. Sollte z. B. ein Taifun mit NW.-Kurs und 10 Sm. Fahrt den Kanal treffen, so würde Amoy etwa 24 St., Shanghai etwa 48 St. vorher gewarnt werden. — In Hongkong werden beim Herannahen eines Taifuns folgende Signale an dem Flaggenpfahle, in Front der Polizeikaserne zu Tsimshatsui, geheisst:

1. eine rote Trommel, bedeutet einen Taifun ostwärts von Hongkong,
2. ein roter Kegel mit der Spitze aufwärts = ein Taifun nördlich von Hongkong, oder dass der Kurs nördlich ist,
3. ein roter Kegel mit der Spitze abwärts = ein Taifun südlich von Hongkong, oder dass der Kurs südlich ist,
4. ein roter Ball = ein Taifun westwärts von Hongkong.

Diese Signale bedeuten nicht, dass der Kurs eines Taifuns auf Hongkong zuläuft; in diesem Falle werden örtliche Sturmwarnungen durch eine Kanone, welche am Fusse obigen Flaggenpfahls steht, gegeben und zwar bedeuten:

1 Schuss...gewöhnlicher Sturm erwartet
2 Schüsse..Sturm von Taifunstärke erwartet.

Sollte der Wind während eines Taifuns Neigung zum plötzlichen Ausschiessen haben, so wird wenn möglich zum dritten Male geschossen werden, in diesem Falle würde also das Stilltegebiet über Hongkong oder in dichter Nähe passiren.

Ich habe versucht die folgenden Betrachtungen vom Standpunkte eines Kapitäns an Bord auf See aus zu machen, und beruhen dieselben auf den Arbeiten obiger beiden Männer, sowie auf persönlichen Erfahrungen.

Die alte acht Strich-Regel ist ja schon längst als unzuverlässig erkannt worden, trotzdem gehen noch viele Kauffahrteifahrer nach dieser Regel, weil einerseits ihnen die Falschheit nicht bekannt ist, andererseits die 10 Strich-Regel uns sehr häufig in Stich lässt. — Knipping versuchte in seiner Arbeit, die September Taifune von 1878, Peilungstafeln der vier Kompassviertel für das japanische Meer aufzustellen und berechnete auch nach diesen Tafeln die Bahn des Prinz Adalbert Taifun im Sept 1879. Zur Zeit dieses Taifuns scheint man diese Tafeln an Bord unseres Kriegsschiffes Prinz Adalbert nicht gekannt zu haben, denn sonst wäre wohl nicht vom Mittag des 13. September südlich gesteuert, d. h. in den Taifun hinein gelaufen, sondern östlich oder westlich stets von dem Winde weggehalten worden. Man hätte erwarten sollen, dass nach dieser bösen Erfahrung einer unserer Marineoffiziere sich die Aufgabe gestellt hätte, Peilungstafeln zu berechnen, weil in jenen Kreisen schon überschüssige Kräfte vorhanden sein werden und einem Marineoffizier bessere Quellen zu Gebote stehen als einem Kauffahrteiseemann; da dies nicht geschah, so habe ich es versucht und sollten die nachstehenden Zeilen zur besseren Kenntnis und Peilung eines Taifuns beitragen, so wäre ich belohnt.

Uns Kauffahrtei-Seeleuten kann es so ziemlich gleichgültig sein, aus was immer für Ursachen ein Taifun entsteht, wenn wir nur seinen Verlauf, seine Bahn, sowie die Peilung des Mittelpunktes kennen.

Taifune gehorchen denselben Gesetzen wie alle übrigen Wirbelstürme, unterscheiden sich aber von den gewöhnlichen Stürmen in den chinesischen Meeren

a) durch die Zeit ihres Auftretens, Entstehungsgegend, Bahnen und Peilungen des Mittelpunktes;
b) durch verhältnissmässige rasche Drehung des Windes bei geringer Ortsveränderung vom Beobachter;
c) durch ein scharf begrenztes Stilltegebiet in der Mitte;
d) durch unregelmässige Fahrt des Mittelpunktes, die nach Breite und Gegend sich richtet und viel Regen;
e) bei gewöhnlichen Stürmen tritt in den chinesischen Meeren der Sturm erst mit dem niedrigsten Stande des Barometers ein, während bei einem Taifun der Sturm bei steigendem Barometer abnimmt, ausserdem bringt der Wintersturm trockenes Wetter.

Nach der Erklärung von Dechevrens ist der Taifun ein Wirbelsturm, welcher in der Nähe der chinesischen Küste sich bildet, dessen Bahn, nach mehr oder minder O.- oder W.lichen Abweichungen, nördlich läuft, um schliesslich im nördlichen stillen Ocean aus Sicht zu kommen, im Gegensatze zu den Winter- und Frühjahrsstürmen, deren Bahnen mehr oder minder O. und W. streichen, daher rechnet er auch nicht den Sturm vom 16.—17. Mai 1882 zu den Taifunen. The Typhons of 1882, Part II, Seite 30.

Knipping sagt: ein Taifun ist ein Wirbelsturm, der an die chinesischen und japanischen Meere gebunden ist. Annal d. Hydr. 1880, Seite 548.

Die Taifune sind nicht hoch, Knipping nimmt für den schweren Sept. Taifun von 1878 im Mittel 4 Sm an, bei leichten Taifunen wird die Höhe also wohl bedeutend niedriger sein; ihre Form ist veränderlich, gewöhnlich oval, hängt aber von der Gestalt und Erstreckung der Küste ab, wie obiger Taifun zeigt, welcher von Formosa bis Shanghai W.wärts scharf begrenzt war; hier fand innerhalb weniger Seemeilen ein Unterschied in der Windstärke von 6—11 statt, ebenso wirkt die Südspitze von Formosa häufig wie ein Keil auf Taifune, welcher dieselbe spaltet, so dass sich dann Doppeltaifune bilden.

Der Durchmesser des Kurses oder des Sturmfeldes mit Windesstärke 6 Beaufort Scala und mehr, schwankte bei 23 Taifunen zwischen 120 und 1300 Sm. der Dwarsdurchmesser zwischen 120 und 600 Sm, jedoch giebt es auch Taifune unter 100 Sm Durchmesser. Von diesen waren drei Taifune im Kursdurchmesser über 1000, einer über 900, einer über 800, zwei über 700, einer über 600, einer etwa 500, drei über 400, neun über 300 und zwei 170 bezw. 120 Sm, es hielten sich also ⅔ unter 500 Sm. — Das Gebiet des niedrigen Druckes, also das Fallgebiet auf dem das Barometer die Wirkung des Taifuns fühlt, im Gegensatze zum Sturmgebiet, erstreckt sich häufig bedeutend weiter, es betrug im 15.—20. September Taifun 1878, in der Bahnrichtung vor dem Taifun, das Sturmfeld etwa 800 Sm, das Fallgebiet etwa 1250 Sm, im August (12.—27.) Taifun 1880 ganzes Sturmfeld etwa 700 Sm, Fallgebiet etwa 1200 Sm, im August (22.—31.) Taifun 1881 Sturmfeld etwa 700 Sm, Fallgebiet etwa 1600 Sm. — Sowie der Durchmesser schwankt auch das Stilltegebiet, es betrug bei 8 Taifunen von 6—26 Sm. Bei dem August (19.—27.) Taifun 1880 nahm es auf 1500 Sm Distanz vom 3—30 Sm zu, laut Annal d. Hydr. 1881, Seite 382, oder dem 23. Heft der Gesellschaft für Natur- und Völkerkunde Ostasiens, 1881. — Von den Taifunbahnen die mir zur Verfügung stehen ist dies die einzige Bahn, auf der das Stilltegebiet längere Zeit beobachtet wurde; ob also dasselbe während eines jeden Taifuns zu- oder abnimmt, bleibt eine offene Frage.

Die Fahrt des Stilltegebiets oder Mittelpunktes ist sehr verschieden, im allgemeinen betrug sie im Süden bei 10 Taifunen über den Philippinen von 3—7 Sm, in der süd-chinesischen See von 6—13 Sm, über Hainan und Cochinchina von 5—7 Sm, im Formosa-Kanal bei 4 Taifunen von 2—15 Sm, ostwärts von Formosa bis zu 30° N bei 10 Taifunen von 6—15 Sm, oberhalb 30° N von 10 bis 30 Sm die Stunde. Herr Astronom Doberck giebt in seinem Aufsatze „On the progressive Motion of Typhons" die Fahrt der Taifune für 1884 folgendermassen an: Ostwärts von Luzon 7 Sm, in der chinesischen See zwischen 12—18° N 6 Sm, zwischen Hongkong, Luzon und Süd-Formosa 11 Sm, in der Nähe von Hainan 13 Sm, ostwärts von Formosa 10 Sm, im Kanal 12 Sm, in der Nähe von Shanghai 12 Sm, Nord-China 23 Sm, in der Nähe von Japan 19 Sm, in den japanischen Meeren 30 Sm die Stunde.

Die Fahrt in den japanischen Meeren ist grösser und unregelmässiger als in den chinesischen Meeren, wie auch die folgende Tabelle unter Vernachlässigung der Zehntel ergiebt.

Chinesisches Meer 15.—20. Sept. 1878		Japanisches Meer Prinz Adalbert 1879.		Japanisches Meer 19.—27. Aug. 1880		Japanisches Meer 25. Sept. bis 4. Okt. 1880	
Breite	Stündl. Fahrt	Breite	Stündl. Fahrt	Breite	Stündl. Fahrt	Breite	Stündl. Fahrt
21°	6 Sm	31°	7 Sm	31° tritt auf	13 Sm Land	Bis zu 28°	1 Sm
22°	8 „	34°30	7 „	33°30	16 „	29°	2 „
23°	9 „	35°	3 „	34°30	20 „	30°30	5 „
23°30	3 „	37°	9 „	36°	23 „	33°	29 „
25°	8 „	38°	8 „	37°	26 „	34° tritt auf	21 „ Land
26°	6 „	40°30	40 „	38°30	30 „	35°30	51 „
27°	8 „	42°30	60 „	41° tritt vom	42 „ Land	36°	24 „
30°30	17 „	44°	13 „	41°30	8 „	40°	89 „
33°	13 „	44°30	16 „	43°30	16 „	41°30	56 „
34°	16 „	48°	21 „	44°30	29 „		
36°	14 „	51°	48 „				
39°	21 „						

Es tritt also beim Betreten des Landes in Japan bei den August und September Taifunen eine ganz bedeutende Beschleunigung der Fahrt ein, wogegen im südchinesischen Meere die Fahrt über Land verlangsamt wird. — Da die Fahrt des Mittelpunktes nicht sowohl auf die Windstärke als vielmehr auf die Peilung bedeutenden Einfluss haben wird, so frägt es sich, wie wird dieser Einfluss sich äussern? Knipping beantwortet diese Frage in dem Oktober Taifun. (Annal. d. Hydr. 1881, Seite 404 und 406) folgendermassen: Grosse Wirbel haben mehr Fahrt als kleinere, und in einem und demselben Taifun liegen die Windbahnen wie die Windstärken je nach der geringeren oder grösseren Geschwindigkeit des Mittelpunktes mehr oder weniger symmetrisch. Nach diesen beiden Sätzen sind also die Taifune im südchinesischen Meere nicht so schwer und geben bessere Peilungen als im nordchinesischen oder den japanischen Meeren*), und da wohl kaum zwei Taifune gleiche Fahrt haben, ganz abgesehen von der Veränderlichkeit der Formen, so werden auch die Peilungen zweier Taifune nicht gleich sein.

Wie schon erwähnt, ist die Form eines Taifuns veränderlich und streben im Allgemeinen in der vorderen Hälfte die Winde vom Mittelpunkte weg, (sie werden ausgebogen, in der hinteren Hälfte streben sie aber nach demselben zu, (sie werden eingebogen), und hängt die Grösse der Ablenkung, also auch der Richtungswinkel, von der Fahrt des Stilltegebietes ab; jedoch giebt es auch Ausnahmen, indem in der vorderen Hälfte ein Einbiegen des Windes ebenfalls stattfindet. Knipping giebt für das japanische Meer die Peilungen des Mittelpunktes im Mittel vorne zu 8 Str. und weniger, hinten zu 13 Str. und mehr an.

(Fortsetzung folgt.)

*) Dieser Satz wurde niedergeschrieben, bevor ich die Peilungen berechnete, und in der That gaben später die Richtungswinkel für das südchinesische Meer und den Formosa-Kanal bedeutend gleichmässigere Peilungen als für die japanischen Meere.

Germanischer Lloyd.

Deutsche Handels-Marine: Seeunfälle vom Monat Januar 1886, sowelt solche bis zum 15. Februar 1886 im Central-Bureau des Germanischen Lloyd gemeldet und bekannt geworden sind.

I. Segelschiffe.	Insgesammt	Ladung	Klasse [1]	Alter (Jahre)	Rhederei
a. m. gering. Schaden eingekom.	6	[illegible]	[illegible]	[illegible]	[illegible]
b. m. schwer. Schaden eingekom.	4	[illegible]	[illegible]	[illegible]	[illegible]
c. an Grund gerat. od gestrd. u. abgebr.	3	[illegible]	[illegible]	[illegible]	[illegible]
d. gestrandt und nicht abgebr.					
e. Collision.					
f. Totalverlust [2]	13	[illegible]	[illegible]	[illegible]	[illegible]
Summa	26				
II. Dampfschiffe.					
a. m. Schad. eingekom.	1	[illegible]	[illegible]	[illegible]	[illegible]
b. an Grund geraten	3	[illegible]	[illegible]	[illegible]	[illegible]
c. Collision	4	[illegible]	[illegible]	[illegible]	[illegible]
d. Totalverlust [3]	1	[illegible]	[illegible]	[illegible]	[illegible]
Summa	[illegible]				

[1]) [illegible] zu ermitteln, Klasse einer Schiffsklassifikations-Gesellschaft, [illegible], n. keine Klasse. Umgekommene Seeleute: 31 u. 1 Passagier.
[2]) Tonnengehalt von 11 Schiffen [illegible] Tons.
[3]) 1115 Tons von 1 Schiff.

BERLIN, d. 18. Februar [illegible].

Der Jahresbericht der Handelskammer in Bremen über das Jahr 1885.

(Schluss.)

Ein für die hiesige Schiffahrt wichtiger Akt ausländischer Gesetzgebung ist durch die im Jahre 1884 für die Vereinigten Staaten von Nordamerika in Kraft getretene Dingley Shipping Bill erfolgt. Das genannte Gesetz ermässigt für die aus fremden nach nordamerikanischen Häfen kommenden Schiffe die daselbst erhobenen tonnage-dues von 30 auf 5 Cts. per Ton. Dasselbe ermässigt ferner für Schiffe, welche aus einem Hafen in Nord- oder Zentralamerika, auf den Westindischen Inseln, den Bermuda-, Bahama- und Sandwich-Inseln nach einem Hafen der Vereinigten Staaten kommen, die Abgabe auf 3 Cts. per Ton. Da die mit Preussen und den Hansestädten von der Regierung der Vereinigten Staaten abgeschlossenen Handelsverträge als für ganz Deutschland massgebend anerkannt worden sind, so ist die bedingungslos zuerkannte Ermässigung auf 3 Cts. kraft der in jenen Verträgen enthaltenen Meistbegünstigungsklausel für alle unter deutscher Flagge nach Nordamerika kommende Schiffe zu beanspruchen, wie dies auch bereits von der Reichsregierung geschehen ist.

Eine weitere Ermässigung beziehungsweise gänzlicher Erlass der genannten Abgaben soll nach der Dingley Shipping Bill den Schiffen derjenigen Länder zugestanden werden, in deren Häfen nordamerikanische Schiffe geringere als 3 Cts. betragende Abgaben, welche den tonnage-dues entsprechen, beziehungsweise gar keine derartige Abgaben zu entrichten haben. Da die Verfassung der Vereinigten Staaten (1. Klausel der Sect. 8 des Art. 1 der Konstitution) die tonnage-dues Staatsabgaben nennt, „welche erhoben werden, um die Schulden der Regierung und die Kosten für die gemeinschaftliche Verteidigung und die allgemeine Wohlfahrt zu bestreiten“, daher solche Abgaben als den tonnage-dues entsprechend nicht anzusehen sind, welche erhoben werden als eine Auflage für besondere den Schiffen geleistete Dienste, da ferner in den Bremischen Häfen, soweit daselbst von den Schiffen Gebühren erhoben werden, diese nur letzteren Charakter haben, so ist die Handelskammer dafür eingetreten, dass Bremische, in Häfen der Vereinigten Staaten verkehrende Schiffe gänzlich von der Zahlung der tonnage-dues zu befreien sind. Die Handelskammer hofft, dass eine von der Reichsregierung an die Regierung der Vereinigten Staaten zu richtende Vorstellung den diesseitigen Wünschen Erfüllung verschaffen wird.

Die Konsulatsgebühren für An- und Abmeldung der Schiffe in ausländischen Häfen haben schon so oft Gegenstand von Klagen auch in unserm Blatte gebildet, dass wir es mit Freuden begrüssen, dass die Handelskammer diese erhebliche Belastung der deutschen Rhederei getadelt und darauf hingewiesen hat, dass unsere deutschen Schiffe ebensogut gestellt werden wie die hauptsächlich in Betracht kommenden, mit deutschen Schiffen vornehmlich konkurrirenden englischen Schiffe, welche ihren Konsuln nur solche Gebühren zahlen, welche eine Gegenleistung für eine im Interesse des Schiffes vorgenommene Verrichtung des Konsuls bilden, während die demselben nach englischem Gesetz vorgeschriebene Attestirung der Schiffsmeldung entgegen dem oben zitirten Reichsgesetz unentgeltlich von ihm vorzunehmen ist. Gestützt auf diese Angaben hat sich die Handelskammer für Wegfall eventuell für erhebliche Reduktion der gedachten Expeditionsgebühr ausgesprochen.

Die Unfallversicherung der Seeleute angehend, so teilt auch hier die Handelskammer unsern Standpunkt, dass einer gesetzlichen Regelung der Unfallversicherung der Seeleute sorgfältige und einen längeren Zeitraum umfassende statistische Erhebungen vorangehen haben, um so über den Umfang der Belastung des deutschen Schiffahrtsgewerbes durch die Unfallversicherung verlässliche Daten zu erhalten, jedenfalls mit grösster Vorsicht bei Erlass von Gesetzen zu Werke zu gehen ist, welche unter Umständen eine Schädigung der Konkurrenzfähigkeit im Gefolge haben könnten. Eine einfache Ausdehnung der für die Arbeiter auf dem Lande getroffenen bezüglichen Bestimmungen auf die Seeleute würde nach Ansicht der Handelskammer zu erheblichen Bedenken Veranlassung geben.

Wenn beispielsweise bei der Unfallversicherung der Arbeiter auf dem Lande von einer Beitragspflicht der Letzteren zu den Unkosten der Versicherung abgesehen worden ist, und man sich bei dieser Bestimmung auf den Umstand berufen konnte, dass die Kosten der Krankenversicherung und der 13wöchigen Karenzzeit zu einem wesentlichen Teile von den Arbeitern getragen werden, so kommt kraft der bestehenden gesetzlichen Bestimmungen, welche dem Rheder die Fürsorge für Seeleute in Krankheitsfällen zuweisen, bei den Seeleuten jede Beitragspflicht in Wegfall. Der Rheder würde ausser den Kosten der Unfallversicherung auch noch die Fürsorge für Krankheitsfälle allein zu bestreiten haben. Die Handelskammer glaubt daher, falls demnächst die Regelung der in Rede stehenden Materie zur Erörterung kommen sollte, neben dem Erfordernis statistischer Erhebungen sich schon jetzt für Festsetzung einer angemessenen Beitragspflicht der Schiffsmannschaften zu den Kosten der Versicherung aussprechen zu sollen. Dass in Folge solcher Regelung statt des bei der Unfallversicherung auf dem Lande geltenden Umlageverfahrens bei Erhebung der Beiträge voraussichtlich das Anlageverfahren den Vorzug erhalten, bei der Erhebung der Beiträge der Schiffsmannschaften dasselbe jedenfalls zur Anwendung gebracht werden müsste, würde die Handelskammer nur auf das Lebhafteste begrüssen können.

Zu unserer grossen Genugthuung können wir hier einschalten, dass der diesjährige nautische Vereinstag in Berlin (vergl. No. 4) die Unfallversicherung der Seeleute von seiner Tagesordnung gänzlich abgesetzt hat.

Ueber die Frage, welche Lichter ein schwoiendes Schiff zu führen habe, und ob eine Aenderung oder klarere Fassung der hierauf bezüglichen Bestimmungen der Kaiserlichen Verordnung vom 7. Januar 1880 wünschenswert sei, hat die Handelskammer anlässlich eines diesen Gegenstand betreffenden Schreibens des Reichskanzlers sich dahin geäussert, dass ein schwoiendes Schiff als vor Anker liegend zu betrachten sei und daher nur das weisse Ankerlicht zu führen habe, und dass eine Aenderung der Kaiserlichen Verordnung, in dem erwähnten Sinne verstanden, an sich nicht geboten erscheine, da deren Vorschriften durchaus dem Interesse der Schiffahrt entsprechend seien. — Ein schwoiendes Schiff büsst seine Manövrirfähigkeit ein, vermag nicht den Vorschriften der Kaiserlichen Verordnung entsprechend auszuweichen und wird daher, wenn es dieselben Lichter wie ein in der Fahrt befindliches führt, leicht zu Kollisionen Veranlassung geben.

In einem der Handelskammer zur gutachtlichen Äusserung mitgeteilten Schreiben des Reichskanzlers war ferner die Frage angeregt worden, *wer als verantwortlicher Führer eines mit einem Lotsen besetzten Schiffes im Sinne der Kaiserlichen Verordnungen vom 15. August 1876 und vom 7. Januar 1880 im einzelnen Falle anzusehen sei.*

Die Handelskammer hat sich dahin geäussert, dass trotz entgegenstehender partikularrechtlicher Bestimmungen und obgleich auch die Instruktion für die Lotsengesellschaft der freien Hansestadt Bremen zu Bremerhaven vom 8. Februar und 29. August 1832 dem Lotsen die Führung des Schiffes zuweist, doch der gegenteiligen Auffassung, welche den Kapitän auch des mit einem Lotsen besetzten Fahrzeuges als Führer betrachtet, in der Praxis fast übereinstimmend der Vorzug gegeben worden sei. Nach Ansicht der Handelskammer mit Recht, da kein ausreichender Grund vorliege, den Schiffer von der Verantwortung für Erfüllung derjenigen ihm als Führer des Schiffes im allgemeinen obliegenden Pflichten zu entheben, welchen er auch für den Fall zu entsprechen vermöge, wenn er eines Lotsens bedürfe. Da die oben genannten Verordnungen sich auf solche Pflichten beziehen, nämlich auf Führung von Lichtern und Ausweichen im Fahrwasser, und der Schiffer, indem er für Befolgung derselben verantwortlich gemacht wird, für etwaiges Verschulden des Lotsen nicht aufzukommen hat, so hat die Handelskammer eine Aenderung der oben zitirten bremischen Instruktion dahin empfohlen, dass der Kapitän eines mit einem Lotsen besetzten Schiffes als verantwortlicher Führer desselben im Sinne der mehrerwähnten kaiserlichen Verordnungen anzusehen sei.

Das Tonnen- und Bakenamt, an dessen Arbeiten die Handelskammer durch die von ihr in dasselbe deputirten Mitglieder auch im Berichtsjahre regelmässig beteiligt gewesen ist, vermag auf ein wichtiges Ergebnis seiner Wirksamkeit zurückzublicken. Der unter Leitung der genannten Behörde ausgeführte Bau eines Leuchtturms auf dem roten Sande an der Wesermündung ist im Oktober 1885 zum Abschluss gebracht worden. Nachdem bereits seit 1874 das Feuerschiff „Weser“ nordwestlich von der Schlüsseltonne ausgelegt worden, um das Auffinden dieser Tonne und damit das Einlaufen in die Wesermündung auch bei Nachtzeit zu ermöglichen, blieb für die Schiffe die Schwierigkeit bestehen, von der Schlüsseltonne aus das innere Leuchtschiff „Bremen I“ anzusegeln. Diese Schwierigkeit beseitigt der neue Leuchtturm auf dem rothen Sande. Der Weserschiffahrt wird das nun vollendete Werk, welches in seiner Art einzig dasteht, weil für dasselbe in offener See in einer Wassertiefe von 8—9 Meter eine 14 Meter in den Sand getriebene Fundirung geschaffen werden musste, zu grossem Vorteile gereichen.

Nach fernerer Vollendung eines von den Regierungen der Weseruferstaaten genehmigten Projektes des Tonnen- und Bakenamts, wonach auf dem Ewersande und Meyers Legde 3 neue Leuchttürme errichtet werden sollen, werden nach der Weser bestimmte Schiffe bei Nachtzeit wie schon jetzt nach dem Hohenweg, dann aufwärts bis nach Bremerhaven gelangen können.

Aus dem übrigen Teil des Berichts, welcher sich mehr lokal Bremischen Verhältnissen zuwendet, sind schliesslich noch hervorzuheben die aus Anlass des Zollanschlusses Bremens zu treffenden Verkehrseinrichtungen. Bei denselben stehen in Frage einmal die Hafenanlagen in Bremerhaven, welche mit ihren Annexen nach wie vor Zollausschlussgebiet bleiben werden und bei welchen es sich daher, abgesehen von den noch im Zollausschlussgebiet zu errichtenden Speicher- und Schuppenbauten im Wesentlichen um die zweckmässige Verbindung des Zoll- und Freigebiets handelt, sodann aber die Herstellung eines Freibezirks in der Stadt Bremen und die Ausstattung desselben mit den erforderlichen Hafenanlagen und Lagerräumen. Das für den Freibezirk bestimmte, im Nordwesten der Stadt Bremen auf dem rechten Weserufer belegene Areal wird durch den Melkerplatz, die Stephanikirchenweide und das Waller Wied gebildet und hat eine Grösse von rund 30 ha bei einer Länge von 2000 m und einer mittleren Breite von 400 m. Nach dem bremischer Seits aufgestellten und vom Reichskanzler genehmigten Generalplan wird der Freibezirk ein in die Weser mündendes Hafenbassin von einer Länge von 1000 m, einer Breite von 120 m und einer Tiefe von 9,5 m unter dem vorhandenen Terrain erhalten und mit den erforderlichen Schuppen und Speichern, sowie Geleis- und Strassenanlagen ausgestattet werden. Im Hinblick auf den grossen Umfang der hier in Frage kommenden Arbeiten und den verhaltnismässig kurzen Termin (1. Oktober 1888), bis zu welchem die Hafenanlagen vollendet sein müssen, ist die Ausführung der Arbeiten von Senat und Bürgerschaft einer mit weitgehenden Vollmachten ausgestatteten, aus Mitgliedern des Senats und der Bürgerschaft bestehenden Deputation übertragen worden, welcher mehrere Mitglieder der Handelskammer angehören.

Verschiedenes.

Zölle im Congo-Reich. (?) Die Congo-Regierung hat folgende Ausfuhrzölle beschlossen: Erdnüsse 1,30, Kaffee 1, Kautschuk 20, Kopals, Palmöl 2,50, Elfenbein 50, Palmnüsse 1,20, Sesam 1,70 Franken, alles für 100 Kilogramm. Also „wie er sich räuspert" etc.

Der **Schiffsverkehr im Hafen von Kamerun** gestaltete sich im vorigen Jahre wie folgt: Vom 1. Januar bis zum 31. Decb. 1885 liefen ein: deutsche Dampfer 29, deutsche Segler 1; englische Dampfer 23, englische Segler 4. Im gleichen Zeitraum liefen aus: deutsche Dampfer 32, deutsche Segler 2; englische Dampfer 22, englische Segler 4. Zusammen eingegangen: 52 Dampfer, 5 Segler; ausgegangen: 54 Dampfer, 6 Segler.

Hafenverkehr in Antwerpen 1885. Im vergangenen Jahre sind im Antwerpener Hafen 975 Segelschiffe mit einem Gehalt von 425 441 R.-T. und 3885 Dampfer mit 3 067 493 R.-T., zusammen also 4860 Schiffe mit einem Gehalt von 3 492 934 R.-T. eingelaufen. Die Segelschiffe kommen also nur mehr für $1/_7$ des Gesamtverkehrs in Betracht. Dieselben messen durchschnittlich nicht über 1500 R.-T.; nur bei 22 derselben war der Gehalt bedeutender. Dagegen messen von den eingelaufenen Dampfern 479 zwischen 1500 und 4100 R.-T. und insbesondere 9 zwischen 4001 und 4100 R.-T. und 8 zwischen 4301 und 4400 R.-T. Die Zahl der eingelaufenen Schiffe übersteigt die zehn letzten Jahreszahlen in ganz erheblichem Masse; dagegen weist der Gesamtraum eine Abnahme von 20 000 T. gegen 1884 auf, was lediglich dem Umstande zuzuschreiben ist, dass die Schiffbauer nur mehr kleinere Segelschiffe herstellen. Gegen 1876 ist eine Verminderung von 569 Segelschiffen hervorzuheben. Die entsprechende Abnahme des Schiffsraums beträgt 161 000 R.-T.. Dagegen ist ebenfalls gegen 1876 die Zahl der Dampfer um 869 mit rund 1 087 000 R.-T. gestiegen. Von den in 1885 eingelaufenen Fahrzeugen führten 390 Segler mit 210 231 T. und 2035 Dampfer mit 1 823 816 R.-T. die englische Flagge. Der Verkehr wird demnach etwa zur Hälfte durch englische Schiffe unterhalten. Belgien folgt an zweiter Stelle, dann kommen Deutschland, Schweden-Norwegen, Dänemark, Frankreich, Holland (letzteres in der Regel nur mit kleinen Schiffen) und Italien. Was den Raumgehalt betrifft, so folgen auf Belgien Russland, Deutschland, Schweden-Norwegen, Frankreich, Holland, Rumänien. Von aussereuropäischen Ländern kamen aus Brasilien, Uruguay und La Plata 158 Dampfer mit 253 788 R.-T.; von den Vereinigten Staaten 411 919 T., davon 268 000 T. mit Dampfer; von Ostindien 202 960 T. und von Australien 41 391 T. Es wurde im vergangenen Jahre ein belgisches Schiff vom Stapel gelassen; 5 Schiffe erhielten in Belgien Heimatsrecht; 2 belgische Schiffe gingen an ausländische Besitzer über und 2 auf See verloren. Ende 1885 hatte Belgien 58 Schiffe, davon 52 Dampfer, die 58 Fahrzeuge ergeben einen Gesamtraum von 80 649 R.-T.

Odessa und seine Bedeutung als Seehandelsplatz. Der Mittelpunkt des russischen Ausfuhrhandels, wo von Jahr zu Jahr das Geschäft zunimmt, ist die Hafenstadt Odessa, weshalb es sich verlohnt, auf die Geschäftsverhältnisse derselben einen Blick zu werfen. Während in den Jahren 1866 und 1867 die *Getreide*-Ausfuhr daselbst sich auf 30 bis 35 Mill. Pud*) bezifferte und dieser Umsatz zu der Zeit als gross betrachtet wurde, stieg die Ausfuhr 1878/79 aufs Doppelte, und zwar bis 73½ Mill. Pud. Das Jahr 1885 überstieg in dieser Beziehung nun alle Erwartungen, indem die Getreide-Ausfuhr bis 78 500 000 Pud anwuchs. Hätte nicht das Chersonsche, Jekaterinoslawsche und Taurische Gouvernement eine Missernte für 1885 gehabt, so hätte leicht der Ausfuhrbetrag auf 100 Millionen Pud**) kommen können. Ungeachtet der grossen Nachfrage Europas nach Getreide, wie auch der billigen Frachten und des niedrigen Wechselstandes konnten die Getreidepreise wegen des grossen Wettbewerbs Amerikas sich nicht heben. Es erklärt sich diese Erscheinung teilweise auch durch das Abhandensein der Unternehmerthätigkeit an den grossen Ein- und Ausfuhrplätzen. Aus diesem Grunde erfuhren die Getreidepreise im Verlauf des Jahres 1885 auch nur unwesentliche Schwankungen.

Das *Rohwollengeschäft* Odessas lieferte ein ziemlich bedeutendes Ergebnis. Die Ausfuhr betrug gegen 24 000 Ballen, wovon 15 000 Ballen Merinowolle und 9000 Ballen andere Sorten. Von den 15 000 B. Merinowolle wurden 7500 B. nach England (Bradford), 4500 B. nach Frankreich und 3000 B. nach Deutschland und Oesterreich versandt.

Die Ausfuhr von *Zucker* nach Italien wuchs im Laufe des Jahres ziemlich an und man erwartete von diesem Erzeugnis ein günstiges Ergebnis; jedoch durch spätere Erhöhung des Einfuhrzolles in Italien für diesen Artikel wurde die Ausfuhr erschwert und auf einen Mindestbetrag beschränkt, sodass die Ausfuhrhändler gezwungen waren, für diese Waare andere Märkte, namentlich in England zu suchen.

Die Ausfuhr von *Spiritus* ins Ausland betrug im vergangenen Jahre 78 Mill. Grad gegen 75 Mill. in 1884 und 95 Mill. Grad in 1883. Die Hauptausfuhr von gereinigtem Spiritus fand nach Hamburg statt. Der Handel mit *Petroleum* war im Jahre 1885 recht ungünstig, der Umsatz gering. Nur zum Jahresschluss gestaltete sich das Geschäft ein wenig lebhafter. Preise standen jedoch recht niedrig im Vergleich zum verflossenen Jahre 1884, auch unterlagen sie grossen Schwankungen.

Ein Bericht aus Moskau, welches zu den Hauptindustriestädten und grössten inländischen Handelsplätzen gehört, klagt lebhaft über den Rückgang in allen Geschäftsverhältnissen, namentlich über den Preisfall aller Hauptartikel und die Abnahme der Verbrauchsfähigkeit im Lande. K. Z.

Die **Verzollung der Petroleumfässer im Reichstage.** Eine Sitzung der Kommission XIII. des Reichstags beschäftigte sich mit der Prüfung der wirtschaftlichen Bedeutung der von dem Bundesrate beschlossenen gesonderten Verzollung der mit Petroleum gefüllt eingehenden Fässer. Der Regierungskommissar Geheimrat Kraut hob hervor: dass es in der Absicht gelegen habe, einerseits durch diesen Zoll, der nur die im Inlande verbleibenden, nicht die nach der Entleerung wieder ausgehenden Fässer treffe und der daher zu einer verstärkten Wiederausfuhr der leeren Fässer führen werde, dem jetzt durch das massenhafte Eindringen unverzollter Petroleumfässer in den deutschen Verkehr erheblich geschädigten inländischen Böttchergewerbe zu Hülfe zu kommen, andererseits den Zollvorteil zu beseitigen, den bis dahin das in Fässern eingehende, vorwiegend nordamerikanische Mineralöl dem in Cisternenwagen eingehenden russischen gegenüber dadurch genossen habe, dass die einen selbstständigen Handelswert besitzende Fastage ohne Zollentrichtung mit eingelassen sei. Darüber, dass diese Massnahme den ersten Zweck erreichen werde, und ob auch der zweite sich nicht in anderer Weise habe erreichen lassen, erhob sich eine lebhafte Erörterung, bei welcher schliesslich aner-

*) 1 Pud = 16,381 Kilogramm. **) = 1 638 100 R.-Tons.

kannt wurde, dass die praktischen Folgen der Massnahmen in der jetzigen Uebergangszeit, in welcher sich der Handel mit den neuen Bestimmungen einzuleben beginne, noch nicht vollständig zu übersehen seien. Es wurde darauf von dem Abg. Struckmann der Antrag gestellt, an Stelle der in dem Antrage Ausfeld vorgeschlagenen Aenderungen des Zolltarifgesetzes Bestimmungen in das Zolltarifgesetz aufzunehmen, welche die Frage, in welchen Fällen Umschliessungen gesondert zur Verzollung gezogen werden dürfen, sowie die Frage eines Tarazollzuschlages für Waaren, die ohne die bei der Bemessung des Zolls vorausgesetzte Umschliessung in Cisternenwagen u. s. w. eingehen in wesentlicher Uebereinstimmung mit der österr.-ungarischen Zollgesetzgebung regeln sollen. Die eingehendere Beratung über diesen Antrag wurde bis nach Drucklegung desselben ausgesetzt.

Die Auswanderung im Jahre 1885. Dem Reichstag ist der Bericht über die Thätigkeit des Reichskommissars für das Auswanderungswesen während des Jahres 1885 zugegangen. Die Auswanderung über die drei deutschen Häfen Hamburg, Bremen und Stettin hat darnach im Jahre 1885 nicht unbedeutend gegen die vorangegangenen Jahre abgenommen. Es wurden im Ganzen im Jahre 1885 aus den genannten drei Häfen 155 147 Personen, wovon 88 900 Deutsche befördert, gegen 195 497 bezw. 126 511 im Jahre 1884. Von den im Jahre 1885 beförderten 88 900 deutschen Auswanderern gingen 84 581 nach den Vereinigten Staaten von Amerika; die übrigen verteilten sich in kleinen Zahlen auf verschiedene überseeische Länder. Nach Afrika gingen 294.

Ein **Rettungstuch aus Korkfäden.** Wie bekannt, sind gute und weit und breit anerkannte Rettungsgeräte gegen den Tod des Ertrinkens in Gebrauch gekommen. Allein ihre Beschaffenheit ist derart, dass man sie nicht in jedem Augenblick der Gefahr zur Disposition haben kann. Von diesem Gesichtspunkt ausgehend, hat nun der Director des Ausrüstungs-Bureaus des englischen Heeres und der englischen Marine, William Jackson, lange daran gearbeitet, die bisher üblichen Rettungsapparate durch nicht versinkbare Stoffe zu ersetzen, welch sich zu unseren Alltagskleidern verarbeiten lassen. Seine Bemühungen sind von grossem Erfolg gekrönt worden. Herr Jackson hat ein Tuch hergestellt, dessen Gewebe aus Korkfäden besteht. Da das specifische Gewicht des Korks ungefähr einem Viertel desjenigen des Wassers entspricht, wird ein Gewicht von 5—600 Gramm Korkrinde ausreichen, um einen Menschen mittlerer Grösse im Gleichgewicht und über Wasser zu erhalten. Da ferner das Korkgewebe an Stelle des Spinngewebes tritt, ergiebt sich, dass diese 5—600 Gr. kein bedeutendes Uebergewicht verursachen. Die derartig hergestellten Kleider sind gerade so bequem zu tragen und fast ebenso leicht wie unsere gewöhnlichen Anzüge. Da ausserdem der Korkfaden sehr leicht die für den Spinnfaden übliche Färbung annimmt, mit dem er zu einem Gewebe verarbeitet ist, unterscheidet sich das Aussehen dieses neuen Erzeugnisses durchaus nicht von den für die Herstellung unserer Kleider bisher gebrauchten Stoffen. Letztere vermögen nicht einmal während einer Minute ihren Träger über Wasser zu erhalten, sondern tragen vielmehr noch dazu bei, ihn schneller in die Tiefe zu ziehen. Die Korkstoffe hingegen besitzen die wertvolle Eigenschaft, ihre Träger über dem Wasser zu erhalten, ohne dass diese die geringste Bewegung zu machen nötig hätten. Zahlreiche und erfolgreiche Versuche sind in verschiedenen Schwimmanstalten von London und Ryde (auf der Insel Wight) angestellt worden, und auch in der Schwimmanstalt von Rochechouart in Paris hat man sich von dem Werte der obigen Stoffe überzeugt. Im Beisein des Lordmayors sind dieselben in der offenen Themse und im Meere an den Küsten der Insel Wight erprobt worden. Die vielgelesene Zeitschrift „Nature" erzählt, dass sich bei einem der Versuche sechs Personen — von denen drei Damen, die nicht schwimmen konnten — gemeinsam in die Fluten stürzten und sich länger als eine Stunde über Wasser hielten. Die britische „See-Assekuranz" hat in Folge dieser grossartigen Ergebnisse veranlasst, dass jeder Marine-Offizier und Matrose von nun an mit Korktuchjacken ausgerüstet werde. Die Zeitschrift „Nature" erwähnt noch, dass der Gebrauch des Korktuches einen Erwerbszweig hervorrufen würde, der besonders Algerien zu Gute käme, da die quercus suber, aus deren Rinde dieser kostbare Stoff gewonnen wird, grosse, ausgedehnte Waldungen Algeriens erfüllt.

K. Z.

Verlag von H. W. Silomon in Bremen. Druck von Aug. Meyer & Dieckmann, Hamburg, Alterwall 2.

HANSA

Redigirt und herausgegeben
von
W. von Freeden, BONN, Thomasstrasse 9.
Telegramm-Adressen:
Freeden Bonn,
oder
Hansa Alterwall 28 Hamburg.

Verlag von *H. W. Silomon* in Bremen.
Die „*Hansa*“ erscheint jeden 2ten Sonntag.
Bestellungen auf die „*Hansa*“ nehmen alle Buchhandlungen, sowie alle Postämter und Zeitungsexpeditionen entgegen, desgl. die Redaktion in Bonn, Thomasstrasse 9, die Verlagshandlung in Bremen, Obernstrasse 44 und die Druckerei in Hamburg, Alterwall 28. Sendungen für die Redaktion oder Expedition werden an den letztgenannten drei Stellen angenommen. Abonnement jederzeit, frühere Nummern werden nachgeliefert.

Abonnementspreis:
vierteljährlich für Hamburg 2½ ℳ,
für auswärts 3 ℳ = 3 sh. Sterl.
Einzelne Nummern 50 ₰ = 6 d.

Wegen Inseraten, welche mit 25 ₰ die Petitzeile oder deren Raum berechnet werden, beliebe man sich an die Verlagshandlung in Bremen oder die Expedition in Hamburg oder die Redaktion in Bonn zu wenden.

Frühere, komplete, gebundene Jahrgänge a. 1872, 1874, 1876, 1877, 1878, 1879, 1880, 1881, 1882, 1883, 1884, 1885 sind durch alle Buchhandlungen, sowie durch die Redaktion, die Druckerei und die Verlagshandlung zu beziehen. Preis ℳ 8; für letzten und vorletzten Jahrgang ℳ 6.

Zeitschrift für Seewesen.

No. 6. HAMBURG, Sonntag, den 21. März 1886. 23. Jahrgang.

Das Abonnement
auf unsere Zeitschrift bitten wir baldigst zu bestellen. Die Post verlangt vor Anfang jeden Quartals neue Bestellung und Vorausbezahlung.

Inhalt:

Siebzehnter Vereinstag
des
Deutschen Nautischen Vereins
in Berlin, 22.—25. Februar 1886
im Norddeutschen Hof.

Erster Sitzungstag.

Herr Kommerzienrat Sartori eröffnet um 10½ Uhr die Versammlung, indem er die Anwesenden begrüsst und zunächst über das verflossene Geschäftsjahr Bericht erstattet.

Nach verschiedenen geschäftlichen Mitteilungen wird zur Bildung des Vorstandes geschritten, indem Herr Sartori unter Zustimmung der Versammlung zu seinem Stellvertreter Herrn Oberländer, zu Schriftführern die Herren Ehlers, Dr. Nolte und Dr. Marcus, zu Stimmensammlern die Herren Peters und Steinorth und zur Prüfung der Rechnung die Herren Dr. Wiese und Kapitän Steffen ernennt.

Es wird alsdann die Liste der Teilnehmer festgestellt, wonach vertreten sind die 18 Vereine zu Barth, Berlin, Brake, Danzig, Greifswald, Hamburg (Naut. Verein), Kiel, Lübeck, Papenburg, Rendsburg, Rostock, Rügenwalde, Stettin, Stralsund, Vegesack, Bremen (Naut. Verein), Hamburg, Bremen (Rheder-Verein), mit 21 Stimmen, ausserdem eine Anzahl Gäste, sowie der Seeschiffer-Verein in Hamburg ohne Stimme.

Die Versammlung schreitet darauf zur Wahl eines Vorsitzers.

In geheimer Abstimmung werden abgegeben für Herrn Kommerzienrat Sartori 10 Stimmen, für Herrn Kommerzienrat Gibsone 9 Stimmen.

I. Entscheidung über die Gesetz-Vorlage, betreffend den Nord-Ostseekanal.

Herr Sartori berichtet zu diesem Gegenstande und bringt den Antrag ein:

„Der Deutsche Nautische Verein begrüsst mit freudiger Genugthuung das Zustandekommen des Gesetzentwurfs betreffend den Bau des Nord-Ostseekanals, dessen Herstellung der Verein schon 1872 als zur weiteren Entwickelung der deutschen Schifffahrt dringend notwendig anerkannt hat, und von dem wir uns auch heute eine wesentliche Förderung der kaufmännischen, gewerblichen und Schifffahrts-Interessen Deutschlands versprechen.“

Der Antrag wird angenommen.

Herr Hansen bringt den Antrag ein:

„Der Deutsche Nautische Verein benutzt diesen Anlass, um gleichzeitig dem Herrn H. Dahlström in Hamburg für dessen ausserordentliche Verdienste um die Förderung des Nord-Ostseekanal-Entwurfs die lebhafteste Anerkennung zu zollen.“

Der Antrag wird angenommen.

II. Abänderung des Gesetzes vom 25. Oktober 1867 betreffend die Nationalität der Kauffahrteischiffe.

Herr Gibsone stellt den Antrag (I):

„Der Nautische Verein beschliesst, bei der zuständigen Reichsbehörde einen Antrag zu stellen, wonach in Zukunft, sobald der Anteil in einem deutschem Schiffe ganz oder teilweise in den Besitz eines Ausländers übergeht, die Registerbehörde oder ein anderes Amt von amtswegen befugt sein soll, den betreffenden Anteil für Rechnung des Besitzers öffentlich zu verkaufen.“

Herr Dr. Marcus den Antrag (II):

„Der Deutsche Nautische Verein beschliesst bei der Reichsregierung den Erlass einer gesetzlichen Bestimmung zu beantragen, wonach im Falle, dass der Anteil in einem deutschen Schiffe ganz oder teilweise in das Eigentum eines Ausländers übergeht, oder ein Mitrheder das Reichsindigenat verliert, der betreffende Anteil auf Antrag der Mitrheder öffentlich verkauft werden kann."

Herr Dr. Nolte den Antrag (III.):

„Das Vorhandensein der Lücke ist anzuerkennen, die angemessenste Beseitigung derselben aber der Regierung zu überlassen."

Herr Gibsone zieht seinen Antrag zu Gunsten des Antrages II. zurück.

Der Antrag II wird angenommen.

Der Vorsitzer teilt mit, dass Herr Steinorth folgenden Antrag eingebracht habe:

„Da in den deutschen Navigationsschulen seit Oktober 1885 ein medizinisch chirurgischer Lehrgang eingeführt ist, dem die Schifferschüler mit beiwohnen, so ersucht der Barther Nautische Verein den Deutschen Nautischen Verein, bei der hohen Reichsregierung dahin zu wirken, diesen für die Schiffahrt so segensreichen Lehrgang auch den Schiffern, welche zur Winterzeit zu Hause sind, sowie den Steuerleuten, welche ihre Schiffer-Prüfung bestanden haben, kostenfrei nach vorheriger Meldung zugänglich zu machen."

und wird am Mittwoch Morgen die Versammlung befragen, ob sie den Antrag auf die Tagesordnung setzen wolle.

III. Befeuerung der Oderbank.

Herr Kapitän Oberländer beantragt als Referent, die im Jahre 1883 zu diesem Gegenstande angenommenen Anträge zu erneuern. (Siehe Verhandlungen 1883, S. 21, No. 1—4.)

„Den Herrn Reichskanzler zu bitten

1. die Mittel zur Auslegung eines Feuerschiffes mit Nebel-Dampf-Signal-Apparat westlich der Oderbank etwa in 54° 11,6' nördl. Breite und 14° 21,2' östlicher Länge von Greenwich in den nächstjährigen Landeshaushalt einzustellen und die baldige Auslegung des Feuerschiffes zu veranlassen;
2. schon jetzt bei dem Bau des Feuerschiffes darauf Bedacht zu nehmen, dass eine Anzahl Lotsen für Swinemünde auf dem Schiffe stationirt werden können;
3. in Erwägung zu ziehen, eine Haupt-Lotsenstation auf die Greifswalder Oie zu verlegen.
4. Die Greifswalder Oie in die telegraphische Verbindung einzubeziehen."

Die Versammlung beschliesst demgemäss.

IV. Farbenblindheit der Seeleute.

Herr Kapitän Ludolf Meyer berichtet und stellt den Antrag:

„Der Vereinstag beantragt:

1. Die Reichsregierung zu ersuchen, ein Gesetz zu zu erlassen, welches die Einführung einer Untersuchung auf Farbenblindheit bei Seesteuerleuten und Seeschiffern vor oder bei Ablegung ihrer resp. Prüfungen auf den Navigationsschulen befiehlt. Ueber den Befund der Prüfung auf Farbenblindheit ist dem Prüfling ein Zeugnis auszustellen;
2. geeignete Vorkehrungen zu treffen, dass die Seemannsämter auf bequeme Weise die anzumusternde Mannschaft auf den Fehler der Farbenblindheit untersuchen."

Herr Ehlers stellt den Antrag:

„Der Deutsche Nautische Verein hält es für wünschenswert, dass

a) die Schiffsjungen bei ihrer ersten Anmusterung und Ausfertigung des ersten Seefahrtsbuches durch einen zu diesem Zwecke bei dem betreffenden Seemannsamte diensttuenden Arzt auf Farbenblindheit untersucht werden — und zwar gegen eine möglichst gering zu bemessende Gebühr, — und dass
b) diese Untersuchung bei dem Kandidaten zur Steuermanns- und Schiffer-Prüfung wiederholt wird, — hierbei vorausgesetzt, dass für diese Untersuchungen ein zweifellos zuverlässiges Verfahren gefunden ist."

Herr Sartori beantragt, dass zu dem Antrage Meyer der Zusatz gemacht wird:

„Das Ergebnis ist auf Seite 3 des Seefahrtsbuches unter Bezeichnung des Inhabers aufzuführen."

Herr Meyer erklärt sich mit dem Zusatze einverstanden.

Bei der Abstimmung wird der Antrag Meyer mit dem Zusatze Sartori angenommen.

V. Einführung des Zeugniszwanges für Seeleute.

Herr Doncke als Referent stellt den Antrag:

„Der Deutsche Nautische Verein wolle beschliessen, ein Bittgesuch an den hohen Bundesrat zu richten, die betreffenden Bestimmungen der Seemannsordnung vom 27. Dezember 1872 dahin abzuändern, dass fortan in den Abmusterungs-Bescheinigungen der Seefahrtsbücher ein Führungs- und Befähigungszeugnis aufgenommen wird."

Der Antrag wird in namentlicher Abstimmung mit 13 gegen 6 Stimmen abgelehnt.

Zweiter Sitzungstag.

Der Vorsitzende, Herr Kommerzienrath Sartori, eröffnet die heutige Verhandlung mit einigen geschäftlichen Mitteilungen.

Eingegangen ist ein Exemplar der Eingabe der Delegirten-Konferenz deutscher Seehandelsplätze an den Reichskanzler, betreffend die Hafenabgaben für die Küstenschiffahrt treibenden Seeschiffe.

Der Vorsitzer des Reichs-Versicherungsamtes, Herr Bödiker hat angezeigt, dass er voraussichtlich verhindert sei, an der heutigen Verhandlung über die Unfallversicherung der Seeleute theilzunehmen.

Vor Eintritt in die heutige Tages-Ordnung erhält das Wort Herr Geh. Admiralitäts-Rat, Professor Dr. Neumayer zu einem *Vortrage über die Entwicklung und die Arbeiten der von ihm geleiteten Deutschen Seewarte.* Dem Redner wird für seinen mit lebhaftem Beifalle aufgenommenen Vortrag von dem Vorsitzenden mit warmen Worten und von der Versammlung durch Erheben von den Sitzen gedankt.

Die Versammlung tritt alsdann in die heutige Tagesordnung ein:

No. 6. *Die Unfallversicherung der Seeleute.*

Zunächst erhält *zur Geschäftsordnung* das Wort Herr Dr. Nolte-Hamburg.

Derselbe beantragt *Absetzung von der Tagesordnung* und zunächst Beratung und Beschlussfassung über diesen Vertagungs-Antrag.

Im Laufe der Besprechung ergänzt Herr Dr. Nolte seinen Antrag dahin:

„*und, falls erforderlich, Einberufung eines neuen Vereinstages, sobald die Regierungsvorlage eingebracht sein wird.*"

An der Erörterung beteiligen sich ausser dem Antragsteller und dem Vorsitzenden die Herren Doncke, H. H. Meier, Ehlers, Oberländer, Dr. Wiese, Dr. Marcus, Dr. Gütschow, Gibsone.

Hiernach wird die Beratung geschlossen und es werden die beiden Anträge Dr. Nolte mit grosser Mehrheit angenommen.

Dritter Sitzungstag.

Herr Kommerzienrat Sartori eröffnet um 10½ Uhr die Versammlung mit einigen geschäftlichen Mitteilungen.

Eingegangen ist abseiten der Herren James R. Mc Donald & Co. in Hamburg eine Beschreibung des Nortonschen Patentbootes in mehreren Exemplaren, welche unter die Mitglieder verteilt werden.

Herr Kapt. Blanck legt die Jess'sche Nebeluhr vor und erläutert dieselbe; der Verein nimmt mit Interesse Kenntnis von derselben.

Die Herren Kapt. Steffen und Dr. Wiese, welche zur Prüfung der Rechnungsablegung gewählt waren, berichten, dass sie die Kassenführung in Ordnung gefunden hätten und Entlastungserteilung, sowie Festsetzung des Jahresbeitrages auf *M.* 1,50 beantragen. Beides wird einstimmig genehmigt.

Herr Domcke (Stettin) beantragt, zwecks Ersparung von Kosten, den diesmaligen stenographischen Bericht nicht drucken zu lassen; der Antrag wird einstimmig abgelehnt.

Der Vorsitzende frägt sodann satzungsmässig an, ob der Vereinstag damit einverstanden sei, dass der Barther Antrag:

„Da in den deutschen Navigationsschulen seit Oktober 1885 ein medizinisch-chirurgischer Lehrgang eingeführt ist, dem die Schifferschüler mit beiwohnen, so ersucht der Barther Nautische Verein den Deutschen Nautischen Verein, bei der hohen Reichsregierung dahin zu wirken, diesen für die Schiffahrt so segensreichen Lehrgang auch den Schiffern, welche zur Winterzeit zu Hause sind, sowie den Steuerleuten, welche ihre Schiffer-Prüfung abgelegt haben, kostenfrei nach vorheriger Meldung zugänglich zu machen"

heute zur Beratung komme; da Niemand widerspricht, wird in die Beratung eingetreten. Es sprechen Kapt. Steinorth, Gibsone und Dr. Wiese. Der Antrag wird alsdann mit der Abänderung angenommen, dass statt der Worte „hohen Reichsregierung" die Worte „bei den Landesregierungen" einzuschalten sind.

Den ersten Gegenstand der Tagesordnung bildet *die Abfassung des See-Frachtbrief-Formulars.*

Berichter Herr C. Ferd. Laeisz (Hamburg) stellt den Antrag:

Der deutsche Nautische Verein hält die Einführung einheitlicher Dampfschiffs-Frachtbriefe für dringend erwünscht, in welchen vor Allem die Frage der Verantwortlichkeit der Rheder, und zwar dahin geregelt wird, dass der Rheder für Fehler und Nachlässigkeit seiner Angestellten betreffs der Stauung, Bewachung, Behandlung und Ablieferung der Ladung, nicht aber betreffs der Navigirung des Schiffes verantwortlich ist."

und begründet denselben; ferner sprachen Herr Konsul H. H. Meyer (Bremen), Gildemeister (Bremen), Ehlers (Danzig), Gibsone (Danzig), Woermann (Hamburg), Dr. Marcus (Bremen).

Herr Dr. Marcus stellt den Antrag:

„Der Verein ist im Uebrigen der Ansicht, dass die Schaffung von den vorstehenden Gesichtspunkten entsprechenden Seefrachtbrief-Formularen der freien Vereinbarung der Beteiligten zu überlassen ist."

Der Berichter zieht den zweiten Teil seines Antrages zu Gunsten des Antrages Marcus zurück. Es sprachen noch die Herren Domcke, Oberländer, Dr. Nolte.

Bei der Abstimmung wird der Antrag Hamburg mit dem Zusatz Marcus einstimmig angenommen.

Der zweite Gegenstand der Tagesordnung ist: *Vermehrung der deutschen Konsularvertretungen in ausländischen Hafenplätzen.* (Antrag Rügenwalde.)

Es sprechen Herr Ehlers (Danzig), Dr. Nolte (Hamburg), Dr. Marcus (Bremen), Laeisz (Hamburg).

Herr Ehlers beantragt, den Gegenstand für diesen Vereinstag als erledigt zu erklären, und wird dies beschlossen. —

Der Vorsitzende giebt eine kurze Uebersicht über die diesjährigen Verhandlungen und der noch unerledigten Beschlüsse früherer Jahre.

Auf Antrag von Herrn Gibsone wird dem Herrn Vorsitzenden der Dank der Versammlung votirt, und alsdann um 1¼ Uhr die Sitzung und der Vereinstag geschlossen. V. g. u.

gez. *Sartori.* gez. *Dr. Nolte.*

Aus Briefen deutscher Kapitäne. II.

Beiträge zu unserer Kenntnis der Taifune. Von E. K.

(Fortsetzung.)

Der gefahrvolle Teil eines Taifuns ist die vordere Hälfte und die gefährlichste Gegend dieses Sturmfeldes liegt 4 Str. auf jeder Seite des Bahnkurses. Es findet häufig ein Hin- und Hergehen des Windes in der ganzen Hälfte statt. Knipping führt in dem Prinz Adalbert Taifun, Annal. d. Hydr., Seite 556 (1880) einen solchen Fall für das rechte vordere Viertel an. Der Wind änderte sich an Bord des Prinz Adalbert wie folgt: O, NO, OSO, O z N, SO, S, und sagt darüber, dass eine Aenderung des Windes von mehreren Strichen im vorderen rechten Viertel noch kein entscheidendes Merkmal bietet, auf welcher Seite des Beobachters der Mittelpunkt vorüber gehen wird; dies gilt aber auch wohl vom linken vorderen Viertel, also für die ganze vordere Hälfte, ebenso kann der Wind dicht am Stillegebiet bis zu 16 Str. springen, falls dasselbe einen anderen Kurs einschlägt. — Am 21. und 22. Aug. 1883 astronomisch gerechnet überstand ich auf etwa 26 ° N und 121 ° O einen Taifun. Der Wind war um Mitternacht des 21. Aug. NNO 4, drehte sich dann bis zum Mittag des 22. Aug. bis N z O 6, war um 7 Uhr N7, um Mitternacht NW z N 9, um 4 Uhr Vm. W z N 9. Ich war um 7 Uhr Nm. beigedreht, und da ich den Kurs des Taifuns für diese Gegend zum Mindesten zu NNW, nicht westlicher schätzte und das Schiff nach Tientsien bestimmt war, so hielt ich um 4 Vm. ab, weil das Barometer stand, wurde aber schon um 5 Uhr durch das Zurückgehen des Windes gezwungen, für die nächsten 19 St. wieder beizudrehen, auch fing das Barometer nach 6 Uhr wieder an zu fallen. Ich konnte mir damals das Zurückgehen des Windes nur dadurch erklären, dass ich es mit einem Doppeltaifun zu thun hatte. Dies war aber nicht der Fall, denn der Kurs des Taifuns lief nach Dechevrens NW. Die folgende Tabelle ist ein Auszug meines Journals von 4 Uhr Vm. 22. Aug. bis 8 Uhr Vm. 23. Aug.

Stunde	ON	LO	Wind	Stärke	Kurs und Fahrt des Taifuns	Peilung d. Mittelpunktes	Richtungswinkel	Abstand
22. Aug.								
4 U. V. Hielt	26° 8' um 4 U.	121°27' ab, doch	W z N te aber	9 um	5 Uhr	S 6¾ O schon wie	16¾ der bei.	325 Sm
5			WNW	9		S 6½ O	15½	310 „
7			NW	9		S 6¾ O	13¾	287 „
9			NW	10		S 7 O	18	260 „
10			NW z W	10	NW	S 7¼ O	13¾	260 „
23. Aug.								
Mittag	26° 11'	121°44'	WN z W	9	14 Sm	S 7¼ O	14½	221 „
1 U. N.			W z N	8		S 7¾ O	15¼	200 „
4	26° 11'	121°52'	WNW	9		N 7¼ O	13¾	180 „
5			WNW	10		N 7 O	13	179 „
5 U. 30			WNW	11		N 6¾ O	12¾	169 „
6			W z N	10		N 6¾ O	13¾	169 „
8 U. 40			W	10		N 6½ O	14½	167 „
Mittern. Hielt um	26° 17' um	122°7' Mittern.	W ab.	9		N 4 O	12	145 „
2 U. V.			W z S	9		N 2¾ O	11¾	142 „
4	26° 34'	122°10'	SW z W	9		N 1½ O	12½	153 „
8	27° 3'	122°15'	SSW	8		N ¾ W	18¾	170 „

Nach 8 Uhr nahm der Sturm rasch ab und war der Wind um Mittag S z O 6. Der Taifun blieb 200 Sm von der Nordspitze Formosas ab und fand wahrscheinlich eine Ablenkung des Windes durch diese Insel statt, denn der Wind wurde in der vorderen Hälfte nach dem Mittelpunkte eingebogen, daher die grossen Peilungen. Diese Thatsache erwähnt Knipping zum ersten Male in seinen „Notes on the Storms of 15, 17 and 18th September 1884". Er sagt wörtlich: Bemerkenswert ist die grosse Einbiegung des Windes zum Mittelpunkte; man hat dies früher in der hinteren Hälfte eines sich rasch bewegenden Sturmes beobachtet, aber nicht in der vorderen Hälfte, wie es in diesem Taifun der Fall war. An Bord des Dampfers „Suruga Maru" wurde um 6 Uhr Vm. am 15. Sept. NO beobachtet, demnach hätte der Mittelpunkt SO peilen sollen, in Wirklichkeit peilte er aber SW, also 16 Str., ein Unterschied von 8 Str. Leider giebt Herr Knipping nicht den Schiffsort des Dampfers oder den Abstand desselben vom Taifunmittelpunkt an. 24 Stunden später wehte wieder ein Taifun, der dieselbe Einbiegung des Windes in der anderen Hälfte zeigte.

Während obigen Taifuns wehte es schwerer vor dem Passiren des Mittelpunktes als nachher; von 20 Taifunen wehte es bei 12 Taifunen stärker in der hinteren Hälfte, bei 8 Taifunen in der vorderen Hälfte; von diesen wehten 6 Taifune im südchinesischen Meere, Kurs WNW, die anderen beiden kamen auch von dort, Kurs etwa NNO; ebenso fiel bei 12 Taifunen in der vorderen Hälfte am meisten Regen, bei einem in der hinteren Hälfte, und bei sieben während des ganzen Taifuns. Böen fanden vorwiegend in der vorderen Hälfte statt. — Unter meinen Kollegen ist vielfach der Glaube verbreitet, dass die Taifune von den Mondphasen abhängig sind; ich selbst bin der Ansicht, dass der Mond garnichts damit zu thun hat, sondern dass die einzige Ursache derselben die Wärme ist; da aber jetzt die meisten Taifune von 2 bis 12 Tagen beobachtet werden und in dieser Zeit jedenfalls eine Mondphase stattfindet, so haben meine mondsüchtigen Kollegen eine scheinbare Berechtigung für ihre Behauptung; anderseits würde es sich am Ende für einen unserer Wetter-Gelehrten der Mühe verlohnen, zu untersuchen, warum innerhalb 11 Jahren zur Zeit der Tag- und Nachtgleichen acht Mal Taifune wehten.

Da man auf See keine telegraphische Warnung von Land empfangen kann, so werden wir auch sehr häufig von Taifunen in einer schlechten Lage überrascht, weil das Barometer nicht immer frühzeitig genug entschiedene Warnung giebt, ausserdem auch eine genaue Kenntnis des Instrumentes dazugehört, denn ein Taifun zeigt sich in den beiden vorhergehenden Tagen weniger durch das Fallen des Barometers, als vielmehr durch das Verhalten desselben überhaupt an. — 29 Taifune gaben folgende Warnungen durch Fallen des Barometers, nach welcher Zeit es zum mindesten mit Stärke 8 wehte: 6 Taifune einen Tag, 4 Taifune achtzehn Stunden, 8 Taifune zwölf Stunden, 4 Taifune acht Stunden, 2 Taifune sechs Stunden, 4 Taifune vier Stunden und 1 Taifun (10.—22. Juli 1881) Kurs NNW und N, Fahrt 15,5 Sm, gab in Tamsui 2 Tage, an Bord des Dampfers „Keelung" auf etwa 28 ° N und 122 ° O einen Tag, bei mir an Bord auf etwa 36 ° N und 123 ° O acht Stunden Warnung. Der Gradient wurde also auf einer Distanz von 660 Sm sehr steil. Es waren mithin etwa $^2/_3$, die zwölf Stunden oder weniger Warnung gaben; da diese Zeit für ein Segelschiff in der Regel zu kurz sein wird, um binnen oder dem Taifun aus dem Wege zu laufen, ausserdem durch die ungenaue Peilung des Mittelpunktes seine Lage nicht hinreichend genau bestimmt werden kann, so wird in den meisten Fällen nichts anderes übrigbleiben, als beizudrehen. — Aus der Dauer des Falles lässt sich auch kein Schluss auf die Grösse des Sturmfeldes ziehen; das Barometer fing bei mir an Bord einen Tag vor Passiren des Mittelpunktes des Taifuns vom 31. Juli 1879 (Dechevrens) zu fallen, der Kursdurchmesser des Sturmfeldes war etwa 300 Sm; dasselbe fand statt während des Taifuns vom 15.—21. September 1878 (Knipping), aber hier betrug das Sturmfeld etwa 1300 Sm; ebenso giebt auch die Grösse des Falles wenig Anhalt für die Schwere eines Taifuns. Während des Taifuns vom 24.—28. Sept. 1881, Kursdurchmesser etwa 1000 Sm, Fahrt 20 bis 25 Sm, wehte es bei mir an Bord auf etwa 27 ° N und 123 ° O 36 Stunden mit Stärke 10—12. Mein Barometer, ein Aneroid-Barometer, für den Stand verbessert, fiel vom Mittag des 23. Sept., als es von N z O 6 wehte, bis zum Mittag des 25. Sept., als das Wetter schon anfing besser zu werden, aber noch von NW z N mit Stärke 11 wehte, also in 48 St. von 29,92 bis 29,59, mithin 0,33 Zoll, dagegen fiel es während des Taifuns vom 21.—23. August 1883, Kursdurchmesser etwa 400 Sm, Fahrt 14 Sm auf etwa 26 ° N und 123 ° O vom Mittag des 22. August NNO 6 bis um 7 Uhr Nm. des 23. Aug. W 10, also in 31 Std. von 29,89 bis 29,42, mithin 0,47 Zoll. In beiden Taifunen trat der niedrigste Stand des Barometers erst nach der grössten Windstärke ein und stand das Schiff beim Passiren des Mittelpunktes des ersten Taifuns etwa 100 Sm, beim zweiten Taifun etwa 150 Sm von der Bahn ab.

Durch genaues Beobachten der Taifune haben sich drei Arten herausgestellt, deren Verlauf im grossen und ganzen sich aber gleich bleibt, a) der einfache Taifun, b) der Doppel-Taifun, im südchinesischen Meere vorkommend, und c) die Zwillingstaifune, wie Knipping sie nennt, in den japanischen Meeren beobachtet. Diese folgen rasch aufeinander, nahezu dieselbe Bahn einhaltend und war der erste Taifun immer der schwerste. Es sind bis jetzt 4 solche Zwillingstaifune beobachtet, davon fanden statt 1883 im Juli zwei, Zeitunterschied zwei resp. sechs Tage, sowie einer im Oktober, Zeitunterschied 2 Tage, Fahrt des ersten 55 Sm, des zweiten 38 Sm, Kurs beider NOlich; der vierte fand statt im September 1884, Zeitunterschied kaum 21 Stunden, Fahrt beider durchschnittlich 30 Sm die Stunde, Kurs NOlich. Dieses rasche Aufeinanderfolgen der Taifune nahezu in derselben Bahn findet aber auch wohl in der südchinesischen See statt. Dechevrens sagt in seinem Schlussworte „The Typhoons of 1881" darüber: Eine sonderbare Thatsache ist es, dass ein neu sich bildender Taifun die Neigung hat, dieselbe Bahn einzuschlagen wie der vorhergehende, m. a. W. Die Bahn ist nach der Gegend gerichtet, wo zur Zeit ein anderer Wirbel den Druck erniedrigt.

Am 23. Sept. 1880 überstand ich einen Taifun an der Südspitze Formosas, am 27. Sept. ebenfalls in der Nähe der Südspitze zwischen den Inseln Botel Tobago und Samasamu traf mich der zweite Taifun; zu dieser Zeit waren wir mit 11 Schiffen auf eine Distanz von 6 Sm zusammen. — Um 6 Uhr Vm. führte ich noch das grosse Bramsegel, um 7 Uhr waren alle Segel fest, um 9 Uhr war kein Segel mehr unter den Raen, Alles war unter den Beschlagzeisingen weggeflogen, um 10 Uhr wurde der grosse Mast gekappt, das Schiff lag soweit über, dass das Wasser an der Lukkante der grossen Luke stand, 20 Min. später war das Schiff im Stilltegebiet, es schien die Sonne. Seegang entstand nur im Stilltegebiet und nahm das Schiff hier nur eine schwere See über, ausserhalb des Stilltegebiets war das Wasser schlicht wie im Hafen. Der Wind war in der vorderen Hälfte NNW, hier trat also die Regel ein: ändert der Wind sich nicht bei fallendem Barometer, so liegt man in der Bahn des Taifuns, man lenze deshalb vor dem Winde weg. Aber um 7 Uhr Vm kam ich erst zu der Ansicht, dass es ein Taifun war; das Barometer hatte wenig Warnung gegeben. Ich hatte 10 Schiffe südlich von mir; da mein Schiff das nördlichste war, und ich nicht genau wusste, wo ich war, (nach meiner Rechnung sollte Botel Tobago in SO sein, in Wirklichkeit peilte es S), so wäre ich hinaufgelaufen, wenn ich S abgehalten hätte. Nur ein Schiff hielt ab, das südlichste, die deutsche Bark „Livingstone“, Kapt. Steffens, und lief binnen 3 St. in schönes Wetter, die anderen 10 Schiffe blieben liegen, von denen der deutsche Schuner „China“ und die siamesische Bark „Seamans Bride“ mit Mann und Maus verloren gingen, die andern acht hatten alle schwere Havarien. — In den japanischen Meeren scheint obige Regel für SOliche Winde nicht immer Geltung zu haben, und empfiehlt es sich, mit diesen Winden liegen zu bleiben und das Resultat abzuwarten. Im August Taifun 1880 (Great Taifun of August 1880, von Knipping), war der Wind vor, während und nach Passiren des Mittelpunktes an Bord des japanischen Dampfers „Akitsuschima Maru“, Kapt. S. Frahm, SSO, dasselbe fand statt im Oktober Taifun 1880 (Annal. d. Hydr. 1881. Seite 406) an Bord der englischen Bark „Scottisch Fairy“. Beide Schiffe standen in der rechten Hälfte und kamen bis auf 66 Sm dem Mittelpunkte nahe. Die Kurse beider Taifune waren NO z Olich bis nach etwa 34 ° N u. 140 ° O und bogen dann nördlich aus. Knipping sagt darüber (Ann. d. Hydr., 1880, Seite 406, ohne Zweifel kommen also auch Fälle vor, in denen ein Beobachter auf der rechten Seite eines schnell vorauschreitenden Taifuns vor, während und nach Passiren des Mittelpunktes denselben (SSO) Wind hat und der Richtungswinkel von 6 bis 20 Str. zunimmt. — Noch einen andern Fall auch für SO-Wind führt Knipping für das ostchinesische Meer an. Während des Taifuns vom 29. Juli 1879 wurden an Bord des britischen Kriegsschiffes „Pegasus“ auf etwa 31 ° N und 129 ° O bei fallendem Barometer die folgenden Winde beobachtet: 29. Juli, Mittag OSO 6—8, 2 Uhr Nachm. SO z S 6—9, 4 Uhr Nm. SO z S 9 und 6 Uhr Nm. SO z O 9. Da der Wind sich wenig änderte, so nahm man an, dass das Schiff sich im Kurse des Taifuns befände und lenzte deshalb 45 Sm vor dem Winde. Der Kurs des Taifuns war aber nicht NO, sondern NW z N. Das Schiff befand sich im hinteren rechten Viertel etwa 300 Sm vom Mittelpunkte ab und nahmen die Peilungen von 7 bis 7½ Strich zu.

Fasst man das Obengesagte über den Verlauf eines Taifuns zusammen, so ergiebt sich:

1. dass dieselben mit unregelmässiger Fahrt, südlich von 30 ° N mehr langsam, nördlich von 30 ° N mehr rasch sich fortbewegen;
2. je rascher die Fahrt, je grösser das Sturmfeld, desto schwerer der Taifun;
3. in der vorderen gefährlichen Hälfte werden die Winde sowohl von dem Mittelpunkte aus- als eingebogen, d. h. die Peilungen sind sehr ungenau;
4. in einem und denselben Taifun werden die Peilungen des Mittelpunktes nach der Fahrt verschieden sein;
5. die SO lichen Winde geben in den japanischen Meeren sowie im ostchinesischen Meere die ungenauesten Peilungen;
6. die Dauer und Grösse des Barometerfalles lässt keinen Schluss auf die Grösse des Sturmfeldes zu;
7. ein kommender Taifun zeigt sich weniger durch die Grösse des Barometerfalles als vielmehr durch das ganze Verhalten des Instrumentes an;
8. wenn man einen Taifun überstanden hat, so mache man sich bereit für den folgenden.

Obgleich das Barometer für sich allein, durch die Grösse des Falles in der Regel nicht frühzeitig genug Warnung giebt, so ist es anderseits in Verbindung mit anderen Taifunanzeichen beobachtet entschieden das beste Mittel, um sich über einen herannahenden Taifun zu vergewissern und kommen in erster Linie hierbei Wind und Seegang in Betracht, ferner das allgemeine Aussehen der Wolken. In dieser Hinsicht sagt Dechevrens, in seinem Taifuns of the China Seas 1881, Seite 10: in der chinesischen See und vorwiegend im südlichen Teile desselben ist die Lage des Mittelpunktes eines Wirbelsturms durch die Verteilung der Wolken ziemlich gut bedingt. Dieselben liegen innerhalb des Wirbels in der Form eines Kreisbogens, mehr oder weniger entwickelt, je nachdem derselbe sich nähert oder entfernt, und dessen Spitze auf der Linie liegt, welche man sich vom Mittelpunkte des Wirbelsturmes zum Beobachter gezogen denkt, es sind niedrige Cumulus- oder Nimbus, mit ihrer Spitze gegen den Beobachter gerichtet in der Richtung des Sturmmittelpunktes.

Astronom Doberck bezeichnet in seiner „Notice to Mariners, Hongkong, Mai 1885“, als erste Anzeichen eines Taifuns feine Cirrus-Wolken, welche wie feine Haare, Federn oder Büschel Wolle aussehen und von Ost nach West ziehen, ein leichtes Steigen des Barometers mit klarem, trockenem, heissem Wetter und leichten Winden. Hierauf fällt das Barometer, während die Wärme zunimmt, Die Luft wird drückend durch zunehmende Feuchtigkeit, das Wetter drohend und diesig. Nähert sich der Taifun, so wird der Himmel bedeckt, in Folge dessen die Wärme abnimmt, während die Feuchtigkeit zunimmt, das Barometer rascher fällt und der Wind an Stärke zunimmt.*) Ich selbst gehe augenblicklich nach folgender Regel: Geht mein Barometer während der Taifunzeit auf See unregelmässig, d. h. sind die täglichen periodischen Schwankungen unregelmässig und zeigt dabei das Instrument eine Neigung zum Fallen, herrschen ferner gleichzeitig, ganz abgesehen von der Stärke, Nliche, Oliche oder SOliche Winde, mit oder ohne NO- oder SOliche Dünung, so nehme ich an, dass irgendwo ein Taifun weht, er mag vielleicht noch 1000 oder mehr Seemeilen entfernt sein. — Am 13. und 14. September 1884 waren die täglichen periodischen Schwankungen meines Barometers unregelmässig, gleichzeitig fiel es in einem Etmale um 0,10 Zoll und erreichte seinen niedrigsten Stand um 7 Uhr Nm. am 14. September. Der Wind, welcher am 13. SSO 3 gewesen war, ging am 14. auf etwa 28 ° 30 ′ N und 124 ° nach NNO mit hoher SOlicher Dünung; ich nahm an, dass irgendwo ostwärts von mir ein Taifun wehte, dessen Kurs aber nach 7 Uhr Nm. am 14. sich vom Schiffe entfernte und in der That verwüstete ein Taifun vom 15.—17. Sept. Japan. Der Mittelpunkt war um 7 Uhr Nm. am 14. Sept. etwa 540 Sm ONO vom Schiffe entfernt.

(Schluss folgt.)

---

*) Ebenso wie die Peilung des Mittelpunktes für denselben Wind in verschiedenen Taifunen nicht gleich ist, so sind auch die Anzeichen für verschiedene Taifune nicht gleich. Die Vorläufer des Taifuns vom 20.—27. August 1885 waren auf der Rhede von Taiwanfu wie folgt: 20. August, regelmässige leichte Land- und Seebrise, sehr durchsichtige Luft, Bewölkung 2, K. Das Barometer war bis um 10 Uhr Vm des 19. August regelmässig gestiegen und stand an diesem Tage 30.11 (Stand verbessert), fiel aber innerhalb der nächsten 24 Str. um 0,06 ″, Thermometer 84—86 ° F.

21. Aug. Wind, Wetter und Wärme unverändert. Barometer war um 0,06 ″ gefallen, Bewölkung 1 K.

22. Aug. Wind, Wetter und Wärme unverändert, Barometer war um 0,06 ″ gefallen, nach Mittag wurde die Luft diesig und fiel der Barometer von 12 Uhr Mittag bis 4 Uhr Nm. um 0,13 ″, stieg aber bis 10 Uhr Nm. wieder um 0,04 ″.

23. Aug. Regelmässige leichte Land- und Seebrise bis um 2 Uhr Nm., Luft diesig, Bewölkung 4 CS, um Mittag K, Thermometer unverändert. Das Barometer war während der Nacht 0,09 ″ gefallen und fiel während des Morgens regelmässig 0,02 ″ die Stunde. Um 2 Uhr setzte steife Nliche Brise ein und damit war das Schiff im Taifunbereich. Es fehlten also bei diesem Taifun die Cirrus-Wolken, zunehmende Wärme, drückende feuchte Luft, wohl aber war eine sehr grosse Durchsichtigkeit der Luft vorhanden.

Betriebsergebnisse des Suezkanals von seiner Eröffnung (17. Nov. 1869) **an bis zum 31. Dez. 1884.**

Seit der Eröffnung des Suezkanals bis zu Ende des Jahres 1884 gestaltete sich die *Anzahl* und der *Tonnengehalt* der Schiffe, wie die *Gebührenerhebung* von den Schiffen allein für jedes einzelne Jahr folgendermassen:

Jahr	Schiffe	Brutto-[illegible]	Gebührenerhebung v. den Schiffen allein in Francs
1869	10	9 413	49 600
1870	489	435 911	5 048 393
1871	763	761 467	8 873 221
1872	1 082	1 439 169	16 232 920
1873	1 173	2 085 072	22 777 311
1874	1 264	2 423 672	24 718 900
1875	1 494	2 940 708	28 776 027
1876	1 457	3 072 107	29 852 787
1877	1 663	3 418 949	32 614 519
1878	1 593	3 291 535	30 992 688
1879	1 477	3 236 942	29 551 563
1880	2 026	4 344 520	39 731 976
1881	2 727	5 794 401	51 073 604
1882	3 198	7 122 126	60 216 168
1883	3 307	8 051 307	65 618 427
1884	3 284	8 319 967	62 295 329
Zusammen	27 007	56 747 268	508 513 463

Während die Einnahmen an Schiffsgebühren bis zum Jahre 1883 konstant gestiegen ist, ist sie im Jahre 1884 um 3 323 094 Frcs. geringer als in 1883 gewesen, hierbei ist aber nicht zu übersehen, dass vom 1. Januar 1884 an die Tonnengebühr für mit Waaren beladene oder Passagiere an Bord führende Schiffe von 10,50 auf 10 Frcs. pr. Tonne herabgesetzt wurde; dass ferner von dem nämlichen Zeitpunkt angefangen Schiffe in Ballast nur 7,50 anstatt der früheren 10 Frcs. pr. Tonne bezahlen; dass endlich die Lotsengebühren mit 1. Juli 1884 gänzlich aufgehoben wurden. Diese verschiedenen Gebührenermässigungen repräsentiren für die 3 284 Schiffe von 5 871 500 Nettotonnen, welche im Jahre 1884 durch den Kanal fuhren, eine Einnahme von 5 Mill. Frcs., die um mehr als $1\frac{1}{2}$ Mill. die oben bezeichnete Differenz übersteigt. Diese Reduktion der Taxen hat dazu ermutigt, geringwerthige Waaren, welche früher den Weg um das Kap genommen, diesmal durch den Suezkanal nach Europa zu senden.

Was den Anteil der einzelnen *Flaggen* anbetrifft, so fuhren von den in den Jahren 1869 bis 1884 den Kanal passirenden 27 007 Schiffen

20 568	= 76,16 %	unter englischer	Flagge
1 782	= 6,60 „	„ französischer	„
947	= 3,47 „	„ holländischer	„
845	= 3,13 „	„ österr.-ungar.	„
779	= 2,69 „	„ italienischer	„
668	= 2,47 „	„ deutscher	„
384	= 1,42 „	„ spanischer	„
1 044	= 3,86 „	die übrigen Flaggen.	

Von den 27 007 Schiffen, welche von 1869—1884 den Kanal passirten, kamen 13 968 von Norden und 13 039 vom Süden; den verschiedenen Kategorien nach befanden sich darunter: 25 315 Handelsschiffe (20 213 gewöhnliche Dampfer, 4816 Postdampfer und 286 Segelschiffe), 1290 Kriegsschiffe, 219 Remorqueure, 117 Yachten, 66 Baggerschiffe, Porteurs und ähnliche Fahrzeuge. Die Gesammtzahl der Passagiere, welche in dem mehrgenannten Zeitraum die Fahrt durch den Suez-Kanal machten, beträgt mit Hinzurechnung von 34 624, welche mittelst Barken befördert wurden, 1 291 522 Personen, darunter: 699 842 Soldaten (mehr als die Hälfte aller Passagiere), 345 368 Civilpersonen, 142 350 muselmännische Pilger, 59 152 nach Australien bestimmte Auswanderer, 5 203 russische Deportirte, 2 383 französische Amnestirte, 1938 sibirische Kolonisten, 640 chinesische Kulis.

Was die Erweiterung und Vertiefung des Suezkanal anbetrifft, so hat die internationale beratende Kommission die mit der Aufgabe betraut wurde, zu prüfen, welche Arbeiten zur Verbesserung des Suezkanals auszuführen seien, sich für die Erweiterung desselben entschieden, hiermit also das Projekt der Herstellung einer zweiten parallelen Wasserstrasse, welches im Jahre 1883 von der englischen Presse in den Vordergrund gestellt worden [illegible] Mr. de Lesseps in der letztjährigen Generalversammlung der Aktionäre des Suezkanals erstattet habe, werden die Kosten für die Erweiterung und Vertiefung dieses Kanals auf 203 Mill. Frcs. veranschlagt, und ist dabei eine Arbeitsdauer von 7 Jahren vorgesehen. Dieser Zeitraum zerteilt sich in 3 Perioden oder Ausführungsphasen. Die erste derselben besteht in der Erweiterung des Kanals um ungefähr 15 m und die Vertiefung auf 8,50 m, verbunden mit einer ersten Verbesserung der Curven und einer Rectificirung der östlichen Curve des Timsah-Sees deren Radius von 886,25 auf 1250 m gebracht werden soll. Wenn diese erste Arbeit vollendet ist, wird der Kanal überall eine Breite von 37 m am Wasserspiegel und eine Tiefe von 8,50 m (um 1 m mehr als gegenwärtig) haben. Die Schiffe werden sich dann an jedweder Stelle des Kanals kreuzen können, unter der Bedingung jedoch, dass die aus einer Richtung kommenden Fahrzeuge vertäut werden, um die anderen vorbeizulassen. Die Arbeiten der ersten Phase, welche einen Aufwand von ungefähr 61 Mill. Frcs erheischen, werden beiläufig 4 Jahre dauern. Man gedenkt dieselben im Laufe des Jahres 1886 zu beginnen und folglich in 1889 zugleich mit dem Kanal zu vollenden, der bestimmt ist, Port-Said mit süssem Wasser zu versorgen. Die definitiven Studien, mit welchen gegen Schluss des Jahres 1885 der Anfang gemacht werden sollte, werden wohl 6 Monate in Anspruch nehmen.

Der zweite Hafen wird die Erweiterung des Kanals um 28 m auf der Strecke von Port-Said bis zur Einmündung in die Bitterseen, und um 38 m von den Bitterseen bis Suez, sowie auch die vollständige Rectificirung der Curven in sich begreifen. Der hierfür erforderliche Kostenbetrag ist mit 127 Mill. Frcs. und der Zeitaufwand mit 3 Jahren präliminirt, so dass die hier in Betracht kommenden Arbeiten zu Anfang des Jahres 1892 ausgeführt sein dürften. Der Wasserspiegel des Kanals wird um solche Zeit im Norden der Bitterseen 65 m und im Süden 75 m Breite haben. Die Schiffe werden sich dann während der Fahrt kreuzen und mit einer Schnelligkeit von 15—16 km per Stunde, also in 10 oder 11 Stunden den Kanal transitiren können. Ausserdem wird die nächtliche Schiffahrt für alle Fahrzeuge möglich geworden sein.

Die Vertiefung des Kanals auf 9 m wird die dritte und letzte Ausführungsphase bilden; dieselbe wird in der ganzen Länge dieser Wasserstrasse bis Ende 1892 bewerkstelligt werden können und ungefähr 15 Mill. Frcs. kosten. Panzerschiffe von starkem Tiefgang werden dann ungehindert den Kanal befahren können. Das Material zur Ausführung aller dieser Arbeiten in 7 Jahren wird einen Kostenaufwand von ca. 45 Mill. Frcs. verursachen. Die Generalversammlung der Aktionäre genehmigte sowohl diese letztere Ausgabe, als auch den für die erste Ausführungsphase präliminirten Betrag (49 Mill. nach Abzug von 12 Mill. für das Material), und endlich den Kostenbetrag von 6 Mill. für den Bau der Süsswasserleitung nach Port-Said. Im Ganzen wurden somit von der Generalversammlung 100 Mill. Frcs. für die Verbesserung des Kanals bewilligt. Da die definitiven Studien im Mai oder Juni 1886 beendet sein sollen, so wird man um diese Zeit zur Organisirung der Werkstätten für die Ausführung der Arbeiten schreiten. Mit den Bestellungen des Materials gedachte man Anfang 1886 vorzugehen. Die zur Erdbewegung benötigten Gerätschaften, wie Lokomotiven, Waggons, Schienen etc., werden noch im Jahre 1886 geliefert werden können, diejenigen für die Baggerungsarbeiten jedoch erst im Laufe von 1887 und zu Anfang 1888, so dass dieser letztere Teil des grossartigen Bauwerkes nicht früher als im Laufe des ersten Semesters 1887 wird in Angriff genommen werden können. Die Erdarbeiten, soweit sie mit Hülfe von Kamelen und Karren geleistet werden, werden bald nach Abschluss der Studien angefangen werden können, diejenigen mit der Lokomotive etwas später, wenn das Material für die Eisenbahnen geliefert sein wird. —s—

Die Nord-Ostseekanal-Vorlage im Reichstage.

(Fortsetzung.)

Ein Mitglied der Kommission stellt die Frage, ob es möglich sei, eine Trace Eckernförde—Husum oder Kiel—Husum zu wählen, worüber von verschiedenen Seiten Projekte ausgearbeitet seien. Die Linie sei um 40 km kürzer, als die projektirte, auch seien die zu überwindenden Höhen kaum so bedeutend, wie in dem *Dahlstrom*schen Projekte, die Einsegelung in die Hever bei Husum erscheine auch direkter als die Einsegelung in die Elbe; die Halbinsel werde dann in einer geraden Linie durchschnitten. Die Mittelhever sei tief genug, denn die Barre enthalte bei niederer Ebbe 23, bei Flut 34 Fuss Tiefe. Diese Barre habe sich in den letzten 30 Jahren nicht verschoben.

Darauf wird regierungsseitig erwiedert, dass die Verhältnisse im Wattengebiete von Husum ausserordentlich ungünstig seien; Durchstiche, die man gemacht habe, seien in einem Jahre vollständig wieder versandet, die Tiefe der Barre sei nur 4 Faden. Ein Kanal müsse nicht zur Flutzeit, sondern zu jeder Zeit passirbar sein. Die Barre der Hever könne man nicht vertiefen, da dieselbe von dem Flutgebiete des Wattenmeeres abhängig sei. Es sei ein unglücklicher Gedanke, Husum als Mündungsstation zu nehmen; auch andere Projekte, z. B. Glückstadt-Kiel, seien teurer, als das von der Regierung vorgelegte, und letzteres für die Marine auch deshalb nicht annehmbar, weil dabei eine so lange Fahrt auf dem Elbstrome in Frage komme.

Nach diesen Erörterungen verzichtet die Kommission darauf, noch andere Tracen zur Besprechung zu bringen.

Dagegen entstand eine Debatte über die Frage, ob die Elbmündung gross genug sei, um so viele Schiffe ohne Gefahr passiren lassen zu können, wie der projektirte Kanal denkbarerweise mehr in die Elbe hineinbringen würde; schon jetzt sei die Elbmündung nicht ungefährlich, und Ostseekapitäne insbesondere fürchteten die Einsegelung in die Elbe gerade so sehr, wie die Fahrt um Skagen. Es wird die Frage gestellt, ob und was geplant werde, um das Fahrwasser der Elbe beständig in gutem Zustande zu erhalten.

Darauf erwidert der Herr Staatssekretär des Innern, dass von Seiten der Hamburgischen Regierung stets hinreichend für Verbesserungen des Fahrwassers der Elbe Sorge getragen sei; dass Hamburg selbst das grösste Interesse daran habe, das Fahrwasser stets in gutem Zustande zu erhalten, und dass von hamburgischer Seite, wo der Plan doch auch vorgelegen habe gar keine Bedenken gehegt werden, dass das Fahrwasser in der Elbmündung durch die vermehrte Frequenz zu sehr belastet werden werde.

In Betreff der Störung des Verkehrs durch Eis im Winter wird von dem Herrn Vertreter der Regierung ausgeführt, dass die Dauer des Frostes in der Ostsee länger sei als in der Nordsee. Der Vorwinter im November pflege meistens der Schiffahrt kein Hindernis zu bereiten. In den eigentlichen Wintermonaten, im Januar und Februar, wo eine Störung zu erwarten sei, sei der Verkehr ohnehin ausserordentlich gering, weil dann auch die Ostseehäfen durch Eis gestört seien. Im Kanal würde übrigens auch die Eisbildung durch die Strömung etwas gehindert werden, auch würde man durch Eisbrecher den Kanal offen halten können, soweit die Schiffahrt nicht selber dafür sorgt. Nach genauen Statistiken sei in den 21 Jahren von 1865 bis 1885 15 Mal die Kieler Förde das ganze Jahr hindurch offen geblieben und nur 6 Mal 36 bis 40 Tage geschlossen gewesen, so dass die Schiffahrt im Kanal im Durchschnitt der Jahre nur während einer ausserordentlich geringen Zahl von Tagen des Jahres gestört sein würde.

Auf eine Anfrage aus der Kommission wird noch erwidert, dass die Uferdeckungen des Kanals so stark gemacht werden sollen, dass man annehmen dürfe, dass es denselben nichts schaden werde, wenn Schiffe mit grösserer Geschwindigkeit als 10 km oder 5½ Seemeilen per Stunde den Kanal passirten. Von Seiten der Regierung werde nichts mehr gewünscht, und alle technischen Dispositionen so getroffen, dass eine möglichst grosse Schnelligkeit erreicht werden könne; da man aber mit so grossen Kanälen noch zu wenig Erfahrung habe, würde es unrichtig sein, schon jetzt auf eine grössere Geschwindigkeit zu rechnen, und zwar insbesondere, weil es fraglich sein könne, ob das Profil gross genug sei.

Im Suezkanal, welcher ein kleineres Profil habe, werde es, allerdings nicht offiziell, den Postdampfern und Kriegsschiffen gestattet, mit grösserer Geschwindigkeit zu fahren.

Von einem Mitgliede der Kommission wird ausgeführt, wenn die Höhe und Sicherheit der Kanalufer so eingerichtet werde, dass man den Kanal entlang Schienengeleise legen könne, würde man ja das Bugsiren der Schiffe durch Lokomotiven vornehmen können; allerdings schienen die Baukosten dadurch vergrössert zu werden.

Darauf wird erwidert, dass solche Einrichtung allerdings in Holland bestehe, dass aber wegen der grossen Kosten von der Projektirung solcher Einrichtung zur Zeit abgesehen sei.

Bei der Besprechung der **Bedeutung des Kanals für Handel und Schiffahrt** werden von Seiten der Herren Regierungsvertreter verschiedene Erläuterungen gegeben und Tabellen vorgelegt.

Es wird ausserdem insbesondere darauf hingewiesen, welche Gefahren der Weg um Skagen für die Schiffahrt bringe. In den Jahren 1877 bis 1881 seien auf diesem Wege an Orten, die nicht zu passiren gewesen wären, wenn der Nord-Ostseekanal existirte, 91 deutsche Schiffe verunglückt mit 708 Personen, und darunter 7 Dampfschiffe, letztere von bedeutendem Werte. Auch von den auf der Reise um Skagen verschollenen Schiffen, bei denen man den Untergangsort nicht kenne, würde man manche hinzurechnen müssen. Man könne den Verlust, welcher der deutschen Schiffahrt in den 5 Jahren 1877 bis 1881 entstanden sei auf etwa 6 150 000 ℳ veranschlagen. Immerhin seien die Vorteile, welche durch die Verringerung der Gefahr zu veranschlagen seien, verhältnismässig gering. Die Hauptsache sei die Zeitersparnis, welche die Schiffe durch Abkürzung des Weges erzielen würden.

(Fortsetzung in der Beilage.)

Nautische Literatur.

Die Laufbahnen in der Deutschen Kriegs-Marine. *Ein Compendium der wesentlichsten auf den Eintritt und den Dienst in der Marine bezüglichen Vorschriften. Auf Grund der neuen Bestimmungen vom 24. März 1885 nach amtlichen Quellen zusammengestellt. Berlin 1885. R. v. Decker's Verlag (G. Schenk). VIII und 107 Seiten 8°.*

Die zunehmende Erweiterung der überseeischen Beziehungen Deutschlands, und die immer mehr zur Geltung kommende Machtstellung Deutschlands zur See, legt der nationalen Marine die Notwendigkeit auf, eine grössere Anzahl von Fahrzeugen als bisher in Dienst zu stellen. Um dieselben in das Ausland zu entsenden, dazu bedarf es eines hinlänglich geschulten und ausgebildeten Personals aller Dienstzweige, welches die Schiffe entsprechend besetzt und sie verwendungsfähig macht.

Abgesehen davon bedarf die Marine zur seemännischen Erziehung und Ausbildung ihres vielgliedrigen Personals eines starken Stammes von tüchtigen Offizieren und praktischen Lehrmeistern für die Belehrung und Anleitung der jungen Mannschaft.

Der dem Reichstage vorgelegte Etat fasst diese Lage der Dinge scharf in's Auge, da es nicht öfter sich wiederholen darf, dass, wie es im vorigen Jahre vorgekommen, einige Stationen teilweise ganz von deutschen Kriegsschiffen entblösst werden mussten, damit die Kriegsmarine an anderen Stellen ihre Aufgabe erfüllen konnte. Vom Standpunkte der letzteren aus würde es am wünschenswertesten erscheinen, wenn alle auswärtigen Stationen in Zukunft dauernd mit kleinen Schiffen besetzt werden könnten, zugleich aber ein fliegendes Geschwader aus grösseren Schiffen stets bereit wäre, da aufzutreten und Macht zu entfalten, wo es notwendig wird.

Um zu diesem dereinst zu erreichenden Ziel zu gelangen, dazu bedarf es eines unverhältnismässig grossen Personals an Lehrkräften. Es kommt hier noch ein Umstand in Betracht. Von Jahr zu Jahr wird die Ersatzquote, welche die Küstenbevölkerung für die Marine stellt, geringer; die sich ergebenden Lücken müssen mit Leuten aus der Landbevölkerung gefüllt werden. Je grösser aber der Prozentsatz von Leuten aus der Binnenbevölkerung im Verhältnis zu den berufsmässigen Seeleuten in der Marine wird, um so gründlicher, um so längere Zeit werden Erstere geschult werden müssen, wenn die Leistungsfähigkeit der Schiffsbesatzungen nicht bedenklich herabgedrückt werden soll.

Aus dem Vorstehenden erhellt, dass die nationale Seemacht für die nächste Zeit grossen Bedarf an Seeoffizieren, Ingenieuren, Deckoffizieren, leitenden Technikern, höheren und niederen Verwaltungsbeamten und sonstigen Bediensteten haben, und dass sich dort die Aussicht und Gelegenheit zu einer ehrenvollen Berufslaufbahn vielfach ergeben wird.

Um diejenigen Kreise, welche den Wunsch hegen, sich über die verschiedenen Karrieren, die nach dieser Richtung offen stehen, zu orientiren und sich mit den gesetzlichen Bestimmungen und Vorschriften, die für den Antritt und die Entwickelung dieser Karriere in Kraft sind, bekannt zu machen, ist diese Zusammenstellung entworfen, und so kurz und übersichtlich als möglich gehalten worden. — Aus denselben wird jedermann sich unterrichten können über das Mass von Kenntnissen, das in den verschiedenen Prüfungen verlangt wird, über die für das Aufsteigen zu höheren Chargen und Aemtern geltenden Normen und Bedingungen, über die Rangverhältnisse in der Marine, sowie über die Geldkompetenzen an Gehalt,

Zulagen und sonstigen Bezügen, und über die wesentlichsten Attributionen der verschiedenen Wirkungskreise. Ebenso wird jedermann sich mit Leichtigkeit darüber Auskunft verschaffen können, welche Atteste, Dokumente, Papiere er bei dem Eintritt in die Marine vorzulegen, mit welchen Mitteln er sich zu versehen, und welchen Anforderungen er sonst zu genügen hat.

Die mannigfachen Veränderungen, welchen mehrere wichtige organische Bestimmungen über den Dienst in der Marine in neuester Zeit unterzogen worden und die meist an verschiedenen Stellen zerstreut sind, für den Uneingeweihten aber [illegible] Zusammenstellung dieses kleinen und nützlichen Ratgebers, wie er hier vorliegt, gegeben.

Aus demselben wird sich auch jedermann, der Auskunft über die Aussichten, welche der Seedienst einem jungen Manne bietet, leicht unterrichten können. — F. K.

Verschiedenes.

Die Hamburg-Südamerikanische Dampfschiffahrts-Gesellschaft wird für 1885 12% Dividende in Vorschlag bringen; seit ihrer Gründung in 1872 hat die Gesellschaft an ihre Aktionäre zusammen 106% Ertrag austeilen können; die höchste Dividende wurde 1881 mit 15% erzielt. Ertraglos blieben nur die beiden Jahre 1873 und 1874.

Die Entdeckung von Amerika. Ein Fastnachtsscherz aus dem „Lahrer Hinkenden". Et wör ens en Minske, de kunn de Eier staan laten, de het Klumbumbus. To den säd de Künnig von Spanien: „Klumbumbus, kannst du nich Amerika entdecken? Hier hest du en Schep, sett di dal und fohr hen." — „Jau", säd Klumbumbus, „dat kümmp mi god to passe". Nu gung et los. Na dree Dage kem de Stüermann von 't Schep to Klumbumbus und säd: „Klumbumbus, ick seh noch keen Land". — Dat Ei steiht ook noch nich", säd Klumbumbus, „kik man von frischen to". — Na viertein Dage kem he wedder: „Klumbumbus, ick seh noch keen Land". — „Dat Ei steit ook noch nich, kik forts wier to". — So gung et noch een Stückener tein mal. Met eens kem de Stüermann: „Klumbumbus, Klumbumbus, ick seh Land!" — „Heww ick dat nich immer seggt", säd Klumbumbus, „et Ei steit ook." — Un se fohrden ant Land, do wören luter swatte Minsken. „Gun Dag ook", säd Klumbumbus, „is dat hier Amerika?" — „Jau", sädden de Swatten. — „Sünd ji den Negers?" — „Jau, dat sünd wi! Denn büst du wohl Klumbumbus. — Dunnerslag, ... denn helpt dat nich, denn sünd wie entdeckt!"

Rhein-Schiffahrt. Das Dresdener Fachblatt „Das Schiff" bringt angesichts der unerhört niedrigen Schiffsfrachten auf dem Rhein die hohen Schiffahrts-Abgaben zur Sprache, welche die Rheinschiffer im Verkehr mit Antwerpen zu entrichten haben. Die zutreffende Schilderung, welche das genannte Blatt von der Sachlage entwirft, besagt u. a. folgendes: „Bekanntlich gehört Belgien nicht zu den Rheinuferstaaten wie Holland: es ist uns aber bis jetzt nicht bekannt geworden, dass Schiffe, die unter belgischer Flagge den Rhein befahren, nur einen Cent mehr Kosten an Patent-, Gewerbe- oder Hafensteuer gehabt hätten, als deutsche oder holländische Schiffe, wenn sie in direkter Fahrt ab Antwerpen nach dem Rhein verfrachten. Dahingegen kann kein deutsches oder holländisches Schiff in Antwerpen verkehren, oder der Schiffer muss für jede Reise ein „belgisches Patent" lösen, was einer Abgabe von 10 c für die Tonne der Ladefähigkeit eines Schiffes gleichkommt. Erst nach einer dreimaligen Lösung eines Patents (oder besser Zahlung dieses Tributs) ist der Schiffer für die übrige Zeit eines Jahres frei. Wenn nun auch der Gewerbtreibende sich den Gesetzen desjenigen Landes fügen muss, in dem er sich befindet, so ist es doch eine schreiende Ungerechtigkeit, dass die vielen belgischen Schiffe auf dem Rhein ohne irgendwelche Belästigung verkehren, während den rheinischen Schiffen in Belgien Opfer von 100 bis 200 fr für die Reise zugemutet werden. Das ist aber noch nicht alles; hinzu kommen noch die ungeheuren Dockgelder, die in gar keinem Verhältnis stehen zu den Hafengeldern am Rhein selbst nicht zu den hohen Hafengeldern in Rotterdam. Lediglich dem jahrelangen flotten Betrieb der Schiffahrt ist es zuzuschreiben, dass diese tributäre Wirtschaft in Antwerpen stillschweigend ertragen, die bittere Pille verschluckt wurde. Jetzt aber geht es den Rheinschiffern schlecht und darum ist's wieder einmal an der Zeit, Missstände zu bekämpfen, welche für die Dauer unhaltbar sind — *zumal wenn Antwerpen das Schooskind des deutschen Reiches bleiben will.*" Schliesslich ladet das genannte Blatt alle rheinischen Beteiligten zur Erörterung dieser wichtigen Frage und zur vergleichenden Aufgabe der Kosten ein.

Eine amüsante Frage, die besonders Rechenkünstler und Eisenbahnfreunde interessiren dürfte, ist in der bekannten Berliner Wochenschrift „Das Echo" aufgeworfen worden, nämlich: „Eine neue Pacificbahn wurde am 1. Januar eröffnet. Punkt 12 Uhr Mittags gingen an diesem Tage 2 Züge, einer von New-York, einer von St. Francisco ab, jeden der darauf folgenden Tage zu gleicher Zeit 2 weitere Züge von beiden Endstationen. Jeder Zug braucht genau 7 Tage zur Fahrt. Wieviel Züge begegnen sich auf der Bahnstrecke innerhalb der ersten 7 Tage?" Von einem höheren Eisenbahnbeamten wird die Frage, nachdem eine Reihe falscher Lösungen eingeschickt waren, nun dahin beantwortet: In scherzhafter Weise lässt sich sagen: wenn vom 1. bis 7. Januar jeden Tag in jeder Richtung je ein Zug abgeht, so macht dies in diesen 7 Tagen in Summa 14 Züge, und können sich daher in dieser Zeit auch nur eben diese 14 Züge begegnen! Anders stellt sich die Sache in ernsthafter Beantwortung. Sind die ersten 7 Kalendertage des Januar gemeint (von Mitternacht des 31. Dezember auf den 1. Januar bis Mitternacht des 7. Januar auf den 8. Januar), so wäre die Lösung: 28 Züge. Sind aber 7 Tage vom Abgange des ersten Zuges an gerechnet (d. i. von 12 Uhr Mittags des 1. Januar bis 12 Uhr Mittags des 8. Januar) gemeint, so ergeben sich 36 Zugsbegegnungen, da am 8. Januar um 12 Uhr Mittags (also genau am Schluss der gegebenen Zeitperiode) noch 8 Zugskreuzungen erfolgen, wovon 6 auf der Strecke und 2 in den beiden Endstationen stattfinden." Eine graphische Darstellung erleichtert das Verständnis dieser Berechnung und der Verlag von *J. H. Schorer in Berlin* ist sicher gern bereit, Interessenten diese Nummer etc. zur Verfügung zu stellen. Aus dem kleinen Rechenkunststück sieht man übrigens, welche rechnerischen Schwierigkeiten zu überwinden sind, um einen richtigen und sicheren Anschluss im internationalen Welt- und Kreuzungsverkehr der Eisenbahnen herzustellen.

Verlag von M. W. [illegible] in Bremen. Druck von Aug. Meyer & Dieckmann, Hamburg, Alterwall 45.

Beilage zur HANSA No. 6. 1886.

Die Nord-Ostseekanal-Vorlage im Reichstage.

(Fortsetzung aus dem Hauptblatt.)

Ueber die mutmassliche Frequenz des Kanals sei es sehr schwer, annähernde Berechnungen anzustellen und sei seit 30 Jahren ausserordentlich verschieden gerechnet worden. Das Lübecker Komitee, welches den Elb-Travekanal, nicht den Kanal Kiel-Brunsbüttel im Auge gehabt habe, habe berechnet, dass 18 138 Schiffe mit 1 896 000 Lasten den Kanal passiren würden. Das Kieler Komitee habe 1864 berechnet, dass von 21 586 Schiffen, welche den Sund passirten 15 500 Schiffe dem Kanal zu Gute kommen würden. Jetzt sei in der Vorlage ein Verkehr von 18 000 Schiffen mit 5 500 000 Register-Tons angenommen gegen 8 Millionen Tons, welche *Dahlström* angenommen habe. Das statistische Amt, welches die Frequenz berechnet habe, habe der Berechnung nicht nur die Sundpassage zu Grunde gelegt, sondern den gesammten Verkehr aller Ostseehäfen mit allen Ländern jenseits Skagen, mit Ausnahme der in England und Schottland nördlich von Sunderland, der dänischen und schwedischen Häfen am Kattegat und Skagerak, Norwegens und der russischen Häfen am Eismeer und am Weissen Meere. Der Verkehr aus der Nordsee mit sämmtlichen Häfen der Ostsee ergebe für 1877 bis 1881 161 179 Schiffe mit ca. 53 Millionen Register-Tons oder 10,6 Millionen Register-Tons pro Jahr. Wenn man davon für die erwähnten Routen beträchtliche Abzüge mache, so erscheine die Zahl von 18 000 Schiffen mit 5 500 000 Register-Tons für den Kanalverkehr ausserordentlich vorsichtig gewählt. Man habe ferner berechnet, wie sich die Ersparung an Mannschaftsheuer, an Kohlen, Maschinenbedarf und Generalunkosten in Geldwert umsetzen lasse. Ein Dampfschiff zwischen Nord- und Ostsee mache etwa 10 bis 12 Doppelreisen per Jahr, ein Segelschiff 3–4 Doppelreisen. Bei den Dampfschiffen würde durchschnittlich bei jeder Reise eine Ersparung von etwa 2 Tagen eintreten, so dass bei 12 Reisen 24 Tage im Jahre gespart würden, was reiner Gewinn sei. Aehnlich sei es bei Segelschiffen, doch werde die Dampfschiffahrt mehr Nutzen von dem Kanal haben, als die Segelschiffahrt.

Die Höhe der Abgabe sei noch nicht definitiv festgesetzt.

Von den durch *Dahlström* gehörten nautischen Vereinen habe die Mehrzahl sich mit den von demselben aufgestellten Tarifsätzen mit einem Maximalsatz von 1,8 ℳ pro Register-Ton (bei Dampfschiffen mit Stückgüterladung) einverstanden erklärt. Im Eiderkanal komme die Abgabe auf etwa 34 ₰ per Kubikmeter zu stehen, wozu noch Abgaben für Bugsirlohn, Lootsengeld etc. hinzukommen. Dabei passirten 2300 Schiffe den Kanal im ganz durchgehenden, und ca. 4000 Schiffe im inneren Verkehr des Kanals. Der Tarif könne erst aufgestellt werden, wenn der Kanal fertig sei.

Diese Angaben wurden von einigen Seiten in der Kommission allerdings als nicht ganz zutreffend anerkannt. Namentlich wird von Seiten einiger Kommissionsmitglieder in Frage gestellt, ob die Gefahr bei dem Wege um Skagen thatsächlich so viel bedeutender sei, als bei der Fahrt durch den Kanal. Die Fahrt durch den Kanal und um Skagen sei ja unzweifelhaft ein gefährlicher Seeweg. Aber die Gefahr sei im Ganzen für Dampfer wesentlich geringer als für Segler; mit der immer zunehmenden Dampfschiffahrt müssten mithin auch die Unfälle und Verluste an Zahl geringer werden. Zudem sei in den letzten Jahrzehnten für die Verbesserung der Fahrstrasse, für die Beleuchtung und Betonnung, für die Aufstellung von Dampfsirenen u. s. w. sowohl seitens der dänischen als seitens der schwedischen Regierung ausserordentlich viel geschehen. Dieser überaus dankenswerten Verbesserung sei es denn auch wohl vornehmlich zuzuschreiben, wenn die Zahl der Unfälle im letzten Jahrzehnt gegen früher beträchtlich gesunken sei. Es sei immerhin auch die Elbmündung zu passiren und anzusegeln, sowie in dem Kanal selbst manche Kollisionen zu befürchten. Nach der amtlichen Statistik des deutschen Reiches haben im Durchschnitt der 5 Jahre 1878 bis 1882 jährlich auf der Elbe zwischen Hamburg und den äusseren Elbfeuerschiffen 60 Unfälle stattgefunden, darunter allein auf der Rhede von Cuxhaven 12 Kollisionen, 6 Strandungen und 4 Unfälle anderer Art.

Die Höhe der Assekuranzprämien würde den besten Anhalt dafür geben, wie hoch oder niedrig man die Verringerung der Gefahr beim Passiren des Nord-Ostseekanals gegenüber dem Seeweg um Skagen veranschlagen könne; es sei zweifelhaft, ob eine wesentliche Ersparung an Assekuranzprämie erzielt werden könne*). Auch wird in Frage gestellt, ob die Zeitersparnis bei dem Passiren des Kanals thatsächlich so bedeutend sein würde, wie in der Vorlage angenommen; viele Seeleute haben sich eine wesentlich geringere Zeitersparnis herausgerechnet. Durch die Einfahrt in die Elbe und durch das Passiren der Schleusen würde auch jedenfalls Zeitverlust entstehen. Es sei daher zweifelhaft, ob der Kanal so viel benutzt werden würde, wie in der Vorlage angenommen. Ob die westfälische Kohle überhaupt ihren Weg in die Ostsee hinein finden würde, sei fraglich, denn die oberschlesische Kohle liege der Ostsee doch noch näher, und sei es für diese schon schwierig genug, die Konkurrenz gegen die englische Kohle zu bestehen, welche immer noch billiger nach der Ostsee zu liefern sei, als die oberschlesische Kohle.

Es wird von anderer Seite darauf hingewiesen, dass manche Städte, wie z. B. Lübeck, durch den Kanal geschädigt werden würden, da der Verkehr von Hamburg nach der Ostsee, welcher jetzt fast ausschliesslich den Weg über Lübeck wähle, in Zukunft wohl zum grossen Teil den Kanal benutzen würde. Es sei fraglich, ob Dampfschiffe, die von England, Belgien, Holland kämen, es lohnend finden würden, die Abgabe von 75 ₰ per Ton zu bezahlen und ob diese Schiffe, welche bei dem immer billigeren Betriebe der Dampfschiffe verhältnismässig geringe Tageskosten haben, nicht doch den Weg um Skagen vorziehen würden.

Dem gegenüber wird ausgeführt, dass der Kanal nicht nur den Verkehr, welcher jetzt durch den Sund gehe, heranziehen würde, sondern dass sich insbesondere durch die vermehrte Küstenschiffahrt und durch die Verbindung der Nordsee mit der Ostsee ein ganz neuer Verkehr entwickeln würde, welcher heute nicht existire. Dahin sei vor allen Dingen der Verkehr von Hamburg selbst nach der Ostsee und umgekehrt zu rechnen. Schon jetzt existirten zwei Dampfschifflinien von Hamburg aus, welche ausschliesslich den Eiderkanal benutzten und eigens für diesen Kanal gebaute Fahrzeuge haben. Dieser Verkehr würde einer bedeutenden Entwickelung fähig sein. Ebenfalls sei es zweifellos, dass andererseits die Ostseehäfen durch den Kanal der Nordsee sehr viel näher gebracht werden würden und dass es ihnen dadurch ermöglicht werde, den direkten Handel mit dem Mittelmeer, Frankreich, Belgien und transatlantischen Ländern bei Weitem besser zu pflegen, als es bisher möglich gewesen.

Es komme für Dampfschiffe, welche den Kanal benutzten, nicht nur auf die direkt ersparten Kosten an, sondern ebenfalls auf die Chancen, welche durch früheres Ankommen erzielt werden könnten, z. B. sei im Winter, wenn die Schiffahrt durch Eis gehemmt zu werden drohe, häufig eine jede Stunde früherer Ankunft von ausserordentlicher Wichtigkeit. Es sei sehr schwer, im Voraus die Grösse des Verkehres festzusetzen. Auch für den Suezkanal, welcher unter dem Widerspruche der Engländer erbaut sei, habe man nicht ahnen können, dass der Verkehr solche Dimensionen annehmen werde. Was die Gefahren des Einlaufens in die Elbe anbetreffe, und die gelegentliche Anhäufung von Schiffen daselbst, so sei jetzt, wo die Dampfschiffahrt bei weitem überwiege, und wo es anzunehmen sei, dass dieselbe nach 8 Jahren, nach Fertigstellung des Kanals, noch mehr überwiegen werde, eine Anhäufung von Dampfschiffen lange nicht so sehr in Betracht zu ziehen, wie bei Segelschiffen, welche durch widrige Winde zurückgehalten, bei günstigem Winde auf einmal in einer grösseren Zahl anzukommen pflegen.

Der Herr Staatssekretär des Innern bemerkt, dass es bei solchen grossartigen Anlagen unmöglich sei, alle Interessen gleichmässig zu berücksichtigen, und dass man das Werk doch nicht unterlassen dürfe, auch wenn etwa eine einzelne Stadt wie Lübeck geschädigt werde. Uebrigens interessire sich die preussische Regierung ausserordentlich für den Elbe-Travekanal, und er habe gutes Zutrauen, dass dieses Werk zu Stande kommen werde, wodurch Lübecks Position in jeder Hinsicht gebessert werden würde.

Von anderer Seite wird noch hervorgehoben, dass doch auch der Absatz der westfälischen Kohlen recht bedeutend werden könne, dass schon jetzt Hamburg, Meklenburg, Lübeck bedeutende Abnehmer westfälischer Kohle seien, deren Absatzgebiet thatsächlich immer weiter nach Osten vordringe.

In Bezug auf die **landwirtschaftlichen Fragen** wird auf eine Anfrage aus der Kommission, ob der Kanal nicht nur zur *Entwässerung*, sondern auch zur *Bewässerung* der anliegenden Ländereien dienen solle, bemerkt, dass das unthunlich sei, weil der Kanal zum grossen Teil Salzwasser enthalte, was zu diesem Zwecke nicht brauchbar sei.

Es entspinnt sich eine längere Debatte darüber, ob der Kanal nicht für einzelne Gegenden Deutschlands nachteilige Folgen haben könne, insbesondere auch darüber, ob die oberschlesische Kohle nicht geradezu eine erneute Konkurrenz in der westfälischen Kohle erhalten werde, und ob man deshalb nicht daran denken müsse, den Präzipualbeitrag anders festzusetzen, so dass diejenigen Hinterländer, welche durch den Kanal besondere Vorteile haben, mehr zu den Beiträgen herangezogen werden als andere Gegenden. Insbesondere erscheine es ungerecht, dass Preussen einen so grossen Beitrag vorweg zahlen solle, wo doch manche Gegenden in Preussen

*) Bei der Berichterstattung wurden noch die anliegenden zwei Tabellen über Assekuranzprämien vorgelegt.

keineswegs Vorteile durch den Kanal hätten und wo es doch zweifelhaft erscheine, ob die in den Motiven angegebene Summe nicht zu hoch gegriffen sei.

Darauf wird von Seiten des Regierungvertreters entgegnet, dass ein Konkurrenzkampf zwischen westfälischer und oberschlesischer Kohle nicht befürchtet werde; es würden sich deutlich gewisse Bezirke herausstellen, in welchen die westfälische und andere, in welchen die oberschlesische Kohle die Oberherrschaft habe. Der preussische Präzipualbeitrag von 50 Millionen Mark könne vielleicht von den preussischen Finanzen aus betrachtet als [illegible] müsse in Betracht gezogen werden, dass Preussen die Pflicht habe, den Eiderkanal auszubauen, was etwa 35 bis 40 Mill. in Anspruch nehmen würde; ausserdem entständen durch den Kanal manche Vorteile für die Provinz Schleswig-Holstein, wofür man etwa 10 Millionen rechnen könne; ferner sei Preussen Grundherr des Kanals und habe die längste Küstenstrecke an Nord- und Ostsee, so dass ein Beitrag von 50 Millionen für Preussen nicht zu hoch erscheine. Was einen eventuellen Beitrag der übrigen Seestaaten anbetreffe, so habe man berücksichtigt, dass alle diese Staaten ein gemeinsames Handelsgebiet seien, und erwogen, ob vielleicht auch Hamburg und Mecklenburg heranzuziehen sein würden. An dem Schiffsverkehr durch den Sund partizipiren aber: Preussen mit 8,[illegible] %, Mecklenburg mit 3,[illegible] %, Lübeck mit 6,[illegible] %, Oldenburg mit 1,[illegible] %, Bremen mit 2,[illegible] % und Hamburg mit 3,[illegible] %. Bei einem so minimen Anteile derselben habe man den Gedanken einer Beteiligung der anderen Staaten fallen gelassen, weil man nicht daran gezweifelt habe, dass Preussen den Beitrag von 50 Mill. gern zahlen würde.

Ein Mitglied der Kommission fragt an, ob es nicht praktisch sein würde, ein grösseres und ein kleineres Projekt auszuführen, also ausser dem projektirten Kanal auch noch die Eiderfahrstrasse zu reguliren; die bereits erwähnten Gefahren in der Elbmündung seien nicht zu unterschätzen, das Fahrwasser der Unterelbe sei nur 4—500 Meter breit, was für etwa 30000 Schiffe, die dasselbe zu passiren haben, jedenfalls knapp sei; es sei zu erwägen, ob nicht durch gleichzeitige Regulirung der Eidermündung die Elbe entlastet werden könne.

Der Herr Staatssekretär des Innern erwidert darauf, dass die angeregte Frage eine lediglich preussische Angelegenheit und nicht Sache des Reichstags sei, welcher bei der Regulirung des Eiderfahrwassers nicht mitzusprechen habe, er glaube aber, dass Preussen die Sache im Auge behalten werde.

Es wird ferner von Seiten der Herren Regierungsvertreter ausgeführt, dass ein Ausbau des Eiderkanals allerdings notwendig sein würde, wenn etwa der Nord-Ostseekanal nicht gebaut werde; Preussen sei verpflichtet, den Eiderkanal zu unterhalten und herzustellen. Die Regulirung des Eiderkanals sei begrenzt; bei Tönning sei nur eine Anzahl Sande, die die Aussegelung schwierig machten, auch die Barre der Eider sei Schwankungen unterworfen; dieselbe habe bei Fluthöhe nur eine Tiefe von 4½ Metern, so dass ein Kanal, welcher tiefer sei, nichts nutzen würde; für grössere Schiffe müssten ganz andere Vorrichtungen getroffen werden. Die Untereider bis Rendsburg habe so starke Krümmungen, dass lange Schiffe überhaupt nicht würden passiren können, die erforderlichen Durchstiche würden besonders kostspielig sein. Auch der Kanal von Rendsburg bis Holtenau habe diese Krümmungen. Die Schleusen in dem Eiderkanal seien ebenfalls zu klein. Die Durchstiche durch die Höhe auf dieser Trace würden sehr kostspielig sein, ebenfalls die Speisung für die grösseren Schleusen, so dass, wenn der Eiderkanal auch nur zur Erhaltung der mittleren Schiffahrt zwischen Ostsee und Nordsee ausgebaut werden sollte, diese hohen Kosten entstehen würden. Das Bedürfnis der Erweiterung des Eiderkanals existirte schon sehr lange. Die vielen Projekte, welche seit 30 Jahren für eine bessere Verbindung zwischen Ost- und Nordsee aufgetaucht seien, bewiesen das. Jetzt könnten Torpedoboote nur mit Schwierigkeiten und Aufenthalt den Eiderkanal passiren.

Allseitig wird anerkannt, dass durch den Nord-Ostseekanal grosse Verschiebungen mancher wirtschaftlichen Verhältnisse eintreten würden, dass aber etwaige Nachteile, die entstehen würden, zum Teil wenigstens durch Herstellung der Kanäle im Binnenlande aufgewogen werden würden.

Es wird sodann die vorgelegte **Kostenberechnung** erörtert.

Tit. I., **Grunderwerb und Nutzungsentschädigungen** 9 900 000 ℳ.

Auf eine Bemerkung, dass die Erwerbskosten des Grunderwerbs reichlich hoch erscheinen, wird erwidert, dass der Einheitspreis pro Hektar nach dem Kostenanschlage einer Bahn berechnet sei, die Veranschlagung beruhe auf dem Durchschnittspreise der in jener Gegend für Grunderwerb bei Eisenbahnbauten bezahlt werde. Nehme man einen niedrigeren Satz an, so seien Ueberschreitungen später zu befürchten. Auch erscheinen etwas zu hohe Anschlagsummen unbedenklich, da das meist verschüttete Terrain nachher nur zu billigeren Preisen wieder veräussert werden könne.

Zu Titel II., **Erd- und Baggerarbeiten** 70 500 000 ℳ, wird ausgeführt, dass der Posten so gross sei, weil eine sehr viel grössere Masse von Erde ausgehoben werden müsse, als im *Dahlström*schen Projekt vorgesehen. In Anbetracht der schwierigen Arbeit erscheine der Anschlagspreis von 1,[illegible] ℳ pro Kubikmeter auch nicht zu hoch.

Auf eine Anfrage, ob die Arbeiten mit Akkordübernehmern vereinbart werden sollten, oder dieselben in Regie auszuführen, wird erwidert, dass für den letzteren Fall das Inventarium zu gross werden würde, und dass es richtig sei, mit Uebernehmern grosse Kontrakte zu machen; der Staatsbetrieb könne sich nicht mit der Anschaffung eines so grossen Materials an Bagger- [illegible] widert der Herr Staatssekretär des Innern, dass, wenn auch die Ausführung des Baues des Kanals Preussen übertragen werden würde, ausserpreussische Techniker keineswegs von der Konkurrenz bei den technischen Arbeiten ausgeschlossen würden.

Zu Titel III., **Befestigung der Ufer und Böschungen** und Bezeichnung des Fahrwassers in den Seen 7 200 000 ℳ, wird erwähnt, dass die Vermehrungen und Erhöhungen gegen das *Dahlström*sche Projekt einesteils durch die verstärkten und umfangreicheren Uferdeckungen entstanden seien; anderenteils seien die Kosten pro Einheit nach den reichen Erfahrungen der schleswig-holsteinischen Ingenieure viel zu niedrig bemessen, um damit einen ausreichenden Uferschutz herstellen zu können; die Steindeckungen seien nicht billiger zu beschaffen; es sei richtig, diese Arbeiten so solid wie irgend möglich zu machen.

Auch bei Titel IV, **Hafen- und Kaianlagen, Schleusen, Siele** u. s. w. 3 625 000 ℳ, seien die Anlagen in dem *Dahlström*schen Projekte ungenügend gewesen, und, wie in den früheren Erörterungen ausgeführt, insbesondere die verbesserten Schleusen und Hafenanlagen in der Elbmündung, die vergrösserte Tiefe des Kanals und die zweite Schleuse in der Ostseemündung der Anlass zu wesentlichen Erhöhungen gegen das *Dahlström*sche Projekt gewesen.

Bei Titel V, **Brücken und Fähren**, 6 700 000 ℳ, seien einige Brücken für militärische Forderungen hinzugekommen.

Zu Titel Va, **Militaria** [illegible] ℳ wird von Seiten des Vertreters der Militärverwaltung ausgeführt, dass dieselbe ihre Forderung auf ein Minimum beschränkt habe. Die grösste Gefahr für den Kanal sei die Blockirung der Mündungen durch feindliche Schiffe. Man könne zunächst noch nicht absehen, ob die Marine genügende Mittel für die lokale Verteidigung habe und müsse sich für weitere Forderungen noch eine Reserve auflegen. Dennoch sei das Schleusenwerk alsbald durch ein kleines starkes Werk zu schützen, auch sei es dringend nötig, für genügende Uebergänge Sorge zu tragen, und die vorhandenen durch zwei schwimmende Brücken zu erhalten. Die weitere Verteidigung der langen Kanalstrecke hänge mit der Lösung der allgemeinen Aufgaben der Landesverteidigung zusammen, und müsse sich die Militärverwaltung in dieser Beziehung noch eine Reserve auflegen.

Der Chef des Stabes der Kaiserlichen Admiralität fügt dem hinzu: Wichtig sei allerdings, dass die Schiffe von der Jade nach der Elbe kommen könnten. Zum Schutze der Westmündung des Kanals habe man nur die Landbefestigungen bei Cuxhaven und die maritime Lokalverteidigung. Zur Zeit lasse sich noch nicht übersehen, ob die vorhandenen Seestreitmittel ausreichend wären, und ob die Beschaffung einer Anzahl von Küstenfahrzeugen zur Offenhaltung der Elbe von Cuxhaven bis in die freie See sich nicht als notwendig herausstellen dürfte.

Zu Titel VI., **Gebäude** 1 300 000 ℳ wird ausgeführt, dass bei einem so grossen Werke hinreichend Gebäude und Dienstwohnungen vorgesehen werden müssten, und dass nach den statistischen Zusammenstellungen für Schleswig-Holstein bezüglich der Baukosten für derartige Bauwerke höhere Beträge in Ansatz gebracht werden müssten.

Zu Titel VII, **Betriebseinrichtungen und Maschinenanlagen** 2 250 000 ℳ, wird bemerkt, diese Anlagen bedürften besonderer Sorgfalt; für alle grossen Schleusen und zu bewegenden Gegenstände müsse für unbedingte Sicherheit des Betriebes und für schnell wirkende hydraulische Kräfte gesorgt werden.

Auf eine Anfrage, ob nur für den durchgehenden Verkehr und nicht auch für Einrichtungen für den Lokalverkehr des Kanals Sorge getragen sei, wird erwidert, dass viele dieser Anlagen von den Interessenten selbst zu machen seien. Gesetzlich könne man darüber nichts festsetzen; in Rendsburg sei ein Landungsplatz für den Schiffahrtsverkehr vorgesehen.

Zu Titel VIII., Insgemein 20 500 000 ℳ wird bemerkt, dass es notwendig sei, einen Reservefonds zu haben; man habe 10% der gesamten Summe als Reservefonds angenommen, was gering berechnet sei. Auch die Bauleitung koste in 8 Jahren viel Geld.

Auf eine Frage nach der Entschädigung des Herrn *Dahlström*, welcher zu einer ausreichenden Summe berechtigt sei, wird von Seiten des Herrn Regierungsvertreters erwidert, dass die von Herrn *Dahlström* geforderte Summe eine äusserst bescheidene sei.

(Schluss folgt.)

Verlag von H. W. Silomon in Bremen. Druck von Aug. Meyer & Dieckmann. Hamburg, Alterwall 56.

HANSA

Redigirt und herausgegeben
von
W. von Freeden, BONN, Thomasstrasse 9.
Telegramm-Adresse:
Freeden Bonn.
oder
Hansa Alterwall 28 Hamburg.

Verlag von H. W. Silomon in Bremen.
Die „Hansa" erscheint jeden 2ten Sonntag.
Bestellungen auf die „Hansa" nehmen alle Buchhandlungen, sowie alle Postämter und Zeitungsexpeditionen entgegen, desgl. die Redaktion in Bonn, Thomasstrasse 9, die Verlagshandlung in Bremen, Obernstrasse 41 und die Druckerei in Hamburg, Alterwall 28. Sendungen für die Redaktion oder Expedition werden an den letztgenannten drei Stellen angenommen. Abonnement jederzeit, frühere Nummern werden nachgeliefert.

Abonnementspreis:
vierteljährlich für Hamburg 2½ M,
für auswärts 3 M = 3 sh. Sterl.
Einzelne Nummern 60 ₰ = 6 d.

Wegen Inserate, welche mit 25 ₰ die Petitzeile oder deren Raum berechnet werden, beliebe man sich an die Verlagshandlung in Bremen oder die Expedition in Hamburg oder die Redaktion in Bonn zu wenden.

Frühere, komplete, gebundene Jahrgänge v. 1873, 1874, 1875, 1877, 1878, 1879, 1880, 1881, 1882, 1883, 1884, 1885 sind durch alle Buchhandlungen, sowie durch die Redaktion, die Druckerei und die Verlagshandlung zu beziehen. Preis M 5; für letzten und vorletzten Jahrgang M 8.

Zeitschrift für Seewesen.

No. 7. HAMBURG, Sonntag, den 4. April 1886. 23. Jahrgang.

Inhalt:

Hiezu eine Beilage, enthaltend:
Prospekt aus dem Verlage von Ferdinand Hirt & Sohn in Leipzig und Ferdinand Hirt in Breslau.

Der Untergang des Cunard-Dampfers „Oregon,"

welcher Sonntag den 14 März, früh 4½ Uhr, bei Fire-Island, ganz nahe vor Newyork vom 3m. Kohlen-Schuner «Charles Morse« (?) so angerannt wurde, dass ersterer nach 8 Stunden, letzterer sofort versank, ist ein neuester trauriger Beweis dafür, dass die viel gepriesenen Wunder der modernen Schiffsbaukunst nichts weiter als gebrechliche Glaspaläste sind, in welchen der «Stolz des Daseins» von der «Nichtigkeit» desselben durch ein ¾ zölliges Stahlblech getrennt erscheint. Spätere Jahrhunderte werden mit Staunen zurückblicken auf eine Zeit, in welcher eine alte solide Kunst auf so klägliche Abwege geriet und Hunderte, ja Tausende von Menschenleben aus Mangel an besseren Gelegenheiten sich solchen zerbrechlichen Nussschalen anvertrauten. Dass der Zusammenstoss diesmal verhältnismässig wenig Opfer verschlungen hat — von der «Oregon» sind die 180 Kajüts-, 66 Halbdecks-, 389 Zwischendecks-Passagiere, sowie sämmtliche Mannschaften, 255 an Zahl, durch die zufällig (weil durch niedrigen Wasserstand um 1 Tag bei der Abfahrt aufgehalten) vorbeikommende «Fulda» des Norddeutschen Loyd gerettet, während der Schuner mit Mann und Maus gesunken zu sein scheint — ändert an der eigentlichen Sachlage nämlich daran nichts, dass selbst diese Kolosse von Eisen nicht einmal dem Stoss eines soviel kleineren Schiffes gewachsen sind. Ueber die Ursache der Katastrophe verlautet nach der uns bei der Korrektur zugehenden «Newyork Times», dass der wachthabende erste Offizier nebst seinem Kollegen auf der Brücke und den 3 Auslugleuten plötzlich ein weisses Licht 1 Strich über Backbord voraus erblickt, dasselbe für das Licht eines Lotsenschuners gehalten, eiligst das Ruder backbord gelegt haben, um vorüberzugehen, weil sie keinen Lotsen gebrauchten, und im nächsten Augenblick bereits angerannt seien. Der Dampfer lief mit 18 Sm Fortgang, riss den Schuner mit herum, sodass ein Passagier ein Stück des Namens lesen konnte; dann verschwand der Schuner, der anscheinend nicht seine vorschriftsmässigen Lichter geführt hat.

Die «Oregon» gehörte ursprünglich der Guion-Linie an, und wurde vor 3 Jahren durch John Elder & Co. in Govan bei Glasgow erbaut. Unsere Leser finden eine volle Beschreibung des 520', 54', und 41' resp. 48' messenden Schiffs von 7500 R.-T., welches mit Maschinen von 12000 I. P. K. versehen war, in der Beilage zu unserer No. 9 von 1883; es war wie man so zu sagen pflegt mit allen Verbesserungen der Neuzeit versehen. Unser eingehende Bericht schliesst mit den ominösen Worten: *„unsere Quelle schweigt sich aus über die Höhe und Anzahl der Schotten, und so bleibt die sicherste Auskunft aus, ob die „Oregon" nur eines der trügerischen „Glaspaläste" mehr ist, welche ein einziger Stoss in den Abgrund zu schicken vermag"*.

Der Stoss traf die Kohlenräume, wurde dadurch geschwächt, sodass die Ingenieure im Maschinenraum Zeit hatten, die Schotten nach vorn und hinten gut zu dichten; das vordere Schott scheint gegen 8 Uhr nachgegeben zu haben, und da ist der Befehl erteilt, die Böte auszusetzen; nach 12 Uhr Mittags ist das Schiff gesunken, nachdem um 11 Uhr 15 Min. Kapt. Cauttier als letzter von Bord gegangen. Warum nicht gleich anfangs mit vollem Dampf auf das nahe Land zugehalten ist, erklärt sich nur, wenn man dem Offizier glaubt, dass sein Schiff nicht schwer verletzt gewesen sei.

Soviel glauben wir aber ganz bestimmt voraussetzen zu dürfen, dass, wäre die „Oregon“, so wie es in Hansa No. 5 desselben Jahres 1883, gelegentlich des Unterganges der „Cimbria“ vorgeschlagen wurde, mit längs dem Bordrande gepanzerten Decks versehen gewesen, dieser Zusammenstoss mit einem Segelschuner jedenfalls nicht zu tragisch geendet hätte.

Der Schuner hätte freilich wohl eine noch ärgere [illegible] Anstoss hätten die Decks des Dampfers abgewehrt, sodass kein erhebliches Loch in der Schiffswand entstanden wäre. Uns wundert aber, dass die englische Admiralität, als sie die «Oregon» im vorvorigen Jahr zur Zeit der Differenzen mit Russland über die asiatischen Grenzen, zu Kriegszwecken als Kreuzer kaufte, nicht dieser Art der Verstärkung des Schiffes nähergetreten ist.

Im Uebrigen hat die «Oregon» als «prima inter pares» eine keineswegs unrühmliche Vergangenheit hinter sich. Im Gegenteil hat sie sich zum Liebling der schiffahrtliebenden angelsächsischen Völker auf beiden Seiten des Oceans zu machen verstanden und als «Greyhound of the Ocean“ so schnelle Reisen wie kein Schiff vorher zurückgelegt. Eine Reise von Newyork nach Queenstown im Dezember 1884 machte sie in 6 T., 10 St. 35 Min. corrigirte Zeit, indem sie nach einander die Etmale 79, 426, 424, 416, 402, 410, 412, 205 gutmachte und durch diese Regelmässigkeit der Leistung über einen Weg von 2774 Sm das bis dahin nicht Erreichte leistete.

Dennoch dürfte sie kein gerade sehr profitables Schiff gewesen sein, wenn man bedenkt, dass sie nach einander Eigentum der Guion-, der Cunard-Linie, der engl. Admiralität, und wohl infolge kontraktlicher Bedingung beim Kauf wiederum Eigentum der Cunard-Linie geworden ist. Wenigstens werden ihr grosser Kohlenverbrauch — bis 260 Tons im Etmal — und ihre kolossale Besatzung, 255 Personen, bei selbst nur ein Drittel Besetzung des Zwischendecks, starke Items in ihren täglichen Unkosten bedeutet haben. Doch sei hier rühmend bemerkt, dass die Cunard-Dampfer 7 Steuerleute fahren, also der Dienst derselben nicht übermässig anstrengend sein wird.

Werner's Funken- und Russfänger.

Eine unangenehme Zugabe zu jeder Dampfer- und Eisenbahnfahrt ist der Schmutz, welcher die Schornsteine hinter sich zurücklassen. Da das Hinterdeck trotz des Geruchs aus der Maschine und den Kombüsen und trotz des Funken- und Russfalls aus dem Schornstein wegen des geringeren Zuges doch meistens der bevorzugte Aufenthalt der Passagiere bleibt, so müssen sie durch starke Sonnensegel, welche aber häufig die Aussicht sehr einengen, vor jenen Unannehmlichkeiten von oben dort geschützt werden; bei starken Gegen- oder Seitenwinden, namentlich auf See, bleiben die Reisenden auf dem Hinterdeck aber völlig schutzlos dem ganzen schwarzen Regen ausgesetzt, der jeden Aufenthalt im Freien bald unmöglich, weil die Leeseite des Decks zu einem „Rühr mich nicht an!“ macht. Schlimmeres Unheil stiften die Lokomotiven nach langer Sommerdürre, wenn die Fahrt über trockene Heiden oder längs harzreicher, an sich trockener Holzbestände, hinführt. Die Kassen, welche die Entschädigungen für die Verheerungen durch Funkenfeuer zu zahlen haben, wissen davon zu erzählen. Noch schärfer wurden die Uebelstände empfunden, als die rasch vorübereilenden Lokomotiven zu stehenden Lokomobilen im Dienste des Baugewerbes und ganz besonders der Landwirtschaft sich umwandelten und nun ihren Platz mitten in dem oder doch gleich neben dem brennbarsten Material der Welt, dem trockenen Stroh, erhielten, und dieses sogar gelegentlich als Heizungsmaterial für den Kessel verwandten. Jetzt wurde es zur unerlässlichen, unumgänglichen Vorbedingung der Zulassung, dass der Schornstein die durch den Zug nach oben gerissenen, glühenden, brennbaren Reste nicht länger in die freie Luft hinauswerfen durfe; man half sich meistens durch ein als Mütze aufgestülptes, enges Drahtgitter, welches aber nur ein Nothbehelf war, weil es sich bald verstopfte und dann den Zug verminderte und aufhob. Auf schnell bewegten Lokomotiven war das Auskunftsmittel vollends unzulänglich, weil hier die Verstopfung [illegible] In neuerer Zeit hat die Umwandlung der Segelschiffahrt in Dampfschiffahrt und die Teilnahme der Dampfer an der Beförderung selbst solcher Frachtgüter, welche wegen geringen Wertes oder wegen ihrer Feuergefährlichkeit auf ewige Zeiten den Seglern vorbehalten erschienen, den Wunsch nach praktischen Funken- und Russfängern zu einer gebieterischen Forderung umgewandelt. Das grosse Feuer im Holzhafen zu Lübeck im vorigen Jahr, die noch grössere Gefahr der Entzündung eines ganzen Docks oder eines Flusses durch brennendes Petroleum haben die Aufmerksamkeit der regierenden und der nächst beteiligten Versicherungs-Kreise auf das Vorhandensein einer schleichenden Gefahr gelenkt, welcher sie nicht länger unthätig und leidend gegenüber verharren konnten. In Hamburg besonders wurde die Frage am Ende des vorigen Jahres ganz lebhaft in den Vordergrund gedrängt, als es sich darum handelte, geeignete Sicherheitsmassregeln zum Schutz des dortigen neuen Petroleumhafens zu treffen; in Bremerhaven und Geestemünde hatte man auch nur aus Mangel an guten Vorschlägen zu manchen gefährlichen dortigen Verhältnissen ein oder beide Augen zugedrückt.

Dass es nämlich an leider unzureichenden Vorschlägen aus Technikerkreisen nicht gefehlt hat, lässt sich denken. Dieselben hatten sich gewöhnlich zur Aufgabe gestellt, den Gasstrom im Schornstein in derartig gekrümmte Bahnen zu leiten, dass die schweren, glühenden Kohlenteile vermöge ihrer Trägheit den Rauchgasen nicht gleich schnell folgen, sondern unterwegs in ihrer Bewegung verlangsamen und schliesslich niederfallen. Die Kehrseite dieser Vorschläge war, dass die gewählte Vorrichtung bezw. Führung den Zug so sehr beeinträchtigte, dass die Maschinen keinen Dampf hielten, oder den Dampfdruck nur bei ungebührlichem Verbrauch von Brennmaterial aufrecht erhalten konnten. Daneben tauchten Vorschläge auf, durch ausgestossenen Dampf die glühenden Funken im Schornstein zu löschen, ein Mittel, welches viel laufende Kosten verursachte, aber ohne die Gewähr der Sicherheit des Erfolges. So hat es denn ein gutes Geschick gewollt, dass gerade zu der Zeit, als in Hamburg die möglichste Sicherung des Petroleumhafens Gegenstand ernster Untersuchung geworden war, ein Hamburger Techniker und Civil-Ingenieur, Herr Ernst Werner, seinen bereits patentirten Apparat, einen Funkenfänger neuester Bauart, den Behörden zur Untersuchung anmelden konnte. Dass man sich anfangs etwas zurückhaltend gegen den neuen Vorschlag verhielt, nachdem so vielen eifrigen Bemühungen auf diesem Gebiete die erzielten Erfolge bislang nur mässig entsprochen hatten, kann man nur natürlich finden. Umsomehr ist es anzuerkennen, dass man doch alsbald dazu überging, das Instrument sogleich der denkbar schärfsten Probe auszusetzen, indem man den Funkenfängerschornstein ohne weiteres auf eine fünfpferdige Dampframme setzte, die auf dem Staatszimmerplatz gerade in Thätigkeit war und bei welcher der Schornstein direkt über dem Feuerraum sich befindet, welcher bei kräftigem Feuer seine Flammen bis oben hinaus zum Schornstein entsandte. Die „Hamburger Börsenzeitung“ erwähnt nun ferner, dass die erste Prüfung am 19. Nov. v. J. im Beisein einer grossen Anzahl Interessenten, Staats- und Civiltechniker stattgefunden habe.

Der Apparat feierte einen grossartigen Triumph. Der Erfolg wird in dem offiziellen Bericht ein „frappanter, durchschlagender“ genannt. „Die dem Schornstein entströmende Rauchsäule bot auch nicht einen einzigen Funken den erwartungsvollen Blicken der Anwesenden dar, während es hoch interessant war, durch eine Vorrichtung, welche während der Procedur in den unteren Teil des Schornsteins zu sehen gestattete, das lebhafte Spiel der Funken zu beobachten, bevor dieselben den Apparat passirten, der sie abfing und niederschlug."

„Die Vorführung unter den gleichen scharfen Verhältnissen wurde am 4. Dezember v. J. nochmals wiederholt mit demselben Resultat. Dass eine Zugbehinderung durch den Apparat nicht eintritt, war bereits früher durch eine Probe mit einem Berliner Spreedampfer auf dem Wege anemometrischer Messungen konstatirt."

Dies Resultat brachte die Frage auch für die Behörde zur Entscheidung. Am 7. Januar d. J. erfolgte die Polizei-Verordnung (dass jedes Dampfschiff, welches im Hamburger Petroleumhafen verkehren will, bei entsprechender Geld- oder Haftstrasse vom 1. April d. J. an mit einem zweckentsprechenden und wirkungssicheren Funkenfänger versehen sein muss), und am folgenden Tage schon wurde dem Civilingenieur Werner von je einem der Herren Repräsentanten des Staates, der Eisenbahnverwaltungen und der Feuerversicherungs-gesellschaften ein Kollektiv-Attest ausgestellt, welches die Thatsache der wiederholten Vorführungen konstatirt und bescheinigt, dass „der Apparat sich bei schärfster Prüfung als seinem Zweck vollkommen entsprechend bewährt" habe. „Hierbei ist es nicht unwesentlich, hervorzuheben, dass zwischen der ersten vor den Vertretern der Behörden stattgehabten Vorführung und der schliesslichen polizeilichen Approbation ein Zeitraum von über 8 Wochen lag, während welcher Zeit der Apparat bei den Arbeiten für Strom- und Hafenbau fast unausgesetzt im Betrieb war. So war es der Behörde ermöglicht, Leistungsfähigkeit und Wirkung des Funken- und Russfängers unter verschiedensten Verhältnissen, bei gutem, mittlerem und ganz geringwertigem Brenn-Material, bei ruhigem und stürmischem Wetter, hoher und niedriger Dampfspannung, sorgfältigst beobachten und notiren zu lassen. Die Faktoren sind zu mannigfaltig und zahlreich, welche die Wirkung eines solchen Apparates beeinflussen, als dass eine halbstündige Spazierfahrt auf der Elbe sofort genügen könnte, die Unterlage für ein umfassendes Schlussurteil zu bieten. Es existirt unseres Wissens ausser dem Werner'schen kein Apparat, welcher einer solchen mehrwöchentlichen, scharfen Probe hier unterworfen wäre und dieselbe in jeder Weise so glänzend bestanden hätte."

„Damit ist unseres Erachtens aber auch für die Praxis die Frage entschieden. Angesichts des einstimmigen Urteils solch bewährter Autoritäten sollte für alle Dampfschiffbesitzer, die von der Polizei-Verordnung vom 7. Jan. berührt werden, billigerweise kein Zweifel mehr obwalten, für welches System sie sich entscheiden sollen. Mit Rücksicht auf die Wichtigkeit der Sache schien es uns aber trotzdem notwendig, den Gegenstand noch einmal ausführlich zu berühren und ausdrücklich zu konstatiren, dass der Wernersche Funkenfänger bislang als der zweckentsprechendste und die möglichste Sicherheit gewährende von berufener Seite ausdrücklich anerkannt ist."

„Zum Schluss noch einige Worte über die Konstruktion des Apparates. Dieselbe lehnt sich an das Petzoldsche System, dessen Patent ebenfalls im Besitz des Herrn Werner ist, an, und besteht aus einem vollständigen Schornstein. Ein im eigenen Cylinder befindliches Specialsystem zwingt die aufstrebenden mit Funken, Russ und Flugasche vermischten Rauchgase zur centrifugalen Bewegung. Hierbei werden die genannten schweren Teile zur Peripherie geschleudert und verlassen das Spiralensystem in tangentialer Richtung derart, dass sie an Decke und Mantel des äusseren conischen Reservoirs geworfen, dort getötet und niedergeschlagen werden. Eine innere Ringanordnung schützt die Säulenform des Auspuffdampfes, falls solcher zur Erhöhung des natürlichen Zuges verwendet wird, und eine unter gewissen Umständen oben vorzusehende Fangtellerkonstruktion unterstützt die Spiralen-Wirksamkeit. Die im Konus sich ablagernden Mengen werden durch eine Thür von Zeit zu Zeit bequem entfernt. Das ist etwa die generelle Beschreibung des Apparates, während wesentliche konstruktive Details unberührt bleiben mögen."

„Auch würde es zu weit führen, noch die Art und Weise hier ausführlicher zu behandeln, auf welche die beschriebene Einrichtung zum Funkenfang und zur Entrussung von stationären Fabrik-, Dampf-, Küchen-, Backschornsteinen etc. verwendet wird. Es genüge die Andeutung, dass die Konstruktion bei gewöhnlichen russischen Rohren-, Küchen- und Backschornsteinen auf dem oberen Schornsteinrande leicht anzubringen ist; bei Dampf- und Fabrikschornsteinen dagegen wird der Apparat auf Terrainhöhe, etwa zwischen Fuchs und Schornstein, passend eingefügt, was auch bei bestehenden Anlagen ohne grosse Schwierigkeiten ausgeführt werden kann."

Deutsche Gesellschaft zur Rettung Schiffbrüchiger.

Rückblick auf das Geschäftsjahr 1884/85.

Die Zahl der im Berichtsjahre, vom 1. April 1884 bis zum 31. März 1885, Seitens der Stationen unserer Gesellschaft geretteten Personen beziffert sich auf 64. Damit ist die Gesamtzahl der durch die Rettungseinrichtungen der Gesellschaft bis zum 1. April d. J. Geretteten auf 1546 gestiegen.

Von den Rettungen des letzten Jahres sind 12 mit 61 Personen vermittelst Rettungsböte, 1 mit 3 Personen vermittelst Raketenapparat ausgeführt worden. Von den Gesamtrettungen der Gesellschaft entfallen 173 mit 1307 Personen auf die Böte, 10 mit 239 Personen auf die Raketen- und Mörserapparate.

Die Stationen der Gesellschaft haben im verflossenen Jahre eine beträchtliche Vermehrung erfahren. Neu errichtet sind Travemünde-Priwall und Funkenhagen, überwiesen sind der Gesellschaft mehrere früher fiskalische Rettungsstationen zu Swinemünde und West-Dievenow. Insgesammt verfügt die Gesellschaft zur Zeit über 99 Stationen und zwar über 42 an der Nordsee und 57 an der Ostsee. Von denselben sind 35 Doppelstationen, ausgerüstet mit Rettungsboot und Raketenapparat, 45 Rettungsboot-Stationen und 19 Raketenstationen.

Die Gesellschaft zählt zur Zeit 54 Bezirksvereine und 219 Vertreterschaften.

Die Zahl der Mitglieder hat sich auch im verflossenen Jahre wieder vermehrt. Ordentliche Mitglieder hatte die Gesellschaft zu Ende des Berichtsjahres 44 305 (gegen 43 243 in 1883/84), welche an Jahresbeiträgen die Summe von *M.* 137 843.57 (gegen *M.* 134 756.01 in 1883/84) aufgebracht haben

Die ausserordentlichen Beiträge beziffern sich für das letzte Jahr auf *M.* 51 331.18 (gegen *M.* 48 406.49 in 1883/84). Unter denselben befinden sich mehrere grössere Legate und Geschenke, unter anderem eine besonders reiche Gabe von *M.* 4500, welche der Gesellschaft von einer Freundin des Rettungswesens in Hamburg mit der Bestimmung überwiesen worden ist, davon ein vollständig ausgerüstetes Rettungsboot nebst Transportwagen für die Station Neuwerk anzuschaffen.

Die Gesamteinnahmen der Gesellschaft beliefen sich im Berichtsjahre auf 211 135.26 (gegen *M.* 205 493.44 in 1883/84). Diesen Einnahmen steht gegenüber eine Gesamtausgabe von *M.* 181 573.33 (gegen *M.* 142 980.87 in 1883/84).

Die Ausbildung der Rettungsmannschaften durch den deutschen Samariterverein anlangend, ist mitzuteilen, dass der Letztere im verflossenen Jahre nach vorgängiger Verständigung mit dem Vorstande in Büsum, Süderhöft, den Inseln Amrum, Sylt und Röm auf eigene Kosten durch Aerzte hat Vorträge halten lassen, welche eine erfreuliche Beteiligung Seitens der Einwohner und der Rettungsmannschaften aufzuweisen hatten. Gelegentlich dieser Vorträge wurden vor allem praktische Anweisungen erteilt, wie Verunglückten, insbesondere auch scheinbar

Ertrunkenen im Notfalle die erste Hülfe zu bringen ist, wie ein Not-Verband angelegt wird etc. etc. Nach kürzlich dem Vorstande zugegangener Mitteilung wird der Samariterverein in nächster Zeit die Inseln Borkum, Juist, Norderney, Baltrum, Langeoog und Spiekeroog in gleicher Weise durch Aerzte bereisen zu lassen.

Die allmälige Entwickelung des Vereins ergiebt sich aufs deutlichste aus folgender Tabelle der Mitgliederzahlen [illegible]

Jahr	Zahl				Betrag
1865	3 871	Personen	mit	Mark	14 179.25
1866	12 692	"	"	"	41 530.20
1867	14 800	"	"	"	49 636.47
1868/69	19 151	"	"	"	60 575.35
1869/70	21 048	"	"	"	66 142.44
1870/71	20 936	"	"	"	64 176.08
1871/72	20 998	"	"	"	65 799.21
1872/73	22 715	"	"	"	72 264.79
1873/74	24 262	"	"	"	87 060.42
1874/75	26 319	"	"	"	94 679.52
1875/76	28 066	"	"	"	101 372.39
1876/77	30 652	"	"	"	106 556.63
1877/78	33 399	"	"	"	112 680.67
1878/79	34 140	"	"	"	110 628.70
1879/80	34 213	"	"	"	110 635.39
1880/81	35 935	"	"	"	113 921.35
1881/82	38 230	"	"	"	122 299.07
1882/83	40 958	"	"	"	129 713.69
1883/84	43 243	"	"	"	134 756.01
1884/85	44 305	"	"	"	137 843.57

Die Zahl der ausserordentlichen Mitglieder ist um 51 gegen das Vorjahr gewachsen, und beträgt jetzt 1667.

Aus Briefen deutscher Kapitäne.

III.

Singapore, 30/12 1885.

An

u. s. w.

Einliegend sende ich Ihnen einige Notizen über die *St. Bernardino-Strasse* zu Ihrer gefl. Benutzung für die „Hansa". Meine Reise wurde dadurch allerwenigstens um 5 Tage abgekürzt und würde ich sicher in 45—47 Tagen von Newcastle N.S.W nach Singapore gekommen sein, hätte ich nicht nördlich der Linie zwischen 161—163 ° O solch ungewöhnliche Windverhältnisse — nichts als Böen aus NW mit Strömen von Regen — angetroffen und schliesslich nicht am 27. und 28. November in 8,5 ° N und 162 ° O. nach vorhergehender 4stündiger Stille bei einer furchtbaren Kreuzsee eine orkanartige Bö aus SW. Stärke 10—11 erhalten, die uns zwang, längere Zeit über Steuerbord beizuliegen.

Meiner Ansicht nach wird die St. Bernardino-Strasse viel zu wenig von Manillafahrern benutzt und sollte man selbst nur ein Tag dadurch gewinnen, so fällt die Ersparnis der Unkosten dafür doch schon bei jetzigen Zeiten, wo man an Ueberverdienen nicht zu denken braucht, sehr ins Gewicht. Mit Frachten sieht es hier draussen Gotts erbärmlich aus, vorausgesetzt, dass überhaupt Angebot für Segelschiffe ist, und wie Dampfer dabei noch bestehen können, ist mir ein dunkles Rätsel. Bleiben die jetzigen niedrigen Frachtsätze stehen, dann ist es jedenfalls besser, man legt die Schiffe zu Hause auf und wartet, bis sich die Zeiten ändern, dann weiss man doch, was man verliert, jetzt aber sind die Verluste vorher nicht zu kalkuliren. Die Ueberproduktion im Bau der Dampfschiffe rächt sich thatsächlich an ihnen selbst, und da, selbst wenn keine neuen mehr gebaut werden sollten, jährlich auch eine Anzahl verloren geht, noch immer für Jahre der Bedarf gedeckt ist, so sehe ich keine Besserungen in Frachten im nächsten Jahre.

St. Bernardino-Strasse.

Diese Strasse, die den Weg nach Manila für Schiffe, welche mit Kohlen aus einem australischen Hafen kommen, um circa 540—600 Meilen abkürzt gegen den Weg nördlich um Luzon durch Bashee oder Balington-Canal, wird eigentlich wenig benutzt.

Für Schiffe, von Europa mit Kohlen im NO Monsun kommend, stellt sich die Reise durch obige Strasse noch günstiger, weil sie erstens nicht so viel Ost in dem Strich der Calmen und westlichen Winde nördlich der Gilolo und Pittspassage zu holen haben und zweitens mit dem [illegible] lich von Luzon gehen wollen. In letzterer Zeit*) ist diese Strasse mehrfach von deutschen Schiffen benutzt worden, und so wie Kapt. Ringe in den Annalen der Hydrographie 1885, Heft IV. schreibt, gewann er dadurch gegen einen bremer Mitsegler über 5 Tage von ± 12 ° N Breite an ab.

Auch Kapt. Wieting von der „Galatea" benutzte diese Strasse von Zebu im SW Monsun kommend und gewann viele Tage dadurch gegen andere Schiffe, die durch Mindoro- und Soulo-See und Basilanstrasse gingen. Ein Fall ist mir von 1867 her bekannt. Es wehte damals in der chinesischen See im December stets ein heftiger Sturm aus NO, so dass Kapt. Heumann von einem gutkreuzenden bremer 3 Mastschuner, der nach der gelben See bestimmt war, nicht rund Formosa aufkreuzen konnte und soweit nach S trieb, dass er schliesslich wegen Mangel an Proviant für die an Bord befindlichen Chinesen Manilla binnen laufen musste. Ausgehend benutzte er St. Bernardino-Strasse, war in 3 Tagen hindurch, und hatte schliesslich im NO Monsum, an der Küste von Luzon aufarbeitend, eine recht gute Reise nach dem Norden.

Obiges, in Verbindung mit meiner eigenen Erfahrung, lassen es wohl nicht unrichtig erscheinen, wenn man diese Strasse den Manilafahrern zu gewissen Jahreszeiten empfiehlt. Ich gebrauchte sie dieses Mal (December 85) mit Kohlen von Newcastle N.S.W nach Singapore bestimmt.

Ansegelung. Kömmt man von Osten, so empfiehlt es sich Cap Esperita Santo von Samar Insel in Sicht zu laufen — dasselbe ist sehr hoch und 35—40 Meilen bei einigermassen klarer Luft zu sehen — und dann, je nachdem der Wind mehr südlich oder nördlich ist, entweder längs Samar zu laufen oder etwas nördlicher zu halten und St. Bernardino Eiland, — das beste Markzeichen, um die Strasse anzusteuern — in Sicht zu laufen.

Da hier aber nirgends Feuer brennen, so ist es selbstverständlich, dass man nur bei Tage in die schmale Einfahrt von 3 Sm Breite zwischen Calitan und Capul Eiland hineinsegeln sollte. Das Markzeichen der St. Bernardino-Strasse, St. Bernardino-Eiland, ist gut 14—16 Sm zu sehen.

Von Ost kommend, erscheint es in der Mitte höher als an beiden Seiten, während, wenn es Süd peilt, links, d. h. nach Ost höher als nach rechts, West, wo es abflacht, sich zeigt. In der englischen Admiralitätskarte, die ich im November d. J. in Australien als die neueste Ausgabe kaufte, und die bis Mitte 1876 nach den neuesten spanischen Karten korrigirt war, steht angeschrieben, das Eiland sei ungefähr 50 Fuss hoch, auch Kapt. Ringe vom „Jupiter" erwähnt dieses. Diese Höhe ist meiner Ansicht nach durchaus verkehrt; es ist wenigstens 150 F. hoch, denn habe ich die Höhe auch nicht mit dem Sextant gemessen, so giebt mir seine Sichtbarkeit in der Ferne eine ziemlich genaue Schätzung seiner Höhe über der Kimm. Als ich Ticlin-Eiland, die nördlichste der 3 kleinen Inseln, welche die West-Seite der Strassen markiren, in WNW ± 1—2 Sm entfernt passirte, konnte ich St. Bernardino-Eiland noch deutlich, trotz etwas heiiger Luft in NNO $^1/_2$ O peilen. Nach unserer gelaufenen und mit der Karte, auf Grund genauer Peilungen, stimmenden Distanz waren wir jetzt 14 Sm von dem Eilande entfernt. Es müsste darnach, wenn es just in der

---

*) Anm. d. Red. Die Bernardino-Strasse ist doch auch schon von der [illegible] den damals üblichen von Hamburg abgesegelten Manillafahrern in den damals üblichen Segelanweisungen empfohlen worden.

Kimm erscheint, 147 F. hoch sein, da wir aber eine Augeshöhe von 16 F. haben und es ausserdem auch noch deutlich und gut über der Kimm zu sehen war, so kann man wenigstens die Höhe des Eilandes zu 150 F. annehmen.

Es sind eigentlich zwei Eilande, oder besser ein Eiland und eine grosse, halb so hohe Klippe. Ich passirte in einer Entfernung von 1½ Sm in West davon; ausserdem liegen östlich von dem grossen Eilande noch einige sich über Wasser befindende Felsen oder Klippen, auf denen die See brandet.

Zwischen St. Bernardino und Luzon segelnd, passirten wir grosse, breite, fast wie Brecher erscheinende Streifen kabbeligen Wassers. Den nächsten Streifen dieser Stromkabbeling (eddies) passirten wir zwischen Capul und Calitan Eiland und die letzten in der Nähe von Calantes Bank. Diese Sandbank über Wasser sahen wir gut in beinahe 4 Sm Entfernung, sie erscheint weisslich; die Karten sagen, sie bestehe aus weichem, 5 F. hohem Sand; mir erschien sie — wir passirten sie in kaum 1 Sm Entfernung, — etwas höher und so zu sagen ganz mit 2—3 F. hohen weiss-grauen Korallensteinen bedeckt.

Hat man diese Bank passirt, dann hat man offenes, reines, breites Fahrwasser. Der Kurs von hier nach Manila bestimmt ist zwischen Ticao und Luzon, nördlich herum vom Ersterem nach der Südspitze von Burias Insel und von dort direkt, die 3 Könige Insel (los tres Reys) rechts liegend lassend, auf Verde Eiland zu. Auf Burias Eiland brennt bei Boca Engano ein Leuchtfeuer, welches nach Ludolph im 12° 49' C und 123° 10' O liegt.

In meiner oben genannten Admiralitätskarte ist kein Feuer angegeben und nur die Bemerkung gedruckt: „lights at Boca Engano and Malaquing-Ilog, position uncertain."

Wir sahen das Feuer deutlich, obige Position würde nach dieser *neuesten* Karte gar nicht auf Land fallen, sondern weit in See, während nach meiner alten Karte vom St. Bernardino-Kanal (auch Admiralitätskarte) von 1857 mit Verbesserungen bis Januar 1859 obige Breite und Länge recht gut mit Boca Engana Hafen stimmt. Ueberhaupt lassen die Längen in der Strasse mehrfach zu wünschen übrig.

Hat man sich Verde Eiland genähert, so kommt man, wenn man, wie fast allgemein gebräuchlich, zwischen ihm und Luzon hindurch geht, wieder durch eine schmale Strasse, die an der schmalsten Stelle auch nur 3 Sm breit ist. Auch diese sollte man nur bei Tage passiren, denn obgleich keine Gefahr vorhanden, so stehen Nachts doch selten die Winde frisch durch.

Wir segelten bei hellem, klaren Mondschein und frischer östlicher Brise, als plötzlich gegen 11 Uhr ungefähr noch 4—5 Sm von Verde Eiland entfernt, es still wurde, erst Mallung und später westlicher Zug auftrat, mit dem wir wieder nach aussen standen, schliesslich wieder Ostwind erhielten und jetzt Tageslicht abwarteten.

Die in der Karte SO von Verde Eiland angegebene Untiefe besteht aus 4—5 kleinen sich über Wasser zeigenden Klippen, rund herum brach sich die See stets. Ist man Verde Eiland passirt, so hat man wieder breites, klares Wasser und westlich von Maricaban Eiland hat man so zu sagen die Strasse bereits passirt. Wir gingen zwischen Cap de Monte und Galo Eiland in die chinesische See hinein, und gebrauchten von 8 Uhr Morg. den 14. Dezember, wo St. Bernardino SO ½ S 2 Sm entfernt bis Mittag den 16. Dezember noch 13° 35' N und 120° 38' O L. also durch die Strasse hindurch — ein Weg von 240 Sm — im Ganzen 52 Stunden, von diesen hatten wir 8 Stunden wegen westlicher Flaute zu kreuzen und 7 Stunden lagen wir unter kleinen Segeln bei Verde Eiland, also immerhin nicht so ganz schlecht. Ich würde, nach Manila von Australien kommend, immer diesen Weg durch St. Bernardino-Strasse nehmen. Wir hatten diesmal 51 Tage; eine Hamburger Bark, die gleichzeitig von Luzon ging, hatte 60 Tage Reise. A. L.

Neueste Scale of Tonnage für Segler und Dampfer in Singapore,

welche mit dem 1. Juli 1886 in Kraft tritt.

Freight Payable on Nett Weight delivered or on Measurement delivered.

Dead weight.

	1 Ton.		1 Ton.
Alum in bags	20 cwt.	Gum Benjamin, block in cases	20 cwt.
Antimony Ore	20 »	Gum Copal in bags	18 »
Arrow-root in bags	20 »	Metals	20 »
Bees' Wax » »	20 »	Rice	20 »
Do. » » cases	50 c. feet	Sago Pearl in bags	18 »
Camphor	50 »	Sago Flour do.	20 »
Coffee in bags	16 cwt.	Saltpetre	20 »
Cowries in bags	20 »	Sugar in bags or baskets	20 »
Do. » cases	50 c. feet	Tallow in casks or cases	50 c. feet
Cutch in boxes	18 cwt.	Do. » tins	20 cwt.
Gambier ordinary screwed	20 »	Tapioca Flake	14 »
Gambier Screwed Cubes in bales	16 »	Do. Pearl	18 »
Grain	20 »	Do. Flour	20 »
		Tin Ore	20 »

Light freight.

	1 Ton.		1 Ton.
Arrack in casks	50 c. feet	Hemp in bales	
Arrow-root in boxes	50 »	Hides, Buffalo in bales	12 cwt.
Betelnut in bags	14 cwt.	or loose	10 »
Borneo Rubber in baskets	12 »	Hides, Buffalo, tanned	12 »
Do. » in cases	50 c. feet	Do. Cow	12 »
Canes Malacca	1200 i. N.	Horns, Buffalo in baskets	7 »
Do. other kinds	1000 »	Do. » in loose	9 »
Cardamums in bags	12 cwt.	Nipe Nuts	12 »
Do. in cases	50 c. feet	India Rubber in baskets	10 »
Cassia Buds	50 »	Do. » cases	50 c. feet
Cassia in cases	50 »	Mace and Nutmegs, in cases	50 »
Do. » bundles	50 »	Oil	50 »
Cigars	50 »	Paddy	12 cwt.
Cloves in bags	10 cwt.	Patchuli in bales	50 c. feet
Cloves in cases	50 c. feet	Pepper, Black	12 cwt.
Clove Stems in bags	8 cwt.	Do. Long	10 »
Copra	12 »	Do. White	14 »
Cordage	50 c. feet	Piece Goods	50 c. feet
Cotton	50 »	Rattans	7 cwt.
Cubebs	8 cwt.	Rum in casks	50 c. feet
Cubeb-Stems in bags	8 »	Sago in boxes	50 »
Dragon's Blood	50 c. feet	Sandalwood	8 cwt.
Elephant's Teeth	15 cwt.	Sapanwood	8 »
Fish Maws in cases	50 c. feet	Shells, Green Snail in baskets	8 »
Gambier unscrewed in bags	10 cwt.	Do. M.O.P. in baskets	18 »
Do. in baskets	8 »	Do. other kinds do.	10 »
Gambouge in cases	50 c. feet	Do. in cases	50 c. feet
Gum Arabic in cases	50 c. feet	Silk, Raw	50 »
Gum Benjamin loose in cases	50 c. feet	Sticklac in cases	50 »
Gum Copal in cases	50 c. feet	Sugar Candy	50 »
Gum Dammar in cases	50 c. feet	Tapioca in boxes	50 »
Gutta Percha, loose	12 cwt.	Tea	50 »
Gutta Percha in bags or baskets	12 »	Teel Seed	14 cwt.
Gutta Percha in cases	50 c. feet	Tobacco	50 c. feet
		Tortoise Shell	50 »

Dunnage and Broken Stowage in all cases 20 cwt.

Nautische Literatur.

Die Nautik der Alten. Von Dr. A. Breusing, Director der Seefahrtschule in Bremen. Bremen, Verlag von Carl Schünemann. 1886.

Verfasser hat sich die dankenswerte Aufgabe gestellt, anknüpfend an eine grosse Zahl ihm von einem Philologen von Fach angezeigten Stellen der alten, namentlich griechischen Schriftsteller über Bau, Takelung und Führung der Schiffe der Alten, seine Ansichten über die Bedeutung der einzelnen Ausdrücke kundzugeben und von dieser kritisch gesicherten Grundlage aus, den Leser in die Nautik der Alten einzuführen. Da der Verfasser zu dieser Arbeit ganz besonders berufen und geeignet war, teils wegen seiner Vertrautheit mit dem Seewesen überhaupt und zunächst dem jetzigen Seewesen, teils wegen seiner anerkannten kritischen Geistesrichtung, mit welcher er nicht allein die jetzt landläufigen, als vielmehr die an sich bestehbaren oder notwendigen Anschauungen in dieser Vorlage untersucht und feststellt, so darf es nicht wundernehmen, dass schon in der Vorrede eine Anzahl Schriftsteller über denselben Gegenstand, wie Graser, der bevorzugte antike Nautiker von Bobriks Gnaden, und manche Ungenannte durch die Porta Libitina wandern müssen, andere aber gestreift werden, um in späteren Teilen der Untersuchung desto kräftiger bei Seite geschoben zu werden. Für die Kenntnis des alten Schiffbaus etc. selber bleibt es aber im hohen Grade erfreulich, dass endlich einmal auch die nicht blos literarisch sondern auch fachmännisch vorgebildete Partei das Wort ergriffen hat, und nun die Auslegung so vieler fraglicher Wörter — das Verzeichnis S. 206—211 führt 248 derselben an, von denen viele wie die σχεδίη des Odysseus sehr bestrittene Bedeutung haben — nicht mehr allein den Stubengelehrten und Philologen von Fach überlassen geblieben ist. Sollten letztere manche Verbindung oder Mutmassung des Verfassers gewagt, vielleicht unzulässig ungrammatisch finden, so würde als geringster Erfolg [illegible] sagt in der Mitte liegt, und wäre schon diese Verschiebung des Endresultats, welche wir persönlich freilich viel grösser schätzen, ein Gewinn für die Sache selber. Um nur ein Beispiel anzuführen, so sind die S. X der Vorrede hervorgehobenen Einreden gegen die Bemannung der Trieren und die von ihnen zu leistende Arbeit so vernichtend gegen die von allerhand sog. Autoritäten darüber verbreiteten Ansichten, dass man nur bedauern kann, dass der Verfasser nicht in der Lage war, seinerseits über einige Andeutungen über die positive Seite der Frage hinauszugehen. Jedenfalls genügt die Einrede, die Athener hätten ihre Trieren mit Sklaven als Ruderer bemannt, nicht, des Verfassers Einwände zu entkräften, die aus der Raumverteilung und der zu leistenden Arbeit selber hergenommen sind.

Die einzelnen Abschnitte der 219 S. starken Schrift behandeln S. 1—27 die Schiffahrt und die Steuermannskunst, bis S. 44 das Schiff, bis S. 46 Ballast und Ladung, bis S. 93 das Zeug oder die Takelung des Schiffes, bis S. 107 das Rudergeschirr, bis S. 116 das Ankergeschirr, bis S. 129 das Ablaufen, Auslaufen, Einlaufen und Aufholen des Schiffes, bis S. 142 das Blockschiff des Odysseus, bis S. 205 den Schiffbruch des Paulus nach dem Evangelisten Lucas in der Apostelgeschichte Cap. 27 und 28 in der eigenen seemännisch klingenden Uebersetzung des Verfassers. Letztere ist so anheimelnd gehalten, dass wahrscheinlich alle Seeleute von Fach, denen das Griechische natürlich fremd ist, gewünscht hätten, dass die vielen durch das Buch verstreuten angezogenen Beweisstellen häufiger verdeutscht wären, um so auch äusserlich dem Verständnis des Laien näher gebracht zu werden, während jetzt nur der Kenner des Griechischen der allerdings einleuchtenden Beweisführung mit kritischem Blick zu folgen vermag. Die Zumutung ist freilich leichter gestellt als ausgeführt, weil ja vieles noch sub judice liegt.

Warum der Verfasser beharrlich „Aufhangen" statt „Auflanger" schreibt, hätten wir gern erklärt gesehen.

Die letzten Seiten füllen Wörterverzeichnisse und Schiffsbilder, bei denen uns die geringe Eleganz der Schiffsform aufgefallen ist. Der Schiffbau ist seit den frühesten Jahrhunderten ein so konservatives Gewerbe gewesen, dass zumal bei den weniger im Gedränge der seefahrenden Völker, zu denen wir die nicht dem Ocean benachbarten Griechen rechnen, stehenden Nationen die jetzigen Schiffsformen noch stark an die alten erinnern durften, und die Schönheit der alten Baulinien mit ihrem vermutlich starken Sprunge sich gewiss in den jetzigen wiederspiegelt.

***Die Technik der Reproduction von Militär-Karten und Plänen** nebst ihrer Vervielfältigung mit besonderer Rücksicht jener Verfahren, welche im k. k. militär-geographischen Institute zu Wien ausgeübt werden. Von Ottomar Volkmar, k. k. Oberstlieutenant der Artillerie etc. etc. Mit 73 Abbildungen im Text und einer Tafel. 21 Bogen 8°. Preis M 4.50, eleg. geb. M 5.30. A. Hartleben, Wien 1886.*

Eins der wichtigsten Hülfsmittel aller Seefahrt ist eine gute Seekarte: sie muss von Hause aus gut entworfen und richtig dargestellt sein, dann aber sollen auch alle Veränderungen, welche im Laufe der Zeit z. B. in Feuern an der Küste, in den Wassertiefen, in der Variation u. s. w. vorkommen leicht und sicher nachgetragen werden können, in den Originalplatten sowohl als in den Abzügen. Da nun die Seekarten im Ganzen ein viel einfacheres Gepräge haben als die Landkarten, so wird eine Schilderung des Entwurfs und die Instandhaltung der letzteren einen grossen Teil der bei den ersten notwendigen technischen Arbeiten mit umfassen, und so wird bei dem regen Interesse, welches heutzutage nicht nur der Seemann und der Militär, sondern auch das grosse Publikum im allgemeinen guten und billigen Karten entgegen bringen, es gerechtfertigt erscheinen, dass sich der Verfasser der vorliegenden Arbeit der Mühe unterzog, eine bündig gehaltene und doch klare Abhandlung über den Gegenstand der Reproduction und der Vervielfältigung von Karten, basirt auf seine nahezu zehnjährigen Erfahrungen als Vorstand der technischen Gruppe einer Muster-Anstalt der Welt, wie sie das militär-geographische Institut zu Wien auf diesem Gebiete ist, zu veröffentlichen. Nach einer kurzen Einleitung mit historischen Daten über die Kartographie im Allgemeinen, bespricht der Verfasser sehr eingehend zunächst die Wichtigkeit der Photographie für die Kartenreproduktion, dann die Einrichtung der Werkstätten hiefür und die verschiedenen Aufnahmemethoden selbst. Daran schliessen sich dann die photographischen Kopirmethoden, sowie in sehr eingehender Weise die verschiedenen Reproduktionsweisen auf Stein und auf Metall. Ein eigener Abschnitt ist der Evidenthaltung d. h. der fortdauernden Richtigstellung eines Kartenwerkes gewidmet und der hervorragenden Wichtigkeit, welche diese für die Kartographie hat, entsprechend ist die Durchführung der Korrektur auf den Stein und Metallplatten recht anschaulich beigefügt. Eigene Abschnitte behandeln dann die Einrichtungen zur Vervielfältigung der Karten und der Hilfsmaschinen hierzu, sowie auch am Schlusse der Abhandlung den neueren Errungenschaften in diesem Gebiete Raum gegonnt ist und insbesondere recht instruktiv der Verwertung des elektrischen Lichtes zu photographischen Aufnahme- und Kopirzwecken erläutert wird. Als Zusammenfassung des Ganzen [illegible] Generalstabskartenwerke in den Grossstaaten Europas. Eine grosse Anzahl vorzüglicher Abbildungen trägt wesentlich zum Verständnis des Textes bei.

***Zur See.** Herausgegeben von v. Henk, Vice-Admiral z. D. und Niethe, Marinemaler, unter Mitwirkung von Kontre-Admiral a. D. Werner u. s. w., illustrirt von Director Prof. A. v. Werner u. a. Verlag von A. Hofmann & Co. in Berlin. 1885.*

Das von uns bereits im vor. Jahrgange S. 58 in seinen ersten Lieferungen und mit einer Uebersicht des zu erwartenden Gesamtinhalts angezeigte illustrirte Prachtwerk schreitet seiner Vollendung entgegen, da es bereits bis zur achten Lieferung ausgegeben ist. Dabei sind freilich Lief. 6 und 7 einstweilen übersprungen, weil die Illustration derselben wegen gewisser technischer Schwierigkeiten eine Verzögerung erfahren hat, aber die Ausgabe der späteren Lieferungen wird desto rascher sich vollziehen.

Das Werk hält in seinem fernern Verlauf, was es anfangs versprochen hat und übertrifft geradezu in der künstlerischen Ausführung die ersten Anfänge, wo die Grundlagen unseres Wissens nicht so festgefügte sind, als jetzt, wo es gilt, das neuere Seewesen zu schildern. Die Lief. 5 schildert die Einführung des Dampfes in der Marine und in kürzester Uebersicht die ersten Stadien, welche nach einander die Raddampfer, die Schraubendampfer und die Reactionsdampfer oder Hydromotoren durchlaufen haben, um sich dann sofort den Einzelheiten der Bestandteile und Arten der Schiffsdampfmaschinen zuzuwenden, und am Schlusse die Werftarbeiten bei der Ausrüstung eines Schiffes zu schildern.

Mit der Lief. 8 beginnt eine aus der Feder des Herrn Kontre-Admirals Werner stammende Darstellung einer Erdumsegelung einer deutschen Kriegskorvette, welche laut Befehl der Admiralität binnen 8 Tagen seeklar ausgerüstet werden musste. Diese Erzählung bildet ein zusammenhängendes drei Lieferungen umfassendes Ganze, bisher illustrirt durch eine Reihe Genrebilder „Auf dem Klüverbaum", „Kohlenübernahme", „Schnapsparade" nach derselben, „Rein Schiff", „Indienststellung" „Heiss Flagge und Wimpel", „Feuer im Schiff", „Backen und Banken", „Enter auf", „Ueberiegelt", „Fischhandel auf der Doggerbank", „Alles über Stag", „Schlafender Mann", „Zeugwäsche", „Pfeifen und Lauten aus", „Ronde", „Observiren mit dem Sextanten", „Geschützputzen", welche das Seemannsleben an Bord in seiner grossen Vielgestaltigkeit vorführen und damit das Schiff, „Mathilde" genannt, bis in den Passat geleiten. Dass bei diesen so zu sagen häuslichen Scenen gar mancher mehr oder minder derbe Seemannswitz mit unterläuft, kann man nach der Natur des Gegenstandes und der darstellenden Maler und Schriftsteller nicht anders erwarten.

***Die Kaiserlich deutsche Marine.** Zweite vermehrte Auflage. 24 Bildertafeln und 4 Seiten Text in Grossfolio-Format. — Leipzig 1886: Verlag von J. J. Weber. — Preis in Umschlag M 1.*

Vor ungefähr fünf Jahren hatte der Verleger, Herr J. J. Weber in Leipzig, den glücklichen Gedanken, die im Laufe der Jahre in der *„Illustrirten Zeitung"* erschienenen, zumeist von dem bekannten Marinemaler Herrn *Hermann Penner* in Elbing gezeichneten Bilder der deutschen Kriegsschiffe zu einem *Marine-Album* gesammelt und mit einem fortlaufenden, erklärenden, gemeinfasslichen Text versehen, herauszugeben. Der Beweis, dass dieser Gedanke thatsächlich ein glücklicher war, liefert der Umstand, dass das Heft im Laufe weniger Jahre vergriffen war. —

Der rührige Verleger ging nun daran, eine *zweite*, durch die inzwischen in der *Illustrirten Zeitung* erschienenen Bilder *vermehrte Auflage* zu veranstalten, die nun vollendet vorliegt. Auf 24 Grossfolio-Tafeln werden nicht weniger als 30 deutsche Kriegsschiffe und Kriegsfahrzeuge gebracht; selbst die neuesten Verstärkungen der nationalen Kriegsflotte, wie z. B. das Panzerschiff *„Oldenburg"*, die Kreuzerfregatte *„Charlotte"*, die Kreuzerkorvette *„Alexandrine"* u. s. w. sind bereits darin zu finden und entzücken unser Auge durch die Richtigkeit ihrer Darstellung. Es sind *keine Fantasiebilder*, wie man solche nur leider zu häufig findet. Dass die rege Verlagsbuchhandlung Sorge dafür tragen wird, durch die seinerzeitige Aufnahme der jetzt in Bau befindlichen so interessanten, weil einen in der nationalen Marine *ganz neuen Schiffstyp* vertretenden Schnellkreuzer und schnellen Avisos in die *„Illustrirte Zeitung"* die einstige Weiterführung des Albums zu ermöglichen; daran darf nicht gezweifelt werden. —

Der begleitende, zwölf Foliospalten umfassende Text wurde gleichfalls sorgfältigst durchgelesen und bis zum März 1886 fortgeführt. Er enthält Alles für den Nichtfachmann Wissenswerte und dabei in knappester Form. Höchst dankenswerte Zugaben sind die durchaus auf *offiziellen* Quellen basirenden Zusammenstellungen a) über die Entwickelung des deutschen bezw. preussischen schwimmenden Flottenmaterials von der Gründung im Jahre 1848 bis zur Aufstellung des Flottenprogramms im Jahre 1873, sowie b) ein chronologisches Verzeichnis des Schiffszuwachses und Schiffsabganges vom Jahre 1848 bis Ende 1885. Diese beiden Uebersichten dürften selbst für Fachleute nicht ganz ohne Interesse sein. Wir wenigstens müssen offen gestehen, solche Zusammenstellungen in gleicher Vollständigkeit noch nirgends gefunden zu haben.

Um schliesslich auch der Ausstattung Erwähnung zu thun, so sind Papier und Druck — wie dies bei der berühmten Firma nicht anders zu erwarten ist — vorzüglich. Und endlich der Preis: noch niemals — wir können dies mit voller Ueberzeugung behaupten — wurde Aehnliches um eine Mark geboten! Selbstverständlich kann hier der Verleger nur durch einen Massenabsatz seine Kosten hereinbringen, den wir dem reizenden Hefte von ganzem Herzen gönnen und wünschen. F. K.

Drei Junggesellen. Bilder aus dem deutschen Flottenleben. Von v. *Holleben*. Kiel, Universitäts-Buchhandlung (Paul Toeche) 1886. 124 Seiten, klein 8°. Preis geheftet ℳ 1,20.

Der Verfasser der köstlichen Bücher: „Sieben Jahre Seekadett“ und „Deutsches Flottenleben“ hat uns mit einem neuen Strauss Bilder aus dem deutschen Flottenleben beschenkt, welche aber, strenge genommen, nicht maritimen Inhaltes sind, sondern nur durch die der deutschen Flotte angehörigen Persönlichkeiten, von welchen diese Skizzen handeln, mit der Flotte Fühlung haben. Aber auch dem der Flotte fernstehenden werden diese drei Junggesellen-Skizzen eine heitere Stunde bereiten und mögen deshalb allerseits empfohlen sein.

F. K.

Germanischer Lloyd.

Deutsche Handels-Marine: Seeunfälle vom Monat Februar 1886, soweit solche bis zum 15. März 1886 im Central-Bureau des Germanischen Lloyd gemeldet und bekannt geworden sind.

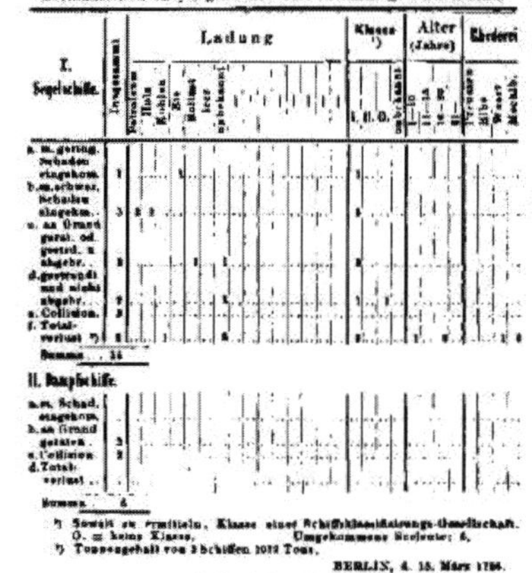

I. Segelschiffe.	Gesammtzahl	Ladung	Klasse [1]	Alter (Jahre)	Rhederei
a. m. gering. Schaden eingekom.	1				
b. m. schwer. Schaden eingekom.	3				
c. an Grund gerat. od. gestrand. u. abgebr.					
d. gestrandt und nicht abgebr.					
e. Collision	3				
f. Totalverlust [2]	1				
Summa	14				
II. Dampfschiffe.					
a. m. Schad. eingekom.					
b. an Grund geraten	3				
c. Collision	2				
d. Totalverlust					
Summa	6				

[1] Soweit zu ermitteln, Klasse einer Schiffsklassifizierungs-Gesellschaft. O. = keine Klasse. Umgekommene Seeleute: 6.
[2] Tonnengehalt von 3 Schiffen 1022 Tons.

BERLIN, d. 15. März 1886.

Verschiedenes.

Neuer Feuerturm in der Elbmündung. Von gut unterrichteter Seite geht uns die Mitteilung zu, dass in Hamburg augenblicklich der Plan besprochen wird, in der Elbmündung einen neuen Feuerturm nach Art des Rotesandfeuerturms in der Weser zu erbauen. Die Thatsachen, dass in langen, strengen Wintern die Feuerschiffe häufig von den Stationen durch Eis vertrieben werden, die regelmässige Zunahme des Dampferverkehrs nach Hamburg und den übrigen Elbhäfen, endlich die voraussichtlich grossartige Steigerung des Schiffsverkehrs in der Elbmündung nach Fertigstellung des Nordostsee-Kanals bilden ebensoviel Momente Hamburg zu veranlassen, um sich bei Zeiten auf diese Veränderungen einzurichten, und den an sich höchst erfreulichen Plan zu einem notwendigen Unternehmen umzustempeln. Die Kosten für Bremen, ca. 350 000 ℳ, sind nicht bedeutend zu nennen.

Das Feuerungsmaterial der Zukunft scheint nun doch das Petroleum zu werden, nachdem in der Zerstäubung desselben und seiner Entzündung beim Anfeuern neuerdings so grosse Fortschritte gemacht sind. Von diesem Gesichtspunkt dürfte die Erbohrung neuer Petroleumquellen bei *Suez* von epochemachender Wirkung werden. Mehr darüber in nächster Zeit.

Der zweite Nachtrag zum Internationalen Register des Germanischen Lloyd enthält 9 Berichte über neu aufgenommene, resp. neu klassifizierte Schiffe, welche dem Register pro 1886 hinzuzufügen sind; 99 Berichte über Veränderungen und Korrekturen, welche die bereits im Register pro 1886 enthaltenen Schiffe betreffen; 4 Berichte über Schiffe, welche dem Anhange zum Register pro 1886 hinzuzufügen sind; und endlich 4 Berichte über Veränderungen und Korrekturen, welche die im Anhange zum Register pro 1886 bereits enthaltenen Schiffe betreffen.

Die Hamburger Rhederei zählte laut dem Verzeichnis von Tooshuy und v. Appen am 1. Januar 1885 297 Segelschiffe, welche gemessen waren zu 134 820 Reg.-Tons, am 1. Januar 1886 292 Segelschiffe, welche gemessen sind zu 132 952 Reg.-Tons, mithin 1886 Abgang von 5 Segelschiffen mit 1868 Reg.-Tons. Am 1. Januar 1885 betrug die Anzahl der Dampfschiffe 188 mit Brutto-Raumgehalt 253 250, Netto-Raumgehalt 186 735 Reg.-Tons, am 1. Januar 1886 betrug die Anzahl der Dampfschiffe 190, mit Brutto-Raumgehalt 256 374, Netto-Raumgehalt 190 579 Reg.-Tons, mithin 1885 Zugang von 2 Dampfschiffen, mit Brutto-Raumgehalt 3 124, Netto-Raumgehalt 3 844 Reg.-Tons.

Die *Hamburger Rhederei* besteht demnach am 1. Januar 1886 aus 482 Schiffen und zwar: 2 viermastigen Schiffen, 29 Vollschiffen, 126 Barken, 11 Brigs, 17 Schuner-Brigs, 34 Dreimast-Schuner, 1 Schunerbark, 21 Schuner, 9 Gaffel-Schuner, 11 Kutter, 2 Kuffen, 1 Galliot, 5 Galleassen, 31 Ever, 1 Ever-Kahn, 1 Logger, oder aus 292 Segelschiffen, 168 Schrauben-Dampfschiffen, 3 Räder-Dampfschiffen, 19 Bugsir-Dampfschiffen, im Ganzen aus 482 Schiffen mit 323 531 Reg.-Tons Netto-Raumgehalt. Von diesen 190 Dampfschiffen sind 178 aus Eisen, 9 aus Stahl, 3 aus Holz gebaut; während von den 292 Segelschiffen 209 aus Holz und 83 aus Eisen gebaut sind. Die Segelschiffe aus Eisen zergliedern sich in: 2 viermastige Schiffe von 3 188 T., 25 Vollschiffe von 27 635 T., 47 Barken von 33 665 T., 1 Schuner-Bark von 387 T., 3 Dreimast-Schuner von 1 091 Tons, 2 Gaffel-Schuner von 243 T., 2 Kutter von 205 T., 1 Everkahn von 112 T., im Ganzen 83 Schiffe mit 66 516 T. Im Anfange 1885 bestand die Hamburger Rhederei aus 216 Segelschiffen aus Holz, 81 Segelschiffen aus Eisen, 177 Dampfschiffen aus Eisen, 8 Dampfschiffen aus Stahl, 3 Dampfschiffen aus Holz, zusammen 485 Schiffen. Die früher mit diesem Verzeichnis verbundene Uebersicht der *Altonaer* Rhederei findet sich in dem diesjährigen Heft nicht mehr vor.

Lachsschonzeit auf dem Rhein. Die zweite Kammer der Generalstaaten im Haag hat den Fischerei-Vertrag mit Deutschland (vergl. Hansa 1885 S. 163) mit 50 gegen 12 Stimmen angenommen, sodass der Vertrag nun am 1. Mai in Kraft treten wird. Vor einer Reihe von Jahren war ein ähnlicher Vertrag von ihr verworfen worden, obschon der damalige Minister des Auswärtigen als seine Meinung zu erkennen gegeben hatte, dass die Annahme im Interesse des guten Einvernehmens mit Deutschland wünschenswert wäre. Die Hauptbestimmungen des jetzigen Vertrages sind: Beim Fischfang im Rhein und seinen Nebenflüssen dürfen keine Fischereigeräte gebraucht werden, welche den Fluss über mehr als die Hälfte seiner Breite für den Durchzug der Fische versperren; alle Salmfischerei mit Netzen ist im Rhein und seinen Nebenflüssen jedes Jahr im Herbst während zweier Monate verboten; das Fischen von Salm und Maifisch ist in jeder Woche für die Dauer von 24 Stunden, und zwar von Sonnabend bis Sonntag Abend, verboten; das Fischen in der Nähe besonderer Plätze, wo junge Salme ins Wasser gelassen worden, ist noch besonderen Beschränkungen unterworfen.

Präsident Jefferson's zehn Lebensregeln. 1. Nie verschiebe auf morgen, was Du heute thun kannst. 2. Nie [illegible]. 3. Verschwende nie Dein Geld, ehe Du es hast. 4. Kaufe nie nonütze Sachen, weil sie billig sind. 5. Hochmut kostet mehr, als Hunger, Durst, Kälte. 6. Wir bereuen nie, dass wir zu wenig gegessen haben. 7. Nichts ist mühsam, was wir gern thun. 8. Oft machen Uebel, die nie eintreten, uns Schmerzen. 9. Siehe Dir Alles von der guten Seite an. 10. Bist Du zornig, zähle zehn, ehe Du sprichst; zähle hundert, wenn Du sehr zornig bist.

Ueber den jetzigen Stand der Rhederei, insbesondere der oldenburgischen, geben wir nach den Ausführungen des Sekretäs der *„Concordia"* einige Angaben wieder, die wir der „Old. Ztg." entnehmen. In der Gesammtlage der oldenburgischen Rhederei, wie der Rhederei im allgemeinen ist für das Jahr 1885 im Vergleich mit dem Vorjahre eine Besserung leider nicht zu konstatiren. Die *Frachten von und nach allen Plätzen der Welt sind niedriger als je zuvor*, und Beschäftigung für Schiffe ist nur unter Bedingungen erhältlich, die nur mit wenigen Ausnahmen und selbst *bei der grössten Sparsamkeit nichts Anderes als einen Verlust ergeben.* Fast klingt es uns jetzt wie ein „Märchen aus alten Zeiten", wenn wir uns erzählen lassen, dass es Jahre gegeben haben soll, wo die Schiffe in sehr kurzer Zeit, vielleicht während einer einzigen „Rundreise" mehr verdienten, als die Schiffe kosteten und diese sich also völlig „frei" fuhren. Im Jahre 1855 segelte beispielsweise ein Elsflether Schiff (362 Tons) von Cardiff mit Kohlen nach Majorka oder Mallorca im Mittelmeer zu einem Frachtsatze von 32 sh 6 d. Es wurde dann in dem benachbarten Torrevieja (Ostküste Spaniens) eine Ladung Salz für 510 Dollars gekauft, die in Reval für 6780 Rubel wieder verkauft wurde, und nun segelte das Schiff mit einer Ladung Knochen (45 sh per Ton) nach Hull. Obgleich das Schiff während des Winters noch 3 Monate in Memel und 4 Monate in Reval eingefroren war, dauerte die ganze Rundreise nur ein Jahr und die Gesamtbruttoeinnahme dafür betrug nicht weniger als 48,290 ℳ! — Wie stark überhaupt die Depression des Frachtenmarktes in der gegenwärtigen Zeit ist, ergiebt sich am schlagendsten aus dem nachfol-[illegible]

Zuckerfrachten von Java	55 bis 65 sh,	jezt 25	sh pr. Ton
die Zuckerfrachten von Hongkong	50 „	„ 20	„ „ „
die Salpeterfrachten von Iquique	50 „	„ 25	„ „ „
die Weizenfrachten von Austral. und Neuseeland	55 „	„ 22½	„ „ „
die Weizenfrachten von San Francisco	72½ „	„ 30	„ „ „
die Reisfrachten v. Rangun	55 „	„ 27½	„ „ „

Ueberall fielen also die *Frachten* um mehr als die Hälfte des früheren Betrages, *stellenweise sanken sie sogar* bis auf ⅓ desselben hinab. Eine Hauptsache dieser trüben Erscheinung liegt wohl darin, dass noch immer das Angebot von Transportmitteln zur See weitaus den Bedarf übertrifft. Indes ist doch jetzt überall ein Einhalten in der Herstellung neuer Schiffe bemerkbar, freilich sehr zum *Schaden der Schiffbauindustrie, die augenblicklich am Unterweserufer ganz darniederliegt*, was für die arbeitende Klasse an diesem Strich von ganz besonderem Nachteil ist. Hölzerne Schiffe werden überhaupt fast gar nicht mehr gebaut, aber auch der jährliche Zuwachs an eisernen Schiffen und Dampfern nimmt erheblich ab. Während z. B. in England in den Jahren 1881 bis 1884 ein jährlicher Zuwachs von mehr als 500 000 Tonnen zu verzeichnen war, betrug die Nettozunahme im Jahre 1885 nur noch 84 000 Tons. Aber immer ist das Heer der vorhandenen Schiffe noch viel zu gross, bezifferte sich doch allein die englische Handelsflotte ohne Rücksicht auf die Küstenfahrer, im Dez. 1885 zusammen auf 9 751 000 Tons.

Verlag von H. W. Silomon in Bremen. Druck von Aug. Meyer & Dieckmann. Hamburg, Alterwall 25.

HANSA

Redigirt und herausgegeben
von
W. von Freeden, BONN, Thomasstrasse 9.
Telegramm-Adresse:
Freeden Bonn.
oder
Hansa Alterwall 38 Hamburg.
Verlag von H. W. Silomon in Bremen.
Die „Hansa" erscheint jeden 2ten Sonntag.
Bestellungen auf die „Hansa" nehmen alle Buchhandlungen, sowie alle Postämter und Zeitungsexpeditionen entgegen, desgl. die Redaktion in Bonn, Thomasstrasse 9, die Verlagshandlung in Bremen, Obernstrasse 44 und die Druckerei in Hamburg, Alterwall 38. Sendungen für die Redaktion oder Expedition werden an den letztgenannten drei Stellen angenommen. Abonnement jederzeit, frühere Nummern werden nachgeliefert.

Abonnementspreis:
vierteljährlich für Hamburg 2½ ℳ,
für Auswärts 3 ℳ = 3 sh. Sterl.
Einzelne Nummern 60 ₰ = 6 d.
Wegen Inserate, welche mit 30 ₰ die Petitzeile oder deren Raum berechnet werden, beliebe man sich an die Verlagshandlung in Bremen oder die Expedition in Hamburg oder die Redaktion in Bonn zu wenden.
Frühere, komplete, gebundene Jahrgänge v. 1873, 1874, 1876, 1877, 1878, 1879, 1880, 1881, 1882, 1883, 1884, 1885 sind durch alle Buchhandlungen, sowie durch die Redaktion, die Druckerei und die Verlagshandlung zu beziehen. Preis ℳ 6; für letzten und vorletzten Jahrgang ℳ 8.

Zeitschrift für Seewesen.

No. 8. HAMBURG, Sonntag, den 18. April 1886. 23. Jahrgang.

Inhalt:

Die neuen Prüfungsvorschriften für Steuerleute der Kauffahrteiflotte in den Niederlanden.

Noch während unserer Jugendzeit wurde in den ostfriesischen Privat- und öffentlichen Schulen der Navigationsunterricht nach holländischen Büchern erteilt. Wir erinnern uns noch recht gut des Kopfbrechens, welches dem 12—14jährigen „freiwilligen Nautiker" die „Grondbeginselen der Stuurmans-Kunst door Pybo Steenstra" und dessen ungewohnte Figuren in der Klootsche Driehoeksrekening, und nicht allein uns, sondern auch anderen älteren Schülern bereiteten. Die auch holländisch abgefasste Stuurmanskunst des früheren Hauptmanns Begemann in Emden schuf etwas Wandel, besonders in den Figuren, lehnte sich aber im wesentlichen an die holländischen Vorbilder an. Noch in den dreissiger Jahren fuhr die ostfriesische Jugend, die sich der grossen Fahrt widmete, von holländischen Häfen aus teils nach Westindien (Surinam), teils nach Ostindien (Java etc.), wohin mitunter Schiffe von 700 T. mit 45 Mann Besatzung gesandt wurden. Diese nach der Gewohnheit der Maatschappy und wegen schwerfälliger Takelung so stark bemannten Schiffe wurden häufig von *ostfriesischen* Kapitänen geführt, die besonders in Emden und Norden (wo die Namen Bonn, Ruhaek, Krey, Remmers, Röslngh etc. noch in guter Erinnerung stehen), und wenn es sich so traf, dass der „Brief vom Comptoor" im Winter in Norden eintraf, wo die Matrosen und Köche und Steuerleute, deren die Maatschappyschiffe drei fuhren, mitsammt dem Kapitän wohnten, so setzte sich wohl eines Tages eine Schaar von 14—18 Mann zusammen auf Schlittschuhen in Bewegung, um die damals sonst nicht zu bewältigende Strecke von Ostfriesland nach Amsterdam oder Rotterdam in einigen Tagen zurückzulegen, Jeder mit einem Bündel mit dem Notwendigsten beschwert, während die Kisten mit dem Seezeug dort beim „Baas" zurückgeblieben waren. Denn kam ein Versegelungsbrief von Hellevoetsluis etc., darauf 7 Monate lang keine Nachricht — das war das beste Zeichen, dass Alles wohlauf war, „geen narigt, goede narigt", dann ein Brief aus Batavia mit „Schiffsgelegenheit" und 2—3 Monate später wieder ein Brief aus Rotterdam oder Amsterdam, worauf man nach 14 Tagen, wenn die eigene Mannschaft das Schiff gelöscht hatte, sich darauf einrichtete, die „Fahrensleute" wieder bei sich zu empfangen, und wir Jungens in „Tamarinden" und sonstigen tropischen Süssigkeiten, und die Alten in einigen Tassen „ächten Java" schwelgen durften, der in jener „guten, alten Zeit" noch als „Vegsel" nach dem biblischen Spruch „Du sollst dem Ochsen, der da drischt, das Maul nicht verbinden", unter „das Volk" verteilt wurde.

Seit jener Zeit hat sich vieles geändert. Die deutschen Häfen Bremen und Hamburg gewannen an Anziehungskraft, die holländische Vorbereitungsweise für den Steuermannsdienst hatte keinen Zweck mehr, die Mittelpunkte der deutschen grossen Fahrt richteten eigene Navigationsschulen ein, und so entstanden in den vierziger, fünfziger Jahren bald eigene Verordnungen der Regierungen für die Prüfungen der Steuerleute, hinter deren Zielen die am Alten noch länger festhaltenden Ostfriesischen und auch die holländischen Lehranstalten entschieden zurückstanden. Als dann nach der Bildung des norddeutschen Bundes für die ganze deutsche Küstenstrecke von Emden bis Memel eine gleiche Prüfungsordnung eingeführt wurde, war es Holland, welches mit grossem Interesse, selbst mit Neid, den deutschen Bestrebungen folgte und ebenfalls sich daran machte, seine veralteten Vorschriften durch neue zeitgemässere zu ersetzen. Während aber die deutsche Gesetzgebung seit einem Dezennium und mehr stagnirt, *nicht zu ihrem Vorteil* dürfen wir gleich hinzusetzen, ist die holländische in Fluss geblieben, und zwar dadurch, dass der Erlass der ersten reformatorischen Bestimmungen in die Zeit fiel, wo die

Dampfschiffahrt anfing, sich stärker als bisher zwischen die Segelschiffahrt einzudrängen und nun die einfache Nachahmung der deutschen lediglich noch mit den Bedürfnissen der Segelschiffahrt rechnenden Prüfungsvorschriften keineswegs die allseitige Billigung der im Seewesen „von Kindesbeinen an" erfahrenen Nation finden durfte.

„Im September des Jahres 1883", erzählt „De Zee" in ihrer Märznummer d. J., reichte eine Anzahl bei der Seeschiffahrt interessirter Personen beim Ministerium eine Eingabe ein, worin besondere Prüfungen für die Steuerleute der grossen Segelschiffahrt und der grossen Dampfschiffahrt verlangt wurden, ferner, dass das Fahren auf Segelschiffen in Vorbereitung für Dampferfahrt, nicht länger von solchen Personen gefordert werden möge, welche lediglich eine Berechtigung für Dampferdienst erstrebten, endlich dass die ganzen Prüfungsvorschriften einer allgemeinen Durchsicht unterworfen würden". (Vergl. „De Zee", September 1883.)

In der genannten Märznummer d. J. wird nun der weitere Verlauf der Angelegenheit also geschildert.

„Ein Jahr später wurde vom Minister eine Kommission niedergesetzt, zu untersuchen, in wiefern eine Aenderung der bestehenden Vorschriften angezeigt sei.

Diese Kommission berichtete unter dem 12. Januar 1885, (vergl. „De Zee", März 1885), dass sie mit geringen Abweichungen sich in allen Punkten mit den Antragstellern vom Sept. 1883 einverstanden wisse.

Die Regierung hat sich diesen Bericht darauf selber angeeignet und durch eine Königliche Botschaft vom 18. Jan. d. J. kundgeben lassen, dass mit dem 8. Febr. d. J. die neuen Prüfungsvorschriften bei den Prüfungen der Steuerleute der Kauffahrteiflotte zu befolgen seien, welche hiermit im Staatsblad No. 10 veröffentlicht werden."

Aus dem allgemeinen Inhalt dieser Vorschriften ist hervorzuheben, dass von jenem Zeitpunkt an *dreierlei Berechtigungscheine für dritte, zweite und erste Steuerleute der Handelsflotte*, **und zwar getrennt für Segelschiffahrt wie für Dampfschiffahrt** ausgestellt werden.

Ferner dass ein einmal abgegebenes Urteil über die fachmännische *Untersuchung auf scharfes Sehvermögen und Farbenblindheit* für alle späteren Prüfungen in Kraft bleibt.

Sodann sind in der Königlichen Botschaft *Uebergangsbestimmungen* enthalten für die Besitzer älterer Berechtigungsscheine, wie für diejenigen Steuerleute, welche neben dem neuen Diplom (für Segel- oder Dampfschiffahrt) auch das andere (für Dampf- oder Segelschiffahrt) erwerben wollen.

Da indessen die holländische Prüfungsmetode im einzelnen auch sonst vielfach von der unsrigen abweicht, so halten wir es im Interesse der Sache für geboten, die Königliche Verordnung vom 18. Jan. 1886 in ihrem Wortlaut hier wiederzugeben.

Die Verordnung zur Prüfung von Seesteuerleuten hat etwa folgenden Wortlaut:

Art. 1, 2. Zur Abnahme der Prüfungen von Seesteuerleuten von Kauffahrteischiffen wird eine staatliche Prüfungskommission eingesetzt, welche in verschiedenen Gemeinden jährlich im Januar vom Handelsminister zusammenberufen wird.

(Bis dahin nahmen Gemeinde-Kommissionen diese Prüfungen ab. D. Red.)

Art. 3. Die Kommission besteht aus sieben Mitgliedern, einschliesslich des Vorsitzers. Bei Verhinderung des Vorsitzers übernimmt das älteste Mitglied den Vorsitz. Die Mitglieder werden sämtlich vom Minister auf ein Jahr zu diesem Amt berufen. Ebenso werden drei bis sechs Ersatzmänner ernannt, welche bei Verhinderung der ordentlichen Mitglieder vom Vorsitzer einberufen werden. Sollten durch einen ungewöhnlichen Andrang von Prüflingen die Arbeiten der Kommission einen zu grossen Umfang annehmen, so wird auf Antrag des Vorsitzers die Kommission durch den Minister aus den Ersatzmännern verstärkt.

Art. 4. Die Kommission hält wenigstens 8 Sitzungen im Jahre, welche möglichst am zweiten Dienstag eines jeden Monats beginnen. Zur Abhaltung einer Sitzung wie zur Beschlussfassung ist die Anwesenheit von 4 Mitgliedern einschliesslich des Vorsitzers oder seines Stellvertreters erforderlich.

Art. 5. Zeit und Ort der Sitzung werden 3 Wochen vorher durch den Vorsitzer der Kommission im »Staats Courant« bekannt gemacht. Wer zu einer Prüfung sich stellen will, hat wenigstens 8 Tage vor dem Termin sich beim Vorsitzer zu melden. Hat sich bis dahin Niemand angemeldet, so wird die Sitzung der Kommission bis zum nächsten Monat verschoben, welches der Vorsitzer sofort den Mitgliedern und dem Minister anzuzeigen hat.

Art. 6. Der Vorsitzer und die Mitglieder der Kommission erhalten vom Staat Vacationen im Betrage von täglich 8 Gulden neben Fahr- und Zehrungsgeldern der [illegible] gemäss der Königl. Verordnung vom 5. Jan. 1884.

Art. 7. Die Leitung des theoretischen Theils der sowohl schriftlichen als mündlichen Prüfung liegt dem Vorsitzer ob. Die mündliche Prüfung ist eine öffentliche.

Art. 8. Auf Grund der Prüfung stellt die Kommission Zeugnisse aus für den Rang eines dritten, zweiten und ersten Steuermanns für die Grosse Fahrt, und eines Steuermanns für die Kleine Fahrt.

Für jede dieser Stellungen werden gesonderte Zeugnisse für die Segelschiffahrt und für die Dampfschiffahrt ausgefertigt.

Zur Kleinen Fahrt gehören die Fahrten in der Nordsee, Ostsee, an den Küsten von Grossbritannien und Irland, im englischen Kanal und im Golf von Biscaya bis 10° westlicher Länge von Greenwich.

Alle Fahrten über diese Grenzen hinaus werden zur Grossen Fahrt gerechnet.

Art. 9. Um zur Prüfung zugelassen zu werden, hat der Prüfling gewisse Schriftstücke vorzulegen, nämlich:

1. den Nachweis, dass er das 18. Lebensjahr erreicht hat;

2. ein Zeugnis eines vom Handelsminister angestellten Sachverständigen, dass er genügend scharfes Sehvermögen besitzt und nicht an Farbenblindheit leidet. Die Art wie dieser Sachverständige diese Vorprüfung vorzunehmen hat und die zu dem Zweck zu erfüllenden Anforderungen werden vom Minister festgesetzt. Eine einmal abgegebene Erklärung bleibt in Kraft auch für spätere Prüfungen.

3. Den Nachweis:

für den *dritten Steuermann* auf der Grossen Fahrt:
auf *Seglern* wie auf *Dampfern*, dass er wenigstens 1 Jahr ausserhalb der niederländischen Gewässer gefahren hat;

für den *zweiten Steuermann* auf der Grossen Fahrt:
auf *Seglern*, dass er wenigstens 2 Jahre als dritter Steuermann oder in höherer Stellung ausserhalb der niederländischen Gewässer gefahren hat, oder dass er das 20. Lebensjahr erreicht und mindestens 3 Jahre ausserhalb der niederländischen Gewässer gefahren hat;

auf *Dampfern*, dass er wenigstens 2 Jahre als dritter Steuermann oder in höherer Stellung auf Seedampfschiffen gefahren hat. Der Dienst als vierter Steuermann auf einem Dampfer wird als Dienst eines dritten Steuermanns gerechnet, wenn der Prüfling im Besitz eines Zeugnisses für den Dienst eines dritten Steuermanns auf der Grossen Dampferfahrt war;

für den *ersten Steuermann* auf der Grossen Fahrt:
auf *Seglern*, dass er wenigstens 2 Jahre als zweiter Steuermann oder in höherer Stellung ausserhalb der niederländischen Gewässer gefahren hat;

auf *Dampfern*, dass er wenigstens 2 Jahre als zweiter Steuermann oder in höherer Stellung auf Seedampfern gefahren hat. Der Dienst als dritter Steuermann auf einem in der Regel vier Steuerleute fahrenden Dampfer wird als Dienst eines zweiten Steuermanns angerechnet, wenn der Prüfling im Besitz eines Zeugnisses für den Dienst eines zweiten Steuermanns auf der Grossen Dampferfahrt war;

für den *Steuermann* auf der Kleinen Fahrt:
auf Seglern wie auf Dampfern, dass er wenigstens 2 Jahre ausserhalb der niederländischen Gewässer gefahren hat.

Die Forderung, dass der Prüfling eine bestimmte Zeit ausserhalb der niederländischen Gewässer gefahren haben soll, ist dahin zu verstehen, dass wenn ein Zeugniss für die Segelschiffahrt angestrebt wird, mindestens die Hälfte der verlangten Zeit auf einem Segelschiff, und wenn ein Zeugnis für die Dampfschiffahrt angestrebt wird, mindestens die Hälfte der verlangten Zeit auf einem Dampfschiff zugebracht sein muss.

Zur Erlangung eines Nachweises für den dritten Steuermann auf der Grossen Fahrt auf Dampfern ist es gleichgültig, ob der Prüfling die verlangte Zeit von 1 Jahr auf einem Segelschiff oder auf einem Dampfschiff gefahren hat.

Die Nachweise müssen von Beamten, vor welchen die An- oder Abmusterung des Prüflings stattgefunden hat, oder von solchen Personen ausgefertigt sein, deren Erklärung von der Kommission für genügend befunden wird.

Art. 10. Die Kenntnisse, welche für die in Art. 8 genannten Zeugnisse erfordert werden, sind in den dieser Verordnung angehängten Programmen A. und C. aufgeführt.

Ist die Prüfung nach dem Urteil der Kommission genügend bestanden, so wird darüber dem Prüfling ein Zeugnis ausgefertigt.

Die Prüflinge für die Grosse Fahrt, welche es ausdrücklich wünschen, werden geprüft nach dem Programm B., welches besonderen Wert legt auf die wissenschaftliche Begründung. Ist diese Prüfung in genügender Weise bestanden, so wird von der Kommission ein *spezielles* Zeugnis ausgefertigt.

Die Formulare dieser Zeugnisse werden vom Minister festgestellt.

Allen Prüflingen wird zugleich Gelegenheit geboten, ihre Kenntnisse in der französischen, hochdeutschen und englischen Sprache darzulegen.

Besitzer eines Zeugnisses für Segelschiffe können dasselbe nachträglich vervollständigen durch Ablegung einer Prüfung für Dampfschiffahrt und umgekehrt, wenn sie die Bestimmungen des Art. 9, 3 erfüllen. Diese »nachträglichen Prüfungen« umfassen die Fächer, welche, ausschliesslich für die gewünschte Stellung, im Programm für die Dampfschiffahrt resp. Segelschiffahrt aufgeführt sind.

Der genügende Ausfall der in den beiden letzten Absätzen angedeuteten Prüfungen wird von der Kommission in dem Zeugnis ausdrücklich bemerkt.

Art. 11. Die Beschlüsse der Kommission werden mit Stimmenmehrheit gefasst; bei Stimmengleichheit entscheidet der Vorsitzer.

Wer infolge ungenügender Kenntnisse im praktischen Teil der Prüfung zurückgewiesen wurde, darf sich nicht eher wieder zur neuen Prüfung stellen, als bis er eine mindestens sechsmonatliche Seereise in Grosser Fahrt, oder eine mindestens viermonatliche Seereise in Kleiner Fahrt gemacht hat.

Art. 12. Die Gebühren betragen: fünf Gulden für eine Prüfung zum dritten Steuermann in Grosser Fahrt, 7½ Gulden für eine solche zum zweiten und 10 Gulden für eine solche zum ersten Steuermann in Grosser Fahrt; ferner 5 Gulden für eine Prüfung zum Steuermann in Kleiner Fahrt, endlich 3 Gulden für eine «nachträgliche Prüfung» (Art. 10 Abs. 4) für Segel- oder Dampfschiffahrt, ohne Rücksicht auf den Erfolg.

Diese Gebühren sind vor dem Beginn der Prüfung einzuzahlen. Sie werden vom Vorsitzer der Kommission der Staatskasse zugeführt, welche dagegen die Kosten der Prüfungen ebenfalls übernimmt.

Art. 13. Die Kommission hat vor dem 31. Dezember dem Minister einen ausführlichen Bericht über die im Kalenderjahr vorgenommenen Prüfungen einzusenden.

Art. 14. Falls der mit der Untersuchung der Prüflinge auf gutes Sehvermögen und das Unterscheidungsvermögen von Farben betraute Arzt nicht eine mit staatlichem Gehalt verbundene staatliche Anstellung besitzt, so gebührt ihm für jede solche Untersuchung eines Prüflings 1 Gulden.

Uebergangsbestimmungen.

Besitzer eines auf Grund der Verordnung vom 5. Mai 1877 erworbenen Zeugnisses zum ersten Steuermann, welche noch nicht ihre Kenntnisse über Dampfmaschinen und das Manövriren mit Dampfschiffen dargelegt haben, können zu einer «Nachtrags-Prüfung» für Dampfschiffahrt zugelassen werden.

Besitzer eines vor dem Jahre 1878 vor einer Gemeinde-Kommission erworbenen Zeugnisses zum ersten Steuermann können dieselbe «Nachtrags-Prüfung binnen den ersten 2 Jahren ablegen, nachdem diese Verordnung in Kraft getreten ist.

Diese «Nachtrags-Prüfung» umfasst die im Programm A für den dritten Steuermann unter No. 9 a und 18, für den zweiten Steuermann unter No. 12 b, 14 a und 19, und für den ersten Steuermann unter 11, 12 und 14 angeführten Fächer.

Bei genügendem Ausfall der Prüfung hat die Kommission solches im Zeugnis nachzutragen.

Bei der Zulassung der Prüfung für das Zeugnis zum zweiten oder ersten Steuermann für die Grosse Dampferfahrt wird das Zeugnis zum dritten oder zweiten Steuermann für die Grosse Fahrt, welches vor einer Gemeinde-Kommission vor 1878 oder auf Grund der Verordnung vom 5. Mai 1877 erworben wurde, dem Zeugnis zum dritten und zweiten Steuermann für die Grosse Dampferfahrt in allen den Fällen gleichgeachtet, in welchen der Besitz eines der letztgenannten Zeugnisse gemäss Art. 9, 3. gefordert wurde.

Während des ersten Jahres, nachdem diese Verordnung in Kraft getreten ist, darf bei der Zulassung zu den verschiedenen Prüfungen eine gewisse Nachsicht bei der Vorlegung der in dieser Verordnung für den betreffenden Dienst geforderten *Nachweise* geübt werden.

Ueber die nun folgenden *Prüfungs-Programme* das weitere in nächster Nummer. (Forts. folgt.)

Schiffer auf kleiner Fahrt.

Wie verlautet, wird in nächster Zeit eine Aenderung der Bekanntmachung vom 25. Septb. 1869, betreffend die Vorschriften über den Nachweis der Befähigung als Seeschiffer und Seesteuermann auf deutschen Kauffahrteischiffen, beabsichtigt. Es mögen deshalb einige Bemerkungen über diesen Gegenstand gerade jetzt am Platze sein. Den eigentlichen Anlass zu den nachstehenden, speciell die *Schiffer auf kleiner Fahrt* angehenden Erörterungen geben mir indess die Mitteilungen mehrerer Kapitäne von unserer Handelsmarine. Alle Schiffsführer stimmen darin überein, dass die Befugnisse, welche das Gesetz den Schiffern auf kleiner Fahrt einräumt, zum Nachteil unserer Schiffahrt, zu eng begrenzt sind.*) Sobald ein Fahrzeug die Grösse von 100 Tonnen Tragfähigkeit überschreitet oder seine Reisen über die ihm gesteckten engen Grenzen auszudehnen wünscht, hat das Patent des Schiffers für kleine Fahrt keine Gültigkeit mehr. Als Steuermann zu fahren hat der Schiffer auf kleiner Fahrt überhaupt keine Gelegenheit, da Schiffe unter 100 Tonnen Tragfähigkeit nicht verpflichtet sind, einen Steuermann an Bord zu nehmen, Schiffe in grosser Fahrt von mehr als 100 Tonnen Tragfähigkeit aber einen Steuermann auf grosser Fahrt anmustern müssen. Diese Einschränkung, welche das Gesetz dem Schiffer auf kleiner Fahrt auferlegt, wird nicht allein von dem Schiffer in kleiner Fahrt selbst schwer empfunden, auch unsere Seeschiffer in grosser Fahrt wünschen dringend eine Aenderung der bestehenden Bestimmungen herbei. Ein Schiffskapitän, Führer eines kleinen Schuners von kaum 90 R.-T., der gelegentlich seine Fahrten bis ins Mittelmeer und bis nach Island hinauf ausdehnt, in der Regel aber die Ost- und Nordsee nicht verlässt, klagte mir kürzlich seine Not: »Ich bin Schiffer auf grosser Fahrt,« sagte er, »das Gesetz zwingt mich, bei Antritt der Reise einen Steuermann auf grosser Fahrt anzumustern. Hätte ich dies nicht nöthig, so würde ich Ausgaben sparen können und dennoch nach mehr als einer Seite hin besser beraten sein als ich jetzt bin. Bei dem geringen Verdienst, welchen ein kleines Fahrzeug wie das meinige zumal in jetzigen Zeiten, abwirft, bleibt mir nur übrig, junge, unerfahrene oder alte, abgedankte Steuerleute, die keine allzu hohen Lohnforderungen stellen, an Bord zu nehmen. Mit den einen wie mit den andern fahre ich gleich schlecht. Gerade das, worauf es auf kleinen Fahrzeugen am meisten ankommt, einen tüchtigen Seemann zur Hand zu haben, dem ich nicht bloss die Wache anvertrauen kann, sondern der auch praktisch erfahren ist und alle wichtigen Schiffsarbeiten gründlich versteht, gerade ein solcher Mann fehlt mir. Dürfte ich einen Schiffer auf kleiner Fahrt als Steuermann anmustern, so wäre mir geholfen. Jetzt komme ich nicht mehr aus der Verlegenheit heraus.« Ein anderer Schiffskapitän, der in der transatlantischen Fahrt beschäftigt ist, schreibt mir: «Warum ist es uns nicht gestattet, dass wir Schiffer auf kleiner Fahrt als zweite Steuerleute anmustern dürfen? Durch ein solches Zugeständnis würde uns eine grosse Wohlthat erwiesen werden. Auf kleineren Schiffen kann man sich bei jetzigen Zeiten nicht den Luxus gestatten, ausser einem Steuermann und Bootsmann auch noch einen zweiten Steuermann zu fahren. Ein tüchtiger Bootsmann ist mir unentbehrlich, weil er als erprobter Seemann viel zuverlässiger und brauchbarer im Dienste ist, als die jetzigen unbefahrenen, neugebackenen Steuerleute. Die meisten der letzteren haben gar keine Erfahrung in der eigentlichen Schiffsarbeit und im Manövriren des Schiffes; ebenso wenig ahnen sie etwas von der Takelung des Schiffes oder von der Stauung der Ladung. Mit einem guten Bootsmann bin ich in jeder Beziehung besser beraten. Vereinigte ein solcher Mann mit seiner seemännischen Erfahrung aber noch die von einem Schiffer auf kleiner Fahrt geforderten Kenntnisse, so würde er für das Schiff von grossem Nutzen sein und sich in vielen Fällen brauchbarer erweisen, als mancher erste Steuermann. So wie die Sachen jetzt liegen, muss ich, da ich einen Bootsmann nicht entbehren kann, auf einen zweiten, in der Navigation ausgebildeten Offizier verzichten; man könnte aber, meiner Ansicht nach, unbedenklich auf Kosten der Theorie ein kleines Zugeständnis an die Praxis machen und die Schiffer auf kleiner Fahrt

*) *Anm. d. Red.* Vergl. die [illegible] Auffassung dieses Begriffs in der neuen *holländischen* Prüfungsverordnung.

zum Posten eines zweiten Steuermanns in grosser Fahrt zulassen.» Soweit unser Berichterstatter. Thatsächlich werden an die *wissenschaftlichen* Leistungen eines zweiten Steuermannes von den Kapitänen unserer Segelschiffe durchweg so geringe Anforderungen gestellt, dass die Kenntnisse eines Schiffers auf kleiner Fahrt vollauf zu genügen scheinen, um diesen Anforderungen gerecht zu werden. Auch hinsichtlich der Sicherheit der Schiffe dürfte der Vorschlag unseres Gewährsmannes kaum zu ernsten Bedenken Anlass geben. Selbst wenn Schiffer und Steuermann auf See beide sterben sollten, so wird ein Schiffer auf kleiner Fahrt im Allgemeinen wohl imstande sein, das Schiff sicher über See zu bringen. Sollten jedoch nach dieser Seite hin begründete Bedenken bestehen, so würden die Prüfungsvorschriften für Schiffer auf kleiner Fahrt event. ein wenig erweitert werden können. Man könnte beispielsweise die Berechnung der Länge nach Chronometer aus Sonnenhöhen (auf Minuten genau mit unverbesserten Logarithmen zu berechnen) in das Prüfungsreglement mit aufnehmen. Dieser kleinen Mehrforderung würden sich unsere Seeleute gern unterziehen, wenn man ihnen dafür das Zugeständnis machte, als zweiter Steuermann, sowie als Einzelsteuermann auf kleineren Fahrzeugen in europäischen Gewässern fahren zu dürfen. Den Schiffern andererseits würde durch eine derartige Massregel ein schätzbares Material an tüchtigen, praktisch geschulten Schiffsoffizieren zugeführt werden.

Da die hier gegebenen Anregungen nicht nur einer blossen Idee entsprungen, sondern aus den thatsächlichen Bedürfnissen der Praxis hervorgegangen sind, so empfehlen wir sie zur weiteren Diskussion.

Aus Briefen deutscher Kapitäne. II. (Fortsetzung aus No. 6).

Zeit und Bahnen der Taifune.

Die Taifunzeit für die chinesischen und japanischen Meere ist vom Ende Mai bis Ende November. Soviel sich bis jetzt erkennen lässt, scheinen die Taifune sich zu bilden entweder ostwärts der Philippinen, oder im südchinesischen Meere, oder im Norden bei den Linkiu-Inseln.

Das Gebiet, auf dem die Taifune wehen, erstreckt sich von 10 ° N bis 38 ° N in der chinesischen See, sowie bis 50 ° N in den japanischen Meeren; auf dieser Strecke kommen sie aber nicht während der ganzen Zeit vor, sondern es lassen sich *vier* verschiedene Zeiten und Gebiete unterscheiden.

1. Im südchinesischen Meere bis zu 22 ° N sowie ostwärts der Philippinen wehen die Taifune während der ganzen Zeit,
2. im Formosa-Kanal im August und September, selten schon im Juli,
3. ostwärts von Formosa, sowie im ostchinesischen Meer im Juli, August, September,
4. in den japanischen Meeren im Juli, August, September und Oktober.

Die Taifune ziehen den Wasserweg vor und werden durch die Erstreckung der Küste und der Gebirge abgelenkt, in ihrer Form verändert und beim Betreten des Landes entweder die Fahrt verlangsamt, wie über den Philippinen, Hainan und Tonkin, oder beschleunigt wie in Japan. — Trifft die Bahn eines Taifuns die Südspitze von Formosa, so dass der Winkel zwischen der Längsrichtung der Gebirge auf Formosa, welche bis zu 12 000 ' hoch sind, und des Bahnkurses nahezu 120 ° ist, so wird dieselbe entweder abgelenkt oder der Taifun wird gespalten, es bilden sich dann Doppeltaifune; über diese Art Taifune weiter unten. Formosa ist auch die Ursache, dass Amoy so selten vom Taifun heimgesucht wird, und dass die Zeit für den Kanal nur zwei Monate dauert. *)

Die beiliegenden Karten sind nach 56 Taifunen entworfen, welche innerhalb 5 Jahren wehten; von diesen Jahren sind aber nur die Bahnen, welche in den drei Jahren 1880, 81 und 82 vorkamen, vollständig in der folgenden Tabelle aufgeführt.

Jahr	Mai	Juni	Juli	Aug.	Septb.	Oktbr.	Novb.	Jährl. Summe
1878					3			
1879			1		1			
1880			2	3	4	3	1	13
1881	1	1	2	4	4	3	1	16
1882			3	3	2	1	1	10
1883				2	3	4		
1884				3	1			
Die Monatssummen der drei Jahre betrugen:	1	1	7	10	10	7	3	

August, September waren also die taifunreichsten Monate mit je 3—4 Taifunen, dann folgt Juli, Oktober mit je 2—3, im Mai und Juni wehten innerhalb 5 Jahren nur zwei, im November in derselben Zeit drei.

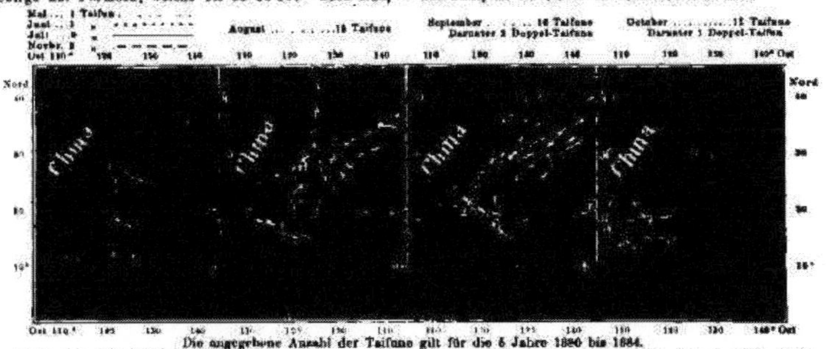

Die angegebene Anzahl der Taifune gilt für die 5 Jahre 1880 bis 1884.

Bei den 56 Taifunen liefen die Bahnen von 20 WNWlich über die Philippinen oder durch den Bashee-Kanal, bei 34 Taifunen lief die Bahn vorwiegend den Wasserweg einhaltend bis nach etwa 30 ° N mehr oder minder nördlich, um dann entweder diesen Kurs beizubehalten, oder in den meisten Fällen NOlich abzubiegen durchs West- oder Ostjapanische Meer. Drei Taifune

*) Anm. der Red. Es dürfte nicht überflüssig sein, daran zu erinnern, dass Formosa, mit seinen 704 Quadratmeilen, beinahe halb so gross ist als das unseren Anschauungen geläufigere Irland. Mit seinem 3500 m hohen Gebirge spielt es eine grosse Rolle in der Verteilung der Taifune.

schlugen einen anderen Kurs ein, zwei kamen aus dem Stillen Meere zwischen 22 und 23 ° N. Der erste vom 1.—6. August kam von etwa 23 ° N und 138 ° O, Kurs NWlich, passirte Wwärts Quelpart, bog hier nach N aus, lief an der koreanischen Küste entlang und trat auf etwa 40 ° N und 125 ° O auf Land. Der zweite vom 24.—30. Oktober 1880 entwickelte sich auf etwa 10 ° und 118 ° O über den Palawan-Inseln, schlug dann einen NNW bis NNOlichen Kurs bis etwa 22 ° N ein und bog dann ostwärts durch den Bashee-Kanal aus. Der dritte vom 10. — 14. August 1881 kam von etwa 27 ° N und 134 ° O Kurs NNW, passirte auf 23 Sm. Abstand den Leuchtturm Sutiano Misabi, auf der Südspitze von Kiushu, bog hier ab nach WSW, traf auf 29 ° die chinesische Küste und richtete in der Provinz Kiangsu ausserordentliche Verwüstungen an.

In den japanischen Meeren ist der Kurs unter 32 ° N gewöhnlich Nlich; sie biegen dann aber NOlich ab. Selten kreuzt ein Taifun Japan in der Dwarsrichtung, sondern die Bahnen laufen in der Regel mit der Längsrichtung der Gebirge, welche NO — SW streichen und bis zu 4000 Fuss hoch sind, entlang.

Betrachtet man die Bahnen der einzelnen Monate so ergiebt sich, dass im Mai und Juni die Taifune unterhalb 22 ° N bleiben und ihr Kurs WNWlich ist.*) Im Juli bleiben die meisten Taifune ebenfalls unter 22 ° N mit Kurs WNWlich, gegen Ende dieses Monats treten aber schon ostwärts der Philippinen und Formosas Taifune mit NNWlichem Kurse auf, die auf etwa 28 ° N die chinesische Küste treffen und dann entweder Nlich laufen oder NOlich nach Japan abbiegen; selten wird der südliche Teil des Formosa Kanals von ihnen heimgesucht.

Im August wehen eben soviel Taifune im japanischen als im chinesischen Meere. Im südchinesischen Meere sowie ostwärts der Philippinen ist ihr Kurs vorwiegend WNWlich jedoch läuft derselbe auch NNWlich oder N und trifft im ersteren Falle entweder auf etwa 23 ° N die chinesische Küste, bleibt auf Land bis etwa 30 ° N oder noch nördlicher und biegt dann ab nach NO oder er trifft die Südspitze von Formosa und es entstehen dann häufig Doppeltaifune, von denen der Eine den Kanal mit NW bis N Kurs durchläuft,**) während der Andere sich an der Ostküste Formosas entlang zieht, nördlich von 24 ° die chinesische Küste trifft und auf etwa 30 ° N nach NO abbiegt.

Taifune mit N Kurs halten sich gewöhnlich weiter ostwärts auf etwa 124 ° N und biegen dann zwischen 24 und 30 ° N nach NO aus; dasselbe ist der Fall mit Taifunen welche bei den Liukiu entstehen. September ist der taifunreichste Monat des ganzen Jahres und treten sie vorwiegend ostwärts der Philippinen und Formosas mit NNW Kurs auf und biegen zwischen 24 und 30 ° N nach NO aus, halten sich aber in der Regel weiter von der chinesischen Küste ab, da der Mittelpunkt gewöhnlich oberhalb 24 ° N ostwärts von 123 ° O bleibt. Im südchinesischen Meere ist ihr Kurs Wlich und im Kanal zwischen NW und N. Im Oktober ist der Formosa-Kanal und das ganze ostchinesische Meer wieder frei von Taifunen, aber sie herrschen noch im südchinesischen Meere unterhalb 22 ° N, Kurs WNW bis WSW, und in den japanischen Meeren, Kurs NOlich. Im November ist Japan ebenfalls frei und kommen nur noch Taifune im südchinesischen Meere unterhalb 16 ° N vor, Kurs WNW bis SW.

Astronom Doberck teilt die Taifune nach ihren Kursen in drei Klassen und rechnet zur ersten Klasse Taifune mit WNW oder W Kurs, diese letzteren nach SW umbiegend. Sie sind am häufigsten zu Anfang und Ende der Taifunzeit und dauern 5 — 6 Tage.*) Zur zweiten Klasse gehören Taifune mit NWlichen Kursen, welche auf etwa 26 ° N oder vielmehr zwischen 22 und 32 ° N nach NO umbiegen und entweder auf etwa 23 ° N die chinesische Küste treffen oder durch den Kanal gehen. Sie sind am häufigsten in der Mitte der Taifunzeit und dauern im Mittel 7 Tage. Zur dritten Klasse rechnet er Taifune, welche Olich von Formosa einen N Kurs haben und auf etwa 28 ° N nach NO abbiegen. Ihre Dauer ist unbestimmt.

Zieht man das oben Gesagte zusammen, so ergiebt sich a) der Kurs eines Taifuns wird höchstwahrscheinlich sein: im südchinesischen Meer bis zu 22 ° N zwischen WNW und WSW. Bei allen Schiffen welche von China nach dem Süden oder umgekehrt bestimmt sind, schneidet der Bordkurs den Taifunkurs nahezu im rechten Winkel; ein Schiff in der südlichen Hälfte eines Taifuns sollte daher versuchen Ost wegzuhalten und damit um den Taifun herum zu segeln, falls dasselbe nach dem Norden bestimmt ist. Liegt man auf der Bahn, so lenze man. Es weht gewöhnlich am schwersten in der nördlichen Hälfte. b) Im Formosa Kanal sowie im ostchinesischen Meer bis zu 30 ° N liegt der Kurs zwischen NW und N; nicht häufig behält ein Taifun oberhalb 30 ° N seinen NKurs bei; es fand dies in 6 Jahren sechs Mal statt, davon vier Mal im August. c) Oberhalb 30 ° N und in den japanischen Meeren läuft er zwischen NNO und ONO. Die Schiffe welche von Süd China nach dem Norden oder umgekehrt bestimmt sind, haben das ganze Taifungebiet zu durchsegeln; man sollte daher, wenn möglich, Seeraum geben zum Beidrehen; dagegen sollten die Schiffe im September mehr unter der chinesischen Küste sich halten, weil die Taifune in diesem Monat durch den NO-Monsun schon östlich gedrängt werden.

Sieht man eine Zeichnung eines Wirbelsturmes mit den dazu gehörigen Winden an, so ist es für Jemand, der in der warmen Stube hinterm Ofen sitzt und den Wind draussen heulen hört sehr leicht zu sagen, ein Kapitän soll so und so handeln. Ganz so leicht wie auf dem Papiere liegt die Sache aber in Wirklichkeit doch nicht, denn die Bahn eines Taifuns und die Drehung des Windes läuft nicht so glatt ab wie die Zeichnung es darstellt und es fragt sich daher, wann kann ein Schiff lenzen, und wann kann es beidrehen? Um diese beiden Fragen zu entscheiden kommt für einen Schiffsführer, stillschweigend vorausgesetzt dass man Seeraum hat, in Betracht: 1. die Gegend wo er sich befindet, also der wahrscheinliche Kurs und Fahrt des Taifuns, das 2. Verhalten und der Stand des Barometers, 3. der herrschende Wind, 4. der allgemeine Zustand des Wetters und 5. last not least eine freie Auffassung eines Taifuns d. h. man werfe die alte acht Strich Regel über Bord und bedenke dass ein Taifun dem andern nicht gleich ist, da keine zwei Taifune unter genau denselben Verhältnissen verlaufen. Nur die eine Regel bleibt bestehen: wenn in der *vordern* Hälfte eines Taifuns der Wind sich nicht oder wenig ändert bei fallendem Barometer, so befindet sich das Schiff auf der Bahn des Taifuns, man lenze deshalb, aber nicht platt vor dem Winde, sondern halte den Wind von 2 — 4 Strichen am Steuerbord achter ein. Befindet sich das Schiff im rechten Vorderwinkel, so fragt es sich, ob der Mittelpunkt noch ziemlich weit entfernt ist oder nicht, und ob es möglich ist, bei dem wahrscheinlichen Kurs und Fahrt des Taifuns noch in's linke Vorderviertel zu kommen. Fällt das Barometer rasch, so ist der Mittelpunkt nicht weit entfernt, man drehe daher über Steuerbord-Halsen bei; fällt es langsam und sieht

*) Am 10. Mai traf ein Taifun mit WNW Kurs die chinesische Küste zwischen Swatow und Hongkong, in Folge der hohen SW Dünung, welche in Taiwanfu lief, gingen 6 Schiffe daselbst Strand auf.

**) Drei Taifune 28. — 31. August 1881, 20. — 25. September 1884 und vom 23. — 27. August 1885 traten an der Südspitze Formosas auf Land, liefen mit einem NNW Kurse in dichter Nähe ostwärts von Takao und Taiwanfu entlang und traten auf etwa 23 ° 30 ' N, in der Höhe der Pescadoren, erst in den Kanal.

*) Doberck sagt: Falls ein Taifun der zweiten Klasse auf Land tritt, verliert er sofort seine Eigenschaft als Taifun; dies ist doch wohl nicht immer der Fall wie der Taifun vom 21. — 24. August 1884 zeigt. Derselbe betrat auf 24 ° N die chinesische Küste, verwüstete Amoy, passirte Wlich von Shanghai und bog erst auf etwa 38 ° N und 121 ° O nach NO aus. Der Wind in Newchwang drehte sich von 10 U. Vm. am 23. Aug. von SO z. O 2 durch N 9 bis um 4 U. Nm. des 24. August bis WNW 2. Der Sturm hatte also in Newchwang seine Taifuneigenschaft nicht verloren, trotzdem er etwa 880 Sm auf Land und seine Fahrt etwa 23 Sm d. St. gewesen war.

das Wetter nicht drohend aus, so versuche man in's linke Vorderviertel zu kommen. Ist man im linken Vorderviertel, so lenze man und halte den Wind von 2 — 4 Strichen an Steuerbord achter ein, vorausgesetzt dass der Bordkurs dem Taifunkurs entgegen gesetzt ist; laufen beide Kurse in derselben Richtung, so drehe man über Backbord-Halsen bei oder lenze, je nachdem man glaubt, ob das Schiff es stehen kann oder nicht.

Befindet man sich in der hintern Hälfte eines Taifuns, so kann ein Schiff mit Hülfe des Barometers immer Kurs steuern oder lenzen: steht das Barometer oder steigt es, so lenze man ruhig zu, fällt es, so drehe man bei und warte, und zwar mit dem Hals womit der Wind raumt.

Da zwei Taifune nicht denselben Kurs haben so kann auch keine Regel gegeben werden, mit welchem Winde man im Kurse des Taifuns liegt, und ist das Barometer mit der Beständigkeit des Windes der einzige Wegweiser. Während des Taifuns vom 31. Juli 1879 war der Wind an Bord der Bark Talce NNO, Taifunkurs NNW; während der Taifune vom 27. September 1880 und 24. August 1885 bei mir an Bord NNW resp. N und N z. O. Taifunkurse WNW resp. NNW. Ebenso verhält es sich mit den Winden in der vordern Hälfte; da die Windbahnen hier dicht zusammenlaufen, so findet ein häufiges Zurückgehen

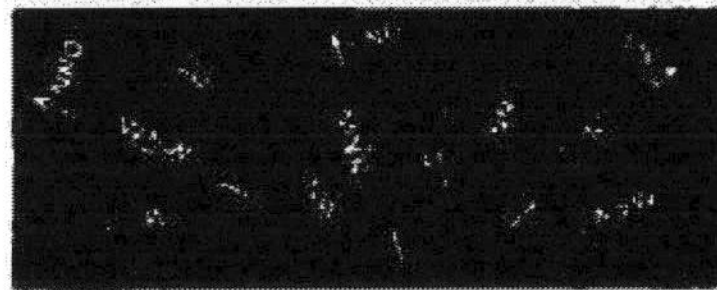

des Windes um mehrere Striche statt. Im Allgemeinen kann man daher nur sagen dass man Winde innerhalb 10 Strichen auf jeder Seite der Bahn erwarten kann. Ist der Taifunkurs WNW, so werden die Winde wahrscheinlich von W durch N bis SO, bei NNW Kurs von NW durch O bis S, bei NO Kurs von NNO durch O und S bis WSW sein, jedoch findet auch noch eine grössere Ablenkung statt, wie der Taifun vom 24. August 1883 zeigt; der Wind war bei mir an Bord um 4 Uhr Nm. am 23. August W z. N und der Richtungswinkel $16^1/_2$ str. Dasselbe fand im Kanal während des Augusttaifuns von 1884 statt. Hiernach wird es also immer bei der persönlichen Entschliessung eines Schiffsführers liegen, ob er lenzen kann oder nicht, und um diese richtige Entscheidung zu treffen, sollte ein Kapitän sein Barometer kennen, dazu gehört aber ein Beobachten des Instrumentes für längere Zeit.

Ich handle augenblicklich folgendermassen:

A. *Südwärts bestimmt.* Befinde ich mich oberhalb 32 oder 33° N und schliesse nach dem Gange meines Barometers und dem herrschenden Winde, dass ein Taifun im Süden ist, so mindre ich Fahrt oder drehe bei und sehe zu, was das Wetter macht. Das Schiff wird sich hier immer in der vorderen Hälfte befinden und zwar ebensowohl im rechten wie im linken Viertel.

Unterhalb dieser Breite versuche ich nach dem Formosa-Kanal zu kommen; ich kann hierbei allerdings recht in einen Taifun hineinlaufen, der den Kanal aufkommt, aber diese Gefahr ist nicht so gross, weil die meisten Taifune ostwärts von Formosa entlang gehen und dann giebt hier auch wieder das Barometer in Verbindung mit dem Verhalten des Windes einen sicheren Warner. Dreht der Wind sich mit der Sonne, so befindet sich das Schiff im rechten Halbkreise, der Kurs des Taifuns wird hoch westlich sein, daher mindre ich die Fahrt oder drehe bei, wenn möglich mit Steuerbord-Halsen. Dreht der Wind sich sehr langsam und fällt dabei das Barometer rasch weg, so nehme ich an, dass das Schiff im Taifunkurs liegt, deshalb lenze ich wenn möglich oder drehe bei über den Bug, der am meisten Seeraum giebt oder mit dem Hals, womit der Wind raumt. Dreht der Wind sich verhältnismässig rasch gegen die Sonne und steht dabei die Drehung im Verhältnis zum Falle des Barometers, so lasse ich das Schiff laufen so lange ich Segel führen kann und drehe dann bei über den Bug, der am meisten Seeraum giebt oder mit Backbord-Halsen. Auf diese Weise gelang es mir in den sechs Jahren 1879, 80, 82, 83, 84 und 85 im Juli und August von etwa 32° N nach dem Kanal zu kommen, und damit in die hintere Hälfte eines Taifuns.

Im Formosa-Kanal kann das Schiff sich sowohl in der vorderen wie hinteren Hälfte befinden, denn Formosa bricht häufig die Stärke der nördlichen Winde, was aber mit südlichen Winden nicht der Fall ist. Hier halte ich mich westlich und drehe bei über den Bug der am meisten Seeraum giebt oder mit dem Hals womit der Wind raumt, oder lenze nach SW. Die gefährlichste Gegend ist das Nordende des Kanals. Ein Segelschiff wird wohl in den meisten Fällen im Kanal die See halten, denn abgesehen davon, dass Binnenlaufen nicht allein ziemlich viel Zeitverlust sondern auch baare Auslagen bedeutet, wird in den meisten Fällen die Zeit zu kurz sein; anders liegt die Sache allerdings bei einem Dampfer.

B. *Nordwärts* bestimmt, drehe ich im Kanal in der vorderen Hälfte eines Taifuns wie oben bei; unterhalb 32° N versuche ich im linken Vorderviertel nach SW zu lenzen, bis der Wind Wlich ist und drehe dann bei mit Backbordhalsen; steht dagegen das Schiff im rechten Vorderviertel, so drehe ich bei mit Steuerbordhalsen. Oberhalb obiger Breite versuche ich nördlich zu kommen.

Im ostjapanischen Meere wird vom Lenzen in den seltensten Fällen die Rede sein können, da man immer eine Leeküste und ausserordentlich schweren Seegang hat, ausserdem sehr steile Gradienten vorkommen. Kann man nicht binnen laufen, so drehe man mit Steuerbordhalsen bei, wenn der Wind mit der Sonne dreht, dagegen mit Backbordhalsen, wenn er gegen die Sonne dreht. (Annal. d. Hydr. 1881, S. 80.) (Forts. folgt)

Eine neue Kompassrose.

Nach Entladung des Gewitters in No. 4, 6 und 8 der »Hansa« 1885 schrieb uns ein bekannter Mechaniker: »Das Gewitter hat die Luft gereinigt und wir wissen, was wir zu thun haben.« Der Eine strebt möglichst an alte, liebgewordene Verhältnisse anzuknüpfen, der Andere bricht die Brücken hinter sich ab und folgt Sir W. Thomson auf der als richtig erkannten Bahn, indem er nur noch grössere Festigkeit erstrebt. Darüber sind nachgerade alle Sachverständigen völlig einig, dass beim Bau der Rosen ein möglichst grosses Trägheitsmoment anzustreben ist, während über das magnetische Moment, welches denselben zu geben ist, die Meinungen noch etwas auseinander gehen. Herr Hechelmann sagt in No. 6 der »Hansa« 1885, dass M/p nicht unter 0,14 sein darf. Herr Jungclaus ist der Ansicht, dass man unter Umständen noch ziemlich viel weiter damit herunter gehen darf und berichtet uns, dass recht leichte Rosen mit M/p=0,1 sehr gut functioniren.

Dass jenes Gewitter befruchtend gewirkt hat, wurde uns vor einigen Tagen wieder bewiesen, als Herr C. Plath in Hamburg uns eine neue Rose zur Ansicht übersandte. Derselbe schreibt darüber:

»In der, wie ich glaube, richtigen Voraussetzung, dass dem Seemann das althergebrachte, volle Rosenblatt auf dem Kompass das liebste sei, habe ich dasselbe beibehalten. Um das Gewicht der Rose möglichst an die Peripherie zu bringen, habe ich einen nur schmalen Ring von Marienglas genommen; weil aber, wenn ich diesen Ring direct unter das Rosenblatt geklebt hätte, derselbe sich bei höherer oder niederer Temperatur durch das mit ihm fest verbundene Papier verschieden krumm gezogen haben würde, habe ich den Ring für sich beklebt und ein zweites Rosenblatt lose zwischen diesen oben mit der Zeichnung beklebten Marienglasring und den auf der untern Seite befindlichen nur am äussersten Umfange an letzteren befestigten Papierring gelegt. Nur bei Nord ist dies innere Blatt an dem Ring befestigt, so dass sich nun dies Papierblatt ziehen kann wie es will, ohne dass dadurch der Rand krumm gezogen wird.

Ferner habe ich, weil die Nadeln ziemlich tief hängen, den Stein möglichst in die Ebene des Rosenblattes gebracht. Dies ist ja, besonders bei Azimuthkompassen, bei etwanigen vertikalen Schwingungen des Blattes von Wert. Das Kreuz, welches das Hütchen trägt, habe ich unabhängig von dem Nadelgestell gemacht, hauptsächlich der leichteren Justirung wegen. Endlich habe ich, um dem Kreuz wie dem Gestell die grösstmögliche Leichtigkeit, verbunden mit grosser Stabilität, zu geben, beide aus ganz dünnen Röhren von Messing gemacht. Die Nadeln sind aus zwei Lamellen zusammen gesetzt, in denen sich bekanntlich der Magnetismus besser hält als in einfachen. Schliesslich glaube ich behaupten zu dürfen, dass meine Rose stabiler gearbeitet ist als die von Thomson, Ludolph und Hechelmann.«

Nach den mit der Rose im Schwingungskasten angestellten Beobachtungen ist die Schwingungszeit = t = 14,95 sec. das Trägheitsmoment K = 183,4 Mill. Einheiten, das magnetische Moment M = 4,545 Mill Einheiten. Da das Gewicht = 35,1 Gramm beträgt, ist der Ruhekoefficient K/p = 183,4 : 35,1 = 5,22, der Einstellungskoefficient M/p = 4,545 : 35,1 = 0,129 Mill.

Zur Vergleichung mögen die in No. 4 und 6 der Hansa 1885 mitgeteilten Daten von einigen Rosen älterer und neuerer Konstruction dienen.

Die mechanische Arbeit der Rose ist eine ausgezeichnete zu nennen, und wünschen wir, dass der wohlverdiente Erfolg dem Erfinder seine mühevolle Arbeit lohnen möge.

Die beiden Magnete à 2 Lamellen sind 80 mm lang, 7 mm breit und ppt 0,4 mm dick. Die Axen derselben liegen 23 mm von der Drehungsaxe und 23 mm unter dem Aufhängepunkte.

Diese Anordnung entspricht genau der hergebrachten, denn der Abstand zweier Nadelenden, die sich im Durchmesser gegenüber liegen ist 92 mm, der bekannte Winkel ist demnach 30°.

In einem vor einiger Zeit eingegangenen Schreiben macht Herr Jungclaus darauf aufmerksam, dass diese hergebrachte Anordnung nicht ganz richtig ist. Derselbe führt dann fort: die Bestimmungsgleichung, wie sie z. B. im Handbuch der Instrumentenkunde Seite 202 mitgeteilt wird, hat nicht die Materiallänge des Magneten zum Vorwurf, sondern die Länge ist von Pol zu Pol zu rechnen. Nimmt man an, dass jeder Pol $\frac{1}{12}$ der ganzen Länge = l von den Enden entfernt liegt, so beträgt die in Rechnung zu setzende Länge $l - \frac{1}{6} l = \frac{5}{6} l$ und der Abstand eines Magneten von der Drehungsaxe muss $(\frac{5}{6} l \times tg\ 30°) : 2 = \frac{5}{12} l \times tg\ 30°$ sein, damit die Magnete für die Kompensation die günstigste Lage haben. Der aus der Drehungsaxe der Rose um die Magnete zu beschreibende Kreis, von welchem dieselben Sehnen sein sollen, die 30° vom N- und S-Punkt entfernt liegen, muss nicht durch die Magnetenden sondern durch die Magnetpole gehen.

Im vorliegenden Falle wäre $\frac{5}{12} l = 33,5$ mm, dies mal tg 30° = 0,577 giebt 19,3 mm als Abstand eines Magneten von der Drehungsaxe. Bei der gegebenen Konstruction der Rose wird es Herrn Plath ein Leichtes sein, diesem kleinen Mangel abzuhelfen. Leider wird damit das Trägheitsmoment und damit wieder der Ruhekoefficient, der im Vergleich zu andern Rosen neuern Systems schon jetzt etwas klein erscheint, und endlich die Schwingungszeit um ein Geringes kleiner, was indessen in der Praxis nicht sonderlich zu merken sein wird. Der Einstellungskoeffizient bleibt indessen dabei derselbe.

Dass zwei Lamellen den Magnetismus besser halten als einfache, ist uns neu; ob dem wirklich so ist oder nicht, wagen wir nicht zu entscheiden.

Nautische Literatur.

Atlas von Afrika. 60 kolorirte Karten auf 18 Tafeln. Mit einem geographisch-statistischen Text. A. Hartleben. Wien, 1886. Gross 8°, in Leinwand geb. 3 ℳ

Eine Taschenausgabe vom „dunklen Erdteil" „that's it!" riefen wir gleich beim ersten Anblick des geschmackvoll in Leinwand gebundenen äusserst handlichen Octavheftes aus und der Einblick ins Innere hat unsere Erwartungen nicht getäuscht. Neben grösseren Uebersichtskarten eine überwiegende Mehrzahl Detailkarten in verändertem Maassstabe, bei welchen natürlich die Gegenden *Mittelafrikas*, welche durch unsere kolonisatorischen Bestrebungen in den Vordergrund unsers deutschen Interesses getreten sind. mehr berücksichtigt wurden, als z. B. das Kapland, in welchem die Boeren doch nur vorübergehendes Interesse erregen konnten, wogegen wiederum die afrikanischen alten Kulturländer, der ganze Nordrand von Afrika bis nach Südegypten und den grossen Seen mit Recht besonders bevorzugt wurden. So wird man schwerlich eine Stelle finden, welche Anspruch auf spezielle Berücksichtigung erheben kann, und hier nicht nach ihrem Wert gewürdigt wäre. Ein knapper geographisch-statistischer Text ergänzt die Kenntnis von Land und Völkern in wertvollster Weise.

Geographischer Handweiser. Systematische Zusammenstellung der wichtigsten Zahlen und Daten aus der Geographie. Von A. E. Lux, Artillerie-Hauptmann. Verlag von Levy & Müller, Stuttgart. Preis 1 ℳ 50 Pf.

Dieses Werkchen zählt zu jenen merkwürdigen Erscheinungen des Büchermarktes, bei deren Auftauchen man sich unwillkürlich fragt, wie es möglich war, dass nicht irgend ein gescheiter Kopf und tüchtiger Fachmann schon längst auf den Gedanken kam, sie ins Leben zu rufen. Allerdings hat sich erst in neuester Zeit die Erkenntnis Bahn gebrochen, dass eine Belastung des Gedächtnisses mit Zahlen jedermann nur in mässigen Grenzen zugemutet werden darf, und so hat sich wohl nur allmählich das Bedürfnis herausgebildet, eine Zusammenstellung zu besitzen, welche in knapper, übersichtlicher Form alle wichtigeren geographischen Daten enthält und als Nachschlagebuch dienen kann. Eine solche Zusammenstellung hat Hauptmann Lux, der Verfasser des „Geographischen Handweisers", gestützt auf das vorzüglichste Quellenmaterial durchgeführt. Dieselbe zerfällt in die Hauptabteilungen mathematische, physische und politische Geographie und erteilt auf Grund der neuesten Forschungen rasche und zuverlässige Auskunft über Fixsterne, Planeten, Verteilung von Land und Wasser, Grösse von Inseln und Halbinseln, Länge der wichtigeren Gebirgszüge, Höhe wichtiger Bergspitzen und Alpenübergänge, Grösse und Tiefe der Ozeane, Entwicklung der wichtigeren Ströme, Tiefe und Flächeninhalt wichtiger Seen, Bevölkerung und Flächeninhalt aller Länder der Erde sowie der einzelnen Provinzen und Kolonien, und noch über so manche andere interessante Fragen, die wohl ein jeder sich und anderen zu beantworten häufig in die Lage kommen dürfte. Wie sehr die Nützlichkeit eines solchen Werkchens, das man eigentlich stets in der Tasche tragen sollte, auch im Auslande anerkannt wird, geht daraus hervor, dass Uebersetzungen in mehrere fremde Sprachen vorbereitet werden. Da das praktische Werkchen in kräftigem Umschlage solide geheftet, d. i. also zum Gebrauche fertig um den billigen Preis von ℳ 1.50 in den Buchhandlungen zu haben ist, so zweifeln wir nicht, dass es sich rasch in weitesten Kreisen Eingang verschaffen wird.

Von den vielen unsern Tisch bedeckenden Schriften seien vorläufig wenigstens dem Namen nach aufgeführt (unter der Voraussicht später ausführlicher darauf zurückzukommen):

1. *Jarvis Patten, Report of the U. S. Commissioner of Navigation*, Washington, Government Printing Office 1885.

Der zweite Jahrgang, dessen Vorgänger bereits von uns im vorigen Jahrgang der Hansa S. 75 u. 88. besprochen wurde; auch dieser Jahrgang enthält wieder eine Fülle interessantester Angaben und Ausführungen.

2 und 3. *Monthly Summaries and Monthly Means* for the years 1883 and 1884, with 37 and 41 Maps from the Imper. Japanese Meteorological Observatory Tokio, Japan.

Diese verdienstvollen Arbeiten unsers Landsmannes Knipping liegen den gerade jetzt in der Hansa mitgeteilten „Beiträgen zur Kenntnis der Taifune" zugrunde, welche ein praktischer Küstenfahrer der China-See ausgearbeitet hat.

4. *Elias Loomis, Contributions to Meteorology.* Revised Edition, Newhaven, Conn. 1885.

5. 6. 7. *Professional Papers of the U. S. Signal-Office.*
No. VIII. The Motions of Fluids and Solids on the Earth's Surface by Prof. William Ferrel. Reprinted with Notes by Frank Waldo. Washington 1882.
No. XII. Popular Essays on the Movements of the Atmosphere. By Prof. William Ferrel. Washington 1882. No. XIV. Charts of Relative Storm Frequency for a Portion of the Northern Hemisphere. By John P. Finley. Washington 1884.

8. *The Sun, changes its position in space, therefore it cannot be regarded as being „in a condition of rest.“* By August Tischner. Leipzig. Gustav Fock 1883.
9. *Supplement to Pilot Chart of the North-Atlantic for January*, giving position and detail of floating wrecks. Prepared by order of the Secretary of the Navy by Commander J. R. Bartlett, Hydrographer.
10. *Anleitung und Tafeln zu der vom k. k. Linienschiffs-Lieutenant Carl Mayer vorgeschlagenen Methode der Zeitbestimmung in See*, aus der Beobachtung des Auf- oder Untergangs eines Gestirns. Nebst Anhang, betr. die [illegible] Regelkompasses. Pola 1885.
11. *Seeweg und Handel zwischen Europa und West-Sibirien.* Von Korvetten-Kapitän Darmer. Berlin, bei Sittenfeld.
12. *Die Bestimmung der wahrscheinlichsten geographischen Lage eines Beobachtungsorts aus einer beliebigen Anzahl von beobachteten Gestirnshöhen.* Von Prof. Dr. G. D. E. Weyer. Kiel 1884.
13. *Mindre Afhandlinger af J. J. Astrand*, Bestyrer af Bergens Observatorium etc. I. De jordmagnetiske Elementers approximative Storrelse og aarlige Forandering in Bergen samt den magnetiske Deklinations sekulaere Periode. Bergen 1885.
14. *Englisches Vokabular*, mit Bezeichnung der Aussprache. Von A. Benecke. 5. Auflage. Potsdam 1885. A. Stein.
15. *System der Arithmetik und Algebra* von Dr. H. Schubert. Potsdam 1885. A. Stein.
16. *Die analytische und die projektivische Geometrie der Ebene* von Dr. H. Funke. Potsdam 1885.
17. *Aufgaben aus der analytischen Geometrie der Ebene* mit den Resultaten für höhere Lehranstalten und für den Selbstunterricht von Dr. O. Janisch. Potsdam 1885. A. Stein.
18. *Der Ocean.* Eine Einführung in die allgemeine Meereskunde von Dr. O. Krümmel, Prof. in Kiel. Auch „das Wissen der Gegenwart“ 52. Band. Leipzig, bei G. Freitag. Kiel bei F. Tempsky, 1886.

Verschiedenes.

Die preussische Kanal-Vorlage im Abgeordnetenhause hat einiger Massen überrascht, da man schon annahm, dass die Regierung auf die Einbringung der Vorlage für diese Session verzichtet habe. In Abgeordnetenkreisen ist man zweifelhaft, ob eine Mehrheit für das Gesetz im Abgeordnetenhause zu haben sein wird. Man glaubt, dass nach Bewilligung von 100 Millionen Mark für die Ansiedelungen in den Provinzen Posen und Westpreussen und von 50 Millionen für den Nord-Ostseekanal das Abgeordnetenhaus sich nicht leicht entschliessen wird, noch 71 Millionen Mark für diese Vorlage zu bewilligen. Die Vorlage weicht in drei Punkten von dem früheren Entwurf ab, indem sie den Ausgang des Kanals in den Dollart verlegt und den Kanal bis in den Emder Hafen führt, der dann so ausgebaut werden soll, dass er für die Ueberladung aus dem Kanalschiff in das Seeschiff Raum gewährt, was eine bedeutende Verbesserung des Planes ist; ferner durch Näherführung des Kanals an die oberen Emsfähren; endlich durch Herrichtung eines Stichkanals nach Herne und Heranbringung eines weiteren Teils des Kohlenreviers an den Kanal. — Der Gesetzentwurf hat folgenden Wortlaut:

„Wir Wilhelm von Gottes Gnaden König von Preussen u. s. w. verordnen unter Zustimmung beider Häuser des Landtages der Monarchie, was folgt:

§ 1. Die Staatsregierung wird ermächtigt: 1) zum Bau eines Schiffahrts-Kanales *von Dortmund* bezw. Herne *über Henrichenburg, Münster, Bevergern* und *Papenburg nach der unteren Ems*, einschliesslich der Anlage eines Seitenkanals aus der Ems von Oldersum nach dem Emder Binnenhafen nebst entsprechender Erweiterung des letzteren; 2) zur Verbesserung der Schiffahrtsverbindung von der *mittleren Oder nach der Oberspree* bei Berlin durch den unter teilweiser Benutzung des Friedrich-Wilhelm-Kanales zu bewirkenden Neubau eines Kanals von Fürstenberg nach dem Kersdorfer See, durch die Regulirung der Spree von da bis unterhalb Fürstenwalde und durch den Neubau eines daselbst beginnenden Kanals bis zum Seddin-See nach Maasgabe der von dem Minister der öffentlichen Arbeiten festzustellenden Projekte die Summe von zu 1) 58400000 ℳ, zu 2) 12600000 ℳ, im Ganzen 71000000 ℳ zu verwenden.

§ 2. Mit der Erbauung des im § 1 zu Nr. 1 gedachten Schiffahrts-Kanals ist erst vorzugehen, wenn der gesammte zum Bau einschliesslich aller Nebenanlagen, nach Maasgabe der von dem Minister der öffentlichen Arbeiten festzustellenden Projekte, erforderliche Grund und Boden der Staatsregierung aus Interessentenkreisen unentgeltlich und lastenfrei zum Eigentum überwiesen, oder die Erstattung der sämtlichen staatsseitig für dessen Beschaffung im Wege der freien Vereinbarung oder der Enteignung aufzuwendenden Kosten, einschliesslich aller [illegible] stige Nachteile in rechtsgültiger Form übernommen und sichergestellt ist.

§ 3. Der Finanzminister wird ermächtigt, zur Deckung der im § 1 erwähnten Kosten im Wege der Anleihe eine entsprechende Anzahl von Staatsschuldverschreibungen auszugeben. Wann, durch welche Stelle und in welchen Beträgen, zu welchem Zinsfusse, zu welchen Bedingungen der Kündigung und zu welchem Kurse die Schuldverschreibungen verausgabt werden sollen, bestimmt der Finanzminister. Im Uebrigen kommen wegen Verwaltung und Tilgung der Anleihe, wegen Annahme derselben als pupillen- und depositalmässiger Sicherheit und wegen Verjährung der Zinsen die Vorschriften des Gesetzes vom 19. Dez. 1869 (Gesetzsamml. S. 1197) zur Anwendung.

§ 4. Die Ausführung dieses Gesetzes wird, soweit solche nach den Bestimmungen des § 3 nicht durch den Finanzminister erfolgt, dem Minister der öffentlichen Arbeiten übertragen. Urkundlich u. s. w.“

[illegible] Druck von Aug. Meyer & Dittmann, Hamburg, Alterwall [illegible]

Die Nord-Ostseekanal-Vorlage im Reichstage.

(Fortsetzung und Schluss aus No. 6).

Es wird nunmehr in die Beratung der **Rentabilität des Kanals** eingetreten, und wird von Seiten des Herrn Regierungsvertreters Auskunft über die Summe der Unterhaltungskosten des Kanals im Betrage von 1 900 000 ℳ gegeben. Die Summe bestehe aus Unterhaltungskosten für Böschungen des Kanals, Unterhaltung von Schiffshaltern, Schleusen u. s. w., Unterhaltung von Brücken und Fähren, Betriebskosten der Fähren und Dienstfahrzeuge, Unterhaltung der Hochbauten, der Maschinen, der Kessel und Werkzeugmaschinen, sowie Betriebskosten der 12 Schleppdampfer, Kosten für das Signalwesen, für Beleuchtung, Beamtengehälter und Lotsengelder. In den Lotsengeldern seien auch die Elblotsengelder mit in Ansatz gebracht, so dass die die Elbmündung passirenden Schiffe in der Elbe keine Extralotsengebühren zu zahlen haben würden. Im Ganzen seien 1 800 000 ℳ für Betriebskosten und 100 000 ℳ für Erneuerung in Ansatz gekommen.

Von einem Mitgliede der Kommission wird nunmehr darauf hingewiesen, dass die Kanalanlage ein sehr gutes Geschäft für den Staat zu werden verspreche; wenn, wie in der Vorlage angenommen, der Tarif von 75 ₰ per Ton für ca. 5 600 000 Registertons in Anwendung käme, so würde die Bruttoeinnahme 4 200 000 ℳ betragen, und nach Abzug der Unterhaltungskosten von 1 900 000 ℳ sich ein Nettoüberschuss von 2 300 000 ℳ oder etwa 2¼ % von dem Anlagekapital von 106 Millionen ergeben, denn die 50 Millionen Praecipualbeitrag, welche Preussen zahlen müsse, seien hier nicht in Berücksichtigung zu ziehen. Rechne man ausserdem den vermehrten Verdienst der Rheder sowie den wirtschaftlichen Nutzen des Kanals, sowie den Nutzen desselben für die Marine und die Küstenverteidung hinzu, so könne man mit Recht die Kanalanlage als eine äusserst rentable bezeichnen.

Dem gegenüber wird von anderer Seite hervorgehoben, dass eine Abgabe von 75 ₰ wesentlich zu hoch erscheine. Die täglichen Unkosten der Dampfschiffe und Segelschiffe seien nicht so hoch, wie von der Regierung angenommen werde; dieselben seien für Dampfschiffe auf etwa 60 ℳ pro 100 Register-Tons per Tag zu veranschlagen, eine Angabe, welche von anderen Mitgliedern der Kommission als ungefähr zutreffend anerkannt wird. Bei der weiteren Entwickelung der Dampfschiffahrt und dem stetigen Bestreben, die Betriebskosten der Dampfschiffahrt zu reduziren, sei anzunehmen, dass in etwa 8 Jahren, nach Fertigstellung des Kanals, eher ein noch geringerer Betrag für die täglichen Betriebskosten von Dampfschiffen zu veranschlagen sein werde. Zweifelhaft sei es ferner, ob es möglich sein werde, in allen Verkehren, für welche in der Vorlage eine Zeitersparnis von 22 Stunden für Dampfer herausgerechnet sei, eine solche Ersparnis auch wirklich zu erzielen; lokale Hindernisse, das Begegnen der Schiffe, das Passiren der Brücken, Nebel, Wind und Wetter könnten nur zu leicht unvorhergesehenen Aufenthalt bereiten; auch sei es fraglich, ob es stets möglich sein werde, die Schleusen und die Brücken des Kanals, wenn etwa doch viele Schiffe gleichzeitig darin sein würden, ohne Zeitverlust zu passiren. Bei einem so starken Schiffsverkehr, wie in der Vorlage angenommen, seien überdies Kollisionen so leicht möglich, dass die Schiffe wohl meist eine durchschnittliche Geschwindigkeit von 5,5 Knoten pro Stunde im Kanal nicht erreichen würden, denn diese Schnelligkeit sei zu gross, als dass man in jedem Augenblick die Maschine schnell genug stoppen, das Schiff werde rückwärts gehen lassen können. Durchschnittlich werde man wahrscheinlich eine Geschwindigkeit von 4 Knoten pro Stunde bei der Passage des Kanals nicht überschreiten dürfen. In manchen kompetenten nautischen Kreisen werde der Zeitgewinn deshalb auch nicht auf 22 Stunden, sondern nur auf etwa 12 Stunden geschätzt. Es sei ferner das Bedenken entstanden, ob die Dampfschiffe bei einer Geschwindigkeit von etwa 5 Seemeilen pro Stunde überall ihre Steuerfähigkeit beibehalten könnten. Wenn die Schiffe die Steuerfähigkeit verlören, so würde die Gefährlichkeit des Kanals bedeutend erhöht werden. Auch die Passage der Ostsee zwischen Fehmarn und Laaland sei mit Gefahren verbunden und mache die Passage des Kanals keineswegs so ungefährlich, wie sie von manchen Seiten angenommen werde.

Darauf wird von Seiten des Chefs des Stabes der Admiralität erwidert, dass nach allen Erfahrungen der Marine selbst die grössten Panzerschiffe bei einer Fahrgeschwindigkeit von 6 Seemeilen ihre volle Steuerfähigkeit behielten. Es käme dabei nicht so sehr auf die Geschwindigkeit, sondern auf die Tiefe des Wassers an. Der Nord-Ostseekanal sei tiefer geplant als der Suezkanal, und könnte daher nicht zu der Befürchtung Anlass geben, dass die Schiffe ihre Steuerfähigkeit verlieren würden. Man habe den Kanal gerade deshalb so tief geplant, damit auch die grössten Schiffe stets genügend Wasser unter ihrem Kiel behielten. Die Gefahr im Fehmarn-Belt werde jedenfalls zu hoch angeschlagen.

Regierungsseitig wird ferner erwidert, der Ansatz von 75 ₰ pro Register-Tonne sei von sämtlichen nautischen Vereinen mit Ausnahme von Bremen und Lübeck und Rostock gutgeheissen. Man habe den Satz als einen Durchschnittssatz angenommen, da es die Absicht sei, für Schiffe in Ballast und für Schiffe mit Kohlenladung andere Tarife in Ansatz zu bringen, als für Schiffe mit Stückgütern, sowie man auch zwischen Segel- und Dampfschiffen einen Unterschied zu machen haben werde. Die Bedingungen für das Passiren des Kanals lägen alle so, dass kein Zweifel sei, dass eine Geschwindigkeit von 5,5 Seemeilen per Stunde zu erreichen sein würde; für Verzögerungen beim Passiren der Schleusen, Brücken etc. sei bei der Berechnung der Zeitersparnis drei Stunden in Anschlag gebracht.

Von einem Mitgliede der Kommission wird in Anregung gebracht, dass es notwendig sein werde, für die Sommermonate einen wesentlich niedrigeren Tarif anzusetzen, als für die Herbst- und Wintermonate; während der Sommermonate müsse man den Dampfschiffen möglichst den Anreiz geben, den Kanal nicht zu umgehen; sei die Abgabe zu hoch, so würden dieselben unzweifelhaft meistens den Weg um Skagen wählen, während in den Wintermonaten allerdings vorauszusetzen sei, dass die Dampfschiffe auch bei einer etwas höheren Abgabe, als während der Sommermonate erhoben werden könnte, den Weg durch den Kanal demjenigen um Skagen vorziehen würden.

Diese Anregung wird von Seiten der Herren Regierungsvertreter als praktisch anerkannt.

Bei der ferneren Diskussion über diesen Gegenstand wird noch hervorgehoben, dass von manchen Seiten die Ansicht vertreten werde, dass man dann nur eine wirkliche Bedeutung in wirtschaftlicher und handelspolitischer Hinsicht von dem Kanal erwarten könne, wenn man nicht daran denken werde, eine direkte Rentabilität zu erzielen. Dieser Kanal dürfe nicht anders angesehen werden als die meisten Binnenlandkanäle, bei denen man ebenfalls nicht auf Verzinsung des Anlagekapitals rechne. Die Abgabe dürfe nicht höher sein, als durchaus erforderlich, um die Unterhaltungskosten zu decken; nur dann werde sich ein grossartiger Verkehr auf dem Kanal entwickeln können, und so auf indirektem Wege eine grössere Rentabilität dieser Anlage erzielt werden. Dann werde aber die nahe Verbindung zwischen Nord- und Ostsee nicht nur für die Entwickelung des Handels und der Schiffahrt in diesen Gebieten, sondern auch für das gesamte wirtschaftliche Leben Deutschlands von grossem Nutzen sein.

Von anderer Seite wird berechnet, dass die Abgabe, welche man erheben könne, höchstens etwa 30 ₰ per Register-Ton betragen dürfe. Bei dem in der Vorlage angenommenen Verkehr von 5 500 000 Register-Tons würde dann nur eine Einnahme von 1 650 000 ℳ erreicht werden, so dass in diesem Falle aus der Abgabe noch nicht einmal die auf 1 900 000 ℳ veranschlagten jährlichen Unterhaltungskosten würden gedeckt werden können. Wolle man höhere Abgaben nehmen, so würden die baaren Auslagen für die Abgabe höher sein als die Vorteile an Kosten und Zeitersparnis, und es sei dann nicht zu erwarten, dass Schiffe überhaupt in grösserer Anzahl den Kanal passiren würden. Einen wirksamen Anreiz zur regelmässigen Benutzung des Kanals werde man sogar wahrscheinlich nur geben, wenn der Gesamtbetrag der Abgabe für jedes Schiff noch eine direkte Ersparnis an den täglichen Unkosten in Aussicht stelle.

Dass die Abgabe von 75 ₰ per Ton im Durchschnitt eine zu hohe sei, wird von allen Seiten in der Kommission anerkannt, es wird aber auch darauf hingewiesen, dass auch bei einer wesentlich niedrigeren Abgabe die Rentabilität des Kanals keineswegs zweifelhaft sei, da die Frequenz, welche die Regierungsvorlage mit 5 500 000 Tons angenommen habe, ausserordentlich gering veranschlagt sei; denn es sei bei der stetigen Zunahme des Verkehrs und der Schiffahrt sehr wohl anzunehmen, dass nach 8 Jahren, selbst wenn heute die veranschlagte Zahl richtig wäre, der Verkehr sich sehr leicht verdoppelt haben könne. In dem Suezkanal habe sich der Verkehr seit den 10 Jahren seines Bestehens verzehnfacht.

Nach diesen Erörterungen wird auf eine weitere Generaldebatte über die Vorlage verzichtet und es tritt die Kommission in die Spezialberatung des Gesetzentwurfs ein.

Bei § 1 wird in der Kommission die Anfrage gestellt, ob der Bundesrat die Frage eines Präzipualbeitrages seitens der interessirten Küstenstaaten Oldenburg, Mecklenburg, Hamburg erwogen habe.

Diese Anfrage wird unter der bereits bei der informatorischen Beratung gegebenen Motivirung, dass der Anteil dieser Staaten an der Schiffahrt durch den Sund gegenüber denjenigen Preussens ein minimaler sei, dahin beantwortet, dass der Bundesrat darauf verzichtet habe, dahin gehende Anträge bei den anderen Staaten zu stellen.

Darauf wird § 1 des Gesetzentwurfes in der Fassung der Vorlage einstimmig angenommen.

Desgleichen ohne weitere Debatte § 2.

Bei Beratung von § 3 entsteht eine längere Debatte darüber, **ob der Tarif durch Gesetz festgesetzt werden solle, oder ob man einseitig dem Bundesrate die Festsetzung des Tarifs zu überlassen habe.**

Es wird in der Kommission darauf hingewiesen, dass die richtige Bemessung dieser Abgabe sowohl in Bezug auf die Frage, ob man eine Verzinsung der vom Reiche bewilligten Summe überhaupt wolle, als auch in Bezug auf die Entwickelung des Handels und der Schiffahrt von ausserordentlicher Wirksamkeit sei. Da der Bau 8 Jahre in Anspruch nehmen werde, und da die Verhältnisse sich bis dahin in mancher Hinsicht ändern könnten, so müsse die Volksvertretung sich das Recht vorbehalten, bei der Entscheidung über diese Frage seiner Zeit ein Wort mitzusprechen. Es wird daher der Antrag gestellt im § 3 die Worte hinzuzufügen:

„Die Feststellung des hierfür zu erlassenden Tarifs wird weiterer gesetzlicher Regelung vorbehalten."

Von Seiten des Herrn Staatssekretär des Innern wird diesen Anschauungen widersprochen. Man habe stets auch im Eisenbahnwesen die Bildung der Tarife der Regierung überlassen. Steuern seien durch die Landesbehörden, Gebühren durch die Exekutive normirt worden; bei den Staatsbahnen habe niemals die Landesgesetzgebung die Tarife festgesetzt. Der wechselvolle Verkehr zwinge oft zu Veränderungen und die stets arbeitenden Ausschüsse des Bundesrats können solche Veränderungen leicht und jederzeit den Verhältnissen anpassen. Der Reichstag könne ja bei der Budgetberatung leicht seine Wünsche zur Geltung bringen. Die Erfahrung, welche in England gemacht sei, spreche gegen den Antrag. Bis 1884 seien dort auf den Kanälen gesetzliche Tarife in Anwendung gewesen, dann hätte der Einfluss der Bahnen sofortige Aenderungen nötig gemacht. Praktischer würde es jedenfalls sein, die Mitwirkung des Reichstags wegzulassen. Wenn seiner Zeit ein Gesetz über die Tarifbildung nicht zu Stande käme, so könne man denn gar keine Abgaben erheben, und die Schiffe würden den Kanal ganz frei passiren können.

Es handle sich auch nicht darum, jetzt Tarife zu fixiren, sondern nur um die Wahrung des Rechtes der Exekutive, Tarife und Gebühren festzusetzen. Nirgends in Deutschland seien auf dem Verkehrsgebiete Tarife gesetzlich festgesetzt worden; es sei nicht zweifelhaft, dass ohne die Bestimmung des § 3 der Tarif vom Bundesrate allein festgesetzt werden könne. Auch nach der preussischen Verfassung können Gebührentarife durch Allerhöchste Verordnung festgesetzt werden; die Ressortminister seien sogar ausdrücklich zu der Festsetzung von Tarifen autorisirt, sowie nach Artikel VII. der Reichsverfassung der Bundesrat Gebührentarife festsetzen könne, sofern nicht gesetzlich andere Vorschriften existiren.

Die Regierung werde aber voraussichtlich nicht von der Ablehnung des obigen Antrages das Zustandekommen des Gesetzes abhängig machen.

Ueber diese Auffassung entspinnt sich eine längere Diskussion, in der von verschiedenen Seiten bestritten wird, dass es im Deutschen Reiche Norm sei, das Steuern zwar nur durch Gesetz, Gebührensätze aber durch den Bundesrat allein festgestellt würden. Die Berechtigung, Gebühren festzusetzen und zu erheben habe der Bundesrat nur in den Fällen, wo er durch Gesetz ausdrücklich dazu legimirt sei. Auch die gesetzliche Anordnung einer Gebührenerhebung ermächtige den Bundesrat keineswegs, den Tarif im Einzelnen festzustellen, wenn nicht auch hierauf die Ermächtigung ausdrücklich erstreckt sei. Der Reichstag dürfe nicht schon jetzt auf die Mitwirkung bei einer Angelegenheit, die erst in 8 Jahren zur Hebung kommen sollte, Verzicht leisten. Es sei noch nicht zu übersehen, ob der Kanal nicht möglicherweise ein grosses finanzielles Opfer sei, welches alle Parteien heute zu bringen geneigt seien; daher müsse die Festsetzung des Tarifs der gesetzlichen Regelung vorbehalten bleiben. Die Befürchtung, dass seiner Zeit ein Gesetz nicht zu Stande kommen werde, sei ganz unbegründet.

Andererseits wird in der Kommission ausgeführt, dass praktische Gründe für den Vorschlag der Regierung sprächen. Man könne den Tarif jetzt ja überhaupt noch nicht festsetzen, es sei daher richtiger, wie in allen anderen Fällen, die Festsetzung dieses Tarifs der Exekutive zu überlassen. Der Reichstag könne jetzt noch gar nicht übersehen, welche Abgabe die richtige sein werde.

Andererseits wird ausgeführt, dass nach den Erörterungen, die in der Kommission stattgefunden haben, die Ansichten vieler ihrer Mitglieder über die Höhe des Tarifs von denen der Regierung ausserordentlich verschieden seien, es erscheine daher nicht richtig, dass der Reichstag schon jetzt der Regierung allein die Festsetzung der Tarife überlasse. Wenn man die Festsetzung des Tarifs der späteren gesetzlichen Regelung überlasse, so sei dadurch nicht ausgeschlossen, dass der Reichstag seiner Zeit dem Bundesrat die Festsetzung des Tarifs überlassen könne, was denklich auch praktisch erscheinen werde, da keineswegs in dem obigen Antrage gesagt sei, dass der Reichstag bei dem Detail der Tarifbildung selbst mitsprechen wolle. Dem Reichstag müsse aber Gelegenheit gegeben werden, sich seiner Zeit über das für die Festsetzung des Tarifs massgebende Prinzip zu äussern.

Es wird ferner bei diesem Paragraphen der Antrag gestellt, dass nicht nur die Schiffe der Kaiserlichen Marine, sondern auch die Schiffe der Bauverwaltung Abgabenfreiheit geniessen sollten.

Bei der Abstimmung wird zunächst über einen Eventualantrag zu dem oben erwähnten Antrage, demselben hinzuzufügen:

„Bis zum Erlass eines solchen Gesetzes erfolgt die Festsetzung des Tarifs durch eine vom Kaiser im Einvernehmen mit dem Bundesrat zu erlassende Verordnung"

abgestimmt und derselbe mit 12 gegen 6 Stimmen abgelehnt, sodann wird § 3 mit 12 gegen 6 Stimmen in folgender Fassung angenommen:

„Von den nicht zur Kaiserlichen Marine und zur Bauverwaltung gehörigen Schiffen, welche den Kanal benutzen, ist eine entsprechende Abgabe zu entrichten. Die Festsetzung des hierfür zu erlassenden Tarifs wird weiterer gesetzlicher Regelung vorbehalten."

§ 4 wird ohne Debatte in dem Wortlaute der Regierungsvorlage genehmigt, sowie auch das gesamte Gesetz, nebst Einleitung und Ueberschrift einstimmig angenommen wird.

Es folgte sodann noch die Besprechung einer Resolution, welche von einem Mitgliede der Kommission gestellt war, und folgenden Wortlaut hat:

„Die Kommission wolle beschliessen, die verbündeten Regierungen aufzufordern, bei Uebertragung des Kanalbaues an den preussischen Staat die Bedingung zu stellen, dass die bei dem Bau des Kanals beschäftigten Arbeiter mindestens den in der Provinz Holstein üblichen durchschnittlichen Tagelohn erhalten."

Der Antragsteller meint, dass bei grossen Arbeiten überhaupt von Akkordarbeiten abgesehen werden solle, denn die Akkordarbeiten seien für die Arbeiter gewissermassen ein Sklavenbrot und begünstigten nur das sogenannte Trucksystem, bei welchem den Arbeitern die für ihren Lebensunterhalt nötigen Waaren von dem Unternehmer geliefert und in Anrechnung gebracht würden. Er wünsche, dass durch Annahme der Resolution die Regierung veranlasst werde, die Akkordübernehmer recht scharf zu beaufsichtigen, und glaube, dass man den Akkordübernehmern sehr wohl einen Minimallohn, der zu zahlen sei, vorschreiben könne, damit nicht etwa durch Heranziehung fremder Arbeiter, wie das bei anderen Bauten, insbesondere in Frankfurt a. M. bei dem Bau des Mainkanals durch italienische Arbeiter geschehen sei, der Arbeitslohn in Holstein ungebührlich herabgedrückt werde. Manche Arbeiten, insbesondere bei den Böschungen und Uferarbeiten, könnten überhaupt ohne Akkord im Regiebetrieb gemacht werden, und bei diesen vor Allem sei die vorgeschlagene Resolution in Anwendung zu bringen. Der Arbeiter müsse das Recht haben, einen bestimmten Lohn zu beanspruchen.

Darauf wird erwidert, dass es wohl gerechtfertigt erscheine, wenn bei diesem Werke nur deutsche Arbeiter engagirt würden. Die Forderung nach einem Minimallohn könne aber nur ein formelles Recht sein; bei solchen grossen Werken sei überhaupt Tagelohnarbeit ausgeschlossen. Die Arbeiten würden fast nur von professionellen Erdarbeitern gemacht, deren Lohn mit dem sonst in Holstein üblichen Lohn gar nichts zu thun habe. Auf diese Weise seien die Arbeiter nicht zu schützen.

Von Seiten des Herrn Staatssekretärs des Innern wird ausgeführt, dass die allgemeinen Submissionsbedingungen stets Vorschriften enthalten, um die Arbeiter gegen die Unternehmer zu schützen. Die Regierung werde für die Arbeiter in ihrem Interesse und im Interesse des Werkes sorgen. Diese Arbeiten könnten nur von ganz bestimmten geschulten Arbeitern geleistet werden. Durch derartige Vorschriften dürfe man nicht in die Verhältnisse der Arbeiter zum Akkordübernehmer eingreifen; es sei ohnehin nicht anzunehmen, dass bei der grossen Anzahl von Arbeitern, welche der Kanalbau nach Schleswig-Holstein bringen werde, die Löhne daselbst fallen, sondern es sei viel eher anzunehmen, dass die Löhne eine Steigerung erfahren würden.

Bei der Abstimmung wird die Resolution mit allen gegen die Stimme des Antragstellers abgelehnt.

Die Kommission beantragt:

Der Reichstag wolle den Entwurf eines Gesetzes, betreffend die Herstellung des Nord-Ostseekanals, in der von der Kommission beschlossenen Fassung annehmen.

Berlin, den 11. Februar 1886.

Die XI. Kommission.

Graf v. *Hompesch* (Vorsitzender). *Woermann* (Berichterstatter). *Broemel*. Freiherr v. *Dalwigk-Lichtenfels*. *Francke*. *Fritzen*. Graf. Dr. *Hänel*. Dr. *Hammacher*. Freiherr v. *Hammerstein*. *Hasenclever*. Graf v. *Holstein*. Dr. v. *Kulmiz*. *Lorenzen*. v. *Massow*. v. *Schalscha*. v. *Schlieckmann*. Graf v. *Schlieffen*. *Müller*. *Thomsen*. *Timmermann*.

Verlag von H. W. Silomon in Bremen. Druck von Aug. Meyer & Dieckmann. Hamburg, Alterwall 28.

HANSA

Redigirt und herausgegeben
von
W. von Freeden. BONN, Thomastrasse 9.
Telegramm-Adresse:
Freeden Bonn,
oder
Hansa Alterwall 28 Hamburg.

Verlag von *H. W. Silomon* in Bremen.
Die „*Hansa*“ erscheint jeden 2ten Sonntag.
Bestellungen auf die „*Hansa*“ nehmen alle Buchhandlungen, sowie alle Postämter und Zeitungsexpeditionen entgegen, desgl. die Redaktion in Bonn, Thomastrasse 9, die Verlagshandlung in Bremen, Obernstrasse 44 und die Druckerei in Hamburg, Alterwall 28. Sendungen für die Redaktion oder Expedition werden an den letztgenannten drei Stellen angenommen. **Abonnement** jederzeit, frühere Nummern werden nachgeliefert.

Abonnementspreis:
vierteljährlich für Hamburg 2½ ℳ,
für auswärts 3 ℳ = 3 sh. Sterl.
Einzelne Nummern 60 ₰ = 6 d.

Wegen **Inserate**, welche mit 35 ₰ die Petitzeile oder deren Raum berechnet werden, beliebe man sich an die Verlagshandlung in Bremen oder die Expedition in Hamburg oder die Redaktion in Bonn zu wenden.

Frühere, komplete, gebundene Jahrgänge v. 1872, 1874, 1876, 1877, 1878, 1879, 1880, 1881, 1882, 1883, 1884, 1885 sind durch alle Buchhandlungen, sowie durch die Redaktion, die Druckerei und die Verlagshandlung zu beziehen. Preis ℳ 5; für letzten und vorletzten Jahrgang ℳ 8.

Zeitschrift für Seewesen.

No. **9.** **HAMBURG, Sonntag, den 2. Mai 1886.** **23.** Jahrgang.

Inhalt:

Die neuen Prüfungsvorschriften für Steuerleute der Kauffahrteiflotte in den Niederlanden.

II.

Die Gegenstände der Prüfungen.

Sie werden in 3 „*Programmen*“ aufgeführt; davon betreffen A und C die vorgeschriebenen, B die freiwilligen Prüfungen.

Program A enthält die Prüfungsgegenstände für die *Grosse Fahrt* für die dritten, zweiten und ersten Steuerleute der Segel- und der Dampfschiffe.

Program C enthält die Prüfungsgegenstände für die *Kleine Fahrt* für den Steuermann eines Segel- und eines Dampfschiffs.

Program B enthält die Gegenstände der *freiwilligen* Prüfung eines dritten, zweiten und ersten Steuermanns eines Segel- und eines Dampfschiffs für die *Grosse Fahrt.*

Da Wiederholungen unvermeidlich sind, so werden wir uns erlauben gelegentlich abzukürzen, um unsere Leser nicht zu ermüden. Unter G. D. verstehen wir die Grosse Dampferfahrt, unter G. S. die Grosse Seglerfahrt, unter K. D. und K. S. die Kleine Dampfer-, bezw. Segelschiffahrt.

Für die Grosse Fahrt wird nun verlangt, laut *Program A,* für die

Prüfung zum dritten Steuermann.

Zur Grossen Segelschiffahrt: (No. 1 bis 8 auch für G. D. gültig und überall wo nicht Ausnahmen für G. D. ausdrücklich hervorgehoben sind, alles gleich für G. S. und G. D.)

1. Der Prüfling soll eine leserliche *Handschrift* schreiben und seine Gedanken ohne grobe Fehler in der *holländischen Sprache* ausdrücken können.

2. *Rechenkunst:* Fertigkeit im Rechnen mit ganzen Zahlen, Decimalbrüchen und gemeinen Brüchen, Proportionslehre, Decimal- und metrisches System; Quadratwurzelziehung.

3. *Arithmetik:* Buchstabenrechnung, Summen, Differenzen, Produkte, Quotienten, Gleichungen ersten Grades; Berechnung einfacher Fragen mit Hülfe der Logarithmen.

4. *Geometrie:* Linien, Winkel, die senkrechte Linie, Dreiecke, ihre Gleichheit und Aehnlichkeit; Parallelogramm und Trapeze und ihre hauptsächlichen Eigenschaften; der Kreis, Linien am Kreise, Winkelmessung durch Kreisbögen, Bedeutung der Zahl π; hieher gehörige Rechnungen sowie Flächenberechnungen von Figuren, welche für das Bordleben von Belang sind.

5. *Goniometrie:* Goniometrische Linien in ihrer Beziehung zur Ecke.

6. *Ebene und sphärische Trigonometrie:* Fertigkeit in der Berechnung recht- und schiefwinkliger, ebener wie sphärischer Dreiecke, welche in der Schiffsrechnung vorkommen.

7. *Schiffsrechnung:* Kreise und Bögen am Himmel und auf der Erde; Logge und Kompass; Einrichtung und Gebrauch der Seekarten; Verbesserung der Kurse für Declination und Deviation; Kurs- und Distanzrechnung, Stromversetzungen und Peilungen; tägliche und jährliche Bewegung der Erde; mittlere und wahre Zeit, Zeitgleichung; Gebrauch des nautischen Almanachs für Aufgaben mit der Sonne; Berechnung der Breite aus Mittagshöhen der Sonne, Höhen der Sonne in der Nähe des Meridians und 2 Sonnenhöhen mit zwischengesegelter Distanz; Chronometerlänge aus Sonnenhöhen; Berechnung der Missweisung des Kompasses aus Azimuth der Sonne und Amplituden. Kenntniss des Sextanten, Bestimmung des Indexfehlers; Ablesungen von Sextanten. Gebrauch des Seebarometers und des Thermometers.

8. *Geographie:* Lage der vornehmsten Häfen, Kenntniss der wichtigsten Feuer und Bänke in Nordsee und Kanal.

9. *Schiff und Takelung:* Name und Ort der Bestandteile

für G. S.	für G. D.
des hölzernen und eisernen Segelschiffs.	des eisernen Dampfschiffs.

Kenntnis des stehenden und laufenden Zeuges, der Rundhölzer, Segel, Anker und Ketten

des Segelschiffs.	des eisernen Dampfschiffs.

10. Kenntnis der hauptsächlichsten Erfordernisse für das *Garnieren, Stauen* und *Beladen.* Ebenso für G. D.

11. Kenntnis des *Lotens,* Masse und Zeichen der Lotleine. Ebenso für G. D.

12. *Schiffsmanöver:* Setzen, Bergen, Austauschen der Segel (für G. D. nur für Dampfschiffe); das Segeln nach wahren Kursen, Wenden und Beidrehen der Segelschiffe (auch für G. D.), Wenden und Halsen in gewöhnlichem Wetter (für G. D. das Manövriren mit einem Dampfer in gewöhnlichem Wetter). Ausbringen eines Warps; Kenntnis und Gebrauch der Rettungsgeräte; Behandlung eines Bootes in der Brandung.

13. (bis 17 für G. S. und für G. D. gleich) Kenntnis der gesetzlichen Verordnungen über das Führen der Signale, Signallichter und Nebelsignale für Schiffe in Fahrt und vor Anker, sowie des Strassenrechts auf See.

14. Kenntnis und Gebrauch des internationalen Signalbuchs.

15. Kenntnis der vornehmsten Bestimmungen der Seemannsordnung für Kauffahrer und der Musterrolle.

16. Kenntnis der Schiffsverpflegung.

17. (nach eigener Wahl) Kenntnis der englischen, französischen und deutschen Sprache, Lesen derselben und Uebersetzung eines leichtern Stücks ins Holländische ohne grobe Fehler.

18. Nur für G. D. Dampfmaschinenkunde: Eigenschaften des Dampfs; Name und Bestimmung der verschiedenen Teile der Schiffsmaschine und des Hochdruck-Schiffsdampfkessels.

Prüfung zum zweiten Steuermann.

Vorbemerkung. No. 1—11, 13, 15—18 gleich für G. S. wie für G. D.

Zur Grossen Segelschiffahrt:

1. Alles was vom dritten Steuermann laut *Program A* verlangt wurde.

2. Kenntnis der Bahn des Mondes, der Planeten und Fixsterne, welche für die Ortsbestimmung auf See von Belang sind.

3. Der nautische Almanach auch in Bezug auf Mond-, Planeten- und Fixsternaufgaben.

4. Berechnung der Breite aus Monds-, Planeten-, Fixstern- und Nordsternhöhen.

5. Bestimmung von Stand und Gang des Chronometers durch Zeitkugeln und durch Höhe und Peilung der Sonne.

6. Berechnung der Hochwasserzeit.

7. Berechnung des Azimuths durch Polar- und Aequatorsterne und der Gebrauch der Azimuthtafeln; Berechnung der astronomischen Peilung.

8. Bestimmung der Missweisung eines Kompasses a) durch reciproke Peilungen, b) durch Peilung eines sehr entfernten Gegenstandes.

9. Gebrauch der Seekarten, Absetzen des Bestecks.

10. Transport von Chronometern und Barometern.

11. Kenntnis der herrschenden Winde und Meeresströmungen.

12. G. S.	G. D.
Auf- und Abtakeln und Vorbereitungen zur und Uebernahme von schweren Lasten.	a) Auf- und Abtakeln von Dampfern, Vorbereitung zur u. Uebernahme von schweren Lasten auf Dampfer. b) Kenntnis der Feuerlöschmittel, der wasserdichten Abteilungen und der Pumpvorrichtungen auf Dampfern und Gebrauch derselben unter verschiedenen Umständen.

13. Für G. S. wie für G. D. Kenntnis des Garnierens, Stauens und Beladens.

14. G. S.	G. D.
a) Manövriren mit einem Segelschiff unter allen Umständen. b) Zu Anker und unter Segel gehen, klar Anker halten, Schiff festmachen u. loswerfen, Kette slippen. c) Ausbringen von Ankern.	a) Manövriren mit einem Dampfer unter allen Umständen b) Zu Anker und unter Dampf gehen, klar Anker halten, Schiff festmachen und loswerfen.

15. Das Folgende für G. S. und für G. D. gemeinschaftlich: Führung des Hafen- und See-Journals.

16. Rechte und Pflichten der Schiffsoffiziere und Mannschaften laut der Seemannsordnung.

17. Kenntnis der englischen Sprache, soweit sie zum Gebrauch der englischen Seekarten und des Naut. Almanach notwendig ist.

18. (nach Belieben) Kenntnis der englischen, französischen und deutschen Sprache, nämlich:

a) Uebersetzung eines einfachen Stücks besonders aus der Fachliteratur ins Holländische.

b) Abfassung eines Briefes ohne grobe Fehler in jenen Sprachen über einen einfachen dem Seemannsberuf entnommenen Gegenstand, dessen Hauptpunkte aufgegeben werden.

c) Fertigkeit sich verständlich in jenen Sprachen auszudrücken.

19. Bloss für G. D. Dampfmaschinenkunde;

a) Beschreibung einer Compound-Maschine.

b) Vorsichtsmassregeln beim Dampfaufmachen, Ansetzen und Stoppen der Maschine.

c) Kenntnisse, um sich von dem guten Arbeiten von Kessel und Maschine zu überzeugen.

d) Kenntnis der Dampfventile und anderer kleiner Geräthe auf Dampfschiffen.

Prüfung zum ersten Steuermann.

Vorbemerkung. No. 1—10 gleich für G. S. wie für G. D.

Zur Grossen Segelschiffahrt:

1. Alles was vom zweiten Steuermann laut *Program A* verlangt wurde.

2. Segeln im grössten Kreise.

3. Bestimmung der Länge durch Monddistanzen.

4. Ortsbestimmung nach Sumner's Methode.

5. Bestimmung von Stand und Gang des Chronometers durch Sonnenhöhen über dem künstlichen Horizont.

6. Bekanntschaft mit der Veränderung der Missweisung der Kompasse an Bord bei Kurs- und Ortsveränderungen.

7. Regeln den Orkanen aus dem Wege zu gehen.

8. Fahrwege zwischen den vornehmsten Häfen in den verschiedenen Jahreszeiten.

9. Landmarken und gefährliche Bänke in Nordsee und Kanal und das Binnenlaufen in die wichtigsten holländischen Fahrwasser (Seegaten).

10. Kappen und Herstellen neuen Zeugs, Einsetzen von Masten.

11. G. S.	G. D.
Docken, Kielholen und auf den Helgen holen, und was dabei zu beachten ist. Unterhaltung eiserner Segelschiffe. Beladen eines Schiffs mit Rücksicht auf Sicherheit der Fahrt.	Das Docken von Dampfern, Vorsichtsmassregeln dabei, und worauf im Dock besonders geachtet werden muss. Unterhaltung eiserner Dampfer. Auswechseln der Schrauben. 12. Beladen eines Dampfers in Rücksicht auf sichere Fahrt und Kenntnis des Gebrauchs der Skala für Wasserverdrängung.

13. Gleich für G. S. und G. D. Ausmessung der zu beladenden Schiffsräume und der Massgüter und Berechnung ihres Inhalts zur Bestimmung der Anzahl Tons oder Lasten.

14. G. S.	14. G. D.
Treiben auf einem Flusse oder strömenden Gewässer. 15. Behandlung eines Schiffs bei Beschädigung des Zeuges oder des Rumpfes, sowie Herstellung von Notmasten, Notrudern und Flössen.	Behandlung eines Dampfschiffes im Fall der Beschädigung der Maschine, Herstellung von Notrudern und Flössen, Schleppen und Geschleppt werden.

16. (Alles gleich bis 20 für G. S. wie für G. D.) Fürsorge beim Stranden.

17. Rechte und Pflichten der Führer, Steuerleute und Mannschaften gemäss dem Handelsgesetzbuch.

18. Kenntnis von Fracht Charterpartie, Konnossement, Manifest, Havarie, Bodmerei, Assekuranz und Wechsel.

19. Bekanntschaft mit der Behandlung der Ladung, Verantwortung für das Inventar, Verrechnung der Eingänge und Ausgaben für das Schiff, Gagenbuch der Mannschaft.

20. (nach Belieben) Kenntnis der englischen, französischen und deutschen Sprache wie für den zweiten Steuermann.

Kleine Fahrt.

Program C.

Prüfung zum Steuermann.

Kleine Segelschiffahrt No. 1—5 gleich für K. S. und K. D.

1. Der Prüfling soll eine leserliche *Handschrift* schreiben und seine Gedanken ohne grobe Fehler im Holländischen ausdrücken können.

2. *Rechnen* mit ganzen und gebrochenen Zahlen.

3. Anwendung des metrischen Systems.

4. *Schiffsrechnung:* Kenntnis der Kreise und Bögen am Himmel und auf der Erde; der täglichen und jährlichen Bewegung der Erde; der mittlern und wahren Zeit und der Zeitgleichung; des nautischen Almanachs, soweit für Sonnenaufgaben nötig; Gebrauch von Seekarten, Kompass und Barometer; Bestimmung der Missweisung des Kompasses durch Sonnenazimuths und Amplituden; Verbesserung der Kurse wegen Missweisung und Deviation; Kurs- und Distanzrechnung; Stromversetzung und Aufmachen des gegissten Bestecks; Bestimmung der Breite durch Landpeilungen, Mittagshöhe, Höhen nahe dem Meridian und Nordsternhöhe; Längenbestimmung durch Chronometer und Sonnenstundenwinkel, Berechnung der Hochwasserzeit.

5. *Geographie:* Lage der vornehmsten Häfen in dem Teil von Europa, über welchen die Kleine Fahrt sich erstreckt; Kenntnis der wichtigsten Feuer und Bänke der Nordsee und des Kanals.

6. K. S.	K. D.
Name und Ort der verschiedenen Teile des hölzernen Segelschiffs. Rundhölzer, Segel, stehend und laufend Zeug.	Name und Ort der verschiedenen Teile eines eisernen Dampfschiffs. Rundhölzer, Segel, stehend u. laufend Zeug. Kenntnis der Feuerlöschmittel, der Verteilung in wasserdichten Abteilungen, der Pumpvorrichtungen auf Dampfern und ihr Gebrauch bei verschiedenen Umständen.

7. Auf- und Abtakeln eines Segel- (resp. für K. D. Dampf-) Schiffs.

8. Garnierung und Stauung.

9. Loten und Loggen, Masse und Zeichen der Lotleine.

10. Ausmessung des Schiffsraums, von Massgütern und das Umrechnen ihres Inhalts in Tons und Lasten.

(8, 9, 10 auch für K. D.)

11. K. S.	11. für K. D.
Manöver mit einem Segelschiff auf See und in Binnengewässern.	Manöver mit einem Dampfer auf See und auf Binnengewässern und Kenntnis der Manöver eines Segelschiffs.

12. (Bis Schluss gleichmässig für K. S. und K. D.) Fürsorge bei Strandungen; Bekanntschaft mit den Rettungsvorrichtungen.

13. Anlaufen der wichtigsten holländischen Fahrwasser (Seegaten).

14. Bekanntschaft mit den gesetzlichen Bestimmungen über Signale, Führen der Signallichter und Nebelsignale für Schiffe in Fahrt und vor Anker, sowie mit dem Strassenrecht auf See.

15. Bekanntschaft mit dem internationalen Signalbuch.

16. Führung eines Hafen- und See-Journals.

17. Kenntnis der vornehmsten Bestimmungen der Seemannsordnung für Kauffahrer und der Musterrolle.

18. Einige Bekanntschaft mit Charterpartien, Konnossementen, Manifesten und der Havarie.

19. Nur für K. D. Dampfmaschinenkunde:

Bekanntschaft mit der Einrichtung eines Kessels. Name und Bestimmung der wichtigsten Teile der Schiffsmaschine. Vorsichtsmassregeln beim Dampfaufmachen. Ansetzen und Stoppen der Maschine. (Schluss folgt.)

Zum Untergang der „Oregon“. II.

Natürlich beschäftigen sich die amerikanischen, speziell Newyorker Zeitungen noch fortwährend mit diesem tragischen Ereignis, welches, gerade vor dem Eingang in ihren bedeutendsten Hafen spielend, allerdings wie kein anderes ihr Interesse wachrufen musste. Ist auch die sämmtliche Untersuchung nach England verlegt, so hindert doch nichts die allseitige Erörterung des Falles, da die Umstände bis auf den Attentäter, dessen Existenz immer noch nicht streng nachgewiesen ist, so klar als möglich vorliegen. Die Erklärung des Unfalls durch eine Dynamit-Explosion findet gegenüber den positiven Aussagen, dass bestimmte Leute an Bord einen gegen die «Oregon» rennenden Schuner gesehen haben, keinen Glauben; standen, wie dann notwendig, die Platten an den Bruchstellen *nach aussen*, so *konnte* Niemand an Bord an eine Dichtung des Loches durch vorgehaltene Tücher denken, und darüber kostbarste Zeit zur anderweitigen Rettung des Ganzen verlieren. Dass diese Zeit nicht zweckmässig verwandt sei, darüber sind die Newyorker Zeitungen ziemlich einig. Bezeichnend ist, dass gerade wie bei der «Cimbria» jetzt noch ein drittes Schiff zur Erklärung des Hergangs herangezogen wird.

Die ganze Stimmung und Ansicht darüber fasst ein Privatbrief aus Newyork kurz zusammen, dessen Hauptinhalt wir unsern Lesern nicht vorenthalten wollen. Unser Gewährsmann lässt sich also darüber aus:

«Nach meiner unmassgeblichen Ansicht ergeben sich folgende Punkte:

1. Es ist klar, dass die Verbindungsthür zwischen Maschine und Kesselraum nicht geschlossen war zur Zeit der Kollision.

2. Die anderen Compartments müssen nicht im guten Zustande gewesen sein, sonst hätten sich die eingerannten Compartments nicht so rasch, *und überhaupt wohl nicht vollständig* füllen können.

3. Die Disciplin liess wenig zu wünschen übrig und das Meiste, was über die Feuerleute gefaselt wird, ist der Todesangst der Passagiere zuzuschreiben. Hätten die Feuerleute nicht ihre volle Schuldigkeit gethan, so hätte das Schiff nicht noch 2 Stunden nach der Kollision fahren können.

4. Die beiden Löcher an der Backbordseite müssen bedeutend *kleiner* gewesen sein, als man nach den meisten Aussagen vermuten sollte, denn sonst hätte es nicht 2 Stunden dauern können, ehe das Wasser die Feuer erreichte, da letztere ja weit unter der Wasserlinie liegen.

5. Die *beiden* Löcher wurden dadurch veranlasst, dass das rammende Fahrzeug zuerst mit dem Bugspriet einrannte, dieses dann brach, so dass das Fahrzeug nicht aus der Fahrt kam und folglich mit seinem Bug eine ganze Strecke weiter nach achter in die «Oregon» eindrang, da diese mit einer Fahrgeschwindigkeit von 21 Meilen pro Stunde vorwärts ging.

6. Das Flash Light wurde von einem amerikanischen Schuner gezeigt, welcher *denselben* Kurs oder annähernd denselben lief wie die «Oregon». Nach amerikan. Gesetz soll solches Licht von allen Segelschiffen gezeigt werden, sobald sie bemerken, dass ihnen ein Dampfer oder schneller segelndes Schiff von achter aufläuft; dies erklärt gleichzeitig, warum man auf der «Oregon» die Lichter dieses Fahrzeuges nicht sehen konnte und nicht gesehen hat.

7. Das kollidirende Fahrzeug war nicht der Schuner, sondern ein zweites Fahrzeug, dessen grünes Licht — was man sonst hätte sehen müssen — wahrscheinlich sehr trübe brannte, ich meine so:

Schuner, der das Flash Light zeigte.

kollidirendes Fahrzeug.

Oregon.

Es ist das wahrscheinlich die Position der *drei* Schiffe im Moment, wo auf dem Schuner das Flash Light gezeigt wurde und erklärt den ganzen Vorgang.

8. Dass man nach dem kollidirenden Fahrzeug in der Nähe der untergegangenen «Oregon» suchte, anstatt 30—35 Meilen weiter Ost zu Nord, ist einfach Blödsinn, wie man ihn vernünftigen Leuten nicht zutrauen sollte.

9. Dass der erste Offizier der «Oregon», der sein eigenes Schiff nicht gefährlich verletzt glaubte, sofort das Ruder hart Backbord legte, um dem vermeintlich verunglückten Fahrzeuge Hülfe zu leisten, kann man nur ehrend anerkennen.

18. Hätte der Kapitän, anstatt Kurs auf Sandy Hook Light Ship zu halten, sofort auf das Land zugesteuert, so wäre die «Oregon» innerhalb fünfviertel Stunden «high and dry» auf einem sandigen, allmählig abfallenden Ufer aufgefahren und — gerettet worden.

Wundern soll es mich, ob man nicht, da es den Tauchern unmöglich scheint so tief zu gehen, als der Dampfer liegt, den Versuch macht, denselben dadurch zu heben, dass man die Tragketten unter dem Mastkopf (Untermast) anzubringen sucht, so dass die Wanten das Schiff heben, bis man in seichtem Wasser die Ketten unter dem Schiffsrumpf anbringen kann.

Ich habe dieses dem Agenten der Cunard-Linie unterstellt, weiss aber nicht, ob er's thun wird.»

Soviel über die Katastrophe selber. Ein «Old Salt» bemerkt des Weitern in der *Nautical Gazette von Newyork*, dass das Sinken der «Oregon» wahrscheinlich hätte verhütet werden können. Die «Oregon» habe 9 Kessel geführt in 3 Gruppen, je drei längs der Backbordseite, mittschiffs und längs der Steuerbordseite, von denen jede Gruppe etwa 120 Tons Gewicht an Wasser enthalten habe; das Loch würde wohl in der Wasserlinie eingestossen und jedenfalls nicht sehr gross gewesen sein — nach den neuesten Taucherberichten war es 6 Fuss lang, 3½ Fuss breit, oval geformt und mit zwei Leinwanddecken zu dichten gesucht — da der Bugspriet des Segelschiffes den Stoss gemildert habe und der englische Stahl gern wie Glas bräche. Hätte nun der Kapitän die beiden Kesselgruppen an Backbord und mittschiffs sofort ausblasen lassen, so würde durch diese einseitige Minderung des Gesammtgewichts die «Oregon» wahrscheinlich eine solche Schlagseite nach Steuerbord bekommen haben, dass der Leck an Backbord ganz oder grösstenteils ausser Wasser gekommen wäre. *Der Rat mag für später vorkommende Gelegenheit hier eine Stelle finden.* Mit der auf ⅓ geminderten Dampfkraft wäre die «Oregon» wenigstens noch bewegungsfähig und lenkbar genug geblieben, um damit sich dem festen Strande zu nähern.

Höchst wichtige Mitteilungen macht *dasselbe Blatt*, und zwar als **erste Quelle über die Versicherungsbedingungen der „Oregon“**, welche in den zu erwartenden Entschädigungsansprüchen der Schiffbrüchigen wol noch eine grosse Rolle spielen werden. Sie haben nach dieser Quelle folgenden Wortlaut: Wir, Assekuradeure für uns und unsere Vollmachtgeber vereinbaren hier, was folgt:

1. Im Fall das hiermit versicherte Schiff in Kollision gerät mit einem andern Schiff oder mit Eis, einem gesunkenen oder schwimmenden Wrack oder einem andern schwimmenden Gegenstand, oder dass das hiermit versicherte Schiff stranden, sinken oder in Brand geraten sollte, und im Fall, dass der Versicherte infolge irgend eines solchen Unfalls verurteilt würde, einer dritten Partei Entschädigung für Verlust oder Beschädigung in Bezug auf Personen oder Eigentum zu bezahlen, so wollen wir jeder einen solchen Anteil an der Bezahlung übernehmen, wie die resp. Zeichnungen im Verhältnis zu dem Gesammtbetrage der Police erfordern.

2. Im Fall das hiermit versicherte Schiff in Kollision gerät mit einem andern Schiff oder mit Eis, einem gesunkenen oder schwimmenden Wrack oder einem andern schwimmenden Gegenstand, so wollen wir in gleichen Verhältnissen für Total- oder Partialverlust oder Schaden an das hiermit versicherte Schiff Entschädigung leisten.

3. Und im Fall gesetzlichen Verfahrens durch oder gegen die Versicherten in betreff der hiermit versicherten Risicos, wollen wir in gleichen Verhältnissen und ausser den schon genannten Entschädigungen, alle Kosten solcher gerichtlichen Processe bezahlen.

4. Und es wird hiermit erklärt, dass unsere Verbindlichkeiten aus jeder besondern Veranlassung nicht über den Betrag unserer Zeichnungen und Kosten hinaus gehen sollen.

Thatsächlich bemerken wir dazu, dass die Cunard-Linie die »Oregon« von Wm. Pearce für £ 226 000 gekauft, wovon £ 26 000 in baar, und dass der Rest nach 3 Jahren getilgt werden sollte; ferner dass das Schiff am 1. Januar 1886 mit £ 205 049 zu Buch stand, während es im Moment des Unterganges wol einen Wert von £ 250 000 darstellte.

Die Versicherung der »Oregon« betraf 2 Richtungen, nämlich einmal gegen Kollision (vergl obige Klauseln) und zweitens gegen Totalverlust. In der letzten Police ist ausdrücklich vermerkt, dass Versicherer nur für Schaden haften, der nicht durch die Kollisions-Police gedeckt ist. Mit andern Worten, die Cunard-Gesellschaft kann nur auf eine Police Klage erheben. Die Versicherung gegen Totalverlust betrug £ 100000 (zu 6,5 % pr. a.), die gegen Kollision £ 83 000 (zu 3,5 % pr. a.) bekommt also die Gesellschaft auch £ 100000 zurück, so bleibt immer noch ein Schaden von £ 150 000 ungedeckt.

Das Urteil des englischen unter Rothery in Liverpool abgehaltenen Seeamts lautet: dass das Unglück unzweifelhaft dem Zusammenstosse mit einem dreimastigen Schuner zuzuschreiben sei; dass die direkte Ursache des Unterganges des Dampfers die Unmöglichkeit war, die Verschlagsthür zu schliessen; dass mit einigen Ausnahmen bewunderungswürdige Mannszucht aufrechterhalten wurde; dass der erste Steuermann einigen Tadel verdiene, weil er keinen wachsamen Ausguck hielt, aber dass diese Pflichtvernachlässigung die Entziehung seines Berechtigungsscheines nicht rechtfertigen würde; dass endlich der Kapitän und die übrigen Offiziere von jedem Tadel freizusprechen seien.

Aus Briefen Deutscher Kapitäne.

II. (Forts.)

Doppel-Taifune.

Trifft die Bahn eines Taifuns die Südspitze von Formosa, so wird dieselbe in den meisten Fällen entweder abgelenkt oder gespalten, dies letztere fand statt während der Taifune vom 22.—31. August, 6.—13. Septb. 1881 und 20.—26. Septb. 1884, ausserdem fand ein Doppel-Taifun [illegible] im [illegible] chinesischen Meere statt.

Doppel-Taifune.

Der Taifun vom 22.-31. Aug. 1881 ist der einzige bis jetzt beobachtete Doppeltaifun, dessen Bahnen sich kreuzten, und zwar fand dies statt auf etwa 26° N u. 120° 30′ O, sowie in 31° N und 123° O. Dechevrens nennt beide Taifune den Pescadores u. Chusan-Taifun, weil der eine Mittelpunkt über die Pescadores, der andere durch die Provinz Chekiang ging. Der Taifun kam vom Stillen Meere auf einem NWzW-Kurs. Die beiden englischen Schiffe „Bolton Abbey“ und „Hindostan“ wurden am 23. resp. 25. August entmastet; von der „Hindostan“ liegen die Beobachtungen vor. Das Schiff hatte auf etwa 19° 30′ N und 120° 30′ O auffrischende NWliche Winde mit fallendem Barometer, der Kurs war östlich. Um Mitternacht, als es schon von WzN 9 wehte, wurde ruhig bis um 3 U. Vm. weiter gelenzt und erst um diese Zeit über Steuerbord-Halsen beigedreht, die Folge dieses Lenzens war denn auch das Kappen der Masten. Der Taifun war hier noch ein einfacher, die Peilungen regelmässig, in der andern Hälfte innerhalb 200 Sm. Abstand im Mittel $14\frac{3}{4}$ Str., innerhalb 100 Sm. im Mittel $11\frac{1}{4}$ Str., innerhalb 50 Sm. im Mittel 8 Str.; in der hinteren Hälfte bis zu 200 Sm. Abstand im Mittel $6\frac{3}{4}$ Str. Das Schiff stand in der linken Hälfte des Taifuns. Nachdem der Mittelpunkt die „Hindostan“ passirt war, scheint der Taifun sich auf etwa 21° 30′ N und 122° O gespalten zu haben; beide Teile waren selbstständige Taifune und lief die Bahn des einen ostwärts von Takao und Taiwanfu mit einem NNW-Kurs über die Pescadoren den Kanal aufwärts, bog auf etwa 26° N und 120° O nach NO aus, ohne die chinesische Küste betreten zu haben, änderte dann wieder seinen Kurs auf etwa 29° N und 123° 30′ O nach NNW und verlor sich auf etwa 34° N und 120° O. Der andere lief mit einem N-Kurse an der Ostküste Formosas hinauf, schnitt dann mit NNW-Kurs die Nordspitze von Formosa, passirte dicht bei Tamsui, traf die chinesische Küste auf etwa 27° N, bog hier auf Land nach NNO aus und verwüstete in seinem Laufe die Provinz Chekiang, trat auf etwa 30° N wieder in See, bog auf etwa 33° N und 125° O nach N aus und verlor sich erst auf 40° N.

Es fragt sich, wie die Peilungen in einem solchen Doppeltaifun sich verhalten: zu diesem Behufe wurden die Peilungen sämtlicher Beobachtungen des August- und September-Taifuns von 1881, wie sie Dechevrens in seinen Taifuns von 1881 giebt, berechnet; es ergab sich:

1. Taifune vom 22.—31. August 1881.

a) Linke Hälfte.

Der englische Dampfer „Abbas“ ging am Morgen des 25. August von Taiwanfu nach den Pescadoren, konnte dieselben am Mittag aber nicht beholen und hielt deshalb O [illegible]. Dechevrens sagt darüber auf Seite 61, dass der Kapitän durch dieses Lenzen Gefahr lief in den Taifun hinein zu laufen. Ich sehe aber gar nicht ein, was der Mann hätte anders thun sollen, ganz davon abgesehen, dass er nicht liegen bleiben konnte, weil er keinen Seeraum hatte. Mit nördlichem Winde, der westlich holt, werde ich zu jeder Zeit lenzen und zwar, wie der „Abbay“ that, den Wind *zum mindesten* 2 Str. von Steuerbord einhalten. Die Peilungen an Bord der „Abbay“ darauf in der vordern Hälfte sowie innerhalb 100 Sm. Abstand in der hinteren Hälfte waren regelmässig, im Mittel 14 Str. der Chusan-Taifun hatte keinen Einfluss, bis er im Kanal war, daher wurden dann auch die Peilungen in der hinteren Hälfte innerhalb 200 Sm. Abstand unregelmässig. Die Schwankungen betrugen bis zu 3¼ Str., die Peilungen im Mittel 15¾ Str.; über 200 Sm. wirkten beide Taifune im gleichen Sinne d. h. als ein einfacher, im Mittel 12¼ Str. In Taiwanfu wurden die Peilungen in der vordern Hälfte und innerhalb 100 Sm. Abstand in der hinteren Hälfte durch die Gebirge beeinflusst aber nicht durch den Chusan-Taifun, und waren sehr unregelmässig; erst als derselbe im Kanal war, wurde der Einfluss bemerkbar und dann wirkten beide in einem Sinne, Peilung innerhalb 200 Sm. Abstand im Mittel 10 Str., innerhalb 300 Sm. im Mittel 14¼ Str.

An Bord des englischen Dampfers „Glencoe“ auf etwa 24° N und 118° O von Hongkong nach Shanghai, wurde Kurs gesteuert und damit in den Taifun hineingelaufen. Hier machte der Chusan-Taifun sich auch nicht eher fühlbar, als bis er im Kanal war. Die Peilungen in der vordern Hälfte bis zu 50 Sm. Abstand waren regelmässig, im Mittel 10¼ Str., innerhalb 50 Sm. vom Mittelpunkte an und nach Passiren desselben waren die Schwankungen bedeutend, 9—15 Str.; der Chusan-Taifun lenkte den Pescadores-Taifun ab und hoben sich dann beide in 50 Sm. Abstand in der hinteren Hälfte auf, denn an Bord der „Glencoe“ hatte man südliche Winde 3—4.

Fischer-Insel. Die Peilungen in der vorderen Hälfte waren regelmässig im Mittel 12¾ St. in der hinteren Hälfte bis zu 189 Sm. Abstand waren Windstärke und Peilung sehr unregelmässig, der Chusan-Taifun war im Kanal und beeinflusste den Pescadores-Taifun., die Schwankungen betrugen bis zu 4 Str., das Mittel 8¾ Str., im grösseren Abstand wirkten beide Taifune im gleicher Richtung, das Mittel war 16 Str.

Ocksen-Insel. Da der Kurs des Pescadores-Taifun auf Ocksen ablief, so änderte sich auch Windrichtung und Peilung nicht, 11¾ Str., erst als das Stilltegebiet dicht an Ocksen war und nach Passiren desselben bis zu 50 Sm. Abstand, wurden die Peilungen sehr unregelmässig; Schwankungen bis zu 4 Str., das Mittel 11¼ Str., diese Unregelmässigkeit wurde durch den Chusan-Taifun bedingt. In grösserem Abstande wurden die Peilungen wieder regelmässig, im Mittel 14¼ Str. Da die Peilungen in der vordern Hälfte nahezu 12 Str. betrugen, so sollte man wenn möglich beim Lenzen den Wind über 4 Str. von Steuerbord achter einhalten. An Bord des chinesischen Dampfers „Hwayuen“ auf etwa 25° N und 119° 30′ O waren die Peilungen in der vordern Hälfte regelmässig im Mittel 11¼ Str., in der hinteren Hälfte sehr unregelmässig, die Ursache war hier ebenfalls der Chusan-Taifun, die Schwankungen betrugen bis zu 2¼ Str., das Mittel 11¾ Str.

Turnabout. Der C.-T. hatte keinen Einfluss auf die Peilungen des P.-T., bis beide Mittelpunkte innerhalb 100 Sm. von Turnabout waren, d. h. bis der C.-T. im Kanal war. Die Peilungen waren beim Pescadores-Taifun in der vordern Hälfte innerhalb 300 Sm. im Mittel 14¼ Str., innerhalb 200 Sm. im Mittel 13¾ Str. Sowohl in der vorderen wie hinteren Hälfte waren innerhalb 100 Sm. Abstand Windstärke und Peilungen sehr unregelmässig, die Schwankungen betrugen bis zu 5 Str., in mehr als 100 Sm. Abstand wirkten beide Taifune in derselben Richtung, die Peilungen waren regelmässig im Mittel 14 Str.

Aus obigen sieben Beobachtungsstationen ergiebt sich, dass im Kanal in der linken vordern Hälfte die Peilungen regelmässig waren und erst in der linken hinteren Hälfte eine Ablenkung sowohl der Peilungen wie Windstärken stattfand.

b) Rechte Hälfte.

Tamsui. Die Peilungen des Chusan-Taifuns waren regelmässig in der vorderen Hälfte bis zu 74 Sm. Abstand im Mittel 11¼ Str., als der Pescadores-Taifun noch 132 Sm. entfernt war. In kleinerem Abstande lenkte der P.-T. den C.-T. sowohl in Windstärke als auch Peilung ab bis zum Mittage des 27. August, als die beiden Mittelpunkte 161 Sm. resp. 79 Sm. von Tamsui waren. Die Schwankungen auf dieser Distanz betrugen bis zu 4¼ Str., das Mittel war 10 Str. Nach dem Mittag des 27. Aug. wirkten beide Taifune im gleichen Sinne und waren die Peilungen regelmässig im Mittel 12¼ Str.

Middle Dog Insel. Die Peilungen des Chusan-Taifun waren in der vordern Hälfte regelmässig, innerhalb 300 Sm. im Mittel 10 Str., innerhalb 200 Sm. im Mittel 7 Str., innerhalb 100 Sm. lenkte der P.-T. den C.-T. ab, die Schwankungen betrugen bis zu 27 Str. In der hinteren Hälfte hoben sich beide Taifune auf, daher SSOliche Winde Stärke 2. In der Nähe der Dog-Inseln war der Kreuzungspunkt beider Bahnen.

In dem vordern rechten Viertel war also auch nur ein Taifun massgebend und ist das Resultat aller Beobachtungen, dass man es in der vorderen gefahrvollen Hälfte im Kanal immer nur mit einem Taifun zu thun hatte und nur in dichter Nähe des Stilltegebiets sowie in der hinteren Hälfte eine Ablenkung der Peilungen wie auch der Windstärken stattfand.

Nachdem beide Taifune frei vom Kanal waren, fand eine mehr oder minder starke Einwirkung des einen auf den anderen statt.

An Bord des chinesischen Dampfers „Meifoo“, in Bullack-Hafen auf 28° N, waren die Peilungen ziemlich unregelmässig, das Schiff lag in der rechten Hälfte des Chusan-Taifuns und der linken Hälfte des Pescadores-Taifuns. In der vordern Hälfte des Chusan-Taifuns waren die Peilungen innerhalb 200 Sm. im Mittel 11 Str., innerhalb 100 Sm. im Mittel 7 Str.; in der hinteren Hälfte lenkten beide Taifune sich gegenseitig ab, die Schwankungen betrugen bis zu 13 Str.

Der Dampfer „Chinkiang“, von Shanghai nach Hongkong, lag ebenso wie der „Meifoo“ zwischen beiden Taifunen, ungefähr gleich weit von beiden Mittelpunkten entfernt und war bis zum Mittag des 28. August der Chusan-Taifun der vorherrschende, nach dieser Zeit lenkten beide Taifune sich gegenseitig ab. Die Peilungen waren beim Chusan-Taifun in der vorderen Hälfte innerhalb 200 Sm. im Mittel 8 Str., innerhalb 100—50 Sm. im Mittel 11¾ Str., innerhalb 50 Sm. sowie in der hinteren Hälfte betrug der Unterschied zwischen den Peilungen beider Taifune bis zu 17 Str. — Der Schuner „Ancona“ lag zwischen den Chusan-Inseln unter Chinsan-Insel zu Anker und passirte der Mittelpunkt des Chusan-Taifuns etwa um Mittag des 28. das Schiff. Die Peilungen in der vorderen Hälfte innerhalb 100 Sm. waren regelmässig im Mittel 6¾ Str. Nach Passiren des Chusan-Taifuns und bis der Pescadores-Taifun dwars war, beeinflussten sich beide Taifune und betrug der Unterschied beiden Peilungen bis zu 9 Str.; in der hinteren Hälfte waren die Peilungen regelmässig im Mittel 9¾ Str. — Die Bark „Gustav Marie“ war auf etwa 31° 30′ N und 123° O. etwa 30 Sm. nördlich des Kreuzungspunktes beider Bahnen. Die Peilungen des Chusan-Taifuns in der vorderen Hälfte immer regelmässig bis auf 40 Sm. Abstand vom Mittelpunkte im Mittel 10¼ St., zu der Zeit war der Pescadores-Taifun etwa 150 Sm. südlich vom Schiffe und in der Auflösung begriffen, trotzdem aber wurden innerhalb obigen Abstandes bis zu 150 Sm. in der hintern Hälfte die Peilungen bedeutend abgelenkt, der Unterschied beider Peilungen betrug bis zu 7 Str., im grösseren Abstande wurden die Peilungen wieder regelmässig im Mittel 10¼ St.; der Chusan-Taifun herrschte vor.

Etwa um 8 U. Vm. des 29. Aug. wurde an Bord der „Gustav Marie" platt vor dem Winde etwa 32 Sm. weg gelenzt, obgleich der Wind von O bereits bis NW und um Mittag bis W sich gedreht hatte; wäre der Pescadores-Taifun nicht in der Auflösung begriffen und der Chusan-Taifun etwa 160 Sm. entfernt gewesen, so hätte es böse für das Schiff ausgesehen. Hier sowohl wie an Bord der „Hindostan" und „Glencoe" scheint man keine Ahnung von dem Wesen eines Taifuns gehabt zu haben.

Obgleich die obigen Schiffe alle zwischen beiden Taifunen lagen und die Peilungen unregelmässiger waren als im Kanal, so lässt sich doch nicht verkennen, dass man es hier ebenso wie dort in der vorderen Hälfte bis auf 80 Sm. Abstand nur mit einem Taifun zu thun hatte und erst in dichter Nähe des Mittelpunkts sowie in der hinteren Hälfte eine starke Ablenkung sowohl in Windstärke als Peilung stattfand, welches aber wenig in's Gewicht fällt, da eine ungenaue Peilung von ein Paar Strichen in der Nähe des Mittelpunkts oder hintern Hälfte von wenig Belang ist.

Der Durchmesser des Sturmfeldes des Pescadores-Taifuns mit Stärke 6 und mehr war im Kanal etwa 650 Sm., des Chusan-Taifuns etwa 560 Sm. Das Fallgebiet erstreckte sich aber bis zu 1600 Sm., etwa 1000 Sm. in der vorderen und 600 Sm. in der hinteren Hälfte. Die Fahrt des Taifuns im Stillen Ocean war etwa 6 Sm., für den Pescadores-Taifun im Kanal bis zu 25° N 8 Sm., nördlich von 25° N 7 Sm., für den Chusan-Taifun ostwärts Formosas bis 30° N 9,5 Sm., nördlich von 30° N 7,5 Sm.

(Fortsetzung folgt.)

Nautische Literatur.

Zur See. Herausgegeben von v. Henck, Vice-Admiral z. D. und Niethe, Marinemaler, unter Mitwirkung von Kontre-Admiral a. D. Werner u. a. m., illustrirt von Prof. A. v. Werner und in Verlag von A. Hoffmann & Co. in Berlin. 1885.

Schneller noch als wir in unserer No. 7 zu erwarten berechtigt schienen sind die Liefg. 6 und 9 den dort besprochenen Liefg. 5 und 8 auf dem Fusse gefolgt, so dass jetzt nur noch 4 Lieferungen bis zur Vollendung des grossartigen Prachtwerkes fehlen. Die 6. Lieferung bringt im Text den Schluss des die Werft und die Ausrüstung des Schiffes behandelnden Teils in den verschiedenen Abschnitten, welche Anker, Boote, Seekarten, Lot und Logge, Kompass, Fernrohr, nautisch-astronomische Instrumente, Chronometer u. s. w. behandeln und dazu verschiedene hochinteressante Bilder der Baken zu Scharhorn, u. a. m., während in dem Briefe 9 die Reise der „Mathilde" mit ihren prachtvollen Stimmungs- und Genrebildern fortgesetzt wird. Der a Capella Chorgesang im vordern Teil der Batterie, wo das schöne Lied aus dem Freischütz: „Wir winden dir den Jungfernkranz" unter Begleitung von zwei 2½ zölligen Enden mit durchschlagender Wirkung aufgeführt wird, dürfte mehr als geeignet sein, bei den vielen „Old Salts", welche in der Frühjahrszeit mehr als sonst von Gicht und Rheumatismus heimgesucht werden, die ebenso heilsame Wirkung auszuüben als einige Flaschen Assmannshauser Wasser. Schon aus diesem Grunde, dem sich leicht eine Menge anderer beifügen liessen, empfehlen wir auch diese beiden Lieferungen einer fleissigen Durchsicht; mit dem Schluss behalten wir uns vor noch einmal im Gesammtüberblick auf das ganze Werk zurückzukommen, das eine Zierde der nautische Prachtliteratur bildet.

Berichtigung. In unserer Besprechung des Werks „Die Nautik der Alten von A. Breusing" hat sich, veranlasst durch missverständliche Auffassung einer Stelle der Vorrede, ein Irrtum eingeschlichen, den wir uns beeilen richtig zu stellen. Die Besprechung beginnt mit den Worten: „Verfasser hat sich die dankenswerte Aufgabe gestellt, anknüpfend an eine grosse Zahl ihm von einem Philologen von Fach angezeigten Stellen der alten, namentlich griechischen Schriftsteller über Bau, Takelung und Führung der Schiffe der Alten, seine Ansichten über die Bedeutung der einzelnen technischen Ausdrücke u. s. w. Es sind aber die betreffenden Stellen der alten Schriftsteller dem Verfasser keineswegs von einem Philologen von Fach ausgesucht worden, sondern der Verfasser selber hat lange Jahre hindurch die ganze Reihe der griechischen Schriftsteller durchgesehen, um eigenhändig alles zu sammeln, was sich auf die Nautik bezieht und gerade diese seine unsäglich mühsame Arbeit ist es, welche selbst Philologen bewundern und die wenn auch einzelne Ansichten widerlegt werden sollten, doch insofern von bleibendem Werte sein wird, als anders dadurch das Nachschlagen und Nachlesen erleichtert wird. Die dankenswerte Beihülfe des genannten Herrn Philologen hat sich dagegen auf die Korrektur des Drucks und die Herstellung des Stellen-Verzeichnisses beschränkt.

D. Red.

Aus Briefen deutscher Kapitäne. IV. Malden-Insel.

Bericht von Schiffskapitän *C. Ohlsen*, deutscher 3mast Schuner „Iris" aus Hamburg. Mitgeteilt durch *A. Schück*, Seeschiffer.

1884 Juli 11. Mittags befand sich „Iris" auf der Reise Melbourne-Malden-I. bei 4° 22' S, 154° 25' W G; in der Nähe der Caroline-I., deren Lage 1883 durch die U. S. Solar Eclipse Exp. genau bestimmt ist. Das Chronometer hatte richtigen Stand gehabt, „Iris" war daher zu genannter Zeit rw. SOzO ca. 34 Sm. von Malden-I. entfernt; mit Wind O, später OSO 4—5, steuerten wir gerade darauf zu.

Um 4 U. Nachmittags war von der Bramraa aus die Insel noch nicht zu sehen, durch Beobachtung wurde der Schiffsort bestimmt 4° 6' S, 154° 17' W G, wonach unser Abstand von der SO-Spitze der Insel kaum 8 Sm. betragen sollte; trotzdem war selbst von der Royalraa aus noch nichts von ihr zu sehen; allerdings befand sich die Sonne in derselben Richtung und der Horizont war im ganzen NW-Viertel mit Dunst-Gewölk bedeckt. Um 4½ U. erblickten wir von der Royalraa aus als erste Anzeichen des Landes, klumpenähnliche Figuren, die gerade aus dem Wasser aufzusteigen schienen; ob es Bäume oder Häuser waren, liess sich nicht erkennen. sie an Steuerbord lassend, steuerten wir darauf zu; näherkommend sahen wir jenseits der Insel die Schiffe, die an ihrer WSeite am Anker lagen; wenn solche gerade dort sind, sind es wohl die am besten sichtbaren Gegenstände.

Um 5½ U. passirten wir die SO-Spitze der Insel in 1½—2 Sm. Entfernung und steuerten an der Küste. ca. 1 Sm davon ab, entlang, wir konnten jetzt deutlich die Häuser und über ihnen wehend die britische Flagge erkennen, ehe wir jedoch die SW-Spitze erreichten, wurde es dunkel. Wir sahen drei Schiffe dort liegen: nach der in Melbourne erhaltenen Skizze sind nur 3 Festmachebojen vorhanden, so war vorauszusehen, dass wir in jener Nacht keinesfalls am Ladeplatz festmachen konnten. Da die See sehr ruhig war, steuerte ich auf die Schiffe zu, in der Hoffnung, dass ein Boot abkommen und mir Instruktionen erteilen würde. Dies geschah nicht, bei Dunkelwerden holte man von dem an der NO-Ecke — wo jetzt Guano gegraben wird — stehenden Flaggenstock die britische Flagge herunter und hisste eine hellbrennende Leuchte auf; dicht hinter dem an der nächsten Boje liegenden Schiffe vorbeisteuernd, erhielt ich auf Anruf den Bescheid, dass ich vorläufig nicht anlegen könne und wahrscheinlich längere Zeit bei der Insel kreuzen müsse.

Mit dem Winde an Backbord, segelte bei dem Wind wieder seewärts, die Leuchte blieb 5—6 Sm. sichtbar, von der Insel selbst war schon in viel geringerem Abstande nichts mehr zu sehen. Am nächsten Morgen nach dem Ladeplatz zurückkommend, erhielt Ordre, vorläufig 8 bis 10 Tage in See zu bleiben, weil früher kein Schiff abgefertigt würde. Dementsprechend segelte südwärts und hielt das Schiff südostwärts von der Insel, um nicht von etwaiger starker Strömung zu weit westwärts gesetzt zu werden. Am 21. wieder vorsprechend, erhielt Nachricht, am 25. Abends würde ein Schiff abgefertigt, am 26. Juli sei eine Boje für „Iris" frei. Diesmal hielt das Schiff nordostwärts von der Insel; beidemal musste bei Winden zwischen ONO und SO mit vollen Segeln kreuzen, um gewiss zu sein Grund gegen die Strömung zu halten; es war immer gutes Wetter. Am 26. Juli kamen wir an die dritte Festmacheboje.

Es waren, wie die Skizze der Gesellschaft zeigt, 3 Bojen vorhanden; die nördliche ist nur an einem am Lande liegenden Anker befestigt, daher muss ein sie benutzendes Schiff den Anker mit 60 Faden = 110 m Kette vor der Klüse hängen haben, um bei W-Wind, wenn das Hinterende nach Land zu dreht, am eigenen Anker zu liegen. Die Mittelboje ist die beste, sie liegt auf 60 Fd. = 110 m Wassertiefe, während unseres dortigen Aufenthaltes wurde sie an 2 Anker gelegt, so dass Schiffe an ihr den eigenen Anker nicht zu benutzen haben. Die südliche Boje liegt der Ladebrücke und dem, den Ladeplatz schützenden Riff an der SW-Ecke am nächsten; hier ist die Wassertiefe geringer, deshalb sind an dem im Wasser hängenden Anker nur 45 Fd. = 102 m Kette notwendig. An allen 3 Bojen wird die zweite Ankerkette als Festmachekette benutzt. Wenn das Schiff mit dem

Vorderende seewärts und um wieder in die richtige Lage zu kommen sich um 360° dreht (einen Rundtörn macht) giebt es viel Arbeit, um die Ankerkette von der Bojenkette zu klaren: meistens bricht dabei in dem Korallengrund der Ankerstock oder eine Ankerhand: jeder Patentanker soll so beschädigt gehoben worden sein. Um dieses Rundumdrehen zu verhindern und das Schiff in solcher Wassertiefe zu halten, dass der Anker bei Dünung nicht den Grund berührt oder in ihn eingreift, was man sofort durch den Stoss am Spill und Bug merkt, behält man immer (auch an der Mittelboje) einige Segel back liegend, gewöhnlich ein Marssegel und Besan.

Wie bereits erwähnt, befindet sich der Ladeplatz am SW-Ende der Insel und ist durch ein dort ausstreckendes Riff gegen Dünung bedeutend geschützt, indess macht sich diese manchesmal, wenn hohe Brandung auf dem Riff bricht, in das Laden hindernder Weise bemerkbar; einige Tage vor unserer Ankunft hatte die Dünung sich über die Ladebrücke weg gewälzt, so dass Landen unmöglich war; gewöhnlich kann man dort ein Schiffsboot anlegen; an der Südboje rollen die Schiffe am stärksten. Der Grund fällt sehr steil ab, man rechnet von ausserhalb der Brandung auf jeden Faden oder Meter Entfernung einen Faden oder Meter grössere Tiefe.

Während unseres vom 26. Juli — 3. Sept. dauernden Aufenthaltes war der Wind vorwiegend zwischen NNO und SSO, mitunter lebhaft O, zuweilen veränderlich und sehr flau. Mehrere Male hatten wir Regenschauer, eine Nacht hindurch regnete es stark; Regen hindert natürlich das Trocknen des ausgegrabenen Guano.

Steigen und Fallen des Wasserstandes fand statt, aber nicht regelmässig; die Richtung der Strömung war sehr unregelmässig, meistens vom Lande ab, westwärts, zuweilen parallel zum Lande.

Das Beladen der Schiffe geht der Ankunft entsprechend nach der Reihe, man erhält vorher genügend Guano, um den Ballast über Bord werfen zu können, denn ein Schiff muss jederzeit soviel Ballast oder Ladung an Bord haben, um sofort in See fahren zu können; da 2 Schiffe vor uns waren, von denen eines noch 300 Ts. Kohlen an Bord hatte, konnten wir erst am 25. August mit dem Beladen beginnen. Bei gutem Wetter ladet man täglich 100—130, zuweilen über 150 Ts. Der Guano liegt in grossen Haufen etwas oberhalb der Ladebrücke, er wird in Säcke von 70 — 80 ℔ Inhalt geschüttet, in offen auf Schienengeleisen laufende Rollwagen à 1½ — 2 Ts. gepackt, nach der Brücke gefahren, um dort auf einer Schut (stark geneigten Ebene) in die Laschen und Ladeböte gelassen zu werden: ein Boot nimmt 3 Wagen = 5—6 Ts.; von jedem Wagen werden zur Bestimmung des eingenommenen Gewichtes 3 Säcke gewogen. In jedem Boot sind 6 Mann, die ziemlich gewandt bei der Verschiffung sind. Zur Zeit meines Aufenthaltes waren 3 Ladeboote dort, gewöhnlich sind nur 2 im Gebrauch. Arbeitszeit: 5½ U. Mrgs. bis 5 U. Ab., mit je ¾ St. für Frühstück und Mittag.

Trinkwasser ist auf der Insel selbst nicht vorhanden, denn die Lagunen enthalten Salzwasser und stehen wahrscheinlich mit dem Meere in Verbindung; das Regenwasser wird von den Dächern der Häuser durch Röhren in dafür bestimmte Kasten geleitet; da ausserdem eine Kondensirungsmaschine im Gebrauch ist, wird für die Einwohner wohl kaum Wassermangel entstehen, jedoch können Schiffe nur im Falle grosser Not etwas Wasser erhalten.

Nur zwei Kokospalmen sind auf der Insel vorhanden, ausserdem einzelne sog. Sonnenbäume, die früher zahlreicher gewesen sein sollen, sonst giebt es nur spärliches niedriges Gestrüpp. Bekanntlich fand man schon bei Entdeckung der Insel unzweideutige Spuren von Gräbern früherer Bewohner.

Gegenwärtig wird der Guano an dem NO-Ende gegraben und mittelst auf Schienensträngen laufenden Rollwagen nach dem Verschiffungsplatz am Lande gefahren, dabei erspart ein Segel den Menschen die Arbeit, zurück d. h. gegen den Wind müssen die leeren Wagen geschoben werden. Auch am NO-Ende soll noch eine ziemliche Menge Guano lagern, so dass die Verschiffung von dort noch Jahre lang anhalten kann.

Auf der Insel leben 7—8 Europäer: der Verwalter, Arzt, Versender des Guano, Vorratsaufseher, Zimmermann, Schmidt und Koch. Arbeiter waren ca. 150, fast sämtlich von Savage-I. stammend. Die Einrichtung der Arbeit und Verladung ist gut und zweckmässig, alles geschieht musterhaft ordentlich und pünktlich; die Leitung scheint auf Güte begründet zu sein, Streitigkeiten zwischen Arbeitern und Aufsehern finden fast nie statt. Die Firma Grice, Sumner & Co. hat 2 Schiffe in regelmässiger Fahrt zwischen Melbourne und Malden-I., sie bringen Proviant, besorgen die Abwechselung der Arbeiter und nehmen gewöhnlich Guano nach Melbourne oder Neu-Seeland zurück.

An Bord der „Iris" beobachtete Unterschiede zwischen Besteck und Beobachtung bei Malden-I.

Juli	S. B.	W. L.	
15.	4° 1'	155° 0	
15.	16	155° 4	S 34 O 4 in 3 Std.
16.	29	17	N 76 W 29
17.	55	18	S 85 W 24
18.	5° 9	4	S 78 W 19
19.	4° 26	154° 36	N 69 W 14
20.	49	55	S 81 W 19
21.	18	38	N 10 in 17 Std.
22.	3° 53	57	
22.	51	49	N 55 W 12 in 18 Std.
23.	4° 40	51	S 85 W 23
24.	54	38	S 55 W 12

Verschiedenes.

Schiffahrt im Suezkanal. Nach den dem englischen Parlament vorgelegten offiziellen Ausweisen hat während des letzt verflossenen Jahres im Vergleich zu den zwei Vorjahren folgender Verkehr von Schiffen durch den Suezkanal stattgefunden:

Jahr	Schiffe	Bruttotonnen	Nettotonnen
1882	3 198	7 122 125 685	5 074 808 885
1883	3 307	8 051 307 299	5 775 861 795
1884	3 284	8 319 967 358	5 871 500 925

Aus dieser Aufstellung ergiebt sich, dass die Anzahl der im Jahre 1884 den Kanal benutzenden Schiffe dem Jahre 1883 gegenüber zwar um 23 geringer war, dass aber gleichzeitig deren Tonnengehalt sich um 95639 Nettotonnen erhöhte, was auf eine Zunahme in der Grösse der betreffenden Schiffe hinweist. Die eingetretene Vermehrung des Tonnengehaltes war jedoch nicht genügend, um einen Rückgang in den Einnahmen an Kanalgebühren zu verhindern, welcher übrigens durch die am 1. Januar 1884 in Wirksamkeit getretene Ermässigung der Schiffahrtstaxen um 50 Centimes pr. Tonne und durch die Aufhebung der Pilotage-Gebühr vom 1. Juli 1884 an verursacht wurde. Die bezüglichen Einnahmen beziffern sich für die drei in Vergleich gezogenen Jahre, wie folgt:

1882	1883	1884
Francs		
60 545 582	65 847 812	62 378 115

Der Anteil der einzelnen Flaggen an dem gesamten Nettotonnengehalt der im Jahre 1884 verkehrenden Schiffe unterscheidet sich nicht wesentlich von demjenigen der nächstfrüheren Jahre; er beträgt speziell für die englische Flagge 76 pCt., für die französische 9,6 pCt., für die deutsche Flagge 2,9 pCt. —a—

Wettsegeln auf See. Berühmt sind in der Geschichte der Amerikanischen Klipper die Fahrten dieser von Maury so viel gefeierten Schiffe zwischen *Newyork* und dem eben entstandenen *San Francisco*. Diese Fahrt hat der von zwischen San Francisco und dem Kanal mit Ladungen Weizen fahrenden Schiffen Platz gemacht. Die Strecke beträgt 18000 Sm. Unter mehreren vortrefflichen Seglern machte die „City of Lucknow" dieses Jahr die Reise nach Southampton in 100 Tagen, als das schnellste Schiff, während das nächstfolgende Schiff 118 Tage gebrauchte.

W. LUDOLPH

Bremerhaven, Bürgermeister Smidtstrasse 72,

Mechanisch-nautisches Institut,

übernimmt die **komplete Ausrüstung** von Schiffen mit sämmtlichen zur Navigation erforderlichen Instrumenten, Apparaten, Seekarten und Büchern, sowie das Kompensiren der Kompasse auf eisernen Schiffen.

Verlag von E. H. MAYER in LEIPZIG.

Gaea. 22. Jahrgang Heft à 1 Mark.

Inserat im Text, vom 22. Jahrgang, Zeile à 0,35 ℳ die gesp. Petitzeile

„ auf dem Umschlag 22. Jahrgang, Zeile à 0,25 ℳ die gesp. Petitzeile

Revue der Fortschritte der Naturwissenschaften.
(Vierzehnter Band.)
do. do. **Neue Folge.** Sechster Band pro 1/6 ℳ 9.
do. do. **Neue Folge.** Sechster Band pro 1/6 ℳ 8.
do. do. **Neue Folge.** Fünfter Band complet ℳ 9.

Wichtige Preisermässigung.

Handbuch für Schiffbau.

Zum Gebrauche für Offiziere der Kriegs- und Handels-Marine, für Schiffbauer und Rheder.

Von **W. H. White,**
Constructeur der englischen Kriegs-Marine, Lehrer an der Königl. Marine-Akademie u. s. w.

Mit Genehmigung des Verfassers aus dem Englischen übersetzt
von
Otto Schlick,
Schiffsarchitekt
und
A. van Hüllen,
Kaiserl. Marine-Ingenieur und Lehrer an der Kaiserl. Marine-Schule in Kiel.

Mit 134 in den Text gedruckten Holzschnitten.
In gr. 8. XX. 684 Seiten. 1879.

Herabgesetzter Preis für broschirte Exemplare.... Mark 13.—
» » gebundene » .... » 15.—

Leipzig, April 1886. **Arthur Felix.**

Nordseebad Norderney.

Sicherste und bequemste Gelegenheit

mit der Eisenbahn über Norden,

und von da in **halbstündiger Dampferfahrt über das Watt.** Man riskirt dann keine langwierige, ermüdende oder stürmische Seefahrt von 8—12 Stunden Dauer, kein Festlaufen auf dem Watt oder unfreiwillige Rückkehr; die kurze Fahrt zwischen Norddeich und Norderney, welche zu dreiviertel recht eigentliche Wattfahrt in schlichtem Wasser ist, lässt keine Seekrankheit aufkommen. Die zwei Dampfer der „**Norder-Dampfschiffahrts-Gesellschaft**" [illegible] umgebaut, bequem eingerichtet und laufen ruhig und geräuschlos durchs Wasser.

Durchgehende Billets auch für das Gepäck an allen grösseren Eisenbahnstationen. Der **neue Fahrplan** mit **direktem Schnellzuge von Köln oder Berlin bis Norden** kürzt die Fahrzeit um 1 Stunde ab; ähnliche Abkürzung von Bremen und Oldenburg; so dass man, bei ganz günstigen Flutverhältnissen, noch **an demselben Abend die Insel über Norden** erreichen konnte.

In meinem Verlage erschien:

Die Nautik der Alten.

Von

Dr. A. Breusing.

Direktor der Seefahrtschule in Bremen.

geh. Preis: ℳ 10.—

Nicht allein für Fachgelehrte, sondern auch für Philologen und Theologen gleich interessant, wird das Werk in den betreffenden Kreisen gewiß recht bald ein viel gelesenes und viel besprochenes sein.

Bremen. Carl Schünemann.

D. R.-P.
Patentirt im In- und Ausland.

Funken- und Russfänger!

Einziger, i. J. polizeilich approbirter, absolut zuverlässig wirkender Apparat.

Attest: Die Unterzeichneten bescheinigen hiermit dem Civil-Ingenieur Herrn Ernst Werner, daß sie der am 19. November v. J., bezw. am 4. Decbr. v. J. hierselbst stattgefundenen Vorführung seines Funkenfängers persönlich beiwohnten. Der Apparat hat sich bei schärfster Prüfung als seinem Zweck vollkommen entsprechend bewährt.

Hamburg, den 8. Januar 1886.

(gez.) M. Buchheister, Wasserbau-Inspector.
(gez.) C. Christensen, Baumeister der Lübeck-Büchener Eisenbahn-Gesellschaft.
(gez.) Andreas Burmester, General-Bevollmächtigter der Fire Insurance-Association.

Civil-Ingenieur Ernst Werner,
Hamburg, Cremon 4.

Die Zeitschrift „Die Nahrungsmittel" urtheilt, dass sich unser nach der stattgehabten chemischen Untersuchung in allen Eigenschaften von importirtem französischen Cognac, bei ganz bedeutend billigerem Preise nicht unterscheidet.

Cognac

Export-Compagnie für Deutschen Cognac, Köln a/Rh.

Unser Product eignet sich vortrefflich zu Einkaufen für Schiffs-Ausrüstungen. Proben mit Offerten gratis und franco zu Diensten.

Germanischer Lloyd.

Deutsche Gesellschaft zur Classificirung von Schiffen.

Central-Bureau: Berlin W, Lützow-Strasse 65.
Schiffbaumeister **Friedrich Schüler,** General-Director.
Schiffbaumeister **C. H. Kraus** in Kiel, Technischer Director.

Die Gesellschaft beabsichtigt in deutschen und ausserdeutschen Hafenplätzen, wo sie zur Zeit noch nicht vertreten ist, Agenten oder Besichtiger zu ernennen, und nimmt das Central-Bureau bezügliche Bewerbungen um diese Stellen entgegen.

Verlag von H. W. Silomon in Bremen. Druck von Aug. Meyer & Dieckmann, Hamburg, Alterwall 35.

Redigirt und herausgegeben
von
W. von Freeden, BONN, Thomastrasse 8.
Telegramm-Adresse:
Freeden Bonn,
oder
Hansa Alterwall 22 Hamburg.

Verlag von *H. W. Silomon* in Bremen.
Die „*Hansa*" erscheint jeden 2ten Sonntag. Bestellungen auf die „*Hansa*" nehmen alle Buchhandlungen, sowie alle Postämter und Zeitungsexpeditionen entgegen, desgl. die Redaktion in Bonn, Thomastrasse 8, die Verlagshandlung in Bremen, Obernstrasse 44 und die Druckerei in Hamburg, Alterwall 22. Sendungen für die Redaktion oder Expedition werden an den letztgenannten drei Stellen angenommen. Abonnement jederzeit, frühere Nummern werden nachgeliefert.

Abonnementspreis:
vierteljährlich für Hamburg 2½ ℳ,
für auswärts 3 ℳ = 3 sh. Sterl.
Einzelne Nummern 60 ₰ = 6 d.

Wegen Inserate, welche mit [illegible] ₰ die Petitzeile oder deren Raum berechnet werden, beliebe man sich an die Verlagshandlung in Bremen oder die Expedition in Hamburg oder die Redaktion in Bonn zu wenden.

Frühere, komplete, gebundene Jahrgänge v. 1873, 1874, 1876, 1877, 1878, 1879, 1880, 1881, 1882, 1883, 1884, 1885 sind durch alle Buchhandlungen, sowie durch die Redaktion, die Druckerei und die Verlagshandlung zu beziehen. Preis ℳ 6; für letzten und vorletzten Jahrgang ℳ [illegible].

Zeitschrift für Seewesen.

No. 10. HAMBURG, Sonntag, den 16. Mai 1886. 23. Jahrgang.

Inhalt:

Die neuen Prüfungsvorschriften für Steuerleute der Kauffahrteiflotte in den Niederlanden.

III.

Die freiwilligen Prüfungen nach dem Programme B.

Allgemeines Urteil über das neue Reglement.

Im Art. 10 der Königlichen Verordnung von 18. Jan. 1886 wurde angeordnet, dass die Prüflinge, welche es wünschen, ein besonderes Examen, nach dem Program B, ablegen können, in welchem besonderer Wert auf die *wissenschaftliche Begründung* gelegt wird („waarby in het bizonder wordt gelet op kennis der wetenschappelyke gronden"). Da eine weitere Charakteristik dieser freiwilligen Prüfungen (aan de candidaaten voor de Groote Vaart, die *den wensch dartoe te kennen geven*, worden de examens afgenomen volgens de Programma's B, waarby etc. wie schon bemerkt) in der Verordnung nicht ausgesprochen wird, so ist man wegen der Besonderheit dieser Prüfung ganz auf den Inhalt des Programs B angewiesen. Ob dasselbe ein genügendes Bild der zu erhebenden Ansprüche gibt, mögen unsere Leser aus dem Inhalt der einzelnen Programme zu ersehen suchen. Worin aber die holländischen Prüfungen, selbst nach Program B, sich noch immer wesentlich von den deutschen unterscheiden, wird aus der spätern Besprechung der thatsächlichen Zustände und Wünsche hervorgehen.

Das *Program B, Freiwilliges Examen*, beschäftigt sich nur mit Prüflingen
für die Groote Fahrt.

Prüfung zum dritten Steuermann laut Program B.

Vorbemerkung: No. 1—10, 12, 13, 15—19 gleich für G. S. wie für G. D.

1. 2. 3. wie im Program A, nur dass in 3. Kenntnis der „Eigenschaften" der Logarithmen gefordert wird.

4. wie im Program A mit dem Zusatz: nebst den Haupteigenschaften der Kugel, insofern Bekanntschaft mit derselben für die Schiffsrechnung und Körperrechnung von wesentlichem Belang ist.

5. 6. wie Program A.

7. wie Program A, wörtlich bis Kurs- und Distanzrechnung, Stromversetzungen und Peilungen. Daran schliessen sich: das Segeln im grössten Kreise, allgemeine Kenntnis des Sonnensystems und die auch in Program A sich findenden Forderungen über mittlere und wahre Zeit etc. Ferner „Kenntnis und Gebrauch des nautischen Almanachs, des Sextanten, des künstlichen Horizonts und des Chronometers; Berichtigung der Höhen und Umrechnung einer Höhe auf ein anderes Zenith; Berechnung der Ortszeit aus Sonnen-, Monds-, und Sternstundenwinkeln, durch correspondirende Höhen und die Methode von v. Littrow II; Breitenbestimmung aus Sonnen-, Monds- und Sternhöhen im Meridian, Circummeridianhöhen der Sonne, aus Nordsternhöhen, aus 2 Sonnenhöhen mit zwischengesegelter Distanz und aus Höhen zweier Himmelskörper; Berechnung von Stand und Gang des Chronometers durch Zeitkugeln, Zeitbestimmung und durch Höhe und Peilung der Sonne; Längenberechnung durch Chronometer und Monddistanzen; Sumners Methode; Missweisung des Kompasses nebst deren Berechnung aus Azimuth, Amplitude und astronomischer Peilung; Berechnung der Hochwasserzeit; numerische Berechnung von Beispielen aus der ganzen No. 7.

8. *Geographie*: Kenntnis von Niederland und dessen Kolonien, daneben einige Kunde von den verschiedenen Staaten der Welt, besonders der Seestaaten und Häfen und weiter wie Programm A.

9. Physikalische Geographie in Bezug auf die Veränderungen der Atmosphäre und den Ocean.

10. *Meteorologie*: Allgemeine Anfangsgründe der Physik, soweit sie für das Verständnis der Meteorologie erforderlich sind. Bekanntschaft mit den an Bord gebräuchlichen meteorologischen Instrumenten.

11. *Schiff* und *Takelung*: wie Program A 9.
12. 13. wie in Program A 10 und 11.

14. *Schiffsmanöver*: Bekanntschaft mit der Einwirkung des Windes auf die Segel und mittelbar auf den Rumpf eines Schiffs (ebenso für G. D.) Einwirkung des Wassers und der Strömung auf den Rumpf und das Ruder (für G. D. sowohl von Seglern als von Dampfern). Das Weitere wörtlich wie in Program A 12 für G. S. wie G. D.

15. 16. 17. 18. wörtlich wie in Program A 13. 14. 15. 16. für G. S. wie G. D.

19 a. Kenntnis der *englischen* Sprache, nämlich Lesen und Uebersetzen eines leichtern Stücks aus dem Englischen ins Holländische ohne grobe Fehler.

19 b. (Nach eigener Wahl) Kenntnis der französischen und deutschen Sprache wie 19 a. Alles für G. D. ebenfalls.

20. Bekanntschaft mit der Lehre vom Kräfteparallelogramm und Hebel, soweit sie zum Verständnis der Arbeit einer Maschine notwendig ist. Das Weitere wie Program A 18. No. 20 nur für G. D.

Der geneigte Leser wird mit uns der Ansicht sein dass, ganz abgesehen von gewissen Unbestimmtheiten der Ausdrucksweise, welche der Discretion des Prüfenden sehr weiten Spielraum lassen, die Anforderungen an den dritten Steuermann so überaus hoch gespannt sind, dass wol nur sehr wenige sich ihnen werden unterziehen wollen oder konnen, jedenfalls aber recht wenig Prüfungsstoff aus der rechnenden Steuermannskunst für den zweiten und ersten Steuermann übrig bleibt.

Program B. Prüfung zum zweiten Steuermann.

[illegible]

1. Alles was vom dritten Steuermann laut Program B verlangt wurde.

2. Einfluss des Eisens im Schiff auf den Kompass.

3. Gebrauch der Karte und Besteckabsetzen.

4. Transport von Chronometern und Barometern.

5. Führung des Chronometer-, Kompass- und meteorologischen Journals.

6. Kenntnis der herrschenden Winde und Meeresströmungen.

7. 8. 9. 10. 11. 12. wie im Program A II Steuermann 12. 13. 14. 15. 16. 17. 18. nur mit dem Unterschiede, dass wieder die geforderten sprachlichen Kenntnisse sub. 18. a. b. c. des Prog. A sich im Program B nur auf die englische Sprache beziehen, während die gleichen Kenntnisse im Französischen und Deutschen nachzuweisen, dem Belieben des Prüflings anheimgestellt wird.

13. *Dampfmaschinenkunde:* wie in Program A II Steuermann a bis d; dazu noch

e. Deutliche Vorstellung vom Arbeiten der Schraube.

f. Berechnung des Slips.

g. Kenntnis des Indicators und der Berechnung der Diagramme.

Wie man sieht ist zur Schiffsrechnung oder der theoretischen Rechenkunde nichts hinzugefügt, eben weil dieselbe vollständig in der Prüfung zum dritten Steuermann abgemacht ist. Es fragt sich aber sehr, ob der Examinator in diesem zweiten Examen, oder *in welchem Umfang* er auf alle theoretischen Prüfungsgegenstände des ersten Examens zurückgreifen darf, soll oder wird, oder ob die Praxis es so fügen wird, dass man einen dritten Steuermann nur auf einen Teil der verlangten Gegenstände examinirt und den Rest für die nachfolgenden Prüfungen erspart. Aber dann bliebe nicht abzusehen, warum nicht in Program B eine ähnliche Teilung der Anforderungen vorgesehen wurde, wie im Program A.

Program B. Prüfung zum ersten Steuermann.

1. Alles was vom zweiten Steuermann verlangt wird laut Program B.

2—14. gerade wie 7—19 im Program A für den ersten Steuermann und

15. genau dieselbe Forderung im Englischen und (nach Belieben) im Französischen und Deutschen wie im Program A für den ersten Steuermann.

Mit einem Wort, es wird das *Ganze der gewöhnlichen und astronomischen Schiffsrechnung*, wie wir es nennen, nebst den Vorbereitungen dazu durch sphärische und ebene Trigonometrie, Goniometrie, Geometrie und Arithmetik durch Program B in das Examen zum dritten Steuermann verlegt und im Examen zum zweiten und ersten Steuermann entweder vorausgesetzt oder noch einmal abgefragt. Dass diese Alternative eine ungeheuer ins Gewicht fallende Erleichterung oder Erschwerung der zweiten und ersten Prüfung in sich befasst, braucht Fachmännern nicht erst demonstrirt zu werden. Wir glauben dem Buchstaben des Gesetzes gemäss für die letztere Annahme uns entscheiden zu sollen, aber dann möchten wir doch auf das Missverhältnis aufmerksam machen, zwischen den gesetzlichen Anforderungen an den dritten Steuermann und seiner nachherigen Stellung an Bord, zumal eines Segelschiffs, und der Anwendung, welche er dort von den von ihm nachgewiesenen Kenntnissen machen kann. Was ist denn ein dritter Steuermann an Bord, und zu welchen Beobachtungen, zu welcher Rechenarbeit wird er, besonders auf einem Segelschiff, berufen oder zugelassen? Nach früherer Praxis war er dort wenig mehr als der Proviantmeister etc., kurz der „Hans in allen Gassen", der mit alledem beschäftigt wurde, was die andern Steuerleute gern von sich abschoben. Zum Bootsmann ist er zu jung und praktisch zu unerfahren (18 Jahre alt und mindestens 1 Fahrtjahr in der Grossen Fahrt) er kann ja kaum oder nicht leisten, was ein guter Matrose leisten kann oder soll und nun gar Offizier — es bleibt nichts übrig, als dass er sich oder andern oder allen zur Last fällt. Auf Dampfschiffen wird seine Stellung allerdings etwas besser sein. In Oldenburg galt früher auch die Bestimmung, dass jemand mit 18 Jahren, und nachdem er sich *zur See versucht hatte*, die Navigationsschule besuchen und sich seinen Untersteuermannsschein erwerben konnte. Da er gesetzlich aber erst nach 4 Fahrtjahren als Matrose, und erreichtem 21. Lebensjahr eine Untersteuermannsstelle an Bord antreten durfte, so veränderte die Schulpraxis und die bessere Ueberzeugung der jungen Seeleute das Gesetz nach halbjährigem Bestehen dahin, dass erst dann der Steuermannsschein erworben wurde, wenn man auch einen Steuermannsdienst antreten durfte oder konnte.

Erscheint uns somit diese Schöpfung der Petenten vom September 1883 resp. der Kommission vom Januar 1885 eine mehr als bedenkliche wenn nicht geradezu verfehlte, so glauben wir ferner, dass der natürliche Verlauf der Dinge die Programme A und C zu den leitenden, führenden, für die holländische Befehlshaberschaft an Bord characteristischen machen wird. Wir werden in ihnen zu erkennen haben, was man in Wirklichkeit von einem holländischen Kauffahrteioffizier in der Praxis seines Gewerbes fordern wird.

Nun läuft der Gesammtheit der drei Prüfungen für die Grosse Fahrt, wie auch der Prüfung für die Kleine Fahrt nach [illegible] tischen Bewandertheit in den verschiedenen Rechnungsarten zur Bestimmung von Schiffsort, Schiffskurs nebst Behandlung des Kompasses hinaus. Das darum hängende Brimborium von allerlei vorbereitenden Rechenkünsten kann die Thatsache nur notdürftig verschleiern, dass es sich im Grunde nur um ein Examen in der praktischen Kunde von der Schiffsrechnung innerhalb dreier ziemlich gut erkennbar abgesteckten Grenzen handelt. Sollen wir vorab unsere Meinung über das Examen zur Kleinen Fahrt sagen, so scheint uns hier eher ein zu grosses Mass theoretischer Kenntnisse gefordert zu sein, während den Steuerleuten für die Grosse Fahrt ein zu wenig auferlegt ist.

Aber unsere kundigen Leser werden längst im stillen sich und uns die Frage vorlegen, was hilft alles Philosophiren über die Tragweite und Bedeutung der einzelnen gesetzlichen Anforderungen in der Prüfung, so lange uns nichts über die Art der Vorbereitung d. h. hier über die *holländischen Navigationsschulen* mitgeteilt ist. Erst das Fundament, dann die Krönung des Gebäudes! Das ist richtig, doch werden sie uns zunächst zugeben, dass wenn die Krönung des Gebäudes, d. h. die Summe der Prüfungsvorschriften eine in sich logisch richtige und nach allen Seiten reiflich durchdachte Arbeit darstellte, dann die Vorbereitung zur Prüfung als von gleichem Geiste durchweht angenommen werden dürfte. Zum andern, müssen wir gestehen, fehlen uns positive Nachrichten darüber, wie in Holland bis hiezu Navigationsunterricht erteilt wird. Wir ahnen die Zustände wohl wir wissen auch, dass man dort keine öffentlichen staatlichen Lehranstalten mit festen Eintrittsterminen und geregelten Kursen hat, aber auf die eigentliche Art und Weise des Unterrichts und *die Vorbereitung der Lehrer* können wir nur indirect schliessen. Diese indirecte Beurteilung dortiger Zustände können wir aber um so zutreffender vornehmen, als uns dazu ein sehr ausgiebiges Material in dem letzten Bericht der alten nunmehr in Ruhestand *versetzten* Prüfungs-Kommission, gewissenmassen deren *nautisches Testament* an den Minister vorliegt. Das hochinteressante Actenstück liefert denn auch eine so durchsichtige Erklärung für die Schöpfung des uns unverständlich gebliebenen Programs B, dass wir nur wünschen mögen, dass im Interesse des holländischen Seewesens der letzte Schritt zum staatlichen Zwange, aus der vermeintlichen Freiheit des Unterrichts heraus und mit Beseitigung jenes bizarren Nothbehelfs baldmöglichst gethan werde.

Jene, frühere, Kommission, welche zum letzten Mal am 16. Januar 1885 zur Vornahme der im verflossenen Jahr nach dem alten Reglement abzuhaltenden Prüfungen vom Minister berufen war und ihre Aufgabe in 8 Sitzungen von je 3—4 Tagen im Februar, März, April, Juni, Juli, September, November, December bald zu Amsterdam bald zu Rotterdam erledigt, ausserdem in 2 Extrasitzungen im Haag die neuen Vorschläge des Ministers und obengenannter Petenten über *Abänderung der bestehenden* Prüfungsvorschriften, einer Beratung in ihrem mehr fachmännischen Kreise unterzogen hat — berichtet nun über den Ausfall der Prüfungen und ihre Ansichten zur Verbesserung der Prüfungsvorschriften, welchen sehr eingehenden Bericht wir im Aprilheft von „*De Zee*" ausführlich mitgeteilt finden. Wenn auch nur der letztere Teil des Berichts dem Bereich unserer heutigen Untersuchungen angehört, so mögen einige statistische Nachrichten aus dem Nachbarland über Umfang und Ausfall der Prüfungen doch gewissen Kreisen unserer Leser von Interesse sein.

Im verflossenen Kalenderjahr meldeten sich 135 Candidaten zur Prüfung, 38 mehr als voriges Jahr (aus Furcht vor dem neuen Reglement, tout comme chez nous). Davon wurden 3 wegen mangelnder Papiere zurückgewiesen, und von den übrigen 132 wegen Farbenblindheit weitere 6 d. h. beinahe 4 pCt. Von den übrigen 116 Prüflingen, meldeten sich

39 zum I St. auf G. F., bestanden 26, darunter 5 „Recidivisten"
30 „ II „ „ „ „ 22, „ 10 „
72 „ III „ „ „ „ 42, „ 17 „
1 „ I „ „ Kl. F., „ 1,
2 „ II „ „ „ „ 1,

2 zum Examen in Dampfschiffahrtskunde und das Manövriren mit Dampfschiffen, welche beide bestanden. (Von den beiden letzten Prüfungen ist durch das neue Reglement die erste in Wegfall gekommen, die zweite organisch einverleibt.

Unter den Durchgefallenen

13 I Steuerl. fielen 10 im theoret., 3 im prakt., 3 vorher im schriftl. Examen durch
8 II „ „ 7 „ „ 1 im prakt. „ „
30 III „ „ 23 „ „ 3 „ „ 4 in beiden Examen durch
1 [illegible] „ [illegible]

Also *bestanden* etwa 61½ pCt. im Jahre 1885 gegen
63 „ „ „ 1884
61 „ „ „ 1883
56 „ „ „ 1882
63 „ „ „ 1881
52½ „ „ „ 1880
38 „ „ „ 1879
39 „ „ „ 1878

In den ersten Jahren ihrer Thätigkeit scheint die alte Kommission ihre Aufgabe fest ergriffen zu haben, wie die niedrigen Procentsätze der Bestandenen in den beiden ersten Jahren darthun. Nachdem der „Schrecken" überstanden, und die Prüflinge sich den neuen Anforderungen gemäss vorbereitet hatten, bleibt der Ausfall der Prüfungen ein ziemlich gleichmässiger. Nach deutschen Erfahrungen ist immerhin aber die Zahl der „nicht Bestandenen", mehr als ein Drittel, ein ungefährlich und in Deutschland unbekannt hoher. Gewiss mit Recht beklagt die Kommission am Schluss ihrer Auslassungen über diese Materie den schlechten Zustand der Lehrmittel (zeer gebrekkige leermiddelen) mit denen die meisten Candidaten sich haben behelfen, und weshalb man in den theoretischen Fächern sich habe mit einem „Minimum" begnügen müssen. Die Antworten in ihnen hätten meist so entmutigend gelautet, dass die Examinatoren sich lieber der praktischen Steuermannskunst zugewandt hatten, auf welche die Navigationslehrer ihre Schüler hauptsächlich vorbereiteten, um sie damit durch das Examen zu „drücken".

Sodann folgt der Bericht über einzelne Punkte der Prüfungsgegenstände, *ein Rückblick auf die vergangenen 7 Jahre und zugleich ein Blick in die Zukunft und auf das neue Reglement.*

1. *Schreiben einer lesbaren Handschrift und genügende Vertrautheit mit der Landessprache.* Ergebnisse schlecht, Resultate der 7 Jahre geradezu entmutigend. — Das ist doch wol ein deutlicher Hinweis auf die nicht auf der Höhe ihrer Aufgabe stehende *Volksschule als Vorbereitungsanstalt*, von den Navigationsschulen als anscheinend blossen Rechenschulen gar nicht zu reden.

2. *Wissenschaftliche Fächer.* Fortschritte nicht bemerkbar. Selten eine passende Antwort auf die einfachsten und deutlichsten Fragen aus Rechenkunde, Arithmetik und Geometrie erhalten; noch schlimmer in Goniometrie und Trigonometrie, oder Astronomie, selbst Logarithmenlehre, sodass eine begriffliche Auffassung der Schiffsrechnung unmöglich war. — Aber warum verlangen die Navigationsschulen keine Vorprüfung bei der Aufnahme, warum steht die Volksschule in keinem zielbewussten Anschluss an die Navigationsschule, fragt mit Recht die Kommission. Alles mechanische Abrichtung, weiter nichts.

3. *Schriftliche Arbeiten.* Litten auch unter dem Mangel an theoretischen Kenntnissen der Prüflinge und beschränkten sich meist auf die magern Rechenexempel der Steuermannskunst.

4. *Art und Gebrauch der Seekarten.* Nur einige Prüflinge kannten etwas von dem Unterschied der platten von der runden Karte; die runde Karte selber kannten die wenigsten ihrem Wesen nach.

5. *Instrumente.* Etwas Fortschritte in der Kenntnis derselben bemerkbar. Die Localattraction der Kompasse ist aber noch wenig bekannt, selbst unter den ersten Steuerleuten, welche doch mit den anzustellenden Beobachtungen und zu nehmenden Massregeln bekannt sein sollten.

6. *In der physikalischen Geographie in Bezug auf die Veränderungen in der Atmosphäre und den Oceanen* waren die meisten Prüflinge „sehr schwach"; desgleichen wussten wenige etwas von den allgemeinen Eigenschaften der Körper, ihrem Aggregatzustand und dem Gebrauch der meteorologischen Instrumente. (Vergl. damit Program B, Anforderungen an den dritten Steuermann und was davon zu halten ist. Man muss doch unwillkürlich an das Holländische „het papier is geduldig, Mynheer"! denken.)

7. *Praktischer Teil.* Sehr ungleichmässige Resultate erzielt, im allgemeinen aber kein Rückgang, sondern ein Fortschritt wahrzunehmen, denn 1878 fielen 57 pCt. wegen mangelhafter Kenntnisse im praktischen durch, im letzten Jahr nur 25 pCt. Im Auf- und Abtakeln der Schiffe wenig Erfahrung bewiesen (aus bekannten naheliegenden Gründen auch bei uns) dento mehr im Manövriren, Kenntnis der herrschenden Winde, Orkane und Manöver in ihnen, Kenntnis des Strassenrechts, der Signale u. s. w., sowohl auf Dampfern als auf Seglern.

8. *Gesetzeskunde.* Ebenfalls sehr ungleiche Kenntnisse gezeigt, teilweise Geschick im Erfassen der gesetzlichen Bestimmungen und Fleiss beim Einprägen derselben erkennbar, dann aber auch wieder das gerade Gegenteil, als fernerer Beweis dafür, wie *mechanisch* und *flüchtig* der *Unterricht* gewesen sein muss.

9. *Die Dampfmaschinenkunde und das Manövriren mit Dampfern.* Bessert sich im allgemeinen, wenn auch der *sehr oberflächliche* Unterricht deutlich erkennbar bleibt. Dies zeigt sich namentlich bei den ersten Steuerleuten, welche tiefere Kunde des Stoffes hätten zeigen müssen. Der Erlernung der Kunst des Manövrirens unter *schwierigen* Umständen und der Aneignung einer praktischen Sicherheit darin, stellt sich der schwer zu beseitigende Uebelstand entgegen, dass dann der Kapitän selber gewöhnlich das Kommando übernimmt; unter gewöhnlichen Umständen zeigten sie von Jahr zu Jahr bessere Kenntnisse.

10. *Praktische Vertrautheit* („Bekwaamheid") *mit der englischen, deutschen und französischen Sprache.* Die Zahl der sich zu dieser Prüfung meldenden Prüflinge nahm von Jahr zu Jahr ab; ebenso ihre Kenntnisse.

11. *Die Kleine Fahrt.* Im allgemeinen machte bei diesen Prüfungen die Kommission dieselben Erfahrungen über sehr mangelhafte tiefere Ergründung der gestellten Aufgaben wie bei der Grossen Fahrt. So niedrig wie auch die Anforderungen gestellt sind, so scheint das geforderte Maass der Kenntnisse doch noch ein zu grosses sein und die Lehrmittel nicht auszureichen. Von 15 Prüflingen, die sich in 8 Jahren meldeten, sind 8 bestanden, 7 nicht!! Die Kleine Fahrt ist in steter Abnahme begriffen und die gestellten Anforderungen zur Erlangung eines Patents stehen in keinem Verhältnis zu der Gage, welche Steuerleute in dieser Fahrt nachher bedingen können. Also ähnliche Missverhältnisse, wie bei uns laut dem Artikel „Schiffer in kleiner Fahrt" in No. 8 d. Hansa hervorgehoben wurden.

12. Das Gesamturteil der Kommission wird von ihr selber dahin zusammengefasst „dass vor allem nach einem zielbewussten Anschluss des Navigationsunterrichts an den allgemeinen Volksunterricht gestrebt werden muss, so dass sie zu einem durchlaufenden Kursus sich zusammenschliessen, und dass in Verbindung hiermit eine staatliche Regelung des Navigationsunterrichts als dringende Forderung der Zeit erscheint, damit die Niederländische Handelsflotte im internationalen Verkehr den Standpunkt behaupte, auf welche sie nach ihrer Geschichte und natürlichen Anwartschaft Anspruch erheben darf."

Und sollen wir nach allseitiger Prüfung der im Vorstehenden vorgeführten Berichte, Vorschriften, Reglements und Verordnungen den Eindruck wiedergeben, welchen dieselben auf uns gemacht haben, so erscheint uns Folgendes als Bedürfnis, damit das so eben genannte letzte Ziel des Navigationsunterrichts für die Niederländische Handelsflotte erreichbar werde.

1. Beseitigung der bisherigen privaten und mit einander konkurrirenden Navigationsschulen (wenn wir richtig vermuten) und Umwandlung derselben in eine Anzahl öffentlicher staatlicher Lehranstalten mit festangestellten, auf Lehrfähigkeit und Kenntnisse vorher zu prüfenden Lehrern, ziemlich eng begrenzten festen Aufnahmeterminen nach vorher abgelegter Aufnahmeprüfung, festen bestimmten Unterrichts-Kursen und thunlichst allgemeinem gleichmässigen Unterricht für alle.

2. Ausrüstung der Schulen mit einem ausreichenden literarischen, hydrographischen und instrumentalen Apparat, zur Förderung des Anschauungsunterrichts und der handlichen persönlichen Fertigkeit der Schüler.

3. Beschränkte Dauer der Schulkurse, höchstens 6 Monate, damit die Lehrer ihre volle Kraft einsetzen und die an Denkfähigkeit wenig gewöhnten Schüler nicht übermüdet werden. Lässt sich erreichen durch planmässig sicher fortschreitenden gemeinsamen Unterricht von leichtem theoretischen zum schwereren praktischen Teil, sodass der letztere als reife Frucht des erstern erscheint.

4. Die Lehrer, wenigsten die Hauptlehrer, müssen Sitz und Stimme in der Prüfungskommission haben und Anteil an der wirklichen Prüfung nehmen, damit die Prüflinge den Examinatoren nicht ganz fremd gegenüberstehen. Letzterer Umstand fällt desto schwerer ins Gewicht, je geringer die allgemeine Bildung und Gewandtheit des Prüflings ist, und scheint uns vielfach ausreichend, die harten und wahrscheinlich oft nur relativ richtigen Urteile obiger Kommission zu erklären.

5. Erleichterung des freiwilligen Examens laut Program B für den dritten Steuermann und angemessene Verteilung des dort zusammen gedrängten ganzen eigentlichen nautischen Lehrstoffs über die Prüfungen zum zweiten und ersten Steuermann nach Anleitung des hierin weit vorzüglichern Program A. Nach unserer Ansicht steht das ganze Program B in der Luft, so lange es an der genügenden Vorbereitung durch die Schulen fehlt; da letztere aber laut Urteil der Kommission faktisch fehlt, so sollte der Staat am allerwenigsten sich zu solchem Blendwerk, wie Program B ausmalt, hergeben; die Kenner und das sind hier sicherlich auch die holländischen Seeleute selber, täuscht er damit nicht; sie werden einfach Program B als nicht vorhanden, resp. als saure Frucht anerkennen. **Dann wäre aber das ganze neue Reglement eher ein Zeichen oder ein Beweis des Rückschritts als des Fortschritts in der Ausbildung des holländischen Seemannsstandes,** *da in den Programmen A und C fast ausschliesslich nur die praktische Rechenfertigkeit ins Auge gefasst zu sein scheint.*

Die Dampferverbindungen der Vereinigten Staaten von Amerika.

In den Handelsbeziehungen der Vereinigten Staaten von Amerika zu den übrigen Ländern des amerikanischen Continents nehmen die Wünsche nach einer Vermehrung und nach grösserer Regelmässigkeit der Dampferverbindungen mit den südamerikanischen Häfen die erste Stelle ein. Der in dieser Hinsicht vorhandene Mangel wird mit dem allgemeinen Verfall des Schiffsbaus und der Handelsmarine der Vereinigten Staaten seit dem Secessionskriege in Zusammenhang gebracht. Der Raumgehalt der im internationalen Handel beschäftigten Schiffe der Vereinigten Staaten beträgt 1 200 000 T.; die Mehrzahl dieser Schiffe gehen unter Segel und sind alt. England baute im Jahre 1883 Schiffe mit einem Tonnengehalt von 1 027 000 T. und besitzt eine Handelsmarine von 12,5 Millionen T., wovon ²/₃ Dampfer sind.

Im Jahre 1848 trugen die Schiffe der Vereinigten Staaten 77,4 pCt. des eigenen Handels; gegenwärtig werden von den Handelsgütern der Vereinigten Staaten nur noch 16 pCt. auf eigenen Schiffen verfrachtet, während 65 pCt. auf englischen Schiffen verladen werden. Noch in den Jahren 1855 und 1856 hatte der Anteil der amerikanischen Schiffe 75 pCt. betragen; vom Jahre 1862 beginnt ein rasches Sinken dieses Anteils: 1862 50 pCt., 1864/65 27,6 pCt., 1866 — 1870 35 pCt., 1872 29 pCt., 1879 23 pCt., 1880 — 1882 16 pCt. Die zur Zeit bestehenden direkten Dampferverbindungen mit dem spanischen Amerika sind:

1. Die Pacific Mail Linie, welche von New-York nach Aspinwall (Colon) und von San Francisco nach Panama läuft;

2. die brasilianische Linie von New-York nach Rio, welche eine Subvention seitens der brasilianischen Regierung erhält (etwa 100 000 Dollars jährlich) und alle 1½ Monat einen Dampfer aus New-York absendet;

3. die sogenannte Red d'Line zwischen New-York und Venezuela, welche einem New-Yorker Bankhause gehört und in Curaçao, Porto Cabello, La Guayra und Maracaibo anläuft;

4. Die Atlas Linie zwischen New-York und den Häfen Central-Amerikas.

Im Interesse der Beschleunigung des Briefverkehrs, der Hebung des Passagierverkehrs und des schnelleren Transportes solcher Waaren, welche einer regelmässigen und raschen Beförderung bedürfen, sollen zunächst folgende vier Linien eingerichtet werden.

1. Von den Nordatlantischen Häfen der Vereinigten Staaten nach der Ostküste Südamerikas bis zu den südlichsten Häfen der argentinischen Conföderation;

2. von den nordatlantischen Häfen nach dem Isthmus und den nördlichen Häfen Südamerikas;

3. von New-Orleans nach den Osthäfen Centralamerikas, dem Isthmus und den nördlichen Häfen Südamerikas;

4. von San Francisco nach den westlichen Häfen Central- und Südamerikas.

Eine mit dieser Angelegenheit betraute Commission fordert zur Begründung dieser Linien die Gewährung einer Staatssubvention, insbesondere in Form einer erhöhten Zahlung für die Postbeförderung. Mit Nachdruck wird hierbei auf die Thatsache hingewiesen, dass der Kongress 211 Millionen Acker Land zur Beförderung des Eisenbahnbaues geschenkt und 108 Millionen Dollars baar zu diesem Zwecke als Darlehn gegeben habe, und dass ohne diese staatliche Unterstützung die vielen Länderstrecken des Westens nie die gegenwärtigen Bahnverbindungen erhalten hätten und der Kultur nicht erschlossen worden wären. Dieselben Mittel, welche sich nun für den inländischen Handel und Verkehr so segensreich erwiesen hätten, möge die Regierung auch dem überseeischen Verkehr zu Teil werden lassen. Hierbei wird auf das Beispiel Englands und Frankreichs verwiesen; welche durch staatliche Subventionirung ihrer Schiffahrt den Handel der Welt an sich gezogen und ihre Industrie in den Stand gesetzt hätten, den Ueberschuss ihrer Produktion auf überseeischen Märkten zu verwenden.

England habe durch Zahlung von Subsidien im jährlichen Betrage von 5 Millionen Dollars erreicht, dass gegenwärtig die Bürger der Vereinigten Staaten an englische Schiffseigenthümer für Waarenfracht, Passagier- und Postbeförderung 75 Millionen Dollars jährlich zahlen müssten. Bereits vor 40 Jahren hätten die englischen Staatsmänner erkannt, dass der Handel stets auf denjenigen Märkten einkaufe, welche er mit der grösstmöglichsten Ersparniss an Zeit und Geld erreichen könne, und schon 1840 habe Samuel Cunard eine Subvention von 450 000 Dollars für Beförderung der Post nach Boston und Halifax erhalten. Dieses System habe sich so gut bewährt, dass bald darauf unter ähnlichen Bedingungen Linien nach Japan, China, Westindien und Mexiko eingerichtet wurden.

Im Jahre 1850 hat die englische Regierung den Dampferlinien 8 pCt. Dividende vom Anlagekapital mit der Bedingung gewährleistet, dass bei Mehrerträgen ½ des Ueberschusses in die Staatskasse fliessen sollte.

England zahlte Subventionen an Dampferlinien:

in den Jahren	durchschnittl. Mill. Dollars	in den Jahren	durchschnittl. Mill. Dollars
1848 und 1849	3,21	1870 und 1871	6,89
1850 bis 1857	5,56	1872 bis 1874	5,68
1858 bis 1868	4.33	1875 und 1876	4,60
1869	5,48	1877 bis 1882	3,78

Dem Beispiele Englands sind andere Staaten behufs Hebung des Verkehrs mit dem spanischen Amerika gefolgt.

Frankreich zahlt (seit 1858) ausser der Entschädigung für zurückgelegte Meilenzahl:

an die südamerikanische Linie	728 000 Doll.
„ „ Mexikanische u. Westindische Linie	790 000 „
„ „ Linie Havre-New-York	500 000 „
	2 018 000 Doll.

Brasilien zahlt:

an zwei englische Linien	1 097 000 Doll.
„ brasilianische Linien	310 000 „
„ die Linie nach New-York	100 000 „
	1 507 000 Doll.

Nach dem Commissionsbericht weigern sich die Vereinigten Staaten nicht bloss, eine Subvention an Dampferlinien zu gewähren, sondern zahlen ungenügende Entschädigung für die Postbeförderung. Die Postverwaltung bezog im Jahre 1881 aus der Beförderung von Briefen ins Ausland eine Einnahme von 1,5 Millionen Dollars, während sie für die Versendung dieser Post nur 239 000 Dollars bezahlte, also einen Ertrag von über 1 Million Dollars aus diesem Zweige zurückbehielt. Die Beförderung der Post im inländischen Verkehr wird besser bezahlt als die transoceanischen Sendungen: Die Postverwaltung der Vereinigten Staaten zahlte für die Postbeförderung auf Landwegen (starservice) für die Meile 0,0628 Dollars, in der Binnenschiffahrt 0,1537 Dollars, auf Eisenbahnen 0,1053 Dollars, im transoceanischen Verkehr 0,025 Dollars.

Für den Postverkehr der Vereinigten Staaten mit Süd- und Central-Amerika sind an die verschiedenen Dampferlinien gezahlt worden in den Fiskaljahren 1876/77 15 548 Doll., 1877/78 20 594 Doll., 1878/79 18 063 Doll., 1879/80 17 057 Doll., 1880/81 22 637 Doll., 1881/82 12 571 Doll., 1882/83 13 795 Doll., 1883/84 16 210 Doll.

Die Summe des letztangeführten Jahres verteilt sich wie folgt: die Vereinigten Staaten zahlten für die Postbeförderung nach Columbien, Peru, Ecuador, Chile, Nicaragua, Honduras, Salvador, Guatemala, Costa-Rica und Mexiko über Panama 8 549,16 Dollars, nach Venezuela 1 046,22 Dollars, nach Brasilien, Argentinien, Uruguay und Paraguay 6 101,95 Dollars, von New-Orleans nach den Centralamerikanischen Staaten 512,63 Dollars.

Zur Begründung des Verlangens nach Subventionirung amerikanischer Dampferlinien wird insbesondere angeführt, dass die Kosten des Schiffsunterhalts und die Höhe der Heuer auf nordamerikanischen Schiffen um 30 bis 40 pCt. grösser seien als auf europäischen Schiffen; daher könnten die amerikanischen Schiffe an Billigkeit der Fracht nicht mit den englischen oder gar mit den schwedischen, norwegischen und dänischen Schiffen konkurriren. Auf diesen letzteren Schiffen erhalte zum Beispiel der Kapitän 40 Dollars monatlich, während der Führer eines amerikanischen Schiffes 100 Dollars monatlich beanspruche. Die nordamerikanischen Schiffe werden in ihren eigenen Hafenplätzen von der Konkurrenz der englischen Frachtdampfer verdrängt; eine grosse Anzahl englischer Dampfer ist Jahr aus Jahr ein auf der Fahrt: Liverpool-Südamerika-New-York-Liverpool so beschäftigt, dass sie in Rio Kaffee nach New-York laden, darauf hier eine Fracht Getreide, Petroleum oder Speck nach Liverpool nehmen, um wieder von dort mit einer Ladung englischer Baumwollfabrikate etc. nach Brasilien zurückzukehren. Dieses Routensystem der englischen Dampfer, welches zugleich für den Ausschluss des Exports der Vereinigten Staaten nach Südamerika massgebend sei, wird im Commissionsbericht als „Triangular route" bezeichnet. Zwischen Venezuela, New-York, Liverpool würden gleichfalls die bezeichneten Fahrten englischer Dampfer ausgeführt. Exporteure in New-York sagten aus, dass sie zu Zeiten für Centralamerika bestimmte Waaren über *Hamburg* zu einem niedrigeren Frachtsatze senden, als es auf dem direkten Wege über Aspinwall möglich wäre. Nach Peru bestimmte Waaren würden von New-York fast immer über Hamburg oder Liverpool gesandt. Der allerdings geringe Passagierverkehr nach Südamerika nehme von New-York häufig den Weg über England. Ein Komite der Maritime Exchange zu Philadelphia hat der Komission einen im Kongress einzubringenden Gesetzentwurf vorgelegt, nach welchem jedes in Amerika gebaute und hier registrirte Schiff von über 1000 T. zur Mitnahme der Post verpflichtet sein und für die Registertonne eine Entschädigung von 25 Cents bezw. 15 Cents für je 1000 Meilen erhalten solle, je nachdem es sich um Dampfer oder Segelschiffe handle. Diese Entschädigung soll bis zum Jahre 1899 gezahlt werden, worauf eine Herabsetzung um je 5 pCt. jährlich eintreten soll, so dass die Subvention im Jahre 1919 gänzlich aufhören würde.

— s —

Oel auf See.

Soweit die Geschichte zurückreicht, ist Oel zur Beruhigung der Wellen angewandt worden. Alte Historiker erzählen u. A. von zaghaften Fischerleuten, die Oel auf See gebrauchten. In alten Lehrbüchern findet man hier und da ähnliche Beispiele als „curiose Vorfälle" bezeichnet. Bei näherer Prüfung der Sache stellt sich heraus, dass seit undenklichen Zeiten die Anwendung des Oeles, als eines Bändigers schwerer Seen, bestanden hat, leider aber nur in soweit, als dieser Gebrauch nie gänzlich von der Bildfläche verschwunden ist; es ist zwar hin und wieder ein Versuch mit Oel gemacht worden, jedoch hat Niemand daran gedacht, das Interesse des seefahrenden Publikums dafür wachzurufen. Die Anwendung des Oeles ist noch nie weit verbreitet, thatsächlich ist sie nicht einmal allgemein bekannt gewesen. Die Unkenntnis in diesem Punkte war bislang, und zwar hauptsächlich unter Leuten, die völlig damit vertraut sein sollten — nämlich unter Seeleuten — so gross, dass der Vorschlag, Oel zur Verhütung von Seeunfällen anzuwenden, als eine Absurdität betrachtet wurde, mit der vernünftige Leute sich nicht befassen könnten. Selbst sogenannte Männer der Wissenschaft, von denen man voraussetzen darf, dass sie eine Sache prüfen, bevor sie dieselbe verurteilen, haben einfach über die wunderliche Idee gelacht. Ueberall hiess es: ebensogut könnte man versuchen, den Atlantischen Ocean mit einem Besen auszukehren, als die Oberfläche des Meeres mit Oel zu glätten. Nun verlangt aber Niemand, den Ocean auszukehren, ebenso ist auch kein Mensch dabei interessirt, die ganze Oberfläche des Meeres zu beruhigen. Es kommt hier nur darauf an, auf einer kleinen Fläche des Oceans die schweren Seen abzuschwächen und so das Schiff vor Unheil zu bewahren; und dies ist, wie die Erfahrung gelehrt hat, ebenso wohl erreichbar, als es unter Umständen möglich ist, seinen Grund und Boden vor Ueberschwemmung zu bewahren.

Als man vor einigen Jahren mit Oel zu experimentiren begann, waren die Skeptiker bei weitem in der Majorität. Wenige Kapitäne fanden sich, die Versuche anstellen wollten. Die Fälle, welche man citirte, um den Nutzen des Oels auf See zu beweisen, wurden als Märchen und Erzählungen von Reisenden betrachtet — Uebertreibungen, die der Beachtung nicht werth wären. Dennoch wurden die Versuche fortgesetzt, und zwar in demselben Masse, wie sich der Erfolg steigerte. Nach und nach begannen auch die Skeptiker Versuche anzustellen und sich von dem Nutzen des Oeles zu überzeugen, bis sie schliesslich selbst den Schiffsführern empfohlen, Oel zu gebrauchen, als ein Mittel, um das Ueberbrechen von Sturzseen zu verhüten. Es ist nie behauptet worden, dass das Oel die See vollkommen glatt und ruhig zu machen im Stande sei. Die Dünung wird stets im Wasser bleiben, aber die Gewalt der Sturzseen und der von achtern über's Heck laufenden „Roller", sowie die dadurch verursachte schwere Erschütterung des Schiffes könnte wohl durch ein verhältnismässig geringes Quantum Oel vermieden werden. Das Oel steigt und fällt mit der See, breitet sich aber zugleich wie eine Decke über dieselbe aus und beugt dem Brechen der Sturzseen vor. Durch beständiges Hinzufügen neuen Oeles vom Schiffe aus kann man diese Decke leicht in unmittelbarer Nähe des Fahrzeuges halten, bis der Sturm nachgelassen, oder die See ausgetobt hat. Diese Anwendung des Oels hat jetzt das Stadium der Experimente hinter sich.

Es sind Versuche genug gemacht worden, die keinen Zweifel mehr darüber aufkommen lassen, dass Oel leicht und erfolgreich zur Abschwächung schwerer Seen benutzt und durch dieses Mittel mancher Unfall verhütet werden kann. Als ein Beweis, wie schnell dies neue Schutzmittel gegen Seegefahren jetzt Verbreitung findet, kann wohl die Thatsache gelten, dass viele Rheder ihre Schiffe zu diesem Zwecke extra mit Oel ausrüsten und ihre Kapitäne anweisen Gebrauch davon zu machen, falls die Umstände es erheischen. Auch die Assecuradeure sind jetzt von der Wirksamkeit des Oeles überzeugt, und die Zeit ist nun gekommen, wo kein Schiffsführer mehr unterlassen sollte, das Mittel gegebenen Falls zu versuchen. Viele Dampfer, hauptsächlich die mit dem Viehtransport beschäftigten atlantischen Böte, haben jetzt alle erforderlichen Vorkehrungen an Bord, um Oel zu gebrauchen, sobald es Not thut. Mineralöle haben sich bis jetzt weniger wirksam für diesen Zweck erwiesen, als vegetabilische oder animalische Oele. Die mit Fischöl angestellten Versuche haben ergeben, dass sich dieses Oel in Berührung mit kaltem Wasser, wie man es während der Wintermonate vorfindet, zu schnell verdickt, jedoch gewinnt man durch Vermischung eines Mineralöles von niedriger Temperatur mit dem Fischöl ein Oel, welches bei einer weit niedrigeren Temperatur gefriert, als gewöhnliches Fischöl. Die an Bord von Schiffen gebräuchlichste Vorrichtung zur Verteilung des Oels besteht aus mit Oel gefüllten durchlöcherten Segeltuchsäcken, die über die Riegelung gehängt, langsam ihren Inhalt heraussickern lassen. Es wäre wünschenswerth, dass die Kapitäne zur weiteren allgemeinen Aufklärung ihre in dieser Beziehung gemachten Erfahrungen in grösserem Massstabe veröffentlichen, als dies bisher geschehen ist. In Anbetracht der Erfolge, die man mit Oel auf See bis jetzt erzielt hat, scheint es kaum notwendig anzuführen, dass Kapitäne ihre Vorurteile gegen Versuche [illegible] wird Oel, als ein Mittel zur Beruhigung der Wellen, in nicht allzu ferner Zeit allgemein in Gebrauch kommen.

Germanischer Lloyd.

Deutsche Handels-Marine: Seeunfälle vom Monat März 1896, soweit solche bis zum 15. April 1896 im Central-Bureau des Germanischen Lloyd gemeldet und bekannt geworden sind.

I. Segelschiffe.	Gesammtzahl	Ladung	Klasse [1]	Alter (Jahre)	Rhederei
a. m. gering. Schaden angekom.	[illegible]	[illegible]	[illegible]	[illegible]	[illegible]
b. m. schwer. Schaden eingekom.	[illegible]	[illegible]	[illegible]	[illegible]	[illegible]
c. am Grund gerat. od. gestrd. u. abgebr.	[illegible]	[illegible]	[illegible]	[illegible]	[illegible]
d. gestrandet und nicht abgebr.					
e. Collision.					
f. Totalverlust [2]	[illegible]	[illegible]	[illegible]	[illegible]	[illegible]
Summa	12				
II. Dampfschiffe.					
a. m. Schad. angekom.	4	[illegible]	[illegible]	[illegible]	[illegible]
b. an Grund geraten.	3	[illegible]	[illegible]	[illegible]	[illegible]
c. Collision	3	[illegible]	[illegible]	[illegible]	[illegible]
d. Totalverlust					
Summa	10				

Ladung: Petroleum, Holz, Kohlen, Salpeter, Wein, Palmkerne, Baumwolle, Güter, Ballast, unbekannt. Klasse: I, II, O., unbekannt. Rhederei: Preussen, Elbe, Weser, Mecklb.

[1] Soweit zu ermitteln, Klasse einer Schiffsklassifikations-Gesellschaft. O. = keine Klasse. Umgekommene Seeleute: [illegible].

[2] Tonnengehalt von [illegible] Schiffen [illegible] Tons.

BERLIN, d. 16. April 1896.

Nautische Literatur.

Almanach für die k. k. Kriegs-Marine etc. etc. Ein Band in Taschenformat von X und 328 Seiten. Preis: in Leinen gebunden M. 4.

Mit gewohnter Pünktlichkeit erschien auch dieses Jahr dieses beliebte Taschenbuch, dessen Inhaltsfolge seit einigen Jahren feststehend ist, daher wir ihn nicht alljährlich zu wiederholen brauchen.

Die berühmten, beliebten und vielfach benutzten „Flottenlisten" nehmen 117 Seiten ein und haben sich in den elf Jahren seit Bestehen des Almanachs ganz gewaltig entwickelt, dürften aber jetzt ebenfalls eine feststehende Form erreicht haben. Diese elf Jahrgänge der „Flottenlisten" geben eine Geschichte des Kriegsschiffbaues in zusammengefasstester Form. Als der Almanach im Jahre 1876 zum erstenmal erschien, waren die seegehenden Brustwehr-Monitore der „Devastation"-Klasse und ihre Nachkommen die Vertreter der modernen Schlachtschiffe, die grossen Fregatten der „Inconstant"-Klasse die Vertreter der modernen Kreuzer; das Torpedowesen stand noch in seinem Kindesalter. Heute nach elf Jahren stehen wir vor einer teilweise neuen Umgestaltung des schwimmenden Flottenmaterials. Die Veranlassung hierzu gab die unerwartet rasche Entwicklung des Torpedowesens, um das sich, so zu sagen, gegenwärtig das ganze Seekriegswesen dreht. Einerseits hat die grosse Fahrgeschwindigkeit der Torpedoboote (19 bis 23 Meilen) bewirkt, dass die *Schnelligkeit* für jedes Kriegsschiff eine *Waffe* geworden ist, andererseits haben die Torpedos den Wert der grossen, schweren, seitengepanzerten Schlachtschiffe immer mehr herabgedrückt. Die Folge davon ist das Bestreben, die Kriegsschiffe immer *leichter und schneller* zu bauen. Man darf sich an dem Gesagten dadurch nicht irre machen lassen, dass England, Italien und Russland mit dem Bau von grossen, schweren Schlachtschiffen fortfahren; in Frankreich dagegen wurde der Bau der grossen Schlachtschiffe „Brennus" und „Charles Martel" eingestellt und beide sollen in Transportschiffe umgewandelt werden.

Blättert man die „Flottenlisten" des Almanachs zu dem Zwecke durch, um zu erfahren, welche Schiffstypen zumeist [illegible], welchen man am häufigsten begegnet, und zwar: 1. Deckgepanzerte *Schnellkreuzer* (ohne nähere Bezeichnung); 2. Deckgepanzerte *Rammkreuzer*, auch bisweilen Torpedorammkreuzer genannt; 3. *Gürtelpanzerkreuzer*; 4. *Torpedokreuzer* (teils mit, teils ohne Horizontalpanzer).

Zur Begriffsbestimmung dieser Ausdrücke sei im Kurzen für Nichtfachmänner Folgendes bemerkt: Unter *Schnellkreuzer* versteht man im Allgemeinen jeden autonomen Kreuzer von grosser Fahrgeschwindigkeit (17 bis 20 Meilen). Der Anstoss zum Baue von Schnellkreuzern ging von England aus. In richtiger Erkenntnis des hohen Wertes grosser Geschwindigkeit und handlicher d. h. mässig grosser Schiffsdimensionen, war man in England schon seit ungefähr 10 Jahren bestrebt, immer stärkere Maschinen in Anwendung zu bringen, dabei aber das Deplacement der Schiffe möglichst zu verkleinern. Dieses Bestreben führte 1877 zum Bau der Kreuzer der „Iris"-Klasse von 3730 Tonnen Deplacement, 7300 Pferdekraft und 18 Meilen Geschwindigkeit. Vergleicht man diese Kreuzer mit jenen, welche ungefähr zehn Jahre früher gebaut wurden (Typ „Inconstant"), so kann man nach jeder Richtung einen bedeutenden Fortschritt feststellen. Das Deplacement wurde beinahe auf die Hälfte herabgesetzt, die Maschinenkraft blieb die gleiche, Maschinen, Kessel und Munition blieben wie früher unter der Wasserlinie, die Geschwindigkeit aber stieg um volle 2 Knoten (von 16 auf 18). Diese bedeutende Leistung konnte nur durch die gewaltigen Fortschritte im Maschinenbau und durch die Einführung des weichen Stahls als Baumaterial für die Schiffskörper erzielt werden.

Die Kreuzer der „Iris"-Klasse waren aber noch ungeschützt. Man konnte sich der Ansicht nicht länger verschliessen, dass es eine unbedingte Notwendigkeit sei, wenigstens die vitalen Teile der Kreuzer durch ein verhältnismässig dünnes aber doch festes Schutzdeck, also durch einen Horizontalpanzer zu schützen. Die ersten Kreuzer mit einem teilweisen Panzerdeck waren die in den Jahren 1878—1881 gebauten neuen Schiffe der „C"- oder „Comus"-Klasse, welchen später noch zwei weitere (verbesserte „Comus"-Klasse) folgten. Diese Schiffe besitzen über Maschine, Kessel und Munitions-Depôts ein etwas unter Wasser liegendes Deck von 38 mm Dicke; die Enden dieser Schiffe aber sind ohne Panzerdeck hergestellt. Ueber dem Panzerdeck ist eine entsprechend hohe und sorgfältig hergestellte Zellenkonstruktion (Flosskörper) angebracht. Die Schiffe der Comus-Klasse erreichten jedoch nur eine Geschwindigkeit von 13 bis 14 Meilen.

Man suchte nun den grossen Vorzug der oben angeführten „Iris"-Klasse, die hohe Fahrgeschwindigkeit, mit dem Vorteile zu vereinigen, welchen das Panzerdeck mit darüber befindlichen Flosskörper auf den Kreuzern der „Comus"-Klasse bietet, und so entstanden in England 1882 die Kreuzer der „Leander"-Klasse von 17 Knoten Geschwindigkeit. Nicht zufrieden mit diesem Ergebnis verbesserte man den „Leander"-Typ und schuf im Jahre 1885 die Kreuzer der „Mersey"-Klasse von 18 Meilen Geschwindigkeit und mit einem Panzerdeck, das an dem horizontalen Teile eine Dicke von 51 mm, und von 76 mm an dem geneigten Teile hat. Diese Kreuzer können als die gelungensten der heutigen englischen Flotte bezeichnet werden. Ein genügend starkes Panzerdeck mit einer darüber liegenden Zellenkonstruktion hält man gegenwärtig für einen vollkommen hinreichenden Schutz für einen Schnellkreuzer.

Unter *Rammkreuzern* versteht man im Allgemeinen geschützte d. i. deckgepanzerte Schnellkreuzer mit der Bestückung eines Schlachtschiffes.[1] Die Bezeichnung „Rammkreuzer" oder — wie man auch häufig hört und liest — „Torpedorammkreuzer" ist strenge genommen ein Nonsens, weil jeder moderne Schnellkreuzer Torpedoausrüstung führt und einen Rammbug besitzt, und eben das Charakteristische dieses Schiffstyps — nämlich die schwere Bestückung — in der Bezeichnung „Rammkreuzer" nicht zum Ausdruck gelangt. Diese sogenannten Rammkreuzer bilden heute ein Mittelding zwischen Schlachtschiff und Kreuzer. Sie sind für einen eigentlichen Kreuzer offensiv unnötig stark, für ein Schlachtschiff hingegen defensiv zu schwach. Es hat aber allen Anschein, dass sich diese sog. Rammkreuzer zum Schlachtschiff der Zukunft entwickeln dürften. Man braucht nur das Panzerdeck auf mindestens 60—70 mm Dicke zu bringen und die zwei Barbettetürme, in welchen die zwei schweren

[1] Die gewöhnliche [illegible] besteht aus 15 bis 17 cm-Geschützen.

Panzergeschütze aufgestellt sind, sowie die Munitionsaufzugsschachte mit einem entsprechend starken Vertikalpanzer zu versehen und man wird den richtigen Typ zu einem vorzüglichen Schlachtschiff erhalten, was sich heute Alles bei einem Deplacement von 4500 Tonnen mit 20 Meilen Maximalgeschwindigkeit herstellen lässt.

Das Typschiff dieser ganzen Sippe ist die bei W. G. Armstrong, Mitchell & Co. in Newcastle im Jahre 1883 gebaute chilenische „Esmeralda" von 3000 To. Deplacement, 6500 P. K. und 18 Meilen Fahrgeschwindigkeit. Diese sog. Rammkreuzer sind ein sehr beliebter Schiffstyp geworden und werden für China, Japan, Chile, Argentina u. s. w. (zumeist von Armstrong, einer Firma, deren Spezialität der Bau von Schnellkreuzern ist) gebaut. Die neueste Leistung der Firma Armstrong sind die japanischen Rammkreuzer der „Naniwakan"-Klasse von 3600 To. Deplacement, 7500 P. K. und 19 Meilen Fahrgeschwindigkeit (mit künstlichem Zuge). Die Bestückung dieser Rammkreuzer besteht aus zwei 26 cm- und sechs 15 cm Krupp-Geschützen, 14 Schnellfeuerkanonen und Mitrailleusen und 4 Gatlings in den beiden Marsen. Die Torpedoausrüstung besteht aus vier Breitseiten-Lanzirapparaten über Wasser. Ein Stahlpanzerdeck von 50—76 mm Dicke geht durch das ganze Schiff, dessen Luken mit Panzerdeckel und Panzergrätingen geschützt sind.

Von europäischen Flotten besitzt nur die italienische vier Nachkommen der „Esmeralda", von denen einer ebenfalls bei Armstrong, die übrigen im Inlande gebaut wurden.[1]

Die sog. *Gürtelpanzerkreuzer* — welchen die Idee zu Grunde liegt, die vitalen Teile eines Kreuzers stärker zu schützen als dies durch die einfache Placirung von Maschinen, Kessel und Munition unter der Wasserlinie der Fall ist[2] — sind eine russische Erfindung aus dem Jahre 1873. Man scheint in Russland diesem Schiffstyp grossen Wert beizulegen, weil man fortfährt, ähnliche Schiffe zu bauen. Auch in England hat man in neuester Zeit auf das Drängen Reed's hin, des warmen Verteidigers des Seitenpanzers, die sieben Gürtelpanzerkreuzer der „Orlando"-Klasse (5000 To. Deplacement, 8500 P. K., 18 Meilen Fahrgeschwindigkeit) in Bau gelegt.[3]

Unter *Torpedokreuzer* versteht man Schnellkreuzer, deren Hauptwaffe die Torpedos, die Artillerie dagegen nur eine Hilfswaffe ist.[4] In Folge dessen können diese Kreuzer bedeutend kleiner gehalten werden.[5] Solche Torpedokreuzer besitzt auch bereits die österreichische Marine zwei, welche 18 Meilen (mit künstlichem Zuge) laufen, aber leider kein Panzerdeck besitzen, wie dies bei den englischen und französischen Torpedokreuzern der „Archer"-, bez. „Condor"-Klasse der Fall ist. F. K.

---

[1] Wir halten es für angezeigt, hier aufmerksam zu machen, dass das Torpedoramm*schiff* (engl. Typ „Polyphemus") sich von dem Torpedoramm*kreuzer* dadurch unterscheidet, dass es keine schweren Geschütze führt, dass seine Hauptwaffen die Ramme und die Torpedos bilden, und dass es im Verhältnis zum Rammkreuzer nur einen beschränkten Wirkungskreis besitzt.

[2] Panzerdeck (Horizontalpanzer) kannte man damals noch nicht.

[3] Diese Gürtelpanzer*kreuzer* sind nicht mit den Gürtelpanzer*schlachtschiffen* z. B. der französischen Marine („Baudin"- und „Neptune"-Klasse) zu verwechseln.

[4] Also umgekehrt wie bei den 3 vorhergenannten Schiffstypen.

[5] Zumeist ungefähr 1500 To. Deplacement, also ungefähr halb so gross wie die Rammkreuzer der „Esmeralda"-Klasse.

Im Kunstverlag der Hofbuchhandlung Herm. J. Meidinger, Berlin C. Niederwallstr. 22, erschienen soeben die vortrefflich ausgeführten *lebensgrossen Brustbilder des Kaisers und Kronprinzen* und zwar in gleicher technischer Vollendung wie die unlängst von demselben Verlag veröffentlichten Bismarck- und Moltke-Porträts. An Bildern der Genannten ist zwar kein Mangel, aber diese neuen Porträts haben, neben *aller Aehnlichkeit* des seelischen Ausdrucks, eine *Vornehmheit der Durchführung und Ausstattung* zu eigen, die sie weit über die seither üblichen Farbendruck-Porträts erheben und ihnen einen Platz auch in den feinsten Salons einräumen, während der *billige Preis* (das Blatt kostet auf fifach weiss Karton 60 : 80 cm gelegt nur 2 ℳ) diesen *hervorragenden Kunstblättern* einen *verdienten* Platz in jedem guten Bürgerhause, und, setzen wir noch hinzu, in der Kajüte jedes patriotischen Kapitäns sichert!

Verschiedenes.

Der **dritte Nachtrag** zum Register des Germanischen Lloyd enthält 12 Berichte über neu aufgenommene, resp. neu klassificirte Schiffe, welche dem Register pro 1886 hinzuzufügen sind: 137 Berichte über Veränderungen und Korrekturen, welche die bereits im Register pro 1886 enthaltenen Schiffe betreffen; 13 Berichte über Schiffe, welche dem Anhange zum Register pro 1886 hinzuzufügen sind und 4 Berichte über Veränderungen und Korrekturen, welche die im Anhange zum Register pro 1886 bereits enthaltenen Schiffe betreffen.

Die dreizehnte Auflage von **Brockhaus' Conversations-Lexikon** ist bereits bis zum Abschluss des dreizehnten Bandes vorgeschritten und hat damit den Text bis gegen das Ende des Buchstabens R fortgeführt. Was zunächst auch bei diesem Bande vorteilhaft ins Gewicht fällt, ist die bedeutend vermehrte Zahl der Stichwörter, die auf 6782 stieg gegen 2114 im entsprechenden Bande der zwölften Auflage; wie sehr diese Einrichtung dem raschen Auffinden des Gesuchten und der handlichen Brauchbarkeit des ganzen Werks zu statten kommt, weiss jeder zu schätzen, der häufig im Conversations-Lexikon nachzuschlagen Veranlassung hat. Daneben sind indess alle diejenigen Stoffe, die ihrer Natur nach eine zusammenhängende Darstellung erheischen, in ausführlichern Artikeln behandelt. Beide Kategorien finden im vorliegenden Bande die tüchtigste Vertretung. Von speciellem Interesse für die Gegenwart sind die Artikel: Pius IX, eine eingehende Biographie des vorigen Papstes; Polarforschung, mit Angabe der neu errichteten internationalen Beobachtungsstationen; das Königreich Preussen, die preussischen Provinzen Pommern und Posen, unter Zugrundelegung der neuesten statistischen Daten geschildert; Postwesen; Rechtschreibung; Reichsgericht. Unter den Illustrationen des Bandes, bestehend in 16 Bildertafeln, 10 Karten und 22 in den Text gedruckten Holzschnitten, ziehen vornehmlich 3 Chromotafeln die Blicke auf sich; sie stellen Essbare Pilze, Giftige Pilze und ein in geschmackvollem Renaissancestil decorirtes Wohnzimmer dar und sind mit meisterlicher Technik hergestellt. Besonderes Interesse gewähren noch die vortrefflich ausgeführten, instructiven Tafeln „Ausgrabungen von Pompeji" und „Das alte Rom".

Das soeben erschienene neueste Heft der Nachrichten für und über **Kaiser Wilhelmsland und den Bismarck-Archipel** enthält folgende neue Mitteilungen: Laut Anzeige des Auswärtigen Amts sind die Flaggen, die englischer Seits auf den Teilen der Küste von Neu-Guinea, die jetzt unter deutschem Schutze stehen, geheisst worden waren, auf Anordnung des englischen Geschwaderchefs der australischen Stationen eingezogen worden. Der Kaiser hat den Vorschlag des Kaiserlichen Kommissärs in Matupi genehmigt, dass der auf der Gazellen-Halbinsel gelegene Mount Beautemps-Veaupré „Berg Varzin", die Insel Neu-Irland „Neu-Mecklenburg" und die bisher als New-Britain bezeichnete Insel „Neu-Pommern" benannt werden. Das von der Gesellschaft gekaufte Barkschiff „Norma" (645 Tons) ist mit den für den Landeshauptmann bestimmten fünf schwedischen Häusern und mit Vorräten an Kohlen, Holz und Lebensmitteln am 10. November von Hamburg ausgelaufen und bereits am Bestimmungsort glücklich angekommen. Es soll in Finschhaven als „Hulk" verbleiben und hauptsächlich als Kohlenlager dienen.

Das Glück der Cunard-Linie, auf welches soviel in Blättern hingewiesen wird, („in all' den Jahren kein Schiff und kein Menschenleben verloren"), ist bei näherer Beleuchtung doch nicht so gross als behauptet wird. Die im Jahre 1840 gegründete *Cunard-Linie* verlor in transatlantischer Fahrt am 1. Juli 1844 die „Columbia", in einem Nebel an der Küste von Neuschottland; am 17. Mai 1879 die „Tripoli" auf Tuskar im Irischen Kanal und jetzt 14. März 1886 die „Oregon" vor Fire Island bei Long Island. In mittelländischer und Havre-Fahrt hat sie 4 Schiffe verloren, nämlich die „Brest", „Sidon", „Balbeck" und „British Queen". Im Ganzen 7 Schiffe. Aber kein Menschenleben ist bei allen diesen Schiffsverlusten untergegangen.

Verlag der **Schulzeschen Hof-Buchhandlung** (A. Schwartz) in **Oldenburg:**

Barometerbuch f. Seeleute. Nach d. »Barometer Manual« d. »Meteorolog. Office« zu London von **W. v. Freeden.** Mit 18 Holzschn. u. 2 Karten 3 ℳ, in Orig.-Einbd. 3.60 ℳ

v. Freeden, W., Nautik. In Leder-Einbd. 11.25 ℳ

Hilfs u. Ballsor, Seehäfen. I. m. Supplem., Asien, Australien, Süd-Amerika, Westindien. Mit 6 Karten. 14.25 ℳ, in Orig.-Einbd. 15.50 ℳ

[illegible] II: Central-Amerika, Alaska u. Nord-Amerika [illegible], in Orig.-Einbd. 11 ℳ

— —, — III, 1: Spanien, Portugal u. Süd-Frankreich. M. Uebersichtskarte. 6 ℳ, Orig.-Einbd. 8 ℳ

Der Schiffs-Compass, d. erdmagn. Kraft u. Deviation v. prakt.-seemann. Standpunkte. Orig.-Einbd. 1 ℳ

Wetter u. Wind. Ueb. Wärme, Dunstspan., Luftdr., Luftbew. v. prakt.-seem. Standp. Orig.-Einbd. 3 ℳ

Gearpl, Seewege u. Distanz-Tabellen. Orig.-Einbd. 2 ℳ

—, Skagen-Helgoland-Scilly u. Scilly-Helgoland-Skagen. Mit 10 Karten. Orig.-Einbd. 6 ℳ

Schück, Wirbelstürme oder Cyclonen mit Orkangewalt. Mit 11 Karten u. Tafeln. Orig.-Einbd. 6 ℳ

Pichler, H., Bilder a. d. Seeleben, 2. Aufl. 3 ℳ, in Orig.-Einbd. 4 ℳ

Bray-v. Freeden, Strassenrecht auf See für Kapitaine, Steuerleute und Matrosen der Handelsmarine. Mit 179 Holzschnitten. ℳ 3, in Original-Einband ℳ 4.

Einziger, z. Z. polizeilich approbirter, absolut zuverlässig wirkender Apparat.

Attest: Die Unterzeichneten bescheinigen hiermit dem Civil-Ingenieur Herrn Ernst Werner, daß sie der am 19. November v. J., bezw. am 4. Decbr. v. J. hierselbst stattgefundenen Vorführung seines Funkenfängers persönlich beiwohnten. Der Apparat hat sich bei schärfster Prüfung als seinem Zweck vollkommen entsprechend bewährt.

Hamburg, den 8. Januar 1886.

(gez.) M. Buchheister, Wasserbau-Inspector.
(gez.) C. Christensen, Baumeister der Lübeck-Büchener Eisenbahn-Gesellschaft.
(gez.) Andreas Burmester, General-Bevollmächtigter der Fire Insurance-Association.

Civil-Ingenieur Ernst Werner,
Hamburg, Cremon 4.

Werkstatt für Präcisionsmechanik
G. HECHELMANN,
Hamburg I. Vorsetzen 3.

Specialität: Reflexionsinstrumente, Fluidkompasse, Patentrusen (mit Metallträger oder Seidenfadenaufhängung), D. R. P. No. 23503. **Komplete Ausrüstung von Schiffen** unter Garantie solidester Ausführung.

Sämtliche Instrumente werden von der Deutschen Seewarte geprüft.

Nordseebad Norderney.

Sicherste und bequemste Gelegenheit
mit der Eisenbahn über Norden,
und von da in **halbstündiger Dampferfahrt über das Watt.** Man riskirt dann keine langwierige, ermüdende oder stürmische Seefahrt von 5—12 Stunden Dauer, **kein Festlaufen auf dem** Watt oder unfreiwillige Rückkehr, die kurze Fahrt zwischen Norddeich und Norderney, welche zu dreiviertel recht eigentliche Wattfahrt in schlichtem Wasser ist, lässt keine Seekrank[illegible] **[illegible] Dampfschifffahrts-gesellschaft"** sind nach den neuesten Systemen gebaut bezw. umgebaut, bequem eingerichtet und laufen ruhig und geräuschlos durch's Wasser.

Durchgehende Billets auch für das Gepäck an allen grösseren Eisenbahnstationen. Der **neue Fahrplan** mit **direktem Schnellzuge von Köln oder Berlin bis Norden** kürzt die Fahrzeit um 1 Stunde ab, ähnliche Abkürzung von Bremen und Oldenburg, so dass man, bei ganz günstigen Fluthverhältnissen, noch **an demselben Abend die Insel über Norden** erreichen konnte.

Grossherzoglich Oldenburgische
Navigationsschule zu Elsfleth.

Beginn des Kursus: 1. März und 1. Oktober.
Dauer desselben 5 Monate.
Beginn des Steuermannskursus: 1. Januar, 1. Juli und 1. Oktober.
Dauer desselben 7 Monate.
Beginn des Vorkursus (Vorbereitung zum Steuermannskursus): 1. April, 1. August, 1. Dezember.
Dauer desselben 2 Monate.
Nähere Auskunft ertheilt der Unterzeichnete
Dr. [illegible]

Cognac

Die Zeitschrift „Die Nahrungsmittel" urtheilt, dass sich unser nach der stattgehabten chemischen Untersuchung in allen Eigenschaften von importirtem französischem Cognac, bei ganz bedeutend billigeren Preisen nicht unterschied.

Export-Compagnie für Deutschen Cognac, Köln a/Rh.
Unser Product eignet sich vortrefflich zu Einkäufen für Schiffs-Ausrüstungen. Proben mit Offerten gratis und franco zu Diensten.

Germanischer Lloyd.
Deutsche Gesellschaft zur Classificirung von Schiffen.

Central-Bureau: Berlin W, Lützow-Strasse 66.
Schiffbaumeister **Friedrich Schüler,** General-Director.
Schiffbaumeister **C. H. Kraus** in Kiel, Technischer Director.

Die Gesellschaft beabsichtigt in deutschen und ausserdeutschen Hafenplätzen, wo sie zur Zeit noch nicht vertreten ist, Agenten oder Besichtiger zu ernennen, und nimmt das Central-Bureau bezügliche Bewerbungen um diese Stellen entgegen.

Verlag von H. W. Silomon in Bremen. Druck von Aug. Meyer & Dieckmann, Hamburg, Alterwall 18.

HANSA

Redigirt und herausgegeben
von
W. von Freeden, BONN, Thomasstrasse 9.
Telegramm-Adressen:
Freeden Bonn,
oder
Hansa Alterwall 20 Hamburg.

Verlag von H. W. Silomon in Bremen
Die „Hansa“ erscheint jeden 2ten Sonntag
Bestellungen auf die „Hansa“ nehmen alle Buchhandlungen, sowie alle Postämter und Zeitungsexpeditionen entgegen, desgl. die Redaktion in Bonn, Thomasstrasse 9, die Verlagshandlung in Bremen, Obernstrasse 44 und die Druckerei in Hamburg, Alterwall 20. Sendungen für die Redaktion oder Expedition werden an den letztgenannten drei Stellen angenommen. Abonnement jederzeit, frühere Nummern werden nachgeliefert.

Abonnementspreis:
vierteljährlich für Hamburg 2½ ℳ,
für auswärts 3 ℳ = 3 sh. Sterl.
Einzelne Nummern 60 ₰ = 6 d.

Wegen Inserate, welche mit [illegible] ₰ die Petitzeile oder deren Raum berechnet werden, beliebe man sich an die Verlagshandlung in Bremen oder die Expedition in Hamburg oder die Redaktion in Bonn zu wenden.

Frühere, komplete, gebundene Jahrgänge v. 1873, 1874, 1876, 1877, 1878, 1879, 1880, 1881, 1882, 1883, 1884, 1885 sind durch alle Buchhandlungen, sowie durch die Redaktion, die Druckerei und die Verlagshandlung zu beziehen. Preis ℳ [illegible]; für letzten und vorletzten Jahrgang ℳ [illegible].

Zeitschrift für Seewesen.

No. 11. HAMBURG, Sonntag, den 30. Mai 1886. 23. Jahrgang.

Inhalt:

Die Hamburg-Amerikanische Packetfahrt-Actien-Gesellschaft und der Norddeutsche Lloyd.

Als im vergangenen Jahre nach Annahme des Gesetzes der staatlichen Dampfer-Subvention im deutschen Reichstage die Vergebung derselben nahe bevorstand, richteten sich naturgemäss die Blicke in erster Linie auf die beiden grossen, seit Jahrzehnten bestehenden deutschen transatlantischen Dampfer-Gesellschaften, die Hamburg-Amerikan. Packetfahrt-Actien-Gesellschaft und den Norddeutschen Lloyd. Man war auf die regierungsseitig zu erfolgende Wahl resp. Entscheidung namentlich in Handels- und Interessenten-Kreisen auf's Höchste gespannt. War es doch von vornherein ebensowenig ein Geheimnis, dass, wenngleich Hamburg, dem „Vorort“ deutschen Handels, das unbestreitbar grösste Verdienst gebührt, den deutschen Export-Handel nach Ostasien und Australien zu seiner heutigen Blüte und Entfaltung gebracht zu haben, in Folge dessen sich derselbe auch überwiegend in Hamburger Händen befindet, für Bremen dagegen die ebenso unzweifelhaft besser konsolidirten Geschäftsverhältnisse der betreffenden Dampfer-Gesellschaft, deren stramme Organisation und nicht zum wenigsten auch ihr grosser Bestand an geeigneten Seeschiffen unleugbar die grössten Garantien bot zur strikten Durchführung der zu übernehmenden Verpflichtungen, gewichtig in die Wagschale fallen mussten.

Wie bekannt, entschied sich die Reichsregierung für den Norddeutschen Lloyd, und jedenfalls gerade aus erwähnten Gründen. So schmerzlich eine solche Entscheidung Hamburg selbst treffen musste, so konnte unter bewandten Umständen gerade vom vorurteilslosen kaufmännischen Standpunkt das Vorgehen der Reichsregierung nur durchaus gerechtfertigt erscheinen. Die Wahl galt nicht dem Handelsplatz Bremen gegen Hamburg, sondern man gab nur den seit Jahrzehnten bewährten Geschäfts-Institutionen des Norddeutschen Lloyd den Vorzug, und da erübrigt es wohl, an dieser Stelle einmal etwas näher darauf einzugehen, welche Ursachen es verschulden, dass die Hamburg-Amerikanische Packetfahrt-Actien-Gesellschaft, trotzdem dass Hamburg nach wie vor den ersten Rang als deutscher Welthandelsplatz behauptet, sich im Laufe der Jahre von der Konkurrenz des Norddeutschen Lloyd in der Schwesterstadt überflügeln lassen konnte. Einst allerdings stand es anders um die Geschäfts-Verhältnisse und Resultate der Hamburg-Amerikan. Packetfahrt-Actien-Gesellschaft, wie dies bei der dominirenden Stellung Hamburgs ja auch natürlich erscheinen muss. Bis gegen Ausgang der sechsziger Jahre florirte die Gesellschaft glänzend, wenn auch dies wohl weniger dem Verdienst der Verwaltung zuzuschreiben war als den glücklichen Umständen, die in jener Zeit zusammentrafen. Der Konkurrenzkampf in seiner verheerenden Wirkung existirte noch nicht, und der in angemessenen Grenzen gehaltene Wettstreit mit dem Norddeutschen Lloyd konnte anstatt hemmend nur fördernd wirken. Die Auswanderung nahm[1]) zeitweilig gewaltige Dimensionen an und dabei wurden gute Passage-Preise bezahlt, auch der Frachtenverkehr entwickelte sich in jener Zeit eines allgemeinen Aufschwungs des deutschen Handels überaus günstig. So war die Hamburg-Amer. Packetf.-Act.-Ges. in der beneidenswerten Lage, Jahresdividenden selbst bis 20 % zur Verteilung zu bringen. Aber schon damals wurde der Fehler begangen, dass man die Zukunft nicht gebührend berücksichtigte, dass man es nicht für nötig hielt, das Fundament zu einer festen Konsolidirung der Geschäftsverhältnisse zu legen, wie dies bei rationeller

[1]) Nach dem Aufhören des nordamerikanischen Bürgerkriegs und im Verlauf der ersten Jahre nach demselben. D. R.

wirtschaftlicher Leitung der Fall hätte sein müssen. Diese Sorglosigkeit, dieses unerschütterliche Selbstvertrauen musste sich schwer rächen: man hielt das Entstehen einer ebenbürtigen Konkurrenz für ausgeschlossen, und glaubte selbst den unvermeidlichen Rückschlag der mageren Jahre nicht fürchten zu müssen: hierzu kam, dass die Geschäftsleitung es mehr und mehr verabsäumte, den wachsenden Bedürfnissen der Zeit Rechnung zu tragen, und so geschah es, dass die Gesellschaft allmählich in eine Lage geriet, durch welche es dem auf der Höhe der Zeit stehenden kräftigen Unternehmungsgeist des Norddeutschen Lloyd unter seiner bewährten Leitung nicht schwer wurde, im Nordamerikanischen Passagier- und Transportgeschäft die erste Rolle an sich zu reissen und dauernd zu behaupten, dann erstand der Hamburg-Amerikan. Packetf.-Act.-Ges. jene Konkurrenz der neugegründeten Adler-Linie, zu deren Gründung sie indirekt selbst am Meisten beigetragen hatte.[2]) Die ältere Linie ging allerdings als Siegerin aus diesem Wettstreit hervor, aber kaum durch eigenes Verdienst, sondern durch den Einfluss der inzwischen eingetretenen allgemeinen Geschäfts-Krisis, die dem flotten Aufschwung des deutschen Handels und der deutschen Industrie anfangs der siebenziger Jahre folgte. Aber auch aus diesem schweren Konkurrenzkampf zog man keine Lehren, vielmehr verharrte die Hamburg-Amerik. Packetf.-Act.-Ges. weiter in ihrer lässigen Haltung, dadurch dem Norddeutschen Lloyd die Behauptung der erworbenen Superiorität um so leichter machend, anstatt derselben durch Erhöhung der eigenen Leistungen entgegenzutreten. Nur so ist es erklärlich, dass, als im Beginn der achtziger Jahre die Auswanderung abermals gewaltige, nie gekannte Dimensionen annahm und dadurch noch einmal die Zeit einer erneuten guten Prosperität für die Gesellschaft, trotz der Gründung der auch damals unterschätzten neuen Konkurrenz-Linie (Carr) gekommen war, die Verwaltung den günstigen Moment abermals unbenutzt liess, ungeachtet der bereits gemachten bitteren Erfahrungen.[3]) So konnte denn auch der unvermeidliche Rückschlag nicht lange auf sich warten lassen und musste in dem Augenblick eintreten, als der Strom der Auswanderung nach den Vereinigten Staaten merklich abnahm, und dies um so fühlbarer, da inzwischen die Konkurrenz-Linie mehr und mehr erstarkt war und der Norddeutsche Lloyd unter seiner umsichtigen Leitung es verstanden hatte, sich andauernd auf der Höhe der Zeit zu halten. Man legte sich schliesslich auf's Experimentiren, traf aber dabei niemals das Richtige. Die erste Kajüte wurde so gut wie aufgegeben; dagegen sah man von der Anschaffung neuer, eleganter Schnelldampfer ab, durch die der Norddeutsche Lloyd mehr und mehr seine volle Ueberlegenheit bekundete.[4]) Aber auch von anderen, fast noch grösseren Missgriffen wusste sich die Gesellschaft nicht frei zu halten, wir erwähnen nur den geradezu unbegreiflichen Fehler, der bei dem Bau der „Hammonia" begangen wurde. Man sollte doch meinen, dass eine Gesellschaft, die auf eine lange, durch Jahrzehnte in der Praxis erprobte, reiche Erfahrung zurückblicken konnte, wohl auch in der Lage gewesen wäre, sich ein kompetentes Urteil über zweckmässigen Schiffsbau anzueignen. Aber man scheint sich eben in der Verwaltung besserer Einsicht verschliessen zu wollen[5]), denn anders ist es nicht zu erklären, dass auf das berechtigte Verlangen der Aktionäre in der letzten Generalversammlung, — das gerade unter Berufung auf die „Hammonia"-Affaire gestellt wurde, die einen Verlust von einigen Millionen Mark gebracht hatte, — einen technischen, in der Schiffbaukunst durchaus erfahrenen Director zu acquiriren, um bei Neuanschaffungen ähnlichen, überaus bedauernswerten Missgriffen zu entgehen, der Vorsitzende der Gesellschaft einfach erklärte: er wüsste nicht, welchen Auftrag man bei Erbauung neuer Dampfer einem solchen technischen Director etwa erteilen sollte. Der Fall mit der „Hammonia" wäre eine Lehre gewesen, und ähnliche Fehler würden nach den gewonnenen Erfahrungen künftig vermieden werden. Wir aber stellen die Behauptung auf, dass eine Geschäftsleitung, die derartige Erfahrungen sich in einer mehr als drei Jahrzehnte aufweisenden Praxis nicht zu eigen machen konnte,[6]) keine Gewähr gegen die Wiederkehr ähnlicher Vorfälle in der Zukunft zu bieten vermag. Die unfruchtbaren, selbstschädigenden Tarifkämpfe haben andererseits der leider stetig abnehmenden Auswanderung der letzten Jahre und bei der gedrückten Lage des Frachtenmarktes erst recht dazu beigetragen, die Prosperität immer weiter herabzudrücken, so dass die Geschäftsresultate durchaus unerfreuliche geworden sind, und die Gesellschaft seit zwei Jahren nicht mehr in der Lage war, eine Dividende zu verteilen. Der letzte Jahresbericht zeichnet sich nebenbei noch durch eine gewisse Dürftigkeit aus, es wird in demselben nicht mehr als unumgänglich nötig gesagt, um den Actionären das Unerquickliche ihrer Lage nicht allzu grell vor Augen zu führen, und da war es nur natürlich, dass die Börse denselben mit einem Rückgang der Actien beantwortete. Aber die angeführten Geschäftsresultate geben hinreichend zu denken. Die New-Yorker Linie, die noch 1882 einen Gewinn von 3 096 080 M, 1883 nur ungefähr noch die Hälfte, 1884 aber nur mehr 390 063 M aufwies, schliesst im letzten Jahre mit einem Verlust von 128 505 M ab; ebenso hat die Westindische Linie im verflossenen Jahre einen um ca. 200 000 M geringeren Gewinn als im Vorjahre ergeben, nämlich 1 027 401 M gegen 1 211 771 M. Das Reserve-Konto das am 1. Januar 1882 noch einen Bestand von 1 054 022 M verzeichnete, sank innerhalb zweier Jahre auf 164 104 M, und seitdem hat weder Zunahme noch Abnahme stattgefunden. Das Reserve-Assekuranz-Konto weist einen Bestand von 2 844 010 M auf.

Die 23 ersten Dampfer der Gesellschaft stehen pr. 31. Decbr. 1885 noch mit 16 190 000 M zu Buch. Das Action-Kapital beträgt bekanntlich 15 Mill. M, von der 4½procentigen Prioritätsanleihe restiren noch 5 950 000 M. Der letztjährige Betriebsgewinn nach Abzug der Zinsen auf Prioritätsanleihe ergab 1 221 810 M gegen 1 938 738 M im Jahre 1884, welche Beträge für Abschreibungen auf den Wert der Schiffe disponirt wurden. Mit dem Bekanntwerden des letzten Jahresberichts fiel das Auftauchen einer neuen resp. verstärkten Konkurrenz zusammen, indem sich die bisher bereits bestandene Carr-Linie nach New-York mit der Australia-Sloman-Linie, die in Folge der staatsseitig subventionirten Dampfer-Linien ihre Fahrten nach dort aufgiebt, unter dem Namen „Union" zu einer gemeinsamen Gesellschaft für die Fahrten auf New-York constituirte. Es ist der Hamburg-Amerik. Packetfahrt-Actien-Gesellschaft zwar gelungen, mit der Union-Linie vor Kurzem ein Uebereinkommen abzuschliessen, um betreffs der Fahrten auf New-York Hand in Hand zu gehen und einem erneuten heftigen Konkurrenz-Kampf vorzubeugen, aber soweit die

---

[2]) Der Verfasser verlässt hier den Boden der Geschichte; als die »Adler«-Linie geplant und gegründet wurde, stand der Nordd. Lloyd noch lange nicht an der Spitze des Passagier- und Transportgeschäfts.« Allerdings ist die Gründung der Adler-Linie auf directe hart getadelte Versäumnisse der Hamb.-Amer. Packetf.-Act.-Ges. zurückzuführen, aber damals bestand noch eine selbstbewusste Direction, die später fehlte. Und der Lloyd verteilte auch 16 pCt. D. R.

[3]) Genauere Kenner der inneren Verhältnisse der Hamb. Packetf.-Ges. würden hier geschildert haben, welche Folgen die Veränderung der Direction nach sich gezogen hat, die damals von einem Hauptgeschäft und der alleinigen Arbeit zu einem Nebengeschäft und einer zweiten oder Nebenarbeit wurde. D. R.

[4]) Begünstigt von seiner Lage an dem äussersten Teile des Stromlaufs, während die H.-A.-P.-A.-Ges. nach wie vor in Hamburg nicht allein residirte, sondern lebte. Der Bau der Cuxhaven-Docks wurde mit scheelen Augen angesehen, kaum dass die Eisenbahn Gnade fand, vielmehr sollte die für den modernen Schnelldampfer nicht genügende Tiefe des Elbfahrwassers bis Hamburg reichen. Von allen neuen Schnellschiffen des Nordd. Lloyd konnte kein einziges bis Hamburg hinauf fahren, also verbot sich der Bau solcher Schiffe vom hamburgischen Standpunkt von selbst. D. R.

[5]) [illegible]

[6]) Richtiger wäre es gewesen, von drei und mehr Geschäftsleitungen in der genannten Periode zu sprechen. D. R.

bisher über die Einzelheiten dieses Abkommens in die Oeffentlichkeit gelangten Mitteilungen, die allerdings sehr dürftiger Natur waren, ein Urteil gestatten, will es fast scheinen, dass aus diesem Vertrage gerade die Konkurrenz-Linie den grössten Vorteil zieht.

Was nun die Geschäfts-Entwickelung des Norddeutschen Lloyd betrifft, so hat diese Dampfer-Gesellschaft, die sich die bedeutendste des Kontinents nennen darf, es bis auf den heutigen Tag verstanden, das Unternehmen in einem stetig fortschreitenden Entwickelungsgange zu erhalten. Die Gründe hierfür sind durchaus nicht etwa in dem Zusammentreffen besonders günstiger Umstände zu suchen, sondern es gebührt das Verdienst einzig und allein der Leitung des Instituts, die seit langer Zeit der der Hamburg-Amerik. Packetf.-Actien-Gesellschaft bei weitem überlegen war. Die unglücklichen Perioden, welche die Hamburg-Amerik. Packetf.-Actien-Gesellschaft zu durchkämpfen hatte, blieben ebensowenig dem Norddeutschen Lloyd erspart, und wenn auch bei ersterer durch die Lokal-Konkurrenzen eine schärfere und einschneidendere Wirkung nicht ausbleiben konnte, so haben wir andererseits bereits darauf hingewiesen, dass die Gesellschaft selbst das Inslebentreten solcher Konkurrenzen durch ihr eigenes Geschäftsgebahren indirect am meisten gefördert hat; unter gleichen Auspicien wäre ebensogut in Bremen eine Lokal-Konkurrenz entstanden, aber dem stets fest konsolidirten Unternehmen des Norddeutschen Lloyd gegenüber war die Gründung einer Lokal-Konkurrenz unmöglich. Was aber sonst die Hamburg-Amerikanische Packetf.-Actien-Gesellschaft an Missgeschick in geschäftlicher Beziehung und in ihrem Betriebe ohne eigenes Verschulden betroffen hat, ist gleichfalls dem Norddeutschen Lloyd nicht erspart geblieben. Die beiderseitigen Verluste an grossen Seedampfern halten sich ungefähr die Wage, und die zeitweilige Abnahme in der Auswanderung machte sich beim Norddeutschen Lloyd eben so gut fühlbar, wie nicht minder die Rückwirkung ungünstiger Geschäfts-Perioden im Welthandel. Dem aufreibenden, ruinirenden Tarifkampf mussten beide Gesellschaften schwerwiegende Opfer bringen. Es stände daher der Norddeutsche Lloyd heute nicht anders da, wie die Hamburg-Amerikanische Packetf.-Actien-Gesellschaft, wären nicht feste Hände und klare Köpfe vorhanden gewesen, um die Gesellschaft durch die kritischen Perioden glücklich hindurch zu leiten. Der inneren Konsolidirung des Instituts, die man dadurch erreichte, dass man bei der jährlichen Bilanz-Aufstellung[7]) fast übervorsichtig zu Werke ging — sind doch die Reserven, die fast 40 pCt. des vermehrten Actien-Kapitals betragen, grösser als bei irgend einer anderen der grossen transatlantischen Dampfer-Gesellschaften — verdankt der Norddeutsche Lloyd in erster Linie seine heutige dominirende Stellung, sein Gedeihen und seine Blüthe, und gerade diesen Umständen, andererseits auch die Zuwendung der Reichssubvention mit allen Chancen, welche für die Zukunft aus ihr entspringen. Aber auch der eigentliche Geschäftsbetrieb des Lloyd war andauernd ein vorzüglicher; indem man den stetig und rasch wachsenden erhöhten Anforderungen der Zeit gerecht zu werden verstand; nur dadurch einzig und allein gelang es im Laufe der Jahre, die Superiorität über die Hamburg-Amerik. Packetf.-Actien-Gesellschaft zu erreichen.[8]) Die dem äussersten Comfort und den verwöhntesten Ansprüchen der Neuzeit entsprechenden Einrichtungen der Kajüten der Bremer Schnelldampfer lenkten andererseits bald genug die allgemeine Aufmerksamkeit in so hohem Grade auf sich, dass alle Kajütspassagiere mehr und mehr dem Norddeutschen Lloyd den Vorzug gaben, in Folge dessen die Hamburg-Amerik. Packetf.-Actien-Gesells. sich schliesslich veranlasst sah, die erste Kajüte ganz aufzugeben, um dadurch die Kajüts-Passagierbeförderung selbst fast zu einem Monopol des Norddeutschen Lloyd zu machen. Aber auch auf eine bessere den Ansprüchen der Zeit entsprechende Zwischendecks-Passagierbeförderung richtete der Norddeutsche Lloyd sein Augenmerk, und wusste es auch hier allmälig dahin zu bringen, dass sein Renommée auch in dieser Beziehung sich befestigte, waren doch die Klagen, die betreffs der Zwischendecks-Passagierbeförderung im Deutschen Reichstage in den letzen Jahren laut wurden, vornehmlich gegen die Hamburg-Amerik. Packetf.-Actien-Gesellschaft gerichtet. Heute aber, wo der Norddeutsche Lloyd die übrigen Linien an Leistungsfähigkeit bei Weitem überflügelt hat und es ihm durch die auf 15 Jahre bewilligte Reichssubvention von jährlich 4 400 000 ℳ ermöglicht ist, seine älteren Schiffe ohne Schaden für diese neuen Linien abzustossen und seinen Schnelldampfer-Park in einer Weise zu vervollständigen, wie keine andere bestehende Linie, darf man wohl bei der durch Jahrzehnte bewährten Geschäftstüchtigkeit der Direction einer weiteren gedeihlichen Entwickelung des Unternehmens auch für die Zukunft entgegensehen. Bleibt doch der Norddeutsche Lloyd eifrig und unablässig bemüht, dem Unternehmen auch in seiner neuen Gestaltung von vornherein die bestmöglichsten Chancen zu sichern. Wir erwähnen nach dieser Richtung nur das kürzlich abgeschlossene Uebereinkommen zwischen dem Norddeutschen Lloyd und den Vereinigten Dampfschiffs-Gesellschaften in Kopenhagen in Betreff der Güterbeförderung. Anstatt sich in Selbstbewusstsein zu wiegen, zeigt die Geschäftsleitung des Lloyd gerade jetzt eine gewisse Rührigkeit, um im Verhältnis zu dem wesentlich vergrösserten Betriebe und den vermehrten Ansprüchen einen weiteren Aufschwung des Unternehmens herbeizuführen. Auch zu einer anderen, nicht minder durchgreifenden Verbesserung des Unternehmens ist man durch die in der letzten Generalversammlung vorgeschlagene und durch einstimmige Enbloc-Annahme vollzogene Statuten-Aenderung geschritten, dadurch den Actionären den stetigen Anlass zu Klagen gegen den Verwaltungsrath nehmend, als ob letzterer den Gewinnteil der Actionäre ungebührlich schmälere, um eine Vergrösserung des Unternehmens und eine weitere Ausdehnung des Verkehrs zu ermöglichen. Dem letzten Jahresbericht entnehmen wir, dass der Norddeutsche Lloyd im verflossenen Jahre einen Betriebsgewinn von 4 578 034 ℳ erzielte, gegen 5 130 892 ℳ im Jahre 1884. Nach angemessenen Abschreibungen auf Schiffs-Kapital-Konto von 3 113 200 ℳ, verbleibt noch ein Reingewinn von 1 048 962 ℳ, aus dem die Actionäre, nach statutengemässer Dotirung des Reservefonds um 5 pCt. des Reingewinns, eine Dividende von 5 pCt. gegen 6½ pCt. im Vorjahre zugeteilt erhielten. Die New-Yorker Fahrt erzielte einen Gewinn von 4 372 078 ℳ gegen 4 393 207 ℳ im Vorjahre, die Galveston-Fahrt 20 340 ℳ gegen 54 514 ℳ, Brasil- und La Plata-Fahrt 331 566 ℳ (im Jahre 1884 La Plata-Fahrt-Gewinn 3606 ℳ, Brasil-Fahrt-Verlust 54 171 ℳ); dagegen hatte die Baltimore-Fahrt einen Verlust von 59 847 ℳ aufzuweisen, gegen einen Gewinn von 542 993 ℳ im Jahre 1884. Mithin beträgt der nach Abschreibung aussergewöhnlicher Reparaturen (1885: 1 435 502 ℳ, 1884: 1 413 771 ℳ) sich ergebende Betriebsgewinn aus der transatlantischen Fahrt 3 228 636 ℳ gegen 3 520 369 ℳ im Jahre zuvor. Der bedeutende Ausfall in der Baltimorefahrt resultirt aus den amerikanischen Eisenbahn-Konkurrenzverhältnissen, durch welche ein grosser Teil des Passagierverkehrs von Baltimore abgezogen und über New-York geleitet wurde, dagegen hat sich die südamerikanische Fahrt in erfreulicher Weise entwickelt. Die Flotte des Norddeutschen Lloyd bestand am 31. Decbr. 1885 aus 57 Dampfern, ungeachtet der damals im Bau befindlichen 9 neuen Dampfer (3 Schnelldampfer in Glasgow und 6 Dampfer für die neue Linie in Stettin). Die Gesammtanschaffungskosten der 40 Seedampfer betragen 58 799 866 ℳ, wovon bis Ende

[7]) Häufig zur grossen Unzufriedenheit der Actionaire, welche der Gegenwart ihre Rechte wahren wollten. D. R.

[8]) Sehr richtig, doch mit der gerechten Beschränkung, dass die Elbe bis Hamburg nicht das leisten kann, was die Weser bis Bremerhaven leistet. Wenigstens bis jetzt leistet, so lange die *Weser-Correction* nicht neue Aufgaben unterhalb Bremerhaven stellt.

1885 24 432 866 M abgeschrieben sind, so dass sie heute mit 34 367 000 M zu Buch stehen. Das Actien-Kapital der Gesellschaft beträgt nach seiner Erhöhung 30 000 000 M, die beiden 4 procentigen Anleihen von 1883 und 1885 25 000 000 M. Der Reservefonds beträgt gegenwärtig 7 512 737 M, der Special-Versicherungsfonds 3 321 428 M. Wenngleich nun auch die Geschäftsresultate des Norddeutschen Lloyd im Vergleich zum Vorjahre etwas zurückgeblieben sind, so ist das nur zu erklärlich bei der gegenwärtig überall gedrückten Lage von Handel und Industrie, die sich vornehmlich auch auf dem Frachtenmarkt empfindlich bemerkbar macht. Dass aber auch im vergangenen Jahre die Geschäftsleitung es verstanden hat, das Unternehmen in einer kritischen Periode glücklich zu führen, ergiebt sich am Evidentesten aus dem immerhin nicht ungünstigen Geschäftsabschluss, der noch eine Dividenden-Verteilung von 5 pCt. ermöglicht, während die Konkurrenz-Linien der Hamburg-Amerik. Packetf.-Actien-Gesellschaft, wie die Cunard-Linie einen Reingewinn überhaupt nicht erzielten. Was die neue Aera, in welche der Norddeutsche Lloyd durch die Reichspost-Dampferlinie tritt, demselben bringen wird, liegt noch im Schosse der Zukunft, aber den Männern, die seither seit langen Jahren mit jugendlicher Frische das Institut so trefflich geleitet und geführt haben, darf man vertrauen, dass sie auch in der neuen Phase der Entwickelung gewiss ihre Schuldigkeit thun werden, um den grossen Aufgaben, die im Interesse des deutschen Handels und der deutschen Industrie an die Leistungsfähigkeit dieser ersten und bedeutendsten transatlantischen Dampfer-Gesellschaft gestellt werden müssen, gerecht zu werden.

B. B. C.

Deutscher Nautischer Verein

Erstes Rundschreiben.

Kiel, den 11. Mai 1886.

Den Mitgliedern des Deutschen Nautischen Vereins beehre ich mich von Folgendem Kenntnis zu geben:

In Gemässheit der in der letzten Jahresversammlung gefassten Beschlüsse sind nachstehende Eingaben von mir ausgefertigt und abgesandt worden:

1. An das Reichsamt des Innern,
   a. betreffend die Abänderung des Gesetzes vom 25. Oct. 1867, hinsichtlich der Nationalität der Kauffahrteischiffe;
   b. betreffend die Einführung der Untersuchung auf Farbenblindheit bei den Schiffsoffizieren.
2. An das Ministerium für Handel und Gewerbe, das Grossh. Mecklenburgische Ministerium des Innern, das Grossh. Oldenburgische Staats-Ministerium, die Senate von Hamburg, Bremen und Lübeck,

   betreffend die Gestattung der Zulassung von Schiffern und Steuerleuten zu den auf den deutschen Navigationsschulen neuerdings eingeführten medizinisch-chirurgischen Lehrkursen.
3. An den Herrn Reichskanzler, betreffend Befeuerung der Oderbank.

Den genannten Behörden sind zur näheren Begründung der resp. Eingaben die stenographischen Berichte über die Verhandlungen des letzten Vereinstages zugestellt worden.*)

Den Vereinen gehen während dieser Tage die stenographischen Berichte in der gewünschten Anzahl zu. Ich bitte mir davon Kenntnis zu geben, sofern der eine oder andere Verein nicht nach Ablauf von spätestens 8 Tagen die für ihn bestimmte Sendung erhalten haben sollte.

Mit lebhafter Genugthuung konstatire ich, dass die von mir angeregte Idee: dem Herrn Kapitän Steinorth in Barth in Veranlassung seines 50-jährigen Seemanns-Jubiläums ein Album mit den Bildern derjenigen Teilnehmer an den nautischen Vereinstagen, die mit ihm hier zusammengewirkt, zu widmen, eine so sympatische Aufnahme gefunden hat. Nahe an vierzig Herren haben sich an dieser Ehrengabe beteiligt. Das Album ist dem Jubilar mit einer entsprechenden Widmung rechtzeitig überreicht worden und hat demselben eine ganz ausserordentliche Freude bereitet. In warmen Worten hat Herr Steinorth mir brieflich den Dank abgestattet; ich darf jedoch wohl davon Abstand nehmen, die Zuschrift des Genannten an mich hier mitzuteilen, da Steinorth, soweit mir bekannt, jedem Einzelnen der Beteiligten ein direktes Schreiben übermittelt hat.

Der Vorsitzende des Deutschen Nautischen Vereins.
Sartori.

*) Der stenographische Bericht über die Verhandlungen des letzten Vereinstages (vergl. uns. No. 6 vom 21. März c.) ist mit gewohnter Raschheit erschienen und verteilt worden. Wir kommen auf seinen reichen Inhalt zurück. D. Red.

Aus Briefen Deutscher Kapitäne. II.

Beiträge zu unserer Kenntnis der Taifune.

III. Fortsetzung aus No. 9 und Schluss.

Die Doppel-Taifune und ihre Peilungen.

2. Die Taifune vom 6. bis 13. September 1851.

In der Zeichnung S. 72 durch — — — angedeutet.

Dieser Taifun kam ebenfalls auf einem NW-Kurse vom Stillen Ocean, scheint sich dann auf etwa 20° N und 122° O gespalten zu haben, und behielt der eine Taifun seinen NW-Kurs bei, traf auf etwa 24° in der Nähe von Amoy die chinesische Küste, verlor seine Stärke auf Land, und trat auf etwa 32° N wieder in See um sich aufzulösen, während der andere Taifun mit NNW-Kurs die Südspitze Formosas traf, hier aber durch die Gebirge zu einem W-Kurs abgelenkt wurde und in der Nähe von Swatow auf Land trat, um sich dann ebenfalls aufzulösen.

In Tamsui wirkten beide Taifune in einem Sinne, d. h. als ein Taifun; die Peilungen waren regelmässig, im Mittel 10 Str.

In Taiwanfu herrschte der W-Taifun vor; die Peilungen waren unregelmässig, weil die Berge auf Formosa den Wind ableiteten.

Auf Fischer-Insel herrschte der NW-Taifun vor, Peilungen regelmässig, im Mittel 13½ Str., bis der Mittelpunkt dwars war; zu dieser Zeit war der W-Taifun noch etwa 128 Sm. entfernt; derselbe machte aber nun seinen Einfluss fühlbar, bis der Mittelpunkt ebenfalls passirt war, während dieser Zeit waren die Peilungen sehr unregelmässig, im Mittel 7½ Str.; nach Passiren des W-Mittelpunktes wirkten beide Taifune in einem Sinne, die Peilungen wurden wieder regelmässig, im Mittel 13½ Str.

Auf Lamock-Insel, in der Nähe des Kreuzungspunktes der Bahnen, leiteten sich beide Taifune sowohl in Windstärke als Peilungen ab, erst nachdem beide Mittelpunkte passirt waren, wurden die Peilungen regelmässig, im Mittel 12½ Str. In Amoy herrschte zuerst der NW-Taifun vor; da die Bahn ungefähr auf Amoy zulief, so änderte der Wind und die Peilung sich nicht, 12½ Str., bis der Mittelpunkt etwa 42 Sm. entfernt war; von dieser Zeit bis zum Passiren des W-Taifuns in 50 Sm. Abstand wurden die Windstärken und Peilungen bedeutend abgelenkt und betrug der Unterschied beider Peilungen bis zu 12 Str. Die Berge in der Nähe von Amoy hatten jedenfalls einen ganz bedeutenden Einfluss darauf, denn während eines andern Doppeltaifuns, welcher im September 1884 den Kanal hinauflief, wurde ein Unterschied der Windpeilungen zwischen dem Zollhause und dem Ballami-Dock, welche 7,5 Kabellängen von einander entfernt liegen, bis zu 4 Str. beobachtet. Nachdem der W-Taifun passirt war, wurden die Peilungen wieder regelmässig, im Mittel 12½ Str.

In Swatow herrschte ebenfalls der NW-Taifun vor, bis der Mittelpunkt dwars war, Peilungen regelmässig, im Mittel 13½ Str.; nach dieser Zeit bis zum Passiren des W-Taifuns wurden Windstärken und Peilungen abgelenkt, um dann wieder regelmässig zu werden; Peilungen im Mittel 14 Str.

Bei allen Stationen herrschte also bis zum Passiren des ersten und nach Passiren des zweiten Mittelpunkts nur *ein* Taifun vor und nur während der Zeit, welche zwischen dem Passiren der beiden Mittelpunkte verfloss d. h. in dichter Nähe der Mittelpunkte, fand eine Ablenkung der Windstärken sowohl als Peilungen statt.

Der Durchmesser des Sturmfeldes war höchst wahrscheinlich 380 bis 400 Sm., nachdem der Taifun sich gespalten, hatte jeder Taifun etwa 300 Sm., nach den Beobachtungen, die an Bord meines Schiffes, welches in Amoy zu Anker lag, gemacht wurden. Das Fallgebiet erstreckte sich aber bis zu 1200 Sm. im Durchmesser. Die Fahrt des NW-Taifuns betrug im Stillen Meere etwa 12,5 Sm., im Kanal 14 Sm. Die Fahrt des W-Taifuns wurde durch Formosa verlangsamt, sie wuchs wieder als der Taifun im Kanal war und betrug hier etwa 14,6 Sm.

3. Die Taifune vom 29. Sept. — 10. Octb. 1881.

In der Zeichnung S. 71 durch ..... angedeutet.

Am 1. Oct. passirte ein Taifun auf einem W-Kurse südlich von Manilla, der in Tongking eine ausserordentliche Verwüstung anrichtete. Der Taifun scheint sich in der Mitte des Chinesischen Meeres gespalten zu haben; beide Bahnen liefen dann nahezu parallel mit einem NW-lichen Kurse weiter, bis sie die Küste von Tongking trafen und bogen dann auf Land, nachdem beide ihre Stärke verloren hatten, mehr oder minder nach NO aus. Zwei gute Beobachtungen liegen vor vom britischen Kriegsschiffe „Magpie", welches in der Hathow-Bai in der rechten Hälfte des nördlichen Taifuns zu Anker lag und des Kauffahrtei-Dampfers „Kangshi", welcher in Haiphong in der rechten Hälfte des südlichen Taifuns ebenfalls vor Anker lag. An Bord beider Schiffe herrschte in der vorderen Hälfte nur ein Taifun und waren die Peilungen regelmässig; an Bord der „Magpie" nahmen die Peilungen von 11—16 Str. zu, an Bord des „Kangshi" waren sie im Mittel 12 Str.

In der hinteren Hälfte waren dagegen die Peilungen sehr unregelmässig, wahrscheinlich leiteten die Berge auf Hainan und in Tongking den Wind ab.

Der Durchmesser des Sturmfeldes für beide Taifune war wahrscheinlich etwa 320 Sm., das Stilltegebiet von 10—12 Sm. und die Fahrt beider Taifune durch das südchinesische Meer 9 Sm.

Man hatte also während obiger drei Taifune in der vorderen gefahrvollen Hälfte es immer nur mit *einem* Taifun zu thun *und hieraus lässt sich auch wohl der Satz ableiten, dass ein Kapitän auf See die Doppeltaifune am besten ganz aus dem Spiele lässt und jeden Taifun als einen einfachen behandelt.*

Der Abstand, das Mittel der Peilungen und der am häufigsten vorgekommenen Windstärken für je zwei Strich des August- und September-Taifuns im Kanal waren wie folgt:

Taifun vom 22. bis 31. August 1881.

Abstand	N St.	N P.	NNO St.	NNO P.	NO St.	NO P.	ONO St.	ONO P.	O St.	O P.	OSO St.	OSO P.	SO St.	SO P.	SSO St.	SSO P.	S St.	S P.	SSW St.	SSW P.	SW St.	SW P.	WSW St.	WSW P.	W St.	W P.	WNW St.	WNW P.	NW St.	NW P.	NNW St.	NNW P.
100	(3) 12	10	(13) 9,6	11¼	(2) 8,5	11¼	(5) 10,8	8¼	(4) 10,5	8¼	(13) 10,4	10¼	(2) 9	11	(3) 7	10¼	(2) 7,5	13¼	(5) 7,6	15¼	(6) 8,3	14¼	(1) 11	14¼	(5) 9	11¼	(1) 10	14	(9) 9	13¼	(5) 10,5	13¼
200	(5) 8	14¼	(8) 10,9	12¾	(9) 8,5	10¼	(6) 9,8	8¼	(2) 10	10¼	(3) 11	9¼	(1) 4	9¾			(2) 7	16¼	(8) 9,2	14¼	(18) 8,6	14¼	(5) 8,6	12	(5) 9	11	(1) 10	11¾	(6) 7,3	11¼	(6) 9,2	14¾
300	(5) 7	13¼	(3) 9,3	11¼	(3) 7	10¼													(4) 8,2	16	(13) 8,3	13	(4) 8	11								
400	(4) 6	12¼	(2) 8	10¼															(6) 8	16	(5) 8	13¼										

Taifun vom 6. bis 18. September 1881.

Abstand	N St.	N P.	NNO St.	NNO P.	NO St.	NO P.	ONO St.	ONO P.	O St.	O P.	OSO St.	OSO P.	SO St.	SO P.	SSO St.	SSO P.	S St.	S P.	SSW St.	SSW P.	SW St.	SW P.	WSW St.	WSW P.	W St.	W P.	WNW St.	WNW P.	NW St.	NW P.	NNW St.	NNW P.
100	(4) 6	12	(4) 9	11¼	(5) 8,4	12			(1) 6	8	(3) 7	11¼	(5) 6,4	12¼	(1) 4	13¼	(2) 5,5	11,9	(1) 2	15,4					(2) 7,5	7,5					(6) 6,3	10,8
200	(15) 7,4	12	(2) 7	11			(1) 6	9¼	(2) 8	9¼	(6) 9	11¼	(11) 6,3	12¼			(4) 7,5	9,6	(1) 2	18,1									(2) 8	13	(3) 6	11,3
300	(3) 5,7	13¼	(1) 5	12							(1) 5	11¼	(10) 6,5	11¼															(4) 3	13¼		

Die eingeklammerten Zahlen bedeuten die Anzahl der Beobachtungen.

Die Peilungen.

Da der Richtungswinkel sich mit dem Abstande vom Mittelpunkte ändert und zwei Taifune wohl kaum die gleiche Fahrt und Kurs haben werden, so wird auch der Richtungswinkel in verschiedenen Taifunen für denselben Wind nicht gleich sein; diese Ungleichheit hat aber ihre Grenze und weil wir Seeleute einen allgemeinen Anhalt haben müssen um darnach arbeiten zu können, so habe ich im Nachstehenden versucht, durch das Mittel aller Peilungen für den betreffenden Kompassstrich, Peilungen für je 2 und 1 Str. aufzustellen.

Es sind nur Beobachtungen auf See genommen worden, denn wenn auch die Peilungen bis auf 2 Str. fehlerhaft sein sollten, so werden sie doch jedenfalls genauer als die Windpeilungen im Hafen sein, weil die meisten Küstenplätze zwischen mehr oder minder hohen Bergen liegen, welche ein genaues Peilen der wahren Windrichtung unmöglich machen, wie der obenerwähnte Fall in Amoy vom September 84 zeigt, denn dort wurde auf einer Distanz von 7,5 Kabellängen ein Unterschied von 4 Str. in der Windrichtung, also auch des Richtungswinkels, beobachtet: diese Beobachtungen wurden bestätigt durch die Berechnungen der Landpeilungen der betreffenden Taifune: der Unterschied zwischen Bord- und Landpeilung betrug bis zu 5 Str.

Den vier verschiedenen Zeiten und Gebieten folgend habe ich für diese Gebiete, also südchinesisches Meer bis zu 22 ° N, Formosa-Kanal, ostchinesisches und japanesisches Meer vier verschiedene Tabellen aufgestellt; dies ergiebt sich auch aus der Lage des festen Landes und der Inseln, denn im südchinesischen Meere und Formosa-Kanal wird ein Taifun wohl eine andere Form haben wie ostwärts der Philippinen oder in den japanischen Meeren.

Ich betone hier noch einmal, man ziehe nicht allein die Stärke und Richtung des herrschenden Windes zu Rate, sondern man berücksichtige in erster Reihe den Gang des Barometers, die Gegend in der man sich befindet, und welchen Kurs der Taifun dort wahrscheinlich einschlagen wird. Sollte auch die Peilung einige Striche verkehrt sein, so wird dies nicht viel ausmachen, die Hauptsache ist, dass man angenähert sowohl den Abstand als auch den Kurs des Taifuns schätzt und nicht platt vor dem Winde hineinläuft; übrigens kommt Beidrehen über den verkehrten Hals und platt vor dem Winde Laufen ungefähr auf Eins hinaus, nur die Fahrt ist verschieden.

Astronom Doberck giebt in seiner Bekanntmachung vom 16. Mai oder Hansa No. 19 S. 157 folgende Regel an: Man drehe den Rücken gegen den Wind und es wird der Mittelpunkt eines Taifuns ungefähr 2 und 4 Str. in Front der linken Hand sein; also 10—12 Str.; zugleich fügt er aber zwei Ausnahmen hinzu 1. wenn ein Taifun das chinesische Meer kreuzt (es soll wohl südchinesisches Meer sein) dass dann häufig ein Ost-Sturm an der chinesischen Südküste weht und 2. häufig ein NO-Sturm im Nordende des Kanals ist, wenn weiter südwärts ein Taifun weht. In beiden Fällen wird der Taifunkurs hoch westlich sein.

1. Südchinesisches Meer bis 22 ° N.

Mittlerer Kurs WNW. Schwankung 4 Str. Fahrt 6—12 Sm. Abgeleitet aus 7 Taifunen.

Durchmesser in der Richtung des Kurses mit Windstärke 6 und mehr *100 bis 400 Sm.*

Windstärke in der vordern Hälfte innerhalb 100 Sm. Abstand vom Mittelpunkte [illegible] innerhalb dieser Gränze beobachtet, für gewöhnlich wird man aber von 10—12 haben.

Die Peilungen waren am unregelmässigsten in der hintern Hälfte.

Der Unterschied zwischen Bord- und Landpeilung betrug in der vordern Hälfte bis zu 2 Str., in der hintern Hälfte bis zu 4 Str.

Die eingeklammerten Zahlen bedeuten die Anzahl der Beobachtungen.

Abstand	Windstärke	W	WSW	NW	NNW	N	Windstärke	NNO	NO	ONO	O	OSO	Windstärke	SO	SSO	S	Windstärke	SSW	SW	WSW
100	7—12	(9) 9	(2) 10¾	(3) 11½	(4) 8	(9) 9¼	9—12	(8) 9	(4) 10¾	(6) 10	(3) 12½	(5) 8¼	1—13	(6) 10¾	(5) 12¾	(8) 10	8—12	(4) 11	(2) 10¾	[illegible]
200	4—9	(6) 10½	(3) 11¾	(2) 11½	(6) 9	(7) 10½	5—8	(6) 8¼	(6) 10	(5) 14¾	(14) 14	(6) 12	4—8	(10) 12½	(3) 11¾	(2) 8¾	6—9	(2) 10	(2) 9½	[illegible]

Für die einzelnen Viertel ergiebt sich:

Abstand	W bis N Stärke	W bis N Peilung	NNO bis OSO Stärke	NNO bis OSO Peilung	SO bis S Stärke	SO bis S Peilung	SSW bis WSW Stärke	SSW bis WSW Peilung
100	7—12	9¼	9—12	10¾	7—12	11	8—12	10¼
200	4—9	10½	5—8	11¾	4—8	11	6—9	9½
	NW-Viertel 10 Str.		ONO-Viertel 11 Str.		SSO-Viertel 11 Str.		SW-Viertel 10 Str.	
	Vor dem Taifun 10½ Str.				Hinter dem Taifun 10¾ Str.			

2. Formosa-Kanal von 22 bis 26 ° N.

Mittlerer Kurs NNW. Schwankung 2 Str. Fahrt 6—15 Sm. Abgeleitet aus 9 Taifunen.

Durchmesser in der Richtung des Kurses mit Windstärke 6 und mehr *100 bis 600 Sm.* Die meisten Taifune werden sich aber unter 300 Sm. halten.

Windstärke in der vordern Hälfte innerhalb 100 Sm. Abstand vom Mittelpunkte von 2—12 d. h. wie oben.

Die Peilungen waren am unregelmässigsten im linken Vorderviertel und in der hintern Hälfte.

Der Unterschied zwischen Bord- und Landpeilung betrug in der vordern Hälfte bis zu 4 Str., in der hintern bis zu 5 Str.

Abstand	Windstärke	NW	NNW	N	NNO	NO	Windstärke	ONO	O	OSO	SO	SSO	Windstärke	S	SSW	SW	Windstärke	WSW	W	WNW
100	9—12	(11) 13½	(16) 13¼	(7) 11	(14) 11½	(10) 11½	10—12	(6) 9¼	(4) 11	(17) 11¼	(12) 13	(4) 11¼	4—11	(4) 14¼	(6) 15	(9) 14	9—11	(2) 13¾	(10) 10¾	[illegible]
200	8—10	(8) 12½	(10) 12¼	(26) 11¾	(31) 11½	(17) 11½	7—10	(11) 10¼	(5) 10	(9) 11½	(14) 12	(5) 14	4—10	(12) 14¼	(6) 12¾	(15) 14½	8—10	(6) 11¾	(6) 11	[illegible]
300	6—8	(4) 13½	(1) 9	(8) 13½	(4) 11½	(4) 9	6—8	(1) 9½	(1) 11	(1) 11½	(10) 11¾	(1) 13½	6—7	(2) 11¾	(5) 15¼	(17) 13	6—7	(4) 11	(1) 9	[illegible]

Für die einzelnen Viertel ergiebt sich:

Abstand	NW bis NO Stärke	NW bis NO Peilung	ONO bis SSO Stärke	ONO bis SSO Peilung	S bis SW Stärke	S bis SW Peilung	WSW bis WNW Stärke	WSW bis WNW Peilung
100	9—12	12	10—12	11½	4—11	14¼	9—11	11¼
200	8—10	12	7—10	11¼	4—10	13½	8—10	11¼
300	6—8	11½	6—8	11½	5—7	13½	5—7	10
	N-Viertel 11½ Str.		OSO-Viertel 11½ Str.		SSW-Viertel 13¾ Str.		W-Viertel 11 Str.	
	Vor dem Taifun 11½ Str.				Hinter dem Taifun 12½ Str.			

3. Ostwärts Formosa, sowie Ostchinesisches Meer.

Mittlerer Kurs N, in den meisten Fällen wird er **NNW** sein, oberhalb 28° N aber **NNO** **Schwankung 2 Str.** **Fahrt 6—15 Sm., oberhalb 30° N 10—30 Sm.** **Abgeleitet aus 11 Taifunen.**

Durchmesser in der Richtung des Kurses mit Windstärke 6 und mehr *170 bis 1 200 Sm.* Die meisten Taifune halten sich aber zwischen *170 und 500 Sm.*

Windstärke in der vordern Hälfte innerhalb 100 Sm. Abstand vom Mittelpunkte 5—12 d. h. wie oben.

Steile Gradienten kommen vor, aber nicht so häufig wie in den japanischen Meeren, z. B. während des Taifuns vom 27. und 28. September 1880 war der Wind um 2 U. Vm. W 3, 5 U. Vm. W 6, 5 U. 30 M. Vm. WNW 9, 7 U. 40 M. Vm. NNW 12; um 10 U. war das Schiff im Stilltegebiet.

Im September laufen die meisten Bahnen in der Nähe der Liukiu-Inseln entlang.

Die Peilungen sind am ungenauesten in der rechten Hälfte.

Die [illegible] Winde geben die [illegible] Peilungen.

Bei NO Wind kann der Mittelpunkt 32 Str. peilen. Während des Taifuns vom 10. bis 14. August 1881 Durchmesser des Sturmfeldes 350 Sm.

Kurs WSW; es ist der einzige Taifun von 25, dessen Kurs WSW lief, die andern 24 hielten sich zwischen NW und NO; es peilte der Mittelpunkt an Bord des Dampfers „Pechili" mit Windstärke 11 in 50 Sm. Abstand 32 Str., mit Stärke 4 in 210 Sm. Abstand 3½ Str.

Beim Auflösen des Taifuns vom 10. bis 22. Juli 1881 auf etwa 35° N und 123° O peilte der Mittelpunkt in 60 Sm. Abstand bei Ost-Wind und abnehmender Stärke N also 24 Str.; an Bord des Dampfers „Pechili" auf etwa 29° N und 112° 30' O peilte der Mittelpunkt in 45 Sm. Abstand Wind O 12 = 21¾ Str.

In den meisten Fällen wird das Barometer zum mindesten 12 Stunden vorher Warnung geben.

Der Unterschied zwischen Bord- und Landpeilung betrug in der vordern Hälfte bis zu 2 Str., in der hintern bis zu 4 Str.

Abstand	Windstärke	NW	NNW	N	NNO	NO	Windstärke	ONO	O	OSO	SO	SSO	Windstärke	S	SSW	SW	Windstärke	WSW	W	WNW
100	8—12	(16) 9½	(11) 10¼	(16) 10¾	(5) 7¾	(7) 10	7—12	(6) 9¾	(8) 11¼	(12) 11	(20) 9	(3) 12	10—12	(3) 11½	(11) 9¾	(1) 7¾	9—12	(9) 11	(6) 11¼	(6) 9¾
200	8—11	(7) 12½	(9) 9½	(11) 8½	(4) 8¾	(6) 11¼	7—10	(9) 11	(6) 8	(4) 7¼	(1) 5		8—10	(6) 10	(4) 11	(5) 11¾	8—11	(4) 12	(5) 12½	(4) 10
300	9	(4) 11	(6) 13½	(4) 12	(5) 11	(5) 12½	7	(8) 11¼	(5) 12¾	(4) 7¼	(1) 7		8	(2) 13	(1) 13		7—10	(4) 13¾	(6) 13	(8) 11
400	4—7	(2) 10½	(1) 5¼	(4) 12¾	(5) 12¼	(2) 11¾	5—6	(1) 14	(1) 9	(3) 9¾	(3) 5¾		6—7	(2) 12¼	(1) 13¼		6—8	(3) 13¼	(4) 11¼	(5) 11¼

Für die einzelnen Viertel ergiebt sich:

Abstand Sm.	NW bis NO Stärke	NW bis NO Peilung	ONO bis SSO Stärke	ONO bis SSO Peilung	S bis SW Stärke	S bis SW Peilung	WSW bis WNW Stärke	WSW bis WNW Peilung
100	8—12	9¼	7—12	10¼	10—12	9¼	9—12	10¾
200	8—11	10	7—10	8	6—10	11	8—11	11¾
300	9	12	7	8¾	8	13	7—10	12¾
400	4—7	10½	5—6	9¾	6—7	13	6—8	12¾
	N-Viertel 10½ Str.		OSO-Viertel 9¾ Str.		SSW-Viertel 11¼ Str.		W-Viertel 11¾ Str.	
	Vor dem Taifun 10 Str.				Hinter dem Taifun 11¼ Str.			

Dechevrens fand im Juli-Taifun von 1879, (the Typhons of July 1879) Seite 2—4 die folgenden Peilungen: *Das Mittel aus Bordpeilungen für je 2 Str.*

Abstand	Windstärke	NW	NNW	N	NNO	NO	Windstärke	ONO	O	OSO	SO	SSO	Windstärke	S	SSW	SW	Windstärke	WSW	W	WNW
100	8—12	(4) 8¾	(2) 12	(2) 12¼	(1) 10¼	(4) 8¾	7—12	(3) 11¼	(1) 11	(2) 9¾	(6) 8¾		6			(3) 12¼	7—9	(6) 10¾	(1) 9	(2) 6¾
200							5—8	(1) 9¾					2—4		(1) 7¼	(1) 11¼				

4. Ost japanisches Meer.

Mittlerer Kurs NO. Schwankung 8 Str. Fahrt 20—60 Sm. jedoch sind Taifune beobachtet bis zu **80 Sm. Fahrt. Abgeleitet aus 5 Taifunen.**

Durchmesser in der Richtung des Kurses mit Windstärke 6 und mehr, *450 bis 1 200 Sm.*

Windstärke in der vordern Hälfte innerhalb 100 Sm. Abstand vom Mittelpunkte 2 bis 12 d. h. wie oben.

Sehr steile Gradienten kommen vor, z. B. während des Taifuns vom 25. September bis 4. October 1880, Sturmfeld etwa 500 Sm., wurde in Tokio 170 Sm vom Mittelpunkte in der vordern Hälfte um 9 U. Vm. Windstille beobachtet, bei 80 Sm. Abstand Stärke 2, bei 40 Sm. Abstand um 1 U. Vm. Stärke 4 und um 2 U. Vm. nach dem Passiren des Centrums Stärke 12, also in 4 Str. von 0—12; auf See nahm der Wind innerhalb 2 Str. von 4—12 zu. Annal. d. Hydr. 1881 Seite 406. Dass an ein Peilen des Mittelpunktes, geschweige denn dem Taifun aus dem Wege zu laufen, während eines solchen Taifuns kein Gedanke sein kann, liegt auf der Hand, das einzige Mittel ist beizudrehen, und kann man sich glücklich schätzen, wenn man nur mit dem Verlust einiger Stengen davon kommt.

Die Peilungen sind am veränderlichsten und ungenauesten in der rechten Hälfte.

Die SOlichen Winde geben die schlechtesten Peilungen.

Bei NO Wind kann der Mittelpunkt im grossen Abstande (etwa 4—900 Sm.) 32 Str. peilen. Während obigen October-Taifuns wurde an Bord der „Scottisch Fairy" mit NO 6 in 370 und 430 Sm. Abstand der Mittelpunkt 32 resp. 31¾ Str. gepeilt; ebenso sagt Knipping im September-Taifun von 1878 Seite 3: mit NO Wind 900 Sm. vom Mittelpunkte entfernt peilte derselbe 32 Str.

Der Unterschied zwischen Bord- und Landpeilung betrug in der vordern Hälfte bis zu 4 Str., in der hintern bis zu 5 Str.

Abstand	Windstärke	NNO	NO	ONO	O	OSO	Windstärke	SO	SSO	S	SSW	SW	Windstärke	WSW	W	WNW	Windstärke	NW	NNW	N
100	10—12	(3) 9¼	(9) 10¾	(7) 9¾	(10) 9	(9) 7¾	9—12	(14) 12¼	(3) 13	(5) 9¼	(1) 11		11—12		(1) 13¾	(2) 13¾	11—12	(14) 10	(3) 10¼	(4) 11¾
200	8—11	(3) 11	(21) 15¼	(8) 8	(4) 7¾	(4) 7¼	8—10	(2) 9¼	(5) 12¼	(2) 9¾	(2) 11	(1) 14	9—10		(2) 12¼	(2) 11	9—11	(5) 9¼	(3) 11¼	(2) 9¼
300	6—10	(5) 10¾	(16) 9¾	(11) 9¾	(4) 9¼	(1) 7	7—9	(12) 8¾	(3) 12¾	(2) 6¾	(1) 12¾		6—10		(2) 11¼	(1) 12	5—9	(6) 9¾	(3) 8	
400	4—9	(6) 11¼	(6) 13	(4) 12¼	(3) 9¾	(2) 7¾	2—4	(2) 9¼			(2) 12¾		7		(3) 12¼	(4) 12¼	8	(2) 8¾	(4) 6¾	(2) 9¼
500	4—7	(1) 8¾	(3) 12¾		(1) 6¾		3—4	(2) 4		(1) 6¾	(1) 14	(1) 12	6		(2) 12	(1) 12	6	(4) 8		(1) 8

In seiner Arbeit über den September-Taifun von 1878 giebt Knipping die folgenden Peilungen an, Seite 9 Tafel A I; diese Tafel benutzte er auch in dem Prinz Adalbert-Taifun. Annal. d. Hydr. 1880 Seite 549.

Für die einzelnen Viertel ergiebt sich:

Abstand Sm.	NNO bis OSO Stärke	NNO bis OSO Pfg.	SO bis SW Stärke	SO bis SW Pfg.	WSW b. WNW Stärke	WSW b. WNW Pfg.	NW bis N Stärke	NW bis N Pfg.	N bis ONO Stärke	N bis ONO Pfg.	O bis SSO Stärke	O bis SSO Pfg.	S bis WSW Stärke	S bis WSW Pfg.	W bis NNW Stärke	W bis NNW Pfg.
100	10—12	9¼	9—12	11¼	11—12	10¾	11—12	10¼	12—11	9¼	12—9	10¼	12—11	10¼	12—11	[illegible]
200	8—11	9	8—10	11¾	9—10	11¾	9—11	10	10	9	9—8	9¼	10—9	11	10	[illegible]
300	6—10	9¾	7—9	9¾	6—10	11¾	6—9	8¾	9	9¼	8	9¼	8	11¼	9—8	[illegible]
[illegible]	[illegible]	[illegible]	[illegible]	[illegible]	[illegible]	[illegible]	[illegible]	[illegible]	[illegible]	[illegible]	[illegible]	[illegible]	[illegible]	[illegible]	[illegible]	[illegible]
500	4—7	9	3—4	9¼	6	12	6	8	6	10¼	5	7¼	6	13¼	5	[illegible]
600									5	11¼	4	7	5	13¼	4—3	[illegible]
	ONO-Viertel 9¼ Str.		S-Viertel 10¼ Str.		W-Viertel 12¼ Str.		NNW-Viertel 9¼ Str.									
	Vor dem Taifun 10 Str.				Hinter dem Taifun 10¼ Str.										E. K.	

In gleichem Masse wie bei dem Hoch- und Brückenbau nimmt auch im **Schiffbau** die Anwendung des Eisens als Constructionsmaterial immer mehr zu. Das Bedürfniss nach einem sicheren Schutzmittel gegen die Rostbildung und andere verderbliche Einwirkungen ist hier selbstredend um so grösser, als **das Schiff und seine Teile** naturgemäss den zerstörenden Einflüssen des Wassers und der Witterung wie kein anderes Bauobjert ausgesetzt sind.

Verlag von H. W. Silomon in Bremen. Druck von Aug. Meyer & Dieckmann, Hamburg, Alterwall 19.

Beilage zur HANSA No. 11. 1886.

Die deutschen unterstützten Dampfer des Nordd. Lloyd.

Fahrpläne und Tarife.

Bekanntlich werden die Fahrten der staatlich unterstützten Schiffe mit dem 30. Juni beginnen. Es liegen uns jetzt eingehende Nachrichten vor, welche in ihrer Gesamtheit ein vollkommenes Bild des Betriebes der Linien geben.

Die *ostasiatische* Linie beginnt ihre Fahrten am 30. Juni. Es sind für dieselbe bestimmt die Dampfer „Oder" (3158 Reg.-T. br., 88 Kabinen 1. Kl., 57 2. Kl.) und „Neckar" (3120 Reg.-T. br., 88 Kabinen 1. Kl., 53 2. Kl.) und drei neue Dampfer, welche beim Vulkan in Stettin in Bau gegeben sind. Leider kann der Vulkan, obgleich schon zwei Dampfer vom Helgen abgelaufen sind, keinen derselben bis zum 1. Juli fertigstellen, sodass die Lieferfristen auf den 25. August, 25. September und 25. October festgesetzt worden sind. Die neuen Dampfer erhalten eine Grösse von 4000 Reg.-T. br., eine Geschwindigkeit von 14 Knoten die Stunde und erfordern jeder einen Kostenaufwand von 2 400 000 ℳ (600 000 ℳ mehr, als die Hamburger Mitbewerber um die Unterstützung für neu zu bauende Dampfer aufwenden wollten.)

Als erstes Schiff wird nun nach Ostasien einer der für die *australische* Fahrt bestimmten Dampfer, nämlich die „Habsburg", entsandt werden. Die „Habsburg", ursprünglich für die südamerikanische Fahrt des Norddeutschen Lloyd in Hull erbaut, ist 351 Fuss lang, 39 Fuss breit, 32 Fuss tief. Ihr Gehalt beläuft sich auf 8766 cbm br., 5412 cbm ntt. oder 3091 Reg.-T. br., 1910 Reg.-T. ntt. Die Zwei-Cylinder-Verbundmaschine zeigt 2300 Pferdekräfte an, die Geschwindigkeit beträgt 13½—14 Knoten. An Passagierräumen enthält das Schiff 70 Kabinen 1. Kl. 80 Kabinen 2. Kl. und 670 Zwischendeckplätze, letztere nach dem amerikanischen Auswanderergesetz vermessen, welches einen bedeutend höheren Kubikraum für den einzelnen verlangt als die deutschen Vorschriften.

Der Unterstützungsvertrag bedingt für die ostasiatische Linie und für die *Zweiglinien Triest-Brindisi-Alexandrien, die Japan-* und *die Samoa Zweiglinie* eine Geschwindigkeit von 12 Knoten die Stunde.

Der *ostasiatische* Dampfer nimmt folgenden Weg: Bremerhaven-Antwerpen, Port Said, Suez, Aden, Colombo, Singapore, Hongkong, Shanghai. In Hongkong schliesst die *japanische* Zweiglinie (Dampfer Stettin, neuerbaut vom Vulkan, zu liefern am 25. Mai) an die Hauptlinie an, geht nach den japanischen Häfen Yokohama, Hiogo und Nagasaki und trifft in Hongkong mit dem inzwischen von Shanghai zurückgekehrten Hauptdampfer wieder zusammen. Es schweben gegenwärtig Verhandlungen darüber, die japanische Linie nach Korea auszudehnen, der Abschluss derselben scheiterte bisher an den mangelhaften Einrichtungen des koreanischen Hafens Fusan, doch muss im allgemeinen gesagt werden, dass eine solche Verbindung mit Korea in Rücksicht auf die sich dort geltend machenden Kulturbestrebungen für den deutschen Handel von grosser Wichtigkeit werden könnte. Die Gesamtdauer der ostasiatischen Fahrt bis zum Wiedereintreffen in Bremerhaven beträgt 110 Tage. Für die Postverbindung ergeben sich nach den aufgestellten höchsten Sätzen der Fahrtdauer für die ostasiatische Linie folgende Ziffern von Berlin gerechnet: Berlin-Brindisi 50 Stunden, Brindisi-Alexandrien 72 Stunden, Alexandrien-Suez 24 Stunden, zusammen 6 Tage. Von Suez-Hongkong 588 Stunden, bis Shanghai 685 Stunden einschliesslich Aufenthalt in Aden, Colombo und Singapore, im ganzen also Berlin-Hongkong 30—31 Tage, Berlin-Shanghai 34—35 Tage, also eine *Zeitersparnis von mindestens 4 Tagen* gegen die bis jetzt bestehenden Postverbindungen, wenn die Lloydschiffe auch nur die vertragsmässige Geschwindigkeit fahren. Die *Mittelmeer-Zweiglinie* Triest-Brindisi-Alexandrien werden die Dampfer „Braunschweig" (3079 Reg.-T. br.) und „Nürnberg" (3116 Reg.-T.) befahren.

Für die Fahrt nach *Australien* sind eingerichtet die Dampfer „Hohenzollern" (3092 Reg.-T. br.), „Hohenstaufen" (3090 T.), „Salier" (3084 T.), „General Werder" (3090 T.) und die oben genannte „Habsburg". Die bedungene Schnelligkeit auf der australischen Linie hat 11½ Knoten zu betragen, während der langsamste der eingestellten Dampfer 13 Knoten läuft.

Der *erste australische* Dampfer verlässt Bremerhaven am 14. Juli und trifft am 15. Juli in Antwerpen ein. Seine Ankunftsdaten stellen sich, wenn die Fahrt auf die vertragsmässige Schnelligkeit beschränkt wird, ungefähr wie folgt: Port Said den 31. Juli, Suez den 2. August, Aden (6 Stunden Aufenthalt) den 7. August, Diego Garcias im Jagosarchipel — der Orientlinie gehörige, dem Lloyd mit überlassene Kohlenstation etwa den 15. August (12 Stunden Liegezeit), Adelaide etwa den 30. August (24 Stunden), Melbourne etwa den 2. September (24 Stunden), Sydney den 6. September.

In Sydney schliesst an die Hauptlinie die *Südseezweiglinie* an. Dieselbe wird befahren vom Dampfer „Lübeck, welcher von Sydney zunächst nach den Tonga-Inseln geht, dort zwei Tage bleibt und dann nach Apia in der Samoa-Gruppe weiter geht, wo der Aufenthalt auf sieben Tage bemessen ist. Da die Südseezweiglinie mit 12 Knoten Geschwindigkeit fahren soll, so vollendet sich für den Zweigdampfer trotz des Aufenthalts auf Samoa und den Tonga-Inseln eine Rundreise in 21 Tagen.

Die Postverbindung mit den australischen Kolonialhauptstädten würde sich mit Zugrundelegung der obigen Ziffern bis Suez und der Fahrtdauer also folgendermassen gestalten: Berlin-Adelaide 34 Tage, Berlin-Melbourne 37 Tage, Berlin-Sydney (von Melbourne über Land 17 Stunden) 38 Tage. Diese Ziffern ergeben gegen die bestehenden Postverbindungen bereits eine Ersparnis von drei Tagen, welche mit Leichtigkeit bis auf fünf Tage und mehr sich ausdehnen lässt.

Die Gesamtdauer der australischen Fahrt und Rückfahrt ist auf 120 Tage berechnet: die Preise werden für Zwischendeckspassagiere um 30 pCt. unter diejenigen der bestehenden Linien gesetzt. (Vergl. unten).

Von besonderer Wichtigkeit für deutsche Interessen, erscheint der Umstand, dass der Norddeutsche Lloyd beabsichtigt, die australische Hauptlinie über Sydney hinaus bis Brisbane, der Hauptstadt von Queensland, auszudehnen. *Queensland* ist diejenige australische Kolonie, welche sowohl durch ihre natürliche Lage, als auch durch ihre inneren Hülfsquellen offenbar die grösste Zukunft unter den Kolonien hat: der deutsche Bestand daselbst stellt sich auf 14 000 Seelen bei einer Gesamteinwohnerschaft von 309 000 Seelen und hat sich das Nationalgefühl bewahrt. Sogleich nach Bekanntwerden der Reichstagsverhandlungen über die Dampferunterstützung bildete sich aus dem Kreise der Deutschen in Queensland, vor allem seitens der Inhaber der grossen Einfuhrgeschäfte, eine Agitation für die Weiterführung der deutschen Postlinie bis Brisbane. Hoffentlich werden die noch schwebenden Verhandlungen zwischen dem Lloyd und der queensländischen Regierung zu einem befriedigendem Abschluss gelangen.

Schliesslich mögen hier noch einige für den Passagierverkehr wichtige Einrichtungen Erwähnung finden. Sämtliche in Dienst gestellte Schiffe sind entweder, soweit es ältere Schiffe sind, schon ursprünglich für die Tropenfahrt eingerichtet gewesen, die neuen werden selbstredend nach diesem Grundsatz gebaut, besitzen daher alle für heisse Klimate notwendigen Bequemlichkeiten. Als besonders vorteilhaft muss aber die aussergewöhnliche Höhe des Passagierdecks, 8 Fuss, ferner die Neueinführung einer ungemein starken Pulsionslüftung und die durchgeführte Verwendung des elektrischen Lichtes angeführt werden.

Von der Mitnahme einer grösseren Menge lebenden Viehes soll wegen der damit verbundenen Unbequemlichkeit für die Passagiere und der bei langen Reisen sich sehr verschlechternden Qualität des Fleisches abgesehen werden, dagegen sind sämtliche Schiffe mit einem neuen Eiskellersystem versehen, welches durch schnelle Aufsaugung des sich bildenden Wassers den üblen Einwirkungen desselben auf das Fleisch begegnet und sich bisher sowohl auf der New-Yorker als auch auf der südamerikanischen Fahrt ausgezeichnet bewährt hat — ausserdem befinden sich Eismaschinen an Bord.

Der vor einigen Tagen ausgegebene **Fahrplan** *für das* [illegible] die Abgangs- und Ankunftszeiten vom 30. Juni 1886 bis 1. Juni 1887, in welcher Frist 13 Aus- und (bis 31. Juli) Hausreisen gemacht werden sollen. Als *Abfahrts*punkte gelten **Bremerhaven** und je 14 resp. 16 Tage später *Triest* resp. *Brindisi*, nebst den anzulaufenden Zwischenstationen, welche nach Maassgabe der beigefügten eingeklammerten Zahlen um durchschnittlich soviel Tage später *verlassen* werden. Die Schiffe gehen ab am *Mittwoch* Vormittag von Bremerhaven am 30. Juni, 28. Juli, 25. Aug., 22. Sept., 20. Okt., 17. Nov., 15 Dec.; 1887 12. Jan., 9. Febr., 9. März, 6. April, 4. Mai, 1. Juni, und *verlassen* Antwerpen Samstags (3) Port Said Samstags (17), Suez Montags (19), Aden Samstags (24), Colombo Sonntags (32), Singapore Samstags (38), Hongkong Freitags 44 Tage später, um nach 48 Tagen Reise Dienstags, das erste Mal am 17. August in Shanghai anzukommen.

Von Shanghai erfolgt die *Rückfahrt* Sonntags 29. Aug., 26 Sept., 27. Okt., 24. Nov., 22. Dec., 1887 19. Jan., 16. Febr., 16. März, 13. April, 8. Mai, 5. Juni, 3. Juli, 31. Juli, und werden dieselben Plätze in ähnlichen Zwischenräumen angelaufen. Die Aufenthalte sind insofern verschieden, als auf der Ausreise in Aden 6 St., Colombo, Singapore, Hongkong je 24 St., auf der Rückreise in Hongkong 48 St., Singapore, Colombo, je 24 St., Aden wiederum 6 St. Aufenthalt genommen wird. Die Rückreise ist demgemäss 43 bis zu 52 Tagen brutto veranschlagt, je nach dem Monsunwechsel.

An diese *chinesische* Linie schliesst sich eine *Zweiglinie nach Japan und Korea*, die von Hongkong Samstags, also 1 Tag nach Ankunft des Hauptdampfers, nach Yokohama (6), Hiogo (8), Korea (noch unbestimmt), Nagasaki (14), fährt und Hongkong nach 18 Tagen wieder anläuft.

2. *Für die* **australische** *Linie* gelten folgende Abfahrtzeiten: Bremerhaven Mittwoch den 14. Juli, 11. Aug., 8. Sept., 6. Okt., 3. Nov., 1. Dec., 1887 26. Jan., 23. Febr., 23. März, 20. April, 18. Mai, 15. Juni und (für Triest Brindisi wieder 14 resp. 16 Tage später wie oben) dann von Antwerpen Sonnabends (3) Port Said Sonntags (18) Suez Montags 12 U. Nachts (19), Aden Sonnabends (21) mit 6 St. Aufenthalt, Tschagos Inseln, Sonntags (32) mit 12 St. Aufenthalt, Adelaide Dienstags (48) mit 24 St. Aufenthalt, Melbourne Freitags (51) mit 24 St. Aufenthalt, Sydney Montags (54) mit 24 St. Aufenthalt zu verlassen und eventuell noch Brisbane am Donnerstag (57) einzulaufen.

Die Rückreise erfolgt eventuell von Brisbane 5 Tage früher als von Sydney, von wo die Reise am 16. Sept. Donnerstags, ferner Sonnabends den 16. Okt., 13. Nov., 11. Dec., 1887 8. Jan., 5. Febr., 5. März, 2. April und Donnerstags 28. April, 26. Mai, 23. Juni, 21. Juli, 18. Aug. angetreten wird, und in ähnlichen Zwischenräumen in ca. 55 Tagen zurück erfolgt, je nach dem Monsunwechsel.

Auch diese australische Linie hat eine *Zweiglinie*, welche zum ersten Mal Sydney Dienstags 7. Sept., Tongatabu 15. Sept., Apia 19. Sept., verlässt und am 28. Sept., wieder Sydney anläuft. Die späteren Fahrten erfolgen dann ferner im gleichem Anschluss an die Hauptlinie. In Tongatabu wird 1 Tag, in Apia 2 Tage Aufenthalt genommen.

Ferner enthält ein drittes Blatt die **Passagepreise** *für Passagiere erster, zweiter und dritter Klasse*, welche [illegible] Port Said 400, 240, 100, Suez 440, 260, 110, Aden 860, 610, 220, Colombo 1 250, 730, 320, Singapore 1 350, 800, 340, Hongkong 1 550, 900, 390, Shanghai 1 750, 1 000, 440, Yokohama 1 750, 1 000, 440, Hiogo 1 800, 1 050, 450, Korea 1 850, 1 080, 460, Nagasaki 1 880, 1 110, 470 ℳ. betragen.

Beigegeben sind noch die **Tarifsätze** für *Güter I. Klasse* (feine Manufakten, ätherische Oele, Droguen, Gemälde, Cigarren), *II. Klasse* (ordinäre Manufakten, Gummi-, Leder-, Metall-, Musikwaaren, Nähmaschinen, [illegible] Farben, Garne, Lithographiesteine, Papier, u. dergl.) und *III. Klasse*, ferner für Schwergut (Blei, Stangeneisen, Nägel), und Edelmetalle (baar Geld, Gold- und Silberwaaren, Uhren, u. dergl. nach Wert) und die Ueberfahrtsbedingungen.

Die Tarifsätze lauten für Güter I., II., III. Klasse per Kubikmeter oder 1 000 Kilo ab Bremen, Hamburg, Antwerpen oder Triest nach Port Said resp. 30, 25, 20 ℳ., nach Suez 40, 35, 30, Aden 40, 35, 30, Colombo 40, 35, 30, Singapore 40, 35, 30, Hongkong 45, 40, 35, Yokohama oder Hiogo 50, 45, 40, Nagasaki 55, 50, 45, Korea 80, 70, 60, Adelaide, Melbourne, Sydney 65, 50, 40, Tonga- und Samoainseln für Güter irgend welcher Art 65 ℳ. Schwergut bezahlt nach Singapore bis Hiogo 30 resp. 35 ℳ., nach Nagasaki 35 resp. 40, nach Korea 50, nach Adelaide, Melbourne, Sydney 30 resp. 35 ℳ. und Edelmetalle nach Aden 2%, Colombo bis Shanghai 2½%, Yokohama und Hiogo 3%, Nagasaki und Korea 3½%, Adelaide, Melbourne, Sydney 2½%, Tonga- und Samoainseln 3½%.

Wegen Specialien über Durchfrachten etc. wird man die genauern Bestimmungen der Tarife durchsehen müssen; desgl. über gelegentliche Ermässigungen der Tarife. Die Bestimmungen sind klar und verständlich und zeigen im Grossen und Ganzen eine wesentliche Herabminderung gegen die üblichen englischen und französischen Sätze.

Unsere besten Wünsche begleiten das neue Unternehmen.

Nautische Literatur.

Verlag von E. S. Mittler & Sohn in Berlin.

Kleines Unterrichtsbuch über die Seemannskunde. *Die gebräuchlichsten Begriffe derselben erläutert für Nichtseeleute. Mit 13 Tafeln in Steindruck. IV und 56 S. in Taschenformat. Preis: ℳ 0,80.*

Leitfaden für den Unterricht der Mannschaften der Kaiserlichen Marine. II. Teil: Geographische Instruktion. *II u. 56 S. in Taschenformat. Pr.: ℳ 0,10*

Dieses Unterrichtsbüchlein für die Mannschaften der Kaiserl. Marine, welches die Kaiserl. Admiralität kürzlich herausgegeben hat, wird seines allgemein belehrenden Inhalts wegen, dem grösseren Publikum gleichzeitig als ein *„Unterrichtsbuch über die Seemannskunde für Nichtseeleute“* dargeboten.

In der That enthält es eine Zusammenstellung und Erläuterung der für seemännische Kenntnis wichtigsten Begriffe, Belehrung über Takelung und Segel, unter Beigabe zahlreicher äusserst klarer Abbildungen, und in einem ergänzenden, einzeln käuflichen Teile die für den Seemann wichtigsten geographischen Kenntnisse. F. K.

Galster, C., (Kapitänlieutenant). Pulver und Munition der deutschen Marine-Artillerie. *Mit 47 Holzschnitten im Texte. 1 Band in Gross-Octav von VI und 99 Seiten. Preis: ℳ 3.*

Die grosse Mannigfaltigkeit und Eigentümlichkeit der in der Marine-Artillerie anzuwendenden technischen Formen und Mittel und nicht minder die ungemein schnelle Entwickelung derselben, die sich fortwährend steigernden Anforderungen an ihre Leistungen, die immer neuen ihr gestellten Aufgaben, machen eine besondere fachwissenschaftliche Darstellung ihres Materials für das Seeoffizierkorps und das artilleristische und fachindustrielle Publicum überhaupt notwendig.

Nachdem der Verfasser in seinem von uns in No. 8 der „Hansa“ v. 19. April 1885 besprochenen Hauptwerke „die Schiffs- und Küstengeschütze der deutschen Marine“ abgehandelt hat, stellt er in Ergänzung dessen in einem besonderen Werke Pulver und Munition derselben dar; er beschreibt die verschiedenen Sorten des Pulvers, dessen Bestandteile und Anfertigung, dessen Verbrennung und Kraftäusserung, dessen Aufbewahrung, Untersuchung und Transport; ebenso die Geschützladungen, sämtliche Geschosse der Marine-Artillerie und schliesslich die

Geschoss- und Geschützzündungen. Zahlreiche Abbildungen erläutern den Text. Das Buch bildet in Verbindung mit den „Schiffs- und Küstengeschützen" desselben Verfassers nunmehr einen vollständigen *Marine-Artillerie-Kurs*. F. K.

Verschiedenes.

Ein- und Ausfuhr der wichtigsten Industriestaaten der Welt im Jahre 1880 und 1884. Laut Eng. April 2. 1886. In Tausenden von £ St. (1 = 1 000).

Land	Ganzer Wert der Ausfuhr		Ganzer Wert der Einfuhr		Unterschied in 1884	
	1880	1884	1880	1884	Ausfuhr	Einfuhr
Grossbritannien	286 414	295 967	411 229	390 018	+ 9 553	— 21 211
Deutschland . . .	218 070	243 825	218 355	245 290	+ 25 755	+ 26 935
Belgien	89 006	107 107	108 416	110 901	+ 18 101	+ 2 485
Frankreich . . .	184 492	168 736	244 520	209 560	— 15 656	— 34 960
Ver. Staaten . . .	174 091	154 274	139 157	139 104	— 19 817	— 53

Engineering ist geneigt, dem **staatlichen gemeinnützlichen Eisenbahnbetrieb** einen Hauptteil der günstigen Aenderung in Deutschland zuzuschreiben, welche durch Herabsetzung der Tarife für das geographisch schlechter bedachte Deutschland den Nachteil in Vorteil umgewandelt habe. Wenn eine freihändlerische Zeitung Altenglands solche antimanchesterlichen Schlüsse zieht, wo bleibt da die Argumentation Bambergers und seiner deutschfreisinnigen Nachbeter?

Die Hochseefischereiflotte Deutschland's in der Nordsee umfasst laut Wilhelmshav. Zeitung 269 Fahrzeuge, die Schleppnetzfischerei, 15 Fahrzeuge, die Treibnetzfischerei, 92 Fahrzeuge, die Fischerei mit Grundangeln betreiben, ferner 2 Fahrzeuge mit Schleppnetz und Grundangeln und 1 Fahrzeug mit Kleinetz, Hamen und Reussen. — Diese vorerwähnten Fahrzeuge verteilen sich auf die nachstehenden Heimathshäfen wie folgt: Es gehören 1. zum Elbgebiet und zwar Finkenwärder (Hamburg) 162, nach Blankenese 70, Teufelsbrück 1, Mühlenberg 5, Elmshorn 2, Husum 1, Keitum 1, Finkenwerder (Reg.-Bez. Lüneburg) 11, 2. zum Ems- und Nordseegebiet nach Emden 14, Borkum 5, Greetsiel 1, Rhaudermoor 1, Norderney 62, Norddeich 3, Juist 1, Bensersiel 1, Neuharlingersiel 8, Langeoog 1, Spiekeroog 8, Carolinensiel 6, 3. zum Jade- und Wesergebiet und zwar nach Wangeroog 3, Bremen 1, Bremerhaven 2, Geestemünde 1 Dampffahrzeug und 2 Segelfahrzeuge. Von den Geestemünder Fahrzeugen gelangt der Dampfer zuweilen als Schlepper, dahingegen die beiden Segelfahrzeuge in der Regel als Marketenderschiffe, Coopers, zur Verwendung.

Dass das Wesergebiet einen so auffällig kleinen Anteil an der Hochseefischerei, dagegen *allein* den schmutzigen Anteil am Geschäft vertritt, trotzdem die Lage von Bremerhaven-Geestemünde die beste in ganz NW-Deutschland für den Betrieb mit tiefstehenden Kuttern ist, gibt zu denken. Die Verstimmung über den Misserfolg in den sechziger Jahren scheint noch immer nicht verwunden, und noch immer kein Kapital für einen Markt gefunden zu sein, dessen Lage zu den besten Erwartungen berechtigt. Wer hat hier Schuld? Die vorherigen Erfahrungen oder der Caucus, oder was sonst?

Eine **Kesselexplosion** fand kürzlich in Cardiff Bute Docks auf dem Schlepper „Rifleman" statt. Das Schiff wurde buchstäblich in Stücke gerissen und der Kessel 400 Schritt weit auf das Deck einer italienischen Bark geschleudert, wo er einen Mann tödtete, während auf dem Schlepper 6 Mann getödtet und mehrere ausserdem schwer verletzt wurden. Die Kohlenausfuhr liegt dort sehr darnieder, mehrere Kohlengruben ersten Ranges arbeiten bloss 2 Tage in der Woche.

Der Bau von Torpedobooten. Eine Branche der Schiffbauindustrie, in welcher noch vor nicht langer Zeit England unbestrittener Meister war, der *Torpedobootsbau*, ist nun ebenfalls mit grossem Erfolge von der deutschen Schiffbauindustrie erobert worden. Thornicroft in London und Yarrow & Co. an dem Clyde bei Glasgow waren Firmen, welche bisher ihre Bauten als *einzigartige* Muster anpreisen konnten. Wie sich indessen die deutschen Werften seit dem Anfange der 70er Jahre des grossen Kriegsschiffbaues erfolgreich bemächtigt hatten, so waren es der „Vulkan", die „Germania"-Werft bei Kiel, das Weser-Etablissement und die Schichau'sche Werft bei Elbing, welche den veränderten Bedürfnissen unserer Kriegsmarine Rechnung tragend sich auch mit vielem Fleisse und Geschick dem Bau von Torpedobooten zuwandten, diesem kleinsten Typus des modernen Kriegsfahrzeuges, dem der erweiterte neue Flottenplan eine grosse Rolle in der Zukunft zuweist. Unserer Marineleitung lag ausserordentlich viel daran, ein möglichst vollkommenes Muster für den zu schaffenden Bestand an diesem Schiffsmaterial zu erwerben, und so waren vor drei Jahren jene weltberühmten englischen Firmen Thornicroft und Yarrow & Co. zugleich mit mehreren deutschen Firmen mit dem Bau eines neuen Modelltorpedofahrzeuges beauftragt worden. Um hierbei das erreichbar höchste Mass der Technik zur Geltung kommen zu lassen, waren sogar noch seitens der Admiralität unter der Hand jenen genannten Firmen Prämien und zwar sehr beträchtliche für bestimmte Eigenschaften der Fahrzeuge kontraktlich in Aussicht gestellt worden. Trotzdem dass nun diese Schiffskonstruktion der Praxis des deutschen Schiffbaues erst seit verhältnismässig kurzer Zeit bekannt oder geläufig gewesen ist, war es der Elbinger Firma dennoch gelungen, bei der Konkurrenz, die während der beiden letzten Sommer auf der Kieler Bucht ihren Austrag gefunden hat, als Sieger hervorzugehen und auch jene beiden englischen „weltberühmten" Werften zu schlagen. Der Schichau'schen Werft ist in diesem Frühjahr deshalb der ganze Rest der fertigzustellenden Torpedobootsbauten — 36 Hochsee-Torpedofahrzeuge — zugewiesen worden, während die englischen Werften bei der Lieferung so gut wie leer ausgegangen sind. Die Hauptvorteile des Schichau'schen, von der englischen Konkurrenz gänzlich unerreichbar gebliebenen Materials bestehen in den zur Anwendung gebrachten neuen Schichau'schen, dreifachen Verbund-Maschinen, der Schichau'schen Patentfeuerung und einem überaus sparsamen Kohleverbrauch der Maschine, Vorteile, die bei jedem Dampfschiffe, bei Torpedofahrzeugen aber doppelten Wert haben. Dieser neue Erfolg der deutschen Kriegsschiffbautechnik ist im Auslande sehr schnell bekannt geworden. Die russische und die türkische Marine haben bei der genannten Firma umfangreiche Bestellungen gemacht, welche dieser Tage bereits effektuirt worden sind. Mit einer Reihe anderer Staaten steht die Firma noch in Unterhandlung. Nicht zum wenigsten haben diese Erfolge der deutschen Industrie dazu beigetragen, dass jüngst das grosse Zetermordio über den deutschen Schiffbau in der englischen Presse, von dem wir berichtet haben, losgelassen wurde. Exp.

Englische Rücksichtslosigkeit. „Seitdem Deutschland Kolonialmacht zu werden beginnt und deutsche Industrie in erfolgreiche Konkurrenz mit jenen Ländern getreten ist, welche bisher das Exportgeschäft nach dem Auslande in Händen hatten, ist auch die Eifersucht der letzteren auf Deutschland immer reger geworden. Namentlich aber behandeln englische Firmen, denen man *bona fide* seine Waaren anvertraut, wie nicht minder englische Zollbehörden deutsche Sendungen so rücksichtslos, dass für das Ausland der Bezug deutscher Artikel fast unmöglich wird; denn im Transitverkehr über englische Bezirke gehende Sendungen werden geöffnet, die Waaren durcheinander geworfen und so mangelhaft wieder verpackt, dass Beschädigungen beim Seetransport unausbleiblich sind. Nachdem der unterzeichneten Firma vor nicht langer Zeit bei einer von Calcutta nach Australien bestimmten Sendung ein Schaden von mehreren 1 000 Mark durch derartige Rücksichtslosigkeit zugefügt wurde, hält sie es für ihre Pflicht, deutsche Industrielle öffentlich darauf aufmerksam zu machen und aus zahlreichen, in dieser Hinsicht ergangenen Klagen ihrer Kunden im Auslande eine solche aus St. Kitts in West-Indien wörtlich zu veröffentlichen. Unser Besteller schreibt uns unterm 21. März: „Die letzte Sendung von Ihnen kam in sehr beschädigtem Zustande hier an. Die Schuld lag offenbar nicht an Ihrem Etablissement, sondern an der groben Art und Weise, wie neuerdings in London Alles durchsucht wird. Sie lassen Alles in eine Zinkkiste verpacken und diese verlöten. In London aber schneidet man die Zinkkiste auf und lässt dieselbe offen, sodass Ihre Absicht, Beschädigung der Sendung durch Seewasser [illegible] letzte Sendung inwendig aus?! Von den 20 Büchsen Kindermehl waren 4 bis 5 ganz offen, sodass alles Uebrige durch und durch in dem klebrigen Staub dieses Artikels begraben lag. Der Verlust von 4 bis 5 Büchsen Mehl wäre noch zu ertragen gewesen, wenn nicht die ganze Sendung später durchfeuchtet worden wäre. Ich gebe es deshalb auf, noch einmal über London oder über England überhaupt etwas aus Deutschland kommen zu lassen, und werde fortan über Bremen beziehen. Bitte, weisen Sie alle Ihre Kunden auf diese Misstände hin."

Leipzig.

Dr. W. *Schwabe's homöopathische Zentralapotheke.*"

Anm. d. Red. Sehen die *englischen Zollbehörden* denn nicht ein, dass sie mit solchen Rücksichtslosigkeiten sich ins eigene Fleisch schneiden, und im Aerger über fremden Wettbewerb in der Industrie ihrer eigenen Rhederei den Anteil am Frachtgewinn entziehen?! Was gehen die Zollbehörden Transit-Waren, in Zinkkisten verlötet, an?

Republikanische Zustände. Gelegentlich des noch andauernden grossen Aufstands auf Gould's südwestlichen Eisenbahnlinien bemächtigten sich kürzlich einige Eisenbahnarbeiter einer geheizten Lokomotive und verfolgten damit einen kurz vorher abgelassenen Güterzug, um ihn zu demoliren. Andere Angestellte fuhren alsbald auf einer andern Lokomotive den Attentätern nach, holten sie ein, bevor sie den Güterzug erreicht hatten, hakten in voller Fahrt ihre Lokomotive an die vorauffahrende, bremsten sodann und wollten sie zum Stillstand bringen und zurückführen. Bevor es soweit kam, eröffneten die Rädelsführer ein Feuer auf die hintere Lokomotive, worauf deren Führer die vordere Lokomotive stürmten und die Rädelsführer in den Wald entflohen, mit Zurücklassung eines Verwundeten und mehrerer Gefangenen.

Elektrisches- oder Mineralöllicht für Feuertürme. Diese Frage ist durch die Versuche auf Südforeland entschieden. Das elektrische Licht wird beim Durchgang durch Nebel *verhältnismässig* mehr abgeschwächt als Mineralöllicht oder Gaslicht, behält aber wegen seiner ursprünglich grössern Intensität doch mehr Leuchtkraft als letztere Lichtquellen. Für gewöhnliche Feuertürme empfiehlt sich die Mineralöllampe, für vortretende Landspitzen das elektrische Licht. Das Gaslicht ist im Verhältnis zur Leistung und zum Anlagekapital das wenigst empfehlenswerte.

In den nächsten Tagen wird in Köln ein zweiter **Rhein-Seedampfer** in Dienst gestellt. Zwar sind die Erwartungen, die man an die Eröffnung des directen Wasserweges von Köln nach London knüpfte, nicht ganz in Erfüllung gegangen, doch hat sich das Unternehmen immerhin als lebensfähig erwiesen. Im verflossenen Jahre beförderte der Rhein-Seedampfer „Industrie" in 19 Fahrten 149 170 Ctr. Güter nach England, die Rückfracht betrug nicht ganz die Hälfte, 71 522 Ctr.

Die **holländische Rhederei** zählte am 1. Januar

1860...	1 985 Segler	u. 38 Dampfer	v. zus.	399 758 To.
1870...	1 531 „	„ 47 „	„	344 825 „
1875...	1 218 „	„ 80 „	„	353 849 „
1880...	927 „	„ 79 „	„	354 356 „
1885...	630 „	„ 106 „	„	348 808 „

Die Seglerflotte ist also auf 1/3 zurückgegangen, die Dampferflotte auf nahezu das dreifache gestiegen. Leider giebt diese Statistik der „Zee" nicht die Zahl der Tonnen gesondert für Segler und Dampfer, sonst könnte man nach dem Satze, dass die Tonnenzahl der Dampfer effectiv den dreifachen Wert der nominellen Zahl hat, erkennen, ob die holländische Rhederei an Tonnenzahl zu- oder abgenommen hat. Der Rückgang der Zahl der Segler wird wie bei uns hauptsächlich von dem Eingehen der kleinern Segler herrühren, also die Tonnenzahl nicht sehr beeinflussen; seit die Dampfer die Holzladungen von der Ostsee [illegible] Seglern abgenommen, hat sich die Kleine Fahrt in Holland mächtig vermindert, so dass viele Schiffe das Jahr 1885 über still liegen blieben. Vielleicht wird es dort damit etwas besser, wenn die deutsche Reichsregierung sie wieder zur Küstenfahrt längs den deutschen Seeküsten zulässt, welche Holland durch seinen beleidigenden Starrsinn in Sachen der Rheinfischerei vor einigen Jahren eingebüsst hatte. Ob damit freilich *unserer eigenen* Kleinen Fahrt gedient sein wird, ist eine andere unschwer zu beantwortende Frage; *jedenfalls hat es damit sowenig Eile, als Holland mit seiner endlichen Rückkehr zur gesunden Vernunft in der Fischereiangelegenheit gezeigt hat.*

Der **Versandt von geräuchertem Fisch** (Sprott, Häring, Aal) belief sich *im Postbezirk Kiel* im Jahre 1880 auf 433 500 Postpackete, und hat sich seit jenem Jahr jährlich um 4 pCt. vermehrt.

Den **Hafen von Buenos Ayres** aus einer Rhede, auf welcher tiefgehende Schiffe in einer Entfernung von 20 Sm. an der Stadt zu Anker gehen müssen, in einen wirklichen Hafen umzugestalten, hat die Regierung der Argentina schon lange Jahre sich mit geringerm oder grösserm Erfolg bemüht. Sie ist endlich soweit gelangt, einen Kanal bis Riachuelo auszubaggern und dort einen Kai anzulegen. Dort hat denn der französische Dampfer „Provence" als erstes Schiff fest machen können, mit einer Anzahl Würdenträger etc. der Regierung an Bord. Nun werden die nötigen Vorrichtungen für rasches Laden und Entladen hoffentlich bald nachfolgen, und dann B. A.' Handel und Schiffahrt angemessen zunehmen.

Verminderte Champagnerausfuhr Frankreich's. Laut Ausweis des Handelskammerberichts von Rheims sind im verflossenen Jahr 3 540 140 Flaschen Champagner im Wert von 12 Mill. Fr. weniger versandt; von dem Minderversandt kommt reichlich 1/4 Mill. Flaschen auf Frankreich, reichlich 3 1/4 Mill. auf das Ausland, namentlich auf Deutschland, dessen Champagnerfabrikation aus den, den französischen mindestens gleichwertigen Trauben von Jahr zu Jahr an Bedeutung gewinnt.

Seekarten und Landkarten, Grenze zwischen ihnen. Als die amerikanischen Küstenkarten das Coast Survey Office in den vierziger Jahren anfingen, die bis dahin so kahlen Küstenlinien der englischen Seekarten mit den Ansichten des Landes zu beleben, und dadurch eine lebensvollere Anschauung des Küstenstrichs zu geben, fand die Methode allmälig Nachahmer in den englischen und namentlich den preussischen (Ostsee-)Karten. Dass man mit Hülfe solcher Karten mit fortlaufenden Küstenansichten sich leichter und sicherer vor einem unbekannten festen Wall orientirt, als mit den alten kahlen Küstenlinien, leidet keinen Zweifel. Doch scheint diese Methode jetzt in Amerika in's Uebermass ausgeartet zu sein, insofern als die Arbeiten der Küstenaufnahme zuviel geodätisches Material in sich aufgenommen und dadurch eine bedenkliche Ueberfüllung der Blätter herbeigeführt haben. Deshalb wird jetzt in maritimen Kreisen darauf gedrungen, dass das Hydrographische Bureau der Marine sich diesen Arbeiten mehr zuwende, besonders die Kosten der Küsten- und geodätischen Aufnahmen verringern helfe, und die topographische Ausstattung der Blätter eine minder luxuriose und umständliche werde.

Verlag von H. W. Silomon in Bremen. Druck von Aug. Meyer & Dieckmann. Hamburg, Alterwall 18.

HANSA

Redigirt und herausgegeben
von
W. von Freeden, BONN, Thomastrasse 9.
Telegramm-Adresse:
Freeden Bonn,
oder
Hansa Alterwall 28 Hamburg.

Verlag von H. W. Silomon in Bremen.
Die „Hansa" erscheint jeden 2ten Sonntag.
Bestellungen auf die „Hansa" nehmen alle Buchhandlungen, sowie alle Postämter und Zeitungsexpeditionen entgegen, desgl. die Redaktion in Bonn, Thomastrasse 9, die Verlagshandlung in Bremen, Obernstrasse 44 und die Druckerei in Hamburg, Alterwall 28. Sendungen für die Redaktion oder Expedition werden an den letztgenannten drei Stellen angenommen. Abonnement jederzeit, frühere Nummern werden nachgeliefert.

Abonnementspreis:
vierteljährlich für Hamburg 2½ ℳ,
für auswärts 3 ℳ = 3 sh. Sterl.
Einzelne Nummern 60 ₰ = 6 d.

Wegen Inserate, welche mit 25 ₰ die Petitzeile oder deren Raum berechnet werden, beliebe man sich an die Verlagshandlung in Bremen oder die Expedition in Hamburg oder die Redaktion in Bonn zu wenden.

Frühere, komplete, gebundene Jahrgänge v. 1872, 1874, 1875, 1877, 1878, 1879, 1880, 1881, 1882, 1883, 1884, 1885 sind durch alle Buchhandlungen, sowie durch die Redaktion, die Druckerei und die Verlagshandlung zu beziehen. Preis ℳ 6; für letzten und vorletzten Jahrgang ℳ 8.

Zeitschrift für Seewesen.

No. 12. HAMBURG, Sonntag, den 13. Juni 1886. 23. Jahrgang.

Inhalt:

Schnelldampferreisen zwischen Europa und Nordamerika.

Anknüpfend an den Artikel über „Sechstagedampfer" in unserer No. 20 v. vor. Jahr bringen wir hier eine Zusammenstellung einer Anzahl Mittel von Jahresreisen der schnellsten Dampfer, sowie die schnellste überhaupt gemachte Reise dieser Schiffe. Ein Teil derselben fährt zwischen Liverpool und Newyork und gilt dann als letzter europäischer Punkt Roche's Point vor Queenstown Harbour (während Fastnet an der SWspitze Irlands als letzt- oder erstgesehener europäischer Punkt überhaupt gerechnet wird. Ein anderer Teil, nämlich die Schiffe des Norddeutschen Lloyd, fahren von Bremen, und gilt für dieselben Southampton als letzter resp. erster europäischer Punkt. Derselbe liegt 305 Sm. weiter von Newyork als Roche's Point, und ist deshalb die Reisedauer der Norddeutschen Lloyd-Schiffe aus diesem natürlichen Grunde um 19 St. länger, welche also bei Vergleichungen mit den Reisezeiten der Liverpooler Schiffe in Zu- resp. Abgang zu bringen sind. Die Daten entnehmen wir der Naut. Gazette von Newyork.

A. Zu der Fahrt zwischen Roche's Point und Sandyhook gebrauchten im Mittel der genannten Reisen die Liverpooler Schiffe

1. **„Arizona"**

1879 auf 9 Reisen ....7 Tage 19 Stunden 53 Minuten
1880 „ 20 „ ....8 „ 2 „ 56 „
1881 „ 21 „ ....8 „ 0 „ 25 „
1882 „ 20 „ ....8 „ 2 „ 12 „
1883 „ 21 „ ....7 „ 23 „ 27 „
1884 „ 21 „ ....7 „ 17 „ 38 „
1885 „ 9 „ ....7 „ 20 „ 12 „

Die *überhaupt schnellste Reise* machte dieses Schiff im August 1884 von Sandyhook nach Roche's Point in 7 Tg. 3 St. 38 Min.

2. **„Britannic"**

1880 auf 17 Reisen ...8 Tage 6 Stunden 15 Minuten
1881 „ 19 „ ...8 „ 9 „ 3 „
1882 „ 21 „ ...8 „ 9 „ 22 „
1883 „ 20 „ ...8 „ 4 „ 20 „
1884 „ 21 „ ...8 „ 7 „ 11 „
1885 „ 20 „ ...8 „ 4 „ 2 „

Schnellste Reise überhaupt in 7 Tg. 10 St. 53 Min. im August 1877 von Roche's Point nach Sandyhook.

3. **„Servia"**

1882 auf 18 Reisen ...7 Tage 18 Stunden 17 Minuten
1883 „ 18 „ ...7 „ 15 „ 29 „
1884 „ 18 „ ...7 „ 20 „ 13 „
1885 „ 19 „ ...7 „ 14 „ 43 „

Schnellste Reise überhaupt 7 Tg. 28 Min. im December 1884 von Sandyhook nach Roche's Point.

4. **„Alaska"**

1882 auf 16 Reisen ...7 Tage 6 Stunden 55 Minuten
1883 „ 20 „ ...7 „ 7 „ 36 „
1884 „ 19 „ ...7 „ 6 „ 12 „
1885 „ 6 „ ...7 „ 13 „ 31 „

Die *überhaupt schnellste Reise* machte dieses Schiff im September 1882 von Sandyhook nach Roche's Point in 6 Tg. 18 St. 37 Min.

5. **„City of Rome"**

1882 auf 12 Reisen ...7 Tage 22 Stunden 52 Minuten
1883 „ 10 „ ...7 „ 8 „ 24 „
1884 „ 16 „ ...7 „ 10 „ 27 „
1885 „ 16 „ ...7 „ 8 „ 14 „

Schnellste Reise überhaupt in 6 Tg. 21 St. 45 Min. im August 1885 von Roche's Point nach Sandyhook.

6. „**Aurania**“

1884 auf 16 Reisen . . . 7 Tage 7 Stunden 40 Minuten
1885 „ 22 „ . . . 7 „ 11 „ 34 „

Schnellste Reise in 7 Tg. 54 Min. im October 1884 von Sandyhook nach Roche's Point.

7. „**Oregon**“

1884 auf 18 Reisen . . . 6 Tage 17 Stunden 53 Minuten
1885 „ 8 „ . . . 6 „ 21 „ 8 „

Schnellste Reise überhaupt 6 Tg. [illegible] Min. im August 1884 von Roche's Point nach Sandyhook.

8. „**Etruria**“

1885 auf 18 Reisen . . . . 6 Tage 16 Stunden 25 Minuten

Schnellste Reise überhaupt 6 Tg. 5 St. 31 Min. im August 1885 von Roche's Point nach Sandyhook.

9. „**Amerika**“

1884 auf 10 Reisen . . . . . . 7 Tage 5 Stunden 3 Minuten

Schnellste Reise in 6 Tg. 14 St. 47 Min. im Juni 1884 von Sandyhook nach Roche's Point.

10. „**Umbria**“

1885 auf 4 Reisen . . . . . . 7 Tage 6 Stunden 29 Minuten

Schnellste Reise überhaupt 6 Tg. 11 St. 1 Min. im Mai 1886 von Roche's Point nach Sandyhook.

B. Zu der Fahrt zwischen **Southampton und Sandyhook** gebrauchten im **Mittel** der genannten Reisen die Schiffe des Norddeutschen Lloyd

1. „**Elbe**“

1882 auf 20 Reisen . . . 8 Tage 15 Stunden 25 Minuten
1883 „ 22 „ . . . 8 „ 17 „ 32 „
1884 „ 18 „ . . . 8 „ 16 „ 58 „
1885 „ 20 „ . . . 8 „ 20 „ 44 „

Schnellste Reise überhaupt 8 Tg. 1 St. im August 1882 von Southampton nach Sandyhook.

2. „**Werra**“

1882 auf 6 Reisen . . . 8 Tage 4 Stunden 35 Minuten
1883 „ 20 „ . . . 8 „ 8 „ 25 „
1884 „ 18 „ . . . 8 „ 8 „ 34 „
1885 „ 24 „ . . . 8 „ 8 „ 47 „

Schnellste Reise überhaupt 7 Tg. 18 St. im November 1884 von Sandyhook nach Southampton.

3. „**Fulda**“

1883 auf 20 Reisen . . . 8 Tage 9 Stunden 1 Minuten
1884 „ 16 „ . . . 8 „ 7 „ 24 „
1885 „ 20 „ . . . 8 „ 6 „ 0 „

Schnellste Reise überhaupt 7 Tg. 19 St. 29 Min. im September 1885 von Sandyhook nach Southampton.

4. „**Eider**“

1884 auf 20 Reisen . . . 8 Tage 3 Stunden 12 Minuten
1885 „ 22 „ . . . 8 „ 6 „ 49 „

Schnellste Reise überhaupt 7 Tg. 17 St. 8 Min. im Juni 1884 von Sandyhook nach Southampton.

5. „**Ems**“

1884 auf 14 Reisen . . . 8 Tage 3 Stunden 31 Minuten
1885 „ 22 „ . . . 8 „ 5 „ 19 „

Schnellste Reise überhaupt 7 Tg. 17 St. 5 Min. im März 1886 von Sandyhook nach Southampton.

Verweilen wir ein wenig bei diesen nackten und doch so beredten Daten, so drängt sich uns zunächst die *grössere Regelmässigkeit der Mittel* bei den Schiffen des Norddeutschen Lloyd auf gegenüber den von Liverpool fahrenden Schiffen verschiedener dort angesessener Linien. Alle Mittel der ersten Schiffe dauern 8 Tage und einige Stunden, während die Liverpooler Mittel zwischen 6, 7 und 8 Tagen schwanken, wozu aber noch die 19 Stunden für Wegunterschied hinzugehören. Die schnellsten Reisen machten die Bremer Schiffe durchweg in 7 Tagen + x Stunden, bis auf die „Elbe“, welche 8 Tage 1 Stunde gebrauchte; die Liverpooler Schiffe gebrauchten bald 6, bald 7 Tage + x Stunden + 19 Stunden.

Die grössten Differenzen der Mittel betragen, wenn man 30 Minuten und mehr als volle Stunden rechnet bei der „*Arizona*“ *9 Std.*, „*Britannic*“ *5 Std.*, „*Servia*“ *5 Std.*, „*Alaska*“ *8 Std.*, „*City of Rome*“ *15 Std.*, „*Aurania*“ *3 Std.*, „*Oregon*“ *3 Std.*, oder im Durchschnitt der 7 Schiffe rund 7 Stunden.

Dieselben Unterschiede betragen bei den Bremer Schiffen „*Elbe*“ *6 Std.*, „*Werra*“ *4 Std.*, „*Fulda*“ *3 Std.*, „*Eider*“ *4 Std.*, „*Ems*“ *1 Std.*, oder im Durchschnitt der 5 Schiffe rund nur 4 Stunden, woraus sich wieder ein Bild der **gleichmässigeren** *Fahrten der Bremer Schiffe ergiebt.*

Sucht man unter gehöriger Berücksichtigung der Anzahl der gemachten Reisen, die *wahren Mittel der Reisedauer* [illegible] für die *Liverpooler Schiffe:*

Arizona	ein Reisemittel von	7	Tg.	22	Std.	58	Min.
Britannic . . .	„ „ „	8	„	6	„	43	„
Servia	„ „ „	7	„	17	„	17	„
Alaska	„ „ „	7	„	7	„	33	„
City of Rome	„ „ „	7	„	12	„	10	„
Aurania	„ „ „	7	„	9	„	50	„
Oregon	„ „ „	6	„	18	„	53	„
Etruria	„ „ „	6	„	16	„	25	„
America	„ „ „	7	„	5	„	3	„
Umbria	„ „ „	7	„	6	„	29	„

und als **Mittel aller 528 Reisen aller Schiffe 7 Tg. 17 Std. 7 Min.**

Für die *Schiffe des Norddeutschen Lloyd* ergiebt sich in gleicher Rechnung bei der

Elbe	ein Reisemittel von	8	Tg.	17	Std.	41	Min.
Werra	„ „ „	8	„	8	„	15	„
Fulda	„ „ „	8	„	7	„	29	„
Eider	„ „ „	8	„	4	„	51	„
Ems	„ „ „	8	„	4	„	37	„

und als **Mittel aller 282 Reisen aller Schiffe 8 Tg. 9 Std. 50 Min.**, folglich unter Einrechnung der um 19 Stunden längern Strecke immer noch ein **Vorsprung von 2 Std. 17 Min. zu Gunsten der Bremer Schiffe.**

Berechnet man dagegen das Mittel aus den 10 schnellsten Reisen der 10 Liverpooler und aus den 5 schnellsten Reisen der 5 Bremer Schiffe, so findet man als mittlere Dauer der schnellsten Liverpooler Reisen
6 Tg. 19 Std. 21 Min.
„ „ „ „ „ Bremer Reisen
7 Tg. 19 Std. 24 Min.
folglich haben unter Einrechnung des 19 Std. betragenden Wegunterschiedes *die Liverpooler Schiffe gelegentlich eine um 5 Std. kürzere allerschnellste Reise gemacht als die Bremer Schiffe.*

Man kann das End-Ergebnis kurz dahin zusammenfassen, dass in regelmässiger Schnelligkeit die Bremer, in gelegentlicher äusserster Schnelligkeit die Liverpooler Schiffe den Vortritt haben.

Das Vertikalkraft-Instrument von W. Thomson.

Aus Jungclaus, Magnetismus und Deviation der Kompasse, 2. Auflage. Bremerhaven 1886, bei Chr. G. Tienken.

Auf Seite 240 des Handbuches der nautischen Instrumente, herausgegeben vom hydrographischen Amt der Kaiserl. Admiralität, finden wir eine Beschreibung des Vertikalkraft-Instruments von Sir W. Thomson in Glasgow, wie dasselbe um das Jahr 1880 herum gebaut wurde. Etwa im Jahre 1881 hat Thomson so durchgreifende Veränderungen an diesem Instrumente vorgenommen, dass sowohl die Beschreibung als auch die Gebrauchsanweisung nicht mehr zutrifft. Der Gebrauch des Instruments ist durch die Veränderungen so viel bequemer geworden, dass es in seiner jetzigen Gestalt von jedem Schiffsführer für alle Breiten zu benutzen sein dürfte, deshalb wird es nicht überflüssig sein, aufs Neue auf dasselbe hinzuweisen.

§ 35. Das Vertikalkraft-Instrument besteht dem Aeussern nach aus einer etwa 9 cm langen und 4 cm weiten cylindrischen Röhre, die an beiden Enden durch Glasplatten mit Bajonnetverschluss geschlossen ist. Auf ihrer Oberseite trägt sie eine kleine Dosenlibelle, die so adjustirt ist, dass sie einspielt, wenn die Axe des Cylinders und die quer dazu liegende

Drehungsaxe einer darin hängenden Inklinationsnadel horizontal liegen. An der Unterseite befinden sich 3 kurze Füsse und die Vorrichtung zum Arretiren der Magnetnadel. Im Innern ist eine etwa 8 cm lange und reichlich 1 mm dicke, cylindrische Magnetnadel so aufgehängt, dass sie sich um eine horizontale Axe im Vertikal drehen kann. Diese Axe bewegt sich auf Schneiden, die in Saphirlagern gehen, und führt genau durch den Schwerpunkt der Nadel.

Die unmagnetische Nadel würde demnach in jeder Lage, die man ihr giebt, stehen bleiben, aber sobald sie magnetisirt ist, strebt sie die Richtung der Inklinationsnadel einzunehmen. Sie kann dies jedoch nicht, weil die Röhre dazu viel zu eng ist und die Schneiden der Axe dies nicht zulassen. In unserer magnetischen Breite würde das Süd- oder blaue Ende der Nadel nach oben gehen. Um die Nadel zu einer horizontalen Lage zu zwingen, ist auf dies in die Höhe strebende Ende der Nadel ein papiernes Laufgewichtchen mit einem Index in der Mitte gestreift, durch dessen Verschiebung man die Nadel genau horizontal bringen kann, wenn die Libelle einspielt. Hat man dies an einem Orte gethan, wo kein Eisen oder keine andern magnetischen Einflüsse als die der Erde auf die Nadel einwirken, so ist sie für die an diesem Orte herrschende Vertikal-Intensität adjustirt.

Da die Nadel sich um die durch ihren Schwerpunkt gehende Axe bewegt, ist die Lage des Laufgewichts abhängig: 1. von der Vertikal-Intensität der Erde und 2. vom magnetischen Moment der Nadel, und unter der Voraussetzung, dass letzteres konstant bleibt, allein von der Vertikal-Intensität der Erde. In südlicher magnetischer Breite wird das rote oder Nord-Ende der Nadel in die Höhe gehen und das Laufgewicht muss entsprechend auf dieses Ende geschoben werden. Eine von der Nähe der Axe der Nadel schräg nach oben gehende Skale lässt die Entfernung des Laufgewichts von jener genau ablesen.

Vor den Glasscheiben der Röhre ist auf jedem Ende ein Kreisbogen angebracht, dessen Centrum in der Drehungsaxe der Nadel liegt. Dieselben tragen je eine Einteilung, von denen die eine von unten nach oben, die andere von oben nach unten numerirt ist, so dass man auf beiden Enden für die dicht daneben spielende Nadel gleiche Bögen abliest.

Die Mittellage der Nadel ist bei 1,5; ein Ausschlag von einem Teilstriche ist gleichbedeutend mit $^1/_8$ bis $^1/_{10}$ ° des Krängungs-Koefficienten, wenn das Instrument, wie § 69 gelehrt wird, in der Höhe der Kompassnadeln in das Kompassgehäuse gehalten wird. Der genaue Wert eines Teilstriches ist durch Versuche zu bestimmen, indem man den Krängungs-Koefficienten durch Schwingungen mit horizontalen und vertikalen Nadeln bestimmt und mit den Angaben des Vertikalkraft-Instruments vergleicht; nötig ist die Kenntnis des Wertes für den praktischen Gebrauch nicht.

§ 69. . . . Hat man Thomson's Vertikalkraft-Instrument, dann hole das Schiff so zurecht, dass es *magnetisch* O oder W anliegt, entferne den Kompass und halte das Instrument so, dass dessen kleine Nadel in der Ebene der Kompassnadeln im magnetischen Meridian liegt, ihr Nordende richtig nach Norden zeigt, und ihre Axe in der Axe des Kompassständers sich befindet, wobei zugleich darauf zu achten ist, dass die Libelle einspielt. Ist kein Krängungsfehler vorhanden, so liegt die Nadel horizontal, ist ein solcher vorhanden, so neigt sie sich; die Anzahl Striche, welche sie bei einem passend adjustirten Instrumente ausschlägt, ist meistens = K, dem Krängungs-Koefficienten in Zehntel Graden ausgedrückt. Der Kompensationsmagnet ist darauf an seinen Ort zu bringen, und so weit in die Höhe zu schieben oder so weit herunter zu lassen, bis die Nadel *ungefähr* horizontal liegt. Wegen (Lambda) λ sollte dies nämlich nicht genau der Fall sein, man sollte immer nur $\lambda \times K$ kompensiren. Schlägt die Nadel zuerst 9 Striche aus, ist also $K = 0{,}9$ und ist $\lambda = 0{,}88$, so sind $9 \times 0{,}88 =$ 8 Striche weg zu kompensiren und 1 Strich unkompensirt zu lassen; im Durchschnitt ist letzteres $^1/_8$ — $^1/_{10}$ des ursprünglichen Betrages bei Regelkompassen. Bei einem Steuerkompasse kann λ viel kleiner sein, besonders wenn derselbe in einem eisernen Steuerhause steht, dann muss man auch einen viel grössern Teil von K unkompensirt lassen, derselbe kann bis zur Hälfte gehen.

Hat man ein Vertikalkraft-Instrument an Bord und will damit während der Reise die Kompensation des Krängungsfehlers *genau* halten, dann verfährt man besser auf folgende Weise: Zunächst justire am Lande, wo kein Eisen in der Nähe ist, die Nadel, dass sie genau horizontal liegt, also auf 1,5 der Skala zeigt, indem man das kleine papierne Laufgewicht passend verschiebt und messe den Abstand desselben von der Axe der Nadel nach der im Innern der Röhre schräg liegenden Skala. Diesen Abstand multiplicire mit λ, welches man kennen oder schätzen muss, und verschiebe das Laufgewicht, dass es einen Abstand von der Axe gleich dem erhaltenen Produkte hat. Diesen Abstand wollen wir in der Folge den Normalabstand a nennen. Bei der Kompensation des Krängungsfehlers placire dann aber den Magneten so, dass die Nadel *genau* horizontal liegt.

Aendert sich nun im Laufe der Reise die Vertikal-Intensität der Erde und hat man dementprechend die Kompensation des Krängunsfehlers zu berichtigen, dann verfahre in folgender Weise: Die Vertikal-Intensität des Ortes, wofür die Nadel adjustirt ist, sei Z, die des neuen Ortes Z^1, dann ist das Laufgewicht auf $a \times \frac{Z^1}{Z}$ zu schieben. Z. B. der Ort, wo die Nadel adjustirt ist, sei Geestemünde, daselbst ist $Z = H \times \text{tg } J = 1{,}8 \times \text{tg } 68° = 4{,}45$. Für 20° N und 20° W ist $Z = H \times \text{tg } J = 2{,}87 \times \text{tg } 45° = 2{,}87$ (Man nehme J als Kurs und H als Breitenunterschied, dann findet man Z unter Abweichung). $a \times \frac{Z^1}{Z} = a \times \frac{2{,}87}{4{,}45} = a \times 0{,}65$. Auf diesen Abstand schiebe nach der schräg liegenden Skala das papierne Laufgewicht und berichtige die Kompensation des Krängungsfehlers, indem magnetisch O oder W gesteuert wird und der Magnet derart verschoben wird, dass die Nadel im Vertikalkraft-Instrument horizontal liegt.

Kommt man auf magnetische Süd-Breite, dann muss das papierne Laufgewicht auf das Nord-Ende der Nadel gesteckt werden. Am besten ist es, dann die Nadel umzuhängen, damit der Abstand des Laufgewichtes von der Nadelaxe genau gemessen werden kann. Die Ursache ist leicht einzusehen: Die Vertikal-Intensität bekommt beim Ueberschreiten des magnetischen Aequators wie die Inklination das umgekehrte Zeichen.

Für einen Ort in der Nähe des Kaps der guten Hoffnung ist $H = 2{,}0$, $J = -57°$ also $Z = -3{,}1$, darum $a \times -3{,}1 : 4{,}45 = a \times -0{,}7$, d. h. das Laufgewicht ist auf das Nord-Ende der Nadel zu schieben und sein Abstand von der Axe muss $= a \times 0{,}7$ sein.

Unter dem magnetischen Aequator und in unmittelbarer Nähe desselben ist das Laufgewicht gänzlich zu entfernen.

Die kleine Magnetnadel darf nie mit blossen Händen berührt oder gar angefasst werden, weil dies leicht Anlass zu Rostbildung giebt, welche die Nadel ruinirt. Zum Ausführen der nötigen Manipulationen bediene man sich stets der beigegebenen Pincette.

Wie nützlich ein solches Instrument an Bord eines eisernen Schiffes sein muss, wird jeder, der sich in südlichen Breiten mit grossem, stark geänderten Krängungsfehler abgequält hat, leicht ermessen. Die Handhabung ist eine so leichte, dass jeder Offizier sie in einer Viertelstunde erlernen kann. Es wäre Vermessenheit zu glauben, dass dieses wundervoll praktische Instrument bald an Bord eines jeden eisernen Schiffes zu finden sein und zu den unentbehrlichen Inventarienstücken gehören wird, aber der Hoffnung darf wohl schon jetzt Ausdruck gegeben werden, dass es in wenigen Jahren an Bord eines jeden Deutschen Postdampfers, der auf seinen Reisen die Breite stark ändert, zu finden sein wird; von diesen aus wird es seinen Weg auf die andern Schiffe schon von selbst finden.

Aus Briefen deutscher Kapitäne.

V.

Hafengebräuche in Havre angehend.

Havre de Grâce, d. 19. Febr. 1886.

Geehrter Herr!

Als Sie mich vor einigen Tagen ersuchten, Ihnen einige Mitteilungen über hiesige Verhältnisse zu machen, glaubte ich nicht, schon so bald dazu zu kommen. Ich will mich diesmal aber nur darauf beschränken, einen hier herrschenden Gebrauch, oder richtiger gesagt, Missbrauch zu berühren.

Es besteht hier in Havre die Usance, dass für ausgenommene Balken, Planken oder ähnliche Ladungen die Schiffe nicht allein die Kosten für das Wiegen, sondern auch für das Sortiren und das Aufstapeln auf der Kaje, manchmal bis zu beträchtlicher Entfernung vom Schiffe, tragen müssen.

Obgleich der betreffende Paragraph der von der Handelskammer festgesetzten Usancen, welchen ich weiter unten anführen werde, noch gar nicht so ganz unzweideutig ist, so ist doch vor einigen Tagen vom hiesigen Tribunal, in Sachen Kreglinger & Co. Kaufleuten hieselbst, und Kapt. Thömel, vom russ. Dreimastschuner »Austra« dahin entschieden worden, dass diese Verpflichtung auch dann noch besteht, wenn die Charter die Klausel enthält: *„to be brought to, and taken from alongside, at merchants risk and expense."* Die Motivirung dieses Entscheids seitens des Vorsitzenden ist, wenigstens meiner allerdings unmassgeblichen Meinung nach, derart seltsam oder geradezu lächerlich, dass sie verdient, in weitern Kreisen bekannt gemacht zu werden. Ich lege deshalb eine wörtliche Abschrift der Entscheidung bei, und mache Sie besonders auf den unterstrichenen Teil aufmerksam.

Es scheint demnach, dass die Kaje nicht als »längsseit« zu betrachten ist, ebenso dass die Erläuterung, dass das »taken from alongside«, welches sich doch nur auf den Löschplatz beziehen kann, und an einen Ladeplatz pflegen die Güter doch gebracht zu werden, auf Havre keinen Bezug hat etc. etc., aber Sie werden ja selbst sehen.

Das schlimmste bei der Sache ist, dass hierdurch ein Präcedenzfall geschaffen wird, und dass bei dem Fall als Bagatelle eine Appellation nicht zuständig ist; dazu müsste der Betrag 1500 frcs. übersteigen, was selbst bei den grössten Schiffen wohl nur selten oder nie der Fall sein dürfte. Wie gewöhnlich sitzen wir also daran fest, so lange der Gerichtshof sich nicht eines besseren besinnt. Wenn überhaupt gestattet wird, obige Klausel in die Charter einzubringen, so wäre also noch immer hinzuzufügen: »*and any custom to the contrary to be overruled by this charter*« oder dem ähnliches.

Das Urteil des Handelsgerichts lautet also:

Kreglinger & Co. contra Thömel.

In Erwägung dass

Kreglinger & Co. vom Kapt. Thömel, Führer des russischen Schiffes „Austra", die Kosten für das Wiegen, das Sortiren und Aufstapeln der Ladung gemäss den Gebräuchen von Havre verlangen;

der Kapitän aber Einspruch gegen diese Gebräuche erhebt und behauptet, dass sie jedenfalls nicht auf seinen besonderen Fall anzuwenden seien, weil nach dem Wortlaut der Charterpartie die Ladung von den Klägern auf ihre Gefahr und Kosten längsseit d. h. mit Schiffstakel zu empfangen war und weil dieser Vertrag für die Parteien bindend ist und alles Gegenteilige ausschliesst;

dass kein Widerspruch dagegen erhoben wird, dass Kreglinger & Co. die rechtmässigen Empfänger einer Ladung Holz von Quebracho sind, welche von Buenos-Ayres mit dem Schiffe „Austra" angebracht, und vom Kapitän auf seine Kosten vorgewogen werden muss;

dass nach den von der Handelskammer und der Rechtsanschauung dieses Gerichts bestätigten Hafengebräuchen von Havre die Waare, sobald das Schiff gehalten ist zu wiegen um seine Fracht ausbezahlt zu erhalten, nichts beiträgt, wenn das Schiff ausserhalb (!) der Docks liegt, und (!) der Kapitän, welchem das Wiegen der Ladung obliegt, ohne Entgelt die Arbeiten für die Beschaffung der Waage, das Sortiren und übliche Aufstapeln, soweit der Platz es erlaubt, leisten muss;

dass die Klausel der Lieferung längsseit illusorisch (!) ist, und auf Havre keine Anwendung findet, weil die am Quai löschenden Schiffe immer dort ihre Ladung abliefern, wo das Wiegen vorgenommen wird, und weil diese Klausel die Parteien nicht bindet, insofern als dies Schiff befrachtet war mit der Ordre, in Leichter zu löschen in Häfen, wo diese Art der Entlöschung Sitte ist und nicht von den Gebräuchen des Bestimmungsortes abweicht, auf welchen die Charterpartie wegen der Löschung Bezug nimmt;

verurteilt

der Gerichtshof den Kapitän Thömel, an Kreglinger & Co. die Kosten für den Transport der Waage, das Sortiren und die Aufstapelung nebst den gesetzmässigen Zinsen zu bezahlen und die Kosten dieses Verfahrens zu erstatten.

Havre, den 17. Febr. 1886.

Diesem fügt der Kapitän noch nach: Der Artikel in den von der Handelskammer etc. angezogenen Hafengebräuchen lautet also:

„Wenn das Schiff verpflichtet ist zu wiegen, um seine Fracht zu bekommen, bezahlt die Waare nichts. Wenn auch der Empfänger strengstens gehalten ist, die Ladung nach der Wägung zu übernehmen, so hat doch der Gebrauch Gültigkeit erlangt, dem Schiffe die Sorge für die Beschaffung der Waage und der Aufstapelung zu überlassen. Diese zweifache Leistung ist nie für geeignet erachtet, darauf einen Anspruch zu begründen."

Uns will die Begründung des Urteils im vierten und fünften Absatz so schwach als willkürlich erscheinen, da das Schiff doch einmal nach Havre bestimmt und die Charterpartie nach dort für verbindlich von beiden Parteien angenommen war. Jedenfalls mahnt sie Befrachter zur Vorsicht.

Zum Schiffbau in England.

Alle Berichte stimmen darin überein, dass im verflossenen Jahr die Summe der fertig gestellten Schiffe eine erheblich geringere (nur das Viertel oder ein Drittel) gewesen ist, als in einem der letzten 5 Jahre vor 1885, und noch unter das bekannte flaue Jahr 1879 heruntergesunken ist. Das altberühmte Werk von John Elder ist von 56 995 I. P. K. auf 15 000 P. K. herabgesunken, hat aber freilich in den letzten 7 Jahren Maschinen von 260 000 I. P. K. geliefert, eine bis jetzt in den Annalen des Maschinenbaus unerhörte Leistung. Das grösste von dort gelieferte Schiff ist der „Präsident Meyer" von 1 000 I. P. K. für den Norddeutschen Lloyd. — Denny & Co. in Dumbarton, welche in den letzten 7 Jahren Maschinen von 122 000 i. P. K. gebaut haben, lieferten als höchste Jahresleistung 23 200 i. P. K. und im vorflossenen Jahre noch 17 020 i. P. K., also mehr als John Elder & Co. oder wie die Firma jetzt heisst, die Fairfield Shipb. and Eng. Comp. — Denny's grösster Bau war die „Mararva" von 3 500 P. K. für die Union von Neuseeland. — Dann folgen Caird & Co. mit 9000 P. K. in 3 Dampfern, „Coromandel" und „Bengal" von je 4 500 P. K. für die P. & O. Comp. und einem Flussraddampfer für Bahia. Caird & Co. bauten in 1881 noch 16000 i. P. K., und im Ganzen in den letzten 7 Jahren 80 000 i. P. K. In demselben Maasse abwärts gingen die Leistungen anderer wohlbekannter Firmen wie J. & G. Thomson mit 4 Schiffen und 8 600 P. K. (nach 29 500 P. K. in 1881 und 107000 P. K. in den letzten 7 Jahren); ferner Scott & Co. mit 6 Schiffen und 6 200 P. K., D. & W. Henderson mit 5 Schiffen und 5 406 P. K.; R. Napier & Sons mit 4 Schiffen und 5 120 P. K.; A. & J. Inglis mit 2 Schiffen und 4 300 P. K., W. Simons & Co. mit 7 Schiffen und 4 240 P. K. Viele Schiffbaufirmen haben gar keine Maschinen gebaut wie Russel & Co., R. Duncan & Co., A. M'Millan & Son, Aitken & Mansel, Napier Shanks & Bell, Cornell & Co. Andere Firmen bauten Maschinen, aber für an andern Plätzen in Bau gegebene Schiffe.

Ohne uns weiter bei diesen Zahlen aufzuhalten, konstatiren wir zunächst den sich überall vordrängenden *Charakterzug des jetzigen Maschinenbaus*, dass die *dreifache Expansionsmaschine* vom Tag zu Tage beliebter, und bereits in den grössten Dimensionen ausgeführt wird. Wir haben erst kürzlich in der ausführlichen Schilderung des Problems des „Sechs-Tage-Dampfer" im Jahrgang 1885 dargelegt, wie die Ingenieure bei den Schiffsmaschinen die anfängliche Temperatur des Dampfs allmälig gesteigert, und den eigentlichen Dampfverbrauch dadurch eingeschränkt haben, dass sie den stark gespannten Dampf sich durch mehrere — bis jetzt 3 — Cylinder wieder expandiren liessen, und dadurch neben grosser Ersparnis an Kohlen eine bislang unbekannte ruhige Arbeit der Maschinen herbei zu führen verstanden haben. Wir haben auch sonst im Jahrgang 1885 Seite 139 und 212 darauf hingewiesen, dass die anfängliche Scheu, dieses System der dreifachen Expansion bei grössern und grössten Maschinen anzuwenden, bereits überwunden sei, nachdem die Herstellung der dazu vorausgesetzten Kessel in befriedigender Weise gelungen sei, und Kessel für 156 # ursprünglichen Dampfdruck jetzt anstandslos gebaut wurden. Die Gebrüder Denny von Dumbarton ragen vor allen Schiffbauern Englands nach dieser Richtung hervor; sie versahen von 11 Schiffen im vorigen Jahr 4 mit Maschinen dieses Systems im Betrage von 11 000 i. P. K. für Schiffe von 1 505 bis zu 3269 T. Sie haben aber auch die Kühnheit der Ueberzeugung, dass sie mit der **vierfachen Expansionsmaschine** noch grössere Erfolge erzielen werden, und versehen jetzt die „Lahora" von 3720 T. auf eigene Spekulation damit. Ebenso gehen Rankin & Blackmore vor, welche mit kleinen vierfachen Expansionsmaschinen und einem ursprünglichen Dampfdruck von 180 # eine Dampfyacht bei John Reid & Co. montiren.

Und wie der Norddeutsche Lloyd seine „Ostindischen Subventionsdampfer" mit dreifachen Expansionsmaschinen versehen lässt, so hat auch die Cunardgesellschaft ihre neuen Dampfer „Parthia" und „Batavia" von 3 200 resp. 1 300 i. P. K. damit versehen; doch sind die grössten dreifachen Expansionsmaschinen, die bisjetzt gebaut wurden, die Maschinen für den „Präsident Meyer" von 7 000 i. P. K. Wer aber mag es verbürgen, ob man ein Jahr später das Schiff nicht schon mit Maschinen vierfacher Expansion versehen haben würde.

Die *Kessel* werden jetzt fast ausschliesslich aus *Stahl* gefertigt, und Dicken von 1¹/₄ bis 1¹/₂ Zoll in den stärksten Fällen für ausreichend erachtet; zur Nietung werden nur Stahlnieten verwandt. Während aber die gewöhnlichen Verbundmaschinen nur einen Dampfdruck von 110 # per Quadratzoll verlangen, wird für die dreifachen Expansionsmaschinen ein Druck von 130 bis 160 # vorausgesetzt, und wie schon vorhin angedeutet, verlangen die vierfachen Expansionsmaschinen einen ersten Dampfdruck von 180 #. Die Dauerhaftigkeit der Kessel hat in den letzten Jahren entschiedene Fortschritte gemacht; ein im Jahre 1879 für den „Buenos Ayrean" der Allan-Linie gebauter Kessel wurde vergangenes Jahr zum ersten Male in Glasgow genau revidirt und dabei in ausgezeichneter Verfassung befunden. Die *Ofenanlagen* von *Fox* geniessen zunehmenden Ruf; im vorigen Jahr wurden allein am Clyde 44 neue Anlagen ausgeführt. *Weir's automatisches Controll-Pumpgeschirr* erfreut sich ebenfalls wachsender Beliebtheit, namentlich bei den mehrfachen Expansionsmaschinen.

Die Uebertragung des Systems der Verbund (Compound) -Maschinen auf *Locomotiven* macht nur langsame Fortschritte; es scheint noch ein Umweg durch das bei Schiffsmaschinen schnell verlassene „Tandem"-Princip gemacht werden zu sollen.

Germanischer Lloyd.

Deutsche Handels-Marine: Seeunfälle vom Monat April 1886, soweit solche bis zum 15. Mai 1886 im Central-Bureau des Germanischen Lloyd gemeldet und bekannt geworden sind.

I. Segelschiffe.	Gesammtzahl	Ladung	Klasse [1]	Alter (Jahre)	Rhederei
a. m. geringem Schaden eingekom.		[illegible]	[illegible]	[illegible]	[illegible]
b. m. schwer. Schaden eingekom.	3	[illegible]	[illegible]	[illegible]	[illegible]
c. an Grund gerat. od. gestrd. u. abgebr.	3	[illegible]	[illegible]	[illegible]	[illegible]
d. gestrandt und nicht abgebr.		[illegible]	[illegible]	[illegible]	[illegible]
e. Collision	3	[illegible]	[illegible]	[illegible]	[illegible]
f. Totalverlust [2]	5	[illegible]	[illegible]	[illegible]	[illegible]
Summe	14				

II. Dampfschiffe.

II. Dampfschiffe.	Gesammtzahl	Ladung	Klasse [1]	Alter (Jahre)	Rhederei
a. m. Schad. eingekom.	6	[illegible]	[illegible]	[illegible]	[illegible]
b. an Grund geraten	..	[illegible]	[illegible]	[illegible]	[illegible]
c. Collision	5	[illegible]	[illegible]	[illegible]	[illegible]
d. Totalverlust [3]	1	[illegible]	[illegible]	[illegible]	[illegible]
Summe	12				

[1] Soweit zu ermitteln, Klasse einer Schiffsklassifikations-Gesellschaft. O. = ohne Klasse. Umgekommene Seeleute: 29.
[2] Tonnengehalt von 5 Schiffen 1181 Tons.
[3] „ „ 1 do. 1019 do.

BERLIN, d. 15. Mai 1886.

Uebersicht

sämtlicher auf das Seerecht bezüglichen Entscheidungen der deutschen und fremden Gerichtshöfe, Reskripte etc. der betreffenden Behörden etc., einschliesslich der Literatur der dahin bezüglichen Schriften, Abhandlungen, Aufsätze etc.

Titel I. Allgemeine Bestimmungen.

Titel II. Rheder und Rhederei.

Alle auf dem Schiffe in Diensten des Rheders zu Schiffszwecken thätigen Personen gehören zur „Schiffsbesatzung" (im Sinne des Art. 475 H.-G.-B.'s) **Für das Verschulden aller dieser (auch nur temporär oder zwischen der Entlassung der alten und der Anmusterung der neuen Seemannschaft, ohne Heuervertrag angestellten) Personen haftet der Rheder nach Art. 451, aber nur mit Schiff und Fracht.** (Art. 452.)

Am 23. Dezember 1881 wurde der Versuch gemacht, das der Beklagten gehörige, mit einer für Th. H. bestimmten Ladung Steinkohlen in Flensburg angelangte Dampfschiff „Quarta", Kapt. Ha., dessen Mannschaft schon Tags vorher entlassen war und welches mit seinem Vordertеile dicht an dem Bollwerke, an welchem es entlöscht werden sollte, lag, während der tiefer gehende Hinterteil des Wasserstandes wegen in einiger Entfernung von dem Bollwerke geblieben war, auch mit dem Hinterteile näher an das Bollwerk heranzubringen. Das geschah mittelst einer auf dem Schiffe befindlichen Dampfwinde, und zwar in der Weise, dass ein am Lande befestigtes Tau um die Walze gelegt, das Tau auf dem Schiffe straff angezogen und nun die Winde, mit deren Bedienung der beklagtische Inspektor Ir. einen gewissen Jo., einen früheren Matrosen, den die Beklagte gegenwärtig mit Dienstleistungen am Lande und auf ihren im Heimatshafen anwesenden Schiffen beschäftigt, beauftragt hatte, in Betrieb gesetzt wurde, wodurch sich das Tau aufrollte und das Schiff näher an das Bollwerk heranzog. Da jedoch das Heranziehen durch den morastigen Grund erschwert wurde, liess man von Zeit zu Zeit die Winde rückwärts arbeiten, um dann durch einen neuen Anlauf ihre Kraft mittelst der ruckweisen Einwirkung auf das Tau zu erhöhen. Wenn jene entgegengesetzte Wirkung der Winde eintreten sollte, mussten die das Ende des Taues haltenden Arbeiter dasselbe loslassen, um nicht durch dessen plötzliches Aufrollen nach vornüber gerissen zu werden, weshalb der den Betrieb der Winde leitende Jo. sie durch einen Warnungsruf hiervon benachrichtigte. Diesen Warnungsruf soll jedoch nach Klägers Angabe Jo. einmal unterlassen haben, wodurch bewirkt sein soll, dass der Kläger, welcher zu den von dem Ladungsempfänger E. mit der Löschung der Ladung beauftragten Arbeitern gehörte, und welcher mit zwei anderen Arbeitern das Tau als der vorderste Mann hielt, vornüber gerissen wurde, und als er, um sich zu halten, um sich griff, mit der linken Hand in das Räderwerk der Dampfwinde griff, durch welches die Hand dermassen verletzt wurde, dass sie amputirt werden musste. Der Kläger beansprucht nun dieserhalb von der Beklagten als Entschädigung eine jährliche Rente von 400 ℳ bis an sein Lebensende, indem er diesen Anspruch sowohl auf ein von dem gedachten Jo. durch Unterlassung des Warnungsrufes begangenes Verschulden, für welches die Beklagte als Rhederin des Schiffes „Quarta“ hafte, als auch auf ein eigenes Verschulden der *Beklagten* gründet, welches er darin findet, dass diese es unterlassen habe, das Räderwerk der Winde mit einem Schutzbleche zu umgeben, bei dessen Anbringung der Unfall vermieden worden sein würde. Die Beklagte hat den Grund und die Höhe des Anspruches bestritten, indem sie sich in der Berufungsinstanz vornehmlich gegen die Annahme des Berufungsrichters richtet, dass sie für das von Jo. begangene Verschulden hafte, wodurch eine Verletzung der Artikel 445 und 451 H.-G.-B.'s hervorgerufen worden.

Aus den Entscheidungsgründen: „Nach Art. 451 H.-G.-B.'s ist der Rheder für den Schaden verantwortlich, welchen *eine Person der Schiffsbesatzung* einem Dritten durch ihr Verschulden in Ausführung ihrer Dienstverrichtungen zufügt, und nach der im Art. 445 H.-G.-B.'s enthaltenen Definition der Schiffsbesatzung werden zu dieser *ausser* dem Schiffer und der Schiffsmannschaft auch *alle übrigen auf dem Schiffe angestellten Personen* gerechnet. Im vorliegenden Fall war aber unbestritten der Jo. von der Beklagten zur Bedienung der Dampfwinde des Schiffes angestellt, so dass er unter die letztgedachte Kategorie von Personen fällt. Nach der Entstehungsgeschichte des Art. 445 a. a. O. scheinen allerdings die Verfasser des Gesetzes bei dessen Bestimmung, dass zur Schiffsbesatzung ausser dem Schiffer und der Schiffsmannschaft *auch alle übrigen auf dem Schiffe angestellten Personen* zu rechnen seien, nur solche Personen vor Augen gehabt zu haben, welche in einem *dauernden* Dienstverhältnisse, wie dies nicht nur bei der Schiffsmannschaft, sondern auch bei Maschinisten, Aufwärtern etc. der Fall zu sein pflegt, und auf welche die Bestimmung des Art. 554 H.-G.-B.'s anwendbar erschien, dass sie — sofern nicht durch Vertrag ein Anderes bestimmt sei, — dieselben Rechte und Pflichten haben sollten, welche in dem Titel von der Schiffsmannschaft für diese festgesetzt wurden. — Nach dem klaren Wortlaute des Art. 445 H.-G.-B.'s umfasst derselbe aber auch alle *nur temporär* zu Schiffsdiensten auf dem Schiffe angestellten Personen und auch die ratio legis geht ersichtlich dahin, den Rheder ohne Rücksicht auf eigenes Verschulden im *Interesse der Sicherheit des Verkehrs* mit Schiff und Fracht für den Schaden haften zu lassen, welchen *das Schiff*, d. h. *eine auf dem Schiffe in Diensten des Rheders zu Dienstzwecken thätige Person* in Ausführung ihrer Dienstverrichtungen einem Dritten zufügt. Dies ist denn auch schon in einem Urtheil des Reichsgerichts vom 27. Juni 1881 in Ansehung des *freiwilligen Lotsen* angenommen, welcher in der hier fraglichen Beziehung als zur Schiffsbesatzung gehörig angesehen wurde, obwohl ein Lotse nur zu einem *vorübergehenden* Dienste angenommen wird. Ganz dasselbe muss aber von solchen Personen gelten, welche während des Aufenthaltes des in einem Hafen in der Zwischenzeit von der Entlassung der bisherigen bis zur Anmusterung einer neuen Mannschaft im Auftrage des Schiffers oder Rheders auf dem Schiffe Dienste verrichten, welche in den Kreis der sonst von Personen der Schiffsmannschaft oder von dem Bedienungspersonal der Maschine oder sonstigen Schiffsangestellten auszuführenden Thätigkeit fallen. Auf die Frage, ob im Sinne des Art. 445 des H.-G.-B.'s zu den auf dem Schiffe angestellten Personen auch z. B. die im Hafen oder in einem Dock eine Reparatur an dem Schiffe vornehmenden *Handwerker* oder Leute des Dockbesitzers oder Schiffbaumeisters, welche das Schiff zum Zwecke der Vornahme einer Reparatur an eine andere Stelle transportiren, sowie die das Beladen oder Entlöschen eines Schiffes besorgenden, nicht zur Schiffsmannschaft gehörigen Personen zu rechnen sind, braucht hier nicht näher eingegangen zu werden. Denn dass die Bedienung der zu Schiffszwecken auf dem Schiffe angebrachten Winde, um welche es sich im *vorliegenden* Falle handelt, zu den Dienstverrichtungen der Schiffsbesatzung gehört, kann nicht dem mindesten Zweifel unterliegen und ist auch an sich von der Beklagten gar nicht bestritten, welche vielmehr nur einwendet, dass das Schiff nach dem Frachtvertrage nicht verpflichtet gewesen sei, näher an das Bollwerk heranzuholen, dass die Entlöschung desselben auch in seiner bisherigen Lage habe erfolgen können und dass Kläger und seine Genossen, welche das Löschen gegen eine feste Vergütung übernommen hätten, den Jo. nur zur *Erleichterung* ihrer Arbeit und in *ihrem* Interesse zum Näherholen veranlasst hätten. — Aber auch dieser Einwand hat der Berufungsrichter mit Recht verworfen, da der Zweck, zu welchem die von Jo. bediente Dampfwinde bei der hier fraglichen Gelegenheit in Thätigkeit gesetzt wurde, auch unter Voraussetzung der Richtigkeit der Angaben, mit dem Rhedereibetriebe selbst, d. h. mit der Benutzung des Schiffes zum Erwerbe durch die Seefahrt *in unmittelbarer Beziehung steht*. Ueberdies hat der Berufungsrichter mit Recht annehmen können, dass es sich hier um eine letzte Bewegung des Schiffes *zur Beendigung seiner Frachtreise* gehandelt hat. Ob er eine *Verpflichtung* des Schiffers hierzu nach der Charterpartie mit Recht oder Unrecht angenommen hat, ist unerheblich, da die Arbeit des Näherholens des Schiffes an das Bollwerk sich auch im letzteren Falle als die Ausführung einer Dienstverrichtung der *Schiffsbesatzung* (Art. 451 H.-G.-B.'s) charakterisirt, die im (sei es im wirklichen oder vermeintlichen) Interesse und für Rechnung und auf Gefahr des Rheders vorgenommen wurde. Ebenso unerheblich ist es, ob der Beklagten wegen der schon vorher vorgenommenen Entlassung der Mannschaft, durch welche das Schiff auf der Reise nach Flensburg bedient wurde, v. Befrachter od. Empfänger ein *Verschulden* zur Last gelegt werden kann. (Erk. des I. Civilsenats des Reichsgerichts vom 26. April 1884 in Sachen Flensburg. Dampfschiffahrts-Gesellsch. wider den Arbeiter E. F. J.; Brauer u. Blum, Annalen des Reichsger. Bd. X, S. 484 ff.)

Nautische Literatur.

Die reducirten Quer-Summen und ihre Anwendung zur Controle von Rechnungs-Ergebnissen von *Fr. Vormung, Techniker und Mathematiker in Mecklenburg. Eberswalde, bei P. Wolfram. 1886. Preis 50 Pf.* lautet der abgekürzte Titel einer kleinen Schrift von 16 Seiten, in welcher Verfasser die von Alters her bekannte, in neuerer Zeit etwas zurückgedrängte sog. Neunerprobe zu einer Controle über die Rechnungs-Ergebnisse der 6 Grundrechnungen erweitert und an einzelnen Beispielen von Additionen, Subtraktionen, Multiplikationen, Divisionen, Potenzirungen und Radizirungen erläutert und soweit möglich ihre Richtigkeit darthut. Der Ladenpreis des Schriftchens ist mit ℳ 0.50 so gering angesetzt, dass Jeder, der mit diesen Rechnungen im grössern Stil zu thun hat, bei der Anschaffung der Schrift seine Rechnung finden wird; zum Ueberfluss hat der Director der Berliner Sternwarte, Herr Professor Förster, zur Einführung derselben in die Welt Pathendienste übernommen, indem er das Schriftchen mit einem Vorwort beehrt hat.

Verschiedenes.

Nordamerikanisches Urtheil über deutsche Schiffe und deutsche Seeleute. „Die neuen deutschen Schnelldampfer der Newyork-Bremer Linie erregen fortwährend neue Sensation in Newyork. Allerdings schicken auch die *Franzosen* einige neue Schiffe hinaus, aber sie werden die Aufmerksamkeit nur kurze Zeit auf sich ziehen und dann der Vergessenheit anheimfallen. Unser Volk setzt geringes Vertrauen auf französische Seemannschaft und Navigation. Freilich werden sie einen hübsch gedeckten französischen Tisch führen und ihren Rothwein reichlich spenden, aber wegen solider Seemannsarbeit sind sie weder berühmt noch beliebt. Verdächtig ist schon, dass den Maschinisten eine Prämie von 6000 Fr. ausgelobt wird, wenn sie das Schiff in 6 Tagen und weniger hinüberbringen. Dagegen sind die Deutschen gute Seeleute und besitzen eine prächtige Dampferflotte, welche zu empfehlen geradezu Jedermanns Pflicht ist, und wenn auch ihre Seereise länger dauert, weil der Weg an sich länger ist, so machen sie das wieder gut durch vergrösserte Schnelligkeit. Ihre Schiffe werden von den besten Baumeistern am Clyde erbaut und von erfahrenen Männern befehligt, ihre Lieferanten wissen den feinsten Geschmack zu befriedigen. Die Flotte des Norddeutschen Lloyd ist für den Kontinent dasselbe, was die Cunardflotte für England ist.“ N. G.

Der neueste in Fahrt getretene **Schnelldampfer des Norddeutschen Lloyd „Aller“**, dem die Schwesterschiffe „Trave“ und „Saale“ demnächst folgen werden, war nach seiner ersten Reise in Newyork der Gegenstand grosser Neugierde. Das Schiff hat durchschnittlich stündlich 18 Knoten gemacht, bei einem Kohlenverbrauch von noch nicht 100 Tons im Tage. Vor 10 Jahren brauchten die Schiffe 1200 Tons und mehr statt jetzt 800 Tons, und trugen dabei weniger Ladung und Passagiere als jetzt. Der Kostenpreis beträgt aber freilich auch £ 183 000 oder nahezu 3½ Mill. Mark.

Deutsche Dampfschiffs-Ladescheine. Die Handelskammern von Hamburg und Bremen, der Verein Hamburger Rheder und der Verein der Rheder der Unterweser haben eine *einheitliche Form für Dampfschiffs-Ladescheine* vereinbart, welche allen deutschen Rhedereien zur Annahme empfohlen wird. Es ist dringend zu wünschen, dass diese Form von den Dampfergesellschaften angenommen und benutzt werde; jetzt hat ein grosser Teil der Rhedereien eigene, unter einander abweichende Formulare für Ladescheine, oft noch in englischer Sprache. Das neue Formular stellt den Grundsatz auf, dass der Rheder verantwortlich sein soll für Seetüchtigkeit, gehörige Einrichtung und Ausrüstung des Schiffes, sowie für Fehler und Nachlässigkeit seiner Angestellten in betreff der ordnungsmässigen Stauung, Verwahrung, Behandlung und Ablieferung der Ladung, und wird dadurch den Verladern gerecht, denen gerade die Nichtverantwortlichkeit der Rheder für aus diesen Ursachen entstandene häufigere, wenn auch meistens unerheblichere Schäden, für die sie vielfach von ihren Versicherern keinen Ersatz erhielten, zu berechtigten Klagen Anlass bot. Anderseits werden die Rheder diese Bestimmung um so eher annehmen können, als schon jetzt viele angesehene Rhederei-Firmen eine gewisse moralische Verpflichtung in diesem Sinne anerkannten und daher Schäden der bezeichneten Art vergütet haben, auch wenn sie nach dem Wortlaut ihrer Konnossemente dazu nicht verpflichtet waren. Dagegen sollen die Rheder nicht verantwortlich sein für Fehler und Nachlässigkeit der Angestellten betreffs der seemännischen Führung des Schiffes. Diese für die Rheder unerlässliche Bestimmung schädigt die Verlader nicht, da sie mit verschwindenden Ausnahmen stets für durch solche Fehler verursachte Schäden versichert sind; und auch die Versicherer haben keinen Grund, sich über dieselbe zu beschweren, denn sie erhalten in der Gebühren den Ausgleich für dieses Wagnis, welches viele Versicherer ausdrücklich ohne Erhöhung der Prämien mit übernehmen. Die Regeln sollen bis zur allgemeinen Einbürgerung auf der Rückseite der Ladescheine zum Abdruck gebracht werden.

Nach der zwischen dem belgischen Staat und dem Nordd. Lloyd abgeschlossenen Konvention laufen sämmtliche Dampfer, die in Folge des vom Nordd. Lloyd mit der kaiserlich deutschen Regierung abgeschlossenen Kontraktes von Bremerhaven aus nach Ostasien und Australien in regelmässigem Dienst gehen, auf der Hinfahrt und Rückfahrt den Antwerpener Hafen an. Für diese Verpflichtung zahlt der belgische Staat dem Nordd. Lloyd eine jährliche Subvention von 80 000 Francs; ausserdem werden dem Lloyd diejenigen Beträge zurückerstattet, welche seine Schiffe für Lotsen und Leuchtturmabgaben zu zahlen gehabt. Die Konvention ist auf ein Jahr abgeschlossen; sie verlängert sich aber stillschweigend, wofern nicht 6 Monate vorher eine Kündigung erfolgt ist. Ein neuer Act ist zu ihrer Verlängerung nicht erforderlich. Die zur Expedition der Postsendungen erforderlichen Massnahmen werden von beiden Ländern getroffen. Die erste Abfahrt erfolgt am 30. Juni von Bremerhaven aus. Zu der Subvention von 80 000 Fr. bemerkt die Regierung, ihr Betrag sei ein mässiger, da es sich um 52 Einläufe und Ausläufe handelt; auch wird das Anlegen der Dampfer dem Verkehr der belgischen Bahnen Vorteile bringen, andere maritime Zuflüsse schaffen, endlich seien dabei die übrigen wirtschaftlichen Interessen des Landes zu berücksichtigen. Correspondenzen aus Antwerpen bestätigen, dass man dort auf das Anlaufen der nach Australien und Ostasien bestimmten Dampfer des Nordd. Lloyd in Antwerpen ganz ausserordentliches Gewicht legt. Die Befriedigung über die Vermehrung der Verbindungen des Antwerpener Hafens durch die beiden Linien ist eine ganz ausserordentliche und man hat von Seiten der belgischen Regierung die grösste Bereitwilligkeit gezeigt, alles zu thun, um den Wünschen des Nordd. Lloyd in Betreff von Löschplätzen für seine Schiffe zuvorzukommen. Bei der geradezu erstaunlichen Ausdehnung, welche den Antwerpener Hafenanlagen gegeben ist, kann es selbstverständlich nur befriedigen, wenn zur Benutzung derselben wieder eine willkommene Veranlassung da ist. Wie man hört, ist denn auch in liberalster Weise der entsprechende Kairaum zur Verfügung gestellt, dessen immense Ausdehnung in Vergleich mit den Räumen des hanseatischen Hauses den Gegensatz von Vergangenheit und Gegenwart darstellt.

Die **Vorbereitungen für die ostasiatischen und australischen Fahrten des Nordd. Lloyd** beschäftigen immer weitere Kreise. Am 10./15. Juni expedirt er einen Dampfer via Suezkanal nach Hongkong und am 14. August von da weiter nach Yokohama, Hiogo, Fusanpo und Nagasaki; ferner zur gleichen Zeit einen Dampfer via Kap der guten Hoffnung nach Sydney (event. via Melbourne) und von da am 7. September weiter nach Tongatabu und Apia. Diese Dampfer werden in Ostasien und Australien für die Zweiglinien stationirt bleiben. In Bremerhaven liegt zur Zeit ein anderer Dampfer des Nordd. Lloyd mit neuer Innenausstattung im Dock: es ist der Dampfer „Oder“, der für die *chinesische Fahrt* in Dienst gestellt werden soll. Bisher hatte das Schiff nur einen Mittelsalon, zu beiden Seiten lagen die Schlafkabinets. Jetzt sind die letzteren herausgerissen und es ist ein einheitlicher Raum von Bord zu Bord hergestellt. Dieser Salon ist ganz neu eingerichtet und mit vielen Fenstern, sowie einem breiten Lichtschacht versehen, dessen obere Galerie wieder von dem Damensalon gebildet wird. Röhren für die Einpressung künstlich abgekühlter Luft liegen unter der Decke und an den Seiten; auch in den übrigens sehr geräumigen Schlafzimmern hat man diese für die Tropen überaus wohlthätige Einrichtung, und zwar haben die Inhaber der Kojen es hier in der Hand, jeden Augenblick dem Eindringen kalter Luft ein Ende zu machen. Grosse Badeeinrichtungen vermehren ebenfalls die Annehmlichkeit des Aufenthalts an Bord. Obwohl nicht mit so verschwenderischer Pracht ausgestattet, wie die Schnelldampfer, ist doch auch der Dampfer „Oder“ sehr hübsch geworden; und vor allen Dingen verbürgt er in seinem jetzigen Zustande einen sehr behaglichen Aufenthalt auch während der Zeit, dass der Dampfer unter den senkrechten Strahlen der Tropensonne das Rote Meer und den Indischen Ocean passirt.

Suchlichter oder Scheinwerfer. Vor der Fabrik der Herren L. v. Bremen & Co. in Kiel am Lorentzendamm wurden vor kurzem interessante Versuche vorgenommen mit einem, den Herren Siemens und Halske in Berlin patentirten Scheinwerfer für elektrisches Licht. Ein Lichtstrahl von grosser Intensivität beleuchtete die Umgegend und die Kirchtürme etc. tageshell. Wie die „Kieler Ztg.“ hört, soll der neue Reflektor besonderen Zweck und Bedeutung haben für eine bisher unerreichte Konzentration des Lichtes und für Beleuchtung grosser Wasserflächen.

Die kleinen Leitfeuer unterhalb Bremerhaven. In den letzten Tagen des April fuhr eine Kommission zur Begutachtung der von Baggermeister Sellmann gewählten Plätze für die drei neu in der Weser zu erbauenden Leuchttürme mit dem Dampfer „Diana“ die Weser hinab. Die Kommission bestand aus Baurat Hanckes, Inspektor Meyer vom Lloyd, den Oberlotsen der drei Lotsengesellschaften auf der Weser, sowie je einem Lotsen der drei Gesellschaften. Ausserdem war der Ingenieur der Aktien-Gesellschaft „Weser“, welche die Ausführung des Baues übertragen erhalten hat, bei der Kommission, um die durch Baken bezeichneten Bauplätze überwiesen zu bekommen. Die vom

Hafenmeister Sellmann gewählten Plätze werden genehmigt, sie liegen so, dass die Deckungslinie zweier auf Eversand errichteter Türme das Fahrwasser bezeichnet. Der Uebergang von beiden Feuern in die Bremerhavener Feuer wird durch ein Feuer bezeichnet, welches an der Wurster Seite bei Solthörngd errichtet werden soll. Ausserdem soll ein viertes Feuer auf Meyer's Lee errichtet werden. Nach Vollendung dieser Befeuerung glaubt man, [illegible] gesichert ist. Mit dem Bau der drei vergebenen Türme wird demnächst begonnen werden.

Ein Franzose über den deutschen Schiffsbau. Ueber die Schiffbauabteilung der Antwerpener Ausstellung erstattete Beaudry an den französischen Ingenieur-Verein einen Bericht, aus welchem wir hier einige auf den deutschen Schiffsbau bezügliche Angaben herauslesen.

Der Berichterstatter gesteht zunächst notgedrungen ein, dass die deutschen Schiffe, wenn sie auch etwas zu massiv erscheinen, weit sorgfältiger entworfen und durchgearbeitet sind, als die englischen, nachdem sich die Engländer vor Allem darauf geworfen haben, rasch und billig zu bauen. Ausserdem seien die deutschen Schiffe sämmtlich sehr sauber gehalten.

Die Deutschen besitzen zwei überseeische Dampferlinien, welche das berühmte deutsche Programm nur zu getreulich zur Ausführung bringen: „Die Franzosen, nachdem sie im eigenen Lande militärisch geschlagen worden, auch auf allen Märkten kommerziell zu schlagen". Jene Oceandampfer laufen unsere Häfen an, nachdem sie an der Küste von Hamburg oder Bremen das ganze Frachtgut an sich gezogen, und vervollständigen bei uns ihre Ladung, indem sie Fracht zu jedem Preise annehmen und sie unseren Schiffen vor der Nase „wegkapern". Bedient werden die deutschen Gesellschaften durch sehr geschickte Agentoren, welche auf jedem Handelsplatze bestehen, besonders gewisse Ausfuhrindustrieen an sich reissen, deren Vertreter, selbst in Paris, nur zu oft Ausländer sind, und welche sich einen Nationalehrenpunkt daraus machen, unseren Schiffen möglichst viel zu entziehen. Die eine Gesellschaft, die Hamburg-Amerikanische, hat es besonders auf Wohlfeilheit abgesehen und begnügt sich mit langsam fahrenden Schiffen gemischten Systems; die andere hingegen, der „Norddeutsche Lloyd" (der Verfasser des Berichts nennt ihn krampfhaft „German Lloyd") betrat vor Kurzem den Weg der grössten Geschwindigkeiten mit allen Verbesserungen der Neuzeit.

Beaudry beschreibt hierauf die neuesten Dampfer der [illegible] Kriegsmarine anerkennende Worte, wobei ihm die komische Verwechselung passirt, dass er von einem deutschen Kriegsschiff „Erbau" wiederholt spricht. Offenbar hat er die Worte auf dem Schilde oder im Katalog: Ersatzbau oder Erbaut im Jahre u. s. w. für den Namen des Schiffes gehalten.

Exp.

Eine vierfache Expansions-Maschine mit 160 # Anfangsdruck erhielt die am 22. März von W. Denny u. Gebrüder in Dumbarton vom Stapel gelassene „Jumna", ein Stahldampfer von 3200 Tons Gross Reg. und den Dimensionen 410', 15', 32'. Das Schiff ist für die ostindische Fahrt bestimmt und kann 87 Passagiere erster, 30 Passagiere zweiter Klasse aufnehmen. Es hat drei durchgehende Decks, von denen das obere und das Hauptdeck von Stahl sind, elektrische Beleuchtung und ein sehr entwickeltes Pump-, Arbeits- etc. hydraulisches System. Also da haben wir die **vierfache Expansions-Maschine** schon auf **grossen** Schiffen.

Die **Durchstechung der Landenge von Corinth** geht gemessenen Schrittes vorwärts, nachdem die Störung durch die schweren Winterregen aufgehört hat. Im verflossenen December 1885 sind trotz aller Hindernisse 142 000 cbm ausgegraben gegen 64 000 cbm im December 1884. Auch der Bau der Eisenbahnbrücke über den Kanal schreitet rüstig vorwärts, da die Pfeiler an beiden Seiten bereits eine ansehnliche Höhe erreicht haben und das Eisen zum Brückenbau vollständig an Ort und Stelle sich befindet. Vorläufig dient zum Uebergange des Kanals eine Eisenbahnfähre.

Verlag von H. W. Silomon in Bremen. Druck von Aug. Meyer & Dieckmann, Hamburg, Alterwall 16.

H    

Redigirt und herausgegeben
von
W. von Freeden, BONN, Thomasstrasse 9.
Telegramm-Adresse:
Freeden Bonn,
oder
Hansa Alterwall 28 Hamburg.

Verlag von *H. W. Silomon* in Bremen.
Die „*Hansa*" erscheint jeden Sonntag.
Bestellungen auf die „*Hansa*" nehmen alle Buchhandlungen, sowie alle Postämter und Zeitungsexpeditionen entgegen, desgl. die Redaktion in Bonn, Thomasstrasse 9, die Verlagshandlung in Bremen, Obernstrasse 14 und die Druckerei in Hamburg, Alterwall 28. Sendungen für die Redaktion oder Expedition werden an den letztgenannten drei Stellen angenommen. **Abonnement** jederzeit, frühere Nummern werden nachgeliefert.

Abonnementspreis:
vierteljährlich für Hamburg 2½ ℳ,
für auswärts 3 ℳ = 3 sh. Sterl.
Einzelne Nummern 60 ₰ = 6 d.

Wegen Inserate, welche mit 15 ₰ die Petitzeile oder deren Raum berechnet werden, beliebe man sich an die Verlagshandlung in Bremen oder die Expedition in Hamburg oder die Redaktion in Bonn zu wenden.

Frühere, komplete, gebundene Jahrgänge v. 1872, 1874, 1876, 1877, 1878, 1879, 1880, 1881, 1882, 1883, 1884, 1885 sind durch alle Buchhandlungen, sowie durch die Redaktion, die Druckerei und die Verlagshandlung zu beziehen. Preis ℳ 5; für letzten und vorletzten Jahrgang ℳ 8.

Zeitschrift für Seewesen.

No. **13.** HAMBURG, Sonntag, den 27. Juni 1886. **23.** Jahrgang.

Inhalt:

Die Rhein-Ems-Kanal-Vorlage

ist in ihrer neuen Fassung, welche auch den Freunden der Regulirung und Kanalisirung der mittlern Oder entgegen kam, glücklich von beiden Häusern des preussischen Landtags angenommen, und darf man jetzt dem Anfang der Arbeiten in absehbarer Zeit entgegensehen. Dann wird eine neue Aera inaugurirt werden für den Flor der Emshäfen und der Westbahn, es wird der fruchtbare Schlick der Flussmündungen den obern unfruchtbaren Moordistrikten und den steril sandigen Teilen Westfalens zu Gute kommen und dafür der westfälischen Kohle die langersehnte Wasserverbindung mit den grossen und kleinen Häfen der Nordsee gegeben werden, welche ihr gestatten wird, auf dem Weltmarkt als vollberechtigte Konkurrentin der englischen Kohle aufzutreten, welche sie ihrer Güte nach schon längst, im Preise jedoch nicht war.

Die »Hansa« als grundsätzliche Freundin jedes gesunden Kanalprojekts hat es für überflüssig erachtet, näher in den Kampf der Parteien für und wider die Vorlage einzutreten. Sie durfte sich diese Zurückhaltung um so eher auflegen, als die für die Vorlage sprechenden technischen Gründe niemals widerlegt sind und nur ein Zusammenwirken von Partikular-Interessen die Annahme der Vorlage zeitweise hintangehalten hat. Diese Sonderinteressen lagen aber so weit jenseits des von der »Hansa« speziell kultivirten Gebiets, dass wir sie schon deshalb nicht berühren zu brauchen glaubten. Dafür wollen wir hier einige Besorgnisse zu zerstreuen suchen, welche gegen die Ebenbürtigkeit des Fahrwassers in den Emsmündungen mit dem der Weser- und Elbe-Mündungen erregt sind.

Zunächst dürfen wir es als ein Glück betrachten, dass unter den Gegnern jedes Rhein-Ems-Kanals die in diesem Punkt stark beteiligten und dabei sachkundigen Holländer nicht allein keine Einwendung gegen das Fahrwasser der untern Ems jemals erhoben haben, sondern dasselbe sogar den besten Verbindungen ihres eigenen Landes mit der See vorziehen, und nur allenfalls der Scheldemündung nachstellen. In Kriegszeiten haben sie die ausgiebigste Verwendung dieses Fahrwassers eintreten lassen, und in Friedenszeiten es niemals an lautem oder verhaltenem Neid fehlen lassen, dass die Richtung ihres Seehandels sie weniger Vorteil von ihrer Vortrefflichkeit ziehen liess, als die Bewohner des Emsthals selber. Diese Thatsachen lassen sich über Jahrhunderte rückwärts verfolgen, und bis in die Gegenwart nachweisen. Hätte nicht Groningen als die natürliche Hauptstadt des nördlichen Hollands eine eigene Verbindung nach dem Watt, so würde der kleine Hafen von Delfzyl längst zu einem grössern und bedeutendern Ein- und Ausfuhrplatz für das ganze gesegnete nördliche Holland sich entwickelt haben, eben wegen seiner vortreflichen Lage in unmittelbarer Nähe des dort meilenweiten und sehr tiefen Emsstroms.

Die Ems umfliesst bekanntlich in zwei Mündungen die Insel Borkum; von ihnen ist die Westerems die für die grosse Schiffahrt belangreichste, während die Osterems als das an sich engere Fahrwasser nur im Fall der Not von tiefer gehenden Schiffen benutzt wird, die, wenn sie der Scylla der draussen vorliegenden gefährlichen Riffe glücklich entgangen sind, über die Charybdis der seichten Verbindung nach dem innern Teil der Westerems nicht hinwegkommen können. Sie wird daher meistens nur von den kleinen nach Norden und Greetsiel verkehrenden Schiffen als Seegat benutzt.

Die Westerems dagegen ist ein so breites, gleichmässig tiefes, und überall leicht befahrbares Fahrwasser, wie man sich nur wünschen kann. Nirgends unter 1 Sm., häufig bis 3, meist bis 2 Sm. breit, und mindestens 8 m, weiter nach Delfzyl und der Knock zu aber bis 15 m tief und tiefer, gestattet sie den grössten Dampfern und Kriegsschiffen freie Bewegung bei jedem Stande der Gezeiten und bei Flut sogar den grössten Segelschiffen ein Aufkreuzen bei jedem Winde. Weiter nach Emden hin waren bis vor einigen Jahren die Tiefenverhältnisse allerdings ungünstiger, da die Ausströmung des Ebbewassers aus dem Dollart dort eine Verlangsamung des natürlichen Ebbestroms der Ems selber bewirkt und eine Anzahl Sandbänke geschaffen hatte, welche die Tiefe der innern Emder Rhede viel geringer erscheinen liess, als die der grossen Emder Aussenrhede. Aber die Verlängerung der Stromstrecke am linken Emsufer in der Richtung des Stroms und die Wegräumung der alten dortigen Werke, welche sich dem Strome quer vorlegten, um ihn, freilich vergeblich, zu zwingen, wieder so wie in früheren Jahrhunderten unter den Mauern Emdens vorüberzufliessen, haben eine bedeutsame Verbesserung der Tiefenverhältnisse der innern Emder Rhede bewirkt. Das beste Zeugnis dafür legen die Arbeiten für die neue Schleuse in Emden und den dortigen Hochwasserdock ab, welche schon in nächster Zeit Schiffe bis zu 7 m Tiefgang aufnehmen können. Einen solchen Bau hätte die Regierung gewiss nicht unternommen, wenn sie nicht mindestens gleicher Tiefen auf der Rhede sicher wäre. Da ausserdem der Hafen von Leer selbst bei Niedrigwasser grossen Schiffen sichere Lage gewährt, so ist für eine Seeverbindung Westfalens über die Emshäfen und Emsmündungen so gut gesorgt, wie nur der grosse Verkehr es wünschen kann.

Gespannt sind die beteiligten Kreise auf die Einrichtungen, welche man im neuen Emder Dock treffen wird, um ein rasches Beladen der Schiffe, namentlich mit Kohlen, zu ermöglichen. Wir haben dabei nicht die neuesten englischen Vorkehrungen im Sinne, welche wir in Cardiff wohl im vollendetsten Maasse antreffen. Dort wurden in diesem Frühjahr die ›Vectis‹ mit 1167 To. Kohlen in 8 Std., der Dampfer ›Ellemore‹ mit 1222 To. Kohlen in 9 Std., die ›Great Yarmouth‹ mit 1008 To. Kohlen in 6 Std. und die ›Rose Hill‹ mit 2291 To. Kohlen in 20 Std. beladen, Dank den festen und beweglichen Kippvorrichtungen, welche dann zugleich durch mehrere Luken zu laden gestatten. Solche Leistungen können Häfen mit einem solchen nahen Kohlenhinterlande wie Cardiff besitzt sich wohl zumuten, aber etwas dem Aehnliches wird man in einer Zeit, wo Zeit Geld bedeutet, immerhin beanspruchen dürfen. Der Weg von den Zechen Westfalens nach dem Dock in Emden ist freilich ein langer, und eine rasche Beladung der Schiffe setzt einen grossartigen Wagenpark voraus, aber die Dampfschiffahrt verlangt einen raschen Umschlag und wird man diesem modernen Bedürfnis thunlichst entgegen kommen müssen, wenn nicht zu guter letzt neue und schwere Klagen verlautbaren sollen, welche die schlimmste, nämlich eine abschreckende Wirkung haben würden.

Die Gefahren der See.

Es ist eine bekannte Thatsache, dass nach jedem grösseren Seeunfall eine ganze Reihe von Vorschlägen zur Verhütung solcher Unfälle zu Tage gefördert werden, die teils auf eine Erweiterung des bestehenden Systems der Seitenlichter und Nebelsignale, teils auf eine Verbesserung der Konstruktion und Einrichtung der Schiffe selbst gerichtet sind. Die Vorschläge, welche [illegible] Nebelsignale betreffen, gehen in den meisten Fällen von Leuten aus, die wenig oder garnicht auf See gefahren haben und noch nicht zu der Einsicht gelangt sind, dass bei der gewaltigen Ausdehnung der Schiffahrt und namentlich bei der reissend zunehmenden Frequenz der Hauptverkehrsstrassen, z. B. Kanal, Nord- und Ostsee, heutzutage als oberste Regel gilt: Je einfacher die Signale, desto grösser die Wahrscheinlichkeit, dass sie vorkommenden Falles richtig verstanden und wiedergegeben werden, mit anderen Worten, desto grösser die Sicherheit auf See. Dies mögen namentlich diejenigen überlegen, welche das Heil der Schiffahrt in einer Vermehrung der vorgeschriebenen Schiffslichter und Nebelsignale erblicken. Nach der Kollision des Dampfers „Westphalia“ wurde u. A. vorgeschlagen, dass die Schiffe 5, ja 8 Positionslaternen führen sollten, ein Vorschlag, der seiner Zeit zur Genüge widerlegt worden ist. Abgesehen davon, dass eine solche Illuminirung der Schiffe auf Revieren und Rheden eine arge Verwirrung herbeiführen müsste, scheinen jene Neuerer ganz zu vergessen, dass die vielen Lichter auch der Bedienung und Aufsicht bedürfen. Auf grossen Dampfern mag diese Schwierigkeit ja zu überwinden sein; wie aber auf kleineren Segelschiffen, die vielleicht nur 3 Mann auf Wache haben? Wie sollen jene 3 Leute auch noch 8 Lampen des Nachts genau beaufsichtigen und gut in Ordnung halten, wenn einer von ihnen auf Ausguck, der zweite am Ruder steht und der dritte vielleicht die Pumpen in Gang hält oder mit Segelfestmachen, Brassen etc. beschäftigt ist?

Kurze Zeit nach der „Cimbria“-Katastrophe war in verschiedenen Zeitungen zu lesen, dass Jemand eine ganze Skala von Nebelsignalen, wenn wir nicht irren, für jeden Kompassstrich ein anderes Signal, „erfunden“ hätte, die er sich patentiren lassen wollte; ob er einen Abnehmer dafür gefunden, davon ist bislang nichts in die Oeffentlichkeit gedrungen. Alle nach dieser Richtung gemachten Vorschläge scheinen nur den einen Fall im Auge zu haben, dass der betreffende Schiffsführer bei ruhigem Wetter einem einzelnen Fahrzeuge im Nebel begegnet. In diesem Falle mag es ja ganz unterhaltend und auch vorteilhaft sein, per Nebelhorn oder Dampfpfeife mit einander zu plaudern, immer vorausgesetzt, dass man selbst seine Skala im Kopfe hat und der in der Nähe befindliche Russe, Grieche oder Engländer ebenfalls in ihre Mysterien eingeweiht ist. Mit einem Schlage dürfte sich die Sache aber ändern, sobald mehrere Fahrzeuge in der Nähe sind, was bekanntlich in Kanal und Nordsee durchaus nichts Seltenes ist; dann wird höchstwahrscheinlich eine grenzenlose Verwirrung entstehen, eine Lage, welcher der erprobteste Seemann kaum gewachsen sein dürfte. Käme noch stürmisches Wetter hinzu, in welchem Falle die verschiedenen Fahrzeuge schneller ihren Schiffsort ändern würden, so dürfte der Wirrwarr noch grösser werden und unabsehbares Unheil aus den vielen durcheinandertönenden Nebelsignalen entstehen.

Statt nur das Hauptaugenmerk auf die Quantität der Signale zu richten, empfiehlt es sich vielleicht, ihre Qualität, die in manchen Fällen zu wünschen übrig lässt, einer Verbesserung zu unterziehen. Gar häufig findet man auf Segelschiffen aus Urväter Zeit stammende Signallaternen vor, die den Anforderungen des Gesetzes, d. h. einer Sichtweite von 2 Seemeilen, nicht entfernt entsprechen. Noch schlimmer sieht es mit den Nebelhörnern aus, die in vielen Fällen versagen, wenn sie gebraucht werden sollen. Dem könnte nun durch eine vor Abgang des Schiffes vorzunehmende gesetzliche Revision leicht abgeholfen werden.

Denen, die eine Verbesserung des Baues der Schiffe erstreben, steht entschieden ein weiteres Feld offen, denn wie der „Oregon"-Fall wieder beweist, sind unsere modernen Dampfer noch mancher Vervollkommung fähig. Berufene Ingenieure haben des öfteren angedeutet, wie und wo diese Verbesserungen auszuführen sind; wir greifen im Hinblick auf die „Oregon"-Katastrophe, an die wir noch einige Betrachtungen knüpfen wollen, aus der Fülle des Gebotenen hier nur den bereits vor Jahren in der „Hansa" gemachten Vorschlag heraus, die Decks der Dampfer längs dem Bordrande zu panzern. Wie die „Hansa" vor kurzem näher ausgeführt hat, hätte der allgemeines Aufsehen erregende Unfall dieses Cunard-Dampfers keinenfalls mit dem Totalverlust des kostspieligen Schiffes geendigt, wenn man beim Bau desselben jenen Vorschlag berücksichtigt hätte.

Nach dem Unglück der „Oregon" tauchten, wie vorauszusehen war, jenseits des Oceans wieder eine Menge Projectmacher auf, die Vorschläge betreffs der Mittel zur Verhütung des Verlustes von Menschenleben im Falle eines Schiffsunterganges in die Welt setzten. Leuten, die ihr Brod auf See essen, werden die meisten jener guten Ratschläge absurd erscheinen. Die Chancen, dass es jemals gelingen werde, die Gefahren der See gänzlich zu beseitigen, sind sehr gering. Dennoch scheinen sie vielen Landleuten mehr als gut zu sein. Sie, die Landleute, erheben ein gewaltiges Geschrei, dass die Oceandampfer nicht genug Böte mit sich führen, um im Falle eines Unglücks alle Mann an Bord unterzubringen. Die „Oregon", welche die Veranlassung zum Geschrei bildete, führte, wie die Untersuchung ergeben hat, mehr Böte, als in den „Passengers Acts" verlangt wird. Das Schiff besass statt der vorgeschriebenen 7 Böte mit einem Kubikraum von 2 160 Fuss thatsächlich 10 Böte mit einem Kubikraum von 3 611 Fuss und führte ausserdem mehrere Rettungsflösse mit sich, so dass nach Aussage der Offiziere alle an Bord befindlichen Personen darin hätten aufgenommen werden können. Vermisst wurde auf der „Oregon" eine kleine Dampfbarkasse, wie man sie jetzt auf mehreren Passagierdampfern findet. Allerdings ist eine solche Barkasse nicht vorgeschrieben, jedoch liegt ihr Nutzen klar genug auf der Hand, als dass wir die Vorzüge hier noch weiter auseinanderzusetzen brauchten.

Danach zu urteilen, was in jüngster Zeit in amerikanischen Blättern über den Nutzen der Böte geschrieben worden ist, muss die ganze Hoffnung auf Sicherheit von den Böten abhängen. Mit einer genügenden Anzahl von Böten sollen — wenn Alles, was gesagt, wahr ist — die Chancen hinsichtlich des Menschenverlustes auf ein Minimum reducirt werden. Der Wert der Böte, als eines Rettungsmittels aus unmittelbarer Gefahr, ist wahrlich einleuchtend genug, auch ohne viele Argumente. Es kann kein Zweifel darüber herrschen, dass jeder Passagierdampfer gezwungen sein sollte, genügend Böte oder Rettungsflösse zu führen, um jede Person an Bord zu bergen. Dies ist nicht so schwierig auszuführen, wie einige Rheder versichern. Wenn ein Schiff gross genug ist, 1000 Passagiere zu befördern, so hat es auch Platz genug, für eine genügende Zahl Böte, um jene 1000 Menschen im Notfalle darin aufzunehmen. Trotz alledem sind aber die Böte immer nur ein Nothbehelf in einem günstigen Falle und tragen nur ein Geringes zu der von Oceanreisenden so sehr gewünschten Sicherheit auf See bei. Sie vermindern die Gefahr nur wenig. Abgesehen von der Wahrscheinlichkeit, dass einige Böte beim Herunterlassen verloren gehen, ist das Gute, das sie im Falle eines Zufalls auf hoher See thun können, nicht so bedeutend, als viele Leute die Welt glauben machen wollen. Die Passagiere steigen aus dem grossen Schiffe in gebrechliche Böte und die Chancen der Sicherheit sind dann auf die Frage reducirt, ob ein Fahrzeug herankommt und die Schiffbrüchigen aufnimmt. Alle Behauptungen, dass die Böte in einem solchen Falle weiteren Vorteil gewähren könnten, entbehren des Beweises. Böte sollten aus dem einfachen Grunde geführt werden, damit sie den an Bord befindlichen Personen die Mittel in die Hand geben, sich eine kurze Zeit flott zu halten; aber mehr kann nicht für sie angeführt werden. Die Chance, dass die lebende Fracht eines in der Mitte des Oceans wrack gewordenen Dampfers mit Hülfe der Böte wohlbehalten Land erreicht, dürfte selbst den leichtgläubigsten Menschen fast gleich Null erscheinen. Andrerseits ist der Wert der Böte in Bezug auf das was sie leisten können, keineswegs zu unterschätzen, und sie sollten daher nicht nur auf Schiffen geführt, sondern auch stets zum Herunterfieren klar gehalten werden.

Es giebt indessen noch andere Sicherheitsmittel, die ebenso notwendig und sogar besser sind, wie die Böte. Neben der völligen Seetüchtigkeit des Schiffes sollten auch Geistesgegenwart, Erfahrung und vor Allem Wachsamkeit bei denen anzutreffen sein, die ein Schiff befehligen. Es ist Thatsache, dass zwei Drittel aller Seeunfälle — so auch der Verlust der „Oregon" — auf den Mangel aller oder einiger dieser Eigenschaften unter den Kommandirenden zurückzuführen sind. Wird jenen Anforderungen aber entsprochen, dann erhalten die Böte eine geringere Bedeutung. Dass aber Zahl und Beschaffenheit der letzteren für den Bedarf der Reise genügen werden, kann sicher vorausgesetzt werden, wo die Schiffsführung in guten Händen liegt. Und selbst wenn alle diese Bedingungen erfüllt sind, werden die Gefahren der See dennoch gross bleiben und sich niemals ganz beseitigen lassen. Alles, was menschliche Vorsicht zu thun imstande ist, sollte für die Sicherheit derer die auf See gehen, gleichviel ob als Passagier oder als Seemann, gethan werden, wir wiederholen aber, dass, nachdem Alles geschehen, die Gefahr für die an Bord befindlichen Personen eine nicht geringe ist. Wenn ein Unfall sich ereignet, sollte eine stricte Untersuchung folgen, um zu bestrafen, falls verbrecherische Achtlosigkeit vorliegt, oder auch um aus dem Vorfall Lehren für die Zukunft zu ziehen; dahingegen sollten Verurteilung nur nach Hörensagen oder auf Unwissenheit und Eitelkeit beruhenden Vorschlägen nicht diejenige Beachtung finden, welche man ihnen heutzutage zu Teil werden lässt.

Zum Schluss sei hier noch des in englischen Fachkreisen gemachten Vorschlages, alle Schnelldampfer mit sogenannten search-lights (Such-Lichtern) auszurüsten, Erwähnung gethan. Die Lichter würden auf der Back placirt werden müssen und leicht mit den an Bord der meisten neuen Luxusdampfer vorhandenen Dynamo-electrischen Maschinen zu speisen sein. Ob die Einführung solcher Such-Lichter, welche bei Nacht und Nebel den Horizont aufhellen sollen, um etwa in der Nähe befindliche Schiffe noch rechtzeitig erkennen und vermeiden zu lassen, sich bewähren wird, muss die Erfahrung lehren. Immerhin dürfte der Vorschlag einer näheren Beachtung wert sein.

Feuertürme auf hoher See.

Als vor zwei Jahrzehnten der Direktor des meteorologischen Amts in Utrecht die Forderung aussprach, dass zur bessern rechtzeitigen Warnung vor herannahenden westlichen Stürmen Wachtschiffe im offenen Ocean westlich von Irland ausgelegt und durch Kabel mit dem Festlande von Europa verbunden werden müssten, wurde ihm von anderer Seite ziemlich spöttisch entgegnet „ganz gut, die Kosten würden schon gedeckt werden, aber er möge angeben, wie die Schiffe sollten verankert werden."

War das meteorologische Interesse damals vielleicht noch zu schwach, so scheint es jetzt durch engere Verbindung mit den Schiffahrts- und Handelsinteressen an Kraft gewonnen zu haben, wenn man aus den wiederholten Vorschlägen zu praktischer Ausführung so schliessen darf. Ein C. Anderson von Leeds hat vor einigen Jahren vorgeschlagen, Hochseefeuertürme anzulegen in der Form von schmiedeeisernen Cylindern von 11 m Durchmesser, 90 m Höhe, von welcher letztern Dimension 32 m in Form eines Turms aus dem Wasser hervorragen, der mittlere Teil durch Beladung mit leichtem schwimmenden Material dem Cylinder eine derartige Schwimmkraft zubringen sollte, dass er überhaupt nicht zum Sinken gebracht werden könnte, während der Boden schweren Ballast einzunehmen hätte, damit das Ganze senkrecht stände. Der Plan erscheint indessen aus so viel Gründen chimärisch, dass auf Einzelheiten verzichtet werden darf. Die ganze Frage, telegraphische und Leuchtfeuerstationen auf dem Ocean auszulegen, ist indessen zu wichtig, als dass man an der Ausführung in späterer Zeit zweifeln sollte. Nur wird es gut sein, sich derselben schrittweise zu nähern zu suchen und nicht den Fehler mit dem Bau grösster Schiffe, wie er damals beim übereilten verfrühten Bau des Great Eastern gemacht wurde, auf diesem Felde zu wiederholen. Jedenfalls dürfte Kapt. Moody's Plan der vorsichtigere und aussichtsvollere vorläufig bleiben.

Derselbe hat auf der Werft der Barrow Schiffbaugesellschaft ein centrales eisernes in wasserdichte Abteilungen geteiltes Schiff bauen lassen, von dem 4 strahlenförmige Bauten ausgehen. Eine Verschanzung läuft rund um das Schiff, und Speigaten führen übergenommenes Wasser ab. Das Schiff wird von 4 Ankern festgehalten, deren Ketten zwischen den 4 Strahlen festgemacht sind, und zwar auf tiefem Wasser an in See verankerten Bojen, in seichtem Wasser direct an dem Schiff. Das mit dem Land in Verbindung stehende Telegraphenkabel läuft durch ein Loch im Mittelpunkt des Schiffes, so dass es mit den Ankerketten sich nicht verwickeln kann. Ein Gitterturm von Stahl erhebt sich über dem Schiff in einer Höhe, dass eine Laterne 20 m über dem Wasser angebracht werden kann. Das Schiff selber misst 24 m im Durchmesser, hat runde geschweifte Formen, um der See besser zu widerstehen und soll dadurch und durch seine Verankerung jedem Wind und Strom Trotz bieten können. Ein Modell ist bereits ausgeführt, vor Barrow mit Erfolg probirt, soll jetzt dem Trinity Board vorgeführt und dann zur Schiffsausstellung nach Liverpool gebracht werden.

In dieser Stadt wird eifrig an dem Wiederaufbau des Antwerpener Ausstellungsgebäudes gearbeitet, welches für die Liverpooler Ausstellung angekauft wurde; leider hat der Einsturz von 16 Säulen, die einen Teil des Daches trugen, 13 Leute verwundet und viel Aufenthalt verursacht.

In der bescheidenen Entfernung von 9 Sm. von der Küste fungirt seit Jahren das Leuchtschiff von Walton vor der Küste von Essex; dasselbe hat eine ununterbrochene telegraphische und telephonische Verbindung mit der Küste. Vor einiger Zeit konnte es die Mannschaft des Rettungsbootes alarmiren, nachdem im Nebel ein Schiff in der Nähe auf einer Sandbank sich festgefahren hatte; es gelang ihm aber auch, die Mannschaft vor dem Abfahren zurückzuhalten, nachdem inzwischen das gestrandete Schiff wieder vom Sande abgekommen und weitergesegelt war.

Grossbritanniens Schiffahrt im Jahre 1885, verglichen mit den drei Vorjahren.

Nach den statistischen Zusammenstellungen des „Board of Trade" stellt sich der Tonnengehalt aller 1885 aus fremden Ländern und den britischen Kolonien eingelaufenen oder dahin abgegangenen *beladenen* Hochseeschiffe und Küstenfahrzeuge im Vergleich zu den drei Vorjahren folgendermassen:

a. Hochseeschiffe

Einlauf, in Tons	1885	1884	1883	1882
Britische Flagge	18 750 773	18 209 236	19 186 054	17 810 380
Fremde Flaggen	6 904 687	6 487 449	7 124 264	7 004 669
zusammen	25 654 460	24 696 685	26 310 318	24 815 049
Auslauf				
Britische Flagge	21 885 206	21 940 670	22 135 662	20 302 626
Fremde Flaggen	7 432 525	7 326 992	7 237 498	7 386 237
zusammen	29 317 731	29 278 662	29 373 160	27 688 863

b. Küstenfahrzeuge

Einlauf	1885	1884	1883	1882
Britische Flagge	[illegible]	[illegible]	[illegible]	[illegible]
Fremde Flaggen	136 444	117 325	130 714	100 215
zusammen	27 160 827	26 708 648	26 726 229	26 135 894

Auslauf	1885	1884	1883	1882
Britische Flagge	24 528 290	24 079 404	24 005 043	23 489 959
Fremde Flaggen	113 298	91 239	81 720	83 052
zusammen	24 641 588	24 170 643	24 087 663	23 573 011

c. Gesamtverkehr

	1885	1884	1883	1882
Einlauf, in Tons	52 825 287	51 405 333	53 036 540	50 950 914
Auslauf, „	53 959 319	53 444 306	53 460 823	51 271 874
zusammen	106 784 606	104 849 639	106 497 363	102 222 788

—h—

Germanischer Lloyd.

Deutsche Handels-Marine: Seeunfälle vom Monat Mai 1886, soweit solche bis zum 15. Juni 1886 im Central-Bureau des Germanischen Lloyd gemeldet und bekannt geworden sind.

I. Segelschiffe.	Zusammen	Ladung (Getreide, Reis, Kleie, Kartoffeln, Lumpen, Salz, Stückgut, Holz, Kohlen, Steine, Cement, unbekannt)	Klasse [1] (I, II, O., unbekannt)	Alter (Jahre)	Heimat (Preussen, Elbe, Weser, Mecklb.)
a. m. gering. Schaden eingekom.	7	[illegible]	[illegible]	[illegible]	[illegible]
b. m. schwer. Schaden eingekom.	—	[illegible]	[illegible]	[illegible]	[illegible]
c. an Grund geraten, abgeschl. od. gestrd. u. abgebr.	10	[illegible]	[illegible]	[illegible]	[illegible]
d. gestrandet und nicht abgebr.	—	[illegible]	[illegible]	[illegible]	[illegible]
e. Collision.	1	[illegible]	[illegible]	[illegible]	[illegible]
f. Totalverlust [2]	1	[illegible]	[illegible]	[illegible]	[illegible]
Summa	19				
II. Dampfschiffe.					
a. m. Schad. eingekom.	1	[illegible]	[illegible]	[illegible]	[illegible]
b. an Grund geraten	6	[illegible]	[illegible]	[illegible]	[illegible]
c. Collision	3	[illegible]	[illegible]	[illegible]	[illegible]
d. Totalverlust	—	[illegible]	[illegible]	[illegible]	[illegible]
Summa	6				

[1] Soweit zu ermitteln, Klasse einer Schiffsklassificirungs-Gesellschaft. O. = keine Klasse. Umgekommene Seeleute: 3.
[2] Tonnengehalt von 1 Schiff 16 Tons.

BERLIN, d. 15. Juni 1886.

Aus Briefen deutscher Kapitäne.

VI.

Auszug aus dem Reisebericht der Deutschen Bark „Melusine", Kapt. C. Mehlburger auf der Reise von Cardiff nach Hongkong.

Gesegelt von Cardiff 14. November 1885, angekommen in Hongkong 25. April 1886.

Am 19. März wurde die Ombaystrasse durchsegelt; in der Bandasee, Pitts-Passage und Gilolo-Passage herrschten leichte veränderliche Winde und Stillten, den Aequator schnitten wir am 6. April in 129 ° 20 ' Oestl. L. und steuerten jetzt nordostwärts, um den NO-Passat zu erreichen.

Am 12. April Morgens bei Tagwerden erblickten wir die Insel Sarsoral (St. Andrews Inseln) auf ca. 5 ° 17 ' N und 132 ° 10 ' O. An dieser Stelle muss ich über einen Vorfall berichten, welcher recht üble Folgen für uns hätte haben können. Um 7 U. Morgens sahen wir 5 grosse Boote von Land abfahren, die alle auf uns Jagd machten. Die Anzahl Boote sowie der Umstand, dass dieselben voll von Leuten waren, liess mich nun vermuten, dass dieselben einen Ueberfall beabsichtigten, denn hätte man es auf Tauschhandel abgesehen, so würden doch wohl nur ein oder zwei Boote und dann nicht so stark bemannt gekommen sein. Glücklicherweise frischte der Wind, der bis soweit ganz flau war, auf und so war es mir möglich den Wilden zu entgehen, weil ich es ohne Feuerwaffen nicht darauf ankommen lassen wollte, mit denselben in Konflikt zu kommen.

„Melusine" lief jetzt 6 Meilen und doch kamen zwei von den Fahrzeugen noch immer näher, weil dieselben [illegible] Um [illegible] Uhr waren diese beiden Boote etwa 1 Sm hinter uns und erst jetzt gaben dieselben die Verfolgung auf, vermutlich weil die Insel nun auch im Horizont verschwand. Als die Boote nach Land zu umwandten und deren Breitseite sichtbar war, bemerkten wir, dass dieselben etwa 35—40 Fuss lang waren und je eine Bemannung von 18—20 Mann hatten, welche drohend Speere und andere Waffen schwangen. Was bei Windstille aus Schiff und Mannschaft geworden wäre, mag ich mir gar nicht vorstellen. Tief habe ich da den Mangel an gehörigen Waffen beklagt: hätte ich solche in genügender Anzahl gehabt, so würde ich auf die beiden letzten Boote gewartet und dieselben der Art empfangen haben, dass ihnen auf lange Zeit die Lust, ein friedlich dahin fahrendes Schiff zu belästigen, vergangen wäre. Unter den bewandten Umständen aber dachte ich es sei am vorteilhaftesten, mich so schnell als möglich aus dem Staube zu machen. Ohne Zweifel hat hier schon manches als verschollen angesehene Schiff ein vorzeitiges Ende gefunden, denn diese Inseln werden so selten besucht, dass Niemand wissen kann was die Bewohner treiben.

Bremen, 1. Juni 1886.

Ueber das Zeitungswesen in Japan

bringt die «österreichische Monatsschrift für den Orient» einen interessanten Bericht, dem wir das Nachstehende entnehmen. Er zeigt, wie rasch dieses Land, welches vor 20 Jahren noch keine Zeitung, überhaupt nicht einmal eine Vorstellung von einer solchen Literatur besass, sich den europäischen Einflüssen erschlossen und anbequemt hat. Um so weniger ist zu verwundern, dass jetzt eine starke Bewegung durch das Land geht, die alte Wortschrift der Chinesen durch die weitaus bequemere und fasslichere Buchstabenschrift der Europäer zu ersetzen. Ist dieser Schritt gethan, so wird das bis jetzt noch ziemlich verschlossene Land erst recht der abendländischen Kultur sich öffnen.

An *Druckereien* gibt es in Japan 551, an Buchhandlungen 3538, davon in der Hauptstadt Tokio 128 Druckereien mit 591 Buchhandlungen, in dem nächstbedeutendsten Osaka 65 Druckereien und 356 Buchhandlungen, in Aichi 38 Druckereien mit 457 Buchhandlungen, welche sich freilich hauptsächlich mit dem Druck und Vertrieb der zahlreich verlangten Schulbücher befassen.

Die *periodische Literatur*, welche beim statistischen Bureau bis ins genaueste angemeldet werden muss, und in der Hauptstadt Tokio allein in 24 verschiedenen Publikationen mit 2½ Mill. Exemplaren erscheint, umfasste im Jahre 1885 nicht weniger als 284 Zeitungen und Zeitschriften, wo denen im Laufe des Jahres 26 in Abgang kamen; die übrigbleibenden 258 Blätter setzten im Februar 5660495 Exemplare, das Stück durchschnittlich zu 3 Kreuzer oder 6 ₰ ab.

Dem Inhalt nach erschienen im Anfang des Jahres 1884 in Japan:

1. 86 *allgemeine Zeitungen und Zeitschriften* in 4754791 Exemplaren, welche 70.782 Yen 88 Sen = ungefähr 141565 österr. Gulden 76 Kreuzer einbrachten (1 Sen = 2 Kreuzer, 1 Yen = 2 Gulden = ℳ 3.20).

2. 37 Blätter über das *Unterrichtswesen* in 42049 Abonnements; Ertrag 1425 Yen 18 Sen.

3. 8 Blätter über *Religion* in 48685 Ex.; Ertrag 674 Yen 78 Sen.

4. 3 Blätter über *Sittenlehre* in 754 Ex.; Ertrag 72 Yen 4 Sen.

5. 7 Blätter über *Heilwesen und Medicinalwissenschaft* in 13514 Ex.; Ertrag 2386 Yen 43 Sen

6. 9 Blätter über *Gesundheitswesen* in 8195 Ex.

7. 2 Blätter über *Apothekerwesen und Pharmacie* in 344 Ex.; Ertrag 21 Yen 19 Sen.

8. 8 Blätter über *Landwirtschaft* mit 3597 Ex.; Ertrag 141 Yen 65 Sen.

9. 2 Blätter über *Forstwesen* mit 1105 Ex.

10. 38 Blätter über *Handel, Gewerbe, Börse und Preisanzeiger* mit 587207 Ex.; Ertrag 3368 Yen 11 Sen.

11. 6 Blätter für *Jurisprudenz* mit 5331 Ex.; Ertrag 787 Yen 41 Sen

12. 2 Blätter für *Militärwesen* mit 4064 Ex.; Ertrag 186 Yen 47 Sen.

13. 7 Blätter für *verschiedene Wissenschaften* mit 2528 Ex.; Ertrag 271 Yen 47 Sen.

14. 16 *literarische Blätter* mit 40590 Ex.; Ertrag 755 Yen 65 Sen.

15. 6 *Theaterzeitungen und humoristische und Unterhaltungsblätter* mit 41230 Ex.; Ertrag 1180 Yen 9 Sen.

16. 18 *Verordnungsblätter* mit 21877 Ex.; Ertrag 2197 Yen 17 Sen., wobei das *Gesetzblatt*, welches direct vom Staatsministerium ausgegeben wird, nicht mitgezählt ist.

17. 29 verschiedene *populär-wissenschaftliche Zeitungen und Zeitschriften* in 70660 Ex.; Ertrag 1712 Yen 90 Sen. In der Gesamtzahl der Exemplare sind alle inländische sowie ausländische Abonnements von Inländern wie von Ausländern zusammengerechnet.

Im Grossen und Ganzen wird das Angeführte genügen, um sich ein Bild von der Ausdehnung und der Entwickelung der periodischen Presse in Japan zu schaffen. Characteristisch ist die grosse Zahl der dem Unterrichtswesen gewidmeten Blätter, deren Zahl nur um 1 gegen die nächstgrösste Zahl der Handels- und Gewerbeblätter zurücksteht, und überhaupt die Dritte ist.

Der Bestand der deutschen Kauffahrteiflotte am 1. Januar der 10 Jahre von 1875 bis 1885.

Nach dem Februarheft der „Monatshefte zur Statistik des Deutschen Reichs", Jahrgang 1886, war der Bestand der deutschen Kauffahrteiflotte an registrirten Fahrzeugen mit einem Bruttogehalt von mehr von 50 cbm 4 257 Schiffe mit einer Gesamtladefähigkeit von 1 294 288 Reg.-T. netto.

Am 1. Januar jedes der 10 Vorjahre hatte der Bestand betragen:

1875...4 602	Schiffe	mit	1 068 383	Reg.-Tons
1876...4 745	„	„	1 084 882	„
1877...4 809	„	„	1 103 650	„
1878...4 805	„	„	1 117 935	„
1879...4 804	„	„	1 129 129	„
1880...4 777	„	„	1 171 286	„
1881...4 660	„	„	1 181 525	„
1882...4 509	„	„	1 194 407	„
1883...4 370	„	„	1 226 650	„
1884...4 315	„	„	1 269 477	„

Der Schiffszahl nach hat der Bestand der deutschen Kauffahrteiflotte vom 1. Januar 1875 bis zum 1. Januar 1885 nicht unerheblich abgenommen, und zwar geht aus der oben angegebenen Zahlenreihe ein von Jahr zu Jahr beinahe ununterbrochen sich fortsetzender Rückgang hervor. Dagegen weist der Gesamtraumgehalt der im Bestande nachgewiesenen deutschen Kauffahrteischiffe eine fortwährende Zunahme auf.

Unterschieden nach Segelschiffen und Dampfschiffen stellte sich der Bestand der deutschen Kauffahrteiflotte am 1. Jan. der 10 Jahre von 1875 bis 1885 folgendermassen:

Am 1. Janr.	Segelschiffe		Dampfschiffe		Unter 100 Schiff. waren		Von 100 R.-T. Raumgehalt der Schiffe kamen auf	
	Zahl der Schiffe	Ladungsfähigkeit in R.-T. netto	Zahl der Schiffe	Ladungsfähigkeit in R.-T. netto	Segelschiffe	Dampfschiffe	Segelschiffe	Dampfschiffe
1875	4 303	878 385	299	189 998	93,5	6,5	82,2	17,8
1876	4 426	901 313	319	183 569	93,3	6,7	83,1	16,9
1877	4 491	922 704	318	180 946	93,4	6,6	83,6	16,4
1878	4 469	934 556	336	183 379	93,0	7,0	83,6	16,4
1879	4 453	949 467	351	179 662	92,7	7,3	84,1	15,9
1880	4 403	974 943	374	196 343	92,2	7,8	83,2	16,8
1881	4 246	965 767	414	215 758	91,1	8,9	81,7	18,3
1882	4 051	942 759	458	251 648	89,8	10,2	78,9	21,1
1883	3 855	915 446	515	311 204	88,2	11,8	74,6	25,4
1884	3 712	894 778	603	374 699	86,0	14,0	70,5	29,5
1885	3 607	880 345	650	413 943	84,7	15,3	68,0	32,0

Aus den absoluten Zahlen obiger Tabelle geht hervor, dass die Zahl der Segelschiffe im Laufe der 10 Jahre zwar um 696 abgenommen hat, gleichwohl der Raumgehalt derselben im Ganzen nicht geringer geworden ist. Der durchschnittliche Raumgehalt eines der aufgeführten Segelschiffe betrug am 1. Januar 1875 204 und am 1. Januar 1885 244 R.-T., am letzteren Termin also 19,6 % mehr als am ersteren. Die Zahl der Dampfschiffe ist im Laufe der 10 Jahre von [illegible] und gleichzeitig hat sich auch der Durchschnittsraumgehalt derselben etwas, wenn auch unbedeutend, gehoben (von 635 R.-T. am 1. Jan. 1875 auf 637 R.-T. am 1. Jan. 1885.)

Da der Aufschwung der deutschen Dampfschiffsrhederei und die Abnahme der Segelschiffahrt hauptsächlich in dem Zeitraum vom 1. Januar 1880 an erfolgt ist, so empfiehlt es sich, bei den nachstehenden Darstellungen stets nur die Ergebnisse der letzten 5 Jahre in Betracht zu ziehen; unter 100 Schiffen sind jetzt 7,5 Dampfschiffe mehr und ebenso viele Segelschiffe weniger als vor fünf Jahren, und von 100 Tonnen Raumgehalt kommen jetzt 15,2 mehr auf Dampfschiffe und ebenso viele weniger auf Segelschiffe als am 1. Januar 1880. Gegenwärtig macht der Raumgehalt der Dampfschiffe ungefähr den dritten Teil des Gesamtraumgehalts der deutschen Kauffahrteiflotte aus.

Wie sich der Gesamtschiffsbestand und der Bestand an Segel- und Dampfschiffen am 1. Januar 1880 und am 1. Jan. 1885 auf die einzelnen deutschen Küstenstrecken bezw. Küstengebiete, welche die Heimatshäfen der betreffenden Schiffe umfassen, verteilt haben, geht aus der nachstehenden Tabelle hervor.

Küstenstrecken bezw. Küstengebiete	Am 1. Januar 1880						Am 1. Januar 1885					
	Segelschiffe		Dampfschiffe		Seesch. überhaupt		Segelschiffe		Dampfschiffe		Seesch. überhaupt	
	Zahl	Raumgeh. in R.-T. netto	Zahl	Raumgeh. in R.-T. netto	Zahl	Raumgeh. in R.-T. netto	Zahl	Raumgeh. in R.-T. netto	Zahl	Raumgeh. in R.-T. netto	Zahl	Raumgeh. in R.-T. netto
Provinz Ostpreussen	93	34 562	11	1 991	104	36 553	65	24 182	21	6 380	86	30 562
„ Westpreussen	101	42 329	11	3 671	112	46 000	80	33 154	28	10 806	108	43 960
„ Pommern	939	175 641	62	12 267	1 001	187 908	702	128 276	91	28 931	793	157 207
Grossh. Mecklenb.-Schwerin	380	108 873	11	4 489	391	113 362	329	103 097	14	6 676	343	109 773
Freie Stadt Lübeck	16	3 025	27	6 641	43	9 666	8	1 637	31	10 106	39	11 743
Prov. Schleswig-Holstein Ostseegebiet	281	37 698	57	16 969	338	54 667	185	25 162	136	55 761	321	80 923
Nordseegebiet	466	44 078	9	1 501	475	45 509	376	33 215	14	3 321	390	36 536
Freie Stadt Hamburg	370	150 902	111	88 960	481	239 862	293	132 925	187	186 546	480	319 471
Prov. Hannover, Elb- und Wesergebiet	477	47 275	4	537	481	47 812	428	47 762	5	844	433	48 106
Freie Stadt Bremen	253	201 897	67	59 460	320	261 357	250	215 912	112	101 891	362	317 803
Grossherzogtum Oldenburg	349	66 649	—	—	349	66 649	340	84 319	4	2 481	344	86 800
Prov. Hannover, Emsgebiet einschl. Ostfriesland und preuss. Jadegebiet	678	62 014	4	437	682	62 451	551	51 304	7	700	558	52 004
Zusammen	4 403	974 943	374	196 343	4 777	1 171 286	3 607	880 345	650	413 943	4 257	1 294 288
Davon entfallen auf: das Ostseegebiet	1 810	402 128	179	45 428	1 989	447 556	1 369	315 506	321	118 660	1 690	434 166
das Nordseegebiet	2 593	572 815	195	150 915	2 788	723 730	2 238	564 637	329	295 283	2 567	860 120
Insbesondere kommen auf: das Königreich Preussen	3 035	443 597	158	36 793	3 193	480 390	2 367	343 065	302	106 213	2 669	449 298

Der Bestand an *Segelschiffen* hat der Zahl nach bei allen Küstenstrecken abgenommen, doch ist diese Abnahme bei denjenigen der Freien Stadt Bremen und des Grossherzogtums Oldenburg nur ganz unbedeutend. Eine Zunahme im Raumgehalt der nachgewiesenen Segelschiffe weisen lediglich diese beiden Küstenstrecken und das Elb- und Wesergebiet der Provinz Hannover auf; bedeutend ist die Zunahme jedoch nur beim Grossherzogtum Oldenburg (26,5 %).

Die Zunahme im *Dampferbestande* verteilt sich auf alle Küstenstrecken, nur das Elb- und Wesergebiet der Provinz Hannover weist insofern eine Abnahme auf, als der Raumgehalt der am 1. Januar 1885 vorhandenen 5 Dampfschiffe geringer war, als derjenige, der am 1. Janr. 1880 vorhandenen 4 Dampfer (um 35,9 %).

Unter dem am 1. Janr. 1885 vorhandenen Gesamtbestand von 650 *Dampf*schiffen befanden sich 45 = 6,9 % Räderdampfschiffe und 605 = 93,1 % Schraubendampfer, worunter ein Hydromotor.

Unter der Gesamtzahl der *Segel*schiffe befanden sich am 1. Januar 1885

4 mastige Schiffe		2 = 0,06 %	1 = 0,02 %
3	„	1090 = 30,22 „	1243 = 28,24 „
2	„	1858 = 51,51 „	2428 = 53,14 „
1	„	657 = 18,21 „	731 = 16,60 „

Es zeigt sich dabei ein verhältnismässiger Rückgang der 2 mastigen und (bei absoluter Abnahme) eine verhältnismässige Zunahme der 3 mastigen Schiffe im Laufe der 5 Jahre.

—s—

Uebersicht

sämtlicher auf das Seerecht bezüglichen Entscheidungen der deutschen und fremden Gerichtshöfe, Reskripte etc. der betreffenden Behörden etc., einschliesslich der Literatur der dahin bezüglichen Schriften, Abhandlungen, Aufsätze etc.

Titel V.

Frachtgeschäft zur Beförderung von Gütern.

Haftung des Verfrachters für Beschädigung der Güter in Folge der nachteiligen Einwirkung anderswo mitverladener Güter. Einfluss des Umstandes, dass die Zusammenladung vom Befrachter angeordnet wurde und dass beide Güterarten für den nämlichen Empfänger bestimmt sind.

Gegen die an sich liquide Frachtrestforderung des Klägers erhoben die Beklagten eine Kompensationseinrede, indem sie Schadenersatz wegen Beschädigung eines Teils der ihnen abgelieferten Güter (Baumwolle in Folge der nachteiligen Einwirkung [illegible]) forderten. Das Berufungsgericht führte, wie folgt, *begründend* aus: „Der Umstand, auf welchen das Landgericht das entscheidende Gewicht legt, dass wenn Baumwolle und Steinnüsse zusammen verstaut werden, eine Beschädigung der ersteren (in Folge der durch die Steinnüsse abgesonderten Feuchtigkeit) unvermeidlich sei, ist nicht geeignet, die Haftung des Verfrachters für den während der Reise an der Baumwolle entstandenen Schaden auszuschliessen. Denn von dieser Haftung wird er nur befreit durch den Nachweis, dass die Beschädigung durch „*höhere Gewalt*", oder was im Art. 607 H.-G.-B.'s dem gleichgestellt wird, entstanden ist. Höhere Gewalt aber ist es nicht, wenn der Verfrachter die Zusammenladung verschiedener Güter vornimmt, von denen das eine auf das andere notwendig einen schädlichen Einfluss übt. Ebensowenig hat die Beschädigung ihren Grund in der natürlichen Beschaffenheit der beschädigten Waare, sondern in der [illegible] *verladenen* Waare, was die Haftung des Verfrachters nicht ausschliesst. Dass der Befrachter selbst es gewesen ist, welcher die Zusammenladung dieser Güter gewollt und veranlasst hat, kann die Verpflichtung des Verfrachters dem *Konnossementinhaber gegenüber* nicht berühren und auch der Umstand, dass die Beklagten die Empfänger sowohl der Baumwolle als auch der Nüsse sind, ist nicht geeignet, die Haftung des Verfrachters auszuschliessen. Vielleicht würde dies Letztere einer andern Beurteilung fähig sein, wenn ein und dasselbe Konnossement auf beide mit einander schlecht verträgliche Güterarten lautete, obgleich doch auch in diesem Falle zu erwägen sein würde, ob nicht der Konnossementsinhaber voraussetzen und verlangen durfte, dass jede der beiden Güterarten abgesondert von der anderen in einer besonderen Abteilung des Schiffsraumes verladen wurde. Im vorliegenden Falle sind aber über die Baumwolle und die Nüsse verschiedene Konnossemente ausgestellt worden. Der Anspruch des Inhabers des Konnossements über die Baumwolle geht auf Ablieferung der Baumwolle und Ersatz für die Beschädigung, welche daran während der Reise durch andere Ursachen als höhere Gewalt oder was im Art. 607 H.-G.-B.'s dem gleichgestellt wird, verursacht worden ist. Dieser aus dem Konnossement sich ergebende Anspruch wird dadurch nicht gemindert, dass der Inhaber desselben auch das Konnossement über die Nüsse erworben hat. (Erk. des Ober Landesgerichts zu Hamburg vom 23. April 1885; Seuffert, Archiv, N. F. Bd. X, S. 439 f.)

Begriff des „Löschungshafens" im Sinne des Art. 647 Absatz 1 des H.-G.-B.'s.

Aus den *Entscheidungsgründen:* „Für solche Schiffe, welche wegen ihres Tiefganges oder ihrer Dimensionen nicht im Stande sind, ohne Gefahr den in dem Bestimmungsort selbst befindlichen Hafen zu benutzen, muss als *„Bestimmungshafen"* im Sinne des Art. 647 Absatz 1 des H.-G.-B.'s auch die Rhede des Bestimmungsortes angesehen werden, da die gedachte Gesetzesvorschrift zu bestimmen bezweckt, von welchem Moment an der Schiffer verpflichtet ist, dem legitimirten Inhaber auch nur eines Exemplars des Konnossements die Güter auszuliefern, und ohne die obige Auslegung der Empfänger überhaupt niemals in die Lage kommen würde, von der entsprechenden Berechtigung dem Schiffer gegenüber Gebrauch zu machen, falls eine Voraussetzung vorliegt". (Erk. des I. Senats des Reichsgerichts vom 14. März 1885; Seuffert, Archiv N. F. Bd. XI, S. 63.)

Inwiefern muss der Verfrachter sich aus der Ladung zu befriedigen gesucht haben, bevor er den Befrachter für die Fracht etc. in Anspruch nehmen darf.

Aus den *Entscheidungsgründen:* „Das Handels-Gesetz-Buch rechtfertigt die Auffassung des Beklagten nicht, dass der Verfrachter in allen Fällen sich aus der Ladung zu befriedigen gesucht haben müsse, bevor er den Befrachter für die Fracht etc. in Anspruch nehmen könne. Allerdings sollte nach Art. 511 doch der Schiffer nur insofern einen Rückgriff haben, als *„er ohne sein Verschulden aus der Ladung nicht befriedigt worden"* ist und war dies unter Anderem mit dem allgemeinen Satz motivirt, dass *„der Schiffer dem Ablader gegenüber dazu verpflichtet sei, seine Forderung in der Ladung zu suchen"*. (Vgl. den Entwurf eines H.-G.-B.'s für die Preuss. Staaten Bd. IV, S. 278 f.) Andererseits könnte aus dem Begriff des Rückgriffs zu folgern sein, dass auch in dem Art. 511 jenes Entwurfes das Vorhandensein einer Forderung des Schiffers an den Destinatär vorausgesetzt wurde. Der Beschluss der hamburger Kommission in I. Lesung, wonach der Verfrachter nur insoweit einen Rückgriff haben sollte, *„als er von den ganzen den Empfänger und in Ansehung der Ladung ihm zustehenden Rechten rechtzeitig und ohne Erfolg Gebrauch gemacht hat"* ist geeignet, zu gleichen Zweifeln und Ungewissheit Anlass zu geben, wenn schon die Protokolle ergeben, dass der Fall, wo der Schiffer überhaupt keinen Empfänger, bezw. keinen zum Empfange des Frachtgutes bereiten Destinatär vorfindet, in der diesem Beschlusse vorangehenden Diskussion nicht erörtert war, sondern dass dort nur gehandelt ist von der Pflicht des Schiffers zur Geltendmachung seiner Rechte gegen den (also die Auslieferung verlangenden) Empfänger. Das Gesetz selbst aber unterscheidet jedenfalls in den Art. 628 u. 629 die beiden erwähnten Fälle bestimmt. An Stelle des in dem Art. 560 der I. Lesung beschlossenen, oben citirten Voraussetzung des Rückgriffes, nämlich der rechtzeitigen Ausübung der Rechte des Schiffers gegen den Empfänger, wurde in II. Lesung — im Interesse der Befrachter — die Nichtablieferung der Güter an den Destinatär als Bedingung gesetzt, woraus der Art. 628 des Gesetzes hervorgegangen ist. Daraus ergiebt sich schon, dass der im Art. 629 normirte Fall, dass die Güter von dem Empfänger nicht abgenommen werden, nicht als eine Unterbestimmung des vorhergehenden Artikels gedacht sein kann. Noch deutlicher geht dies aus dem 2 Absatz des Art. 629 hervor, indem von einem Zurückbehaltungsrecht und Pfandrecht an den Gütern dem Befrachter gegenüber nicht mehr die Rede sein könnte, wenn ein vorgängiger Verkauf der Ladung die Voraussetzung für diesen Anspruch des Schiffers an den Befrachter bildete. Wo der Empfänger die Güter nicht abnimmt, ist — wegen Mangels eines Schuldners am Bestimmungsort — überhaupt nicht im Gesetz von einem Rückgriff an den Befrachter und von einem Erholen an ihm die Rede, sondern haftet Letzterer als der Gegenkontrahent dem Schiffer unbedingt. (Erk. des Ober Landesgerichts zu Hamburg vom 7. Juli 1885; Seuffert, Archiv, N. F. Bd. XI, S. 61 f.)

Verschiedenes.

Ueber ein merkwürdiges **Seebeben** wird aus Stonehaven vom „Scotsman" berichtet. Am Sonntag, Mai 23, Nachmittags stieg und fiel vor und nach Hochwasser das Meer um 10 bis 18 Zoll ohne erkennbare äussere Veranlassung, so dass mitunter der Strand 15 bis 18 Fuss trocken lief. Die Störung dauerte 3 Stunden, von 4½ bis 7½ Uhr Nachm. Der Wind war ganz leicht, die See entsprechend schlicht, und dennoch kam und ging das Wasser mit der Geschwindigkeit der Strömung eines grossen Flusses bei hohem Wasserstande, und veranlasste soviel Bewegung im Hafen selber, dass die Fischerleute ihre Fahrzeuge besonders verankern mussten, um sie vor Schaden zu bewahren. Selbst bei stürmischem Wetter gerät das Wasser im Hafen nicht in solchen Aufruhr. Man schreibt die rätselhafte Erscheinung einem unterseeischen Erdbeben oder einer plötzlichen grossen Bodensenkung im Meere zu. Nat.

Der vierte am 12. Mai geschlossene **Nachtrag zum Register des Germanischen Lloyd** enthält 14 Berichte über neu aufgenommene Schiffe, und 130 bezw. 9 Berichte über Veränderungen und Korrekturen, welche die bereits im Register bezw. im Anhang zum Register für 1886 enthaltenen Schiffe betreffen.

Die **„Aller"**, der jüngst in Fahrt getretene Schnelldampfer des Nordd. Lloyd ist 455′ im Ganzen, 439′ zwischen den Perpendikeln und in der Ladewasserlinie lang, 47′ breit, 34′ 8″ tief und führt 4 Decks, misst 5387 Tons brutto, 2779 T. netto, und hat bei 26′ mittlerem Tiefgang eine Wasserverdrängung von 8000 Tons. Die Maschinen sind dreifache Expansionsmaschinen mit einem Hochdruckcylinder von 44 Zoll, einem Mitteldruckcylinder von 70 Zoll und einem Niederdruckcylinder von 108 Zoll, und einem Kolbenhub von 6 Fuss. Die Cylinder-Durchmesser haben also nahezu das Verhältnis 2 : 3 : 5. Das Schiff ist ganz von Stahl gebaut, hat elektrische Beleuchtung, ausgiebige Ventilations- und Pumpenvorrichtung, eine Schraube von 22′ Durchmesser und 150 Quadratfuss Oberfläche, und nimmt im Ganzen 1358 Tons Kohlen ein bei einem täglichen Verbrauch von 100 Tons, womit sie über 16 Kn. mittl. Geschwindigkeit erzielt. Ihre innere Einrichtung soll alle bisher gekannten Einrichtungen in Schatten stellen.

Amerikanisches Urteil in Lotsenangelegenheiten. Der Districtsgerichtshof von Wilmington gab am 14. Mai seine Ansicht kund in Sachen eines Delaware Lotsen Rowland gegen das britische Dampfschiff „Cambria". Am 22. Octbr. v. J. hatte der Lotse Rowland dem Kapitän des von Cuba nach Philadelphia bestimmten Dampfers „Cambria" seine Dienste in Delaware Bai angeboten. Der Kapitän weigerte sich auf Grund der Befehle seiner Rheder, Rowland als Lotsen anzunehmen und erläuterte später seine Weigerung damit, dass er sich den billigern Tarif der Pennsylvania Lotsen habe zu Nutzen machen wollen. Der Gerichtshof entschied, dass die Bestimmung des Delaware Gesetzes, wonach „der Lotse, welcher einem einkommenden Schiff oder Fahrzeug seine Dienste zuerst anbietet, berechtigt sein soll, das Kommando desselben zu übernehmen", *im Widerspruch steht* mit den Bestimmungen der Kongressakte vom 2. März 1837, wonach „der Führer eines einkommenden oder ausgehenden Schiffes in an mehreren Staaten grenzenden Gewässern jeden angestellten Lotsen, der sein Patent von irgend einem der angrenzenden Staaten bekommen hat, dazu benutzen darf, sein Fahrzeug zu lotsen", und wies demgemäss den Lotsen Rowland mit seinem Anspruch ab.

Die Bestimmung der Kongressakte wolle offenbar Streitigkeiten und Rivalitäten zwischen Lotsen verschiedener Staaten zuvorkommen, die auf gemeinschaftlichen Gewässern verkehren.

Dass die **Sechstagedampfer** zwischen Newyork und dem Kanal bald eine Wirklichkeit sein werden, zeigt die letzte Reise der „Etruria", welche die Reise in 6 Tagen 2 Std. gemacht hätte, wenn sie nicht 100 Sm. südlicher als sonst gegangen wäre. Ein Etmal von 476 Sm. kam vor.

Ausländische Matrosen auf britischen Schiffen bilden seit längerer Zeit Gegenstand der Klage in ausschliesslich englischen Kreisen. Jack betrachtet es als einen Eingriff in seine angeborenen Rechte, wenn britische Rheder seinen Diensten die von nüchternern, gehorsamern und billigern fremden Matrosen vorziehen. Es ist über diese Angelegenheit schon viel Staub in englischen Blättern aufgewirbelt, welchen aber der Sprühregen des zum Bericht über die Sache angeführten Sekretärs des Handelsamts, wohl niederschlagen wird. In diesem Bericht von Th. Gray heisst es u. A.:

Das Handelsamt hat es nie für angezeigt erachtet, Gesetze vorzuschlagen, um den Eintritt ausländischer Seeleute an Bord britischer Kauffahrteischiffe zu entmutigen. Erstlich ist das Verhältnis der jetzt in der gesammten Handelsmarine des Landes angestellten Ausländer bei weitem geringer, als dasjenige, welches nach dem alten Gesetz gestattet war, welches die Zahl auf ein Viertel auf jedem Schiffe beschränkte. Der Procentsatz der Ausländer beträgt jetzt ungefähr 14 oder ein Siebentel, und es sind keine stichhaltigen Gründe vorgebracht worden, weshalb ein Schiffseigentümer als Arbeitgeber verhindert werden sollte, tüchtigen Ausländern Arbeit zu geben. Nach allgemeinem Zeugnis besteht die Mehrheit der Ausländer, welche auf britische Schiffe kommen, aus Skandinaviern und Deutschen, welche in vielen Beziehungen ausgezeichnete Seeleute sind; in der That behaupten viele Rheder und Kapitäne, dass sie tüchtiger sind als eine grosse Minderheit britischer Matrosen. Wenn es wahr ist, und ich bin überzeugt davon, dass diese Ausländer verlässlicher sind, als die niedere Klasse britischer Matrosen — und das scheint schon die Ansicht vor 40 Jahren gewesen zu sein — so ist es klar, dass das Rhedergeschäft eine unnötige Beeinträchtigung erleiden und die Sicherheit von Leben und Eigentum schlechterdings nicht erhöht werden würde, wenn man Massregeln genehmigte, um sie zu verhindern, an Bord von britischen Schiffen zu dienen.

Zwei **mächtige Brückenbauten** werden augenblicklich in Schottland eifrig gefördert, die Brücke über den Firth of Forth, welche um den Preis von 3 — 4 Mill. £ die Fähre über den Forth bei Queensferry auf der Eisenbahnlinie von Edinburg nach dem Norden ersetzen soll, und die Brücke über den Tay bei Dundee, als Ersatz für die vor Jahr und Tag vom Sturm weggewehte Brücke über den Tayfluss.

Zwei **neue Leuchttürme**, einer *auf der nördlichsten der Scilly-Inseln*, nämlich auf *Round*-Island, sowie ein anderer auf der SO-Ecke von St. Mary, nämlich auf Giant's Head sind vom Trinity-House zu bauen beschlossen. Ferner wird der 1858 errichtete Bishop-Rock-Feuerturm verstärkt, (da er von Anfang an als zu schwach konstruirt betrachtet worden ist), und zwar durch Umhüllung mit neuem Mauerwerk, welches an der dicksten Stelle 7', an der dünnsten oberen Stelle 2' dick ausgeführt wird.

Konserviren von Fischen. Eine neue Methode Fische zu konserviren besteht darin, sie in 2% Bor enthaltendes Wasser zu legen, und nun das Wasser einem Druck bis zu 6 Atmosphären auszusetzen. Das so zusammengedrückte Wasser lässt das die Fäulnis verhütende Bor in den Fischkörper eintreten und schützt ihn damit vor dem Verderben. Man packt die Fische zu dem Ende in Stahlfässer, füllt dieselben zu einem Drittel mit Wasser, dem man 2% Bor zusetzt, und zu zwei Dritteln mit Fischen, lässt dann die Luftpumpe wirken und verschliesst luftdicht. Man hat auf diese Weise verpackte und einem langen See- und Landtransport unterworfene Fische schon 20 Tage lang frisch erhalten, und erwartet eine Konservirung über die doppelte Zeit hinaus. Von praktischer Bedeutung wird das Verfahren wegen der Kostspieligkeit der Stahlfässer schwerlich werden. Und hätte sich eine Grosshandlung solche auch wirklich beschafft, so würde die Hin- und Hersendung derselben ihr noch neue und vermehrte Transportkosten auferlegen.

Liebigs Fleischextract wird von verschiedenen Schlächtereien am Rio de la Plata und seinen Nebenflüssen geliefert. Die bedeutendsten dieser Unternehmungen sind die Fabrik von Liebig in Fray-Bentos am Uruguay und die von Dr. Kemmerich in Santa Elena am Parana. Die von englischen Kapitalisten gegründete Fabrik von Liebig arbeitet mit einem Kapital von £ 480000, also nahezu 10 Mill. Mark, und schlachtet jährlich 150 bis 170 000 Rinder. An Dividende verteilte sie im Jahre 1881 nicht weniger als 20%.

Verlag von H. W. Silomon in Bremen. Druck von Aug. Meyer & Dieckmann, Hamburg, Alterwall 48.

HANSA

Redigirt und herausgegeben
von
W. von Freeden, BONN, Thomasstrasse 9.
Telegramm-Adresse:
Freeden Bonn,
oder
Hansa Alterwall 28 Hamburg.

Verlag von M. W. Allmann in Bremen. Die „Hansa“ erscheint jeden 2ten Sonntag. Bestellungen auf die „Hansa“ nehmen alle Buchhandlungen, sowie alle Postämter und Zeitungsexpeditionen entgegen, desgl. die Redaktion in Bonn, Thomasstrasse 9, die Verlagshandlung in Bremen, Obernstrasse 41 und die Druckerei in Hamburg, Alterwall 28. Sendungen für die Redaktion oder Expedition werden an den letztgenannten drei Stellen angenommen. Abonnement jederzeit, frühere Nummern werden nachgeliefert.

Abonnementspreis:
vierteljährlich für Hamburg 2½ ℳ,
für auswärts 3 ℳ = 3 sh. Sterl.
Einzelne Nummern 60 ₰ = 6 d.

Wegen Inserate, welche mit 25 ₰ die Petitzeile oder deren Raum berechnet werden, beliebe man sich an die Verlagshandlung in Bremen oder die Expedition in Hamburg oder die Redaktion in Bonn zu wenden.

Frühere, komplete, gebundene Jahrgänge v. 1873, 1874, 1876, 1877, 1878, 1879, 1880 1881, 1882, 1883, 1884, 1885 sind durch alle Buchhandlungen, sowie durch die Redaktion, die Druckerei und die Verlagshandlung zu beziehen. Preis ℳ 6; für letzten und vorletzten Jahrgang ℳ 8.

Zeitschrift für Seewesen.

No. 14. HAMBURG, Sonntag, den 11. Juli 1886. 23. Jahrgang.

Inhalt:

Rettungsapparat für Schiffbrüchige.

Bei der Rettung von Schiffbrüchigen kommt es vor allem darauf an, eine Verbindung zwischen dem verunglückten Schiffe und dem Lande herzustellen. Das geschieht bisher einerseits durch die Mörser- oder Raketen-Apparate, andererseits durch die Rettungsböte. Beide leiden an einer grossen Schwerfälligkeit: selbst mit Aufbietung vieler Kräfte können sie zumal bei weiter Entfernung der Station nicht immer rechtzeitig zur bedrohten Stelle translocirt werden. Wenn sie aber mit grossem Zeit- und Kraftaufwand zur betreffenden Stelle geschafft sind, erzielen sie in vielen Fällen nicht die gewünschten Erfolge. Namentlich gilt dies von den Raketen-Apparaten, welche unanwendbar sind, wenn das bedrängte Schiff in Folge eines flachen oder riffreichen Strandes ausser Schussweite liegt. Nicht selten wird auch durch das Brechen, Verwickeln oder Versetzen der Raketen-Leine ein Erfolg vereitelt. Auch sind Gefahren, welche der Rettungsmannschaft durch Platzen der Raketen und durch Einschnürungen durch die Leine drohen, nicht zu unterschätzen.

Ferner ist, wenn das Rettungsboot mit vieler Anstrengung und unter grosser Gefahr in die Nähe des bedrohten Schiffes gebracht ist, ein Abbergen der schiffbrüchigen Mannschaft oft deshalb unmöglich, weil das Boot, will es sich der Gefahr, zertrümmert zu werden, nicht aussetzen, in zu weiter Entfernung vom Schiff Posto fassen muss. Im Herbst 1883 hatte ich Gelegenheit, vom Prerower Strand aus zu beobachten, wie die brave Rettungsmannschaft sich eine ganze Stunde umsonst abmühte, vom Boot aus der erstarrten Besatzung der gestrandeten „Ceres“ ein Tau zuzuwerfen. Erst nachdem sie mit Todesverachtung sich ganz in die Nähe des Wracks gewagt hatte, gelang der Wurf. Die Leiden der ganz vereisten Menschen hätten bedeutend abgekürzt werden können, wenn die Verbindung zwischen dem Wrack und dem Boote hätte schneller hergestellt werden können. Nun hat man zwar in manchen Rettungsböten kleine Kanonen oder grosse Gewehre, aus denen Kugeln mit Leinen geschossen werden. Aber diese haben sich entweder nicht bewährt, oder sie werden ungern von den Rettenden sei es aus mangelnder Kenntnis, sei es aus Furcht vor der damit verbundenen Gefahr in Anwendung gebracht.

Bei dem schon erwähnten Unglück der „Ceres“ kam mir der Gedanke, dass die Verbindung, im Unterschiede von dem bisherigen Verfahren, nicht vom Lande, sondern vom Schiffe aus geschehen müsste. Dies umgekehrte Verfahren gewährt einen nicht hoch genug anzuschlagenden Vorteil. Es kann z. B., was bei den bisher angewandten Apparaten nicht möglich ist, sogleich nach erfolgter Strandung mit dem Rettungsgeschäft begonnen werden. Es kann, was das Wichtigste ist, die Schiffsmannschaft die notwendigste Manipulation beim Rettungsgeschäft, die Herstellung der Verbindung, zum Teil, ja unter Umständen auch ganz, ohne fremde Hülfe ausführen. Es kann die Rettung mit grosser Gewissheit auf einen glücklichen Ausgang auch an solchen Orten unternommen werden, an denen keine Rettungsstationen sich befinden oder keine Menschen wohnen. Diese Erwägungen liessen mich einen Apparat ersinnen, der mit den Schwierigkeiten, die sich den bisher gebräuchlichen Apparaten entgegenstellen, nicht zu kämpfen hat, und durch seine Einfachheit und leichte Handhabung, wie dadurch, dass er die Verbindung leicht und sicher vom Schiffe aus herstellt, zur ausgedehntesten Verbreitung sich empfiehlt. Ich hatte ein Patent beantragt, dasselbe wurde aber nicht erteilt; die Gründe lauteten: „die Anwendung eines Drachens zur Herstellung einer Verbindung zwischen einem Schiffe und dem Festlande ist nach Dingler's Journal V. 11 S. 247 Jahrgang 1825 bekannt. Der Schwimmer zum Tragen von Personen ist im wesentlichen übereinstimmend schon in Dingler's Journal V. 31 S. 304 dargestellt. Die Beförderung eines solchen Schwimmers vermittelst eines Drachens von dem Schiff nach dem Lande kann hiernach für eine neue Erfindung nicht erachtet werden". Mir war es vom Anfang an nicht darum zu thun, eine Erfindung zu machen, sondern den unglücklichen Seeleuten zu helfen, wenn's irgend möglich sei. Ganz unabhängig von Dingler's Journal bin ich auf den Gedanken gekommen, vom Schiff aus durch einen Drachen die notwendige Verbindung herzustellen. [illegible] danken ausgesprochen hat, den ich erfasste, so würde ich zwar kein Patent beantragt, aber doch seine Idee wieder angeregt haben. In seemännischen Kreisen ist von Dingler's Idee nichts bekannt. Es liegt die Vermutung nahe, dass seine Gedanken nicht in weite Kreise gelangt und im Journal vergraben geblieben sind. Das ist um so bedauerlicher, als in der ganzen Zeit kein Apparat erfunden ist, der, wie Dingler und ich es wollen, die Verbindung vom Schiff aus herstellt. Versuche, die ich mit meinem Apparat angestellt habe, sind völlig geglückt, er arbeitet ganz, wie er arbeiten soll. Ich wünsche dringend, dass die Kreise welche es angeht, dem von Dingler und mir ausgesprochenen Gedanken näher treten und meinen Apparat auf seine Brauchbarkeit prüfen. Es ist nicht genug, dass von Zeit zu Zeit Gedanken ausgesprochen werden, sie müssen auch geprüft, und, wenn sie sich bewähren, verwirklicht werden. Aus diesem Grunde habe ich mich entschlossen, mit meinen Gedanken an die Oeffentlichkeit zu treten und mit der Beschreibung meines Apparates eine neue Anregung zu geben, damit dem Rettungsgeschäft vom Schiff aus wieder mehr Aufmerksamkeit zugewandt wird.

Der von mir geplante Apparat besteht aus **drei Teilen,** *aus einem* **Motor,** *aus einer* **Rettungsboje** *und aus einem* **Schwimmer.**

Als *Motor* dient der sogenannte Drache, dies bei unserer Jugend so beliebte Spielzeug. Die meisten Strandungen pflegen bei von der See her wehendem Winde einzutreten. Da nun der Drache mit dem Winde geht, wird er seine Richtung nach der Küste nehmen, wenn er in Thätigkeit gesetzt wird.

Bei einer Höhe von 1,6 m und einer Bogenweite von 0,9 m erhält er hinreichenden Flächenraum, um die erforderliche Zugkraft zu entwickeln. Die Mittelaxe besteht aus einem extrazähen Stücke Kiefernholz von durchschnittlich 10—12 mm Stärke. Der runde Bügel ist aus leichtem Eisen hergestellt und so konstruirt, dass der Drache während seiner Unthätigkeit zusammen gefaltet und auf dem Schiffe bequem aufbewahrt werden kann. Siehe Fig. A.

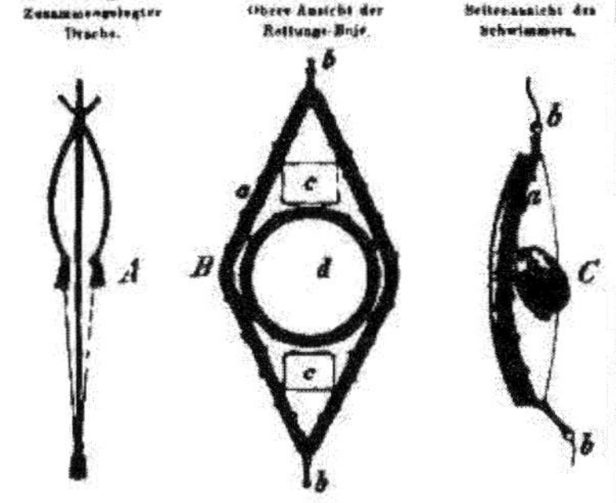

a) Korkwulst,
b, b) drehbare Oesen
c, c) wasserdichte Kasten.
d) Hohlraum für die Aufnahme einer Oelhose und eines Mann.
[illegible]

Die *Rettungsboje* (Fig. D.) wird aus verzinktem Eisenblech hergestellt. Sie hat eine Länge von 1,60 m, eine Breite von 0,70 m und eine Höhe von durchschnittlich 0,10 m. Ausserhalb ist dieselbe mit einem Korkwulst a eingefasst, welcher die Tragfähigkeit der Boje oder des Bootes erhöht und dieselbe vor schädlichen Stössen bewahren soll. Dieser Korkwulst ist abzunehmen und leicht etwas strammer oder loser durch das Anschnüren zu befestigen. In der Mitte des Bootes befindet sich eine kreisrunde Oeffnung (d), welche einen Durchmesser von [illegible] teten und 25 m breiten, in die Oeffnung hineinspringenden Rand hat. Derselbe ist dazu bestimmt, einen Korkring zu tragen, welcher in die 60 cm weite Oeffnung hineinpasst, selbst jedoch nur eine lichte Weite von 50 cm, also eine Wandstärke von 5 cm hat. Die Höhe desselben ist gleich der des Bootes. An der inneren Seite des Korkringes ist eine Hose von Oeltuch befestigt, mit welcher sich der Schiffbrüchige bekleiden muss. Erst nachdem er die Hose mit dem Korkring angelegt hat, begiebt er sich in die Boje und befestigt den Korkring vermittelst Zusammenziehen und Zusammenhaken der hierzu angebrachten Schnur, eine Manipulation, die leicht und bequem in einem ganz kleinen Zeitraum ausgeführt werden kann. Am Vorder- wie auch am Hinterteile hat die Boje je eine Oese b, b: an die vordere wird der Drache, an die hintere eine auf dem Schiff befindliche Leine befestigt, die Oesen sind, um bei dem Nasswerden der Leinen ein Zusammenrollen zu verhüten, quer zur Richtung der daran befestigten Leinen drehbar. Durch Vernieten und Verlöten ist der ganze Körper so zusammengearbeitet, dass er vollständig wasserdicht ist, und hat die Fähigkeit, nicht nur das Gewicht eines Mannes, sondern sogar das dreifache zu tragen.

Der *Schwimmer* (Fig. C.) hat eine Länge von 0,70 m und eine Breite von 0,35 m, die Höhe beträgt 0,10 m und hat er im Uebrigen ganz die Gestalt der Rettungsboje. In der Mitte desselben befindet sich ein kreisrunder Kasten, der durch einen Schraubendeckel und eine Gummizwischenlage wasserdicht verschlossen wird. Dieser Raum (d in Fig. C) ist zur Aufnahme von Dokumenten und Verhaltungsmassregeln für die bestimmt, welche am Strande den Schwimmer erwarten. In seiner sonstigen Konstruktion gleicht der Schwimmer vollständig der oben beschriebenen Rettungsboje.

Mit diesen drei einfachen Apparaten lässt sich die Selbstrettung Schiffbrüchiger bewerkstelligen. Ist eine Strandung erfolgt, so lässt man vom Fockmast den Drachen steigen, der in Folge des Seewindes seine Richtung nach dem Strande nimmt. Sobald die am Vorderende des Schwimmers befindliche Schnur abgelaufen ist, sendet man den Schwimmer in's Meer. Der Drache zieht nun den Schwimmer durch das Wasser und der Schwimmer die vom Schiffe ablaufende Leine. Sobald der Schwimmer den Strand erreicht hat, ist die Verbindung zwischen Schiff und Strand hergestellt und damit die schwierigste Aufgabe beim Rettungsgeschäft gelöst.

Setzt man auf dem Schiffe voraus, dass die Küste nicht bewohnt oder der Strand menschenleer ist, so schaltet man statt des Schwimmers die Rettungsboje ein, in welcher dann ein Mann der Besatzung sich an den Strand ziehen lässt.

Selbstredend kann der Apparat auch vom Rettungsboot aus in Anwendung gebracht werden, sei es dass der bedrängten Besatzung eine Leine, sei es, dass ihr auch anderweitige zu ihrer Rettung erforderliche Sachen zugeführt werden sollen. Und dies kann aus einer solchen Entfernung geschehen, dass das Rettungsboot sich der Gefahr des Zerschellens an dem Wrack nicht auszusetzen braucht.

Der Apparat kann bei den mannigfachsten Unglücksfällen angewandt werden. Mit dem Schiff oder einem Boot wird auf offener See immer so manövrirt werden können, dass der Drache in der Richtung, nach welcher hin einem Verunglückten, etwa einem über Bord Gefallenen, Hülfe [illegible] Es ist nicht nötig die einzelnen Fälle, in denen der Apparat in Anwendung kommen kann, aufzuzählen und zu besprechen:

in seemännischen Kreisen wird man das selbst besser wissen und zu beurteilen verstehen als es hier geschehen kann. Von der Brauchbarkeit des Apparates bin ich überzeugt, und es sollte mich herzlich freuen, wenn ich durch diese Zeilen zu weiterem Nachdenken und zu sachverständiger Prüfung, wie zu Versuchen Anregung gegeben hätte und dadurch ein wenig mithelfen könnte, dass den verunglückten Seeleuten schnelle und sichere Hülfe gebracht werden kann.

Dr. *E. Huchstädt*, Pastor.

Berichte über einige Buchten der Nordküste Haytis.

Aus dem Werke von Moreau de Saint Méry von **A. Schück**, unter Benutzung von Notizen von **G. Tippenhauer** z. Zt. stud. med.

Eine Frage von Herrn G. Tippenhauer nach Cabaret Hafen auf Hayti, welche durch die Seeamts-Verhandlung über den Verlust eines deutschen Schiffes veranlasst war, lenkte meine Aufmerksamkeit auf ihn und den betreffenden Fall. Dabei stellte sich heraus, dass es manchmal zweckentsprechender ist, Information aus der Ferne zu suchen, wenn auch erreichbare Information in nächster Nähe ist. Man glaubte über Cabaret nichts zu wissen, vertagte den Fall, der betreffende Kapitän zeichnete eine Skizze des Hafens, ebenso ein holländischer Kapitän; seit mehr als 10 Jahren findet sich eine in Jülfs und Balleer, mit Bezug auf die sie begleitenden Angaben ist eine Beschreibung des Hafens gegeben vom Kommando S. M. Kor. Albatross in Hydrogr. Mittlg. (jetzt Ann. d. Hydr.) II 1874 S. 34; bessere Information konnte man nicht haben. — Da in letztem Herbst und Winter ungewöhnlich viel Schiffe verloren gingen, die von der Nordküste Haytis nach Europa bestimmt waren, wurde ich ersucht um ein Gutachten über die Ursachen, soweit sie in dortigen Verhältnissen begründet sein könnten; dabei stellten sich eigentümliche Zustände heraus.

Küstenbeleuchtung fast gar nicht vorhanden, nach Privat-Angaben unzuverlässig, Lotsenwesen auch nicht gut zu nennen, über Wind und Strömung an der Insel und in ihrer Nähe wissen wir heutigen Tags nicht mehr, als man vor 100, vielleicht 200 oder 300 Jahren wusste. Die einzige Seekarte der Insel im Ganzen ist eine französische offizielle; die Gestalt der Insel in ihr weicht aber bedeutend von der in den britischen offiziellen über Westindien ab, sodass man fast glauben muss, die französische Admiralität habe Gründe, die älteren Arbeiten nicht hinter die neueren zu setzen. Die vorhandenen Spezialkarten sind nicht immer bis auf das neueste Datum ergänzt; Bauten, Verlegungen und Aenderungen von Merkzeichen scheinen nicht fortlaufend berichtet zu werden, oder ist Niemand vorhanden, dessen Pflicht es ist, solche Dinge zu beachten und zu berichten? dann wäre es sehr wünschenswert, den Herren Konsuln es zur Pflicht zu machen. — Offizielle Seekarten scheinen noch immer weniger gekauft — richtiger wohl verkauft — zu werden als die von Privat-„Kartographen“, dabei ist es unmöglich, dass letztere fortlaufend so unter Kontrolle gehalten werden können wie jene. Dem Führer eines Handelsschiffes ist es absolut unmöglich, sich bei jeder Abreise aus Europa mit allen den neuesten Karten zu versehen, die er „möglicherweise“ braucht, daher kann nicht oft genug an die Regierungen die Bitte gerichtet werden, im Interesse der von ihnen zu überwachenden Sicherheit des Verkehrs in allen zu ihren Staaten gehörenden grösseren Häfen und in Orderhäfen, Niederlagen von Karten zum Verkauf und zum Vergleich zu unterhalten; die Kosten würden nicht so gross sein, wie es den Anschein haben mag.

Seit längeren Jahren scheint man mit dem Gelde nichts Besseres anfangen zu können, als Dampfschiffe und grosse Schiffe zu bauen, — denn die Anzahl beider nimmt fortwährend zu; unsere Bedürfnisse und der Austausch derselben kann unmöglich in demselben Maasse wachsen, daher ist es einerseits schwer, Fracht zu erhalten für kleinere Segelschiffe bzw. für die Dampf- und Segelschiffe kleiner oder solcher Rheder, die sich keine Geltung auf dem Weltmarkt zu verschaffen wissen; — andererseits wird es leicht, solche Schiffe nach wenig oder gar nicht bekannten und durchaus ungeeigneten Orten zu schicken, falls es Agenten und Produceuten Vorteil bringt. Aus diesem Grunde halte ich es für angebracht, Lage und Grösse einiger Buchten u. s. w. an der Nordküste Haytis zu geben, welche das bis 1789 reichende Werk von Moreau de Saint Méry enthält, welches 1875 in zweiter Auflage erschien und noch heutigen Tages zu den besten „Quellen“ gehört; ein Paar Notizen entlehne ich der von G. Tippenhauer angelegten Sammlung von Berichten über Hayti, welche, nebst den von ihm gesammelten Karten er mir s. Zt. gütigst zur Verfügung stellte; genannter junger Mann hat sich eingehend mit Geographie und, weil auf Hayti geboren, besonders mit Hayti beschäftigt.

Marmousets oder *Marmosets* liegt westlich von Porto Plata, zwischen Cas Rouge und Grand port Berhagne (B. Maimon?), im Hafen können Kauffahrer liegen, die Einfahrt ist durch blinde Klippen erschwert.

Puerto St. Yaque (nicht Port Yaqueson) gewöhnlich Alter Hafen genannt, ist ein kleiner Ankerplatz, gelegen zwischen Padrepin im Westen und R. Macoris im Osten (St. Jago? West India Pilot II S. 208).

Petit Port Français liegt ungefähr ½ Lieue (1½ Sm. = 2,8 km?) von Grand Port Français, erstreckt sich von NW nach SO, in einer Länge von ca. 1 600 m. Von der Westspitze des Petit Port Français bis Picard beträgt die Entfernung ¼ Lieue (¾ Sm. = 1,4 km?), von dieser bis Trois Marie mit den drei grossen Klippen desselben Namens, sind es 2 340 m. Letzterer Punkt ist gleichzeitig das Ostende der Bai von l'Acul und das Nordwestende des Districts la Plaine du Nord. An diesem Teil der Küste ist der Verkehr fast unmöglich, Boote können sich ihr kaum bei ruhigem Wetter nähern, die Hügel, welche die Küste bilden, sind fast undurchdringlich.

In *l'Acul Bai* heisst Lombarde Cove auch Bai oder Anse à Allain, weiterhin Embarcadère (Lade- und Löschplatz oder Liegeplatz) der Batterie du Mahot. Yeugue point des W. I. Pilot ist wahrscheinlich Icaque.

Von *Icaque*, welche den Nordwest Eingang zur Bai l'Acul begrenzt bis Limbé liegen viele Untiefen und Riffe; 2650 m von Icaque beginnt der District Limbé, dessen Liegeplatz (embarcadère) sich noch 2 Lieues (11 km?) weiter westlich befindet; von der Insel Limbé ist er 310 m nach Westen gelegen. Diese Insel ist von Norden nach Süden 33 m, von Ost nach West 270 m lang. Auf ihr befand sich früher ein Kalkofen. Zur Erleichterung des Be- und Entladens wurde von der Hauptinsel aus eine Felsaufschüttung von ca. 60 m Länge ausgeführt. (An sie war s. Zt. eine Holzpier von 23 m Länge angeschlossen, sogar ein Krahn an das Ende des letzteren gestellt; ob letztere noch vorhanden sind ist sehr fraglich, W. I. Pilot hält diese Anlage als nur für sehr kleine Küstenfahrer geeignet, die in 1 Fd = 1,8 m Wassertiefe ankern.)

Zwischen *Limbé Insel* und der Ostspitze des Berges oder Hügels *Marigot* liegen noch 2 Inselchen, deren grösste die östlichste ist, die aber noch von hohem Seegange überspült wird; sie heisst Roche Pauvre (W. I. Pilot Peña Pobre). Die Passage zwischen diesen Inseln ist nur für Boote geeignet.

410 m von Limbé-Liegeplatz kommt man an die Ostspitze des Marigot-Hügels, 680 m weiter westlich liegt dessen Westspitze; längs dieser Strecke liegt ein Riff gleich mit dem Wasserspiegel, welches die Küste sehr schwer zugänglich macht. Dieser Hügel bildet das Ostende der Bucht à Marigot; die Entfernung von dem Ostende bis zum Manioc-Hügel, welcher die Westgrenze der Bucht ist, beträgt 3 530 m (wahrscheinlich war dies die damalige Küstenlinie, nicht die gerade Linie zwischen beiden Punkten); von der Mitte des Einganges bis zum gegenüberliegenden Ufer im Hintergrunde der Bucht sind 1 600 m,

aber in der Mitte liegt eine beträchtliche Untiefe; an beiden Seiten der letzteren führen Passagen, von denen die östliche die bessere ist. Nahe am Westende der Bucht mündet der Limbé-Fluss. Der Ankerplatz ist den Norders sehr ausgesetzt.

Vom Manioc-Hügel bis zum Ostende der Bucht von Port-Margot sind 470 m felsige Küste (Port-Margot ist kein Hafen, sondern der Name des Districts; die brit. Admkt. 393 zeigt diese Buchten — Anse du Marigot und du Port-Marigot, die nicht zu verwechseln sind mit den weiter westlich gelegenen Grand und Petit Marigot — W. I. Pilot: Gran und Pequeño Marigot). Von der Ostspitze der Bucht von Port-Margot bis zur Westspitze, dem Hügel des Dames oder à Madame sind ¾ Lieue (2¼ Sm. = 4170 m?), die Tiefe der Bucht d. h. die Entfernung von der Mitte des Einganges bis zum Lande im Hintergrunde, beträgt 640m. Gleich hinter der Ostspitze ist ein Bach, an dessen Mündung ein Liegeplatz war, der aber schon vor 100 Jahren auffüllte und trotz grosser Kosten nicht geschützt werden konnte. Ungefähr 850 m von der Ostspitze streckt sich eine kleine Landspitze in die Bucht, wodurch letztere in zwei Teile zerlegt wird, noch 290 m weiterhin mündet der Fluss von Port-Margot, der auch Limon Fluss genannt wird. Der einzige brauchbare Ankerplatz in der Bucht von Port-Margot liegt innerhalb der kleinen Insel Refuge (auch Ilet à Cabrit oder Isle de Port-Margot genannt), wo man gegen Norder geschützt ist. — Diese Insel liegt nur 310 m NNW von der Ostspitze, sie ist 1050 m lang und 780 m breit; ca. 155 m NNW von ihr liegt eine Klippe 5—6 m über Wasser, deren grösste Ausdehnung von Ost nach West ungefähr 60 m beträgt; das Meer bricht stark an ihr, die Oberfläche ist vollständig kahl und uneben. Sie heisst das Gefängnis von Ogeron; die Sage geht, dieser Buckanier oder Flibustier habe die Missethäter von Tortuga dorthin geschickt, um sie auf entsetzlichste Weise verhungern zu lassen!

Die Küste des Bezirks von Port-Margot streckt SO z0 u. NWzW; vom Meer aus gesehen ist sie niedriger als der weiter östlich gelegene Teil bis zur Bay von Manzanillo (Bucht Chouchou und de la Rivière salée — Salt river — gehören zu diesem Bezirk, von ihnen sind seit vorigem Jahrhundert Pläne veröffentlicht, s. auch W. I. Pilot. Nach Moreau de Saint Méry gehört die Bezeichnung Baril de Boeuf Point aber nicht der Landspitze, welche die Grenze dieser beiden Buchten bezeichnet, sondern der Westseite von Salt river Bucht; sie hat den Namen von der an jener Seite liegenden kleinen Insel Baril do Boeuf, welche einem Fleischfass ähnlich aussehen soll). Die Nähe der Bucht von Port-Margot ist hohem Seegange und Gezeitenschnellen oder Stromkabbelung (ras de marée) ausgesetzt.

Von Baril de Boeuf Pointe bis zur Bay d'Argent sind 780 m steil aufsteigender Küste, die Bucht hat nur 290 m Weite und 130 m Tiefe, vor ihr liegt eine Klippe. An ebenso steiler Küste 1050 m weiter westwärts kommt man zur Pointe Jean Aubé, der Ostmarke von la Grange Bucht (Fond la Grange des brit. Planes, auf welchem jener Punkt nur als Ost-Spitze bezeichnet ist). Nach weiteren 680 m steiler Küste von la Grange Bucht aus, kommt man an die Bucht du Borgne, ungefähr 1400 m weit bei 350 m tief, die aber nur für Boote und kleine Fahrzeuge geeignet ist.

⅓ Lieue (1½ Sm = 2,8 km) von der Westspitze der Bucht du Borgne gelangt man zur Bucht à Lavand, die nur 350 m weit und 175 m tief ist; in sie mündet der Fluss des Bananiers. 2570 m westlich von dieser Bucht mündet der Fluss d'Enfer nahe bei der Pointe du Pêcheur, ungefähr 1400 m weiter ist die Mündung des Preslieu. Die Küste bis ungefähr 310 m jenseits vom Flusse Preslieu ist — mit Ausnahme des Innern der Bucht à Lavand — steil ansteigend, unzugänglich und hoch über dem Wasserspiegel gelegen. Nur 250 m von diesem Flusse liegt die Ostgrenze der Bucht du bas de Saint Anne, deren Weite oder Oeffnung 3310 m, deren Tiefe 1250 m beträgt. Die Westgrenze heisst Pointe Icaque, ihre Lage ist nach Chastenet de Puységur in 19° 54',5 N und 72° 43' W. G. (in l'Acul Bai ist eine gleichen Namens). Die Einfahrt in die Bucht ist kaum 400 m breit, da vom Flusse Preslieu nach NW und von Icaque Pointe nach ONO je ein mit dem Wasserspiegel gleichliegendes Riff von 250 m Breite streckt. Die Bucht du bas de St. Anne scheint auch Bucht d'Icaque zu heissen.

Die Richtung der Küste westlich von Icaque-Spitze ist NWzW und SOzO; ungefähr 1750 m von diesem Punkt liegt die Mündung des Flusses du bas de St. Anne, und 350 m weiter die Mündung eines Baches (ester). Zwischen diesen beiden liegt eine Insel, 230 m von Ost nach West lang, ungefähr 40 m breit, der Kanal zwischen ihr und dem Festlande ist ca. 30 m breit. 350 m nördlich von der Mündung des Flusses liegt eine Sandbank von 450 m Breite, die sich mit dem von Icaque-Spitze abliegenden Riff vereint. Der Fluss du bas de St. Anne liegt bereits in der Bucht à Vaudroc, die ihren Namen von einem Flusse hat, dessen Mündung 710 m von der jenes Flusses entfernt ist; der grösste Teil der Bucht, die nur 311 m tief ist, hat steile Küste. 570 m von der Vaudroc-Mündung ist die Ostspitze der Bucht à Vivanan, deren Westspitze durch das Cap Rouge gebildet wird; die Küstenlinie der Bucht ist 1030 m lang. 520 m jenseit Cap Rouge ist die Ostspitze der Bucht von Cap Rouge, in welche der Fluss gleichen Namens mündet. Von der Vaudroc-Mündung bis hierher erstreckt sich ein Riff von ungefähr 200 m mittlerer Breite. In den Buchten von Vaudroc, Vivanaux und Cap Rouge können nur Boote u. kl. Fahrzeuge liegen, die aber auch Nordwinden sehr ausgesetzt sind (für Cap Rouge-Bucht giebt W. I. Pilot 1¼—2¾ Faden = 2,3—5 m Wassertiefe.)

Auf die Bucht von Cap Rouge folgt nach 780 m die Ostspitze der Bucht von Grand (Gran) Marigot, bei deren Eingang der Fluss Cacaoyère mündet; 690 m weiter ist das Ostende der Bucht von Petit (Pequeno) Marigot, in deren Mitte die Mündung des Flusses Petit Marigot, am Westende die Mündung des Flusses de Barre. Die Ankerplätze von Grand und Petit Marigot sind auch wenig sicher (W. I. Pilot 2¼—3¼ Fd.=4,1—5,8 m Wassertiefe, nach N durch Tortuga-I., nach O sehr wenig geschützt).

Die Entfernung vom Fluss de Barre bis zum kleinen Fluss der Ortschaft St. Louis wird zu reichlich ¼ lieue (¾ Sm.=1,4 km?) geschätzt, 1290 m weiter lag und liegt vielleicht noch eine Batterie zum Schutze dieses Ortes; der Hafen bei ihr ist nur ein kleines von Riffen gebildetes Becken, nur für kleine Schiffe geeignet, die dort allen Winden ausgesetzt sind. 1840 m vom Flusse St. Louis ist die Mündung eines in gewöhnlichen Zeiten trockenen Flusses, und 700 m weiter bis die des Neger-Flusses, der in trockenen Zeiten durchwatet werden kann, aber durch plötzliche Ueberschwemmungen gefahrvoll wird. Jenseits dieses Flusses ist die Pointe à Corosse, von der 210 m entfernt der Fluss la Caye mündet. Wenn man diesem Teil der Küste zu nahe kommt, läuft man Gefahr, plötzlich Windstille zu erhalten; vom Flusse la Caye bis zur Stadt Port de Paix liegen die Berge etwas von der Küste entfernt.

¼ liene (¾ Sm. = 1,4 km?) vom Flusse la Caye befindet sich eine Sèche genannte Schlucht, ungefähr 1315 m weiter die Pointe à Palmiste (in dem britischen Plane der Bucht oder Fond la Grange hat deren Westspitze diesen Namen). Von Palmiste-Pointe bis la Grande-Pointe sind 3670 m; zwischen beiden liegen noch die Pointe des Martiniquais, eine Carangue genannte Stelle (wahrscheinlich ein Hohlweg) die Bucht à Bodin und die la Table-Pt., bekannter unter dem Namen Carénage-Pt., daher wohl Carenero-Pt. des brit. Planes. Hinter diesem und ca. 140 m vor Grande-Pointe liegt ein sich auffüllender Sumpf, die Bucht, die sich zwischen ihm und letztgenanntem Punkt befindet, heisst weil dazu geeignet Kielplatz; nur 1000 m von Grande Pt. ist die Pt. des Pères Capucins, kurzweg Pt. des Pères (Perez Pt. des brit. Planes) genannt, welche man als Ostgrenze der Rhede von Port du Paix betrachtet, während die Pt. von Grand Fort die Westgrenze ist; von beiden Punkten strecken Riffe ab. Weite und Tiefe der Bucht nach dem brit. Plane sind geringer als sie Moreau de St. Méry angiebt. Der Ankerplatz ist gegen Nordwinde (auf die man 6 Monate im Jahre gefasst sein muss) vollständig ungeschützt, auch West- und Nordwest-Wind erregen Kabbelwasser, in dem die Schiffe treiben können.

Table oder Carénage-Pointe ist der nördlichste Punkt des früher französischen Teiles von Hayti, von Grande Pt. streckt die Küste SW bis zur Stadt Port de Paix, von der sie wieder nach NW streckt bis zur Baleine-Pt.; von da aus biegt sie wieder ziemlich stark nach SW ab.

310 m vom Grand-Fort-Pt. ist das Ostende der Bucht Petit Port de Paix, 210 m westlicher ist deren Ostende, die Bucht ist nur 150 m tief; in ihrem westlichen Teil liegt der Hügel St. Ouen, an dessen Fuss eine Steinbank, die 580 m von der kleinen Mündung des Flusses Trois Rivières entfernt ist, dessen Hauptmündung 310 m weiterhin liegt; von dieser bis zur Pointe Baleine ist reichlich ¼ liene (¼ km=1,4 km), nach anderen 1600 m kommt man an die Mündung des Salée, ein öfter wiederkehrender Flussname. Dieser Fluss mündet in eine Bucht von 640 m Tiefe, die nach ihm benannt ist und nicht mit der neben Chou-chou-Bucht verwechselt werden darf. 450 m weiter ist die Pointe de la Vigie, dann kommt die Fourneau, eine Lieue (3 Sm.=5,6 km) weiterhin die der Bai de Moustique (im brit. Plane dieser Bucht Ost-Pt.), letztere Küstenstrecke ist steil ansteigend, was auch für den grössten Teil der Küste von Port de Paix bis hierher gilt.

Die meisten der hier genannten Buchten sind im West-India Pilot nur ganz oberflächlich erwähnt; hoffentlich dient diese Uebersetzung zur Warnung, Frachten nach Orten anzunehmen, die für Segelschiffe unter jetzigen Verhältnissen ganz ungeeignet sind, selbst von Dampfschiffen nur unter günstigen Umständen besucht werden sollten.

Die deutsche Auswanderung nach überseeischen Ländern im Jahre 1885.

Nach den Berichten des Kaiserl. statist. Amtes stellte sich die deutsche Auswanderung nach überseeischen Ländern über deutsche Häfen und Antwerpen im Jahre 1885 folgendermassen. Es wanderten aus über

Bremen	52 328	Personen
Hamburg	35 335	„
Stettin	1 237	„
Antwerpen	14 742	„
zusammen	103 642	Personen

und zwar 55 827 männliche, 47 815 weibliche.

Gegen die letzten Jahre und zwar vom Jahre 1881 ab ist ein allmähliches Sinken der Auswanderungsziffern bemerkbar; es wurden nachgewiesen 1881: 210 547, 1882: 193 869, 1883: 166 119, 1884: 143 586 Auswanderer; die überhaupt durch die amtliche Statistik nachweisbare Zahl der Auswanderer betrug insgesammt in den Jahren von 1871 bis einschl. 1885: 1 412 914; dazu von Havre 1871 bis 1885 (direkt) 65 973 Personen, welche in der Reichsstatistik nicht berücksichtigt werden konnten.

Von den deutschen Auswanderern im Jahre 1885 gingen nach

	m.	w.	zus.	Pers.
den Ver.-St. von Amerika	52 625	46 003	„	98 628
britisch Nordamerika	412	280	„	692
Mexiko und Centralamerika	37	2	„	39
Westindien	22	2	„	24
Brasilien	1 078	635	„	1 713
den argentinischen Staaten	498	228	„	726
Peru	35	21	„	56
Chile	378	304	„	682
anderen südamerik. Staaten	74	38	„	112
Afrika	205	89	„	294
Asien	40	32	„	72
Australien und Polynesien	423	181	„	604

und zwar im

		Schiffen			Schiffen
Januar	2 342 auf	84	Juli	6 812 auf	94
Februar	4 238 „	89	August	8 082 „	106
März	10 745 „	102	September	7 935 „	97
April	20 022 „	100	Oktober	8 524 „	105
Mai	18 835 „	107	November	4 770 „	103
Juni	9 160 „	98	Dezember	2 177 „	101

Von den 1 186 Auswanderer-Schiffen waren 1 159 Dampfschiffe, 27 Segelschiffe; es fuhren unter der Flagge

des deutschen Reichs	534	Dampf-,	23	Segelschiffe
Grossbritanniens	525	„	—	„
Belgiens	62	„	—	„
Hollands	17	„	—	„
Dänemarks	—	„	2	„
Norwegens	—	„	1	„
Flagge nicht angegeben	21	„	—	„
und zwar				
von Bremen	161	„	—	„
„ Hamburg	906	„	26	„
„ Stettin	9	„	1	„
„ Antwerpen	83	„	—	„

—s—

Die Schiffsbewegung Stettins im Jahre 1885.

Die Rhederei besass am Schlusse des letztverflossenen Jahres 198 Schiffe mit 49 010 Netto Registertonnen, was gegen Anfang des Jahres eine Zunahme von 8 Schiffen und 2 615 Registertonnen bildet. Die Schiffsbewegung von Stettin gestaltete sich in 1885 dem Vorjahr gegenüber, wie folgt:

	1885		1884	
	Zahl	Kubikmeter	Zahl	Kubikmeter
Segelschiffe	1 464	497 273	1 565	515 017
Dampfschiffe	2 186	2 279 780	2 213	2 289 959
zusammen	3 650	2 777 053	3 778	2 804 976

Der Flagge nach verteilten sich die Einläufe des letzten Jahres folgendermassen:

Flagge	Segelschiffe	Dampfschiffe
Deutsche	1 079	1 329
Englische	122	310
Dänische	67	273
Schwedische	44	170
Norwegische	110	65
Russische	12	7
Französische	7	—
Niederländische	21	30
Italienische	1	—
Amerikanische	1	—
zusammen	1 464	2 186

Man darf annehmen, dass fasst alle angekommenen Schiffe beladen gewesen sind, während es allerdings wahrscheinlich ist, dass die regelmässig fahrenden Dampfschiffe nicht immer volle Ladung gehabt haben. Vorausgesetzt, dass das Verhältniss der Raumausnützung in beiden Jahren gleich gewesen wäre, würde sich die Einfuhr um 1 pCt. gegen 1884 vermindert haben. Berücksichtigt man indess, das 5,4 pCt. der Stettiner Einfuhr von 1884 auf den Artikel „Eis" fielen und die Zufuhr davon eine ganz ausnahmeweise, durch den sehr milden Winter veranlasste war, so ergiebt sich, dass die regelmässige Einfuhr, nach der Tragfähigkeit der Schiffe geschätzt, im Jahre 1885 um 5,4 pCt. zugenommen haben würde. Ueber die Frage, ob Stettin von dem Nord-Ostseekanal überwiegend Vorteil oder Nachteil für seinen Handel zu erwarten hat, gehen die Meinungen sehr auseinander. Vielfach wird angenommen, Hamburgs Handelsverkehr werde dadurch, dass es der Ostsee näher gerückt wird, auf Kosten Stettins anwachsen; anderseits wird, und vermuthlich mit Recht, darauf hingewiesen, dass Stettin um ebensoviel der Nordsee genähert wird. Unter allen Umständen wird der Kanal, wenn man seine Benützung für Handelszwecke durch eine mässige Abgabe fördert, eine sehr wirksame Entlastung des Schiffahrtsverkehrs durch den Sund und damit eine Vermeidung der Kollisionsgefahr auf dieser Wasserstrasse herbeiführen, wogegen die gleiche Gefahr auf der Elbe gesteigert würde.

—g—

Uebersicht

sämtlicher auf das Seerecht bezüglichen Entscheidungen der deutschen und fremden Gerichtshöfe, Reskripte etc. der betreffenden Behörden etc., einschliesslich der Litteratur der dahin bezüglichen Schriften, Abhandlungen, Aufsätze etc.

Titel V.

Frachtgeschäft zur Beförderung von Gütern.

Befreiung des Rheders von der Haftpflicht zum Schadenersatz auch während der Dauer des Ladens.

Die Liverpooler Firma Nettlebohn & Comp. hat kürzlich gegen die Firma Richter in Hamburg eine Klage behufs Ersatzes von 800 £ für verloren gegangene 46 Blöcke Machagonyholz angestrengt, welche mittelst der Bark „Poell Flower" von Mexiko nach England befördert werden sollten. Der Vertreter der Deutschen Firma hatte andererseits eine Gegenklage auf Erstattung von 397 £ Frachtgeldern anhängig gemacht. Die Verhandlungen ergaben, dass die Kläger das genannte Schiff für die Reise von Teleluthe in Mexiko nach England gechartert und zwar sollte das Mahagonyholz laut Charterpartie auf Kosten und Risiko des Schiffes vom Lande an Bord gebracht werden. Während der Ueberführung des Holzes nach dem Schiffe trat stürmisches Wetter ein, in welchem die in Rede stehenden 46 Blöcke sich losrissen und verloren gingen, was die Verklagten einer Gefahr der See zuschreiben, welche nicht mit zu den Risiken gehörte, für welche die Rhederei laut Charterpartie verantwortlich gemacht werden könne. Diese Befreiung von der Haftpflicht beschränke sich nicht nur auf die Zeit der eigentlichen Reise, sondern komme auch während der Dauer des Ladens zur Anwendung. Das Liverpooler Assisengericht trat dieser Ansicht bei und entschied in Klage und in Gegenklage zu Gunsten der Verklagten. (Zeitschrift für Versicherungswesen 1886 S. 110.

Gesetze, Verordnungen etc.

Deutsches Reichsgesetz, betr. die Befugnis von Seefahrzeugen, welche der Gattung der Kauffahrteischiffe nicht angehören, zur Führung der Reichsflagge. Vom 15. April 1885 (R.-G.-Bl. 1885 No. 14).

Hamburgisches Gesetz, betr. die Verpfändung von Schiffen. Vom 27. April 1885. (Zeitschrift f. d. ges. Handelsrecht N. F. Bd. XVII S. 170 f.)

Hamburgisches Gesetz, betr. Register für Hamburgische Flussfahrzeuge. Vom 27. April 1885. (Das. N. F. Bd. XVII S. 173 f.)

Hamburgisches Gesetz, betr. die Löschzeit für Seeschiffe im Hamburgischen Hafen. Vom 30. Januar 1885. (Das. Bd XVII S. 175 ff.)

Bremisches Gesetz, betr. die Abänderung des Gesetzes wegen Löschung der Seeschiffe. Vom 12. Mai 1883. (Das. Bd. XVII S. 178 ff.)

Bekanntmachung (Deutsche), betr. die Zulassung als Schiffer auf kleiner Fahrt mit Hochsee-Fahrzeugen. Vom 12. März 1885. (R.-G.-Bl. 1885 No. 11.)

Bekanntmachung (Deutsche), betr. die Vereinbarung mit Frankreich wegen Auslieferung von Heuerguthaben deutscher auf französischen Schiffen und französischer auf deutschen Schiffen ausgemusterter Seeleute. Vom 16. April 1885. (Centralbl. f. d. D. R. 1885 No. 16.)

Verordnung, betr. Abänderung der Instruktion für die Lotsengesellschaft der freien Hansestadt Bremen zu Bremerhaven. Vom 15. August 1885. (Bremer Gesetzbl. 1885 No. 11.)

Oesterreichische Verordnung, betr. die Seefischerei. Vom 5. Dezember 1884. (R.-G.-Bl. 1884 No. 57.)

Oesterreichische Verordnung, betr. die Konstatirung von feuergefährlichen Schiffsbeladungen. Vom 1. September 1885. (Das. No. 37.)

Oesterreichische Verordnung, betr. die Behandlung der Fährboote in Bezug auf die Beförderung von Reisenden zur See. Vom 15. September 1885. (Das. No. 41.)

Portugiesisches Gesetz, betr. die Küstenschiffahrt. Vom 16. April 1885. (Deutsch. Handelsarchiv 1885 S. 403.)

Handels- und Schiffahrtsvertrag zwischen dem Deutschen Reich und Griechenland. Vom 9. Juli 1884. (D. R.-G.-Bl. 1885 No. 9.)

Handels-, Freundschafts- und Schiffahrtsvertrag zwischen dem Deutschen Reich und Korea. Vom 26. November 1883 auf 28. November 1884. (D. R.-G.-Bl. 1884 No. 82.)

Handels- und Schiffahrtsvertrag zwischen Italien und Spanien. Vom 2. Juni 1884 auf 3. Januar 1885. (Deutsch. Handelsarchiv 1885 S. 81.)

Vertrag zwischen dem Deutschen Reich und Spanien, betr. einige Abänderungen des Tarifs A des deutsch-spanischen Handels- und Schiffahrtsvertrages vom 12. Juli 1883. Vom 10. Mai 1885. (D. R.-G.-Bl. 1885 No. 25.)

Litteratur des Seerechts.

A. Courcy, Questions de droit maritime, 3 serie, Par. 1885.

L. de Valroger, droit maritime Commentaire théorique etc. du livre II du code de commerce Par. 1885.

A. Courcy, Le fret sauvé d'un naufrage est il dispensé de contribuer proportionellement aux allocations ou dépenses du sauvetage? (Revue internationale du droit maritime I an 1885 p. 60 h.)

Internationale Konventionen für die Erhaltung von Seezeichen (Deutsche Z. f. Versicherungswesen 1885 No. 34.)

M. Th. Goudsmits, Geschichte des niederländischen Seerechts. Bd. I 1882.

J. H. Ferguson, Manual of International Law, for Use of Navies. Colonies and Consulates 1885.

V. Jacobs, Etude sur les assurances maritimes et les avaries Bruxelles 1885.

V. Jacobs, Etude sur le contrat à la grosse. Brux. 1885.

de Valroger, Commentaire du livre II du Code de commerce Par. 1885.

Les navires armés par un gouvernement insurrectionel ne doivent pas être considérés comme montés par des pirates (Journ. du droit internation. T. XII p. 661 h.)

M. L. de Valroger, Des caractères généraux de l'avarie commune. Droit comparé (Revue internation. Nr. 6—7) 1885—86.

M. R. Mazerat, Revue du bulletin officiel de la marine française. La navigation de plaisance en France. Armement — Droit de pêche — Decrets etc. (Revue internationale etc. 1885—86 Nr. 7—8 p. 435.)

R. Ulrich, Le Congrès international de droit commercial à Anvers. Berlin 1885.

C. Sainctelette, Fragment d'une étude sur l'assistance maritime. Brux. 1885.

Dr. Kohler, Das Handels- und Seerecht von Celébes. (Goldschmidt und Hahn, Zeitschrift f. d. ges. Handelsrecht N. F. Bd. XVII S. 63 ff.)

Dr. R. Schröder, Ueber den Begriff des Rheders. (Das. N. F. Bd. XVII S. 81 ff.)

Dr. W. Lewis, Die Verhandlungen und Beschlüsse des zu Antwerpen i. J. 1885 stattgehabten Congrès international de droit commercial. Insbesondere die seerechtliche Sektion. (Das. N. F. Bd. XVII S. 87 ff.)

Empfiehlt es sich, für die Haftung des Verfrachters zur See absolute Vorschriften nach Analogie der für das Eisenbahnfrachtgeschäft bestehenden Gesetzesvorschriften aufzustellen? (Verhandl. d. Deutsch. Juristentages Bd. II S. 158 ff.)

J. A. Levy. Is eene wettelyke regeling der zoog doorcognoscementen of cognoscementen voor doorloopend vervoer door verschillende vervoer middelen, zoo te land als te water wenschelyk? Zoo ja, op welke grondslagen moet zy berusten 1885.

Picard et Bonneire, Droit maritime de l'abordage, de l'assistance et du sauvetage des fins non-recevoir. Etude etc. Brux. 1885.

Nautische Litteratur.

Der elektrische Nachtsignalapparat von Sellner und seine Bedeutung für den internationalen Seeverkehr von J. R. Schmidt. Mitteilungen aus dem Gebiete des Seewesens. Pola.

Genannte Herren, Offiziere der k. k. österreichischen Kriegsmarine, haben einen neuen dankenswerten, auf der Höhe der Forderungen und Leistungen der neuesten Zeit stehenden Versuch gemacht, eine oft schmerzlich empfundene Lücke in dem Strassenrecht auf See auszufüllen. Das Gesetz zur Vermeidung des Zusammenstossens der Schiffe auf See hat zwar Vorschriften über die Art und Aufstellung der Signallaternen sowie über die Steuerung von Schiffen aufgestellt, welche sich so nähern, dass Gefahr des Zusammenstossens entsteht; es hat aber eine Menge Dinge, so namentlich das Urteil über den wirklichen Kurs des anderen Schiffes, dem gewissenhaften Ermessen des Schiffsführers überlassen, ohne ihm dazu mehr Andeutungen zu geben als seine seemännische Erfahrung und sein „sechster Sinn", sein gesunder Menschenverstand ihm an die Hand geben. Daher sind schon von verschiedenen Seiten Vorschläge aufgetaucht, teils durch optische Signale wie z. B. durch Verdoppelung der Seitenlaternen, teils durch akustische Signale nach Art der Nebelhörner, deren Signale in der Art des Morse'schen Telegraphenalphabets abzugeben seien, sowohl dem Gegensegler den eigenen Kurs anzugeben als auch von ihm Bericht über seinen Kurs zu empfangen. Aber alle diese Vorschläge haben bis auf den heutigen Tag es höchstens zu einer wohlwollenden Anerkennung bringen können, ohne die Einrede entkräften zu können, dass sie geeignet seien [illegible] eine Verwirrung hervorzurufen, welche noch gefährlicher als der jetzige unklare Zustand der Dinge bereits sei.

Der optische Signalapparat des Herrn L. Sellner begegnet nun zunächst dem Vorwurf, dass er die bestehenden internationalen Vorschriften ändere und etwas anderes an deren Stelle setzen wolle. Er lässt vielmehr die Signallaternen wie sie sind und schaltet nur neben ihnen einen Apparat ein, welcher blitzschnell, sicher und geräuschlos functionirt, sich auf jedem Dampfer ohne weiteres, und selbst auch auf grössern Segelschiffen installiren lässt. Ganz ähnlich wie das weisse Toplicht der Dampfer, so werden an geeigneter Stelle sowohl mit einer Dynamomaschine von etwa einer Pferdekraft als auch mit einem Stromverteiler mit Signalgriffen in leitender Verbindung stehende vier Laternen geheisst, welche in der Mitte durch eine dunkle, undurchsichtige Wand getrennt in der oberen Hälfte je ein weisses, in der unteren Hälfte je ein rotes elektrisches Glühlicht (Incandescenz-Lampe) zeigen, welche auf 4 bis 6 Sm. in allen Richtungen des Horizonts sichtbar sind. Mit ihnen giebt man Signale in der Weise, dass die 8 Lichter immer zu 4 oder 3 *vermittels des Stromverteilers mit den Signalgriffen mit einander kombinirt werden*, und sind zur Sicherstellung der Signale die verschiedenen Kombinationen der Lichter auf den Griffen selber deutlich angegeben. Wer sich des Apparats bedienen will, hat sich also bloss mit den zu verwendenden Kombinationen und deren Bedeutung bekannt zu machen, um dadurch sofort seinen Kurs nach allen Richtungen des Horizonts bekannt zu geben. Die Herren Sellner und Schmidt haben sich damit begnügt, nur je 2 Striche der Kompassrose zu markiren und bezeichnen sie nach ihrem System dieselben also:

W W W W (Weiss) ...	unter einander	= Nord
W W W	"	= NNO
W W W R (Roth)	"	= NO
W R W	"	= ONO
W R R W	"	= Ost
W R R	"	= OSO
W R R R	"	= SO
W W R	"	= SSO
R R R R	"	= Süd
R R R	"	= SSW
R R R W	"	= SW
R W R	"	= WSW
R W W R	"	= West
R W W	"	= WNW
R W W W	"	= NW
R R W	"	= NNW

Man erkennt leicht das hiebei befolgte *System* der Signalisirung: alle Kurse der Osthälfte, Nord einbegriffen, beginnen mit Weiss oben, alle Kurse der Westhälfte Süd einbegriffen, mit Roth oben. Die acht Hauptstriche Nord, Nordost, Ost, Südost, Süd, Südwest, West, Nordwest, werden durch 4 Lichter angezeigt: WWWW, WWWR, WRRW, WRRR, ferner RRRR, RRRW, RWWR, RWWW; wer die 4 ersten kennt, errät sogleich die 4 letzten. Dagegen werden die 8 Zwischenstriche NNO, ONO, OSO, SSO, SSW, WSW, WNW, NNW durch 3 Laternen angezeigt und sind auch diese Kombinationen also bezw. WWW, WRW, WRR, WWR, ferner RRR, RWR, RWW, RRW leicht zu begreifen und aus einander abzuleiten, da überall analoge Kombinationen vorliegen, die obendrein auf den Knöpfen der Signalgriffe abgebildet sind. Der Signalgeber wird von der Kommandobrücke mit einem einzigen Griff auf die betreffende Taste die gewünschten Glühlichter erscheinen und so lange fortglühen lassen, als ihm notwendig erscheint und er sich von seinem Gegner geklärt hat.

Die Dynamomaschine ist der Art eingerichtet, dass ihre Bedienung durch 4 Mann anstandslos durchgeführt werden kann; auf Dampfern wird man sie natürlich der Maschine auf geeignete Weise übertragen.

Das System Sellner wird in engen Gewässern durch die Deutlichkeit, Schnelligkeit und Verlässlichkeit seiner Mitteilungen die Einwände gegen die andern Systeme entkräften und eine Nachtfahrt durch Kanäle ermöglichen. Desgleichen dürfte es ein vorzügliches Mittel für die Signalisirung zur Nachtzeit nach dem internationalen Signalcoden, sowie für die Verständigung zwischen ein Geschwader oder frei sich bewegenden Schiffen oder zwischen Schiffen und Semaphorstationen bieten, da ja die obige Anzahl von 16 Kombinationen grosser Erweiterung und Vermehrung fähig ist. Jedenfalls wird man bei einiger Uebung mit ihnen Nachtsignale in kürzerer Zeit geben können als jetzt die gleichen Flaggensignale bei Tage, und dadurch eine stete Kontrole und Kommunikation im Geschwader sich bewegender Schiffe auch bei Nacht zulassen.

Der ganze Apparat findet sich in hübscher Zeichnung im neuesten Heft der „Mitteilungen aus dem Gebiete des Seewesens", und verdient die Beachtung nautischer Kreise im höchsten Grade, wie sich schon aus seiner Einführung auf Schiffen der österreichischen Kriegsmarine ergiebt.

Verschiedenes.

Der erste **Subventionsdampfer „Oder"** ist programmässig am 30. Juni nach den üblichen Feierlichkeiten (Ratskeller, Bürgerpark, Etablissements, Reden) nach See gegangen. Leider vermissten wir in den überschwenglichen Schilderungen der geladenen Presse (Köln. Zeit. etc.) jede Nachricht darüber, wieviel Tons Ladung oder Passagiere der Dampfer auf seiner ersten Reise mit hinausnimmt, hören aber zu unserer Freude von anderer Seite, dass die „Oder" mit ca. 1800 To., also einer recht ansehnlichen Ladung hinausgeht.

Suezkanal-Befahrung mit Hülfe elektrischen Lichtes. Nachdem die Direktoren ihre Einwilligung gegeben hatten, durchfuhr am 22. März c. die „Carthage" als erstes Schiff den Suezkanal mit Hülfe ihres an Bord installirten elektrischen Leuchtapparats und eines vorn am Bug in 14 Fuss Höhe über dem Wasser angebrachten Bogenlichts und Reflektors. Eine Anzahl Beamte, unter ihnen der oberste Beamte des Kanaldienstes, Dessavary, nebst acht älteren Lotsen machten die Fahrt mit, welche alle Befürchtungen, als ob man bei Nacht nicht durch die schärferen Krümmungen steuern könne, über den Haufen warf. Ausser dem Licht am Vorsteven führte das Schiff noch 2 Bogenlichter 150′ von vorn, an jeder Seite eines. Die Beleuchtung war so kräftig, dass man die Bojen und die Kanalufer auf 450 m Entfernung erkennen konnte; wo die Ufer hoch waren, wirkte der weisse Sand als Reflektor. Die Lichter sollten so nahe als möglich am Wasser angebracht werden.

Hebung eines unterseeischen Schatzes. Vor einiger Zeit ging in der Nähe der Canarischen Inseln ein spanischer Dampfer „Alphons XII." unter, welcher in baarem gemünztem Gelde £ 100 000 an Bord hatte. Das Geld war in 10 Kisten enthalten, deren also jede £ 10 000 enthielt. Auf Anregung und unter Zustimmung der beteiligten Versicherungsgesellschaften hat jetzt der Dampfer „Arabian" von Greenock neun dieser Kisten mit £ 90 000 Inhalt durch Taucher emporgeschafft; die zehnte Kiste ist vergeblich gesucht.

Die **Arche Noah's** soll nach der Naut. Gaz. 525′ lang, 87′ breit und 52′.6 tief gewesen sein. Der „Great Eastern" ist 680′ lang, 83′ breit und 58′ tief. Der Rauminhalt beider Schiffe ist dabei ungefähr derselbe, da der Verlauf des eisernen „Great Eastern" an beiden Enden vorn und achter ein schmälerer ist, und deshalb das Schiff geringeren Tonnengehalt haben muss. Bevor er zur Schiffs-Ausstellung nach Liverpool ging, wollten amerikanische und englische Firmen ein — Trockendock aus ihm machen. Uebrigens haben die neuen transatlantischen Schnelldampfer die Längendimension der Arche Noah's bereits überschritten, doch halten sie nur etwas mehr als die halbe, aber noch nicht zweidrittel Breite.

Der **Jagerhäring** wird dies Jahr auch nach Holland per Dampfer angebracht, wie dies schon seit Jahren von der Emder Häringsfischerei geschieht.

Kompassstörungen als Grund von Schiffsverlusten. Das Journal of Commerce in Liverpool berichtete dieser Tage von einer Strandung, welche einem Küstendampfer und seinem seit langen Jahren in seiner Fahrt bewanderten Kapitän im Nebel gedroht habe, und nur dadurch verhindert sei, dass kurz vor dem kritischen Augenblick der Nebel sich aufgehellt und man erkannt habe, dass das Schiff 3 Sm. aus dem Wege gewesen sei. Den Grund entdeckte man nach langem Herumsuchen in der Missweisung des Kompasses, in dessen Nähe ein mit Messern etc. hausirender Krämer oder Händler seinen Korb niedergesetzt hatte. Dies erinnert an die Strandung des Raddampfers „St. Columba" im Jahre 1873, wo einige Sensenmänner auf der Fahrt von Dublin nach Liverpool sich mit ihren Sensen auf dem Radkasten niedergelassen hatten und an den Vorfall auf dem „Duke of Argyle", welches in der Fahrt zwischen Dublin und Glasgow beschäftigte Schiff sich beim Insichtkommen des Feuers vom Mull of Galloway 9 Sm. aus dem Wege befand, und wodurch? Weil eine Abteilung Infanterie sich mit dem Säbel an der Seite vor der Kommandobrücke gelagert hatte. Der Kapitän konstatirte einen Rundlauf des Kompasses, indem er die Soldaten an Deck um den Kompass herummarschiren liess.

Brockhaus' Kleines Conversations-Lexikon liegt in seiner mit zahlreichen Karten und Abbildungen ausgestatteten und völlig umgearbeiteten vierten Auflage — 2 Bände à 60 Bogen — jetzt vollständig vor. Wie sehr das allbekannte und allbeliebte Werk durch die neue Bearbeitung wieder an Brauchbarkeit gewonnen hat, ist zum öftern von uns dargethan worden; hier sei nur nochmals besonders hervorgehoben, dass der Text bis zur unmittelbaren Gegenwart reicht und man darin die wirklich neuesten Zahlen und Daten angegeben findet, die noch kein anderes Nachschlagebuch enthält. So sind zum Beispiel die Bevölkerungszahlen der grössern und mittlern deutschen Städte schon nach den Ergebnissen der letzten Volkszählung vom 1. Dec. 1885 mitgeteilt. Mehrere Tabellen über Münzen, Maasse und Gewichte, Capital- und Zinsberechnungen, vergleichende Uebersichten der Zeitunterschiede wie der Thermometer- und Barometerscalen bilden einen wertvollen Anhang. Dem Text stehen die zur Veranschaulichung und Erläuterung dienenden Illustrationen gleichwertig zur Seite: 23 geographische, astronomische, politische Karten, 1 Weltverkehrs-Karte und 68 Bildertafeln, zum Theil in Chromodruck hergestellt, und durchgehends vortrefflich ausgeführt. Brockhaus' Kleines Conversations-Lexikon hat sich als zuverlässigstes Nachschlagebuch für den Handgebrauch bereits unentbehrlich gemacht, die Vollendung der vierten Auflage desselben darf daher wohl zu den allgemein interessirenden literarischen Vorkommnissen gerechnet werden.

Verlag von H. W. Silomon in Bremen. Druck von Aug. Meyer & Dieckmann. Hamburg, Alterwall 28.

Beilage zur HANSA No. 14. 1886.

Zur Eröffnung der neuen Reichspostdampferlinien nach Ostasien und Australien.

Am 30. Juni 1886, gerade ein Jahr, nachdem der Bundesrat den Vertrag mit dem Norddeutschen Lloyd in Bremen betreffs Uebernahme der vom Staate zu subventionirenden Reichspostdampferlinien genehmigt, ist die ostasiatische Linie durch den Postdampfer „Oder", Kapitän Pfeiffer, eröffnet worden. Bei Eröffnung dieser neuen Linie liegt die Frage nahe, ob der Norddeutsche Lloyd sich wohl für das grosse Unternehmen eigne; eine Frage, die wir mit dem Herrn Staatssekretär von Bötticher dahin beantworten, dass die Reichsregierung sämmtliche seiner Zeit von den verschiedenen Dampfergesellschaften gemachten Anerbieten mit der grössten Objectivität geprüft hat und schliesslich zu der Ueberzeugung gekommen ist, dass der Bremer Lloyd dasjenige Institut sei, dem sie (die Regierung) mit vollem Vertrauen die wichtige Aufgabe in die Hände legen könne. In der That legt schon die strikte Innehaltung des von der Reichsregierung für die Abfahrt des ersten Postdampfers festgesetzten Termins Zeugnis davon ab, dass der Norddeutsche Lloyd weder Opfer noch Mühe scheut, um das ihm geschenkte Vertrauen zu rechtfertigen. Der Lloyd verspricht umsomehr allen an die neuen Linien gestellten Anforderungen zu genügen, als er jetzt eine Flotte aufzuweisen hat, die mit den grössten Dampferlinien Englands und Frankreichs in gleichem Range steht. Dazu kommt, dass diese Gesellschaft einen Stamm bewährter Beamten, Kapitäne, Offiziere und Maschinisten besitzt, der so kräftig und zahlreich ist, dass vielleicht in der ganzen Welt keine ähnliche Gesellschaft über ein solches Personal verfügt. Abgesehen von den damals im Bau befindlichen 9 neuen Dampfern (3 Schnelldampfer in Glasgow und 6 Dampfer für die neuen Linien in Stettin) bestand die Flotte des Norddeutschen Lloyd am 31. Decbr. 1885 aus 57 Dampfern von zusammen 106 838 Reg.-To. Brutto und 60 Schleppkähnen von 11 501 Reg.-To. Die Zahl der Pferdekräfte der 57 Seedampfer betrug 92 195, der Gesammtwert der Schiffe 58 800 000 ℳ.

Für die Unterhaltung der neuen Linien nach Ostasien und Australien, sowie im Mittelmeer sind im Ganzen 15 Dampfer, 12 grössere, 3 kleinere, erforderlich. Die auf Grund des Vertrages mit der Regierung in die neuen Linien einzustellenden 6 neuen Dampfer, von denen 3 für die ostasiatische und australische Anschlusslinie bestimmt sind, werden von der Maschinenbau-Actien-Gesellschaft „Vulcan" in Bredow bei Stettin gebaut. Die für die Hauptlinien bestimmten Dampfer „Preussen", „Bayern", und „Sachsen", von denen der erste voraussichtlich am 10. Juli vom Stapel laufen wird, sollen bei einer Tragfähigkeit von ca. 3 600 To. eine Geschwindigkeit von 14 Knoten entwickeln und dem Lloyd successive bis Ende October abgeliefert werden. Von den 3 Anschlussdampfern „Stettin", „Lübeck", „Danzig" sind die beiden ersteren bereits nach ihrer Station abgegangen. Diese 3 Dampfer müssen kontraktmässig eine Tragfähigkeit von ca. 1 550 To. besitzen und eine Geschwindigkeit von 12½ Knoten haben. Sämmtliche 6 Dampfer sind oder werden mit allen für die Fahrt in die Tropen erforderlichen und empfehlenswerten Einrichtungen versehen, sowie mit dem grössten Komfort für die Passagiere ausgestattet, so dass sie sich in ihrer Konstruktion und Einrichtung mit den auf denselben Linien fahrenden Postdampfern anderer Nationen in jeder Beziehung messen können. Die Instandsetzung und der Umbau der aus der transatlantischen Fahrt genommenen, in die neuen Linien einzustellenden 9 Dampfer: „Oder", „Neckar", „Salier", „Habsburg", „Hohenstaufen", „Hohenzollern", „General Werder", „Nürnberg" u. „Braunschweig" ist teilweise bereits vollendet; auch diese Dampfer werden durch Dampfsteuerung, electrische Beleuchtungsanlage, Eismaschinen neuester Konstruktion, vorzügliche Ventilation u. s. w. aufs sorgfältigste für die Tropenfahrt eingerichtet.

Da die letztgenannten 9 Dampfer, was Dimensionen, Maschinen u. s. w. anbetrifft, den Lesern der „Hansa" zur Genüge bekannt sein dürften, so beschränken wir uns hier auf eine kurze Schilderung der in Stettin gebauten neuen Dampfer. Wir beginnen mit den Dampfern „Preussen", „Sachsen" und „Bayern", welche nach den Vorschriften des Germanischen Lloyd für die 1. Klasse 100 A. 4. mit ganz besonders ausgedehnten Extraverstärkungen gebaut sind. Das Material besteht aus deutschem Stahl, geliefert von der Firma Krupp in Essen. Die Dimensionen sind folgende: Länge in der Wasserlinie 388,1', Breite 45', Tiefe vom Kiel bis Mitte Deck 33,5' englisch. Ihr Deplacement beträgt 4 000 Reg.-To. Jedes der Schiffe enthält drei von hinten nach vorn durchlaufende Decks: Ober-, Haupt- oder Gängedeck und Zwischendeck, ausserdem ein viertes sogenanntes Orlogdeck. Der Schiffskörper ist durch 8 Querschotten, von denen 6 bis zum Oberdeck reichen, in 9 Abteilungen zerlegt, deren Grösse so bemessen ist, dass 2 Abteilungen voll Wasser laufen können, ohne dass die Schiffe wegsinken. Mit den an Bord vorhandenen Pumpen können stündlich ca. 1 400 To. Wasser bewältigt werden. Auf Deck befinden sich drei Aufbauten, Back, Mittelhaus und Hütte. Das Mittelhaus erstreckt sich über eine Länge von 118', es reicht von Bord zu Bord. Für die Bequemlichkeit der Passagiere (118 1. Klasse und 28 2. Klasse) ist in jeder Weise gesorgt. Die zur 1. Kajüte gehörenden Kammern befinden sich teils im hinteren Aufbau, teils im Hauptdeck, und zwar vor, bezw. hinter dem ziemlich mittschiffs gelegenen von Bord zu Bord reichenden ca. 40' langen Salon. Letzterer wird äusserst elegant ausgestattet. An 8 querschiffs und 2 längsschiffs angeordneten Tischen können bequem 118 Personen Platz finden. Das Damenzimmer und der Niedergang werden ebenfalls sehr elegant eingerichtet. Die Räume für die Passagiere der 2. Klasse befinden sich im Hauptdeck vorn, sie bestehen aus 7 Kammern für je 4 Passagiere, einem durch Oberlicht zu erleuchtenden für 28 Personen ausreichenden, einfachen aber geschmackvoll eingerichteten Salon und den sonstigen üblichen Nebenräumen. Zur Herstellung frischen Wassers ist trotz des grossen in Tanks unterzubringenden Wasserquantums noch ein Destillirapparat von 1 000 Gallonen Leistungsfähigkeit in 24 Stunden vorgesehen. Durch sämmtliche bewohnte Räume sind Rohren für die Einblasung kalter Luft gelegt. An Rettungsapparaten werden ausser den Korkgürteln noch 6 grosse Lifeboote und 2 grosse Holzboote aufgestellt, die mit bewährten Fallapparaten versehen sind, um sie bequem zu Wasser lassen zu können. Die Segelfläche der Dampfer ist so gross bemessen, um bei defecter Maschine sich noch durch Segeln helfen zu können; deshalb ist Brigtakelung gewählt. Zum Schutz der gesammten Passagiere und Mannschaften gegen die Sonne sind über das ganze Schiff hinweg doppelte Sonnensegel angebracht. Die Hauptmaschine ist nach dem Dreicylinder-Compoundsystem gebaut, sie besitzt eine Minimal-Durchschnittsleistung von 3 500 indicirten Pferdekräften. Ausserdem befinden sich noch 12 selbständige Dampfmaschinen mit zusammen 22 Dampfcylindern und 10 hydraulischen Apparaten mit 20 hydraulischen Cylindern an Bord. Die gesammten Dampfmaschinen an Bord entwickeln eine Leistung von 4 200 indicirten Pferdekräften.

Die kleineren Dampfer „Stettin", „Lübeck" und „Danzig" sind ebenfalls nach den Vorschriften des Germanischen Lloyd für die erste Klasse 100 A. 4. mit vielen Extraverstärkungen aus deutschem Material gebaut. Ihre Dimensionen sind: Länge 260', Breite 35,5' und Raumtiefe 25,3' engl. Das Deplacement beträgt ca. 1600 Reg.-To. Die Dampfer erhalten ein Ober- und ein Zwischendeck, von hinten nach vorn durchlaufend, ausserdem ist in den beiden vordersten

Abteilungen zur Verstärkung und besseren Raumeinteilung noch ein drittes Deck angeordnet. Die Einrichtung mit den wasserdichten Schotten ist dieselbe wie bei den grösseren Dampfern. Alle Räume sind mit starken Pumpen versehen, die zusammen stündlich 820 To. Wasser aufwerfen können. Auf dem Oberdeck befinden sich drei Aufbauten: Back, Brückenhaus und Hütte. Das Mittelhaus erstreckt sich über eine Länge von 88', es reicht von einer Schiffsseite zur andern. In dem hinteren Hause, das frei auf Deck steht, befindet sich ausser verschiedenen Kammern I. Klasse der sehr elegante durch ein geschmackvolles Oberlicht sowie grosse Seitenfenster gut erhellte und ventilirte Salon I. Klasse, der bequemen Platz für 28 Passagiere bietet. Die Kajüten und der Salon II. Klasse sind im Zwischendeck angeordnet, durch ein hübsches Treppenhaus zugänglich. Alle bewohnten Räume und die Leuchttürme erhalten elektrische Beleuchtung, ebenso wie auf den grossen Dampfern. Einschliesslich der Hauptmaschine, welche nach dem Dreicylinder-Compoundsystem gebaut ist und eine Minimal-Durchschnittsleistung von 1500 indicirten Pferdekräften besitzt, befinden sich an Bord 19 selbstständige Dampfmaschinen mit zusammen 33 Dampfcylindern, welche eine Gesamtleistung von ca. 2100 indicirten P. K. ausgeben. Sämtliche subventionirte Dampfer sind aussenbords mit einem grauen Anstrich versehen, damit ihre inneren Räume so wenig wie möglich von den Strahlen der Tropensonne überhitzt werden.

Wie wir hören, werden in die Ostasiatische Linie eingestellt die Dampfer: „Oder", „Neckar", „Preussen", „Bayern", „Sachsen"; in die Australische Linie: „Salier", „Habsburg", „Hohenstaufen", „Hohenzollern", „General Werder". Für die Fahrt im Mittelmeer sind die Dampfer „Braunschweig" und „Nürnberg" bestimmt, (die „Braunschweig" ging am 23. Juni von der Weser nach dem Mittelmeer ab) welche zwischen Triest, Brindisi und Alexandrien verkehren. Die Verbindung zwischen China und Japan bewirkt der Anschluss-Dampfer „Stettin", diejenige zwischen Sidney und den Samoa-Inseln der Dampfer „Lübeck". Zur Verbindung zwischen Alexandrien und Port Said wird der Anschlussdampfer „Danzig" dienen. Die „Stettin" ist am 21. Juni von Bremerhaven via Southampton nach Hongkong abgegangen, die „Lübeck" ist am 29. Juni von Stettin in Bremerhaven angelangt, um in diesen Tagen von dort nach ihrem Bestimmungsort in See zu gehen.

Es erübrigt noch, zu prüfen, ob die neuen Postdampferlinien wohl im Stande sein werden, ihre Rundreisen in der von der Reichsregierung vorgeschriebenen Zeit zurückzulegen. Laut Anschlag der Regierung wird die Rundreise nach Ostasien 110, diejenige nach Australien 120 Tage beanspruchen. Betrachten wir zunächst die Ostasiatische Linie. Die Distanz von Bremen nach Shanghai beträgt 11 272 Sm. Bei einer Durchschnittsfahrt von 13 Knoten würden die Dampfer laut untenstehender Tabelle jene Distanz ohne Aufenthalt in 36 Tagen durchlaufen:

Von Bremen	nach	Antwerpen ...	252	Sm.	0,8 Tg.
„ Antwerpen	„	Cap Finisterre	700	„	4,5 „ (for both rows)
„ Cap Finisterre.	„	Gibraltar	700	„	
„ Gibraltar	„	Port Said ...	2090	„	6,75 „
„ Port Said	„	Aden	1320	„	4,25 „
„ Aden	„	Colombo	2310	„	7,4 „
„ Colombo	„	Singapore....	1680	„	5,4 „
„ Singapore	„	Hongkong ...	1380	„	4,25 „
„ Hongkong	„	Shanghai	840	„	2,75 „
			11 272	Sm.	36 Tg.

Wenn man den Aufenthalt in den verschiedenen Anlaufplätzen mit 2 Tagen für Antwerpen, je 1 für Port Said, Suez-Kanal, Aden und Colombo (letztere beiden zus.) und Singapore, 3 für Hongkong berechnet, so ergiebt sich eine Reisedauer von 45 Tagen. Bringt man für die Endstation Shanghai, wo der grösste Teil der heimwärts bestimmten Ladung erwartet wird, wo auch der Anschluss des von Japan kommenden Dampfers erfolgt, 8 Tage in Rechnung, so würde die ganze Rundreise nach Ostasien ca. 3 Monate und 8 Tage beanspruchen.

Wenden wir uns jetzt zur Australischen Linie. Die Entfernung von Bremen bis Sidney beträgt 11 872 Sm. Bei einer Durchschnittsfahrt von 12 Knoten würden die australischen Dampfer jene Distanz ohne Aufenthalt in 41 Tagen zurücklegen:

Von Bremen	nach	Antwerpen	252	Sm.	0,8 Tg
„ Antwerpen	„	Cap Finisterre.	700	„	4,8 „ (for both rows)
„ Cap Finisterre.	„	Gibraltar	700	„	
„ Gibraltar	„	Port Said	2090	„	7,3 „
„ Port Said	„	Aden	1320	„	4,6 „
„ Aden	„	Colombo	2310	„	8,0 „
„ Colombo	„	Keeling Island .	1470	„	5,1 „
„ Keeling Island	„	Port Adelaide .	1800	„	6,3 „
„ Port Adelaide	„	Melbourne	480	„	1,6 „
„ Melbourne	„	Sidney	750	„	2,6 „
			11 872	Sm.	41 Tge

Berechnet man den mutmasslichen Gesamt-Aufenthalt in den verschiedenen Häfen mit 10 Tagen, so stellt sich die Reisedauer auf 51 Tage. Hierzu kommt ein vielleicht achttägiger Aufenthalt in der Endstation Sidney, wo der Anschluss des von den Samoa-Inseln etc. kommenden Dampfers erfolgt, so dass die ganze Rundreise nach Australien 3 Monate 20 Tage in Anspruch nehmen würde. Nun können die vom Nordd. Lloyd eingestellten Dampfer aber in der That 14 und 13 Sm. per Stunde statt der von uns vorgesehenen 13 und 12 Sm. zurücklegen, ausserdem sollen die Rundreisen nach Ostasien und Australien laut Anschlag der Regierung 110 und 120 Tage, statt der von uns berechneten 98 und 110 Tage beanspruchen, so dass es keinem Zweifel unterliegt, die neuen Postdampfer werden ihre Bedingungen betreffs der Schnelligkeit erfüllen.

Die für die Fahrt im Mittelmeer bestimmten Dampfer „Braunschweig" und „Nürnberg" gehen von Triest via Brindisi nach Alexandrien und zurück. Die Distanz von Triest nach Brindisi beträgt 340 Sm., von Brindisi nach Alexandrien 810 Sm., zusammen 1150 Sm. Bei 11 Knoten Durchschnitts-Geschwindigkeit würden die Dampfer ohne Aufenthalt die Rundreise in 9 Tagen zurücklegen. Briefsendungen, welche auf den neuen Postdampferlinien nach Ostasien und Australien Beförderung erhalten sollen, werden den von Triest ausgehenden Dampfern „Braunschweig" und „Nürnberg" in Brindisi zugeführt, von da nach Alexandrien überbracht, von wo die deutsche Post mit der Eisenbahn bis Suez befördert wird, um auf die Dampfer der Hauptlinie nach Asien und Australien überzugehen.

Von dieser fahrplanmässigen Einrichtung muss einstweilen wegen der Quarantäne in Alexandrien insofern abgewichen werden, als die genannten beiden Dampfer vorläufig nicht nach Alexandrien sondern nach Port Said fahren und dort die Post an die Dampfer der Hauptlinie abgeben. Zum Schluss sei noch erwähnt, dass die neuen Verbindungen mit Ostasien und Australien für Postsendungen nach den bezeichneten überseeischen Ländern eine besonders vorteilhafte Beförderungsgelegenheit bieten, da die Dauer der Ueberfahrt in Folge der festgesetzten Fahrgeschwindigkeit um mehrere Tage geringer ist, als bei den auf denselben Linien bereits verkehrenden Postdampfern anderer Nationen.

Schliessen wir diese Bemerkungen mit dem Wunsche, dass die nunmehr eröffnete Reichspostdampferverbindung mit Ostasien und Australien die daran geknüpften Hoffnungen in jeder Richtung erfüllen, dass das ganze Unternehmen unserm Vaterlande zum Segen gereichen möge.

E. Bournot.

Verlag von G. W. Sülzmann in Bremen. Druck von Aug. Meyer & Dieckmann. Hamburg. Alterwall 88.

Redigirt und herausgegeben
von
W. von Freeden, BONN, Thomasstrasse 1.
Telegramm-Adresse:
Freeden Bonn,
oder
Hansa Alterwall 28 Hamburg.

Verlag von *H. W. Silomon* in Bremen. Die „*Hansa*" erscheint jeden 2ten Sonntag. **Bestellungen** auf die „*Hansa*" nehmen alle Buchhandlungen, sowie alle Postämter und Zeitungsexpeditionen entgegen, desgl. die Redaktion in Bonn, Thomasstrasse 1, die Verlagshandlung in Bremen, Obernstrasse 11 und die Druckerei in Hamburg, Alterwall 28. Sendungen für die Redaktion oder Expedition werden an den letztgenannten drei Stellen angenommen. **Abonnement** jederzeit, frühere Nummern werden nachgeliefert.

Abonnementspreis:
vierteljährlich für Hamburg 2½ ℳ,
für auswärts 3 ℳ = 3 sh. Sterl.
Einzelne Nummern 60 ₰ = 6 d.

Wegen Inserate, welche mit 25 ₰ die Petitzeile oder deren Raum berechnet werden, beliebe man sich an die Verlagshandlung in Bremen oder die Expedition in Hamburg oder die Redaktion in Bonn zu wenden.

Frühere, komplete, gebundene Jahrgänge v. 1872, 1874, 1876, 1877, 1878, 1879, 1880, 1881, 1882, 1883, 1884, 1885 sind durch alle Buchhandlungen, sowie durch die Redaktion, die Druckerei und die Verlagshandlung zu beziehen. Preis ℳ 6; für letzten und vorletzten Jahrgang ℳ 8.

Zeitschrift für Seewesen.

No. 15. **HAMBURG, Sonntag, den 25. Juli 1886.** **23.** Jahrgang.

Inhalt:

Hiezu eine Beilage, enthaltend:
Prospekt aus dem Verlage von Ferdinand Enke in Stuttgart.

Die Jahresversammlung der britischen Schiffsbaumeister und Schiffsmaschinenbauer

brachte auch dies Jahr wieder eine solche Fülle interessanter Vorträge, dass wir uns nicht versagen können, unsern Lesern einen kurzen Bericht darüber vorzutragen, welchen die Juniausgabe des Naut. Mag. kürzlich enthielt. Wir halten uns dazu um somehr verpflichtet, als ein in unserm Lande bestehender Verein nur dem Namen nach eine gewisse Aehnlichkeit mit dem britischen hat, ohne aber sonstige Lebenszeichen von sich zu geben. In England wetteifern dagegen Handels- und Kriegsmarine, sich gegenseitig die neuesten Fortschritte ihrer Wissenschaft und ihres Gewerbes mitzuteilen.

Der neue Generaldirector der Schiffsbauten, *W. H. White, eröffnete* die Vorträge mit einer Schilderung der *„Geschwindigkeitsmessungen neuerer Kriegsschiffe"*.

In den ersten zwanzig Jahren nach dem Auftreten der Panzerschiffe, deren Reigen der „Warrior" eröffnete, betrug die höchste erreichte Geschwindigkeit zwischen 14 und 15 Knoten; jetzt erreicht eine grosse Anzahl der schwimmenden Panzerfahrzeuge eine Geschwindigkeit von 16 bis 17½ Knoten in der gemessenen Meile und die von Italien gebauten grössten Schiffe dieser Art überschreiten sogar diese Grenzen. Dieser neue Aufschwung in der britischen Marine datirt von 1878, als die Zeichnungen des „Colossus" und „Edinburgh" vorbereitet wurden. Es sollte damals eine von allen bisherigen Schiffsformen abweichende Zeichnung zu Grunde gelegt werden. Der „Warrior" war 380' lang, die neuen Schiffe nur 325', und doch wurde angenommen, dass die letztern sparsamer würden bewegt werden als das erstere. Schiffe nach der neuen Zeichnung hatten eine um 8000 To. grössere Wasserverdrängung als der „Warrior", bei gleich grosser eingetauchter Oberfläche, und zu der grössten Geschwindigkeit des „Warrior" von 14,35 Kn. gebrauchen sie nicht mehr Kohlen als jener, können aber ihre Geschwindigkeit bis auf 17 Kn. steigern. Die neuen Panzerschiffe haben natürlich einen viel grössern Mittschiffs-Durchschnitt, woraus folgt, dass der „Mittschiffs-Durchschnitts-Coefficient" als Probe der Leistungsfähigkeit abweichender Schiffsformen von keinem Wert ist.

Das Verhältnis des Gewichts der Maschinen zu der indizirten Pferdekraft war bei dem „Warrior" der Art geregelt, dass jede Ton (20 Centner) Maschinengewicht 6 Pferdekräfte ergab; beim „Bellerophon" ergab sie 6⅔, in „Imperieuse" und „Collingwood" 7⅔ bis 8, und in einem spätern Schiffe der „Admiral" Klasse „Howe" sogar 10 P. K. Viele Ursachen haben zu dieser Verringerung des Maschinengewichts beigetragen, namentlich die Einführung des künstlichen Zuges und die grössere Umdrehungsgeschwindigkeit der Welle; in zweiter Linie auch die Verwendung von Stahl, Schmiedeeisen und Messing zu vielen sonst von Gusseisen hergestellten Maschinenteilen. Die Ersparnis betrifft aber nur das Gewicht, nicht die Kosten. Auch ist hervorzuheben, dass die Ansprüche der Kriegs- und Handelsschiffe an Geschwindigkeit durchaus verschieden sind. Letztere werden gebaut und maschinirt, um in einem fort mit einer gewissen höchsten Fahrgeschwindigkeit zu laufen, erstere kreuzen gewöhnlich bei geringer Geschwindigkeit, müssen aber befähigt sein, auf Verlangen mit sehr grosser Schnelligkeit sich zu bewegen.

Diesem Vortrage folgten am ersten Tage noch zwei weitere von *J. H. Heck:*

„über ein verbessertes mechanisches Verfahren zur Bestimmung der Stabilität eines Schiffes"

und von *C. E. Stromeyer:*

„über einen Spannungs-Anzeiger für Seegebrauch".

Heck hatte schon auf der vorigjährigen Versammlung eine sehr sinnreiche Maschine vorgeführt zur Vereinfachung der Berechnung der Stabilitäts-Curve oder vielmehr um der Schwierigkeit vorzubeugen, dass Rechner immer eines Modells, dessen innere Oberfläche die Querschnitte des teilweise mit Wasser gefüllten Schiffs vorstellt, und einer Stabilitätswage bedürfen, durch welche das Stabilitätsmoment, bei verschiedenen Neigungswinkeln, thatsächlich gewogen werden konnte. Für die diesjährige Versammlung hatte er eine ganz neue Maschine erfunden, bei welcher er Modelle verwendet, deren äussere Oberflächen Querschnitte des Schiffs vorstellen. Hecks Erfindung erscheint von grossem praktischen Wert, um Arbeit und Zeit in Fällen zu sparen, wo eine vollständige Berechnung der Stabilität eines Schiffes bei verschiedenem Tiefgange und Neigungswinkel erfordert wird. *Stromeyers* Instrument scheint einen bestimmten Fortschritt in der Marinewissenschaft anzudeuten. Bislang war mit mehr oder minder Erfolg versucht, vermittelst Rechnung die Spannungen zu bestimmen, denen gewisse Teile des Schiffskörpers ausgesetzt werden; Stromeyer schlägt dagegen vor sein Instrument an den zu prüfenden Schiffsstellen zu befestigen und dann die thatsächlichen Spannungen einfach abzulesen. Wir können das Instrument hier nicht im Einzelnen beschreiben, aber es wurden eine Menge Anwendungen desselben vorgeführt, welche so gute Resultate ergaben, dass man dem Instrument eine nützliche Zukunft prophezeien darf.

Am *zweiten* Sitzungstage hielt zunächst der erste Besichtiger von Lloyds, *B. Martell*, einen Vortrag über:

„die vermehrte Verwendung des weichen Stahls zum Schiffbau auf Grund achtjähriger Erfahrungen“.

Nachdem Martell hervorgehoben, dass die französische Regierung und die britische Admiralität zuerst den weichen Stahl zum Schiffbau verwandt haben, schilderte er die Geschichte seiner Verwendung in der Handelsmarine, welche zuerst im Jahre 1877 beim Bau zweier zur Beförderung von Passagieren über den Kanal bestimmten Raddampfer Platz griff. Bei ihnen liess man eine Verringerung um 20 pCt. in den für eiserne Schiffe vorgeschriebenen Verbandstücken zu; kurz darauf veröffentlichten Lloyds ihre „Vorschriften beim Bau von Stahlschiffen“. In Folge dessen wurden im folgenden Jahre schon 7 Stahldampfer von rund 4 490 To. im Schiffs-Register von 1878 klassifizirt. Im nächsten Jahre stockte der Fortschritt ein wenig, da nur 8 Dampfer, aber von 14 300 To., und 1 Segelschiff von 1700 To. gebaut und klassifizirt wurden. Ein Haupthindernis der allgemeinern Verwendung des neuen Materials bildeten die Kosten für die Stärkeproben auf den Werften, und darin wurde erst 1880 eine günstige Aenderung herbeigeführt, als in den verschiedenen Stahlwerken Besichtiger angestellt wurden, welche diese Proben vornahmen, bevor der Stahl in den Consum überging. Diese Maassregel befriedigte sowohl die Stahlverfertiger als die Schiffbauer und ersparte viel Zeit und Geld, da es nun nicht länger Material zurückzuweisen gab, welches bereits zur Werft gebracht war. Im Jahre 1880 wurden schon 21 Dampfer von 34031 To. und 2 Segler von 1312 To. klassifizirt und im Jahre 1881 ebensoviel. Aber erst im Jahre 1882 nahm die Verwendung des neuen Materials reissend zu: 61 Dampfer von 125 811 To. wurden klassifizirt, gegenüber 525 eisernen Schiffen von 851 075 To. Im Jahre 1883, als die Bauthätigkeit auf den Schiffswerften ihren Höhepunkt mit 1 100 000 To. bei Lloyds klassifizirter Eisen- und Stahlschiffe erreichte, betrugen die Stahlschiffe 14 pCt. der ganzen Tonnenzahl. Im Jahre 1884 erreichte der Procentsatz der Stahlschiffe 16, im verflossenen Jahre 1885 sogar 30 pCt. der Gesamttonnenzahl.

Martell sprach dann weiter über

„die Totalverlüste von Dampfschiffen in den letzten 8 Jahren“.

Die ganze Zahl derselben betrug nur 7, und von ihnen rührte eine von Strandung, eine zweite von Kollision mit einem Eisberg und eine dritte von Kollision mit einem andern Schiffe her. Kürzlich sind sämtliche Besichtiger von Lloyds aufgefordert, über ihre Wahrnehmungen in Bezug auf die jetzt vorgeschriebene Art der Besichtigung der Stahlschiffe zu berichten, damit man sich eine Ansicht über die Fragen der Stärke und Dauerhaftigkeit dieser Fahrzeuge bilden könne; bereits liegen spezielle Berichte über 60 Schiffe vor. Martell verlas 8 der bemerkenswertesten derselben; unter ihnen erregen das meiste Interesse:

Der Dampfer „Warwick“, [illegible] To., [illegible] gebaut, litt Schaden durch Strandung im St. Lorenzfluss. Er wurde abgebracht, notdürftig ausgebessert und zur gründlichen Reparatur über den Ocean nach England geschickt. Der ganze äussere Boden war eingedrückt, doch war keine Spannung in dem Stoss der Aussenplatten oberhalb der Bilge zu erkennen. Die Besichtiger schätzten die Beschädigung des Bodens von so grosser Bedeutung, dass das Schiff, wenn es von Eisen gebaut gewesen wäre, notwendig wäre zertrümmert worden.

Der Dampfer „Duke of Westminster“, 3 726 To., strandete beladen auf der Insel Wight, und wurde mehrere Tage hindurch während schweren Wetters auf dem Strande umhergeworfen. Endlich gelang es ihn abzubringen und nach London in ein Trockendock zu schaffen. Die Untersuchung ergab, dass die Bodenplatten fast alle, vorn sowohl als achter, zwischen den Spanten eingedrückt waren und entfernt werden mussten. Es braucht nicht hervorgehoben zu werden, dass Eisenplatten unter ähnlichen Umständen gebrochen wären.*)

Der Dampfer „India“, 2 634 To., kam beladen zu Grund, wurde ohne Leck abgebracht und in ein Trockendock geschleppt, wo sich herausstellte, dass Kiel und Boden ungefähr 5 Zoll in die Höhe gebogen aber nirgends gebrochen waren.

Die Erfahrung lehrt, dass *Stahlschiffe* dem *Rost* nicht mehr als eiserne unterworfen sind, besonders wenn der vom Walzen herrührende Glühspahn vor der Verwendung säuberlich entfernt wird. Ueber die wichtige Frage der Wirkung örtlicher Erhitzung von Stahlplatten konnte Martell auf Grund eines Falls berichten, in welchem ein grosser in Newyork liegender Dampfer von einem auf dem Warf ausgebrochenen starken Brande zu leiden hatte. Es stellte sich heraus, dass die Seitenplatten zwischen den Spanten sich etwas verbogen hatten, einige obere Platten zersprengt und die Stösse durch plötzliche Abkühlung auseinander gerissen waren. Der Hauptplattengang unter dem Schanddeck und noch ein Plattengang darunter waren an einer Stelle mittendurch gebrochen. Die zerbrochenen Platten wurden teils ersetzt teils durch äussere doppelte Bänder für die Hausreise verstärkt. Am dritten Tage der Rückreise wurde, als das Wetter stürmisch wurde und das Schiff schwer rollte, ein lauter Knall gehört und entdeckt, dass der Hauptplattengang unter dem Schanddeck und die zwei nächsten Plattengänge unter demselben in einiger Entfernung von der ersten Bruchstelle entzwei gebrochen waren. Am nächsten Tage hörte man einen neuen lauten Knall und fand, dass 24 Fuss hinter dem letzten Bruch die Platte über dem Plankengang unter dem Schanddek und eine Doppelplatte über demselben zerbrochen waren.

Martell verbreitete sich darauf noch ziemlich ausführlich über die Frage der Reparatur von Stahlschiffen mit besonderer Bezugnahme auf die Fälle, wo beschädigte Platten wieder ausgewalzt und verwandt werden oder nicht, und beschloss seinen gehaltvollen Vortrag mit einer Besprechung von durch den basischen Process bereiteten Stahl. Bis jetzt hat man an diesem Stahl noch nicht

---

* *Anm. d. Red.* Das möchten wir doch nicht ohne weiteres unterschreiben. In den siebenziger Jahren strandete ein Hamburger Dampfer, wars nicht die „Saxonia“, auf dem NW Riff von Helgoland, lag den ganzen Winter allen Stürmen der Nordsee preisgegeben da, und wurde erst im Frühjahr abgebracht; das – eiserne – Schiff soll noch ganz leidlich erhalten geblieben sein. Und der „Great Western“ in der Bantry Bai 1846! Freilich betrug die Plattenstärke damals etwas mehr als jetzt, vergl. „Oregon“.

jene gleichmässige Dehnbarkeit und Stärke wahrgenommen, welche für Schiffbauzwecke bei den dort vorkommenden starken Spannungen wünschenswert ist, und daher lässt der Ausschuss von Lloyds Register ihn für die bei ihm zu klassifizirenden Schiffe bis jetzt nicht zu.

Ein anderer *„Stahl“-Vortrag* über die

„Gegenwärtigen Aussichten für weichen Stahl beim Schiffbau“,

wurde von *J. Ward* gehalten, einem Mitgliede der Firma: Denny & Co. in Dumbarton. Ward machte zunächst darauf aufmerksam, dass der Stahl einen solchen Preisstand erreicht habe, dass man Segelschiffe am Clyde um denselben Preis bauen könne als eiserne von gleicher Grösse. Er erwähnte dann, dass seine Firma 80 Stahlschiffe von 118 800 To. gross Reg. gebaut und dazu 51 000 To. weichen Stahl verwandt habe; beim Verarbeiten dieses Materials haben sie sich von dem allgemeinen Grundsatz leiten lassen, dass, wenn der Stahl nicht ebenso rohe Behandlung vertrage als das Eisen, er als nicht geeignet zur Verwendung auf der Schiffswerfte anzusehen sei. Aber nach ihrer Erfahrung erfülle Stahl besser als Eisen gerechte Ansprüche. Oertliche Erhitzung des Stahls, ohne nachfolgendes Anlassen wird von Autoritäten über den Stahl, wie auch vom Lloyd Register getadelt; aber dessen Besichtiger gestatten es wie andere Leute in praxi. Die Admiralität gestattet örtliche Erhitzung, und das ist beim Bau ihrer Schiffe auch nötig wegen der schwierigen Beschaffenheit der wasserdichten Arbeit. Dass Stahl nach einer Erhitzung bis zur blauen Farbe brechen könne, wird vielfach behauptet; nach seiner Erfahrung kommt es äusserst selten vor. Ward empfiehlt aufs eindringlichste die Verwendung von stählernen Nieten in Stahlschiffen und lenkte auch die Aufmerksamkeit auf die bessere Erhaltung der Stahlplatten in dünnen Flussschiffen durch Galvanisation. Eisenplatten werden freilich durch Galvanisiren geschwächt, aber beim Stahl findet das Entgegengesetzte statt: die Streckkraft wird vergrössert, ohne dass er Einbusse an seiner Dehnbarkeit erleidet, wie Ward aus vielen Beispielen im Einzelnen nachwies.

Die Besprechung dieser beiden Vorträge gab, wie zu erwarten stand, Anlass zu lebhaftestem Meinungsaustausch. *Gilchrist*, einer der Erfinder des basischen Stahlprocesses, verteidigte in geistreicher lebhafter Weise das von ihm vertretene Material und behauptete, dass, soweit seine Kunde reiche, einige der angeführten Misserfolge basischen Stahls mit Stahlsorten vorgekommen seien, welche mit basischem Stahl keine Aehnlichkeit hatten. In Oesterreich fertige man basischen Stahl mit vollständigem Erfolge an und sei derselbe ebensogut als der Siemens- oder Bessemer-Stahl. *White* theilte darauf noch mit, dass die Admiralität sich entschlossen habe, eine Anzahl Versuche mit basischem Stahl anzustellen, und dass es von ihrem Ausgange abhängen würde, ob das Material zu Marinebauten zugelassen werden solle.

Der nächste Vortrag verbreitete sich über

„die Verwendung von Stahlguss an Stelle von Schmiedearbeiten aus Eisen oder von Messingguss“,

den *J. C. Warren*, Vorsitzer des Admiralitäts-Ausschusses über Stahlguss hielt. In einem schon früher an die Admiralität erstatteten Bericht hatte Warren dargelegt, dass kleine Gussstücke vom besten Tiegelstahl sich auffallend zähe, dehnbar und gleichmässig erwiesen, während von anderm Stahl gemachte kleine Gussstücke ungenügend und ungeeignet für den königl. Dienst befunden seien. Grössere Gussstücke würden indessen von jeder Stahlsorte gemacht werden können. Die kleinen Stahlgüsse seien zudem 50 pCt. billiger als eiserne Schmiedearbeiten von demselben Gewicht, und da man jene gar nicht so schwer wie die letztern herzustellen braucht, so ist die Ersparnis noch grösser; noch bedeutender würde dieselbe gegenüber Messingguss ausfallen, was bei Kriegsschiffen besonders zu einer grossen Ersparnis führen würde. Da aber Stahl auch zu den schweren Gussstücken, wie Hintersteven, Ruder, Vordersteven verwandt werden könne, so stellte die Kommission grosse Ersparnisse an Kosten, sowie in Gewicht und Zeit in Aussicht.

Der *dritte Sitzungstag* brachte zwei Vorträge

„über künstlichen Zug“

von *R. Sennett* von der Admiralität, und von *J. Howden*. Dieselben berichteten über neuere praktische Versuche damit, boten aber sonst wenig Neues. Ihnen folgte ein Vortrag von *L. Baxter*

„über die neuen Verbesserungen in der Herstellung von Ankertauen und der Verstauung von Ankern“,

in welcher Baxter die Verbesserungen an Spillen und Winden von 1850 an bis zur Gegenwart schilderte, hauptsächlich soweit sie die königl. Marine betreffen. Auch legte er einen von ihm gemachten Vorschlag dar, wie man das „Katten“ und „Fischen“ der Anker umgehen könne, welche Arbeiten auf den mit einem Sporn versehenen Schiffen der königl. Marine oft grosse Schwierigkeiten und Umstände veranlassen.

„Die Erfahrungen über die Fortbewegung durch 3 Schrauben“

von *Marchal*, einem Franzosen, vorgetragen, beschränkten sich auf die Versuche mit einigen französischen Kriegsschiffen, welche zum praktischen Studium der Frage, wie und wo man 3 Schrauben an Schiffen anbringen könne, mit solchen versehen worden waren. Ihnen folgte ein wertvoller Vortrag von *R. E. Froude* über

„die Bestimmung der passendsten Dimensionen von Schiffsschrauben“,

welcher indessen einen so streng wissenschaftlichen Character hatte, dass ein verständlicher Auszug zu schwierig fallen dürfte. Auch der Vortrag des französischen Admirals *Paris*,

„Beschreibung eines Instruments zur Analyse des Rollens“

erregte kein allgemeines Interesse. Ihm folgte ein Bericht über einen

„Vorschlag zu einem Dampfrettungsboot unter spezieller Berücksichtigung seiner Stabilität“

von *L. Benjamin* und *J. M. H. Taylor*; von dem Boot, dessen Dimensionen zu 56′ Länge, 16½′ Breite und 3′ Tiefgang, Kiel eingeschlossen, angegeben wurden, lag ein Modell vor. Es soll bewegt werden durch 4 mittschiffs in Rillen des Schiffsbodens angebrachte Schrauben, welche durch diese Lage vor Kollision mit dem Wrack behütet werden. Das Boot führt ein Deck, mit einem hohen mit domartiger Spitze versehenen Deckhaus, wodurch es soviel Stabilität erlangt, dass es sich selbst wieder aufrichten kann. Es kann 70 Schiffbrüchige unter Deck und weitere 70 auf Deck aufnehmen.

In einer Abendsitzung wurden noch folgende Vorträge verlesen:

„über den Umbau von Compound-Maschinen in dreifache Expansionsmaschinen“ von *H. A. B. Cole*,

„über bewegliche Schrauben und Kurbellager statt fester für Seeschiffe“ von *J. F. Hall*,

„über eine neue Art Rudergeschirr zur Angabe der Ruderspannung“ von *A. J. Maginnis*.

Selbst als noch ein *vierter* Tag hinzugenommen wurde, war die Reihe der Vorträge noch nicht erschöpft;

„Neue Messungen der Drehkraft von Schraubenschiffen“ von Kapt. *P. H. Colomb* und

„die Stärke der Schotten“ von *T. H. Read*

wussten sich noch Gehör zu verschaffen. Namentlich erregte die wissenschaftliche Untersuchung der Spannungen in den Platten und Rahmen der Schotten von verschiedener Bauart und Grösse grosse Aufmerksamkeit, da der Fall angenommen war, dass die eine Abteilung des Schiffs mit Wasser gefüllt sei.

Jedenfalls werden sich die Teilnehmer der Jahresversammlung nicht über den Mangel an Anregungen aller Art zu beklagen gehabt haben.

Die Klagen über englische Geschützlieferungen.

Verschiedene Ereignisse haben in England grosse Besorgnisse erregt, ob die schweren Geschütze, womit die englischen Kriegsschiffe und Forts armirt sind, gerechten Anforderungen genügen. Die „Woolwich Infants" von 35 Tons Gewicht und die 43 Tons Geschütze, welche die vor einigen Jahren von Sir W. Armstrong & Co. in Elswick errichtete Geschütz-, Schiffs- und Maschinenfabrik für die britische Flotte geliefert haben, sind [illegible] von dem Verdacht betroffen, als ob sie im Grunde nutzloses Kriegsmaterial seien, und deshalb ihre Verwendung einer öffentlichen Gefahr gleichkäme. Das Bersten eines Woolwich-Geschützes auf dem „Thunderer" in der Besika-Bai, von einem traurigen Verlust an Menschenleben begleitet, wurde freilich einer doppelten Ladung zugeschrieben, aber Zweifler bestreiten die Möglichkeit, dass ein solches Versehen von der Bedienungsmannschaft nicht sollte bemerkt worden sein, behaupten vielmehr, dass die angestellte Untersuchung nur bewiesen habe, dass eine doppelte Ladung allerdings das Auseinandersprengen eines solchen Geschützes zur Folge haben würde. Neuerdings ist nun auf dem „Collingwood" der absonderliche Vorfall passirt, dass beim Abfeuern eines Probeschusses aus einem Elswick Geschütz von 43 Tons der ganze Vorderteil des Geschützlaufs mit der hineingeladenen Granate abgeflogen ist und das Weite gesucht hat, glücklicherweise ohne einen Mann der Besatzung mit ins Verderben zu ziehen. In diesem Falle hat sich die öffentliche Stimme gegen die von der Elswick-Firma beliebte Bohrung der Kanone gerichtet. Sie soll annähernd eine Nachahmung des bei Jagdflinten beliebten Systems sein, wonach die Mündung des Laufs ein etwas engeres Kaliber erhält, als der hintere Teil desselben. Die Schrotladung accommodirt sich dieser Zusammendrängung der einzelnen Schrotkörner und der Schuss tritt mit vermehrter Anfangsgeschwindigkeit aus. Aber jeder Jäger weiss, dass diese Verengung des Laufs ihre gemessenen Grenzen hat und dass, wenn zufällig durch Erde, Blätter oder gar Lehm, Klei u. s. w. eine auch nur anscheinend unbeträchtliche Verstopfung des Laufs stattgefunden haben sollte, er sich beim Abfeuern der Flinte der grössten Gefahr aussetzt, die Flinte zu zersprengen, wenigstens das vorderste Ende des Laufs zu zertrümmern, da der Schuss keine Zeit findet, die verstopfenden Materialien zu beseitigen und deshalb einen seitlichen Ausgang sucht. Es fällt darum Niemanden ein, aus einem solchen nach vorn stärker verjüngten Lauf eines Hinterladers eine massive Kugel abzufeuern, während man aus einem überall gleich weiten Lauf solches ohne Anstand wagen darf. Die Collingwood-Kanone ist nun nicht etwa vorn verengt gewesen, weil das sich bei einem 700pfdg. Granaten feuernden Geschütz von selbst verbietet, dagegen hat man bei dieser Geschützsorte den Drall vermehrt, um so durch Erschwerung des Durchgangs der Granate durch die stärker gewundenen Züge eine ähnliche Wirkung wie bei den Jagdflinten modernen Stils zu erzielen. Die Geschützwände haben aber der dadurch vermehrten Spannung in longitudinaler und radialer Richtung nicht widerstehen können, und so ist ein grosser Teil des Laufs beim Abfeuern mitgerissen worden.

Die erregte öffentliche Meinung hat nun eine offizielle Untersuchung des Departements der Königl. Admiralität gefordert, welchem das Geschützwesen untergeordnet ist. Dieselbe ist nicht beliebt worden. Man hat dabei an den Ankauf der für Brasilien bestellten, aber von diesem Staate nicht abgenommenen Fregatte „Independencia", jetzt „Neptune", erinnert, und angefragt, warum die von der dritten grossen Geschützfirma Englands*), nämlich von Whitworth, für die Armirung der „Independencia" gelieferten Kanonen, trotzdem sie mitsamt dem Schiffe übernommen und bezahlt waren, sofort, ohne sie nur einmal zu probiren, aus dem Schiff „Neptune" entfernt und durch Woolwich und Elswick-Geschütze ersetzt seien. Woher stamme diese rücksichtslose Liebhaberei für die letztere Art Geschütze, da doch Whitworth dafür bekannt sei, dass er „das beste Material verwende, als ausgezeichneter Techniker des besten Rufes sich erfreue, seine Arbeiten als tadellos anerkannt seien und er sich rastlos bemühe, seinem Geschützsystem Eingang auf der Flotte, auch des eigenen Landes zu verschaffen."

Wo innere Gründe zur Erklärung gewisser Vorkommnisse fehlen, werden natürlich ausserhalb der Sache liegende aufgesucht. Die Vorliebe der englischen Admiralität für nicht probebeständige Produkte der Elswick Firma musste doch einen Grund haben und leider will man denselben an einer Stelle gefunden haben, die nicht geeignet erscheint, die Integrität der englischen Staatsdiener vor dem Verdacht schwerster Versuchung zu bewahren. Die „Admiralty and Horse Guards Gaz." will nämlich ausfindig gemacht haben, dass eine Anzahl namhaft gemachter Beamten der Admiralität, bis in die höchsten Stellen unter dem leitenden Minister hinauf, teils Inhaber von Aktien der Elswick-Firma seien, teils neben ihren offiziellen Aemtern in der Admiralität, wofür sie z. B. bis zu 2000 £ jährlichen Gehalt beziehen, noch Vertrauensstellungen in dem Ausschuss oder Directorium der Elswick-Firma einnehmen, welche mit Remunerationen bis zum jährlichen Betrage von 12000 £ honorirt werden. Man hat ferner entdeckt, dass Beamte der Admiralität in die Elswick-Firma übergegangen sind und umgekehrt, wo sie ihren frühern Freunden auch fernere freundliche Gesinnung bewahren u. s. w. Da man nun nicht wol zwei Herren dienen kann, ohne den einen zu lieben, den andern zu hassen, und die Gesinnung sich leicht nach dem grössern Lohn richte, so beunruhigt sich das Publikum Englands gewiss mit Recht über diese angeblich notorischen Zwitterstellungen und verlangt nach grösserer Sicherheit gegen fremdartige Einflüsse, welche dem öffentlichen Wohl gefährlich werden und das Land bei plötzlich ausbrechendem Kriege in die grösste Gefahr bringen könnten.

Der Minister der englischen Marine hat nun freilich im Parlament diese Gefahr bestritten, da ihm persönlich von dieser Gefahr und ihren Ursachen nichts bekannt sei. Aber dass damit die Frage nicht aus der Welt geschafft ist, beweisen die englischen Zeitungen, welche heftiger als je auf einer offiziellen Untersuchung und Darlegung des Thatbestandes bestehen. Jedenfalls wird die Angelegenheit zur öffentlichen Verhandlung kommen, nachdem merkwürdigerweise in diesen Tagen die Elswick-Firma eine Klage wegen Beleidigung gegen die obengenannte A. & H. G. Gazette erhoben hat, obgleich die letztere gegen jene Firma nichts weiter veröffentlichte, als dass die und die Beamten der Admiralität Aktionäre jener Firma seien. Man ist natürlich mit vollem Recht darauf gespannt, wie dieser Teil der Gladstone'schen Verwaltung deren Princip des „laissez faire, laissez aller" zu rechtfertigen verstehen wird. Jedenfalls hat es den Anschein, dass die Beklagten ihr Pulver trocken zu halten, und ihre Verteidigung nach dem besten Princip, dem des Angriffs, zu führen verstehen; dann wird es sich zeigen müssen, ob jene Beschuldigungen zu beweisen sind, ob jener famose „Gun-Ring" wirklich in der Admiralität besteht und sein Einfluss so gross ist, dass er selbst diesen schweren Angriff auf seine Integrität und Unabhängigkeit von sich abwehren kann. Da auch sekrete Aktenstücke, Zeichnungen und Pläne von Neubauten hin und her gewandert sein sollen, so wird die Untersuchung und Verteidigung ein weites Arbeitsfeld vor sich finden.

Neuesten Nachrichten zufolge hat jetzt doch das Kriegsministerium eine Kommission ernannt, welche Erhebungen über die Organisation und Verwaltung der Fabrikdepartements der Armee anstellen soll. Zu diesen Departements gehören die königliche Wagenfabrik, das königl. Laboratorium, die *königliche Geschützfabrik in Woolwich.*

---

*) In England wie in Deutschland teilen sich drei grosse Geschützgiessereien in die vorkommenden Aufträge. Die Königl. Geschützgiesserei in Woolwich lässt sich mit der in Spandau vergleichen; daneben haben wir die von der Regierung völlig unabhängigen, für inländische und ausländische Regierungen und Private arbeitenden Firmen Krupp in Essen und Gruson in Magdeburg, denen sich äusserlich die von Armstrong in Elswick und Whitworth vergleichen lassen. Warum aber Armstrong nicht Krupp, u. Krupp nicht Armstrong sei, wird sich des ferneren ergeben.

die königl. Gewehrfabrik in Enfield und die königl. Pulverfabrik in Waltham Abbey. Die Hauptaufgabe der Kommission soll sein, zu prüfen, ob irgend welche Verbesserungen behufs Erzielung grösserer Wirksamkeit und Sparsamkeit in den genannten Anstalten erforderlich sind, und was für welche. Fragen bezüglich des technischen Prozesses der Fabrikation sind von der beabsichtigten Enquête ausgeschlossen.

Damit ist freilich die Hauptfrage kaum gestreift.

Einen wichtigen Verbündeten hat die A. & H. G. Gaz. jetzt in der „Times" bekommen. Dieselbe schreibt: „Es ist eitle Mühe, die Thatsache zu verdecken, dass die Fabrik-Departements der Armee in schweren Verdacht geraten sind; geprüft auf ihre Arbeiten erweisen sie sich erbärmlich fehlsam. Sie sind ausserordentlich kostspielig, wir zahlen die höchsten Preise für alles was wir kaufen oder machen, wir unterhalten ein ausgedehntes System der Aufsicht und Kontrolle, und doch ist das Resultat von alledem, dass unsere Schiffsgeschütze in Stücke fliegen, wenn sie mit verkleinerten Ladungen abgefeuert werden und dass unsere Bayonnette wenig besser sind als die schlechtesten der Welt. Es ist eine Beleidigung des gesunden Menschenverstandes zu behaupten, dass alles dieses die Folge eines Zufalls sein kann oder ist. Es ist vielmehr die Folge entweder eines unverbesserlich schlechten Systems, oder von behördlicher Unfähigkeit oder von Beamten-Bestechung."

An einer andern Stelle der „Times" erbietet sich der bekannte General-Lieutenant Hope wiederum, die Regierungs-Geschützabteilung, welche Kanonen liefert, die bersten, Flinten und Patronen, welche sich verstopfen, Bajonette, welche sich krümmen, und Säbel, die nicht schneiden, der Bestechung zu überführen, vorausgesetzt, dass die Untersuchung öffentlich und nicht geheim geführt werde.

Da hilft allerdings nichts mehr als eine unparteiische richterliche Untersuchung, wenn die Dinge so weit gekommen sind.

Lloyd's Universal Register of Shipping.

Die vorhandenen Schiffsregister sind um ein neues vermehrt worden, und zwar um ein Werk, das alle früheren an Umfang, an Reichhaltigkeit des Materials und an Mannichfaltigkeit des Inhalts zu übertreffen sucht. In vielen Beziehungen werden die an Seehandel und Seeschiffahrt beteiligten Kreise das neue Register als einen wesentlichen Fortschritt bezeichnen müssen. Das *Universal Register of Shipping* geht von der Direction von Lloyd's Register aus, einer Stelle, die vorzugsweise berufen erscheint, ein vollständiges internationales Register und Auskunftsbuch herzustellen, und eine eingehendere Prüfung des umfangreichen Werkes wird demselben gern das Zeugnis zuerkennen, dass es das gesteckte Ziel erreicht hat. Indem es alles vereinigt, was die Vorgänger auf diesem Gebiete leisten, fügt es noch manche wesentliche und gewiss sehr mühsam gesammelte Zugabe hinzu.

Das *Register der Handelsschiffe aller Nationen* liefert vollen Nachweis über alle Seeschiffe der Welt, einschliesslich Jachten, von 100 Tons und darüber. In diesem für die Handelswelt wichtigsten Teile des Buches ist für jedes Schiff in den Rubriken angegeben: Erbauungsjahr, laufende Nummer, Bezeichnung des Klassifizirungsinstituts, in welchem das Schiff registrirt ist, Bezeichnung der Schiffsart, ob Vollschiff, Bark, Brig oder Schuner, mit Angabe des Baumaterials; ferner Nationalität, Nettoraumgehalt, Dimensionen, Erbauungsjahr und Ort, Name der Firma, von der das Schiff gebaut, Datum der Kupferung, Name des Eigentümers oder Correspondentrheders, schliesslich der Heimatshafen. Bei Dampfern ist ausserdem noch angegeben: der Bruttoraumgehalt, Aufbauten auf Deck, Angaben über Wasserballast, Anzahl der Schotten, Angaben über Maschinen und deren Erbauer, sowie sonstige Mitteilungen von Interesse, namentlich, wann der Boden des Schiffes von den Besichtigern des Handelsamtes zuletzt untersucht worden ist, u. s. w. Beiden Registern sind Supplemente beigelegt, die bis zum Tage der Drucklegung reichen.

Dem Verzeichniss der Schiffe schliesst sich noch eine *Reihe von Listen* an, welche sonstige Informationen für Leute, die mit der Schiffahrt zu thun haben, enthalten, nämlich: Eine Liste des Comités von Lloyds Register, eine Liste der Häfen, in denen Inspektoren der Gesellschaft etablirt sind, in geographischer und alphabetischer Reihenfolge; eine Liste der Abonnenten des Universalregisters ebenfalls geographisch und alphabetisch geordnet; statistische Tabellen, auf die wir noch zurückkommen werden; eine Liste der Signale der Handelsschiffe; eine Liste der Namensveränderungen von Schiffen; einen Index für solche Schiffe, deren Namen aus mehreren Wörtern besteht; eine Liste der Dampfer nach Nationalität und Grösse (Netto) geordnet; eine Liste der Rheder oder Correspondentrheder mit ihren Adressen, den Namen und der Netto-Grösse ihrer Schiffe; eine Liste der englischen Schiffsbauer mit den von ihnen erbauten Schiffen, die augenblicklich noch existiren; eine Liste der Trockendocks, Schwimmdocks, Pontons, Slips etc. in allen Häfen der Welt; eine Liste der telegraphischen Adressen von Personen und Firmen, die mit der Schiffahrt in Verbindung stehen, in alphabetischer Reihenfolge der Namen sowohl, wie der telegraphischen Adressen. Es folgt dann eine vollständige Liste der Kriegsschiffe aller Nationen mit ihren Signalen und schliesslich eine Liste der Agenten des Comités in England und den verschiedenen fremden Ländern, ebenfalls in alphabetischer Reihenfolge.

Ganz besonderes Interesse verdienen die *statistischen Mitteilungen*. Aus ihnen geht z. B. hervor, dass von allen Segelschiffen und Dampfern der Welt 50 pCt. die englische Flagge führen, während das Verhältniss sich bei den Dampfern allein sogar auf 65 pCt. stellt. Die zweite Stelle, soweit es sich um den Gesammttonnengehalt handelt, nehmen die Vereinigten Staaten mit 10 pCt. ein, während Norwegen mit 7 pCt. die dritte Stelle erhält. Die beiden letzteren Staaten verdanken diese hervorragende Stellung allein der grossen Zahl ihrer Segelschiffe, während als Besitzer von Dampfern Frankreich und Deutschland den zweiten und dritten Platz einnehmen.

Eine andere Tabelle zeigt, dass volle 82 pCt. der vorhandenen Eisen- und Stahlschiffe in *Grossbritannien gebaut* sind. Die Vereinigten Staaten besitzen insgesammt 3930 Handelsschiffe, darunter aber nur 208 Fahrzeuge, die aus Eisen, und 3, die aus Stahl gebaut sind. Von sämmtlichen Schiffen der Welt über 100 Tons sind 21 pCt. bei Lloyds klassifizirt; bei den Dampfern stellt sich dies Verhältnis auf 41 pCt., bei Eisen- und Stahlschiffen fast auf 54 pCt.

Das *Verzeichniss aller Kriegsschiffe der Welt* dürfte namentlich denen, die mit der Marine in Verbindung stehen, sehr willkommen sein. Es ergiebt sich aus dieser Zusammenstellung, dass 2880 Kriegsschiffe auf der Welt existiren, die sich auf die einzelnen Nationen wie folgt verteilen: *England* besitzt zusammen 500 Kriegsschiffe und zwar 68 grosse Panzerschlachtschiffe incl. 12 mit einem Deplacement von über 10 000 Tons; 13 Panzerschiffe zur Küstenverteidigung; 4 Stahlkreuzer mit gepanzertem Deck; 22 Kreuzerfregatten und Corvetten mit zum Teil gepanzertem Deck; 158 Torpedoböte; 153 ungepanzerte Kriegsschiffe, darunter 3 Fregatten, 23 Corvetten, 30 Avisos, ca. 50 Kanonenböte und 11 Truppenschiffe; ferner 40 ungepanzerte Kanonenböte zur Küstenverteidigung und schliesslich 30 Dampfer und 22 Segelschiffe, die nicht zum Seedienst verwandt werden, sondern als Hafen-, Wacht- und Schulschiffe dienen. *Amerika* (V. St.): zusammen 88 Schiffe, darunter 1 Panzer, 19 Panzerschiffe zur Küstenverteidigung, 4 Kreuzer mit gepanzertem Deck, 2 Torpedoschiffe, 37 ungepanzerte Kriegsschiffe und 25 sonstige Fahrzeuge. *Argentinische Republik*: 27 Schiffe, darunter 5 Panzer und 6 Torpedoböte. *Oesterreich*: 100 Schiffe, darunter 14 Panzer, 34 Torpedoböte, 30 ungepanzerte Corvetten, Kanonenböte u. s. w. *Brasilien*: 49 Schiffe, darunter 10 Panzer und 11 Torpedoböte. *Chili*: 22 Schiffe, incl. 4 Panzer und 9 Torpedoböte. *China*

84 Schiffe, darunter 4 Panzer, 7 gepanzerte Kreuzer und 20 Torpedoböte. *Dänemark:* 76 Schiffe, einschliesslich 1 Panzer, 6 Panzerschiffe zur Küstenvertheidigung, 3 gepanzerte Kreuzer und 22 Torpedoböte. *Aegypten:* 11 Schiffe. *Frankreich:* 410 Schiffe, darunter 44 Panzerschlachtschiffe (7 über 10 000 Tons), 21 Panzerschiffe zur Küstenvertheidigung, 3 gepanzerte Kreuzer, 123 Torpedoböte, 148 Corvetten, Kanonenböte, Avisos u. s. w. und 10 grössere [illegible] Tons. *Deutschland:* 157 Schiffe, darunter 13 Panzerschiffe (grösstes „König Wilhelm", 9600 Tons), 13 Panzerfahrzeuge, 6 Torpedoschiffe, 62 Torpedoböte (deren Zahl auf 150 erhöht werden soll), 40 ungepanzerte Fregatten, Corvetten, Kreuzer, Kanonenböte und Avisos und 21 sonstige Fahrzeuge. *Griechenland:* 77 Schiffe, darunter 2 Panzer und 51 Torpedofahrzeuge. *Hayti:* 5 Schiffe. *Holland:* 143 Schiffe, darunter 2 Panzer, 24 Panzerfahrzeuge, 23 Torpedoböte und 29 Schiffe von der indischen Marine. *Italien:* 171 Schiffe, darunter 21 Panzerschiffe 9 gepanzerte Kreuzer und 92 Torpedoböte. *Japan:* 40 Schiffe, incl. 5 Panzer und 4 gepanzerte Kreuzer. *Mexico:* 4 Schiffe. *Norwegen:* 53 Schiffe, einschliesslich 4 Panzer und 8 Torpedoböte. *Persien:* 1 Schiff. *Peru:* 10 Schiffe. *Portugal:* 39 Schiffe, darunter 1 Panzer und 5 Torpedoböte. *Rumänien:* 7 Schiffe. *Russland:* 443 Schiffe, darunter 26 Panzer (grösstes Schiff „Catharina II", 10 150 Tons), 13 Panzerfahrzeuge, 3 gepanzerte Kreuzer und 175 Torpedoböte. *Spanien:* 155 Schiffe, darunter 8 Panzer, 6 gepanzerte Kreuzer und 12 Torpedoböte. *Schweden:* 96 Schiffe, einschliesslich 15 Panzer und 24 Torpedofahrzeuge. *Türkei:* 106 Schiffe, incl. 18 Panzer und 19 Torpedoböte. Endlich *Uruguay:* 3 Schiffe. Nach der Zahl der Schiffe würden die Nationen folgendermassen rangiren: England, Russland, Frankreich, Italien, Deutschland, Spanien, Holland, Türkei, Oesterreich, Schweden, Amerika (V. St.), China, Griechenland, Dänemark, Norwegen, Brasilien, Japan, Portugal, Argentinien, Chili, Aegypten, Peru, Rumänien, Hayti, Mexico, Uruguay und Persien.

Zur Vervollständigung des Registers dienen schliesslich noch: wichtige *Instruktionen für die Lloyd's Agenten*, ein Verzeichniss der von Lloyd's unterhaltenen Signal-Stationen, sowie eine Liste der Veröffentlichungen, welche von dem Comité herausgegeben werden, unter denen „Lloyd's Weekly Shipping Index" wohl den ersten Platz einnimmt. Das 1700 Seiten umfassende Werk zeichnet sich, dem Inhalt entsprechend, auch durch eine vorzügliche technische Herstellung aus; die Einrichtung des Buches ist derart getroffen, dass man die verschiedenen Rubriken schon von aussen erkennen kann. Ebenso lässt der Druck nichts zu wünschen übrig.

Soweit die „Weserzeitung". Das Juniheft des „Nautical Magazine" schliesst eine kürzere Besprechung des Inhalts mit folgenden Worten ab: „Wir sind nicht in der Lage, dieses grosse Werk in ungünstiger Weise zu kritisiren, einfach weil wir nichts Tadelnswerthes in ihm entdeckt haben. Vielleicht wird Jemand sagen, es sei ein dickleibiges, unbehülfliches Buch, aber dieser grosse Umfang liess sich schwerlich bei so überreichem der Belehrung zugänglich gemachten Material vermeiden. Die Schifffahrttreibenden aller Nationen empfinden sicherlich ganz besondere Genugthuung über den unternehmungslustigen Geist, welcher den Ausschuss von Lloyds Register veranlasst hat, die Kosten und Mühen der Herstellung eines so grossartigen Werkes nicht zu scheuen und haben wir deshalb allen Grund zu glauben, dass sowohl die an der Schiffahrt direct betheiligten Personen für die Erleichterung ihrer Geschäftsführung als auch das britische Volk im grossen Ganzen dafür dankbar sein wird, dass diese wichtige Arbeit unternommen und glücklich durchgeführt ist von einem wesentlich britischen Institut, welches die hervorragenden Handelsinteressen der britischen Marine in allen Teilen der Welt am würdigsten vertritt.

Einiges über Guayaquil, Esmeralda und Tumaco.

Bericht von Kapt. *Andresen*, Führer der deutschen Bark »Georg Blohm« aus Hamburg; mitgeteilt durch *A. Schück*, Seeschiffer.

Von der Einsegelung nach **Guayaquil** ist schon früher bekannt, dass die Glockenbojen 1 und 2 fehlen, 3 fehlt jedenfalls seit Oktober 1885; ob die Bojen nur gesunken oder ganz weggetrieben sind, hat man nicht untersucht; in der Stadt lagen Bojen, die wohl zur Bezeichnung des Fahrwassers [illegible] wusste, ob und wie sie verwendet werden sollen. Nach Aussage des Lotsen sind folgende Bänke nicht mehr vorhanden, die in der britischen Admiralitätskarte, verbessert bis Jan. 1882, angegeben sind. An der Westseite des Fahrwassers: 1. bei Arena Pt. die Bank mit $2\frac{1}{4}$ Fd. =4,1 m geringster Wassertiefe, Mitte in 3° 1',5 S 80° 1',2 W; 2. die Bank mit $2\frac{3}{4}$ Fd. = 5,0 m geringster Wassertiefe; Mitte in 2° 54',1 S, 80° 0',25 W; 3. die Bank mit $1\frac{3}{4}$ Fd. = 3,2 m geringster Wassertiefe; Mitte in 2° 48'½ S, 79° 51',7 W. An der Ostseite des Fahrwassers: 1. die Bank mit $2\frac{3}{4}$ Fd. = 5,0 m geringster Wassertiefe, Mitte in 3° 5',5 S, 79° 57',1 W; 2. die mit derselben Wassertiefe in 3° 4',1 S, 79° 56' W, 3. auf der Bank, die bei R. Pagua und R. Tengel abliegt mit $2\frac{3}{4}$ Fd.=5,0 m und $2\frac{1}{2}$ Fd =4,5 m geringster Wassertiefe soll jetzt bis 2 Sm. von Land nicht weniger als 4 Fd. =7,3 m Wassertiefe sein. Jene Bänke haben sich verschoben, bezw. liegen *jetzt* die Schiffahrt hindernde Bänke in 3° 2',2 S, 80° 2' W und dicht bei Española Pt. in 2° 47',5 S, 79° 54',3 W; wahrscheinlich mit nicht mehr als $2\frac{1}{4}$ Fd.=4,1 m geringster Wassertiefe. Auf der Bank zwischen Green und Mondragon-I. ist wahrscheinlich mehr Wasser als die Karte angiebt, da Schiffe mit 16'=4,9 m Tiefgang ungehindert passiren.

Atacamas Ledge scheint weiter seewärts zu strecken als angenommen wird; in 80° W peilte man die beiden Hügel S0$\frac{3}{4}$O nahe in Linie und lotete 11 Fd. = 20 *m*; ca. 3 Sm. nördlicher 17 Fd. = 31 m.

Esmeralda. Auf das Leuchtfeuer ist kein Verlass; während eines Aufenthaltes von 30 Tagen brannte es höchstens in 20 Nächten, aber nie länger als bis Mitternacht; Meldung beim Hafenmeister blieb fruchtlos. Um von der Aussenrhede nach der Innenrhede mit Lotsenhülfe zu segeln, muss man den Lotsen mit dem Schiffsboot holen. Auf der Innenrhede soll der beste Ankerplatz sein, den Leuchtturm WzS bis WSW peilend; auf dieser Rhede ist es notwendig, den Anker jede Woche wenigstens einmal vom Grunde abzuhiven, damit die Strömung ihn nicht zu tief in den Sand bettet; auch wälzt diese Strömung aus dem Revier Stämme von Sink-Holz am Grunde entlang, die am Anker Halt bekommen und als Stütze für Sandanhäufungen dienen; ebenso bringt der Strom Bäume mit Aesten und Wurzeln, die an den Ketten hängen bleiben, nach unten gezogen werden und den Anker belasten. Wegen des steil abfallenden Grundes müssen die Schiffe dicht an der Bank ankern; der starke, stets ausgehende Strom macht dies unter gewöhnlichen Umständen ungefährlich, bei aussergewöhnlich starken Nordern, die von Mitte December bis März, wenn auch sehr selten vorkommen, können Schiffe mit dem Hinterende nach der Bank zu schwajen und auf sie stossen. In Esmeralda ist bis jetzt keine Gelegenheit, Schiffe auszubessern, Boote werden dort gebaut, ein Schmied war vorhanden.

Im Januar 1886 wurde von Esmeralda bis Tumaco starke, an der Küste entlang nordwärts setzende Strömung gefunden.

Tumaco. Das Ansegeln der Rhede geschieht nach Passiren von Boca Grande auf das Lot; wegen einzelner von Land abstreckender Banken bleibt man ca. 6 Sm. von Land auf nicht weniger als 12 Fd. = 22 m Wassertiefe. Wie in Jules & Ballcer angegeben, ist die hohe, scharfe, hellfarbene Klippe — Castilla-Fels — die deutlich gegen das Hinterland absticht, die Haupt-Ansegelungsmarke. Weil die Tiefe rasch abnimmt und das Meer in 4—5 Fd.=7—9 m bricht, ankert man auf nicht weniger als 12 Fd. =

22 m Wassertiefe. Der beste Ankerplatz scheint das Haus mit 7 hohen Kokospalmen 6—7 Sm. ab zu sein; da die Insel, auf welcher dies Haus steht, Schiff und Ort gegenseitig verdeckt, so wird event. von diesem Hause nach dem Ort signalisirt, dass ein Schiff auf der Rhede geankert hat: man heisst die Flagge; erkennt der Agent das Schiff, so schickt er einen Lotsen an Bord, sonst muss man ihn selbst holen; gegenwärtig gilt wenigstens einer, Eulalio Marques, als zuverlässig. Baken und Bojen sind nicht vorhanden; der Lotse segelt anfangs nach Peilungen von Castilla und La Viuda-Klippe ein: letztere ist bei Hochwasser eben bedeckt; später benutzt er andere Landmarken. Das Fahrwasser ist sehr schmal und Aenderungen unterworfen, das Auslegen von Bojen ist Schiffen nicht gestattet, das Ausloten des Fahrwassers nur Schiffen, die unter Landesflagge fahren. Der Hafen von Tumaco ist ein kleiner, guter, ringsum von Land eingeschlossener Hafen (vergl. Jülfs & Balleer, auch Ann. d. Hydr.) für Schiffe bis 16 F. = 4,9 m Tiefgang. Segelschiffe mooren. Dampfer liegen an einem Anker mit einem Achtertau an der für sie bestimmten Postmachboje. Postdampfer kommen im Monat zweimal von Panama, einmal von Guayaquil; im Orte scheint ein Küstendampfer beheimatet, der event. Beistand als Schleppdampfer leistet. In Tumaco ist eine Dampfsägemühle; man baute dort einen Schuner von ca. 200 To. Küstenfahrzeuge holen auf die Bank, um zu kupfern und kleine Ausbesserungen vorzunehmen, daher ist dort event. Ausbessern von Schiffen möglich; bei Gimmarães & Leeders (eine Londoner Firma), die Agenten der Postdampfer sind, kann man Ausrüstungsgegenstände, wie leichte Trossen, kleine Anker, Drahttauwerk etc. erhalten. Gutes Wasser wird in Booten und Kanoes längsseit gebracht; frisches Fleisch ist täglich zu haben, Fische sind ebenfalls am Markt, aber keine Wurzelfrüchte und Grünzeug; Kartoffeln kommen nur mit Dampfschiffen von Californien oder Chile; man bezahlte sie damals mit 7—10 cts. (Silber) das Pfd. Die Sägemühle schneidet hartes und weiches Holz zum Export nach anderen Küstenplätzen, wohin man auch viel gespaltenen Bambus und Kokosnüsse verladet; der Hauptexport nach Europa scheint jetzt Carossa oder Steinnüsse zu sein: wenn sie vorrätig sind, geht das Laden rasch von Statten.

Verschiedenes.

Vom Stapellauf des Subventionsdampfers „Preussen", des ersten der 6 beim Vulcan in Stettin bestellten Schiffe, sind *zwei besonders erfreuliche Wahrnehmungen* zu berichten. Zunächst die Thatsache, dass auf bestimmten Befehl des Reichskanzlers alle diese Reichspostdampfer nicht beim englischen Lloyd und nicht bei der französischen Veritas, sondern beim **Germanischen Lloyd in Berlin** klassifizirt werden sollen und wir also uns auch hierin vom Ausland unabhängig erklären. Da auf diesem Gebiete von Rhedereien und Versicherungsgesellschaften bisher viel und unnötiger Weise zu gunsten des Auslandes gesündigt wurde, so mögen die betreffenden Kreise von dieser Auszeichnung Act nehmen, bevor die Nötigung zur Berücksichtigung des nationalen Instituts noch deutlicher ausgedrückt wird.

Sodann hat der Vorsitzer des Norddeutschen Lloyd in einer Festrede keinen Zweifel darüber gelassen, wie vollständig seine Gesellschaft mit den *Leistungen der Stettiner Werft* zufrieden gestellt ist, woraus man wohl mit Sicherheit schliessen darf, dass die Zeit der grossen Bestellungen am Clyde sich ihrem Ende naht, und die deutschen Dampfer der ostasiatischen Linien bald landsmännische Nachfolger im transatlantischen Verkehr finden werden.

Russisches Petroleum in West- und Süddeutschland. Mit Rücksicht auf die stets zunehmende Einfuhr von russischem Petroleum in Ostdeutschland, Oesterreich, Ungarn, Italien, Belgien und die Schweiz hat die Naphta-Productions-Gesellschaft Gebrüder Nobel in Petersburg beschlossen, gleichwie in Genua, Triest, Lübeck, Stockholm, und Antwerpen, auch in Amsterdam eine besondere Niederlage für die Einfuhr zu errichten, und von diesem Platze aus sowohl die Niederlande als auch Süd- und Westdeutschland versorgen zu lassen. Die Zufuhr aus Russland geschieht mittelst sog. „Tankdampfer" von 1700 bis 2000 T. Ladefähigkeit, aus welchen das Oel durch Dampfpumpen in eiserne Behälter von 2 Mill. Kg. Inhalt geschafft wird, während die Abfuhr durch Fässer, Cisternenwagen und besonders hierzu eingerichtete Schiffe geschieht. Für Herbst 1886 sollen grosse Abschlüsse nach Rheinplätzen gemacht sein, und die Stadt Antwerpen hat in Anbetracht des durch den Petroleum-Umschlag ihr erwachsenden Vorteils der obengenannten Gesellschaft die Erlaubnis zur Einrichtung einer Petroleum-Niederlage erteilt.

Schiffsverkehr im Hafen von St. Petersburg im Sommer 1885. Einer Mitteilung des „Journal de St. Petersbourg" zufolge hat die Erhöhung der russischen Zölle auf den Verkehr fremder Schiffe im Hafen von St. Petersburg einen sehr fühlbaren Einfluss gehabt. Im Laufe dieses Sommers sind nur 1 472 Schiffe gegen 3 000 Schiffe in den Vorjahren eingegangen. —s—

Die **Compagnie Générale Transatlantique**, welche bislang eine Flotte von 66 Seedampfern, darunter 6 mit einer Tragfähigkeit von über 4 000 Reg.-To. Brutto und nur 10 mit einer solchen von unter 1 000 To. besass, stellt 4 neue Schnelldampfer in ihre Linie Havre-Newyork ein. Der erste dieser Schnelldampfer, „La Bourgogne", der auf seiner Probefahrt eine Geschwindigkeit von 19 Knoten entwickelt haben soll (vergl. unten), hat vor Kurzem seine erste Reise von Havre über den Ocean angetreten, während die übrigen drei, „La Bretagne", „La Champagne" und „La Gascogne", was ihre innere Ausstattung anbelangt, noch der Vollendung harren. Der Wes. Zeit. lag eine Beschreibung des letztgenannten Dampfers vor, der wir das Nachstehende entnehmen: „Der Dampfer „La Gascogne" ist wie das Schwesterschiff „La Bourgogne" in La Seyne gebaut und lief am 5. Januar daselbst vom Stapel. Die beiden andern Dampfer, „La Champagne" und „La Bretagne", sind bekanntlich auf der Werft von Penhoët in St. Nazaire fertig gestellt worden. „La Gascogne" hat eine Länge von 155 m, 150 m zwischen den Perpendikeln, bei einer grössten Breite von 15,9 m und einer Raumtiefe von 11,7 m. Wenn beladen, wird der Durchschnittstiefgang des Schiffes ca. 7,3 m betragen, bei einem Deplacement von 9 975 To. Der ganze Rumpf des Schiffes ist aus Stahl hergestellt, mit Ausnahme des Vor- und Hinterstevens sowie einiger innerer Teile. Wie jeder Schnelldampfer der neuen Flotte besitzt der Dampfer „La Gascogne" einen doppelten Boden zur Aufnahme des Wasserballastes in Höhe von 750 To. Die Masten und Unterraaen sind aus Stahl. Die beiden vorderen Masten führen Rahsegel, die beiden hinteren Schrägsegel. Der Dampfer kann 232 Passagiere in der ersten Kajüte, 92 in der zweiten und 800 im Zwischendeck beherbergen. Die Kabinen sind mit allen erforderlichen Bequemlichkeiten versehen, ebenso sind das Konversationszimmer, der Speisesaal und der Damensalon mit vieler Eleganz (Marmortäfelung) ausgestattet. Die Maschine der „La Gascogne" indicirt 8000 Pferdestärken und kann bis auf 8 500 gebracht werden. Die Kosten dieser Schiffe mit vollständiger Ausrüstung belaufen sich auf rund 8 Mill. Fr." Die Staatsunterstützung, welche diese Gesellschaft für ihre Fahrten nach Newyork und den Antillen bezieht, beträgt jährlich 10 Mill. Fr.

A. E. Maas in Scheveningen †. Am 3. Juli starb zu Scheveningen der Rheder A. E. Maas, in Berlin besonders bekannt durch seine Teilnahme an der Fischerei-Ausstellung von 1880. Die „Vlaardingsche Courant" nennt ihn als den ersten, der aus dem Fischerdorf ein Seebad machte. Besonders bedeutend war seine Wirksamkeit für die Seefischerei: er trug vieles dazu bei, dass diese in Holland und in Ostfriesland durch Gründung der Emder Häringsfischerei-Gesellschaft zu neuer Blüte kam. Er machte weite

Reisen die Küste entlang und brachte stets neue Anregungen mit. Seit 1857 war er ohne Unterbrechung durch das Vertrauen des Königs Mitglied des Kollegiums für Seefischerei. Er setzte es durch, dass anstatt des Reichskronen-Brandes der Häringstonnen jeder Händler seinen eigenen Brand führen musste. Auch die internationale Polizei-Aufsicht auf der Nordsee ist mit sein Werk. Er führte in Holland den Gebrauch von Baumwollen-Netzen und die Präparierung derselben ein, wodurch er dem Häringsfang einen grossen Aufschwung gab. Auch das Modell der jetzigen holländischen Logger ist von ihm eingeführt. Es ist eine Verbesserung von Boulogner Schiffen. Maas erreichte ein Alter von 70 Jahren. Seine Verdienste, die durch Orden von Holland, Frankreich und Norwegen anerkannt wurden, werden sein Andenken nicht sobald vergessen lassen.

Regelung des Verkaufs von Getränken in der Nordsee. Die Vertreter von Deutschland, England, Frankreich, Belgien und Holland, welche drei Wochen im Haag zusammen waren, um den *Verkauf von Getränken in der Nordsee* zu regeln, haben, wie die „Weser-Zeitung" schreibt, sehr bedeutsame Beschlüsse gefasst. Das Verkaufen starker Getränke, sowie das Kaufen derselben auf See ist verboten und soll bestraft werden. Das Verkaufen an Fischersleute, die mit Fischen, Segeln, Tauwerk und sonstigen Schiffsgegenständen die starken Getränke bezahlen, wird besonders streng bestraft. Der Verkauf anderer Artikel als Spirituosen ist auf See nur denjenigen Schiffen gestattet, die Erlaubnis dazu erhalten haben. Diese Vergünstigung wird eingezogen, sobald mehr Spirituosen als ein geringes Quantum an Bord geschickt werden. Die Kreuzer der verschiedenen Mächte sollen als Polizei auf See das Gesetz überwachen. Uebertreter des Gesetzes sind der Gerichtsbarkeit ihres Landes unterstellt.

Eine grossartige umfassende Ermässigung oder völlige Abschaffung von Schiffahrtsabgaben aller Art, Tonnen- und Leuchtfeuer-Gebühren, Gebühren bei der Anmusterung und Abmusterung von Seeleuten, bei der Registrirung von Schiffen, Beglaubigung von Manifesten etc. etc. ist von der amerikanischen Regierung neuerdings ins Werk gesetzt, und ladet die U. S. Regierung die übrigen Seestaaten ein, ihr wenigstens auf den ersten Schritten zu folgen, und Tonnen- und Feuergelder thunlichst ganz in Wegfall zu bringen.

Der **holländische Dampffischkutter „Albatros"** ist beim Abblasen des Dampfs infolge Springens des Ausblasehahns unter Vlieland in 10 Faden Wasser gesunken. Mannschaft gerettet.

Laut **Bericht aus Vlissingen** vom 3. Juli passirte dort Abends 7 Uhr der erste ostasiatische Postdampfer „Oder" gerade zu der Stunde, wo im vorigen Jahre an demselben Tage ein Festzug die Stadt durchzog, weil man glaubte, dass Vlissingen zum Anlegehafen der deutschen ostasiatischen Postdampfer auserkoren sei. Jetzt soll die Vorüberfahrt des Dampfers nur von einigen belgischen Beamten beachtet worden sein.

Der **neue französische Schnelldampfer „La Bourgogne"** hat sich durch seine erste Reise nach **Newyork** den *Windspielen des Oceans* zugesellt. Er verliess **Havre** am 19. Juni 11 U. 35 M. Vm. und kam in **Newyork** am 26. Juni 10 U. Nm. an. Die Reise dauerte also **scheinbar** 7 Tage 10 St. 25 M., in Wirklichkeit unter **Abzug des Zeitunterschiedes** beider Plätze von 5 St. 17 M., **nur 7 Tage** 5 St. 8 M. Würde die „Etruria" auf ihrer **überhaupt** schnellsten Reise unter den in No. 12 dieses **Blattes aufgeführten** [illegible] dampferfahrten, welche 6 Tage 5 St. **31 Min.** *dauerte*, von Havre statt von Queenstown **abgegangen sein**, so würde sie die um 345 Sm. grössere Strecke **Havre-Newyork** in 7 Tg. 0 St. 1 Min. zurückgelegt, also „**La Bourgogne**" nur mit 5 St. 7 Min. geschlagen haben. **Die Etmale** der „Bourgogne" betragen 421, 420, 429, 434, 417, 131, 172 Seemeilen.

„La Bourgogne" ist einer der 4 von **der** *Compagnie* Générale Transatlantique bestellten **Subventionsdampfer** und hat Maasse 508' 6", 52' 2", 38' 4" **engl.**, *7000 T.* br. und 8100 I. P. K., ist also den **übrigen** deutschen und englischen Schnelldampfern völlig *ebenbürtig*.

Deutsche Küstenfahrt. Seit dem 1. Juni ist die Küstenfahrt zwischen deutschen Häfen den niederländischen Schiffen durch Beschluss des Bundesrats **wieder gestattet**, und schon jetzt machen sich die Folgen davon sehr **deutlich** geltend. Denn in den Rheinhäfen herrscht im **Augenblick** grosse Nachfrage für die sogenannten niederländischen Zeeljalken, welche mit der Ausbreitung der **Dampfschiffahrt** ihr früheres Arbeitsfeld teilweise eingebüsst haben. Eine Menge solcher Schiffe sind von **Carl Breuer** in *Bochum* gemietet worden, um in **Ruhrort** und **Duisburg** Kohlen nach Danzig, Memel, Elbing, Stettin, Gothenburg, Stockholm, Malmö und andern Ostseeplätzen zu laden. Da die Eisenbahnfracht nach den Seehäfen **dadurch** wegfällt, so erzielen diese Schiffe annehmliche Frachten und für die niederländische Schiffahrt ist dadurch **eine** neue Quelle von Verdienst und Wohlstand eröffnet.

Verlag von H. W. Silomon in Bremen. Druck von Aug. Meyer & Dieckmann, Hamburg, Alterwall 24.

HANSA

Redigirt und herausgegeben
von
W. von Freeden, BONN, Thomastrasse 8.
Telegramm-Adresse:
Freeden Bonn,
oder
Hansa Alterwall 28 Hamburg.
Verlag von H. W. Silomon in Bremen.
Die „Hansa" erscheint jeden Sonntag.
Bestellungen auf die „Hansa" nehmen alle Buchhandlungen, sowie alle Postämter und Zeitungsexpeditionen entgegen, desgl. die Redaktion in Bonn, Thomastrasse 8, die Verlagshandlung in Bremen, Obernstrasse 44 und die Druckerei in Hamburg, Alterwall 28. Sendungen für die Redaktion oder Expedition werden an den letztgenannten drei Stellen angenommen. Abonnement jederzeit, frühere Nummern werden nachgeliefert.

Abonnementspreis:
vierteljährlich für Hamburg 2½ M,
für auswärts 3 M = 3 sh. Sterl.
Einzelne Nummern 60 ₰ = 6 d.
Wegen Inserate, welche mit 25 ₰ die Petitzeile oder deren Raum berechnet werden, beliebe man sich an die Verlagshandlung in Bremen oder die Expedition in Hamburg oder die Redaktion in Bonn zu wenden.

Frühere, komplete, gebundene Jahrgänge v. 1873, 1874, [illegible] 1885 sind durch alle Buchhandlungen, sowie durch die Redaktion, die Druckerei und die Verlagshandlung zu beziehen. Preis M 8; für letzten und vorletzten Jahrgang M 6.

Zeitschrift für Seewesen.

No. 16. HAMBURG, Sonntag, den 8. August 1886. 23. Jahrgang.

Inhalt:

Aus Briefen deutscher Kapitäne.

VII.

Küstenfahrer in China. Altes und Neues, Franzosen und Reichstag, Konsuln und Unfallgesetz.

Also mal wieder unterwegs von Swatow über Chefu nach Tientsin. Proppend voll von allem Möglichen und Unmöglichem: indianische Schwalbennester, Drachenblut, Haifischflossen, Medizin, Pfauenfedern, Königsfischerfedern, (kleine Kistchen zu $ 1 000 das Stück) u. s. w. bis zum gewöhnlichsten schwarzen Zucker, Zinn, Bambus, Holzwaren, Arsenik (letzteres in sehr grossen Mengen) hinab. Nach dem Manifest könnte man schon einen „gadlichen" Hamburger Kramladen davon einrichten.

Was die Herren *Franzosen* sich gefreut hätten, wenn sie ein solches Schiff unter chinesischer Flagge hätten aufbringen können. Aber nachdem mehrere Kapitäne den Verdienst langer Jahre in einem Blockadebruchversuch nach Formosa zugesetzt, gönnt ihnen keiner einen guten Bissen. Unsere Stellung den Chinesen gegenüber haben sie uns gründlich verdorben; die „Himmlischen" haben die Lektionen von Foochow u. s. w. längst vergessen, die betreffenden Befehlshaber sind bereits wieder zu Gnaden angenommen, die Franzosen haben nach Jedermanns Ansicht — und bunte Schlachtenbilder haben die Kunde davon durchs ganze Land getragen — böse Prügel bekommen, aber jetzt sollen auch *alle* Fremden vor dem „Drachen" zittern und deshalb chikanirt er den „weissen Teufel" (fa-lü-lung) wo er kann, und macht sein joss pidjin, dass es ihm gelingt. Der *Deutsche* kommt aber schliesslich noch am besten weg; trägt er gar einen roten (mecklenburgischen) Bart, so kann kein Verdacht aufkommen, dass er ein Franzose sei; gewöhnlich wird man dann zunächst für einen „*Ingo*" gehalten; bietet sich aber eine gute Gelegenheit, so streicht man rasch den „*Dego*" heraus, steigt um 25 pCt. in der allgemeinen und speziellen Achtung und hat — die Fracht weg. In Canton und Whampoa geben die Himmlischen sogar ohne Widerstreben zu, dass sie ohne die deutschen Waffen und sog. Offiziere ganz machtlos gewesen wären.

Uebrigens sollten die klugen Leute aus dem *Reichstage* mal hieherkommen, dann könnten sie sehen, dass China nicht nur Kanonen und Anilinfarben importirt! Man weiss hier recht gut unsere Industrie zu würdigen, und insgeheim gebraucht der Chinese schon viel mehr von den westlichen Erzeugnissen als man gewöhnlich annimmt; sie zeigen es freilich nicht gern, möglich, dass es auch nur an der Küste vorkommt. Baumwollenwaren haben jedenfalls die einheimische Handarbeit ganz verdrängt.

Mit den hier vorhandenen *deutschen Dampfern* und den nun hinzutretenden *Subventionsdampfern* werden wir übrigens die Küstenfahrt bald ganz an uns ziehen, wie es schon früher die Segelschiffe fertig gebracht hatten, trotzdem dass wir mit unsern — schiffelosen — Konflenten den grossen englischen Kauf- und Rhederfirmen die Stange halten müssen. Wo hätte hier ein deutsches Haus wol einen Dampfer! Der einzige vorhandene gehört einem Schiffshändler, während die grossen englischen Häuser wie Butterfield & Swine, Jardine, Mattheson & Co., Russell & Co. alle 15—20 Dampfer besitzen, Import und Export, Zuckerindustrie und weiss Gott was noch für Geschichten betreiben.

Aber wir kommen doch mit und gewinnen Grund, so dass wir mehr und mehr den Engländern ein Dorn im Auge sind. Daher ist es kaum merkwürdig, dass trotz der Unmasse kleiner Dampfer, die in England stilliegen, keiner sich nach hier hinauswagt, während von Deutschen wieder ein halbes Dutzend unterwegs ist. Schiffe von 700 bis 750 To. Nettoregister, 15 bis 16' Tiefgang höchstens, mit Wasserballast und steif in allen Lebenslagen, mit allen Häusern an Deck, von vornherein auf Passagierzwischendeck eingerichtet, mit Ladepforten, vielleicht dann gänzlich ohne Winden, mit Dreicylindermaschinen und beladen 10 Sm. Fortgang, das wären die wahren Schiffe für hier.

In *Newchwang* hatten wir neulich das Vergnügen, tagelang einen Düster (Stauber) um uns toben zu hören. Ein solcher Sturm von Süden führt soviel Staub mit sich, dass man vor Dreck und Lehm nicht eine Meile weit sehen kann, dazu ist er dick mit Salz und Salpeter geschwängert, von dem die ganze Ebene weiss aussieht. Leider sind wegen der schlechten vorigjährigen Erndte die Bohnenpreise so fest, dass lange nicht soviel Schiffe als voriges hier verkehren. Uns Seglern bot man neulich 15 Cts. per Picul nach Hongkong und das sah auch noch wie Gnade aus. Die Dampfer nahmen alles weg, nachdem sie, selbst die grossen Boote wie „Glenshire", „Bluefunnel", „Benliner" etc. sich den Winter über, bis die Theeverfrachtungen beginnen, mit Kohlenfahren die Zeit vertrieben und namentlich Shanghai „bet haben kentan" mit Kohlen vollgepfropft haben. Dennoch stecken sie so voll Neid auf die Deutschen, dass sie uns mit dem Ehrentitel „german colliers" belegen, obgleich sie selber die Karnickel sind.

Dieses Frühjahr zeichnet sich durch viele *Nebel* aus, und in Folge davon durch Schiffsverlüste. Bei Hongkong lief die „Thames", P. & O. Boot, auf, bei Kobe die „Venetia", auch ein P. & O. Boot; beide Schiffe sind indessen abgebracht. Bei Swatow strandete „Douglas" und „Breconshire" und gingen total verloren, ersterer mit Verlust von vielen Menschen; bei Amoy wurde „Corinth" von einem engl. Kriegsschiff niedergerannt; auf den Fatchow's blieb die „Soe-wo" u. s. w. Die Europapost war neulich von Gutzlaff bis Shanghae, 60 Sm., über 48 Stunden unterwegs. Viele Schiffe haben 18—72 Stunden wegen Nebel vor Anker liegen müssen. Dass man unter solchen Umständen doch in 2 Jahren seine 114 Reisen macht, zeugt davon, dass man das Stillliegen lieber — andern Leuten überlässt. Und in all' der Zeit, und auf all' den vielen 1 000 Meilen, die das Schiff gemacht hat, ist *Walkers Patentlog* stets in Gebrauch gewesen und läuft jetzt noch so gut wie im Anfang. Die einzige Reparatur bestand bis jetzt in der Erneuerung der endlosen Schraube, (oder Uebertragungsschraube, welche die Verbindung zwischen Leine und Uhrwerk herstellt), was jedenfalls ein Zeichen der Güte meines Exemplares ist.

Dass die *Franzosen* mit ihrem Krieg und Frieden dem *Ansehen der Europäer* den grossten Schaden zugefügt haben, ist längst festgestellt, und Alles hat darunter zu leiden. Die Himmlischen werden mit der Zeit noch ganz ungeniessbar; es wäre die höchste Zeit, dass sie von Europäern mal ganz gehörig abgedroschen würden, und zu Kreuze kriechen müssten. Wie die Pfauen stolziren sie einher, trumpfen auf wo sie nur können, und behandeln den Europäer mit grösster Herablassung. Dass dieses Volk anders wird, kann man an den Vorgängen in Canton sehen, anlässlich der Verfolgungen in den Staaten. Man merkt es überall: in Newchwang hatte ich ein Rencontre mit einem Kerl wegen Ladung, doch habe ich nicht nachgegeben; so lange es einem solchen Lumpen passt, gelten alle Klauseln eines Konnossements für voll, passt es ihm aber nicht, so sagt er einfach „maski, belong custom", und verlangt, dass man es für gut annimmt. Mein zweiter Steuermann wurde eines Abends, wie er sich an Bord setzen lässt, fast umgebracht; sein Bootmann schlug ihn hinterrücks mit einem schweren Stein fast den Hirnschädel ein, doch wurde er mit an Bord gebracht, wo ich ihn in Eisen legte, und am anderen Morgen dem *sog. Konsul* Notiz gab. Es war kein Streit vorhergegangen, sondern, wie der Hergang zeigte, auf einem Raubmord abgesehen. Was thut nun mein sauberer Herr Konsul, d. h. Konsul nicht einmal und das in Newchwang, wo so viele deutsche Schiffe kommen, sondern nur ein *Engländer*, der die deutschen Interessen wahrnimmt! Und wie! Mr. Counsel also schreibt an den Taotai (chinesischer Bürgermeister oder oberste städtische Behörde), damit der dem Europäer Recht verschaffe, weil er nicht weiss, [illegible] ersetzt bekommt. Er macht sich die Sache eben bequem und passt namentlich auf, dass er keine Auslagen hat, denn es könnte doch sein, dass ein Kapitän mit dem Bezahlen Schwierigkeiten machte. Die Expeditionsgebühren aber, wofür er weiter nichts thut, als die Musterrolle und das Certifikat in Empfang zu nehmen, steckt er immer ruhig ein. Wenn ich ihm nicht den zweiten Steuermann im letzten Augenblick noch offiziell zugeschickt hätte, so hätte er nicht einmal ein Protokoll darüber aufgenommen, und dass der Kerl überhaupt bestraft wird, glaubt noch Niemand, umsomehr da das Schiff ja weg ist, und ich die Sache nicht mehr verfolgen kann. Welche Wirkung dies nun auf solches Pack hat, kann sich Jeder, der es kennt, leicht denken, und habe ich dem Vertreter des heil. Deutschen Reiches direkt gesagt, dass ich im nächsten Fall mir selber helfen würde, und er meinte es sei auch wohl das Beste. Und ich sage auch, ein Revolver in der Tasche ist besser als 2 Dutzend solcher Reichskonsuln. Ich wünschte nur dass diese grossen überklugen Redner, wie Bamberger u. Cons. sich hier mal ihr Brod suchen müssten, ich glaube, die Gesellschaft würde „für Konsuln" und das tüchtige, recht laut und vernehmlich stimmen, sobald ihr kostbares Leben und der noch kostbarere Geldbeutel von der Gnade eines jeden Kuli abhinge. Ich wünschte die Herren am liebsten in Korea, wo sie den besten Vertreter deutscher Interessen, den wir seit lange hier im fernen Osten hatten, glücklich weggenörgelt haben. „Wir brauchen keinen Generalkonsul in Korea, die 30 000 *ℳ können wir sparen*". Dass wir darüber den hundertfachen Wert an Ansehen eingebüsst haben, lässt freilich solche Kameraden wie Richter, Bamberger und Rickert, sage den *Danziger* Rickert, kühl bis ans Herz hinan. Und wozu noch in Newchwang einen Engländer zum Konsul, wo eine Auswahl bewährter deutscher Kräfte vorhanden ist!

Wie steht es eigentlich mit dem *Unfallsgesetz?* *) Im „Rückblick der No. 1 Hansa" ist ganz richtig bemerkt „wir Jungen treiben uns draussen herum, und wissen meistens kaum, dass so eine Beglückung für uns zusammengebraut wird." Ich möchte darauf wetten, dass ¾ aller hier Fahrenden auch nicht eine Ahnung davon hat, und wer etwas davon weiss, den lässt es auch „kühl bis an's Herze hinan". Ich habe kaum davon sprechen hören, und geschieht es mal, so heisst es, „wenn die Berliner uns nur zufrieden lassen wollten." Die Herrn vom Reichstage könnten uns in anderer Weise viel behülflicher sein, nicht Kapitänen und Offizieren allein, sondern auch den Matrosen. Die Offiziere, namentlich Maschinisten, kaufen sich vielfach doch in eine Lebensversicherung ein, wenn sie verheirathet sind, und wenn die Rhedereien nun auch noch jede vielleicht von einem Segel geschundene Nase bedoktern und pensioniren lassen sollen, dann können sie die Bude nur zumachen. Mich dünkt, die jetzt bestehenden Gesetze sind schon ausreichend genug. Sollen wir denn noch etwa unseren Chinesen hier eine Altersversorgung geben? Bis jetzt können wir uns ihrer noch erwehren, und wenn sie einen Doktor notwendig haben, so wenden sie sich an einen chinesischen, aber wie lange wird es noch dauern, dann hat diese Kehlabschneiderbande auch den Reichsbeistand und Rathschläge solcher Subjekte, welche die Konsulate hier auch schon als ihr Ackerfeld ansehen. Ich meine hier die Winkeladvokaten, wie sie z. B. in Liverpool sind, wo sie Herrn Maat vor der Abmusterung am

*) „Hängt im Brunnen zum Trocknen!" Ist auf dem nautischen Vereinstag von der T. O. abgesetzt, und im Reichstage gar nicht erwähnt. *D. Red.*

alle Vorfälle auf der Reise befragen, und ihn, natürlich gegen das zu erhaltende Baargeld, aufhetzen und zu grundlosen Klagen verleiten. Von etwa 10 solcher Klagen die neulich vor dem englischen Konsolat in Shanghae verhandelt wurden, waren glaube ich nur 2 begründete! Wie soll es wohl werden, wenn chinesisches Gesindel erst ein deutsches Unfallsgesetz mit allen seinen Verheissungen hinter sich weiss, Kerls die man kaum dem Ansehen, geschweige denn dem Namen nach kennt, die ein- und ausgehen wie die Sperlinge, und die man kaum anders als bedusell von Beginn an kennt. (Hört!) Wenn diese Philantropen in Berlin sich doch wiederum mal ihr Brod mit solcher Mannschaft erwerben müssten, und ihr kostbares Leben von so einem Matrosen auf Ausguck oder am Ruder, oder von einem Steuermann abhinge. (Hört!) Ich glaube sie würden einen Chinesen doch wohl davon ausschliessen, d. h. wenn sie ihr Gesetz so drehen könnten. Mich dünkt freiwillige Beiträge zu bestimmten Kassen, unter Staatskontrole, wenn es einmal sein muss, würden Jedem dem etwas daran gelegen genügen. Er hat „Was für Was“ und nicht „Was für Nichts“. Wollten wir z. B. einem Chinesen vom Dollar 10 Cts. für irgend eine Kasse nehmen, so würde er sagen „belong squeeze pidjin“ und an Bord sich einfach nicht wieder sehen lassen. In Hamburg hat damals Jeder seinen Schilling vom Thaler herappen müssen; wären die Beiträge freiwillig gewesen, und die Prämien nach diesen Beiträgen an die Betreffenden ausbezahlt, so würde wohl nicht so viel darüber geschimpft worden sein, wenigstens nicht von den jüngeren Spender.

Die Far-Öer Inseln.

Die Inselgruppe Far-Öer, zwischen 61,20 und 62,25° N. B. und 6—7° W. L., also ungefähr 320 Km. NW von den Shetlands-Inseln, 540 Km. SO von Island und reichlich soweit W von Norwegen, liegt mitten im Fahrwasser vom nördlichen Norwegen, dem Weissen Meere etc. nach dem westlichen England, Irland, Frankreich, Spanien u.s.f. Da diese Richtung von sehr vielen deutschen Handel-sschiffen befahren wird, liegt es auf der Hand, dass von diesen einige in die Lage kommen, in verschiedenen Fällen es eine Rettung nennen zu müssen, wenn sie die Far-Öer Inseln als Nothafen erreichen.

Dass solche Fälle bisher nicht oft vorgekommen sind, ist den Thatsachen zuzuschreiben, dass die Inseln bisher wenig bekannt waren, sehr selten in den nautischen Hülfsbüchern der deutschen Seefahrer genannt oder besprochen worden und ferner auch wol, dass das Deutsche Reich bisher hier keinen Vertreter hatte, dem es als eine Pflicht anlag, deutschen Seefahrern mit Rat und That an die Hand zu geben.

Die Gruppe besteht aus zusammen 25 Inseln, wovon die 17 grösseren bewohnt sind. Es sind hier ganz vortreffliche, natürliche Häfen, die selbst unter den schwersten Winterstürmen eine ganz sichere Zufluchtsstätte für Schiffe bieten. Als den ersten Hafen dieser Art rechne ich vor allen anderen „Westmanhavn“ an der Westseite der Insel Strömö mit leichtem Zugang sowohl von der Nord- wie von der Südseite der Inseln. An Sicherheit und leichtem Zugang folgen diesem zunächst „Kongshavn“ an der SW-seite der Insel Ostero, ungefähr 6 Km. von Thorshavn entfernt; sodann „Klaksvig“ auf Bordo, „Juglefjord“ an der Ostseite von Ostero und in letzter Reihe „Tranjisvang“ auf Südero. — Thorshavn bietet leider nur eine offene Rhede, allerdings mit ganz vortrefflichem Ankergrund, ist aber nur als ein sicherer Ankerplatz während der besseren Jahreszeit zu bezeichnen. Als Hauptort der ganzen Inselgruppe wird diese jedoch am meisten befahren, selbst von Nothafen suchenden Schiffen

Es ist unter den Seeleuten sehr viel die Ansicht verbreitet, dass die Far-Öer Inseln vielfach von blinden Klippen umgeben seien. Das ist ganz irrig! Das Fahrwasser ist mit sehr wenigen Ausnahmen steil tief bis ganz unter den Vorgebirgen, und die Strömung, die eine ziemliche aber keineswegs ungewöhnliche Stärke hat, setz nirgends unmittelbar an die Klippen. Eigentliche Schiffsstrandungen kommen hier aus diesen guten Gründen selten vor. Bei klarer Luft sind die Inseln in einem Abstande von 60 — 70 Km. sichtbar. Die gefährlichste Stelle ist die Umgebung der kleinen nackten Klippe „Munken“, ungefähr 6 Km. südlich von der Südspitze der Insel Suduro, der südlichsten der Gruppe, liegend. Es hiess, dass die Klippe bei einem ungewöhnlichen Seegange im Februar 1883 ganz zusammengefallen und nicht mehr über dem Wasserspiegel wahrzunehmen sei; dem ist nicht so! Die dänische Regierung hat diese Angelegenheit im verflossenen Sommer durch den Orlogsschuner „Diana“, Kapt. Irminger, genau untersuchen lassen, und es hat sich gezeigt, dass die Klippe allerdings etwas zusammengestürzt ist, aber desungeachtet noch immer eine Höhe von 10 m über dem Wasserspiegel hat, und bei einer Augenhöhe von 6 m bei klarer Luft noch in einem Abstande von ungefähr 18 Km. zu sehen ist

Die dänische Regierung hat beschlossen, an der Südspitze der Insel Nolsoe, etwa 8 Km. von Thorshavn entfernt, ein Feuer erster Klasse zu errichten. Das nächste Staatsbudget 1886/87 wird, soviel ich weiss, eine Summe von 3500 Kr. zu den Vorarbeiten auswerfen. Der ganze Bau ist auf etwa 160 000 Kr. veranschlagt.

Dieser Leuchtturm, an einem ganz vorzüglich richtigen Platz projektiert, wird den Schiffen ein guter Leiter, nicht allein nach Thorshavn, sondern auch nach den übrigen, oben bezeichneten Häfen sein.

Norwegens Schiffahrt im Jahre 1883.

Die vom statistischen Centralbureau in Christiania herausgegebene „Tabeller vedkommende Norges Skibsfart i aaret 1883“ giebt den Stand der Handelsflotte Norwegens zu Ende 1883 mit 7 159 Segelschiffen von 1 454 709 To. und 440 Dampfern von 92 485 To., zusammen also mit 7 699 Schiffen von 1 547 194 To. an, und ist aus diesen Zahlen zu entnehmen, dass im Vergleich zum Vorjahr eine Verminderung der Flotte um 14 Fahrzeuge, dagegen eine Vermehrung der Tragfähigkeit um 17 190 To. stattgefunden hat. Die Abnahme in der Anzahl der Fahrzeuge ist ausschliesslich den Segelschiffen zuzuschreiben, denn die Dampfschiffe stiegen von 407 auf 440, erhielten also einen Zuwachs von 33 Fahrzeugen, während die Segler von 7 506 auf 7 159 fielen, also um 47 Fahrzeuge abnahmen. Die Zunahme der Dampfschiffe erscheint mit Rücksicht auf die jetzigen Verhältnisse ganz naturgemäss, die stetige und rasche Abnahme der Segelschiffe indessen giebt Anlass zu folgenden statistischen Bemerkungen. In 1882 verringerten sich die Segelschiffe um 112 und seit 1878, wo die Anzahl der Segler am höchsten stand, bis zu Anfang 1883 hatten sich dieselben im Ganzen um 436 vermindert. Obgleich sowohl die Anzahl, als auch die Tragfähigkeit der Segelschiffe fortwährend geringer wurde, hat doch, wenn man 1883 mit 1882 vergleicht, die Abnahme der Tragkraft nicht mit dem Rückgang in der Anzahl gleichen Schritt gehalten, da in 1883 durchgehends grössere Fahrzeuge als in 1882 gebaut wurden. Der Ankauf von Segelschiffen im Auslande zeigt einen Zuwachs sowohl hinsichtlich der Anzahl, als auch der Tragfähigkeit; es wurden nämlich in 1883 113 Fahrzeuge von 61 661 To. gekauft, gegen 79 Fahrzeuge von 43 657 To. im Vorjahre. Mit dem Bau von Dampfschiffen im Inlande sah es eine zeitlang recht traurig aus; namentlich im Jahre 1879 lag derselbe sehr darnieder. Derselbe hat sich jedoch in letzter Zeit wieder merklich gehoben. Die Thätigkeit der inländischen Werkstätten in den Jahren 1879—1883 gestaltete sich folgendermassen:

Jahr	Dampfer	Tonnen
1879	5	764
1880	6	1 385
1881	13	2 347
1882	18	3 042
1883	22	5 189

Nur das Jahr 1872 kann sich hierin mit 1883 messen; es wurden nämlich in jenem Jahr auf norwegischen Werkstätten ebenfalls 22 Dampfer fertig gestellt. Im Auslande gekauft wurden in 1883 23 Dampfschiffe von 8701 To.; in 1882 33 Dampfschiffe von 14732 To.

Die Schiffahrt zwischen Norwegen und dem Auslande beschäftigte (nach der Anzahl der Schiffsexpeditionen gerechnet) 12117 Fahrzeuge von 2296527 To. beim Einlauf [illegible] Auslauf. Vom Tonnengehalt entfallen auf

	Einlauf	Auslauf
beladene Segelschiffe	421702	1145237
beladene Dampfschiffe	804944	742899
zusammen......	1224646	1888136

Von der Tragfähigkeit aller mit Ladung ein- und ausgegangenen Segel- und Dampfschiffe entfallen 1962155 To. oder 63 pCt. auf norwegische und 1150627 To. oder 37 pCt. auf fremde Fahrzeuge.

S.

Eine neue(?) Kompassrose.

Auf dem Stettiner Dampfer „Anastasia" sah ich vor einigen Tagen eine neue Kompassrose, und glaube den Lesern dieses Blattes Einiges darüber mitteilen zu sollen, um so mehr als bis dahin nichts darüber bekannt geworden zu sein scheint. Leider bekam ich dieselbe erst so kurz vor dem Ausgehen des Dampfers zu Gesicht, dass ich eine genaue Untersuchung derselben nicht vornehmen konnte.

Die vorliegende Rose unterscheidet sich in ihrer obern Ansicht in nichts von den gewöhnlichen Normalrosen. Die ungefähr 1 cm hohen und $\frac{1}{2}$—? mm starken Magnete sind Kreisbogen von etwa 150° und davon sind 6 oder 7 Stück angebracht, wie die nebenstehende Zeichnung angiebt. Das Gewicht der Rose betrug bei etwa 20 cm Durchmesser nach Schätzung 125 bis 150 Gramm.

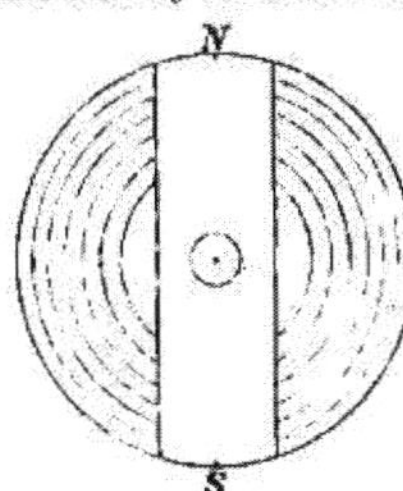

Durch die kolossale Menge grosser Magnete wird das Gewicht der Rose unverhältnismässig gross, so dass Pinne und Hütchen unmöglich lange unversehrt bleiben können; weil die innern Magnete so nahe dem Hütchen angebracht sind, ist der Ruhe-Koefficient jedenfalls sehr klein und bei dem wahrscheinlich sehr grossen magnetischen Moment wird die Schwingungszeit viel zu klein. Dass die Rose irgend eine Zukunft hat, glaube ich dementsprechend nicht, vielmehr möchte ich dieselbe als warnendes Beispiel hinstellen, wie oft Erfinder Nachdenken, Zeit und Geld auf eine vermeintliche Erfindung verschwenden, die längst als verfehlt erkannt ist. Zu diesem Zwecke erlaube ich mir einige Zeilen aus der vortrefflichen Arbeit des Herrn Prof. Gelcich anzuführen, die allen Erfindern auf dem Gebiete des Kompasswesens und solchen, die es werden möchten, auf das Wärmste empfohlen sei: „Die Fortschritte im Kompasswesen", publiciert in der Centralzeitung für Optik und Mechanik 1885 No. 7—14.

Daselbst heisst es Seite 77, Spalte 2:

„In den siebziger Jahren hat Duchemin Rosen mit Kreismagneten konstruirt, und zwar beabsichtigte der Erfinder dadurch zweierlei zu erreichen. Erstens die Lage der magnetischen Axe der Rose, welche bei Lamellen und Nadeln nur ungenau bestimmt erscheint und um so ungenauer, je breiter diese sind, besser zu fixieren, andererseits auch die mechanische Stabilität durch gleichförmige Verteilung der Masse um den Mittelpunkt der Rose zu erhöhen. Um Verrostung der Rose hinten zu halten, waren selbe mit Nickel überzogen. Anfangs haben die Rosen ungemein von sich sprechen gemacht. Verschiedene französische Kriegsschiffe erhielten solche zur Erprobung und man las in der Revue marit. die vorzüglichsten Berichte über die Versuchsresultate, aber dessenungeachtet scheinen sich solche Kompasse nur äusserst geringer Verbreitung zu erfreuen. Aehnlichen Prinzipien folgte Postel-Vinay, der anstatt Kreismagnete gekrümmte [illegible] Mit Rücksicht auf die Vorteile, welche die Anwendung von zwei anstatt einer Nadel gewährt, dachte er bessere Resultate dadurch zu erzielen, dass er zwei Lamellen mit den Polen auf 30° Distanz von den Nord- und Südpunkten der Rose anwendete. Der leer bleibende Raum der Rosenperipherie war durch Kupferbögen ausgefüllt, um eine gleichförmige Verteilung des Gewichts zu erzielen."

Dass Postel-Vinay in Bezug auf den Ruhe-Koefficienten gewissermassen als ein Vorläufer Thomson's erscheint, sei nur noch nebenbei erwähnt.

Geestemünde, im Juli 1886. Jungclaus.

Eine alte Idee in neuer Ausführung.

Vor etwa einem Jahre kam mir ein Prospekt eines Herrn Moore, wenn ich nicht irre, aus Belfast zu Gesicht, worin derselbe eine angebliche Verbesserung des Schiffskompasses resp. der Kompensation desselben anpreist. Die Rose ist eine modifizirte Thomson'sche Rose, unter welcher er die 8 Magnete von gleicher Länge nicht horizontal neben, sondern vertikal unter einander in der bekannten Sehne von 30° anordnet. Dass diese Rose fast dieselben Eigenschaften haben muss wie die Thomson'sche ist leicht erkennlich. Der Kompasskessel ist in seiner obern Hälfte so gross, dass die 8—10 zöllige Rose sich frei bewegen kann. Die untere Hälfte hat nur den halben Durchmesser wie die obere, um unter den horizontalen Flächen mm die D Kompensatoren anzubringen, nämlich hohle Eisenkugeln von $1\frac{1}{2}$—2 Zoll Durchmesser.

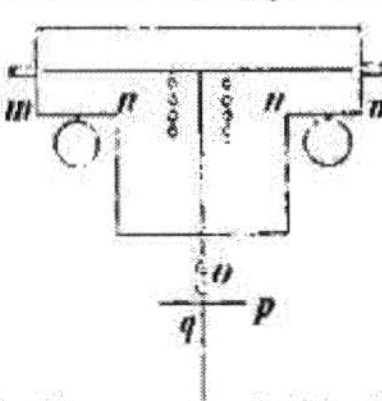

Die Magnete, durch welche für B, C und K kompensiert werden soll, sind in einer Vorrichtung, (o, p, q) welche unter dem Kompasskessel befestigt ist, leicht unterzubringen. Dieselben sollen den Kompassen beigegeben werden, und da sie nur 6—7 cm lang sein sollen, dürfen sie den Rosenmagneten ziemlich nahe gebracht werden.

Herr Moore scheint besonders Gewicht darauf zu legen, dass nach seiner Erfindung Thomson's Kugeln von der Aussenseite verschwunden sind und man unbehindert von denselben nach allen Richtungen hin Azimuthbeobachtungen machen kann.

Die Erfindung ist weder neu noch empfehlenswerth. Wenn auch in etwas anderer Form verfolgte der Kapitän des österreichischen Lloyd, Franz Viscovich, vor Jahren dieselbe Idee, nämlich die Kompensatoren am Kompasskessel anzubringen, bedachte aber damals ebensowenig wie jetzt Moore, dass dieselben den verschiedenen Kräften des Schiffsmagnetismus entgegen wirken sollen und deshalb fest mit dem Schiffe und nicht fest mit dem Kompass verbunden werden müssen.

Geestemünde, im Juli 1886. Jungclaus.

Die Zwillings-Magnetnadel und das Leben der Erde.

Von *Rud. Röttiger* in Mainz.

Es hat eine lange Reihe von Versuchen aller Art und Ueberwindung von mannigfachen Schwierigkeiten vorhergehen müssen, um dieses einfache Instrument, wie es jetzt seine Aufgabe erfüllt, herzustellen. Unter den Schwierigkeiten sind nicht die geringsten die hergebrachten Vorstellungen von den

Wesen des Magnetismus und der Electricität, welche Vorschriften für die Herstellung derartiger Instrumente machen, deren Beseitigung dem Erfinder und Entdecker oft grosse Mühe macht, wenn er zum Ziele kommen will.

So glaubte man in den magnetischen Störungen etwas Ausserordentliches, in der Ruhe der Magnetnadel einen normalen Zustand zu sehen. Mit der Beobachtung der *Zwillingsnadel* wird man sich bald überzeugen, dass der Zustand der Ruhe nur ein vorübergehender, dass unablässige Bewegung der normale Zustand ist. Als ich im April 1879 Mitteilungen über derartige Nadelbewegungen an verschiedene Institute machte, schrieb mir der Vorstand der Greenwicher Sternwarte (Royal Astronomer) Airy, dass es sich um ein Missverständnis handeln müsse, da Ausschläge, wie ich sie damals erwähnte, von 20° ihm noch nie vorgekommen seien.

Die neue Zwillingsnadel zeigt nicht blos Ausschläge von hunderten von Graden, sondern selbst völlige Kreisdrehungen. Die Sache erklärt sich durch die Verschiedenheit der Principien, denen man bei Herstellung der Instrumente folgt. Wenn man von der Vorstellung ausgeht, die magnetische Ruhe sei in der Erde der normale Zustand, und demgemäss 50 Pfund schwere „Magnetometer“ herstellt, so können solche Ungetüme sich erst dann bewegen, wenn ein grosses Volumen der bewegenden Kraft angehäuft, verdichtet ist. Würden wir mit armdicken Thermometerröhren, die Stunden oder halbe Tage gebrauchen, um sich zu durchwärmen oder abzukühlen, die Temperatur messen, so dürften wir uns nicht wundern, wenn Schwankungen von 5—10° und darüber, wie wir sie mit unsern gegenwärtigen Thermometern nachweisen, spurlos an jenen vorübergingen.

Statt der Ueberlieferung hier zu folgen, habe ich die von mir seit Jahren entdeckten und verfolgten Oscillationen, Vibrationen und die damit verbundenen elektrischen Erdströme, die mir eben zeigten, dass die Ruhe in der Erde nur ein Ausnahmezustand ist, zum Ausgangspunkte genommen und demgemäss die Zwillingsnadel konstruirt, bei der neben grosser Leichtigkeit und Beweglichkeit die Verwertung der Erdströme im Auge behalten ist. So ist ein Instrument entstanden, welches dem Beschauer ein Bild von dem Leben in der für todt geltenden Erde sofort vor Augen führt.

Man ist dem Hergebrachten zulieb geneigt, in diesen Bewegungen, die sich teilweise auch bei andern Instrumenten erkennen lassen, „anomale“ Störungen der Instrumente zu sehen, weil sie die in den Lehrbüchern aufgestellten Annahmen durchkreuzen und ich habe es leider erlebt, dass man ausser dem oben angeführten Beispiel des Royal Astronomer auch sonst meine Beobachtungen für so „gegen alle Regel“ laufend, ansah, dass man glaubte, sich stolz darüber hinaus heben zu können. Heute ist das Patent auf die Nadel angemeldet und sind drei Exemplare derselben an das Patentamt in Berlin abgeschickt, wo man ihre Leistungen beobachten kann.

Ein zuverlässiger und erprobter Beobachter, Herr Kontreadmiral Werner, der seit mehr als zwei Monaten eine solche Nadel von mir erhalten hat, schreibt u. A.:

„Wiesbaden, 6. Mai 1886.

Heute Morgen zwischen 9—11 Uhr war meine Nadel beinahe wild, während sie sich schon gestern unruhig gezeigt hatte. Sie drehte sich 8—9 Mal hintereinander um den ganzen Kompass nach links herum. Zug war ausgeschlossen und vermochte ich keine äussere Störung zu entdecken. Eine ganze Drehung dauerte etwa 2½—3 Minuten. Ich hielt sie ein paar Mal dadurch an, dass ich sie gegen einen lose hängenden Faden laufen liess. Dann stoppte sie eine Zeit lang, fing aber danach wieder an zu schwingen. Gegen Mittag wurde sie ruhiger. Jetzt (5 Uhr) schwankt sie langsam zwischen N 15—20° W und 10—15° O.“

In einem längeren Briefe vom 8. Mai 86 schreibt derselbe Herr: „Gestern Morgen gegen dieselbe Zeit wiederholten sich die Erscheinungen vom Tage zuvor, d. h. die Nadel wurde wild und lief nach Westen zu durch den ganzen Kompass, indem sie bald etwas langsamer, bald schneller in 2½—3 Minuten den ganzen Kreis beschrieb. Ich arretirte sie 6—8 Mal, indem ich sie, wenn sie auf Nord stand, gegen einen lose hängenden Seidenfaden laufen liess; dann stand sie 10—20 Sekunden still, um ihren Lauf jedesmal wieder und allmälig schneller zu beginnen.“

Der Herr Kontreadmiral hat dann tägliche Beobachtungen gemacht, die er mir in einem Briefe vom 5. Juni mitteilt. Ich erwähne daraus: 30. Mai. Morgens zwischen 9—10 U. Ausschlag zwischen N 10° W und N 90° W — 31. Mai, 9 U. Morgens, Ausschlag zwischen N 40° O und N 90° W — 3 U. Nm., Ausschlag zwischen N und N 30—40° W — 8 U. Abds. Stillstand auf N 10° W minutenlang, dann ganz langsames Schwanken zwischen N 5° O und N 15° W.

Am 3. Juni 8—8¼ U. Mgs. heftige Unruhe. Trotz öfteren Hemmens flog dieselbe nach Osten durch den ganzen Kompass mit einer schnellen Bewegung, zuletzt in 1¼ Min. — 8¾ U. ruhiger, sie schwankt zwischen N 60° O bis N 20° W. — 9 U. langsames Schwanken zwischen N 10° O und N 20° W. — 12 U. Mittags und 6 U. Ab. auf N stillstehend. — 4. Juni 4½ U. Nm. plötzlich auf N 50° O ausschlagend und dort stehen bleibend. — 5. Juni Abds., sehr unruhig, nach O durch den ganzen Kompass fliegend.“

Ein weiterer Brief vom 12. Juni berichtet über die Bewegungen der Nadel vom 6.—12. Juni. Am 7. geht dieselbe langsam durch West über den ganzen Kompass, dann schneller von West zurück bis N 35° O, dann bis N 50° W.

Am 8. Juni dreimaliger Stillstand auf N 34° W, auf N 70° W und N 40° W um 12, 1 und 2 U. Mittags, um 3¼ U. um den ganzen Kompass durch W in 3½ Min., nach zweimaligem Umschwung auf N angehalten, dann langsames Schwanken zwischen N 10° O und N 30° W.

9. Juni 1 U. Mittags, Stillstand bis 2½ U. Auf einmal schlug die Nadel sehr schnell von N 30° W nach O durch den ganzen Kompass. Auf N angehalten, schlug sie bis N 60°, auf beiden Seiten länger bleibend.

Am 10. Juni, Nm. 4 U. bis Ab. 10 U. merkwürdig ruhig.“ Am 12. beobachtete der Herr Kontreadmiral sehr lebhafte Unruhe, die er wie folgt im Einzelnen schildert:

8 Uhr: Schwanken zw. N 10° O und N 30° W.
10 „ Um den ganzen Kompass durch W.
12 „ Schwanken zw. N 10° O und N 80° W.
2 „ Stillstand auf N 5° W.
3 „ Nach O. Kreis durch den ganzen Kompass.
4 „ Stillstand auf N 5° W.
4½ „ Desgl. auf N 15° W. Dann plötzliches schnelles Ausschlagen nach N 70° O, dann zurück bis N 70° W, um einige Minuten stehen zu bleiben. Darauf ziemlich schnell bis N 15° O zurück (lebhafte Unruhe), um das Spiel wiederum zu beginnen.

9 Uhr, Stillstand N 10° W.

9¼ Uhr, desgl. Dann bis N 30° W Ausschlagen und zurück bis O um den ganzen Kompass, danach einige Zeit auf N stillstehend und nach W um den ganzen Kompass durch. Stillstand auf S. 60° W mehrere Minuten, um abermals langsam durch W wieder um den ganzen Kompass zu drehen. Von N 80° W dann zurück bis N 30° O und dort längere Zeit stillstehend.

10 Uhr. Schwanken zwischen N 30° W und N 20° O.

Es ist wohl unnötig, dem klassischen Zeugnisse des bewährten Seemannes und General-Offiziers der deutschen Flotte etwas hinzuzufügen. Dasjenige, was der Royal Astronomer und andere geringere Grössen kraft der ihnen verliehenen Unfehlbarkeit aus dem Studirzimmer heraus für so unmöglich erklärten, dass sie gar nicht einmal hineinblicken brauchten, das führt die Zwillingsnadel einem Jeden vor Augen und giebt so ein weiteres Zeugnis von dem

Leben der Erde.

Man wird eines Tages sich verwundert fragen wie es kam, dass man im aufgeklärten 19. Jahrhundert an diesem Leben noch zweifeln konnte, nachdem seit 1879 die Thatsache feststeht, dass unsere Erde keineswegs die Gestalt einer Kugel hat, selbst nicht einer abgeplatteten, sondern dass sie auch unter dem Aequator eine völlig unregelmässige Form besitzt, die sich dadurch kennzeichnet, dass der Aequator eine Ellipse beschreibt, deren Axen um 475 Meter verschieden sind, soweit man überhaupt unter den dadurch dargelegten Verhältnissen den Aequator messen kann. Denn dadurch werden die auf die Fiction von dem kreisrunden Aequator gegründeten Gesetze der Pendelschwingungen zum grossen Teil hinfällig. Eine notwendige Folgerung aus diesem Messungsresultate ist diejenige, dass ein Teil der Erdmasse sich in einer excentrischen Richtung bewegt und periodische Schwerpunktsversetzungen stattfinden, die ausserdem aller Regelmässigkeit zu entbehren scheinen.

Genug — und dieses ist eine auch ohne die vorliegenden Nadelbeobachtungen bereits durch andere Beweise belegte Thatsache — vom Aequator gehen unausgesetzt elektrische Ströme im Boden fort gegen die Pole. In Bezug auf die nähere Erklärung dieser Bewegungen muss ich auf mein Werk, „Das Wetter und die Erde“ verweisen. Diese Ströme sind ebenso wenig regelmässig, wie es die Gestalt der Erde selbst oder die geographisch-geognostische Gestaltung ihrer Oberfläche ist. Die natürliche Anziehungs- oder Schwerkraft der Erde erleidet durch jene Ströme und deren Bewegungsfiguren unaufhörliche Störungen, wie die *Zwillingsnadel* sie deutlich darlegt. Der Magnetismus wird fortwährend in seinen Wirkungen unterbrochen, und die längere Beobachtung der *Zwillings-Magnetnadel* zeigt, wie wenig die absolute Nord- oder die Richtung des magnetischen Meridians der Magnetnadel einem festen Gesetze entspricht, sondern vielmehr nur Resultat einer Reihe von Wiederholungen ähnlicher Fälle ist.

Die von der Richtung des Aequators gegen die Pole abfliessenden Erdströme geben der Magnetnadel die Richtung, aber stets nur nach einem Bewegungsherde, der gerade thätig ist. *Daher erklären sich die grossen Schwankungen der Nadel, die selbst nach Süden zeigt* (mit dem Nordpol) und sich in Folge der sich kreuzenden Ströme im Boden um den ganzen Kompass bewegt. Diese Bewegungsherde sind dasjenige, was das Wetter macht, d. h. den Zustand in der Erde, der in Folge von Störungen im Gleichgewicht sich unausgesetzt entwickelt. Die Erde, die vermöge ihrer Anziehungs- oder Schwerkraft keinem Atom in ihrem Bereich eine selbstständige oder unabhängige Bewegung gestattet, mithin auch ihre Atmosphäre in gleicher Weise festhält, stösst unausgesetzt beträchtliche Teile dieser Atmosphäre ab (das Barometer fällt an solchen Stellen).

Es sind dieses dieselben Stellen, wo die von den Mittagsgegenden ausgehenden dem Pole zugehenden Ströme durch irgend ein Hindernis im Boden, im Erdgefüge gehemmt und verdichtet werden. Diesen Process begleitet die *Zwillings-Magnetnadel* mit dem Hinweisen ihres Nordpols nach einer solchen Stelle, die also nicht immer im richtigen Norden oder in der genauen Richtung des magnetischen Meridians zu liegen braucht. Erfolgt eine elektrische Explosion, d. h. bricht der verdichtete Erdstrom sich Bahn durch das Hindernis und stösst die Luftteile ab, mit denen er in einem schwer zu vereinbarenden Verhältnis der Gegenschaft lebt, so sinkt das Barometer an jener Stelle, die Nadel aber, die durch den Strom keine Ablenkung mehr erfährt, nimmt eine andere Richtung an, bis sie wieder von einem stärkeren Strom gefesselt und geleitet wird. Es geschieht nun häufig, dass die Explosion in einer mittägigen (bei uns südlichen) Richtung erfolgt, trotzdem die Spannung auf Norden zu deuten schien. In diesem Falle geht der Strom rasch zurück nach der Explosionsstelle und es erfolgen die grossen Schwankungen mit Stellung des Nordpols nach Süd.

Dieses ist im Wesentlichen die kurze Erklärung der sonst räthselhaften Bewegungsfiguren der Nadel, mit denen ich seit einer Reihe von Jahren arbeite und Distanzbeobachtungen bis an die äussersten Grenzen des europäischen Gebiets auszuführen im Stande bin. Eine weitere Consequenz aus dem richtig erfassten System ist, dass man sich Rechenschaft über den Verbleib starker Spannungen geben kann, wenn dieselben noch ihre Austräge nicht auf europäischem Gebiet finden. Wir stehen mit der westlichen Halbkugel in einem Wechselverhältnis, das sich durch die westöstliche Erddrehung erklärt. Wenn die Spannung bei uns erlischt, ohne dass sie Austrage von entsprechender Bedeutung gefunden hätte, so kann man mit ziemlicher Gewissheit darauf rechnen, dass der „New-York-Herald" irgend einen Wirbelsturm, eine Depression ankündigt, die von Amerika nach Europa kommen solle. In Folge der geographisch-geognostischen Lage hat Europa von seiner West- oder Seeseite die hauptsächlichsten Störungen zu erwarten, wie dieses aus einer Reihe von Gründen, die in dem oben citirten Werke näher beleuchtet sind, nicht anders sein kann. Die West- oder Ostlage hat darauf keinen Einfluss; denn gerade an der Westküste von Süd-Amerika finden sich die regenlosen Gegenden dicht am Meere. Aber die landläufige Meteorologie hat sich derart in die Fiction des West-Ostziehens der Depressionen hinein gelebt, dass alle Beweise abprallen. Demgemäss telegraphirt der „New-York Herald" schon seit einer Reihe von Jahre die Störungen, die Europa treffen sollen, aber selbst, wenn in der angedeuteten Zeit ein Sturm oder stärkerer Barometerfall bei uns eintritt, so bliebe immer noch der Beweis zu führen, dass diese Bewegung dieselbe sei, die in Amerika ihren Ursprung nahm. Dieser Beweis ist aber bis jetzt noch nicht geführt; während ich mich erboten habe, schon vor Jahren anzugeben, wann der „New-York Herald" uns irgend eine Störung telegraphiren wird und dieses auf die Beobachtung der elektrischen Spannung basirte.

Die Sache ist natürlich weder so ungemein einfach noch kurz zu beschreiben. Der Begriff Bewegung umfasst auch die Bewegungen und Bildungen der Hochdruckgebiete, die ebenfalls durch Explosionen herbeigeführt werden und nicht auf übersinnlichem oder überirdischem Wege entstehen. Das Barometer fällt oder steigt nicht aus gewissen Gründen, die mit der Wetterbildung in mystischer Beziehung stehen, sondern es fällt, weil die Erde ihre Luftteile an der betreffenden Stelle durch eine elektrische Explosion abstösst, und es steigt, weil die abgestossenen Teile an der betreffenden Stelle Ruhe finden, angezogen werden. Da ausserdem der Begriff Hoch oder Höhe den Gegensatz in einer gewissen Entfernung in sich fasst, so ist der hohe Barometerstand nur auf Unkosten eines ziemlich nahe liegenden niedrigen entstanden. Dieses vergessen die Beobachter meistens, und daher entstehen die „Ueberraschungen," wenn die aus dem hohen Barometerstande im Norden oder Westen gefolgerten Prognosen ins Gegenteil sich verkehren. Ein hoher Barometerstand über den britischen Inseln ist nur dadurch entstanden, dass weiter ab im Ocean Bewegungsherde liegen, von denen die Luftmassen abgestossen und nach den Inseln geführt wurden, ebenso tritt ein Hochdruckgebiet im Nordosten über Finland z. B. nur dann ein, wenn weiter nördlich ausser dem Bereich der Beobachtungsstationen ein Explosionsherd liegt. *Für jede dieser Veränderungen in der Atmosphäre ist die Erdelektricität und ihr Walten notwendig.* Wenn man also mit einer solchen *Zwillings-Magnetnadel* die atmosphärischen Bewegungen verfolgen will, so muss man diesen Satz vor Augen behalten.

Zum Schluss will ich noch bemerken, dass trotz aller Entladung durch vulkanische Ereignisse sich noch ein solches Quantum Bewegung, Spannung und Unruhe in der Erde signalisirt, wie ich es in dem bereits abgelaufenen Teil der merkwürdigen Krisenepoche, die wir seit 1879 durchleben, kaum so stark wahrgenommen habe. Der Indische Ocean, Centralamerika, sowie das westliche Mittelländische Meer mit dem Aetnagebiet lassen besonders noch Weiteres erwarten.

Mainz, 18. Juni 1886. **Rudolf Röttger.**

Liebhaber können die *Zwillings-Magnetnadel*, die bereits durch die Anmeldung zum Patent vor Nachahmung geschützt ist, von mir beziehen. Der Obige.

Aus Briefen deutscher Kapitäne.

VIII.

Pumpenpeilung und Verklarung.

In No. 17 der „Hansa" von 1881 behandelte ein Kollege A das Peilen der Pumpen und wünschte die Ansichten anderer Kapitäne darüber zu wissen. In Newchwang schickte ich den betreffenden Aufsatz an fünf befreundete Kollegen, mit der Bitte um ihre Meinung; sie Alle waren der Ansicht, welche auch die meinige ist, dass unser Kollege A vollständig recht hat, wenn er sagt dass auf See kein nur angenähert richtiges Peilen der Pumpen möglich ist, ja dass selbst im Hafen, solange als das Schiff beladen oder entlöscht wird, ein ebenso fehlerhaftes Resultat erreicht wird. Denn das Schiff wird während dieser Zeit jeden Tag wohl anders belastet sein wie am vorhergehenden, mein Schiff liegt z. B. sehr häufig 3—4 Fuss auf dem Kopfe oder ins Heck, und dass es vollständig genügt im Journal „Pumpen lenz" zu schreiben.

Betrachtet man die Vorschrift des Art. 487, den Wasserstand bei den Pumpen, ohne die betreffende Erläuterung, so fragt es sich, wann soll der Wasserstand im Journal angeschrieben werden, nach 6, 12 oder 24 Stunden, vor oder nach dem Lenzpumpen? Lasse ich meinen Steuermann den Wasserstand nach dem Lenzpumpen, welcher wohl bei der verschiedenen Bauart der Schiffe von 4—8 Zoll betragen mag, ohne weitere Bemerkungen ins Journal schreiben, so kann mir doch Niemand den Vorwurf machen, einen unrichtigen Wasserstand in's Journal geschrieben zu haben.

Obige Vorschrift besagt also an und für sich sehr wenig und lässt eine verschiedene Deutung zu. Nimmt man aber die Erläuterung dazu, so sagt dieselbe, dass der Zweck des Gesetzes sein soll, den Führer eines Schiffes zu veranlassen, zum mindesten einmal jeden Tag seine Pumpen zu peilen oder lenz pumpen zu lassen; hieraus geht aber auch hervor, dass, bei der durchgängig ungenauen Ermittelung des Wasserstandes, der Sinn des Gesetzes vollauf erfüllt ist, wenn bei seetüchtigem Zustande des Schiffes täglich „Pumpen lenz" in's Journal geschrieben wird, denn damit wird ja auch zugleich der Wasserstand angegeben, ausserdem wird auch beim jedesmaligen unter Segel gehen in's Journal geschrieben, dass das Schiff dicht, hecht und stark ist. Es kann der Sinn der Gesetzgeber nicht gewesen sein, ein Schiff in Nachteil zu bringen oder unrichtige Angaben in's Journal schreiben zu lassen und dies würde unbedingt der Fall sein, wenn man uns zwingen wollte, tagtäglich den Wasserstand bei den Pumpen anzugeben; erst wenn das Schiff leck ist und „dann nur erst", würde ich auf See das stündliche Wassermachen, wenn es sich angenähert ermitteln liesse, mit dem Worte „etwa" ins Journal schreiben. Es thut mir leid, dass mein Kollege A nicht den Fall sowie den Namen des Reichskommissars, der das Journal, wegen „Pumpen lenz", als ordnungswidrig erklärt hat, genannt hat: am Ende ist es ein theoretischer Reichskommissar oder ein Marineoffizier gewesen, denn dass es ein Kauffahrteikapitän gewesen ist, will mir nicht in den Sinn. Hiegegen lässt sich Abhülfe schaffen, indem durch Einigkeit und Beharrlichkeit sämtlicher seemännischer Vereine, die theoretischen Reichskommissare entfernt und durch Kauffahrteikapitäne ersetzt werden; wir haben Männer genug in der Kauffahrteiflotte, die diesen Posten wahrnehmen können, wir wünschen keine abgedankten Marineoffiziere. Es wird mir jeder dieser Herren zugeben, dass der Dienst und die Anforderungen an Bord eines Kriegsschiffes ganz verschieden sind von denen eines Handelsschiffes; aus diesem Grunde bleibt es auch für einen Marineoffizier stets schwierig über einen Kauffahrteikapitän zu urteilen.

Ich möchte dieser Frage, über das Peilen der Pumpen, noch eine andere Frage über die *Verklarung* hinzufügen.

Art. 490 besagt, dass der Führer eines Schiffes über alle Unfälle, welche das Schiff während einer Reise befunden haben, eine Verklarung ablegen kann, und Art. 491, dass diese Verklarung in einer „vollständigen und deutlichen Erzählung" bestehen soll. Nun wird in Amoy und Shanghai das Journal zu einer Verklarung „buchstäblich" abgeschrieben; orthographische Fehler zu verbessern oder Verbindung und Umformung der Sätze werden nicht erlaubt. Es ist mir in einer Hinsicht so ziemlich gleichgültig, ob meine Verklarung von orthographischen oder ähnlichen Fehlern wimmelt oder nicht, wenn ich meinen Zweck nur mit der Verklarung erreiche, aber andererseits ist es mir oder meinen Agenten, welche in der Regel das Journal abschreiben, doch nicht gleichgültig, da fremde Leute: Rheder, Versicherer u. s. w. das Schriftstück in Händen bekommen.

Wer hat also nun recht, unsere Konsuln oder das Handelsgesetzbuch? oder lässt Art. 491 eine verschiedene Deutung zu? E. K.

Nachschrift der Redaktion. Art. 491 lautet: „die Verklarung muss einen Bericht über die *erheblichen* Begebenheiten der Reise, namentlich eine vollständige und deutliche Erzählung der erlittenen Unfälle, unter Angabe der zur Abwendung oder Verringerung der Nachteile angewendeten Mittel enthalten." Demzufolge müsste der auf „Abschrift sämtlicher orthographischer oder ähnlicher Fehler" bestehende Konsul doch wohl den Beweis liefern, dass dieselben zu den „erheblichen Begebenheiten der Reise", und zur „vollständigen und deutlichen Erzählung der erlittenen Unfälle" als wesentlicher Bestandteil mit hinzugehören. Ob selbst ein „chinesischer" Konsul das könnte, erlauben wir uns einstweilen zu bezweifeln.

Der Juni-Orkan des Jahres 1885 im Golf von Aden.

Vice-Admiral *Cloué* hat aus den Schiffstagebüchern von 42 Schiffen, welche den furchtbaren Juni-Orkan 1885 im arabischen Golfe mitgemacht haben, dann aus den in Aden und an anderen nahegelegenen Orten gesammelten Beobachtungen und Angaben folgende interessante Daten über diesen Sturm veröffentlicht. *(Comptes rendus hebdomadaires des séances de l'Académie des Sciences.* 1886 S. 587.)

Gelegentlich des Sturmes sind, soweit bekannt wurde, 5 grosse Schiffe untergegangen, darunter die deutsche Corvette „Augusta" (gebaut 1864, 1825 t Wasserverdrängung, 72 m lang, 11 m breit, 1300 I. P. K., 238 Mann) und der französische Aviso „Renard" (gebaut 1866, 813 t Wasserverdrängung, 69 m lang, 8,4 m breit, 548 I. P. K., 107 Mann). Am Strande des Meeres fand man an verschiedenen Stellen im ganzen 49 Leichen, und man erfuhr mit Bestimmtheit, dass 425 Personen durch den Sturm ihren Tod in den Wellen fanden. Es ist jedoch wahrscheinlich, dass die Zahl der Menschenopfer doppelt so gross gewesen ist, da keiner der zahlreichen Küstenfahrer, welche die heimgesuchten Küsten befahren und sich gerade in See befanden, entkommen sein dürfte.

Das östlichste Schiff, dessen Beobachtungsmaterial *Cloué* noch zu sehen bekam, war der englische Dampfer „Mergui"; derselbe wurde am Abend des 30. Mai 250 Sm. im Osten von Socotra vom Sturme überfallen. Die anderen 41 Schiffe waren im Golfe von Aden zwischen dem „Mergui" und Obock verteilt.

Seit Menschengedenken erinnert man sich nicht, im Golfe von Aden einen derart heftigen und so *plötzlich eingetretenen* Sturm erlebt zu haben. Weder in der Stadt Aden selbst, noch im Hafen und auf der Rhede hat man eine bemerkenswerte Depression des Barometers bemerkt, ja selbst während des Sturmes war das Fallen des Barometers auf der vor Anker liegenden „Bacchante" kaum wahrnehmbar. Der englische Dampfer „Duke of Devonshire", welcher sich auf der entgegengesetzten Seite des Centrums befand und zu demselben eine symmetrische Lage wie Aden einnahm, notierte eine Depression von 14 mm; andere Schiffe, die verschieden lagen, beobachteten bis über 40 mm Barometerfall.

Die Richtung der Sturmbahn war eine ganz anormale, und zwar bis Aden rechtweisend West. Nachdem das Centrum 12 Meilen im Süden der Stadt (und 6 Meilen nördlich von Socotra) passiert war, bog die Bahn gegen W z S ½ S; der Durchmesser des Wirbels nahm in dem Masse ab, als die fortrückende Geschwindigkeit zunahm. Nach den Beobachtungen des „Mergui" hatte der Durchmesser auf 250 Meilen im Osten von Socotra 150 Meilen und die Geschwindigkeit betrug 8 Kn.; bei Socotra Durchmesser 140 Meilen, Geschwindigkeit 8,5 Kn.; bei Cap Guardafui Durchmesser 130 Meilen, Geschwindigkeit 10 Kn.; bei Aden Durchmesser 60 Meilen, Geschwindigkeit 14 Kn. Im Westen von Aden betrug die Geschwindigkeit 14,5 Kn., in Obock 15 Kn. und der Durchmesser am letzteren Orte hatte nur 50 Meilen.

Eine von Sangello nach Choa seit 8 Tagen auf der Reise befindliche Karawane wurde vom Unwetter am 4. Juni erreicht.

Die Stadt Aden hat durch den Sturm ungemein gelitten: mehrere der vor Anker gelegenen Küstenfahrer sind untergegangen, andere wurden an Land geworfen. Die Insel Perim blieb verschont, Obock dagegen ist beinahe ganz zerstört worden. Die Küste der Somali hat vom Sturme nichts verspürt.

Wäre am 31. Mai das Herannahen des Sturmes von der Insel Socotra aus nach Aden, Obock u. s. w. telegraphiert worden, so hätten vielleicht die „Augusta" und der „Renard" eben Zeit gehabt, zu überlegen, ob sie ihre Ankerplätze verlassen sollen oder nicht, und viele Unglücksfälle würden vermieden worden sein. Daraus ergibt sich abermals die Notwendigkeit einer grösseren Verbreitung der meteorologischen Sturmwarnungen. E. G.

Germanischer Lloyd.

Deutsche Handels-Marine: Seeunfälle vom Monat Juni 1886, soweit solche bis zum 15. Juli 1886 im Central-Bureau des Germanischen Lloyd gemeldet und bekannt geworden sind.

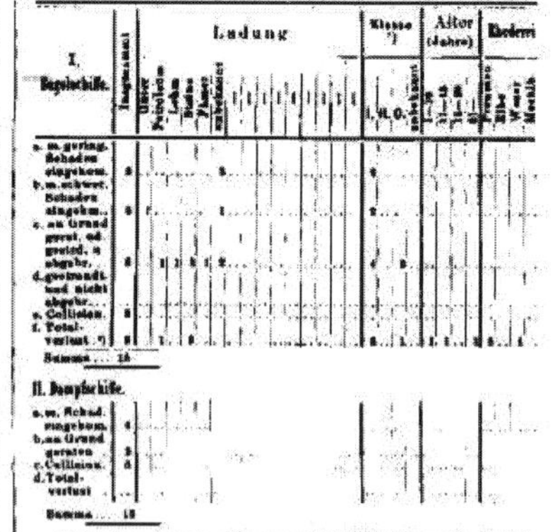

I. Segelschiffe.	Insgesammt	Ladung	Klasse ¹)	Alter (Jahre)	Rhederei
a. m. gering. Schaden eingekom.	[illegible]	[illegible]	[illegible]	[illegible]	[illegible]
b. m. schwer. Schaden eingekom.	[illegible]	[illegible]	[illegible]	[illegible]	[illegible]
c. an Grund gerat. od. gestrand. u. abgebr.	[illegible]	[illegible]	[illegible]	[illegible]	[illegible]
d. gestrandet und nicht abgebr.					
e. Collision.	[illegible]	[illegible]	[illegible]	[illegible]	[illegible]
f. Totalverlust ²)	[illegible]	[illegible]	[illegible]	[illegible]	[illegible]
Summa	15				

II. Dampfschiffe.	Insgesammt	Ladung	Klasse ¹)	Alter (Jahre)	Rhederei
a. m. Schad. eingekom.	4	[illegible]	[illegible]	[illegible]	[illegible]
b. an Grund geraten	3	[illegible]	[illegible]	[illegible]	[illegible]
c. Collision.	6	[illegible]	[illegible]	[illegible]	[illegible]
d. Totalverlust					
Summa	13				

¹) Soweit zu ermitteln, Klasse einer Schiffsklassifikations-Gesellschaft. O. = keine Klasse. Umgekommene Seeleute: 0.
²) Tonnengehalt von [illegible] Schiffen [illegible] Tons.

BERLIN, d. 18. Juli 1886.

Nautische Litteratur.

Die Seehäfen Frankreichs von Voisin-Bey, Inspecteur général des ponts et chaussées. Deutsche autorisirte Ausgabe nebst Anmerkungen von G. Franzius, Marine-Hafenbau-Direktor in Gaarden bei Kiel. Mit 12 Tafeln. 181 S. in gr. Oct. Leipzig, Verlag von Wilhelm Engelmann 1886. Preis M 11.

Das Buch „Ports de mer von Voisin-Bey" bildet den vierten Band des umfangreichen Werkes „Les travaux publics de la France" von verschiedenen Autoren, welches 1883 in Paris bei J. Rothschild erschienen ist. Da die Ausstattung des Originals eine überaus reiche, durch 50 grosse Phototypen der bedeutendsten französischen Seehäfen und Karten stark verteuerte ist, so ist es ein dankenswertes Verdienst des Uebersetzers, seiner Arbeit ein bescheideneres Gewand angelegt zu haben, und ihr dadurch Verbreitung in weitern Kreisen zu sichern. Dieselbe wird nicht ausbleiben, da hier ein überaus reiches Lehrmaterial in ansprechender, sehr übersichtlicher und zugleich gründlicher Weise vorgeführt wird. Jeder Abschnitt wird für sich durch eine Anzahl Zeichnungen, Pläne, Querschnitte, Grundrisse erläutert und so gehen Text und Illustration stets neben einander her.

Der erste Abschnitt beschäftigt sich mit der Seeschiffahrt der Alten (Phönizier, Griechen, Karthager, Römer) und der [illegible] und zweiten Hälfte des Mittelalters, der Renaissance- und der Neuzeit) und bringt gleichzeitig die Hafenpläne von Sidon, Tyrus, Carthago, Alexandria, Piraeus, der Tibermündung, Ostia, Centum-Cellae, Nisida und Misenum. S. 1—37.

Der zweite Abschnitt ist den Hafenbauten gewidmet. Nach einer geschichtlichen Einleitung, welche darthut, dass von alten Hafenbauten nur in Tyrus und Sidon erkennbare Spuren übriggeblieben sind, wendet Verfasser sich sofort an die allgemeinen Erfordernisse der Häfen und Rheden und die im Seewasser verwendbaren Materialien (Steine und Mörtel, Metalle und Holz), an die zum Schutz der Häfen und zur Sicherung der Einfahrt nötigen Bauten, Hafendämme, Molen, Wellenbrecher, Leitdämme und wellenbrechenden Böschungen, welche Teile durch zahlreiche Abbildungen der Anlagen in Cherbourg, Cette, Marseille, Oran, Algier, Philippeville, St. Jean de Luz, Dover, Plymouth, Kingstown, Holyhead, Aurigny, Kurachee, Küstendje, Port Said, Brest, Triest, Odessa, Ymuiden, Ostende, Gravelines, St. Nazaire, Dünkirchen, Trouville, Calais, Fécamp, Hâvre, Bayonne, St. Gilles, Sunderland, Sables d'Olonne, Honfleur, Lee-Mündung, La Nouvelle, Sulina, Malamocco, Hérault-Mündung, Leith, Boulogne, Cap Breton, St. Nazaire, Maasmündung, also aus allen Gegenden der alten Welt erläutert werden. Ihnen folgen die Erläuterungen zu den Abbildungen des Originals und die hoch interessanten, sehr anschaulich ausgeführten Hafenpläne von Dünkirchen, Calais, Boulogne, Dieppe, Tréport, Honfleur, Trouville, St. Valéry sur Somme, Fécamp, Port-en-Bessin, Caen, Cherbourg, Brest, Hâvre, Ile de Bas, St. Malo, Granville, St. Nazaire, La Rochelle, Douarnenez, Lorient, Palais, Sables d'Olonne, Bayonne, St. Jean de Luz und an der Mittelmeerküste von Port Vendres, Cette, Marseille, La Ciotat, Bastia, Toulon, Barcelona, Civita-vecchia, Algier, Oran, Genua, sowie der aussorfranzösischen Häfen von Dublin, Aberdeen, Plymouth, Dover, Ramsgate, Kingstown, Malamocco, Pillau, Memel, Neufahrwasser, Swinemünde. Es ist also wohl kein Hafen übriggeblieben, dessen Kunstarbeiten das Interesse des Technikers und Nautikers nicht erregen sollten.

Das Werk schliesst mit einer Anzahl kritischer Anmerkungen des Uebersetzers, einem guten Register und statistischen Nachweisen über Frankreichs Handelshäfen, Handelsflotte und Seeverkehr.

Die Ausstattung ist eine vorzügliche und sorgfältig durchgeführte, welche der Verlagshandlung zur Ehre gereicht, der Preis in Betracht der Leistung ein sehr mässiger zu nennen.

Verschiedenes.

Lösch- und Ladevorrichtungen. In voriger Woche, 18. bis 25. Juli, fuhr der Dampfer „Stadt Witten" mit einer Ladung von 300 Tons Strohpappe am Sonntag, Juli 18, von Leer nach Hull, löschte dort, fuhr in Ballast weiter nach Newcastle, nahm dort im Dock binnen 2 Stunden 312 Tons Kohlen ein, klarirte fertig nach See und war am nächsten Sonntag wieder in Leer. Leider fehlt die Angabe, wie bald der Dampfer dort wieder ladefähig war; wenn die Kohlen über Hand gelöscht werden, wird wohl mancher Tag darüber hinziehen. In englischen Häfen kennt man diese Zeitverschwendung nicht mehr. Im *Alexandra-Dock zu Hull* wurde dieser Tage ein *neuer Krahn* mit bis 103 Tons Belastung probirt, welcher also die schwersten Ladestücke bewältigen kann. Dessen stählerner Ladebaum ragt 61' über Wasser hinauf und 20' über den Kajerand hinaus, trägt oben 4 Scheiben von 3' Durchmesser, über welche 8 Stahlkabel von 222 einzelnen Drähten und einem Herzen von Tau laufen. Der Koloss wird von einem Mann von einer Stelle aus mit Dampf bedient, gedreht und gesteuert.

Die **französische Gesellschaft zur Rettung Schiffbrüchiger** hat laut ihrem XXI. Rechenschaftsbericht an verschiedenen Schenkungen seit dem Jahre 1865 an Geschenken empfangen 1 191 734 Fr. 50, 662 Schiffen beigestanden, 3632 Personen gerettet, 1 622 021 Fr. für Material, 892 952 Fr. an Prämien ausgegeben. Im verflossenen Jahre sind 262 Personen gerettet, darunter 148 durch Boote. An Belohnungen sind in 1885 verteilt 22 Ehrenlegionskreuze, je [illegible] auf hoher See (Prix Robin), die Zinsen von 20 000 Fr. an 2 Rettungsstationen der Küste (Prix Méquet), 4 Medaillen à 100 Fr. (Prix Cloquet). Die Einnahmen des Jahres 1885 betragen 425 668 Fr. 53 (darunter 156 051 Fr. 18 ordentliche, die Ausgaben 175 903 Fr. 75 (darunter ordentliche 144 868 Fr. 89) der Ueberschuss also 249 764 Fr. 78. Unter den Einnahmen kommen vor 33 091 Fr. 10 als Geschenke der Passagiere von Packetdampfern.

Der streitbare englische Konsul aus Sansibar, **Sir John Kirk**, kehrt nach London zurück, da das neue englische Kabinet mit Deutschland auf gutem Fuss zu stehen wünscht, so wird er wohl dauernd in England zurückgehalten werden. Unsere ostafrikanische Gesellschaft würde darüber nicht traurig und der Sultan Seyd Bargasch später wol gefügiger werden.

Verlag von H. W. Silomon in Bremen. Druck von Aug. Meyer & Dieckmann, Hamburg, Altenwall 45.

Beilage zur HANSA No. 16. 1886.

Vom Kilima-Ndjaro-Gebiet,

und den kolonialen Erwerbungen im östlichen mittleren Afrika.

Bis vor wenigen Jahren konnte man nur den Engländern nachsagen, dass sie von einer Leidenschaft besessen seien, „ihre Nasen in neue Länder zu stecken“. Seit den letzten Jahren haben sie verschiedene Genossen in dieser Liebhaberei gefunden und sind diesmal die *Deutschen* nicht die letzten geblieben, sogar eher unter den Vordersten zu finden. Nachdem die vorübergehende von Petermann geweckte Lust an den Nordfahrten mit der leiden- und glorreichen Expedition von Weyprecht und Genossen nach dem neu entdeckten Franz Joseph-Archipel ein frühzeitiges Ende gefunden, hat sich der Trieb nach Entdeckungen und Forschungen in unbekannten Ländergebieten dem sonnigen Süden und ganz speziell Afrika, dem „dunkeln Weltteil“ zugewandt, mit der bestimmt ausgesprochenen Hoffnung, dort für alle jene Mühen und schweren Kosten die entsprechende Entschädigung zu finden, welche die öden Polarregionen nicht bieten können. Dabei ist die Methode die nämliche geblieben: die Regierung lässt den Freiwilligen, den Gelehrten, Naturforschern wie den praktischen Kaufleuten und Landwirten den Vortritt und bleibt selber in wohlwollendem Rückhalt, doch mit der Zusicherung nationalen Schutzes, sobald das Reich die Gelegenheit dazu für gekommen erachtet, um dann auch mit dem gebührenden Ernst und Nachdruck die Interessen seiner Angehörigen zu schützen. Nachdem die Kunde von den letzten grossen Kriegen den ganzen dunkeln Weltteil durchdrungen und erfüllt hat, sind deutscher Mannesmut und Krupp'sche Kanonen dort sehr respektable Grössen geworden, und als leibhaftige Nutzanwendung hat die vorigjährige Flottendemonstration vor Sansibar nicht wenig dazu beigetragen, das schon in Afrika verbreitete Prestige der deutschen Wehrhaftigkeit in einen greifbaren Gegenstand der Rücksichtsnahme umzuwandeln. Ueberall, im Westen wie im Osten und im Süden, sieht man die Eingeborenen in Spannung, wann, wie und wo das deutsche Element bestimmend in die Geschicke der vielen Völker eingreifen werde, welche bisher fast nur die rauhe Hand der Engländer oder der Portugiesen und Franzosen kennen gelernt haben. Dabei fühlt man aus den Aeusserungen der Eingeborenen heraus, dass sie dem erwarteten Wechsel mit einer gewissen Hoffnung und Befriedigung entgegensehen, da die Weissen, mit welchen sie bisher in Berührung traten, es selten an Hervorhebung des Standpunkts der herrschenden Rasse und des schroffen Gegensatzes fehlen liessen. Gelingt es den deutschen Pionieren und ihren Nachfolgern, das grosse Problem der Kultivation Afrikas durch Erziehung der Eingeborenen zur Arbeit, der moralisch wie physisch und finanziell kräftigenden Arbeit zu lösen, wie es die stammverwandten Holländer in ihrem wunderbaren Sundareich verstanden haben, so wird die Frage der Herrschaft im dunkeln Weltteil sowol wie in der Südsee durch den Zug der Eingeborenen selber entschieden werden.

Vorläufig ist indessen anzuerkennen, dass der Engländer noch immer der erste auf der Wacht und dem Ausguck ist. Das Land verfügt über den grössten Stamm unternehmungslustiger, geistig, materiell wie körperlich befähigter Reisenden, und besitzt in den altberühmten geographischen und anderen Gesellschaften die geistigen und finanziellen Führer und Leiter nach den Gegenden, welche vor allen andern der Erforschung und Aufschliessung wert erscheinen. Schon im Anfang dieses Jahrhunderts, während der ernstesten Kämpfe, welche Grossbritannien damals ums Dasein ausfocht, hatte der die Nation auszeichnende merkantile Sinn Zeit und Gelegenheit gefunden, eine Expedition zur Aufklärung des Kongogebiets vorzubereiten, als auf dem Festlande von Europa kein Mensch an solche Aufgaben dachte. Die Expedition von Tuckey 1816 war nach bestem Wissen und Können ausgerüstet, daher freilich die Bestürzung über ihr völliges Scheitern eine allgemeine und so tiefgehende, dass mehr als ein halbes Jahrhundert verfloss, bis man sich von dem Glauben an der Unnahbarkeit jenes Stromgebiets erholte. Als aber Stanley 1876 seine bahnbrechende Befahrung des Stromes von Osten, nicht wie bisher von Westen versucht und durchgeführt hatte, waren wieder die Engländer die ersten, welche uns in einem prächtigen Reisewerke[1] den Strom in seiner Herrlichkeit und die angrenzenden Länder in ihrem tropischen Reichtum schilderten, und vor allem den Popanz zerstörten, dass dort der Europäer nicht leben und gedeihen könne. Durch H. H. Johnston, einen gar nicht etwa anspruchslosen, allerdings aber mässigen und um seine Gesundheit besorgten Reisenden, welcher statt mit Cognac und Bier gern mit selbstgefertigten Bonbons seinen Durst löscht und mit peinlichster Gewissenhaftigkeit darüber wacht, dass er Morgens nur nach reichlichem substantiellen Frühstück an die Arbeit geht, ist der Beweis erbracht, dass Afrika in seinen klimatischen Einflüssen auf die Natur des Europäers nur dadurch sich von unsern gemässigtern Klimaten unterscheidet, dass einmal eingetretene Störungen in der Thätigkeit der Haut oder des Magens meist von akuten Nachwirkungen begleitet werden, mit andern Worten, dass dem Spruch „principiis obsta“ (Wehre dich gegen den Anfang) eine mehr als bei uns notwendige Aufmerksamkeit zugewandt werden muss.[2]

Wir sagten vorher, dass die Engländer noch immer die vordersten auf dem Ausguck seien. Sie haben es bewiesen durch jene weitern Expeditionen, welche ebenfalls von der Königl. Geogr. Gesellschaft zu London organisirt wurden und diesmal beide dasselbe Ziel, von Osten her in den Kontinent einzudringen, verfolgen sollten. Nicht auf dem ausgetretenen allbekannten Karawanenwege von Sansibar aus in direkt westlicher Richtung zu dem Gebiet der grossen Seen, wo die Reisenden, bevor sie das gesunde Hochland erreichen, erst Tage und Wochen lang durch eine sumpfige marschige Küstenzone wandern und das von Schmutz und ekelhaftem Getier starrende miasmenreiche Wasser trinken müssen, so dass kaum Einer ohne schwere Anfälle von Fieber und Dysenterie sie passirt, sondern von weiter nördlich gelegenen Küstenpunkten aus in nordwestlicher Richtung über ein fieberfreies Hochland zu den himmelanstrebenden Schneebergen des Kilima-Ndjaro und Kenia, und den bis dahin unbekannten Völkerschaften, welche die weiten Gebiete zwischen dem indischen Ocean und dem Victoria Njansa bewohnen. In zwei auf einander folgenden Jahren bereisten diese Gegenden J. Thomson und unser vom Kongo her bekannte H. H. Johnston. Ersterer schildert in seinem Reisewerke „Durch Massai-Land“[3] etc. Land und Leute von der Küste ab, am Kilima-Ndjaro und Kenia vorbei, bis zum NO-Ufer des Victoria-Njansa, indem er in lebendigster Schilderung seine vielen, vielen Abenteuer mit wilden Menschen und wilden Tieren und einer schroffsten Wechsel bietenden Natur erzählt. Letzterer beschreibt seiner ruhigern, gesetztern Natur sowol als seinem bestimmt begrenzten Auftrage gemäss nur die Reise zum und vom Kilima-Ndjaro, verweilt aber volle 6 Monate auf dem Berge, um seine Fauna und Flora, seine geologische Beschaffenheit, sein Klima, sodann die auf ihm wohnenden Völkerschaften und namentlich auch deren Sprachen zu studiren und schliesslich einen gedrängten Rückblick auf die Aussichten für den Handel mit dem äquatorialen Afrika zu werfen, in welchem er die grosse Bedeutung dieser Gebiete für europäische Kaufleute und unternehmungslustige Landwirte, Plantagen- und Bergwerksbesitzer darlegt.[4]

Johnston's Werk verdient die vollste Beachtung aller, welche sich für die Aufschliessung des östlichen centralen Afrika interessiren. Es verdient sie um so mehr, als der Reisende selber überzeugt scheint, dass der britische Unternehmungsgeist hier sich von dem deutschen überflügeln lassen wird, wie denn thatsächlich gerade kurz nach seinem Fortgange von Ostafrika seit Beginn vorigen Jahres die deutsche ostafrikanische Gesellschaft einen Küstenstrich nach dem andern erworben und auch mit den verschiedensten Häuptlingen des Innern bindende Verträge über Landerwerbungen abgeschlossen hat. Die britischen Kaufleute scheinen sich augenblicklich den Niger zum Operationsfelde ausersehen zu haben, und ist H. H. Johnston dorthin sogar in amtlicher Eigenschaft als Konsul entsandt, nachdem er seine geistige und körperliche Befähigung für afrikanische Reisen und Studien so glänzend bewährt hat.

Johnston's Reisewerk über den Kilima-Ndjaro ist wirklich eine musterhafte Beschreibung dieses so imposanten als nach allen Richtungen hin interessanten Schneeberges, des höchsten, den Afrika überhaupt aufzuweisen hat. Schon von den alten Schriftstellern als Mondberg gerühmt, dann ein Jahrtausend in mittelalterliches Düster gehüllt, ist der Kilima-Ndjaro gewissermassen erst in unserm Jahrhundert (1848) durch den deutschen Missionar Rebmann wieder entdeckt, welcher im Dienst der englischen Mission von Mombas aus landeinwärts auf Entdeckungen ausgezogen war. Nach der Küste zurückgekehrt, voll von dem Eindruck, welche der majestätische Schneedom bei ihm hinterlassen hatte, begeisterte er seinen Kollegen Krapf, ebenfalls

---

[1] 1. Durch den dunkeln Weltteil, oder die Quellen des Nils, Reisen um die grossen Seen des aequatorialen Afrika und den Livingstone-Fluss (Kongo) abwärts nach dem Atlantischen Ocean von Henry M. Stanley. Deutsch von Prof Dr. C. Böttger. 2 Bde. Mit vielen Abbildungen und Karten. Verlag von F. A. Brockhaus. Leipzig, 1878.

[2] Der Kongo. Reise von seiner Mündung bis Bolobo, nebst einer Schilderung der klimatischen, naturgeschichtlichen und ethnographischen Verhältnisse des westlichen Kongogebiets von H. H. Johnston. Aus dem Englischen von W. v. Freeden. Mit 78 Abbildungen und 2 Karten. Leipzig. F. A. Brockhaus 1884.

[3] Durch Massai-Land. Forschungsreise in Ost-Afrika zu den Schneebergen und wilden Stämmen zwischen dem Kilima-Ndjaro und Victoria-Njansa in den Jahren 1883 und 1884 von Jos. Thomson. Aus dem Englischen von W. v. Freeden. Mit 63 Abbildungen in Holzschnitt und 9 Karten. Leipzig, F. A. Brockhaus 1885.

[4] Der Kilima-Ndjaro. Forschungsreise im östlichen aequatorialen Afrika, nebst einer Schilderung der naturgeschichtlichen und kommerziellen Verhältnisse sowie der Sprachen des Kilima-Ndjaro-Gebiets von H. H. Johnston. Aus dem Englischen von W. v. Freeden. Mit Portrait, über 80 Abbildungen und 4 Karten. Leipzig, F. A. Brockhaus 1886.

einen Württemberger Theologen, zu einem neuen Ausfluge ins Innere, auf welchem dieser eine nördlichere Richtung einschlug, und so, den Kilima-Ndjaro in 60—70 Km. Entfernung passirend den zweiten Mondberg der Alten, den nördlicher belegenen Kenia entdeckte. Durch seine Lage mehr im Bereich der arabischen muselmännischen Händler, welche mit ihrem Sklavenhandel auch diese Gegend zu verpesten drohen, falls nicht von europäischer Seite rasch und erfolgreich gegengearbeitet wird, ist der Kenia bis auf den heutigen Tag noch jungfräuliches Gebiet geblieben, da auch Thomson nur bis an seinen Fuss [illegible] wenden musste, während der Kilima-Ndjaro im Laufe der Jahre mehrere Besuche, namentlich von dem hannoverschen Baron v. d. Decken empfangen hat, welcher eine sehr ausführliche Schilderung seiner Reise dahin und in die umliegenden Gebiete hinterlassen hat. Den Berg selber hat er nur bis zu 3900 m Höhe besteigen können, da die abergläubischen und von der Kälte leidenden Bewohner ihm nicht zur grösserer Höhe folgen wollten. Auch Johnston konnte wegen derselben Hindernisse und zwar nur ganz allein bis 4973 m (nach seiner Messung mittelst des Siedepunkts) vordringen und blieb damit noch reichlich 750 m unter der Spitze. Doch ist er damit bis auf die die Spitze einhüllenden Schneefelder gekommen.

Die ganze Arbeit Johnstons zerfällt in zwei Hauptteile, den erzählenden und den naturwissenschaftlich-anthropologisch-sprachlichen Teil; stofflich bringen sie mehr als das anderthalbfache des Kongowerks. Ueber die Anreise zum Berge mit den unvermeidlichen Zuthaten afrikanischer Reisen, den *Leiden und Sorgen und Erfahrungen* mit den Trägern geht er kurz hinweg, um dafür der Schilderung des Aufenthalts auf dem Berge selber, seinem Verkehr mit dem habgierigen, arglistigen grausamen ersten Häuptling des Gebirges, dem übelberüchtigten Mandara, und den beiden Versuchen, die höchste Spitze des Kibo zu besteigen, desto grossern Raum zu widmen. Obwohl der tapfere Jägersmann, geschickte Schütze und rüstige Turner Thomson, von Mandara überlistet, beinahe Hab und Gut und selbst sein Leben eingebüsst hätte, als er nur sein Gebiet hatte passiren wollen, verstand es Johnston, dem wilden Tyrannen derartig zu imponiren, dass er in der Nähe seiner Residenz monatelang auf dem Berge wohnen und seinem Auftrag, möglichst in der Nähe der Schneegrenze und sonst auf dem Berge zu sammeln, nachgehen konnte. Eine sehr zahlreiche Sammlung von Pflanzen, Vögeln und sonstigen Tieren, sodann von Gesteinproben, meteorologische Daten, zeugen von dem Fleisse und der Wissenschaftlichkeit des Forschers. Das Gebiet ist freilich wie gemacht für derartige Beobachtungen. Man denke sich einen vulkanischen Felskegel von nahezu 6000 m Höhe, belegen unter 3° südlicher Breite und mit seinen 2 Spitzen Kibo und Kimawenzi bis in die Schneeregion ragend, an dessen Fusse Palmen wachsen, Kolibris schwärmen, während auf dem breiten mittlern Rücken unsere europäischen Gemüse unter stets feuchtem Klima aufs üppigste gedeihen, herrliche Wälder den Elefanten, Büffel und zahlreiche Antilopen beherbergen, und die oberste Spitze unter ewigem Schnee und Eis starrt, wie das nördliche Spitzbergen und Grönland. Eine solche Stufenfolge von Klimaten auf engstem Raume zusammengedrängt muss dem naturkundigen Blick eine Menge Vergleiche aufdrängen, und sollte die Wachsamkeit des Reisenden gerade hierauf sich ganz besonders richten.

Solche naturwissenschaftliche Entdeckungsreisen müssten übrigens stets von mehreren Personen zugleich unternommen werden. Der Eingeborene eignet sich selten zu irgend einer Beihülfe, er hat kein Verständnis für dahingehende Aufträge, er bringt Blumen ohne Blätter, Blätter ohne Blumen, Käfer ohne Beine, Beine ohne Käfer, er tötet, statt einen Affen als Probestück zu fangen, lieber die ganze Familie auf einmal aus u. s. w. Wenn dies schon in einem Lande geschah, wo die Eingeborenen dem freundlich milden Europäer mit Zutraulichkeit und herzlicher Freundschaft entgegen traten, wo nur der Fehlgriff, das Land des in Wirklichkeit gar nicht so sehr angesehenen wenn auch gefürchteten Mandara zum Ausgangspunkt seiner Operation zu machen, ihn zuweilen in Misshelligkeiten mit den misstrauischen Nachbarn verwickelte, so kann man sich leicht vorstellen, welche Sorgen und Mühen des sammellustigen Reisenden in Gegenden warten, deren Bevölkerung feindlich gesinnt ist. Auch daran fehlt es hier nicht, doch hat eine geschickte Benutzung verschiedener Umstände, seine wenn auch nur bescheidene Heilkunde, sowie sprachliche Gewandheit, seine Festigkeit bei aller Friedfertigkeit und Milde im Umgang dazu beigetragen, die gefürchtetsten Räuber der Ebene, die Massai, selbst auf der Rückreise von ihm fern zu halten.

Die Rückreise ist einer der Glanzpunkte des Reisewerks. Sie führte auf südlicherem Wege zurück zur Küste längs dem Ruvuflusse nach Pangani, während der Ausmarsch von Mombas gerade auf die Schneeberge losging. So kam Johnston durch die „Schweizerlandschaften“ Pare und Usambara, deren landschaftliche und kulturelle Schönheit und Reize ihn mit Recht aufs höchste begeistern. Was hier nur fehlt ist eine gute fahrbare Strasse zum Ocean, noch besser eine Eisenbahn, da die Wasserverbindung nicht genügend erscheint. Dann würde der Absatz der kostbarsten Tropenartikel, Kaffee, Thee, Chinin, Zucker, Mais, Reis, Taback, Orseille, Elfenbein, Straussenfedern (von wilden Straussen, nicht die schlechten von gezähmten Straussen in eingehegten Straussenzüchtereien wie im Capland), sowie der minderwertigen Produkte wie Gummi, Bauhölzer, ferner Eisen, Kupfer, Salz, Rindvieh, Schafe leichter ausführbar werden als jetzt, wo aller Transport noch auf die primitivste das heisst kostspieligste Weise, durch Träger, ausgeführt wird. Die Einwohner, welche jetzt schon mit Eifer der Landwirtschaft obliegen und den Handel lieben, sind auf diese Entwickelung besser als anderswo vorbereitet. Und da der Verkehr über See hauptsächlich durch Dampfer betrieben werden müsste, der Dampferverkehr aber seinen Weg durch den Suezkanal nehmen muss, so liegt es für die Mittelmeerstaaten nahe, sich hier zeitig ihren Anteil an dem zu erwartenden Verkehr zu suchen. Ein genaues Studium dieses Werkes wird dafür die brauchbarsten Fingerzeige geben und namentlich den Nachweis liefern, dass die deutsche ostafrikanische Gesellschaft einen vielversprechenden Anfang in der Praxis kolonialer Erwerbungen gemacht hat. *P. L.*

Verkehr deutscher Schiffe im Jahre 1885.

Nantes und St. Nazaire. Angekommen sind 22 Segelschiffe, 17 Dampfschiffe von zusammen 16 073 Reg.-To.; davon 2 in Ballast aus französischen Häfen. Abgegangen sind 25 Schiffe von zusammen 11 553 Reg.-To. in Ballast, und 12 Schiffe von zusammen 3 523 Reg.-To. nahmen Ladung für nichtdeutsche Häfen.

Malaga. Zu Beginn des Jahres 1885 war 1 deutsches Segelschiff im Hafen. Im Laufe des genannten Jahres gingen ein 65 deutsche Schiffe, und zwar 5 Segelschiffe und 60 Dampfschiffe, sämmtlich mit Ladung. Diese sämmtlichen 66 deutschen Schiffe sind in demselben Jahre wieder ausgegangen, darunter 3 in Ballast.

Aberdeen. Von deutschen Schiffen sind im Jahre 1885 20 Dampfer und 19 Segelschiffe von zusammen 10 885 Netto-Reg.-To. angekommen, gegen 12 Dampfer und 30 Segelschiffe von zusammen 10 197 Reg.-To. im Jahre 1884. Die Schiffe kamen sämmtlich beladen an und gingen in demselben Jahre wieder aus, darunter 32 in Ballast.

Great Grimsby. Deutsche Schiffe liefen 79 ein und zwar 7 Dampfschiffe und 72 Segelschiffe, darunter 1 (Segelschiff) in Ballast und 13 (Segelschiffe) leer. Von jenen Schiffen sind in demselben Jahre 77 wieder ausgegangen, darunter 3 (2 Dampfschiffe und 1 Segelschiff) leer und 3 (2 Segelschiffe und 1 Dampfer) in Ballast. Am Jahresschlusse waren 2 deutsche Segelschiffe im Hafen, welche Kohlen in Ladung nahmen.

Marseille. Zu Beginn des abgelaufenen Jahres waren 10 deutsche Schiffe von zusammen 4 375 Reg.-To. im Hafen. Im Laufe des Jahres 1885 gingen ein 81 deutsche Schiffe von zusammen 57 151 Reg.-To., darunter 4 in Ballast. Von diesen zusammen 91 Schiffen gingen in demselben Jahre 35 wieder aus, darunter 17 in Ballast. 1 deutsches Schiff wurde verkauft.

Antwerpen. Eingegangen 398 deutsche Schiffe, darunter 9 in Ballast. Von diesen Schiffen sind ausgegangen 371, darunter 84 in Ballast.

Valparaiso. Eingegangen sind 111 deutsche Schiffe, und zwar 44 Dampfschiffe, 67 Segelschiffe, darunter 8 (Segelschiffe) in Ballast. 4 dieser Schiffe (Segelschiffe) kamen in Havarie an. Ausgegangen sind ausser den 9 deutschen Schiffen (8 Segelschiffe und 1 Dampfschiff), welche zu Beginn des Jahres im Hafen lagen, 94 solcher Fahrzeuge, zusammen also 103 Schiffe, darunter 27 (25 (Segelschiffe und 2 Dampfschiffe in Ballast.

Puerto Cabello. Ein- und ausgegangen 25 deutsche Schiffe und zwar 12 Dampfschiffe und 13 Segelschiffe; 1 derselben (Dampfschiff) kam in Ballast an und 7 (1 Dampfschiff und 6 Segelschiffe) liefen in Ballast aus.

Montevideo. Zu Beginn des Jahres 1885 waren 6 deutsche Schiffe im Hafen. Eingegangen sind während des Jahres 1885 45, darunter 4 in Ballast. Von diesen zusammen 51 Schiffen sind in demselben Jahre 46 wieder ausgegangen, darunter 20 in Ballast. 4 Schiffe wurden hier verkauft.

Rosario. Im Jahre 1885 sind hier 51 deutsche Schiffe eingegangen und zwar 29 Dampfschiffe und 22 Segelschiffe; 1 Segelschiff kam in Ballast an. Von diesen Schiffen sind in demselben Jahre wieder ausgegangen 48, darunter 9 (2 Dampfschiffe und 7 Segelschiffe) in Ballast.

San Vincent. (Kapverdische Inseln). Eingegangen sind 149 deutsche Handelsfahrzeuge, darunter 125 Dampfschiffe und 24 Segelschiffe, sämmtlich beladen. 1 derselben (Segelschiff) blieb als Kohlenhulk im Hafen. Von den übrigen 148 Schiffen gingen in demselben Jahre 146 wieder aus, darunter 21 Segelschiffe, welche Kohlen gelöscht hatten, in Ballast.

Manila. Im Jahre 1885 haben 22 deutsche Schiffe von zusammen 23 009 Reg.-To. den hiesigen Hafen besucht, darunter kamen 2 in Ballast an. In demselben Jahre liefen von diesen Schiffen 21 wieder aus, darunter 7 in Ballast.

Chinesische Häfen. In dem Hafen von *Futschau* verkehrten im Jahre 1885 21 deutsche Schiffe von 9 397 Reg.-To., gegen 14 deutsche Schiffe von 5 455 Reg.-To. im Vorjahre. Im Hafen von *Anping* verkehrten 22 deutsche Schiffe von 8 750 Reg.-To. und im Hafen von *Takao* 15 deutsche Schiffe von 5 067 Reg.-To., gegen 30 Schiffe von 9 857 Reg.-To., bezw. 26 Schiffe von 9 898 Reg.-To. im Vorjahre.

Savannah. Im Jahre 1885 sind hier eingegangen 32 deutsche Schiffe, und zwar 2 Dampfschiffe und 30 Segelschiffe, darunter 25 in Ballast. Von diesen Schiffen sind in demselben Jahre 29 wieder ausgegangen, und ausserdem 3, welche zu Beginn des Jahres im Hafen lagen, darunter 4 in Ballast.

Samarang. Zu Beginn des abgelaufenen Jahres war 1 deutsches Segelschiff von 765 Reg.-To. im Hafen. Eingegangen sind in demselben Jahre 18 deutsche Schiffe von zusammen 17 677 Reg.-To., und zwar 7 Dampfer und 11 Segelschiffe, darunter 8 in Ballast. Diese zusammen 19 Schiffe von 18 442 Reg.-To. sind im Jahre 1885 wieder ausgegangen, darunter 2 in Ballast, je 1 mit Stückgütern und Kaffee und die übrigen mit Zucker.

—s—

Bestand der französischen Handelsmarine in den Jahren 1874 bis 1883

(mit Ausnahme der Fahrzeuge für den Küstenfischfang).

Stand am 31. Dezember	Ueberhaupt		Davon Dampfschiffe	
	Schiffe	Tonnen	Schiffe	Tonnen
1874	15 524	1 037 272	522	194 546
1875	15 441	1 028 228	537	205 420
1876	15 407	1 011 285	546	218 449
1877	15 449	989 128	565	230 804
1878	15 527	975 863	588	245 806
1879	15 033	932 853	509	255 959
1880	15 058	919 298	652	277 759
1881	15 126	914 373	735	311 779
1882	15 200	983 017	832	416 228
1883	15 222	1 003 679	895	467 488

—s—

Verschiedenes.

Eine **Fata morgana in der Ostsee** ist allerdings ein seltenes Ereignis; seit 1853 bei Memel eine solche Erscheinung wahrgenommen wurde, soll sich nichts derartiges wiederholt haben. Vor kurzem nun passirte die Bark „Hansa" bei bewölktem Himmel, niedriger Temperatur und ruhiger See Nidden Feuerturm auf der kurischen Nehrung, als der Decksjunge in die Kajüte hinunterstürzt, um den Kapitän zu warnen, dass man ganz nahe vor sich eine grosse Stadt sehe. Der Kapitän, der sich 8 bis 10 Sm. von der Küste wusste, erkannte alsbald, dass er mit einer grossartigen Luftspiegelung zu thun habe, wenn auch das Bild eine weitgedehnte grosse Stadt mit hohen Gebäuden, Türmen und Gärten zeigte. Er liess sein Schiff langsamer fahren und entwarf eine Skizze der Erscheinung in seinem Taschenbuch. Als er dieselbe in Pillau zeigte, erkannte man sofort, dass sie einen Teil von Königsberg vorstellte, welches so im Nebel nach See verlegt war.

Schiffahrts-Unterstützungen in Italien. Laut einem kürzlich vom italienischen Reichstag angenommenen Gesetze wird die italienische Schiffahrt mit ähnlichen Unterstützungen bedacht, wie die französische bereits seit einigen Jahren geniesst. Es werden nämlich vergütet: 23 ℳ. per Ton auf in Italien gebaute Eisen- oder Stahlschiffe, 8 ℳ. per indizirte Pferdekraft auf die Maschinen, und 2 ℳ. per 100 ℔ Kesselgewicht; 10 ℳ. per Ton Kohlen, welche nach Italien durch italienische Schiffe aus nicht mittelländischen Häfen gebracht werden, sobald die angebrachte Ladung mindestens ⅓ der Tragfähigkeit des Schiffes überhaupt ausmacht; endlich eine Vergütung von ½ ℳ. per Netto-Tonne für jede auf Reisen von Italien nach nicht europäischen jenseits des Suez-Kanals und der Strasse von Gibraltar liegenden Häfen zurückgelegte Strecke von 1 000 Sm.

Die Vorteile des **künstlichen Zuges** beim Heizen der Kessel (welche am meisten dadurch leiden, dass plötzlich beim Oeffnen der Thür einströmende kalte Luft ungleichmässige Abkühlung der Röhrenplatten und dadurch Leckwerden der Röhren bewirkt) berechnet der Ingenieur Howden, Besitzer eines Patents für künstlichen Zug, für einen Dampfer von der Grösse der früheren Oregon also:

1. Statt 9 Kessel von 16′ 6″ Durchmesser und 18′ Länge mit je 8 Ofenthüren von 3′ 6″ Durchmesser und einer Rostfläche von 1 512 Q.-Fuss — 6 Kessel von 15′ Durchmesser und 18′ Länge mit 6 Ofenthüren von 3′ 9″ Durchmesser und einer Rostfläche von nur 641 Q.-Fuss, bei gleicher Leistung von I. P. K.
2. Ersparung von 100 To. Kohlen täglich.
3. Ersparung von Gewicht der Kessel und Kohlen von 450 To.; dagegen Gewinnung von Laderaum von 1 250 To. und Platz für Passagiere, Ersparung an Kohlenziehern etc.

Das würde für eine Rundreise nach und von Newyork von 30 Tagen Dauer, deren also 10 im Jahre gemacht können, betragen:

1. Kohlenersparnis von 10 sh per To., für 1 600 To. £ St. 800
2. Ladung, Wägen und Messen 4 100 To. à 20 sh „ 4 100
3. 160 erste und zweite Klasse Passagiere, Ersparnis von Unterhaltungskosten à 10 £ St. „ 1 600
4. 80 Passagiere dritter Klasse, Ersparnis an Verpflegung à 3 £ St. .... „ 240
5. Kost und Lohn von 60 Kohlenziehern zu 5 £ St. monatlich .... „ 300

Ersparnis für eine Rundreise .... £ St. 7 040
Für 10 Rundreisen .... „ 70 400

Auftreten und Verbreitung des gelben Fiebers sind Gegenstand einer sorgfältigen Untersuchung von Dr. H. Bourru gewesen.*) Man kann hiernach 3 Perioden des Auftretens desselben unterscheiden:

I. Periode (1492—1682). Das gelbe Fieber bleibt im amerikanischen Golfe stationär.

II. Periode (1683—1830). Das gelbe Fieber dehnt sich nach den nördlich und östlich von den Antillen am Atlantik liegenden Küsten aus; von der 10. bis zur 45. Parallele. Diese Periode kann nochmals in zwei Abschnitte geteilt werden. 1. Abschnitt von 1683—1790, währenddem die Epidemien auf von einander getrennten Plätzen auftreten. 2. Abschnitt von 1791—1830, wo die Küsten streckenweise ohne Abbruch angegriffen werden, und die Krankheit den Flüssen entlang in die Kontinente dringt.

III. Periode (1830—1880). Das gelbe Fieber dringt in das Innere Nordamerikas durch den Mississippi, in Afrika

*) Deutsche Bearbeitung in „Aus allen Weltteilen" 1886 S. 187 u. ff.

durch den Senegal, wirft sich auf die südliche Halbkugel, speciell Amerika. Während dieser Zeit schützen sich im Norden die Küsten dies- und jenseits des Atlantischen Oceans und weisen die erneuerten Angriffe zurück.

Was den Ausgangspunkt des gelben Fiebers anbelangt, so zeigt Bourru, dass dasselbe ursprünglich nur auf den Antillen und an der Küste des amerikanischen Isthmus zu Hause war. Hierfür bringt er ausser den historischen Nachrichten auch noch ein anderes Argument, welches unmittelbar beweist, dass die Krankheit nicht an der Westküste von Afrika heimisch war. Schotte und Thévenot erzählen von den ersten Epidemien des Senegal (1778—1830), dass sowohl Schwarze als Weisse ohne Unterschied durch die Ansteckung von Dorf zu Dorf der Krankheit verfielen. Heute bleiben die Schwarzen verschont. Vor einem Jahrhundert, als die Krankheit neu war, waren sie von derselben nicht frei, und heute erfreuen sie sich, gerade wie die Neger der Antillen, einer erworbenen oder ererbten Freiheit davon. Diese wird dadurch bewiesen, dass in letzterer Zeit Neger aus dem Innern, welche nach St. Louis kamen, sich die Krankheit zuzogen. Schliesslich sagt Bourru: „Wenn auf den beiden amerikanischen Kontinenten, in Europa oder Afrika das gelbe Fieber herrscht, so ist dasselbe nach dort gebracht — und in Ländern, wo dasselbe fremd ist, kann man sich dagegen schützen, und folglich muss dieses geschehen. Man könnte vielleicht hiergegen einwenden, dass ein solches Unternehmen zu spät wäre, indem das Fieber in New-Orleans, in Rio-Janeiro, in Sierra-Leone und gar schon in Goree und St Louis zu Hause ist. Schwierig ist die Sache wohl, doch beweisen uns die Vereinigten Staaten, dass, trotzdem das Fieber dort von 1701—1822 ganz entschieden endemisch auftrat (New-York und Charlestown mit je zwölf Epidemien — Philadelphia und Baltimore mit je zehn solchen), ihre Häfen schon seit mehr als 30 Jahren geschützt geblieben sind. Ebensogut kann das Fieber auch anderswo verschwinden. Es gilt nur, dem Exempel der Amerikaner zu folgen: die Thore gegen die Krankheitskeime zu schliessen."

Stahlschiffe und Eisenschiffe. In welchem Maasse der Bau von Stahlschiffen gegenüber dem von Eisenschiffen zunimmt, ersieht man am deutlichsten aus der nachstehenden Tabelle Martell's (sieh. vor. No.) welche alle Bauten aus den beiden Materialien in Europa, Amerika und den Kolonien umfasst, soweit die Schiffe beim englischen Lloyd klassifizirt wurden.

Jahr	Stahl				Eisen			
	Dampfer		Segler		Dampfer		Segler	
	Zahl	To.-Geh.	Zahl	To.-Geh.	Zahl	To.-Geh.	Zahl	To.-Geh.
1878	7	4 470	—	—	329	408 196	106	111 496
1879	8	14 300	1	1 700	318	486 339	80	34 630
1880	21	34 031	1	1 843	344	492 022	31	37 879
1881	20	89 240	3	3 167	401	822 440	51	74 284
1882	55	113 864	8	12 477	457	742 244	63	106 881
1883	94	150 725	15	16 704	576	817 894	63	116 190
1884	70	190 061	13	12 376	417	517 459	98	143 742
1885	89	129 624	29	35 615	142	141 343	118	149 066

Petroleumschiffe. Nach den ersten Versuchen mit dem Bau solcher Schiffe, die Petroleum als Sturzgut verladen und verfahren, (die „Sviet" in Schweden machte den Anfang, die „Andromeda" von Bremerhaven, in unserm vor. Jahrg. beschrieben, zeigte schon Verbesserungen) geht die Entwickelung mit dem Bau dieser Schiffe ihren Fortgang. Schon setzt man nicht mehr die ringsumschlossenen Tanks in die Schiffe hinein, sondern benutzt die Schiffswand selber als eine Seite dieser Tanks, und teilt jetzt das ganze Schiff durch ein Längsschott in 2 Hälften und durch 9 und mehr Querschotten jede Hälfte in 10 und mehr Tanks selber ein. Natürlich muss jetzt bei der Vernietung der Schiffs- und Schottenwände dieselbe Vorsicht zum absoluten Dichten angewandt werden wie beim Bau von Dampfkesseln. Eine solche Anlage wird für das Unterschiff jetzt vielfach ausgeführt, wogegen im Zwischendeck besondere Tanks wie in der „Andromeda" beliebt werden. Aus ihnen werden zugleich etwaige Lücken im Unterschiff, welche übrigens bei guter Bauausführung nicht von Belang sind, weil die Temperatur nur unbedeutend schwanken kann, ausgeglichen. Von Armstrong, Mitchell & Co. in Newcastle ist ein Schiff „Glückauf" von 3 000 To., eiserner Dampfer von 90 m Länge, [illegible] für Rechnung derselben Firma, Riedeburg & Co., welche s. Z. die „Andromeda" in ein Tankschiff umwandeln liess.

Flösserei stromaufwärts vermittelst Dampfer. Ein wichtiger, man möchte sagen, ein grosser gewerblicher Abschnitt in der Flösserei auf dem Rheine ist in den jüngsten Tagen unternommen. Seit Jahrhunderten wurden auf den Wogen des Rheines die schönen Eichen- und Tannenstämme von den oberen Nebenflüssen, Main, Neckar, etc. nach den Niederlanden gebracht, um zu verschiedenen Zwecken, besonders im Schiffbau, Verwendung zu finden. In den jüngsten Tagen aber, was noch nie vorgekommen, wurden Flösse von Holland durch ein Schraubenboot nach Duisburg gebracht. Die Firma A. Maassen in Duisburg ist es, welche das bisher für unausführbar gehaltene Unternehmen vollbracht hat, und gebührt der Unternehmungskraft des Chefs der genannten Firma alle Anerkennung. Kürzlich traf das erste Floss ein, bald darauf ein zweites, und wurden beide im dortigen Freihafen zollamtlich abgefertigt. Die Flösse brachten quadratbeschlagene Pitschpine-Stämme, welche per Schiff von der amerikanischen Küste nach Holland verladen waren und statt, wie bisher, mit Rheinschiffen weiter befördert zu werden, in Dortrecht zu Flössen verbunden, von einem Schraubenboote aufgenommen und ohne weitere Hindernisse in den Duisburger Hafen geschleppt wurden. So rächt sich der verfehlte Eisenbahntarif und die Lahmlegung der Holzeinfuhr über die Ems durch völliges Fernbleiben von der Eisenbahn.

Eine **Fahrt über die Niagarafälle** wird jetzt von einem amerikanischen Küfer geplant, nachdem ihm die Fahrt durch den Strudel, welcher dem bekannten Schwimmer, Kapt. Boyton, so verhängnissvoll wurde, in seinem eigens dazu gebauten Fass von 84" Länge, 33" Bauchdicke, 17" und 26" Bodenweite, gebaut aus 1½zölligen Dauben, gelungen ist. Der Mann wiegt 125 ℔ und fuhr mit 60 ℔ Ballast durch den Strudel, nachdem er vorher sich zur Probe 15 Minuten lang hatte einschliessen lassen und sich beim Oeffnen des Spundlochs ganz wohl befunden hatte. Wenn ihm Niemand in die Quere kommt, will er nächstens den Niagara-Fall in seinem Fass hinunterschwimmen. „Der Fall thut ja nicht weh, sondern nur das plötzliche Stoppen!"

Der **fünfte Nachtrag zum Register des Germ. Lloyd für 1886**, welcher am 30. Juni abgeschlossen wurde, enthält 24 Berichte über neu aufgenommene, resp. neu klassificirte Schiffe, welche dem Register pro 1886 hinzuzufügen sind; 113 Berichte über Veränderungen und Korrekturen, welche die bereits im Register pro 1886 enthaltenen Schiffe betreffen; 12 Berichte über Schiffe, welche dem Anhange zum Register pro 1886 hinzuzufügen sind und 17 Berichte über Veränderungen und Korrekturen, welche die im Anhange zum Register pro 1886 bereits enthaltenen Schiffe betreffen.

Ein **viermastiger Schuner**, „Eva Douglas", wurde dieser Tage von der New England Shipbuilding Co. zu Wasser gelassen. Dieser Zweidecker ist 194.6' lang, 40.5' breit, 18.35' tief und führt ein Kielschwert; die Spanten sind von Eichen- und rotem Lerchenholz, Beplankung und Deck von Fichtenholz, die Raan von Oregon-Fichten. Das Schiff ist 1093 To. gr. Reg., 1040 To. netto Reg. gross; beim Ablauf war es fix und fertig, und konnte nach See gehen, wenn es die Segel angeschlagen und Ladung eingenommen hätte.

Verlag von H. W. Silomon in Bremen. Druck von Aug. Meyer & Dieckmann. Hamburg, Alterwall 38.

Redigirt und herausgegeben
von
W. von Freeden, BONN, Thomastrasse 7.
Telegramm-Adresse:
Freeden Bonn.
oder
Hansa Alterwall 28 Hamburg.

Verlag von *H. W. Silomon* in Bremen.
Die „*Hansa*" erscheint jeden 2ten Sonntag.
Bestellungen auf die „*Hansa*" nehmen alle Buchhandlungen, sowie alle Postämter und Zeitungsexpeditionen entgegen, desgl. die Redaktion in Bonn, Thomastrasse 7, die Verlagshandlung in Bremen, Obernstrasse 11 und die Druckerei in Hamburg, Alterwall 28. Sendungen für die Redaktion oder Expedition werden an den letztgenannten drei Stellen angenommen. **Abonnement** jederzeit, frühere Nummern werden nachgeliefert.

Abonnementspreis:
vierteljährlich für Hamburg $2\frac{1}{2}$ ℳ,
für auswärts 3 ℳ = 3 sh. Sterl.
Einzelne Nummern 60 ₰ = 6 d.

Wegen **Inserate**, welche mit 35 ₰ die Petitzeile oder deren Raum berechnet werden, beliebe man sich an die Verlagshandlung in Bremen oder die Expedition in Hamburg oder die Redaktion in Bonn zu wenden.

Frühere, komplete, gebundene Jahrgänge v. 1872, 1874, 1876, 1877, 1878, 1879, 1880, 1881, 1882, 1883, 1884, 1885 sind durch alle Buchhandlungen, sowie durch die Redaktion, die Druckerei und die Verlagshandlung zu beziehen. Preis ℳ 6; für letzten und vorletzten Jahrgang ℳ 8.

Zeitschrift für Seewesen.

No. **17.** **HAMBURG, Sonntag, den 22. August 1886.** **23.** Jahrgang.

Inhalt:

Obere Luftströmungen.

4. Im südlichen Teil des Indischen Oceans und über dem SW Monsun.

Beobachtungen der Bewegungen von Cirrus-Wolken sind schon seit längerer Zeit von verschiedenen Seiten empfohlen und stellenweise organisirt, besonders weil man damit den Schlüssel zur Entdeckung bevorstehender Wirbelstürme und der Richtung, aus welcher sie hervorbrechen würden, zu finden glaubte. Die Frage ist noch nicht spruchreif, aber es bleibt immer eine interessante Beobachtung, welcher in meteorologischen Journalen gern ein Platz eingeräumt wird. Ein britischer Meteorologe, Ralph Abercrombie, bereist zum Zweck einschlagender Beobachtungen verschiedene Meere und Oceane und teilt von seinen Wahrnehmungen gelegentlich „Nature" mit, so in den Nummern vom März 18 und Juni 29 d. J., aus welchen wir das Wichtigste hier folgen lassen.

„Auf der Reise von Natal nach Mauritius gegen Ende December v. J., welche ganz mit Hülfe des SO Passats unter Segel zurückgelegt wurde, wurden beständig Cirrus in hohen Luftschichten mit einer Bewegung von NW her, also dem SO Passat entgegen, beobachtet."

„Obgleich ich leider keiner Cyclone in jenem Meeresteil begegnete, so sammelte ich doch wertvolle Einzelheiten über Orkanwetter, die man nur an Ort und Stelle studieren kann. Sehr interessant ist eine Wahrnehmung über die obern Luftströmungen. Die Cirrus, welche 5 bis 6 Tage vor der Ankunft einer Cyclone sichtbar werden, treiben in der normalen Richtung von NW oder SW und *verraten keineswegs den Weg der Cyclone.* Aber am äussern Umring des Cyclonengebiets geben *niedrige Wolken* wertvolle Auskunft. *Wenn das niedrige Gewölk über dem südöstlichen Oberflächenwind sich nach Ost neigt, so wird das Centrum der Cyclone nordwärts vom Beobachter passiren; wenden sich dagegen die niedrigen Wolken nach Süden, so geht das Centrum südlich vom Beobachter vorbei.*"

Obgleich Meldrum auf Mauritius und Bridet auf Réunion in diesem Punkt übereinstimmen, so ist der Gegenstand doch fernerer Aufklärung bedürftig, denn eine solche Rotation der obern Strömungen steht im Widerspruch mit den analogen feststehenden Erfahrungen über die Cyclonen der nördlichen Breiten. Meinen Ermittelungen zufolge ist der allgemeine Charakter der tropischen und aussertropischen Cyclonen derselbe. In den Mauritius Orkanen erkenne ich dieselbe Form, auch dieselben stürmischen Böen bei der Kenterung des Barometers, denselben Hof vor und das harte vereinzelte Gewölk hinter dem Centrum wieder, welche die europäischen Cyclonen kennzeichnen. Harris hat kürzlich eine Cyclone auf ihrem östlichen Lauf verfolgt vom Taifun in der China-See an, bis über den Stillen Ocean, die Vereinigten Staaten und den atlantischen Ocean nach Europa hinein. Gleich andern langlebigen Cyclonen erhielt auch dieser gelegentlichen Zuwachs an Stärke durch Verbindung oder Vereinigung mit andern ausserhalb der Wendekreise gebildeten Cyclonen. Es steht fest, dass nach verschiedenen Richtungen sich drehende Cyclonen sich nicht vereinigen können, die Bewegung der niedern Wolkenschichten an der Nordseite unserer eigenen Cyclonen verdient deshalb ganz besondere Beachtung. Gegenwärtig nehmen wir an, dass die Cirrus vor einer Cyclone, links oder rechts von ihrem Wege, von SW oder S kommen.

Mag dem aber sein wie ihm wolle, so bleibt die Beobachtung der Bewegung der Wolken eine wertvolle Beigabe zu dem nützlichen und ausgiebigen System der Sturmprognose, wie es in Ermangelung telegraphischer Benachrichtigungen Meldrum mit Hülfe seiner Instrumente und gestützt auf seine Erfahrungen und sein Urteil praktisch ausübt. Ein weiterer interessanter Zug dieses Systems ist die sorgfältige Rücksicht auf die tägliche Variation des Barometers während des geringen jedem Orkan vorhergehenden Sinkens des Luftdrucks.

Von Mauritius segelte ich nach Adelaide, um die Polargrenze des SO Passats zu ermitteln. Obgleich unser grösster — Kreis — Kurs uns bis 39 ° S führte, hatten wir doch überall beständigen Passat aus SO und S. Vielleicht rührten die Südwinde von einer aussertropischen Cyclone; jede Beobachtung der niedrigen und mittlern Wolkenschichten ergab eine mit dem Oberflächenwind übereinstimmende Richtung.

In Adelaide erfuhr ich, dass die normale Richtung der höchsten Luftströmungen von NW zieht. In dieser Stadt üben Land- und Seewinde grossen Einfluss auf den Oberflächenwind. Durch das Entgegenkommen des leitenden Vorstandes des Observatoriums, W. E. Cooke, war es mir möglich, meine Mutmassung vom vorigen Jahr in Melbourne zu bestätigen, dass wenigstens zuweilen die australischen „southerly bursters“ jener Klasse von V artigen Depressionen ihre Entstehung verdanken, bei denen der Regen erst hinter der Störung herzieht. Zu andern Zeiten scheint das plötzliche Einbrechen des Südwindes von der Veränderung des Windes beim Vorübergange des Centrums der Cyclone herzurühren.

Von Adelaide fuhr ich nach Colombo auf Ceylon, um eine Abteilung des Indischen Oceans ganz nahezu in derselben Jahreszeit und auf demselben geraden Kurs wie voriges Jahr nochmals zu studieren. Damals stellte ich die Thatsache fest, dass die höchsten Luftströmungen über dem NW Monsun aus gewissen Strichen um Ost herum, und nicht, wie man vermuten durfte, von West kommen.

Auf dieser Reise sah ich die Wolken an der polaren Seite des SO Passats beständig von beiden Seiten des Oberflächenwindes, d. h. von SSO bis OSO kommen. Mitten im Passat sah ich die mittelhohen Wolken immer von einem östlichern Punkt als den Oberflächenwind kommen, d. h. mit der üblichen Circulation der südlichen Halbkugel harmoniren. Hohe Cirrus wurden nie wahrgenommen.

Wir trafen keine Doldrums an, sondern liefen unter einer Wolkenbank durch, aus dem Passat direct in 12 ° Südbreite in den NW Monsun hinein. In diesem Monsun zogen die untern und mittlern Wolken stets von einem nördlichern Punkt als der NW Monsun der Oberfläche, d. h. in der Richtung der obern Winde der nördlichen Halbkugel. Alle hohen Cirrus bewegten sich von O oder NO, ausgenommen in einem Fall, wo sie von S herüberzogen.

Der NO Monsun, welchen wir am Aequator antrafen, brachte so klaren Himmel, dass ich nur einmal Cirrus beobachtete, der von NO kam, während der Oberflächenwind von NNO wehte. Die untern Wolkenschichten zogen mit dem Oberflächenwind, und nur 1 bis 2 Mal aus einer etwas nördlichern Richtung.

Alles dies bestätigt meine frühere Behauptung, dass der SO Passat ein Oberflächenwind, und über dem NW Monsun eine östliche Luftströmung vorhanden ist.

3. Ueber der Bai von Bengalen im März und dem Malayischen Meer*) im April und Mai.

Nachdem ich auf der Fahrt von Adelaide nach Colombo die Luftcirculation über dem Indischen Ocean im Monat Februar dargelegt habe, nahm ich im März einen fast geraden Strich von Colombo über Calcutta und rechtweisend N 400 Sm nach Darjeeling vor.

Im allgemeinen ist das Wettersystem in dieser Jahreszeit sehr einfach. Ein Gürtel hohen Luftdrucks zieht sich quer über die Bai von Bengalen von Madras nach der Südgrenze von Birma. Südlich desselben weht der NO Monsun nach dem Gebiet niedrigen Luftdrucks unter dem Aequator; der Gürtel bedeckt natürlich eine stille Fläche, während im Norden von ihm ein SW nach einem Gebiet niedrigen Drucks irgendwo jenseits des Himmalaya weht.

Die obern Winde über dem NO Monsun wehten immer aus östlicherer Richtung als der Oberflächenwind; der wolkenleere Himmel von Madras liess keine Wahrnehmung zu; nördlich davon zogen die obern Wolken stets von einem nördlichern Punkt als der SW Wind unten. Die luftige Gebirgskette des Himmalaya schien keine Störung darin zu verursachen; in Sendukphu gelang mir die Photographie einer cumulusartigen Wolke, welche sich vom Gipfel des Kanchinjanga ([illegible] Fuss) ganz deutlich von WNW streckte, während ein SW Wind Nebel aus den Ebenen heraufbtrieb. Das Vorkommen von Cumulus in so grossen Höhen wurde, wenn ich nicht irre, von einigen Meteorologen bestritten.

Alle diese Beobachtungen stimmen ganz gut zu der normalen Circulation der nördlichen Halbkugel, nur der Charakter der SW Monsune verdient eine genauere Betrachtung. Der Ausdruck SW Monsun wird leider für zwei verschiedene Abschnitte derselben Wetterveränderung gebraucht, wodurch viel Verwirrung entsteht. Maury und Nachfolger denken bei dem Wort nur an die Richtung des Windes; im gemeinen Sprachgebrauch des ganzen Ostens bezeichnet das Wort Monsun aber die Regenzeit, welche plötzlich einsetzt, nachdem lange vorher SW Winde Wochen und Monate hindurch geweht haben.

Das Thatsächliche lässt sich dahin zusammenfassen: — Schon im Januar setzt ein leichter SW Wind im Norden der Bai von Bengalen ein, anfangs bloss als Seebriese; in späterer Zeit, als wir ihn antrafen, als ein leichter beständiger Wind. Das Wetter ist dann im höchsten Grade angenehm: der Himmel klar und blau, kaum eine leichte Wolke, der Wind warm und lieblich: der Monsun beginnt wie ein Lamm und endet wie ein Löwe. Mit vorrückender Jahreszeit entwickelt sich ein über Nordbengalen allmälig entstandenes Gebiet niedrigen Drucks immer deutlicher und der SW Wind arbeitet sich immer weiter rückwärts nach Süden durch bis jenseits Ceylon. Dann tritt, zuweilen im Juni, eine plötzliche totale Veränderung im Wetter ein, während die einzige Ortsveränderung der Isobaren in einer leichten Bewegung des niedrigsten Barometerstandes nach den NW Provinzen Indiens besteht. Plötzlich brechen Regen und Gewitterstürme über Ceylon herein und dann rückt das schlechte Wetter gemach nordwärts. Damit fängt nun nach der gewöhnlichen Sprachweise der SW Monsun an. Jedermann weiss, wieviel Tage es dauert, bis er Bombay an der einen, und auf der andern Seite Calcutta und Birma und Assam erreicht. Madras entgeht ihm im Sommer, um im November vom NO Monsun mit sündflutlichem Regen überschüttet zu werden. Auf diese merkwürdige Weise sehen wir den Wind südwärts, den Regen nordwärts vorrücken, ohne dass die grössten und plötzlichsten Jahresveränderungen des Wetters von einer augenfälligen Aenderung des Luftdrucks begleitet würden. Die indischen Meteorologen sind der Ansicht, dass diese plötzliche Veränderung im Charakter desselben Windes herrühre von dem plötzlichen Einbruch von Luftmassen, welche sich aus den benachbarten aequatorialen Doldrums mit Feuchtigkeit gesättigt haben, dass aber der SO Passat höchstens gelegentlich und vorübergehend sich mit dem SW Monsun zu einem zusammenhängenden Winde verbinde. Wäre es nun nicht von höchstem Interesse und Wert zu entdecken, ob diese plötzliche Aenderung der Witterung mit irgend einer Aenderung in den Beziehungen der obern und untern Winde zu einander in Verbindung steht. Im Nordatlantik ziehen über dem SW Monsun des Golfs von Guinea die obern Luftströme des Südatlantik hin, und der SO Passat geht ganz allmälig, sobald er die Linie kreuzt, in den SW Monsun über. Wenn in Ceylon und Indien die obern Wolken laut unsern *März*beobachtungen nach dem Eintritt des SW Monsuns aus W und NW ziehen, so muss ein Doldrumgürtel zwischen dem SW Monsun und dem SO Passat liegen; wenn aber nach dem Einbruch des SW Monsuns die obern Wolken aus S und SO ziehen, dann ist ohne Zweifel der SO Passat auf die nördliche Halbkugel übergetreten. Letzteres ist nichts anderes als

*) *Anm. d. Red.* Mit Malaysia bezeichnen die Engländer das Meer zwischen Singapore und Borneo, zwischen dem chinesischen Meer und der Sunda-See. Wir haben keinen Namen dafür bis jetzt, könnten aber den Namen „Malayisches Meer“ recht wohl dafür annehmen.

die alte Monsuntheorie; vielleicht lässt sich die Frage noch durch andere Mittel lösen. Wenn der SO Passat in einen Doldrumgürtel hineinweht, so müsste sich zwischen Ceylon und dem Aequator eine Zone hohen Luftdrucks mit Gradienten zum SW Winde bilden. Hat man dieselbe jemals bestätigt gefunden? Windstille allein verdient noch nicht den Namen eines „Doldrumgürtels“. Während des SW Monsuns, der sich ohne Frage als SO Monsun bis über die Linie zieht, ändert sich die Richtung des Windes stufenweise, aber seine Geschwindigkeit ist oft gerade über dem Aequator geringer als zu beiden Seiten desselben. Das habe ich ganz speziell mehrmals beobachtet

Auf den Philippinen, in China und Japan folgen die obern Winde über dem SW Monsun dem normalen Gesetz der nördlichen Halbkugel: aber in jenen Gegenden kennt man auch nicht jenen plötzlichen Einbruch des Monsuns.

Einige Meteorologen sehen den SW Monsun als eine feststehende Cyclone an. Dazu wären sie berechtigt, wenn man die Cyclone einfach als ein unregelmässig kreisförmiges Gebiet niedrigen Luftdrucks definirt, um und in welchem die Luft spiralförmig weht. Aber die Rücksicht auf die Regenverhältnisse und Wolkenveränderungen, welche verschiedene Teile der Cyclone bestimmt von einander scheiden, verbieten nach unsern eigenen, sowie fremden Beobachtungen diese Deutung durchaus.

Im malayischen Meer zwischen Singapore und Borneo wehen in den ersten Tagen des April die Oberflächenwinde alle nahezu aus NO, und die Wolken in verschiedenen Höhenlagen mehr aus südlicher Richtung von O. Im nördlichen Borneo lief später im Monat die SW Landbriese des Morgens immer gegen Nachmittag durch SO nach NO, während die obern Wolken stets nahezu aus NO herüberzogen. In der Sulusee und den Philippinen werden im Mai die Oberflächenwinde sehr durch die Land- und Seebriesen entstellt, aber der Zug der obern Wolken entsprach stets den Gesetzen der betreffenden Halbkugel.

Soviel über das gewöhnliche Wetter. Das Glück wollte nicht, dass ich einem Taifun begegnete, aber alle Berichte der Observatorien zu Manila, Hongkong und Tokio stimmen darin überein, dass im chinesischen Taifun obere und untere Wolkenzüge sich ganz so zu einander verhalten, wie in einer europäischen Cyclone.

Aus Briefen Deutscher Kapitäne. IX.

Einige Bemerkungen über Bassein.

Die Ansegelung des Bassein-Flusses ist, da auf Alguada-Riff ein schönes 18—20 Sm weit zu sehendes Drehfeuer brennt mit Hülfe einer Spezialkarte sehr einfach. Man läuft eben dieses Feuer in Sicht und steuert dann, falls guter Wind ist, nach Diamant-Eiland zu: ist der Wind gegen, so kann man überall östlich zwischen Diamant-Eiland und Alguada ankern. Auf Diamant-Eiland, welches den Ausfluss des Bassein-Flusses in 2 Teile teilt, befindet sich eine Telegraphen- und die Lotsenstation. Man kann jedoch nicht immer sicher darauf rechnen, dass ein Lotse dort ist, denn, da nur 4 Europäer und 2 Inländer angestellt sind, so ist der Lotsenmangel an der Tagesordnung, falls mehre Schiffe zugleich hinaufgehen und herunter kommen. (Im August d. J. liess die Regierung bekannt machen, dass noch 2 Lotsen mehr angestellt werden sollten.) Im Flusse selber ist so zu sagen nichts im Wege: die paar Untiefen, die sich südlich von Enterprise-Eiland — ungefähr halber Weg nach Bassein — befinden, sind durch Bojen gekennzeichnet. Bis nach Enterprise-Eiland bringen die Lotsen Segelschiffe unter Segel, dann hat man dort zu warten bis ein Schlepper von Bassein kommt, denn selbst wenn man weiter segeln oder mit der Tide treiben wollte — wozu die Herren Lotsen jedoch nicht die geringste Lust verspüren — so muss man doch den vollen Schlepplohn ab Enterprise-Eiland nach Bassein bezahlen, und wahrlich dieses so wohl als das Lotsgeld hinauf und hinunter ist ausverschämt hoch. Bassein ist für die Lotsen ein wahres Californien, sie sind Eigentümer der Schleppdampfer und ist daher selbstverständlich, dass sie nie und nimmermehr ein Segelschiff ohne Schleppdampfer von Enterprise-Eiland nach Bassein und umgekehrt bringen. Der Abzug von 1/12 des Lotsentarifes wird für Schleppen von oder nach Enterprise-Eiland erlaubt, dagegen 1/4 Abzug, falls man einen Schlepper von Diamant-Eiland nach Bassein und umgekehrt gebraucht. In Bassein selber liegen die Schiffe vor 2 Anker vertäut, falls sie nicht längsseit bei der Brücke der verschiedenen Reismühlen hinzuholen haben um dort zu laden. Für jedes Muren und Umuren erhält der Lotse 16 Rp. Ballast löscht man in Leichter, falls der Eigentümer der Reismühle, der zugleich Ablader ist, denselben nicht selbst zum Ausfüllen der Kaje gebrauchen kann In letzterem Falle spart man die Leichterkosten von 1 Rupie pr. To. und wird den Ballast auch schneller los. Da Leichter gewöhnlich knapp sind, so ist es nicht selten, dass Schiffe 10—14 Tage gebrauchen, ehe sie den Ballast los werden können. Ladet das Schiff im Strom, so fallen Leichterkosten der Ladung zur Last. Die Ablader sind betreffs des Garniers und der betreffenden Ventilation der Ladung sehr eigen. Einige geben den Kapitänen gedruckte Instruktionen dafür, und alle besehen das Garnier, bevor man anfängt zu laden, und täglich wird die Längs-, Quer- und Auf- und Niederventilation beaufsichtigt. Ventilatoren, so wie Planken an beiden Seiten der Stützen des Unterraums und Zwischendecks als Längsschotten und zu gleicher Zeit als Ventilatoren dienend liefert der Ablader, während Matten, Bambus und Garnierholz durch das Schiff geliefert werden muss. Matten und Bambus sind preiswürdig, während dagegen Garnierholz, welches im Boden und in den Kimmen ziemlich hoch gelegt werden muss, theuer genug zu stehen kommt. Kalfaterer sind zu 1—1½ Rp. pr. Tag zu haben. Frischer Proviant recht gut und nicht zu theuer. Wir bezahlten für 6 # Fleisch 1 Rp., für 100 # Yams (ausgezeichnet) 3 Rp., Grünzeug, Pumpkins etc. ebenfalls preiswürdig. Für Garniermatten wurden für grosse 16 Rp. und für mittlere 14 Rp. bezahlt. Bambus kosteten 14 Rp. das Tausend. Frisch Wasser pumpt man sich aus dem Revier bei halber Tide. Wird Sonntags oder Abends nach Zollhausstunden gearbeitet, so wird dafür eine Extragebühr vom Zollhause berechnet, obgleich kein Zollhausbeamter an Bord ist. Alles in Allem gerechnet wären die Unkosten in Bassein nicht zu hoch, falls der Lotsen- und Schlepperlohn nicht so ausverschämt hoch wäre. Es stellten sich die Unkosten für unser Schiff von 1006 netto Reg.-To. mit 420 To. Ballast einkommend und mit 1 400 To. netto Reis ausgehend wie folgt:

Stauer Ballast zu löschen und an Land zu bringen (längsseit der Werft) 1 Rp. pr. To. 420 To.	Rp.	420.—
5 Dtz. Körbe dazu 15 Rp. und Extraarbeitslohn 6 Rp.	„	21.—
Lotsgeld einkommend 12 Fuss 121 Rp. vertauen 16 Rp.	„	137.—
Lotsgeld ausgehend 19 Fuss 300 Rp. anmuren 16 Rp.	„	316.07
Schlepplohn einkommend von Enterprise-Eiland	„	367.—
„ ausgehend nach „ „	„	367.—
Zollhaus-, Hafen- und Steuergelder (188 Rp. 10 An. und Hafengelder 4 annas pr. To. 251 Rp. 8 a.)	„	440.02
Für Sonntags-Arbeit	„	8.—
Stauer für 1 394 To. Reis à 5 a.	„	435.—
Garniermatten 1 675 grosse und 500 mittlere à 16 resp. 14 Rp.	„	338.—
2000 Stück Bambus à 14 Rp. pr. 1000	„	28.—
	*) Rp.	2 677.09

Hierzu kommt noch Adresskommission 2½ % an der Fracht, Telegramme und täglicher Proviant. A. L.

*) Da wir ungefähr 25—30 Faden Brandholz zu Boden- und Kimmgarnierung an Bord hatten, so fielen die Unkosten hierfür weg.

Piraten in Sumatra.

Ueber einen seeräuberischen Angriff der Atchinesen auf den englischen Dampfer »Hok-Canton« wird uns aus Sumatra unterm 20. Juni geschrieben: Der in holländischen Diensten stehende Dampfer »Hok-Canton« stand unter dem Befehl des Kapitäns Handson und besorgte den Postverkehr zwischen Penang und der holländischen Ansiedelung in Atchin, in deren Nähe mehrere holländische Kriegsschiffe stationirt sind. Die Atchinesen zeigen sich noch immer feindselig gegen die Ansiedler und diejenigen, welche mit ihnen verkehren. Der »Hok-Canton« langte um 7 Uhr Morgens an der Küste Sumatras an und wurde von 200 Atchinesen überfallen, die in drei grossen Dschunken längsseits kamen. Sie suchten gleich die Matrosen auf und teilten ihnen ohne Wissen der Offiziere mit, dass ihnen kein Leid geschehen sollte, falls sie sich nicht zur Wehr setzen würden. Gleich darauf kam der erste Maschinist aus dem Maschinenraum auf Deck und wurde sofort von einer Bande Atchinesen angefallen. Obgleich unbewaffnet, bahnte er sich einen Weg durch die Seeräuber und erreichte unverletzt das Volkslogis; als er aber die Treppe besteigen wollte, erhielt er den Todesstoss. Es stellte sich später heraus, dass der Ermordete nicht weniger als 40 Wunden erhalten und dass man ihm beide Hände abgehackt hatte. Während dies geschah, stand der Steuermann oben auf der Treppe mit einem Hirschfänger in der Hand; kurz Zeit später fiel er von einer Kugel durchbohrt todt nieder. An seinem Körper fand man später ebenfalls eine grosse Anzahl Wunden. Kapitän Handson, der jetzt auf Deck kam, wurde sogleich von mehreren Seeräubern angegriffen und schwer verwundet. In seiner Verzweiflung sprang er über Bord, ihm nach seine Frau, die gleichfalls mehrere Wunden erhalten hatte. Sechs Matrosen, die mit dem Schiffsboot soeben vom Dampfer abstossen wollten, um sich zu retten, nahmen den Kapitän und seine Frau auf und versuchten nun zu fliehen, wurden aber noch im letzten Moment von den ihnen nacheilenden Atchinesen ergriffen und in Fesseln gelegt. Als der zweite Maschinist, ein ältlicher Mann, sah, was an Deck vorging, schloss er sich in seiner Kammer ein, um den Blicken der Seeräuber zu entgehen. Er wurde jedoch entdeckt und seine Kammer eingestossen. Die Bande fesselte nun die ganze Mannschaft mit Tauen, brachte sie auf die Dschunken und segelte, nachdem sie alles Wertvolle von Bord gestohlen, mit ihren Fahrzeugen ab. Als später einige Personen von der holländischen Ansiedelung den Dampfer betraten, fanden sie die Leichname des Officiers und Maschinisten auf Deck liegen. Man schaffte die Leichen nach Olehleh, woselbst sie unter grosser Beteiligung der Holländer beerdigt wurden. Es gelang später einem der gefangenen Matrosen, den Atchinesen zu entfliehen und Olehleh zu erreichen. Nach den Aussagen dieses Matrosen war Kapitän Handson zwei Stunden nach der Landung seinen Wunden erlegen. Der zweite Maschinist und die Frau des Kapitäns befanden sich den Umständen nach wohl und wurden von den Atchinesen freundlich behandelt. Die Seeräuber verlangen ein Lösegeld von 50000 Doll. für die unglückliche Schiffsmannschaft. Drei holländische Kriegsschiffe mit 400 Mann Besatzung sind zur Verfolgung der Seeräuber abgeschickt worden. *E. B.*

P. S. Die erste aus Kotta Radja, dem niederländischen Hauptquartier, unternommene Expedition, um die Frau des Kapitän Handson und den Maschinisten Fry aus der Gefangenschaft zu befreien, ist erfolglos gewesen, dagegen war eine zweite Expedition glücklicher. Es gelang ihr zwar nicht, die beiden Gefangenen zu befreien, da diese von Tuku Omar schon ins Innere des Landes gebracht worden sind, wohl aber sind 21 Atjeher in ihre Hände gefallen, darunter ein paar vornehme Stammeshäupter und einige Frauen von Tuku Omar selbst. Da diese Geiseln mit ihrem Leben für das der beiden Gefangenen haften, ist alle Hoffnung vorhanden, dass letztere bald ausgeliefert werden.

Emder Härings-Fischerei-Aktien-Gesellschaft.

nach dem XV. Geschäftsberichte der Direktion über das Betriebsjahr 1895 bis 1896.

„Der bedeutende Zurückgang der Preise für beinahe alle Lebensmittel hat sich in der verflossenen Saison auch noch weiter auf unser Produkt erstreckt und ist nahe an dem Punkt angelangt, wo derselbe für die Produzenten verderbenbringend wird. In Schottland, wo 1/7 der ganzen Bevölkerung von 3½ Millionen Einwohnern direkt oder indirekt vom Häringsfang lebt, haben die niedrigen Preise der gesalzenen Häringe grosse Verluste für die Salzer verursacht und hat man dort viele Versammlungen gehalten, um zu beraten und Mittel zu finden, dem drohenden gänzlichen Ruin entgegen zu arbeiten. Bedeutende einschneidende Veränderungen in dem Verhältnis zwischen Salzern und Fischern sind davon die Folge gewesen, und hat man an erster Stelle Massregeln getroffen, den Verdienst der Fischer mit der Grösse der von ihnen gefangenen Häringe in direkten Zusammenhang zu bringen, denn gerade der Umstand, dass die Fischer bis jetzt die von ihnen gefangenen Fische zu einem vorher festgesetzten Preise an die Salzer abliefern konnten, unabhängig davon, ob die Häringe gross oder klein waren, hat die Fischer allmählig veranlasst, die Maschen ihrer Netze immer kleiner zu machen, um auf diese Art grosse Quantitäten Häringe, wenn auch von sehr geringer Qualität, an die Salzer abliefern zu können. Die Salzer haben infolge dessen den deutschen Markt mit kleinen minderwertigen Häringen überfüllt und haben viele von ihnen durch den geringen Preis, welchen sie für ihre Ware erhielten, ihre Zahlungen einstellen müssen. Diese niedrigen Preise für schlechte Ware drückten aber leider auch den Verkaufswert der guten Häringe von 6 bis 700 in einer Tonne in ganz unverhältnismässiger Weise, und ist dies nur dadurch erklärlich, dass die Detaillisten einen grösseren Vorteil darin sehen, 1000 bis 1200 Häringe aus einer Tonne zu zahlen, so dass die Konsumenten, indem sie eine, wenn auch billige, aber immer doch noch zu teure schlechte Ware erhielten, und die Produzenten, indem der Verkaufswert ihres Produkts unter den Selbstkostenpreis sank, das Opfer der Ueberfüllung des Marktes mit kleinen wertlosen gesalzenen Häringen wurden. Nur wenn die Schotten mit Maschen von nicht weniger als 1½ Zoll engl. im Quadrat zu fischen anfangen, wird die Ueberproduktion aufhören, aber ihre viele tausend englische Meilen langen Treibnetze mit nur ¾ zölligen Maschen lassen sich nicht mit einem Schlage durch zweckmässigere für Konsumenten und Produzenten ersetzen, und fürchte ich, dass Deutschland noch einige Zeit, bis der Ruin der Salzer auch den Ruin der Fischer nach sich gezogen hat, mit beinahe wertlosen gesalzenen Häringen überschwemmt werden wird. Indem es nun stets mein Bestreben gewesen ist, den Selbstkostenpreis unserer Häringe herunter zu bringen, und doch gleichzeitig den guten Ruf, welchen unsere „Emder Häringe“ bis jetzt immer gehabt haben, möglichst noch zu erhöhen, trat diese Anforderung unter obengenannten Umständen in erhöhtem Masse an mich heran, und habe ich in Uebereinstimmung mit dem Aufsichtsrate gemeint, dieses Ziel nur durch stetige Verbesserung und Vergrösserung des Fangmaterials erreichen zu können und an erster Stelle die Zahl unserer Schiffe bis zu der äussersten Grenze, soweit unsere jetzigen Einrichtungen an Land dies irgend erlauben, auszudehnen, ohne die Arbeitskräfte an Land zu verstärken, dieses war denn auch der Grund, warum der Aufsichtsrat in seiner Sitzung am 13. April d. J. beschloss den auf der Schiffswerft des Herrn Cassens hier im Bau befindlichen Logger anzukaufen und denselben in dieser Saison unserem Betriebe einzufügen.

Wenn nun an erster Stelle eine grössere Produktion, vereint mit vollständigerer Ausnutzung der Immobilien und eine verhältnismässige Erhöhung der Arbeitskräfte günstig auf den Selbstkostenpreis des Produktes wirken muss, so wirken doch bei der Fischerei noch viele andere Faktoren, welche ausser meiner Machtsphäre liegen, ganz bedeutend mit, den Selbstkostenpreis zu erniedrigen oder zu erhöhen. Einerseits spielt hier natürlich die Grösse des Fanges eine Hauptrolle, weil viele und bedeutende Ausgaben unserer Gesellschaft von dem Quantum der gefangenen Häringe unabhängig sind; andererseits hängt aber sehr viel von der grösseren oder geringeren Abnutzung und den eventuellen Verlusten von Fischgeräten ab. Leider habe ich nun für die verflossene Saison grosse Verluste an Netzen zu verzeichnen und sind diese Verluste für mich um so unangenehmer, weil ich dieselben nicht einfach auf stürmisches Herbstwetter zurückführen kann. Es sind nämlich im Herbste, allerdings bei schlechtem Wetter, zwei ganze Fleeten durch das Brechen von noch nicht zwei Jahre alten Fischreepen, welche unter den obwaltenden Umständen nicht hätten zerreissen dürfen, verloren gegangen. Diese Taue, vevon ich seiner Zeit Proben in Wilhelmshaven auf Tragfähigkeit mit dem besten Erfolge habe prüfen lassen, haben sich durch irgend einen Fehler der Reepschläger bei der Herstellung als sehr wenig dauerhaft erwiesen, und hat mich dieses veranlasst, die neuen Fischreepen von geteertem Garne herstellen zu lassen, und nicht, wie bis jetzt geschehen, von im Stück geteertem Tauwerk, sowie ausserdem noch eine höhere Bruchbelastung zu verlangen.

Der Selbstkostenpreis unserer Häringe stellt sich in dieser Saison auf 28¼ Mark gegen 27½ Mark im vorigen Jahre und ist dieser höhere Preis hauptsächlich durch obenerwähnte Netzverluste, aber auch durch das teilweise Ausfallen einer Fleet, welche vor zwei Jahren aus Holland bezogen wurde, verursacht; so dass ich 2½ ganz neue Fleeten, ausser der ⅓ Erneuerung der alten Netze, einstellen musste. Die neue Art, die Netze zu präparieren, hat bis jetzt vorzügliche Resultate geliefert, und werde ich bald unseren ganzen Bedarf an Netzen auf unserem eigenen Etablissement widerstandsfähig gegen Nässe zu machen imstande sein. Die Netze, welche ich zu diesem Zwecke von deutschen Fabriken beziehe, stellen sich etwas teurer als die holländischen, *aber die Ware ist auch entschieden besser*.

Unsere 14 Logger machten 58 Reisen gegen 13 Logger 52 Reisen im vorigen Jahre. Der ganze Fang betrug 11 357 Tonnen, deshalb durchschnittlich per Schiff 811 Tonnen gegen 886 Tonnen per Schiff im vorigen Jahre. Das Fangresultat ist nicht ganz so günstig, welches hauptsächlich dem sehr stürmischen, früh einfallenden Herbstwetter zuzuschreiben ist. Der Brutto-Ertrag war 347 597 Mark oder 30⅔ Mark per Tonne und der reine Jahresgewinn belief sich auf 24 097 Mark.

Bei der Tonnenfabrikation habe ich in diesem Frühjahre verzinkte eiserne Reifen eingeführt, und glaube ich, obwohl die erste Fertigstellung etwas teurer ist als mit Holzreifen, doch auf die Dauer bedeutend an Arbeitslohn zu sparen, jedenfalls werden die Häringstonnen aber bedeutend fester und dichter; ein kleiner Teil dieser Tonnen mit eisernen Reifen wird in der jetzigen Saison zur Verwendung kommen.

Der Missbrauch geistiger Getränke wird auf unseren Schiffen immer weniger, und ist es mir in diesem Jahre zum ersten Mal gelungen, alle Leute unter der Hauptbedingung für die Schiffe zu erhalten, dass sie keine geistigen Getränke mit nach See nehmen dürfen.

Die beiden holländischen Schiffer, welche in der verflossenen Saison noch im Dienste der Gesellschaft waren, habe ich entlassen müssen, weil sie der von mir gestellten Bedingung, ihren Wohnsitz nach hier zu verlegen, nicht nachkommen konnten, und sind jetzt alle unsere Schiffe von *deutschen* Schiffern und Seeleuten bemannt.

Im Herbste vorigen Jahres wurde ich als Mitglied einer Kommission nach Berlin zur Mitberatung einer Vorlage für den Reichstag wegen der im Haushaltsetat des deutschen Reiches eingefügten 100 000 Mark, welche zur Hebung der deutschen Hochseefischerei dienen sollen, berufen. Wie Ihnen bekannt sein wird, ist obengenannte Summe mit grosser Majorität der Regierung bewilligt, in welcher besonderen Richtung jedoch dieses Geld Verwendung finden wird, ist bis jetzt noch nicht bekannt. Man verschliesst sich in massgebenden Kreisen noch immer leider der Ueberzeugung, dass die Häringsfischerei auf internationalem Gebiete das Rückgrat der deutschen Hochseefischerei werden muss, ebenso wie dieses in Holland der Fall ist, wenn überhaupt von einer Hebung der deutschen Hochseefischerei die Rede sein soll.

Billiges, unkündbares Geld würde uns jetzt über diese schweren Zeiten hinweghelfen, dies aber jetzt auf der Grundlage unseres eigenen Kredits heranzuziehen, sind leider die Umstände nicht geeignet. Wie sehr notwendig billiges unkündbares Geld für unseren Betrieb jetzt ist, geht aus der Bilanz hervor, wo diverse Kreditores mit 191 480 Mark figurieren, doch ist aber dem Heranziehen von etwas mehr Kapital zur Verbesserung und Vergrösserung unseres Fangmaterials einzig und allein zuzuschreiben, dass bis jetzt von Jahr zu Jahr eine Rechnung vorgelegt werden konnte, worin die Unterbilanz stets kleiner wurde und von 130 941 Mark am 15. Juni 1883, damals 19¾% der Aktiven, jetzt auf 18 819 Mark oder 2¼% der Aktiven herabgesunken ist, und dies in einer Zeit, wo viele schottische Salzer der Ungunst der Verhältnisse erlegen sind.

Nautische Literatur.

Die gepanzerten Flotten. Leitfaden für Küsten-Artilleristen, von T. H. A. Tromp, Offizier der Niederländischen Artillerie a. D. I. England. Mit einem Atlas von 19 Blättern. Verlag von G. C. Visser, Haag. 1886.

Der durch seine Werke über die „Navires cuirassées de l'Angleterre, de la France et de l'Allemagne" bestens eingeführte Verfasser bringt hier gewissermassen in einem Auszug die Details über die englischen Schlachtschiffe *Hercules*, *Sultan*, *Superb*, *Audacious*, Invincible, Ironduke, Swiftsure, Triumph, *Alexandra*, *Temeraire*, *Shannon*, *Nelson*, Northampton, *Imperieuse*, Warspite, *Monarch*, *Neptune*, *Devastation*, Thunderer, *Dreadnought*, *Inflexible*, *Agamemnon*, Ajax, Colossus, Edinburgh, *Collingwood*, Howe, Rodney, Anson, Benbow, Camperdown, Renown, Sanspareil, *Cyclops*, Gorgon, Hecate, Hydra, *Glatton*, *Hotspur*, Belleisle, Orion, *Rupert*, *Conqueror*, und zwar deren Erbauungsjahr, Hauptdimensionen, äusseres Ansehen (Klasse), Artillerie, Panzer, Maschinen und Probefahrten. Auf 18 Tafeln sind die Aufrisse der Schiffe in der Wasserlinie und eine Deckansicht, auf Tafel XIX noch die Querschnitte von Audacious, Alexandra, Imperieuse, Monarch, Devastation, Dreadnought, Collingwood, Inflexible und Agamemnon beigegeben, um deren Batterien und Zwischendecks zu zeigen. Von den oben angeführten Schiffen sind die nicht gesperrt gedruckten als Schwesterschiffe nicht besonders abgebildet.

Das Werk von dem erst der erste Teil, England, vorliegt, ist sehr übersichtlich gehalten und ein sehr instructives Nachschlagebuch; verschiedene Tabellen am Ende des Textes stellen das Ganze noch einmal in gedrängter Kürze zusammen, namentlich ist die Art und Stärke der Panzerung sehr gut zu ersehen. Druck, Zeichnungen, Papier und äussere Ausstattung überhaupt machen dem Verleger alle Ehre, so dass wir den Fortsetzungen mit Spannung entgegen sehen, zumal dieselben vollständige ausführliche Beschreibungen der neuesten Typen bringen sollen.

Die Ergebnisse der Untersuchungsfahrten S. M. Kanonenboot „Drache", Kommandant Korv.-Kapt. Holzhauer, in der Nordsee, in den Sommern 1881, 82 und 1884. Veröffentlicht von dem Hydrographischen Amt der Admiralität. Berlin, 1886. E. S. Mittler & Sohn. Gr. 4°. 77 S. und 15 Tafeln.

Nachdem die Ostsee schon seit Jahrzehnten das nächstgelegene Arbeitsfeld für die Kgl. Preuss. Marine und später für die Kaiserl. Deutsche Marine gewesen war, hat das Hydrographische Amt der Kaiserl. Admiralität seit 1872 durch die Beobachtungsfahrten der „Pommerania" und 1881—84 durch die Beobachtungsfahrten des Kanonenboots „Drache" wertvolles Material zur Ermittelung der Temperatur, des Salzgehalts, der Strömungen, Bodenbeschaffenheit und der allgemeinen physikalischen und chemikalischen Verhältnisse (Gehalt an Sauerstoff, Stickstoff, Kohlensäure) der Nordsee sammeln und in streng wissenschaftlichem Geiste verarbeiten lassen, und zwar teils von den eigenen Kräften, zum Teil unter Zuziehung namhafter auswärtiger Gelehrten. Dieser vorliegende Quartband mit seinen 47 Seiten Text, 30 Seiten Beobachtungen und folgenden 15 Tafeln als bildliche Beigabe ist das hochinteressante und verdienstliche Resultat dieser Arbeiten.

Die beiden Schiffe haben aus naheliegenden Gründen nicht die gleichen Kurse eingehalten, doch stellen ihre Kurse im grossen jedesmal eine Rundfahrt um und durch die ganze Nordsee vor. Die „Pommerania" machte von Wilhelmshaven ausgehend zunächst eine Kreuzfahrt längs des Südwalls der Nordsee über die sog. „Helgoländer Tiefe", ging von Texel über die „tiefe Rinne" vor dem Kanal nach Yarmouth, von da über die seichteste Stelle in SW der Doggerbank nach Edinburg, längs der Küste bis Peterhead und nun auf ziemlich geradem Kurs nach Bergen. Von hier aus die tiefe Einsenkung längs der Norwegischen Küste bis Christiansand verfolgend, stach sie zum seichtern Wasser des Skagerracks nach Skagen hinüber, umfuhr im weiten Bogen über die kl. Fischerbank das Hornriff, lief die Lyster Tiefe an und dann in Kreuzfahrten an Helgoland vorbei wieder in die Jade ein.

„Drache"'s Kurs hat geradere grössere Schläge aufzuweisen, zunächst von der Jade auf geradem Kurse nach Aberdeen, von da nach Lerwick auf den Shetlands-Inseln und nun quer über zu der nördlichen Einfahrt nach Bergen. Von da ging sie auch auf ziemlich geradem südlichen Kurs die tiefe Küstenrille durchquerend zwischen der Grossen und Kleinen Fischerbank auf Helgoland zu und dann zur Jade zurück.

Eine nachträgliche Ergänzungsfahrt führte durch die grosse Lücke längs 2° Ostlänge über den nordöstlichen Ausläufer der Doggerbank, westlich von der Grossen Fischerbank bis 58½° N hinauf und dann auf östlichem Kurs unter die Norwegische Küste und weiter bis Christiania-Fjord, im seichten Wasser des Skagerracks nach Skagen und von da längs der jütischen Küste unter Hanstholm zurück.

Es ist ein grosses Verdienst bei der Veröffentlichung dieser Materialien, dass die graphische Darstellung derselben auf den 15 Kartentafeln von 19/25 cm in üppiger Breite und nicht in gedrängter Kürze auf wenig Blättern beliebt worden ist. So übersieht man in dem grossen Massstab der Karten die Tiefen, die Salzgehalte und spezifischen Gewichte an der Oberfläche, in 30 m Tiefe und am Meeresboden bezw. in grössern Tiefen auf 6 Blättern, den Sauerstoffgehalt im Oberflächen- und im Grundwasser auf 2 Blättern, Temperatur und Salzgehalt auf 4 Blättern und endlich die Strömungen auf 2 Blättern in rascher durchsichtiger Folge, und kann sich nun der Durchsicht der zu Grunde liegenden Beobachtungstabellen und dem darstellenden kritisch ordnenden Text zuwenden.

Das ganze Wasserbecken der Nordsee erscheint als eine Ueberlagerung eines unterseeischen Hügels, der vielgenannten und vielberüchtigten Doggerbank, welcher an seiner höchsten südwestlichen Seite bis auf 20 m an die Oberfläche heraufragt und bei Stürmen die gefährliche wüste See veranlasst, welcher schon so manches gute Schiff und so manche brave Mannschaft zum Opfer gefallen ist. Von dieser höchsten Stelle senkt sich der Meeresboden nach SW rasch aber vorübergehend zu 60 m Tiefe, um vor dem Kanal und längs dem Südwall sich wieder durchweg auf 40 bis 20 m zu erheben. Minder rasch senkt sich die Doggerbank nach NO bis 40 m Tiefe zur kl. Fischerbank, dann gemach bis zu 100 m in der Linie von Aberdeen nordostwärts bis zur Norwegischen Tiefe, während die 200 m Tiefenlinie schon die Erhebung der Shetlands- und Orkney-Inseln umfasst.

Da diese ausgedehnte 10 Breiten- und 11 Längengrade umfassende Wasserfläche aber an vier Stellen mit anderen [illegible] Dover, aus West durch die Meerenge zwischen Schottland und den Orkneys- und Shetlands-Inseln, ferner von Norden her und von Osten her, so müssen natürlich die Verhältnisse der Nordsee ziemlich verwickelte werden. Diesen eigentümlichen Wechselwirkungen mit den Einflüssen des Atlantischen Oceans und der Ostsee trägt die Darstellung gebührend Rechnung, und führen wir zum Beweise der zurückhaltenden Beurteilung nur das „Schlussergebnis" an, welches die Ergebnisse der beiden ersten (für uns wichtigsten Kapitel) über die physikalischen Beobachtungen in Bezug auf Temperatur und Salzgehalt, und über die Strombeobachtungen kurz zusammenfasst. Es heisst dort also:

„Fasst man die Ergebnisse der in Erwägung gezogenen Beobachtungen zusammen, so scheinen dieselben dazu angethan, für die physikalischen Verhältnisse der Nordsee eine grössere Selbstständigkeit in Anspruch zu nehmen, als derselben bisher zuerkannt worden ist. Das oceanische Wasser, welches im Norden von England eindringt, *sperrt darnach wahrscheinlich das Nordseebecken gegen polare Stürme mehr oder weniger ab* (giebt für den Häringsfang zu denken, d. Red.); es dringt atlantisch-oceanisches, stark salziges Wasser äusserst langsam vorschreitend, fast unvermischt bis in den centralen Teil der Nordsee, und sinkt in Folge der winterlichen Abkühlung allmählich zu Boden, die erlangte niedrige Temperatur einerseits bis zur Doggerbank, andererseits in die tiefe Norwegische Rinne mitführend und dort auch im Sommer konservirend; das atlantische Wasser mischt sich namentlich in den oberen Schichten und längs den Küsten mit dem süssen Wasser des Abwässerungsgebiets der Küstenländer des Nordseegebiets bezw. mit dem Ostseewasser, und wird mit demselben in zwei Hauptströmen nordwärts geführt, von denen der eine vornämlich längs der britischen Küste und dann nach Nordost, der andere längs der deutschen und jütischen Küste (eben zu beiden Seiten des Hügels der Doggerbank herum d. Red.) bald sich mit dem Ostseestrom vereinigend, seinen Weg nimmt. Beide Ausflussströmungen scheinen zwischen ungefähr 3° Ost-Länge und der Norwegischen Küste zusammenzutreffen, und wird hier das ungesüsste Oceanwasser, nachdem es im Becken der Nordsee einen teils vertikalen, teils horizontalen Kreislauf vollzogen, in das Norwegische Nordmeer abgeführt. Zwischen diesen beiden Strömen besteht aber ein Unterschied darin, dass der Norwegische Küstenstrom in weit höherem Grade seine characteristischen Eigenschaften beibehält, als der Englisch-Schottische, und während letzterer zunächst wenigstens fast in seiner ganzen Tiefe gemischtes Wasser aufweist, besitzt in der Norwegischen Rinne Unterstrom und Oberstrom ganz verschiedenen Character (in Folge der weit grösseren Mächtigkeit des Stromes, welche der Ausgleichung hinderlich ist, d. Red.) und erst in einer Zwischenschicht vollzieht sich die Mischung, deren Bewegung mit der des obern Stromes harmonirt."

Der Grund für diese Besonderheiten ist zu einem grossen Teil in den lokalen Formationsverhältnissen des Nordseebeckens zu suchen, welche eine Mischung der nach den physikalischen Schweregesetzen sich bewegenden Wassermassen von verschiedenen Eigenschaften an der britischen Küste ebenso begünstigen, wie sie an der Norwegischen Küste denselben entgegen sind.

Die Gezeitenerscheinungen sind erklärt als zum grossen Teil von einer Welle abhängig, welche der Konfiguration des Nordseebeckens allein ihre Eigenschaften verdankt, während für die Einwirkung des Englischen Kanals sich keine entscheidenden Merkmale auffinden lassen.*)

Das hier gezeichnete Bild kann nicht beanspruchen, als ein endgültiges aufzutreten, weil das Beobachtungsmaterial für sichere Schlüsse noch nicht ausreicht. Die Tafeln lassen leicht erkennen, wo noch fühlbare Lücken in der Beobachtungsreihe der Sommermonate vorhanden sind. Es ist dies einmal der südwestliche Teil der Nordsee, also das Verbindungsglied zwischen ihr und dem Atlantischen Ocean auf dem Wege des Englischen Kanals, sodann der nördliche Teil zwischen den Orkneys und der Norwegischen Küste und zwischen der Schottischen Küste, etwa bei Aberdeen oder Peterhead, und der tiefen Rinne, ungefähr auf dem Breitenparallel von 57½ N. Solche Sommeruntersuchungen in Verbindung mit Winterbeobachtungen an einer Anzahl von Stellen, die über das Nordseegebiet verteilt sind, würden unsere Kenntnis von den physischen Verhältnissen der Nordsee und von den modifizirenden Einflüssen, welche die Jahreszeiten auf die physikalischen Vorgänge innerhalb dieses Beckens ausüben, einem Abschluss entgegenführen."

[illegible] Art diese Arbeit es nicht fehlen lässt, welche die vielen wertvollen Schriften des Hydrographischen Amts aufs neue um einen bedeutungsvollen Zuwachs bereichert hat.

Druck, Papier und äussere Ausstattung sind ausnahmslos vorzüglich.

*) Das hat für den Sommer und gewöhnliche Verhältnisse gewiss seine Richtigkeit, aber ebenso unbestreitbar dürfte es sein, dass nach mehrtägigen südwestlichen Stürmen gerade der Kanal eine Menge Wasser in die Nordsee schafft, welche dann bei dem folgenden NW-Sturm den Deichen von Holland, Ostfriesland, Oldenburg und den schleswigschen Halligen so gefährlich wird, und dass diese Wasseransammlungen bei SW-Wind, sowie die starken Entleerungen bei anhaltenden Ostwinden sich den Schiffen durch starke Stromversetzungen und als potenzirte Gezeitenerscheinungen oft in sehr unliebsamer Weise bemerklich machen. (Vergl. übrigens w. u.) D. Red.

Die Schiffahrts-Verhältnisse Grossbritanniens im Jahre 1884.

Den Schiffahrts-Interessen, welche einer gleitenden Frachtenskala, einer unablässigen Vermehrung des Betriebsmaterials, sowie einer erstarkenden internationalen Konkurrenz unterstehen, erwies sich der Verkehr des Jahres 1884 wenig günstig. Die Frachtsätze deckten, wie behauptet wird, kaum die Betriebskosten nebst den erforderlichen Wertabschreibungen. Die Folgen der Ueberproduktion der Werften in den nächstfrüheren 4 Jahren machten sich um so mehr fühlbar, als nicht nur der Handelsverkehr im Allgemeinen abnahm, sondern speziell im letzten Jahre der Getreidebezug aus Nordamerika sich vermindert hat und der Verkehr nach Ostindien und dem fernen Orient durch Beunruhigungen politischer Art beeinträchtigt worden ist. Der nicht unbeträchtliche Schiffbau für fremde Rechnung auf britischen Werften vermehrt naturgemäss die kontinentale Konkurrenz auf den Seewegen, und die stattgehabten Zwangsverkäufe zu billigen Preisen von den vielen unbeschäftigt verbliebenen Fahrzeugen gestatteten ein Unterbieten in den Seefrachten. Unter diesen Umständen durfte auf eine baldige Besserung der diesbezüglichen Verhältnisse schwerlich zu rechnen sein. Nichtsdestoweniger ist die englische Dampferflotte im Jahre 1884 wieder um 347 Fahrzeuge von 603 000 Tonnen Gehalt vermehrt worden, was die Tragfähigkeit der englischen Dampfer auf 4 326 000 Tonnen oder, da ein Dampfer wenigstens dreimal mehr Fahrten als ein Segelschiff in gleicher Zeitdauer zurückzulegen imstande ist, auf rund 13 Mill. Tonnen bringt. Nur in einer Beziehung erwies sich der Seeverkehr des letzten Jahres glücklicher als jener in den zunächst vorangegangenen Jahren, darin nämlich, dass unter günstigen, beinahe sturmfreien atmosphärischen Verhältnissen die Zahl der Schiffsunfälle zur See sich sehr erheblich vermindert hat, wie nachstehende Uebersicht erweist.

Jahr	Zahl der Schiffbrüche	Darunter britische Fahrzeuge	An der britischen Küste	Verlust an Menschenleben
1880	1 660	913	480	4 000
1881	2 039	1 048	824	4 134
1882	1 790	945	576	4 129
1883	2 000	948	522	4 200
1884	1 589	776	359	3 000

In den 9 Jahren 1875—1883 sind nicht weniger als 10 316 britische Schiffe (mit Einschluss der kolonialen) von 2 616 000 Tonnengehalt gänzlich zu Grunde gegangen, wobei 24 616 Personen (3392 Passagiere und 21 224 Schiffsleute) ihr Leben einbüssten. In den 3 Jahren 1880—83 sind von britischen Fahrzeugen allein (mit mehr als 250 Tonnen Gehalt) zu Grunde gegangen: 330 Segler mit 2637 Personen und 337 Dampfer mit 2191 Personen. Von diesen Unfällen ereigneten sich: 218 an der Ostküste der amerikanischen Staaten, 164 an der indischen und andern asiatischen Küsten, 132 an der britisch-nordamerikanischen Ostküste, 102 im Schwarzen und Mittelländischen Meere, 93 an der britischen Küste. Besonders rühmende Erwähnung verdient die hingebende und aufopfernde Thätigkeit der Rettungsboot-Anstalten (Royal National Lifeboat Institution). 284 Rettungsboote sind bereits der britischen Küste entlang stationirt, und ihre Anzahl wird noch immer von Jahr zu Jahr vermehrt. Mit dem Beistande derselben sind im Jahre 1884 621 Menschenleben und 17 Fahrzeuge vom Untergange gerettet worden; ausserdem wurden aus den bezüglichen Vereinsmitteln Geldprämien an die Mannschaften von Küstenfahrzeugen und Fischerbooten gezahlt, welche 159 Schiffbrüchigen freiwilligen Beistand geleistet hatten, wodurch die Anzahl der aus den Wellen Geretteten auf 780 gebracht wurde. Eine anderweitige Vorsorge des Vereins geht dahin, dass gute Aneroidbarometer den Kapitänen der kleinen Küsten- und Fischerboote für ein Drittel des gewöhnlichen Anschaffungspreises geliefert werden. Die Gesamtauslagen des Vereins beliefen sich voriges Jahr auf 53 000 £. In der Frage der Weiterbelassung oder Aufhebung des Lotsenzwanges (compulsory pilotage) bei der Einfahrt in britische Häfen hat sich das Marinedepartement des Board of Trade für die zwangsweise Aufhebung ausgesprochen; der 1251 Mitglieder zählende Pilotenverein des Vereinigten Königreichs hingegen hat beschlossen, die Einsetzung einer eigenen Regierungs-Kommission behufs Begutachtung der Lotsenfrage nachzusuchen. Ein Projekt, mittels Herstellung eines für die grössten Seefahrzeuge schiffbaren Schleusen-Kanals von Eastham am Merseyflusse landeinwärts, sowie durch Errichtung entsprechender Docks in Manchester, Salford und Warrington, Manchester zu einem Seehafen zu erheben, ist als vorläufig gescheitert anzusehen. Die Baukosten von rund 10 Mill. £ sind nicht gezeichnet. Die Korporation von Liverpool, die konkurrirenden Eisenbahnen sowie viele andere hierbei interessirte Privatparteien haben Einsprache gegen Ausführung eines solchen Unternehmens angemeldet. Ein anderweitiges, bis jetzt nur ventilirtes Projekt betrifft die Legung eines unterseeischen Tunnels zwischen Schottland und Irland. Die Längenausdehnung desselben zwischen Mull of Cantyre und einem Küstenpunkte der irischen Grafschaft Antrim soll angeblich nicht mehr als 16 engl. Meilen betragen. Gleichzeitig mit dem eben bezeichneten sind noch zwei andere Tunnelprojekte in paralleler Richtung, jedoch von etwas grösserer Länge, aufgetaucht.

Von schnellen Oceanfahrten ist zu erwähnen, dass mehrere Dampfer bereits die mehr als 12 000 Sm. weite Strecke zwischen Plymouth und Neuseeland oder umgekehrt in 36—37 Tagen, (den Aufenthalt in Zwischenstationen mit eingerechnet) zurückgelegt haben. —s—

Das Vierzigknotenschiff.

»Kommandire deinen Hund und belle selber,« so pflegt man wol in Friesland einem Menschen entgegen zu rufen, der Uebermenschliches, Unmögliches von einem verlangt. Wir wurden an das Sprichwort erinnert, als wir kürzlich in der Naut. Gaz. von Newyork von dem »Vierzigknoten-Schiff« eines Prof. Thurston lasen. Kaum sind die Amerikaner mit ihrer Forderung von »Sechstagedampfern« mit 20 Sm. stündlichem Fortgang durch europäische Kunst nahezu befriedigt, so verlangen sie die mehr als doppelte Geschwindigkeit von 75 Km. in der Stunde. Der gelehrte »Professor« (auf deutsch Lehrer, Schulmeister, wer weiss was!) schlägt dazu vor ein Schiff von 800' Länge (⅛ Seemeile), 80' Breite, 38 000 To. Wasserverdrängung, welches mit Aufwand von 10500 To. Kohlen in 3—4 Tagen mit der Geschwindigkeit eines Schnellzugs den Ocean durchdampfen soll. Mit Maschinen und Kohlen würde das Schiff 30000 To wiegen, also 8000 To. Raum für Passagiere und Ladung übrig behalten.

Ein gleiches Ziel setzt sich C. F. Hurst von der Schule der praktischen Ingenieure zu Chiswick mit einem Schiff von 440' Länge und Maschinen von bloss 30 000 ind. P. K., indem er sich auf die Geschwindigkeit der neuerdings gebauten Torpedoschiffe beruft.

Allgemeine Forderungen aufstellen ist leicht, sagt dazu »Engineer«, desto schwerer, ihnen im einzelnen nachzukommen; vorläufig verstehen es die Ingenieure nicht, Schiffe von 75 Km. Fortgang zu bauen.

Auf Thurstons Schiff müssten die Kolbenstangen sich mit 1200' Geschwindigkeit in der Minute bewegen, die Schraubenwelle müsste 4' 10" im Durchmesser halten und 500 To. wiegen, 25 Cylinder, die neben einandergestellt 225' Raum einnähmen, müssten die nötige Arbeit verrichten. Da die Schraubenblätter eine Spannung von je 125 To. wenigstens aushalten müssten, so kann man sich von ihrer Dicke kaum einen Begriff machen; ebenso wenig wie von der Stärke des Schiffskörpers, der all den Spannungen gewachsen bliebe. Nach den vorhandenen Leistungen der Schiffbauer und Maschineningenieure scheinen wir an der Grenze der Leistungsfähigkeit angelangt zu sein; man müsste also erst neue Bausysteme erfinden, und dann bleibt noch immer die Frage, ob solche Leistungen sich lohnen, da die jetzigen Schnelldampfer schon riskante Kapitalanlagen sind.

Verschiedenes.

Der Ursprung der Cyclonen. In einer Schrift über „die Erhaltung der Kraft in der Atmosphäre" bringt Dr. Werner Siemens folgende Theorie über den Ursprung der Cyclonen. Der relativ leere Raum im Centrum einer Cyclone kann eine Aufsaugung lediglich in der Richtung der Axe der Cyclone hervorrufen, indem er entweder das Wasser über die Oberfläche erhebt, über welche sie rotirt, oder Luft aus den höhern Regionen der Atmosphäre herunterzieht. Das Vorhandensein eines solchen absteigenden Luftstroms innerhalb eines Tornado wird durch den klaren Himmel und die ruhige Luft bestätigt, welche man so oft in seinem Mittelpunkt beobachtet. Nach Dr. Siemens muss man sich eine lokale Cyclone hervorgerufen denken durch den Anstoss von, durch irgend eine örtliche Ursache überhitzter Luft (!), welche sich an den Grenzen einer obern und untern Störungsschicht des neutralen Gleichgewichtszustandes der ruhenden Luft äussert, und sich ausbreitet bis an die Grenze der obern kalten Luftschichten, welche eine Neigung zum Herabsinken haben. Es muss demgemäss ein äusserer absteigender Luftstrom vorhanden sein, welcher sich um den innern aufsteigenden bildet, und ebensoviel Luft nach unten abgeführt werden, als der aufsteigende Luftstrom nach oben schafft. Wenn die Gleichgewichtsstörung ausgedehnte obere und niedere Luftschichten ergreift, so werden die herabsinkenden Luftmassen eine Erhöhung des Drucks in der Nachbarschaft der allmälig bis zur Oberfläche der Erde und andrerseits bis zu den höchsten Regionen der Luft sich ausbreitenden Cyclone herbeiführen, und ihre lebendige Kraft beständig auf neue überhitzte, innerhalb der Cyclone aufsteigende Luftmassen übertragen, während ein Teil der absteigenden in gleicher Richtung sich drehenden Cyclone wieder mit dem innern Teil aufsteigt, und demselben einen Teil der in den höhern Luftregionen erworbenen lebendigen Kraft zuteilt. Die Fortbewegung des Mittelpunkts der Cyclone wird nun bestimmt durch die Richtung der mittlern Geschwindigkeit aller die Cyclone bildenden Luftmassen, und die Cyclone dauert so lange als die Störung des neutralen Gleichgewichts der Atmosphäre, welche sie hervorruft und nährt. Der örtliche aufsteigende Luftstrom, welcher Staub und andere feste Bestandteile mit sich führt, kann auch Regen veranlassen, indem er die Wassergase der höhern Schichten verdichtet.

Von den mit **„Oregon"** untergegangenen 598 **Postsäcken** sind bis zum 20. Juli 462 gerettet worden.

Die **Geschwindigkeit des Lichts** ist zu verschiedenen Zeiten verschieden, in neuester Zeit aber so scharf bestimmt, dass es sich nur noch um wenige Kilometer in der Sekunde dabei handelt. Der Däne Olaf Römer 1675/76 ermittelte aus der Verzögerung, welche der berechnete

Austritt eines Jupiters-Trabanten aus dem Schatten des Jupiter erfuhr, wenn sich die Erde nicht in der Nähe desselben, sondern am entgegengesetzten Punkte der Erdbahn, d. h. um den Durchmesser der Erdbahn weiter von ihm entfernt war, dass das Licht nicht momentan, sondern mit messbarer Geschwindigkeit sich verbreite, und bestimmte dieselbe zu 42 000 geogr. Meilen = 311 657 Km. Aus der jährlichen Verschiebung oder Aberration der Fixsterne ermittelte 1727 Bradley eine Geschwindigkeit des [illegible] durch direkte Messung am Durchgang durch gezahnte Räder Fizeau gar 42 219 g. M. = 315 404 Km., dagegen Foucault durch Messung am gespiegelten Strahl 1862 298 000 Km., Cornu 1874 298 500 Km., derselbe 1878 300 400 Km., dagegen nach Listings Berechnung seiner Beobachtungen 299 960 Km. und Young und Forbes 301 382 Km. gefunden. Diese Schwankungen um den runden Wert von 300 000 Km. in der Sekunde, haben mehrere amerik. Gelehrte zu neuen Beobachtungen vermittelst verbesserter Foucault'scher Apparate veranlasst und scheinen dieselben endlich durch Newcomb, Washington, 1882 ihrem Ziele sich am meisten genähert zu haben. Es fanden nämlich Michelson 1879 auf der nautischen Akademie 299 910 Km., derselbe in Cleveland 1882 299 853 Km. und jetzt hat Newcomb endlich 299 860 Km. mit einem möglichen, recht hoch geschätzten Fehler von ± 30 Km. gefunden.

Damit scheint die Frage wol endgültig entschieden zu sein.

Die dreizehnte Auflage von **Brockhaus' Conversations-Lexikon** naht sich mit raschen Schritten ihrer Vollendung. Schon liegt der *vierzehnte Band* abgeschlossen vor. Er endet mit dem Artikel Spahis und enthält die grosse Zahl von 6125 Artikeln; in der vorigen Auflage hatte der entsprechende Band deren nur 2248, mithin hat eine nahezu dreifache Vermehrung stattgefunden. Nicht minder umfassend sind die Bereicherungen, welche dem Inhalt der einzelnen Artikel zuteil geworden. Dies tritt namentlich hervor auf dem Gebiete der Staatengeschichte und im Bereich der Statistik: die innere und äussere Geschichte Russlands, Sachsens, Schwedens, der Schweiz, Serbiens reicht bis auf die letzten Tage herab, auch der Serbisch-Bulgarische Krieg von 1885 findet schon eine zusammenhängende Schilderung nach den besten Quellen, und alle statistischen Zahlen beruhen auf dem Resultat der neuesten offiziellen Erhebungen. Reich vertreten ist die zeitgenös-[illegible] [illegible] Salisbury, Dr. Schliemann, Graf von Schack, Victor von Scheffel, Generalconsul von Scherzer, Georg Schweinfurth, die Brüder Siemens, den Reichsgerichtspräsidenten Simson. Ausserdem knüpfen noch viele andere Artikel, wie Samoa-Inseln, Sanct Gotthard-Bahn, Deutsche Seewarte, Deutscher Schulverein, an die Interessen der Gegenwart an. Und der also verjüngte und erweiterte Text wird durch die trefflich ausgeführten Illustrationen: 8 Karten, 17 separate Bildertafeln (darunter 3 Tafeln zur Darstellung der Entwickelung der Schrift, *2 Tafeln Schiffstypen*, 1 Tafel zu Schliemann's Ausgrabungen sowie mehrere Tafeln zur Naturgeschichte und Technik) und zahlreiche in den Text gedruckte Abbildungen veranschaulicht.

Immisch's Thermometer beruht wie Bourdon's Barometer auf der Bewegung des Deckels einer, statt luftleeren, mit einer ausdehnsamen Flüssigkeit gefüllten schneckenförmigen Dose, deren Bewegung bei Temperaturänderungen vermittelst eines Hebels und Zahn und Rad auf einen Zeiger übertragen wird, gerade wie beim Aneroid-Barometer. Das Ganze gleicht einer Uhr in Westentaschen-Format und würde deshalb Reisenden z. B. zu empfehlen sein, wenn das Instrument nur nach Aussetzung in sehr hohe oder niedrige Temperaturgrade zu seinem alten Stande zurückkehrte. Doch haben Untersuchungen in Kew ergeben, dass unter 24 Instrumenten schon 66 pCt. mit einem Fehler von nicht über 0,2 ° F., also ziemlich fehlerfrei erfunden sind.

Verlag von H. W. Silomon in Bremen. Druck von Aug. Meyer & Dieckmann, Hamburg, Alterwall 18.

HANSA

Redigirt und herausgegeben
von
W. von Freeden, BONN, Thomasstrasse 9.
Telegramm-Adresse:
Freeden Bonn,
oder
Neuer Alterwall 20 Hamburg.

Verlag von *H. W. Silomon* in Bremen.
Die „*Hansa*" erscheint jeden 2ten Sonntag.
Bestellungen auf die „*Hansa*" nehmen alle Buchhandlungen, sowie alle Postämter und Zeitungsexpeditionen entgegen, desgl. die Redaktion in Bonn, Thomasstrasse 9, die Verlagshandlung in Bremen, Obernstrasse 14 und die Druckerei in Hamburg, Alterwall 20. Sendungen für die Redaktion oder Expedition werden an den letztgenannten drei Stellen angenommen. **Abonnement** jederzeit, frühere Nummern werden nachgeliefert.

Abonnementspreis:
vierteljährlich für Hamburg 2½ ℳ,
für auswärts 3 ℳ = 3 sh. Sterl.
Einzelne Nummern 60 ₰ = 6 d.

Wegen **Inserate**, welche mit 35 ₰ die Petitzeile oder deren Raum berechnet werden, beliebe man sich an die Verlagshandlung in Bremen oder die Expedition in Hamburg oder die Redaktion in Bonn zu wenden.

Frühere, komplete, gebundene Jahrgänge v. 1873, 1874, 1876, 1877, 1878, 1879, 1880, 1881, 1882, 1883, 1884, 1885 sind durch alle Buchhandlungen, sowie durch die Redaktion, die Druckerei und die Verlagshandlung zu beziehen. Preis ℳ 8; für letzten und vorletzten Jahrgang ℳ 8.

Zeitschrift für Seewesen.

No. **18.** **HAMBURG, Sonntag, den 5. September 1886.** **23.** Jahrgang.

Inhalt:

Der wahre Erfinder der jetzt üblichen dreifachen Expansionsmaschinen.

Man darf sich nicht darüber wundern, dass gegenwärtig, zur Zeit der Liverpooler Schiffbau-Ausstellung, die Gemüter der britischen Schiffbaumeister und Maschinen-Ingenieure sich einer erhöhten Stimmung erfreuen. Die ziemlich einseitig von Engländern beschickte Ausstellung *scheint* die Annahme zu rechtfertigen, weil Old-England fast allein auf dem Plan ist, dass dasselbe auch allein berechtigt sei auszustellen, und was von den Foreigners hätte beigebracht werden können, lediglich Nachahmung englischer Erfindungen sei. Man vergisst dabei freilich die allgemeine Abspannung gegenüber den zu oft und rasch wiederholten Ausstellungen, die Unlust zur Tragung der übermässig hohen Unkosten und die von vorn herein dem Fremden erschwerte Aussicht mit seinen Leistungen Wirkung zu machen, wenn die Unsumme der britischen Ausstellungsgegenstände schon materiell und numerisch erdrückend wirkt.

Dennoch sollte die Rücksicht auf offenkundige historische Thatsachen verhindern, dass offenbare Ungerechtigkeiten unter dem Schutz der hohen getragenen Stimmung in die Welt hinausgerufen werden. Davon hat sich aber die Institution of Naval Architects welche eine Reihe Sitzungen in Liverpool abgehalten hat, nicht ihrer hohen Stellung gemäss ferngehalten, und glauben wir hier zur Wahrung berechtigter Prioritäts-Ansprüche das Wort nehmen zu müssen.

Nachdem dortselbst der Civilingenieur und Direktor der Mersey Docks G. F. Lyster, Prof. F. Elgar, B. Martell und W. John über verschiedene Tagesfragen gesprochen hatten, hielt noch *W. Parker* einen Vortrag *»über den Fortschritt und die Entwickelung der Marine-Ingenieurkunst.«*

Er behandelte sein Thema in der Weise, dass der Vortrag gewissermassen als eine Fortsetzung des Vortrags erschien, welchen F. Marshall im Jahre 1881 in Newcastle o/Tyne vor der damaligen Versammlung der Mechanical Engineers gehalten hatte. Herr Parker ging von den Kohlenersparnissen aus, welche die Erfindung der »dreifachen Expansionsmaschine« durch A. C. Kirk in 1874 bewirkt hätte. Seltsamer Weise belegte er diese Behauptung durch eine Anzahl von Maschinenbauten, welche sich allesamt *nicht bewährt* haben. Allerdings konstruirte Kirk für die »Propontis« des Herrn W. H. Dixon im Jahre 1874 dreifache Expansionsmaschinen, die mit einem Anfangsdruck von 150 ℔ auf den Quadratzoll arbeiten sollten; aber die Kessel erwiesen sich als unzureichend und mussten wieder aus dem Schiff entfernt werden. Dann konstruirte er »dreifache Expansionsmaschinen« für die Yacht »Isa« des Herrn A. Taylor im Jahre 1877, indem er auf kleine Schiffsdimensionen für Liebhaber zurückging, sich also aus dem Wettbewerb für die grosse Praxis zurückzog. Nach vierjährigem Stillstande endlich erhielt Kirk von R. Napier and Sons in Glasgow im Jahre 1881 den Auftrag, für die »Aberdeen« des Herrn George Thompson & Co. zur Fahrt nach Australien und China ein 106,8 m langes, 13,4 m breites und 10,1 m tiefes Seeschiff mit seinen »dreifachen Expansionsmaschinen« zu montiren, die mit Dampf von nur 125 ℔ Anfangsdruck getrieben werden sollten. Neben diesen grössern Versuchen laufen in England noch kleinere nach derselben Richtung unternommene her, die aber prinzipiell von keiner Bedeutung sind.

Die »Aberdeen« und ihre Maschinen gelten nun laut Mr. Parker und sonstigen Auslassungen von *Ehren*-Präsidenten der Versammlungen britischer Schiffbaumeister und Schiffbauingenieure als die »wirklichen Pioniere des Typs der dreifachen Expansionsmaschinen, weil durch ihre Maschinen bewiesen wurde, dass dieselben (!) nicht allein alle gewöhnlichen Ansprüche an die Maschinenleistungen [illegible] im Kohlenverbrauch gestatteten. Seitdem sind diese (!) Maschinen rasch in allgemeinen Gebrauch gekommen und Schiff- und Maschinenbauer erkennen in der Einführung des Systems der drei- und vierfachen Expansionsmaschinen das Heil für die Zukunft der Hochdruckdampfer.«

So »Nature« in ihrem Bericht über Mr. Parkers Vortrag.

Wir haben keinen Grund zu bezweifeln, dass Herr Parker sich wirklich zu dieser Ansicht bekennt, da uns dieselbe Anschauung schon öfters in englischen Reden und Schriften entgegen getreten ist.

Dennoch ergiebt eine unbefangene Prüfung der Thatsachen ein ganz anderes Bild der wirklichen Sachlage.

Vor allem ist es mit dem Namen der »dreifachen Expansionsmaschine« allein nicht gethan. Was man **jetzt** unter diesem Namen versteht, war den englischen Maschinen-Ingenieuren bis zum Jahre 1883 völlig unbekannt. Allen bis dahin in England nach diesem sog. System gebauten Maschinen klebten Erinnerungen an das unglückliche Tandem-Prinzip an, indem alle bis 1883 in England gebauten Maschinen mit einem Niederdruck- und mit einem Mitteldruckcylinder und einem *auf letzterem* stehenden Hochdruckcylinder, **also nur mit zwei Kurbeln arbeiteten.** Diese Maschinen wurden von der Walesend Slipway Comp. in Newcastle und bei Napier in Glasgow von Mr. Kirk ausgeführt.

Von diesen ersten Maschinen sind aber die jetzigen »dreifachen Expansionsmaschinen« durchaus verschieden. Bei den jetzigen dreifachen Expansionsmaschinen, welche **zuerst von Herrn F. Schichau in Elbing** und zwar sogleich für die gewöhnliche Praxis auf See, d. h. für Seeschiffe von 1000 und mehr Tons Ladefähigkeit, dann aber auch für eine Unzahl Torpedoboote gebaut und zur höchsten Zufriedenheit der Besteller ausgeführt wurden, *stehen die drei Cylinder von wachsender Grösse* **neben einander**, die Kolben *greifen* **an drei**, *um 120° aus einander stehende Kurbeln an*, geben dadurch und durch die sorgfältig bemessene gegenseitige Grösse und peinlich beachtete Abminderung des Dampfdrucks den **wunderbar ruhigen Gang** des Ganzen, und endlich ist die **Kesselkonstruktion** eine so sorgfältige, dass trotz des hohen Anfangsdrucks die Kessel des erstgebauten, seit 1883 in steter ausländischer Fahrt begriffenen »Nierstein« (unsern Lesern von der 1884 unternommenen Fahrt nach Konstantinopel wohlbekannt) noch heute, ohne jemals zu lecken, ihren Dienst verrichten. So wie jetzt dort alle modernen Dreicylinder-Maschinen gebaut werden, d. h. so wie sie zu den von Herrn F. Schichau in Elbing gebauten Dampfern »Nierstein« 1882/3 (948 T.), »Falkenburg« 1884/5 (1101 T.), und den mehr als Hundert von derselben Firma erbauten Torpedobooten, mit **Kesselspannungen von 10 und 12 Atmosphären** gebaut sind, waren bis zum Beginn des Jahres 1883 in England keine Maschinen im Bau begriffen bezw. projektirt. Im Laufe des Jahres 1883 hat Mr. Kirk allerdings auch solche Maschinen erbaut, es kamen dieselben aber erst **nach** dem »Nierstein« zur Probe und hatten zudem auch **nur 8 Atmosphären** Dampfdruck.

Der Typ »Nierstein« und »Falkenburg« ist noch heute der modernste und arbeiten deren Maschinen schon mit 10 Atm. Dampfspannung; dennoch haben auch trotz gelegentlich höhern Drucks ihre Kessel sich vom ersten Augenblick an bis jetzt tadellos gehalten. »Falkenburg« indizirte 700 P. K. und haben die Kessel einen Durchmesser von 3340 mm = 11 Fuss englisch.

Es lässt sich demnach mit Bestimmtheit behaupten, dass Herr F. Schichau in Elbing jedenfalls die erste Maschine nach diesem jetzt modernsten Typ (nach welchem jetzt der N. D. Lloyd seine »Ostindier« und 2 grösste Schnelldampfer für die Newyorker Fahrt, die engl. Admiralität die »Renown« von 10200 To. Wasserverdrängung u. s. w. u. s. w. baut bezw. gebaut hat) **mit 10 Atm. Kesselspannung tadellos in den Betrieb gebracht hat.**

Zu gleicher Zeit mit »Nierstein« *im Novbr. 1882* projektirte Herr F. Schichau für eigene Rechnung ein kleines Torpedoboot mit der Dreicylinder-Expansionsmaschine. Dasselbe wurde im Sommer 1883 probirt und bewährte sich dasselbe so vorzüglich, dass von da ab alle Torpedobootsmaschinen in dieser Form ausgeführt wurden. In England sind bis jetzt für Torpedoboote, wie uns ganz bestimmt versichert wurde, nach diesem Dreicylinder-Expansionstyp (sog. triple expansion) noch keine Torpedoboote ausgeführt.

Wie stark dagegen und unter welchem Vertrauen der verschiedensten Regierungen letztere Industrie sich in Elbing entwickelt hat, möge zum Schluss dieser Ehrenrettung und Wahrung des Erfinderrechts ein Verzeichnis der bei Herrn F. Schichau in Elbing gebauten oder noch im Bau begriffenen Torpedoboote mit Dreicylinder-Expansionsmaschinen seines Systems beweisen.

Torpedoboots-Bauten von F. Schichau in Elbing, Westpreussen.

Namen der Besteller	Jahr der Bestellung	Anzahl	Anzahl der Spieren resp. Anzahl der Lancirrohre	Armirung mit 3,7 ctm Hotchkiss Kanonen	Hauptdimensionen in Metern: Länge	Breite	Garantirte Geschwindigkeit	Gewichte, welche bei Probefahrt an Bord	Kohlenbunker Capacität bei 10 Knot. Fahrt [illegible]	Schichau's Patent Unterwindgebläse
Kaiserl. Russische Regierung	1877	1	2 Spieren		18	3	16 Knoten	2 Tons		—
do.	1878	10	1		29	3,8	17,5	3 »	—	—
Kaiserl. Deutsche Regierung	1883	6	2 Lancirrohre	2 Stück	37	4,8	26	12,5 »	3000	1
do.	1884	22	2	2	37	4,8	20,6	14,5	3000	1
Königl. Italienische Regierung	1885	1	2	2	39	4,8	21 »	12,5 »	3500	1
Kaiserl. Russische Regierung	1885	9	2	2	39	4,8	20 »	16,5 »	3500	1
K. K. Oesterreichisch-Ungar. Regierung	1885	2	2 »	2 »	39	4,8	20,5 »	14,5 »	3500	1
Kaiserl. Chinesische Regierung	1885	9	1	—	26	3,8	19 »	4 »	1000	1
do.	1885	1	2	2 »	44	5	23 »	14,6 »	3500	1
Kaiserl. Deutsche Regierung	1886	2	2	6 »	58,5	6,6	19 »	—	—	2
Kaiserl. Chinesische Regierung	1886	2	1 »		26	3,8	19 »	4 »	1000	1
Kaiserl. Ottomanische Regierung	1886	3	2 »	2	37	4,8	20 »	14,5 »	3000	1
Kaiserl. Deutsche Regierung	1886	30	2 »	2 »	37	4,8	20 »	14,5 »	3000	1

Summa ....108 Torpedoboote, welche alle bis auf die beiden ersten Bestellungen aus den siebenziger Jahren mit Dreicylinder Expansionsmaschinen, **System Schichau**, versehen sind.

Hamburgs Schiffs- und Waarenverkehr und die Hamburger See-Versicherungs-Gesellschaften.

Laut den vom «Handelsstatistischen Bureau» herausgegebenen «tabellarischen Uebersichten des Hamburgischen Handels im Jahre 1885» sind im *Seeverkehr*

	1883 Sch.	1883 v. Rg.-T.	1884 Sch.	1884 v. Rg.-T.	1885 Sch.	1885 v. Rg.-T.
angekommen	6352	3351670	6844	3727724	6790	3704112
abgegangen	6387	3363879	6813	3707199	6798	3712394

Unter den angekommenen Seeschiffen waren ca. ¹/₇, unter den abgegangenen ca. ¹/₄ in Ballast.

Der *Flussverkehr* brachte auf Segel- und Dampf- und Schleppschiffen sowie auf Holzflössen

	1883	1884	1885	
eine Einfuhr v.	22409408	23422290	24681278	Netto Centn.
» Ausfuhr »	21791612	25852102	22818064	» »

Nach *Gewicht* und *Wert* betrugen die ganzen *Einfuhren:*

Jahr	Netto Centn.		Wert (ℳ)
1880	110920810	Netto Centn. v.	1969378170 ℳ Wert.
1881	113670636	" " "	2018506650 " "
1882	120218044	" " "	2084858410 " "
1883	129743002	" " "	2228214870 " "
1884	136034362	" " "	2229966750 " "
1885	135626200	" " "	2045906820 " "

In dieser Wertsumme sind die *eingegangenen Baarsummen* (gemünztes und ungemünztes Edelmetall) nicht aufgeführt. Dieselben betrugen im Jahre

Jahr	ℳ	Jahr	ℳ
1873	229660000 ℳ	1880	39031170 ℳ
1874	65887960 "	1881	69032700 "
1875	245952050 "	1882	49435130 "
1876	151424700 "	1883	36552870 "
1877	422773780 "	1884	74903510 "
1878	235864380 "	1885	101053330 "
1879	154500730 "	Total	1896072190 "

Die *Einfuhr* verteilte sich auf den *See-* und *Land-* und *Fluss*verkehr fast zu gleichen Hälften, doch überwog in allen Jahren seit 1880 der *Wert* der Einfuhr aus dem Binnenlande per Fluss oder Landverkehr und ebenfalls in allen Jahren mit Ausnahme von 1884 das Gewicht der Einfuhr aus dem Binnenlande den Betrag der Einfuhr von seewärts um etwa 100 Mill. Mark resp. 1¹/₂ bis 6 Mill. Centner.

Was die *Ursprungsländer* der *Einfuhr* anbelangt, so kamen folgende Werte

von	1883 ℳ	1884 ℳ	1885 ℳ
Australien	5067100	4174340	6123760
Asien	21572110	21417630	25071190
Afrika	15634280	19373520	17485970
Südamerika	166112790	176217560	160869390
Westindien	11808520	9021010	12211940
Nordamerika	130158300	133660340	134629920
Nordeuropa	83416080	91955250	85036230
Grossbritannien	434044950	441123070	394176400
Südeuropa	91455360	111879500	97424330
v. u. über Altona	57604950	57659600	58505910
Seewärts	1036874440	1066481840	991538040
Land- u. flussw.	1191340430	1163484910	1054368780
	2228214870	2229966750	2045906820

Ueber die *Ausfuhr* sind erst seit 1872 Versuche zur statistischen Feststellung gemacht, welche jedoch wenig vollständig sind, da mit Aufhebung des hamburgischen Ausfuhrzolls seit 1856 ein nicht unbeträchtlicher Teil der Ausfuhr über Land sich der Kontrolle entzieht.

Ausser den höchst detaillirten Mitteilungen über den Waarenverkehr im Einzelnen bringen die tabellarischen Uebersichten auch noch Uebersichten verschiedenen Inhalts, namentlich über den «Bank- Wechsel- und Geldverkehr», die «Auswandererbeförderung», die «Betriebsresultate der in Hamburg mündenden Eisenbahnen» und über die **Seeversicherungen**. Die Betriebsresulsate der letzteren sind mitgeteilt:

1. im Durchschnitt von je fünf Jahren von 1836 bis 1885, und hat demzufolge

einem Gesamtgewinn von....... 10711250 ℳ
ein Gesamtverlust von......... 5371320 "

verteilt über gleichviel, nämlich je fünf Gewinn- und fünf Verlustgruppen von fünf Jahren, gegenübergestanden. Man kann also nicht sagen, dass die Prämien etwas zu niedrig gegriffen waren, da die durchschnittlich geleisteten Einschüsse von 4,8 Mill. Mark sich also mit 533993 ℳ d. h. zu reichlich 10 % verzinsten.

2. Seit 1870 hat sich das Bild allerdings verschoben; es beginnt die Einwirkung der Dampfer auf den Güterverkehr zur See sich fühlbar zu machen und die damit eingeleitete Entwertung namentlich der kleineren und mittleren Seeschiffe. Die Gewinne und Verluste der Seeversicherungs-Gesellschaften sind seit 1870 für jedes Jahr angeführt wie folgt

Jahr	Gewinn ℳ	Verlust ℳ	Jahr	Gewinn ℳ	Verlust ℳ
1870.	—	1265250	1878.	—	361700
1871.	490500	—	1879.	—	1496000
1872.	—	1770450	1880.	—	1708000
1873.	—	551000	1881.	—	128000
1874.	309760	—	1882.	—	1176000
1875.	434200	—	1883.	—	948800
1876.	550000	—	1884.	1020000	—
1877.	778000	—	1885.	985500	—

Total in 16 Jahren Gewinn 4567960, Verlust 9408200

Es sind mithin in den letzten 16 Jahren 4840240 ℳ von den Seeversicherungsgesellschaften verloren d. h. im Jahr durchschnittlich rund 300000 ℳ auf rund 4¹/₂ Millionen geleistete Einschüsse, oder etwa 7%. Es sind wohl mit dadurch die Einschüsse von 5 Mill. auf 3¹/₂ Mill. ℳ zurückgegangen. Da nun in den beiden letzten Jahren einem Einschuss von im Mittel 3¹/₄ Mill. ℳ ein Netto Gewinn von über durchschnittlich 1 Mill. ℳ gegenüberstand, so sind diese beiden letzten Jahre mit einem Gewinn von ca. 30% wohl ein deutliches Anzeichen dafür, dass einige löbliche Ausnahmen abgerechnet, die neuen Prämiensätze eine übertriebene Höhe erreicht haben, welche die letzten kleineren und mittleren Segelschiffe in kurzer Zeit von der See zu vertreiben geeignet ist, da sie nicht einmal mehr die Assekuranzgelder aufbringen können.

Oelen der See.

Hansaleser dürften nachgerade sagen, sie hätten über den Gegenstand allmählig genug in den Spalten dieses Blattes gelesen. Mag sein; wollen Sie aber auch die Gegenbemerkung gestatten, dass trotz alledem und trotz der sonnenklaren guten Wirkung des Oels zur Schlichtung von Brechseen dies Mittel noch bei weitem nicht in dem wohlverdienten Umfange angewandt wird. Menschenleben und Eigentum würden viel sicherer den Gefahren der See standhalten, wenn die kleine Ausgabe aus Schlendrian oder Missachtung nicht so häufig gespart würde. Wir versprechen aber gern mit diesen Darlegungen des Sachverhalts innezuhalten, sobald uns nur erst *eine deutsche Schiffsproviantliste* eingesandt wird, auf welcher der deutsche Schiffshändler **rohes Oel** *zur Beruhigung von Sturmwellen* anzeigt, und so den Schiffsführern es nahe legt, sich mit 50 Liter und mehr davon zu versehen, um im Notfalle davon Gebrauch zu machen. Die Namen dieser Fortschrittsmänner wollen wir hier mit Vergnügen recht deutlich bekannt geben. Aus South-street, Newyork, können wir mit Addressen von Ship-Chandlers dienen, welche das Mitnehmen solchen Oels, als „fashion" geworden, empfehlen.

Vielleicht dienen nachstehende offizielle Berichte dazu, diese *Neuerung* auch in deutschen Häfen in die *geschäftlichen Wege* zu leiten!

Das Hydrographic Office der U. S. von Amerika hat sich in seinen „wissenschaftlichen Arbeiten" dadurch nicht stören lassen, dass es als *„richtige* praktische Seewarte" die Kapitaine zu Berichten aufgefordert hat, wie nach ihrer Erfahrung das Ausgiessen von Oel auf die sturmbewegte See gewirkt hat. Diese Berichte hat sie aus allen Teilen der Welt gesammelt, und ihnen auf den monatlichen Pilot Charts einen Platz eingeräumt, auch dieselbe gesammelt für das verflossene Kalenderjahr in einer Broschüre veröffentlicht. Für das Jahr 1885 erwähnt der Gesammtbericht 70 Fälle, in welchen sich jedesmal die Anwendung des Oels zur Beruhigung der Sturmwellen als praktisch bewährt erwiesen hat. Einzelne dieser Berichte mögen hier in aller Kürze erwähnt werden.

„Der Dampfer Thomas Melville wurde auf der Reise von Baltimore nach dem Norden mehrfach von schweren Seen überschwemmt. Zwei Segeltuchbeutel wurden mit Oel gefüllt, die Leinwand mit Segeltuchnadeln an einzelnen Stellen durchstochen, und dann die Beutel einfach über Bord geworfen und am Tau nachgeschleppt. Die Seen kamen später nicht wieder an Deck. Ein Gallon ($4^1/_2$ Liter) Oel reichte für mehrere Stunden.

„Auf der Reise von Portland, Oregon, nach Queenstown geriet das Schiff Myrtle Holm in so schweren Seegang, dass man den Mann am Ruder festbinden musste, damit er nicht über Bord gespült würde. Der Kapitain liess von jedem Arm der grossen Rae einen durchlöcherten Segeltuchbeutel, von denen jeder 2 Liter Lampenöl enthielt, ins Wasser herunterhängen. „„Zwei Minuten später *brach* sich keine See mehr über dem Schiff, das Schiffsdeck blieb so trocken als nur möglich, obgleich in geringer Entfernung vom Schiffe die See so hoch lief als vorher"". Noch zweimal später wurde das Oelen der See ins Werk gesetzt und der Erfolg war ebenso ausgezeichnet".

„Auf der Reise von Baltimore nach Liverpool wurde während eines schweren Weststurmes ebensolche Leinwandbeutel vom englischen Dampfer Mentmore ausgehängt. „„Das Schiff rollte schwer und nahm bedeutende Wassermengen über, aber wenige Minuten nach Aushängung der Oelbeutel nahm es keinen Tropfen Wasser mehr an Deck und das Schlingern hörte auf"".

„Der Dampfer North Anglia verlor in einem Orkan 1884 das ganze Rudergeschirr und mehrere Ruderleute zugleich mit; sobald Oelbeutel ausgehängt waren, wurde das Schiff gar nicht mehr belästigt."

Sehr lehrreich sind die Erfahrungen des Dampfers Napier, auf der Reise von Baltimore nach Cork im Januar 1885. Er wurde von einem Orkan überholt. Nachdem fürchterliche Seen das Achterschiff nicht allein, sondern das ganze Deck bis vorn hin überschwemmt hatten, liess Kapitain Henderson zwei Segeltuchbeutel mit je 9 Liter Lampenöl füllen und zu beiden Seiten über Bord hängen. Die See *brach* sich nicht mehr. „Achteraus sahen wir die hohen Seen bis zu 60—70' an das Schiff heranlaufen, und sobald sie in das Oel gerieten, zusammensinken, so dass das Schiff nur eine schwere Dünung fühlte. So lief es 3 Tage und 3 Nächte fort, und nicht ein Tropfen Wasser kam an Deck. 9 Liter reichten für $2^1/_2$ Stunden.

Der erste Offizier des Dampfers Durham City rettete sein Schiff, indem er eine Farbetonne mit Klauenfett über das Heck herunterhing. Ein Loch war vorher in den Boden und eins für Luftzutritt in den Deckel gestossen.

Auf der Reise von St. Johns nach Liverpool schützte der erste Offizier der Bark Algeria sein Schiff in schwerem Sturm, indem er einen mit Oel gefüllten Strumpf an einigen Faden Leine hinterherschleppen liess.

Dass Rettungsmannschaften schon seit Jahren eine Flasche Oel mitnehmen, wurde schon vor mehreren Jahren in Berichten des Vorstandes anerkannt.

Was nun *die zu diesem Zweck beste Sorte Oel* anbelangt, so ist sie glücklicherweise zugleich die billigste. Im allgemeinen sind Mineralöle nicht so wirksam als vegetabilische oder tierische Oele. Je feiner die Oele, desto geringer die Wirkung. Kapitain Smith von der Bark Emma, liess ganze Fässer raffinirtes Petroleum ausgiessen und nebenher treiben, ohne dass er irgend welche Wirkung verspüren konnte. Diese feinen Oele halten nicht genügend zusammen. Dagegen verwendete Kapitain Thompson, von der Bark Maud Scammell im November 1881 auf dem Wege von Newyork nach Santander rohes Petroleum mit gutem Erfolg. Aber Leinöl, Walfisch- oder Seehundsthran und zwar die schweren, fetten, nicht raffinirten Sorten sind die besten Oele, und man verbraucht obendrein von ihnen am wenigsten. Es wäre das Studium der Schiffshändler wert, hier die richtigen ziemlich zähen dickflüssigen Mischungen und beste Beutel zur Verteilung derselben über das Seewasser herzustellen. Eine vollständige Ausrüstung mit Oel und Beuteln kann nur wenige Mark kosten, und dürfte unter Umständen Schiff und Mannschaft vor sicherem Untergange oder schwerer Havarie bewahren. Es wäre eine verdienstliche Aufgabe der Assekuranz-Gesellschaften, nach dieser Richtung hin Druck zu geben, und im Interesse der Rheder wäre es, durch Hinweis auf solche Ausrüstung auf Ermässigung der zu hohen Prämien hinzuwirken. Die Hamburger Assekuranzen haben in den letzten beiden Jahren 2 Mill. ℳ Ueberschüsse erzielt laut Bericht des statistischen Bureaus!

Die Taifune, nach Doberck in Hongkong.

Die Taifune scheinen östlich oder südöstlich der Philippinen in der Mulde niedrigen Luftdrucks, zwischen den beiden Gebieten hohen Druckes in dem Nord-Pacific und Australien, zu *entstehen*. Auf die *Bahnen* derselben lässt sich das von Clement Ley aufgestellte Gesetz anwenden, dass ein atmosphärisches Minimum sich so bewegt, dass es das Maximum rechts lässt. Die Anwendung dieses Gesetzes in Verbindung mit genügenden Berichten über die Luftdruckverteilung erleichtert ausserordentlich die Vorausbestimmung der Taifunbahnen.

Nach dem Wege, welchen die Taifune in der Regel verfolgen, lassen sie sich in drei oder eigentlich in vier *Klassen* teilen. — Taifune der ersten Klasse treten zu Anfang und zu Ende der Taifunzeit auf, gehen quer über die Chinesische See, entweder in westnordwestlicher Richtung von Luzon nach Hainan und Tonkin, oder wenn über Siam und Anam ein hoher Luftdruck liegt, zuerst westlich und dann südwestlich; sie dauern fünf bis sechs Tage.

Taifune der zweiten Klasse werden am häufigsten beobachtet, und ihre Bahnen lassen sich am weitesten verfolgen. Sie bewegen sich gewöhnlich nordwestlich in der Gegend von Luzon und wenden sich in ca. 26°, oder besser zwischen 22° und 32° N. B. nach Nordosten. Sie erreichen vor ihrem Wendepunkte entweder die Küste und verlieren dann gewöhnlich den Charakter tropischer Stürme, oder sie gehen die Küste entlang durch die Strasse von Formosa nach Japan, über die Japanische See oder an die Küste von Korea.

Taifune der dritten Klasse sind möglicherweise die gewöhnlichsten, aber man begegnet ihnen weniger häufig, und sie entziehen sich daher oft der Beobachtung. Sie ziehen östlich von Formosa nach Norden.

Taifune noch einer vierten Art gehen südlich von Luzon vorbei in westlicher Richtung, oder zuerst westlich, dann südwestlich. Wenngleich nicht ungewöhnlich, liegen sie ausserhalb des vorliegenden Beobachtungsgebietes.

Die *ersten Anzeichen* eines Taifuns in der Chinesischen See sind Cirrus-Wolken, welche, wie dünnes Haar, Federn oder kleine weisse Wellenflocken aussehend, von Osten oder Norden heranziehen, ein geringes Steigen des Barometers, klares und trockenes oder heisses Wetter und leichte Winde. Hierauf fällt das Barometer, während die Temperatur noch weiter steigt. Die Luft wird drückend in Folge der zunehmenden Feuchtigkeit, und der Himmel nimmt ein drohendes, dunstiges Aussehen an.

Dünung, Phosphoresciren des Wassers und sehr schöne Sonnenuntergänge bieten dem mit den gewöhnlichen Verhältnissen bekannten Seemanne *weitere Merkmale*. Beim Herannahen des Taifuns bedeckt sich der Himmel, die Temperatur nimmt in Folge dessen ab, die Feuchtigkeit vermehrt sich, und das Barometer fällt schneller, während der Wind an Stärke zunimmt. Näher am Centrum weht der Wind mit einer Gewalt, dass kein Segel ihm Stand halten kann, und der Regen giesst in Strömen, aber ohne Donner und Blitz. Noch näher am Centrum ist weniger Wind und Regen und der Himmel stellenweise klar, aber es steht hier eine furchtbare See; dies ist deshalb der gefährlichste Teil.

Die *Taifune der Chinesischen See* sind atmosphärische Wirbel oder Cyklone, deren *Bahnen nahezu Parabeln* bilden; der Scheitel derselben ist nach Westen gerichtet und liegt gewöhnlich im Innern Chinas zwischen 25° und 30° N. B. Ein Ast der Kurve geht gewöhnlich über die Philippinen und der andere über Japan; mit anderen Worten, die fortschreitende Bewegung findet gewöhnlich von Süden nach Norden statt, mit einer Neigung nach Westen während der ersten Periode, nach Osten während der zweiten. Die Taifune erscheinen *zuerst* in einer Zone zwischen dem 10. und 17. Breitenparallel; einige entstanden auch innerhalb der Philippinen-Gruppe, die meisten kamen jedoch von See her weiter von Osten.

So heftig die Taifune auch auf See auftreten, so wehen sie, sobald sie das Land erreicht haben, stets nur mit *mässiger* Stärke, so dass sie öfters überhaupt nur von aufmerksamen Beobachtern wahrgenommen werden. Nur ein Taifun am 10—14. August 1881 machte hiervon eine Ausnahme, indem er mit dem Eindringen in das Land — und er drang bis weit in das Innere Chinas ein und richtete in dicht bevölkerten Gegenden arge Verwüstungen an — an Stärke zunahm; derselbe Taifun machte übrigens auch eine Ausnahme in Bezug auf die Richtung seiner Fortbewegung, indem er einen, dem oben angedeuteten gewöhnlichen Wege gerade entgegengesetzten Lauf einschlug. Einige Taifune nehmen, wenn sie wieder nach See gehen, auch wieder an Stärke zu, ohne jedoch annähernd weder die frühere Gewalt des Windes noch die Tiefe der Depression zu erreichen. Der Verlust an Energie und die Abnahme der Depression ist zwei Ursachen zuzuschreiben, einmal dem fast vollständigen Verschwinden jeder Kondensation auf dem Festlande in Folge des Fehlens jener feuchten konvergirenden Luftströme, welche auf See die Energie des Wirbelsturmes vermehrten, dann in Folge einer Abschwächung der Depression durch den Widerstand der zahlreichen auf dem Wege liegenden Hindernisse. Die Wirbelwinde, welche z. B. über Tonkin und Cochinchina in das Innere Chinas eindringen, müssen sich allmälig auf das Hochplateau im Nordwesten und Westen erheben, kommen dann wieder herunter und wenden sich der Japanischen See zu. Die zahlreichen im Wege liegenden Berge haben stets eine Teilung des Hauptwirbels, zuweilen sogar der sekundären, hervorgerufen. Die *Wirkung eines Hindernisses*, wie einer auf der Cyklonbahn liegenden Bergkette, tritt noch mehr bei einem Taifun hervor, der auf offener See mit seiner ganzen Gewalt tobt. Es kommt dann vor, dass zwei verschiedene Wirbel an beiden Seiten entstehen, welche um so drohender sind, als ihnen bei ihrer geringen Ausdehnung jede Regelmässigkeit in den Winden und den Barometerveränderungen fehlt, so dass sie die erfahrensten Seeleute in Verlegenheit bringen. Im Sommer ist der Luftdruck über dem Innern Asiens und über China viel niedriger als an der Küste und in Sibirien, und an der Küste wieder geringer als auf dem Meere. Ein Maximum des Drucks liegt über der Mitte des Stillen Oceans, ein Minimum über dem Ochotskischen Meer und in der Nähe der Behringsstrasse. Diese verschiedenen Verhältnisse in dem Gleichgewicht der Atmosphäre sind bestimmend für die Bildung und die Bahn der Taifune. *Sie bewegen sich stets gegen das nächste Depressionsgebiet:* deshalb gehen sie vom Meere nach dem Lande, von den Philippinen gewöhnlich nach der Küste Chinas, wenn kein unübersteigliches Hindernis im Wege liegt; aber bald auf Gebirgszüge stossend, wenden sie sich nach dem Norden Chinas, tiefere Depressionsgebiete aufsuchend, als sie an der südlichen Küste finden. Sie folgen dann der Hauptrichtung der Isobaren, welche sie über Japan in den Stillen Ocean führt. Eine wunderbare Thatsache ist, dass ein Taifun oft den Spuren eines eben vorangegangenen folgt. *Die Taifune scheinen sich anzuziehen*, d. h. ein Taifun wird in seinem Bestreben, sich dem Gebiete eines barometrischen Minimums zuzuwenden, sich dorthin bewegen, wo ein heftiger Wirbelwind den Luftdruck erniedrigt hat; so wird also ein Taifun, der eben verschwunden ist oder sich aufgelöst hat, den nächsten Taifun nach derselben Richtung hinziehen.

In Japan sind August und September die eigentliche Taifunzeit; in den anderen Monaten erreichen sie Japan nur nach einer langen Wanderung über China und sind dann eigentlich unbedeutend.

In der Chinesischen See beginnt, sobald der NO-Monsun aufgehört hat, die Taifunzeit und dauert so lange, wie der Sommer-Monsun herrscht. Wenn die NO-Winde im September an der chinesischen Küste wieder eingesetzt haben, so sind im Allgemeinen hier auch keine Taifune mehr zu befürchten; ihre Bahnen liegen dann südlicher; wenn der Monsun bis zum Aequator vorgedrungen ist, wie gewöhnlich im November oder zuweilen erst im December der Fall ist, verschwinden sie ganz. B. Z.

Sturmwarnungssignale in Hongkong.

In einer Zuschrift an das Naut. Mag. vom 11. April 1886 äussert sich der Vorsteher der Seewarte zu *Hongkong*, Herr Doberck, über die Bedeutung seiner *Sturmwarnungssignale*. Sie zerfallen in zwei Systeme: das Warnungssignal für die Kolonie Hongkong selber besteht in Schüssen aus dem Taifungeschütz; für die Seeschiffe und was mit ihnen zusammenhängt dienen die Signale von Tsimschatsui.

Ist dort die rote Trommel gehisst, so sollten nach nördlichen, westlichen und südlichen Häfen bestimmte Dampfer nicht mit der Abfahrt säumen, da sie dann noch auf mehr oder weniger gutes Wetter rechnen dürfen. Nach den Philippinen bestimmte Dampfer sollten sich aber vorsehen, um den Taifun zu vermeiden und die bereits von der Hongkong Seewarte unter 11. Mai 1885 erlassenen Regeln beachten (Vergl. Hansa No. 19 1885). Nach westlichen und südlichen Häfen bestimmte Segelschiffe sollten ebenfalls ungesäumt abfahren; wenn sie aber nach östlichen oder nördlichen Häfen bestimmt sind, so sollten sie liegen bleiben, um fernere Nachrichten abzuwarten, weil sie Stillten oder Gegenwinde nach der Abfahrt antreffen könnten, selbst wenn der Wind zur Zeit westlich ist. Die am Tage nach dem Hissen der Trommel in China Coast Register von der Seewarte zu erwartende Auskunft sollten sie berücksichtigen und dabei bedenken, dass das stündliche Fortschreiten der Taifune im Osten und Südosten von Hongkong gewöhnlich 6 bis 14 Sm. beträgt.

Ist der rote Kegel mit der Spitze nach oben gehisst, so stehen SW Winde in Aussicht und haben den Hafen verlassende Schiffe nicht zu befürchten in den Taifun hineinzulaufen; aber nach dem Norden bestimmte Segelschiffe sollten so bald als thunlich abfahren, um den günstigen SW Wind zu benutzen.

Ist der rote Kegel mit der Spitze nach unten gehisst, so sollten Schiffe, welche schlechtes Wetter nicht gut vertragen, im Hafen bleiben, bis das Barometer wieder anfängt zu steigen und die Gefahr vor dem Taifun vorüber ist.

Ist die rote Kugel gehisst, so bedeutet es dass nach nördlichen, südlichen und östlichen Häfen abfahrende Schiffe Wind von Ost bis Süd und SW zu erwarten haben. Nach westlichen Häfen fahrende Schiffe haben nichts zu befürchten, so lange ihr Barometer steigt. Sollte es fallen so drehen sie am besten bei und flüchten, wenn es Not thut, in einen Taifunhafen, doch wird dies selten erforderlich werden.

In Bezug auf die Peilung des Centrums, welche in der Bekanntmachung vom 11. Mai 1885 (vergl. oben) geschildert wurde, bemerkt D. weiter, dass fernere Ermittelungen ergeben haben, dass, wenn man bei den Philippinen Inseln und bis 24° N an der chinesischen Küste hinauf im Taifun dem Wind den Rücken zukehrt, man wahrscheinlich das Centrum nahezu 4 Striche zur linken Hand voraus haben wird; [illegible] im allgemeinen nur 3 Striche zur linken Hand voraus, wenn das Schiff sich vor dem Centrum, und mehr als 3 Striche zur linken Hand voraus, wenn das Schiff sich hinter dem Centrum des Taifuns befindet. Oberhalb 25° Breite wird der Winkel wahrscheinlich nur 2 bis 3 Striche betragen. Er scheint kleiner zu werden, je weiter die nächste Küste entfernt ist und je höher die Breite wird. Aus einiger Entfernung hinter dem Centrum weht der Wind gewöhnlich gerade in dasselbe hinein.

Germanischer Lloyd.

Deutsche Handels-Marine: Seeunfälle vom Monat Juli 1886 soweit solche bis zum 15. August cr. im Central-Bureau des Germanischen Lloyd gemeldet und bekannt geworden sind.

	Totalzahl	Ladung	Klasse *)	Alter (Jahre)	Heimat
I. Segelschiffe.					
a. m. gering. Schaden eingekom.	[illegible]	[illegible]	[illegible]	[illegible]	[illegible]
b. m. schwer. Schaden eingekom.	[illegible]	[illegible]	[illegible]	[illegible]	[illegible]
c. an Grund gerat., od. gestrd. u. abgebr.	[illegible]	[illegible]	[illegible]	[illegible]	[illegible]
d. gestrandet und nicht abgebr.	[illegible]	[illegible]	[illegible]	[illegible]	[illegible]
e. Collision.	[illegible]	[illegible]	[illegible]	[illegible]	[illegible]
f. Total-verlust **)	[illegible]	[illegible]	[illegible]	[illegible]	[illegible]
Summa	[illegible]				
II. Dampfschiffe.					
a. m. Schad. eingekom.	[illegible]	[illegible]	[illegible]	[illegible]	[illegible]
b. an Grund geraten	[illegible]	[illegible]	[illegible]	[illegible]	[illegible]
c. Collision	[illegible]	[illegible]	[illegible]	[illegible]	[illegible]
d. Total-verlust	[illegible]	[illegible]	[illegible]	[illegible]	[illegible]
Summa	[illegible]				

*) Soweit zu ermitteln, Klasse einer Schiffsklassifikations-Gesellschaft. O. = keine Klasse. Umgekommene Seeleute: 0.
**) Tonnengehalt von 3 Schiffen 1315 Tons.

BERLIN, d. 16. August 1886.

Uebersicht

sämtlicher auf das Seerecht bezüglichen Entscheidungen der deutschen und fremden Gerichtshöfe, Reskripte etc. der betreffenden Behörden etc., einschliesslich der Literatur der dahin bezüglichen Schriften, Abhandlungen, Aufsätze etc.

XIV. Spezielle Gesetze.

1. Verhütung des Zusammenstosses von Schiffen.

Aus den *Entscheidungsgründen:* „Der Einwand der Beklagten, dass ein ordentlicher *Schiffer* auch bei drohender Gefahr die Besonnenheit nicht verlieren dürfe und dass deshalb die Bestürzung des Schiffers H. mit Unrecht für eine gerechtfertigte erachtet sei, erscheint als unbegründet. Denn jener Vordersatz lässt sich in abstracto nicht billigen, sondern es kann vielmehr nur im einzelnen Falle *konkret* festgestellt werden, ob die Gefahr so dringend und überwältigend war, dass auch ein ordentlicher Schiffer sich in der Bestürzung zu unzweckmässigen Massregeln hinreissen lassen konnte, ohne dass ihm dieserhalb ein Verschulden vorzuwerfen wäre. Vgl. Entscheid. d. R. Ob. H.-G. Bd. V, S. 149. (Erk. des I. Civilsenats des Reichsgerichts vom 24. Februar 1886; Jurist. Wochenschr. 1886, S. 120.)

2. Vertragsstempel, Chartepartie.

Die privatschriftlich errichteten Chartepartien unterliegen dem allgemeinen Preussischen Vertragsstempel. Aus den *Entscheidungsgründen:* „Die Position *„Verträge"* im Tarife zum Stempelgesetze zum 7. März 1822 bestimmt nicht eine Befreiung von der Stempelpflicht überhaupt, sondern verordnet nur, dass der dort ausgeworfene Stempelbetrag von 15 Sgr. keine Anwendung erleidet, sofern für einzelne Gattungen von Verträgen ein durch den Tarif besonders bestimmter Stempel zu entrichten ist. Da verschiedene Vertragsgattungen im Tarife [illegible] forderlich gewesen, für die zu diesen namentlich aufgeführten Gattungen nicht gehörigen Verträge eine Bestimmung zu treffen, und, damit nicht eine Doppelbesteuerung oder Unsicherheit in der Wahl des anwendbaren Stempels eintrete, zu verordnen, dass der allgemeine Vertragsstempel allein bei denjenigen Verträgen stattfindet, welche nicht in einer besonderen Tarifposition einem anderweitigen Stempel unterworfen sind. Hiernach ist von vornherein anzunehmen, dass das Gesetz bei der Position *„Verträge"* hat aussprechen wollen, dass alle Verträge, welche einem Stempel von 15 Sgr., sofern sie nicht nach einer anderen Position einen besonderen Stempel erfordern, stempelpflichtig sind und hieraus würde zu folgern sein, dass gemäss der Position „Verträge" *alle* Verträge stempelpflichtig sind und einem Stempel entweder nach den besonderen Bestimmungen im Tarife oder nach der allgemeinen Position *„Verträge"* verfallen. Die Position *„Chartepartien"* bezieht sich allein auf dergleichen Urkunden, welche bei einer Behörde ausgefertigt sind, nicht an solche, welche der Ausfertigung entbehren und letztere würden daher nach dem oben Gesagten unter die allgemeine Position „Verträge" fallen und den dort bestimmten Stempel von 15 Sgr. erfordern; dass dies die Absicht des Gesetzes ist, hat auch darin bestimmten Ausdruck gefunden. Nicht nur ist anzunehmen, dass die Position „Chartepartie" nicht eine Gattung, sondern nur eine formell ausgezeichnete Art einer Gattung von Verträgen behandelt, sondern in der Position „Verträge" können die Worte: „sofern für . . . . zu entrichten ist" nur auf diejenigen Verträge bezogen werden, welche in anderen Positionen zwar genannt, aber nicht mit einem Stempel belegt sind, und jene Worte haben ganz dieselbe Bedeutung, wie der bei der Position „Amtliche Ausfertigungen" befindliche Zusatz: „insofern sie im gegenwärtigen Tarif nicht besonders taxirt worden", was nichts Anderes heisst, als dass amtliche Ausfertigungen stets stempelpflichtig sind, zunächst nach den speziellen Positionen und in deren Ermangelung nach der allgemein davon handelnden Position. (Erk. des IV. Civilsenats des Reichsgerichts vom 2. Juli 1885, Entscheid. Bd. XIV. S. 256 ff.)

Titel V.

Frachtgeschäft zur Beförderung von Gütern.

1. *Kann der gemäss Artikel 629 H.-G.-Bs. in Anspruch genommene Befrachter verlangen, dass ihm ohne Aushändigung des Konnossements gegen Zahlung der Fracht die Sendung ausgeliefert werde?* Aus den *Entscheidungsgründen:* „Der Revisionskläger führt aus, die Klägerin sei verpflichtet gewesen, wenn sie den Beklagten als Befrachter aus dem Frachtvertrage in Anspruch nehmen wollte, ihm die Ladung gegen die von diesem offerirte Zahlung der Fracht auszuliefern. So richtig diese Ausführung für den Fall ist, dass kein Konnossement gezeichnet wurde, so wenig zutreffend ist dieselbe, wenn ein Konnossement, insbesondere ein Ordrekonnossement gezeichnet ist. Es ist dies eine notwendige Folge der durch die Konnossementszeichnung dem Konnossementsinhaber gegenüber entstandenen Verpflichtung. Dass Artikel 629 H.-G.-Bs. einen Unterschied nicht macht, jenach dem ein Konnossement gezeichnet ist oder nicht, erklärt sich daraus, dass das H.-G.-Bs. zunächst den Frachtvertrag ohne Rücksicht auf das Konnossement behandelt und erst von Artikel 644 an Bestimmungen über das Konnossement giebt. Der Berufungsrichter hat daher mit Recht ausgeführt, dass der Schiffer, wenn ihm das Konnossement nicht ausgehändigt wurde, weder verpflichtet war, dem Beklagten die Güter gegen Zahlung der Fracht herauszugeben, noch die über die Einrichtung des öffentlichen Verkaufs vom Beklagten ausgehenden Anweisungen zu befolgen, welche mit den dem Schiffer von den von ihm zugezogenen unbeteiligten Sachverständigen erteilten Ratschlägen im Widerspruch standen." (Erk. des I. Senats des Reichsgerichts vom 7. November 1885; Seuffert' Archiv. N. F. Bd. XI. S. 198.)

2. *Darf der Schiffer von der Vorschrift des Artikel 602 Absatz 2 des H.-G.-Bs., die Güter bei Annahmeverweigerung niederzulegen, aus bewegenden Gründen abweichen?* Aus den *Entscheidungsgründen:* „Es kann dahingestellt bleiben, ob die Beweisführung des Ober Landesgerichts, namentlich in ihrem letzten Teile, (wonach die angeführten Erwägungen dem Schiffer selbst dann zur Seite stehen sollen, wenn er die Gefahr des Schmelzverlustes — des Eises — überschätzt hat) begründet ist oder ob darin nicht der vom Revisionskläger gerügte Verstoss gegen Artikel 602 Absatz 2 H.-G.-Bs. zu finden ist; denn jedenfalls war der Schiffer an die unbedingte Befolgung dieser Vorschrift dann nicht gebunden, wenn dadurch sein eigenes Interesse gefährdet wurde. Eine solche Gefährdung aber trat ein, wenn die Ladung, welche das Objekt seines Pfandrechts

bildete und von welcher nicht einmal sicher war, dass sie in ihrer Integrität für den Betrag der Fracht volle Sicherheit gewährte, durch die Verbringung an eine andere Lagerstätte der evidenten Gefahr des teilweisen Unterganges ausgesetzt wurde. Dass während der Deposition das Pfandrecht auch fortdauert, (Art. 624 Abs. 2) kann hiergegen nicht geltend gemacht werden, denn es handelt sich nicht um die Gefährdung des Pfandrechts, sondern um die des Pfandes." (Erk. des I. Senats des Reichsgerichts vom 7. November 1885; Seuffert, Archiv. Bd. XI. S. 197 f.)

Verschiedenes.

Ueber die **Namen der Masten vier- und fünfmastiger Schiffe** äussert sich die Nautical Gazette von Newyork also: In einem viermastigen, vollen Schiffe, welches also Raasegel an jedem Maste führt, heissen die Masten nicht Fock- oder Vor-, Gross-, zweiter Gross- und Besahnmast, sondern Fock- oder Vor-, Gross-, Besahn- und zweiter oder Achter-Besahnmast. Führt aber der achterste Mast Schratsegel (fore-and-aft-sails) so nennt man ihn Jigger (Heck-) Mast. In einem fünfmastigen Schiff würden die Masten dann Fock- oder Vormast, Grossmast, Besahnmast, Jiggermast und zweiter oder Achterjiggermast heissen müssen.

Der **Hafenverkehr von Francisco** umfasste in der Woche vom 7. — 15. Juli 20 angekommene und 22 abgegangene Dampfer. Jedenfalls kein Beweis von mangelhaftem Verkehr.

Die 25 chinesischen dem fremden Verkehr geöffneten Häfen und Städte heissen Canton, Hoihau, Pakhoi, Swatau, Amoy, Foochow, Takao, Tamsui, Keiung, Wenchow, Ningpo, Shanghai, Tschinkiang, Wuhu, Kiukiang, Hankau, Itschang, Chefoo, Taku, Tientsin, Newchwang, Tschunking, und Yunnanfu. Für die Einfuhr sind am wichtigsten Shanghai, Hankau und Tientsin, für die Ausfuhr, Shanghai Foochow, Hankau und Canton.

In dem famosen Processe über Beleidigung wegen **englischer Geschützlieferungen**, welche die Firma Armstrong & Co. zu Elswick gegen Redakteur und Drucker der Admiralty and Horse Guards Gazette, die Herren Armit und Meldrum angestrengt hatte, laut welcher Klage die Zeitung ihre fernern Angriffe gegen jene Firma einstellen sollte, (vergl. No. 15), ist ein abweisendes Erkenntniss erfolgt: Lord Oberrichter und Richter Denman haben erklärt, dass „die Firma A. angesichts der stattgehabten Geschützlieferungen verpflichtet sei, die sog. Verläumdungen der Zeitungen zu widerlegen, ehe der Gerichtshof die Einstellung der Schmähartikel und die Bestrafung des Herausgebers und des Druckers verfügen könne.

Denn wenn die erhobenen Beschuldigungen wahr seien, so habe der Journalist nur seine Schuldigkeit gethan, wenn er selbst in der stärksten Sprache sein Land auf dergleichen Uebelstände aufmerksam machte." Dass nun dergleichen Uebelstände vorhanden, lässt sich wol kaum abläugnen, und daher wird die Firma jetzt, da die Frage angeregt ist, nicht umhin können, gegen die Zeitung eine Klage auf Schadenersatz anzustrengen und dabei die Grundlosigkeit der Beschuldigung zu erhärten. Ihr Ruf aber, fügt die Köln. Ztg. hinzu, hat schon so gelitten, dass er schwerlich das Feuer eines neuen Processes vertragen dürfte.

Die „Werra" und das Oelen der See. Die letzte schlagendste und höchst wichtige Erfahrung machte der Postdampfer „Werra", als er nach Verlust von Schraube und Welle von dem Dampfer „Venetian" zurück geschleppt wurde nach Boston. Am 8. August Abends erhob sich schwerer Sturm aus WNW, und nahm die Gefahr von Stunde zu Stunde zu, dass das immer schwerer stampfende Schiff die Schlepptrossen brechen möchte und dann dem Spiel der Wellen preis gegeben würde. Da hing der Kapitän Trout von dem „Venetian" zwei Fässer Oel zu beiden Seiten aus und sofort arbeitete die „Werra" viel bequemer und nahm keinen Tropfen Wasser mehr über. So berichtet man aus Washington vom 12. August. Näheres in nächster Nummer.

Zur **englischen Marinetechnik.** Dass „etwas faul" ist in der englischen Admiralität, geht aus dem Debut des neuesten Panzers, des Imperieuse hervor, welcher mit einem Plus an Wasserverdrängung von 1400 Tons, und einem Plus an Eintauchung von nicht weniger als 4 Fuss gegen Rechnung und Zeichnung auf der Bild- resp. Wasserfläche erschienen ist, ganz wie der frühere Constructeur, Sir Edward Reed es übrigens vorhergesagt haben soll. Videant consules, ne quid detrimenti capiat respublica!

Die Fahrt durch die Niagara-Strudel und Stromschnellen unterhalb der Fälle, worüber wir in No. 16 berichteten, ist schon von 2 Kollegen des Küfers Graham, von den Küfern Potts und George Hazlitt, wiederholt worden. Dieselben schifften sich in einem 10 Fuss langen torpedoförmigen Fass ein, welches sogar Kiel, Ruder und Schraube führte, und mit einem Türmchen als Luke und gläsernen Ausgucklöchern versehen war. 300 ℔ Ballast hielten das Fahrzeug senkrecht schwimmend; die beiden Insassen sassen Rücken gegen Rücken darin, und hielten sich an Handgriffen fest, welche in den Fassdauben eingelassen waren, während eine leinene, zwischen ihnen ausgespannte Scheidewand verhinderte, dass sie nach einer und derselben Seite rollten. Von dem Dampfer „Maid-of-the-Mist" liessen sie sich eine Strecke weit bis oberhalb der Gitterbrücke bugsiren, und überliessen sich dann der Strömung in der Mitte des Flusses. Auf der Fahrt durch die Strudel war das neuartige Fahrzeug die halbe Zeit über unsichtbar, aber dennoch steckten die unerschrockenen Insassen, als sie den Aussenring des Wirbels umfuhren, die Köpfe heraus. In Queenstown wurde, nachdem 5 Meilen zurückgelegt waren, nach einer Fahrt von 55 Minuten gelandet, unter lautem Beifall der 15000 Zuschauer, welche sich zu diesem aufregenden Schauspiel eingefunden hatten. Fehlt noch die Fahrt down the falls! Bei dieser Gelegenheit sei uns gestattet den Namen des verunglückten *Schwimmers* zu berichtigen: es war Capt. *Webb*, nicht Capt. Boyton, welcher bei dem Versuch, diese Strudel und Wirbel zu durchschwimmen, im vorigen Jahr umkam.

Die Bedeutung der **rheinischen Schleppdampfschiffahrt** wurde uns dieser Tage so recht vor Augen geführt, als am Samstag den 14. August das Schleppdampfboot „Mannheim No. 6" mit 6 grossen anhängenden Schiffen den Rhein passirte, in welchen zusammen eine Ladung von 70 600 Ctr. geborgen war. Diese Quantität würde, um sie auf der Eisenbahn zu befördern, 14 Güterzüge, jeden mit 50 Waggons, in Anspruch nehmen.

Den **„kanalisirten Main"** befährt man von Mainz bis Frankfurt mit Rheinschiffen von 15 000 Ctr. = 750 Schiffslasten Ladefähigkeit!

Holländische Marine. Unfall. Am 9. ds. Mts. ist der „Skorpion", das stärkste und schönste Panzerschiff der niederländischen Marine, vor dem Hafen von Nieuwediep infolge eines Zusammenstosses mit dem Schleppdampfer „Herkules" gesunken. Letzterer, welcher das Lehrschiff „Het Loo" aus dem Hafen geschleppt hatte, wollte wieder nach Nieuwediep zurückkehren, und da in demselben Augenblick der „Skorpion" im Begriff war, den Hafen zu verlassen, um seine gewöhnlichen Uebungen auf der Rhede von Texel zu halten, glaubte der Befehlshaber desselben noch reichlich Raum und Zeit zu haben, um vor dem Einfahren des „Herkules" aus dem Hafen herauszukommen, allein er mochte sich von seinem Irrtum bald überzeugt haben, und obwohl beide Schiffe alsbald Gegendampf gaben, war es zu spät, der „Herkules" bohrte in den Bauch des „Skorpion" eine 14 cm breite und 20 cm lange Oeffnung.

Im Anfang glaubte man, dass der „Herkules" am meisten beschädigt sei, da der Steven des ganz von Eisen gebauten Schiffes von oben bis unten zerrissen war und Maschine und Räder alsbald den Dienst versagten; zum Glück bewahrte der wasserdichte Verschluss der ersten Abteilung den Dampfer vor alsbaldigem Sinken. Während letzterer sich nun innerhalb des Hafens begab, dampfte der „Skorpion", der sich der Grösse der Gefahr gar nicht bewusst war, ruhig weiter in die See. Er war aber noch nicht weit gekommen, als man schon entdeckte, dass das Schiff, das voll Wasser lief, einen bedeutenden Leck bekommen haben musste, sodass es geraten schien, schleunigst nach dem Hafen zurückzukehren. Nun zeigte es sich, dass die wasserdichten Schotten ihren Dienst versagten; noch ehe man im Hafen war, legte sich das Schiff schon auf die Seite, und als man vor der Dockschleuse ankam, stand das ganze Vorderschiff unter Wasser. Hätte man nun eines der beiden Trockendocks benutzen können, so würde der Unfall damit sein Bewenden gehabt haben, allein beide waren von Schiffen „Königin Emma" und „Silbernes Kreuz", welche ausgebessert werden mussten, in Beschlag genommen. Trotz aller Anstrengung, das Schiff mit einer Centrifugalpumpe leer zu pumpen, sank es langsam in die Tiefe, das ganze Inventar — der Schiessbedarf, die Lebensmittel — war verloren, nur die Hängematten, in denen die Matrosen ihre Habseligkeiten geborgen hatten, konnten noch gerettet werden. Ein Wunder ist es fast zu nennen, dass inmitten der allgemeinen Verwirrung kein weiterer Unfall vorkam, wenigstens hat man kein Menschenleben zu beklagen. Als eigentlicher Grund des Unfalls wird uns jetzt von kundiger Seite mitgeteilt, dass der Schlepper als winterlicher Eisbrecher einen beweglichen Sporn führt, und dass er wider Erwarten des Führers des „Skorpion" denselben nicht abgelegt hat. Daher die schwere nicht gesehene Verwundung unter der Wasserlinie.

Die famose **Seeschlange** ist wieder gesehen worden, diesmal an der Küste von Südafrika von dem Führer des Dampfschiffs „Daylesford"; derselbe beschreibt sie als ein 60 Fuss langes Tier. Aber trotz aller Behauptungen über ihr Dasein wird dasselbe von Jahr zu Jahr mehr bezweifelt und ist die Seeschlange schon das charakteristische Tier der Hundstage geworden. Naut. Mag. bringt eine kurze Statistik der über dasselbe gemachten Wahrnehmungen. Nach dieser Quelle ist die Seeschlange 3 Male zwischen 1819 und 1837 in dem norwegischen Meere gesehen; daher der Name Krake, Drache; ferner vor Boston in den Jahren 1815, 1817, 1819, 1833 und 1869; sodann will die Mannschaft der engl. Fregatte „Daedalus" sie im südatlantischen Ocean einen Augenblick gesehen haben, und dortselbst auch die Mannschaft der Bark „Pauline" im Jahre 1875 und hat diese ihren Körperumfang zu 8 Fuss bestimmt. Aber, fügt das Blatt hinzu, es glaubt nicht eher Jemand an ihr wirkliches Vorhandensein, bis ein glücklicher Schiffer das Tier einmal fängt und im Triumpf die Themse hinauf schleppt.

Die **Liverpooler Schiffsausstellung** scheint nach dem Festlande nicht viel Anziehungskraft zu äussern, wahrscheinlich weil sie zu einseitig ist. Sie besteht zum grössten Teil aus allerdings vortrefflich ausgeführten Modellen von durch englische Schiffbauer ausgeführten Schiffsbauten, unter welchen wiederum die atlantischen Passagierschiffe sowie die Kriegsschiffe den Hauptteil der Aufmerksamkeit für sich in Anspruch nehmen. Neben den zahlreichen unsern Lesern aus unseren Berichten über den Schiffbau am Clyde, Mersey, Tyne etc. bekannten Firmen hat Bureau Veritas nahezu 200 Modelle von Schiffen und Schiffsrisse, ferner Lloyds Register über 200 Modelle von bei ihm registrirten Schiffen ausgestellt, welche bis zum Jahre 1764 zurückgehen. Das giebt gewiss einen interessanten Ueberblick über die Entwickelung des Schiffbaus, den man sehen und studiren muss, um Vorteil und Nutzen daraus zu ziehen.

Eine **neue Art Hydromotor** wird jetzt von Newyork angekündigt. Ein Samuel Secor lässt durch eine Dampfmaschine Luft zusammenpressen, und dann einen Strahl Petroleum in einen abgesperrten Raum zusammengedrückter Luft eintreten, bis zum Siedepunkt erhitzen, und dann durch einen elektrischen Funken entzünden. Das entstehende Gasgemenge drückt dann abwechselnd auf einen von zwei Kolben, welche hinten im Schiff innerhalb zweier Cylindergänge beweglich angebracht sind und das Aussenwasser zurückstossen, so dass das Schiff sich vorwärts bewegen muss. Weitere Nachrichten bleiben abzuwarten ob die Erfindung mehr als ein geistreicher Einfall ist.

Verlag von H. W. Silomon in Bremen. Druck von Aug. Meyer & Dieckmann. Hamburg, Alterwall 28.

HANSA

Redigirt und herausgegeben
von
W. von Freeden, BONN, Thomasstrasse 8.
Telegramm-Adresse:
Freeden Bonn,
oder
Hansa Alterwall 38 Hamburg.

Verlag von M. W. Allemann in Bremen.
Die „*Hansa*" erscheint jeden Sonntag.
Bestellungen auf die „*Hansa*" nehmen alle Buchhandlungen, sowie alle Postämter und Zeitungsexpeditionen entgegen, desgl. die Redaktion in Bonn, Thomasstrasse 8, die Verlagshandlung in Bremen, Obernstrasse 44 und die Druckerei in Hamburg, Alterwall 38. Sendungen für die Redaktion oder Expedition werden an den letztgenannten drei Stellen angenommen. **Abonnement** jederzeit, frühere Nummern werden nachgeliefert.

Abonnementspreis:
vierteljährlich für Hamburg $2\frac{1}{2}$ ℳ,
für auswärts 3 ℳ = 3 sh. Sterl.
Einzelne Nummern 60 ₰ = 6 d.

Wegen **Inserate,** welche mit 25 ₰ die Petitzeile oder deren Raum berechnet werden, beliebe man sich an die Verlagshandlung in Bremen oder die Expedition in Hamburg oder die Redaktion in Bonn zu wenden.

Frühere, komplete, gebundene Jahrgänge v. 1873, 1874, 1875, 1877, 1878, 1879, 1880, 1881, 1882, 1883, 1884, 1885 sind durch alle Buchhandlungen, sowie durch die Redaktion, die Druckerei und die Verlagshandlung zu beziehen. Preis ℳ 8; für letzten und vorletzten Jahrgang ℳ 8.

Zeitschrift für Seewesen.

No. **19.** HAMBURG, Sonntag, den 19. September 1886. **23.** Jahrgang.

Das Abonnement
auf unsere Zeitschrift bitten wir baldigst zu bestellen. Die Post verlangt vor Anfang jeden Quartals neue Bestellung und Vorausbezahlung.

Inhalt:

Deutscher Nautischer Verein

Zweites Rundschreiben.

Ueber Teilnahme von Schiffern und Steuerleuten an den medizinisch-chirurgischen Lehrkursen der Navigationsschulen; deutsche Seemannsmission, Seemannshäuser in Grossbritannien (South Shields, Sunderland, West-Hartlepool, London).

Kiel, den 17. August 1886.

Auf die von mir unterm 6. Mai d. J. in Gemässheit eines Beschlusses des jüngsten Vereinstages ausgefertigten Eingaben, betr. die Gestattung der Zulassung von Schiffern und Steuerleuten an den auf den deutschen Navigationsschulen neuerdings eingeführten *medizinisch-chirurgischen Lehrkursen* haben nach den bis jetzt eingegangenen Antworten in höchst entgegenkommender Weise das Königl. Preussische Ministerium für Handel und Gewerbe, das Grossh. Oldenburgische Staatsministerium, der Senat in Lübeck und die Senatskommission für Schiffahrtssachen in Bremen eine zustimmende Entscheidung getroffen. Ueberall ist die Berechtigung zur Teilnahme an jenen Kursen als eine kostenfreie erteilt worden. Ich kann jetzt nur dem Wunsche Ausdruck geben, dass das Entgegenkommen der betreffenden Behörden durch eine recht zahlreiche Frequenz anerkannt werden möge und ersuche daher die Vereine, für die möglichste Bekanntgebung der gewährten Erlaubnis in nautischen Kreisen Sorge tragen zu wollen.

Im Laufe dieses Sommers hat Herr Pastor F. M. Harms in Sunderland, Vorsitzender des Ausschusses für deutsche Seemannsmission in England und Wales, verschiedene deutsche Hafenplätze, namentlich Bremen, Hamburg und Lübeck besucht, um dort Interesse und Unterstützung für die Seitens der sog. deutschen Seemannsmission in englischen Hafenplätzen gepflegten Bestrebungen zu finden. Bei dieser Gelegenheit ist derselbe auch zu mir gekommen, um ebenfalls in den Kreisen des Deutschen Nautischen Vereins Freunde derselben zu werben. Ich habe den Genannten aufgefordert, mir eine schriftliche Darstellung der gedachten Bestrebungen zukommen zu lassen, die ich den Einzelvereinen unterbreiten könnte und darauf nun neuerdings das hier folgende Schreiben erhalten:

„Das Wohl unserer Seeleute in geistlicher, geistiger und materieller Hinsicht ist das von der deutschen *Seemannsmission* angestrebte Ziel.

Sie tritt auf die Seite des Rettungswesens zur See als Anstalt zum Schutz und zur Rettung unserer Seeleute auf dem Lande in Gefahren, wie sie jede grössere Hafenstadt, besonders im Auslande, in Hülle und Fülle in sich birgt. Teils entspringen diese Gefahren Anstalten, welche absolut schädlicher Natur sind: Matrosenkneipen und Bordells, sowie Seelenverkäuferei; teils solchen Anstalten, welche an und für sich berechtigt, ja nötig sind, aber zum grossen Teil einen erschreckend unsittlichen Karakter angenommen haben: Heuerwesen und dem eng damit verbundenen Schlafbaaswesen. Solchergestalt drohen dem Seemann, sobald er in den Hafen kommt, „Feinde ringsum." Verlust an Geld und Gut, — der oft auch noch die Angehörigen des Seemanns mit trifft — sowie geistige und geistliche Zerrüttung, die nicht ohne Einfluss auf die Tüchtigkeit und Zuverlässigkeit des Seemanns bleibt, bilden den Schaden, den er erleidet, und der auch Kapitäne und Rheder nicht unberührt lässt.

Vor diesen Gefahren will die Seemannsmission unsere Seeleute möglichst schützen bezw. sie aus denselben retten

Obgleich dieselbe als ein Werk christlicher Menschenliebe und durch das Erfordernis der Sache, bei welcher das religiös-sittliche Moment schwer ins Gewicht fällt, mit dementsprechenden Mitteln operirt und dem Seemann im Auslande darbietet, was er infolge seines Berufes entbehrt: Kirche und Gottes Wort, so kann dieselbe ihr ins Auge gefasstes Ziel doch nicht erreichen, ohne solche Anstalten, welche den oben genannten, die Gefahren der Seeleute [illegible] Seemannsheime und — wenn diese nicht thunlich — Seemannshäuser; d. h. Häuser, welche *Lesezimmer* enthalten und von zuverlässigen deutschen Männern verwaltet werden, die sich der Seeleute *mit Rat und That annehmen.* In kleineren Häfen werden Seemannshäuser genügen, aber für die grösseren ist die Errichtung von Seemannsheimen in Aussicht genommen. Es wäre durch diese Anstalten auch das *Heuerwesen* zu beeinflussen bezw. zu beaufsichtigen, soweit es nicht möglich oder angezeigt erweisen sollte, dasselbe als einen Zweig der Seemannsmission zu handhaben, was ebenfalls in Aussicht genommen ist. Seemannshäuser bestehen bereits in South Shields, Sunderland und West-Hartlepool. In letzteren beiden Städten konnten dieselben durch eine von Sr. Majestät dem Kaiser Allerhöchst bewilligte Beihülfe aus Reichsmitteln eingerichtet werden. Eine weitere Allerhöchste Beihülfe zur Einrichtung eines Seemannsheims in South Shields ist nachgesucht.

Hier in Sunderland stehen unseren Seeleuten einige in unserm Seemannshause eingerichtete Schlafzimmer zur Verfügung, welche häufig benutzt werden, während in South Shields die zahlreichen Anfragen wegen Logis bislang abschlägig beschieden werden mussten. Die bereits bestehenden Seemannshäuser sind zweckentsprechend möblirt und enthalten die Lesezimmer deutsche Bücher, Zeitungen, Landkarten, Schreibmaterialien zum freien Gebrauch und Unterhaltungsspiele. Erfrischungen werden auf Verlangen verabreicht, Spirituosen sind ausgeschlossen. Als Beweis, dass unsere Seeleute die zu ihrem Wohl getroffenen Veranstaltungen anerkennen, erwähne ich, dass das hier in Sunderland erst seit November v. J. eröffnete Seemannshaus im letzten Vierteljahr, April bis Juni, von ca. 800 Seeleuten besucht und benutzt wurde — in Shields, wo die Lesezimmer schon länger bestehen, ist der Besuch entsprechend grösser. Es wurden 21 Briefe dort geschrieben, 8 Briefe für Seeleute kamen an. Seit November stellten sich 5 junge Seeleute — wovon 4 weggelaufen waren — die in schlechten Händen und in Not waren, hülfesuchend dort ein. Sie wurden sämtlich nach Deutschland zurückgeschickt und 4 an das Seemannsamt in Hamburg abgeliefert."

Einigen mir gleichzeitig zugestellten Drucksachen entnehme ich noch folgende Einzelheiten:

„An der Spitze des Lokalkomités in den verschiedenen Hafenplätzen stehen die Kaiserl. deutschen Konsuln: auch in London ist unter der Mitwirkung des Herrn Generalkonsul Jordan daselbst, die Errichtung eines deutschen Seemannshauses in Angriff genommen. In Sunderland haben die Einnahmen des Komités pro 1885/86 £ 159 16 sh., die Ausgaben £ 183 12 sh. betragen, so dass dort mit einem Defizit von £ 23 16 sh. abgeschlossen worden ist. In den Häfen Grossbritanniens befinden sich ebenso viele deutsche Seeleute auf deutschen Schiffen als in denen aller andern Länder zusammen genommen: über 50 000, ohne die beträchtliche Zahl der auf englischen Schiffen fahrenden zu rechnen. Andere Nationen sind längst auf Errichtung von Bewahrungs- und Rettungsstationen in den Hafenplätzen bedacht gewesen und es verausgaben jährlich, wie aus ihren Berichten über Seemannsmission hervorgeht: England £ 29 000, Norwegen 115 830 Kronen, Schweden 50 000 Kronen, Dänemark 22 500 Kronen für solche Zwecke. „Es ist sowohl nationale Ehre als Pflicht der Menschenliebe, dass wir Deutschen auch endlich an unsere Seeleute denken, sie zu bewahren und ihnen die helfende Bruderhand zu reichen."

Indem ich mir gestatte, die Vereine mit diesem Gegenstande bekannt zu machen, bitte ich dieselben, sich bis zum *15. November d. J.* darüber äussern zu wollen, ob und in welcher Weise sich eine Förderung der bezeichneten Bestrebungen empfehlen kann. Von besonderem Werte würde eine Aeusserung der die englischen Hafenplätze besuchenden Schiffer über den Wert der Einrichtungen sein. Wenn auch schwerlich die Vereine aus ihren regelmässigen Einnahmen zur Verwendung für die angegebenen [illegible] besondere die Frage zu erwägen, ob innerhalb der Kreise des Deutschen Nautischen Vereins eine Sammlung zu deren Gunsten veranlasst werden dürfte. Eventuell könnte unsererseits eine Vorstellung an die Reichsregierung im Sinne einer Unterstützung der deutschen Seemannsmission im Auslande beschlossen werden. Auch über diese Punkte wollen die Vereine mir ihre Ansicht kund geben.

Der Vorsitzende des Deutschen Nautischen Vereins.
Sartori.

Nachrichten aus der Deutschen Seemanns-Mission in England und Wales,

im Besondern aus Hull, Sunderland, Newcastle o Tyne, Hartlepool, vom Tees, Liverpool, London.

Hell und freundlich schien die Frühlingssonne in der zweiten Woche nach Ostern in die von rastloser Menge belebten Strassen Londons. Frühlingsgedanken mochten die Seelen der deutschen Männer erfüllen, welche, sei es aus weiter Entfernung aus dem NO Englands von Newcastle o/T., Sunderland und Hull, oder aus dem NW von Liverpool und dem W von Newport, sei es aus der Nähe, aus allen Teilen der Riesenstadt, am 6 Mai ds. Js. nach dem in grünem Schmuck prangenden Finsbury Square zu dem *deutschen Vereinshaus* eilten, um über menschenfreundliche Fürsorge und christliche Hülfe für die deutschen Seeleute in den englischen und walschen Häfen zu beraten. Neun auswärtige Mitglieder und zwölf Londoner Gäste bildeten die erste ordentliche Versammlung des „allgemeinen Ausschusses" für *deutsche Seemanns-Mission in England* und *Wales*: unter ihnen sah man den General-Konsul des deutschen Reiches für Grossbritannien, drei Konsuln, einen Konsulats-Sekretär, sechs Vertreter des Handels und der Schiffahrt, einen Arzt, einen Redakteur und acht Pastoren. Vor vier Jahren um dieselbe Zeit berieten zum ersten Mal in England drei deutsche Pastoren aus dem NW in Manchester über **deutsche Seemanns- und Auswanderer-Mission**. Welch' ein Umschwung in dieser Zeit durch Gottes Fügung! Aber wie viel muss noch in weiten Kreisen geschehen! Leider war von dem schottischen Ausschuss Niemand erschienen.

Um drei Uhr Nachmittags eröffnete der Vorsitzer *Harms*-Sunderland die Versammlung, indem er Pastor *Krüsmann*-Liverpool bat, das Eingangsgebet zu sprechen. Darnach verlas dieser den Satzungsbericht des Geschäftsausschusses in Liverpool vom 25 Februar 1885, welcher angenommen wurde. In der Begrüssungsrede hiess der Vorsitzende namentlich den Herrn General-Konsul *Jordan* willkommen, welcher der Seemanns-Mission von vorherein ein warmes Wohlwollen entgegengebracht habe. Ueberhaupt möchte er in dem Erscheinen so vieler Herren aus London eine Gewähr dafür sehen, dass man auch in London mit der Bildung eines Orts-Ausschusses vorgehen werde. General-Konsul *Jordan* dankte und versicherte, dass er auch ferner seine Förderung den Zielen der Seemanns-Mission entgegenbringen werde.

Der Schriftführer verliest nun ein freundliches Begrüssungsschreiben des engern Ausschusses in Berlin an die Versammlung. Unter seiner Mitwirkung sind in Bremen, Hamburg und in Pommern Hülfsvereine entstanden. Kirchenbehörden, Presse und kirchliche Verhandlungen haben der Seemanns-Mission das Wort geredet. Das kaiserliche Reichsamt des Innern und das Auswärtige Amt begleiten sie mit förderndem Interesse, und Sr. Majestät der Kaiser hat eine erste Beihülfe gegeben. Der deutschen Seemanns-Mission ist dadurch ein deutsch-nationaler Charakter aufgeprägt.

In dem ersten Jahresberichte, den der Schriftführer erstattete hiess es: Beim Rückblick auf die wohlthuende Teilnahme im Vaterland an dem Werk der Seemanns-Mission bricht unsere Seele heute in den Jubelruf aus: „Dies ist der Tag, den der Herr macht, lasset uns freuen und fröhlich darinnen sein!" Aber wir haben allen Grund betend auch hinzuzusetzen: „O, Herr hilf, und lass wohl gelingen." Der Geschäfts-Ausschuss trat am 15. Juni 1885 zu einer nicht erfolglosen Sitzung in Liverpool zusammen. Am Geburtstage Luthers ging ein Aufruf in die Welt; einige Monate darauf ein anderer. Die verschiedensten Blätter und Zeitschriften in Deutschland, England und [illegible] gütig auf. Hie und da gaben sie einen Anstoss zu weiterer Bewegung. Wärmsten Dank allen den betr. Redaktionen!

Manchen konnten wir denselben geradezu aussprechen, weil sie dem Schriftführer den betr. Abdruck freundlich zugesandt. Schon vorher waren vereinzelte Gaben — die allererste aus Liverpool — dem Schatzmeister überwiesen; von da an sammelte sich mehr und mehr. Einige Aufsätze über die deutsche Seemanns-Mission wurden veröffentlicht. Inniger Dank wurde dem engern Ausschuss in Berlin gezollt für seine erfolgreiche Thätigkeit auf diesem neuesten Felde der innern Mission. Er war die Veranlassung zu der schon erwähnten kaiserlichen Gabe und einer grösseren Sendung von Büchern und Zeitschriften. Auch sonst sind uns gute Schriften zugegangen. Wie erquickend war „den deutschen Landsleuten in der Ferne der Gottesgruss vom Rheine." In Hull und Swansea haben sich Ortsvereine gebildet, die bis jetzt wenig an Thaten aufweisen. Viel, sehr viel muss noch geschehen! Wir haben noch keine einzige neue Station anfangen können! Wir bedürfen zu unserm Werk einer noch viel tiefer greifenden Hülfe in Gebet und Gaben vom Vaterland. Wir sind auf beständige Hülfe angewiesen. Wir müssen erröten vor England, Dänemark, Norwegen und Schweden. Rheder, Seeleute, Kaufleute, Fabrikanten, Behörden, kurz Landsleute und Glaubensgenossen: an sie alle richten wir die inständige Bitte, doch nicht unserer so vielen Verfahrungen ausgesetzten seefahrenden Landsleute zu vergessen.

Pastor *Horst*-Hull eröffnet den Reigen in der Berichterstattung der Orts-Vereine über 1885, indem er sich darüber verbreitet, dass er erst kürzere Zeit in Hull wirke und wenig für die deutschen Seeleute habe thun können. Dieselben werden durch Karten zu den deutschen Gottesdiensten eingeladen. Die neuen Docks liegen weit von der Stadt. Man brauche Geld zur Anstellung eines Missionars im Sommer und zu einem Lesezimmer, welches die kleine Gemeinde nicht aufzubringen vermöge, sondern von ausserhalb kommen müsse.

Pastor *Harms*-Sunderland berichtet: 382 deutsche Schiffe brachten 1600 Seeleute (meist Deutsche), dazu Schiffe anderer Flagge noch mindestens 400 weitere deutsche Seeleute nach dort. Oktober 1885 wurde in Sunderland durch die kaiserliche Beihülfe ein Seemanns-Haus mit Lesezimmern für Schiffsoffiziere und Mannschaften und einigen Schlafzimmern eröffnet. Die ersteren enthalten Zeitungen, Bücher, Landkarten, Spiele und Schreibmaterialien. Der Hafenmissionar meldet 643 Besuche auf Schiffen, den Verkauf von 16 Bibeln und die Verteilung von frommen Flugschriften. Der regere Kirchenbesuch u. A. ist ein Beweis, dass die Arbeit nicht vergeblich war. Die Vermögenslage wird eine ungünstige genannt.

Auf dem zweiten Missionsgebiet am Tyne brachten 604 deutsche Schiffe 7729 Mann, dazu fremde Schiffe Andere. Der Missionar machte 1365 Besuche auf Schiffen, 116 in Logirhäusern, ferner in den Krankenhäusern, verkaufte 15 Bibeln und verteilte Flugschriften. Mehrere Schiffsführer verpflichteten sich Andachten an Bord der Schiffe zu halten. Auf einigen Auswandererschiffen des Stettiner Lloyd wurden Gottesdienste gefeiert. Der Betsaal und das Lesezimmer in South-Shields mussten erweitert werden. Das sechste Jahr dieser Mission schloss mit einem Fehlbetrag in der Kasse.

In das dritte Missionsgebiet in Hartlepool und im Teesdistrikt kamen 347 Schiffe mit 1800 Mann. Störungen hinderten den ruhigen Fortgang des Werkes. Oktober 1885 wurde ein fliegender Buchhändler angestellt. Bei ca. 200 Schiffsbesuchen sind 140 Bibeln verkauft und viele Flugschriften verteilt. Monatlich wurde in Hartlepool ein Gottesdienst gehalten und neulich durch kaiserliche Beihülfe ein Lesezimmer eröffnet.

In dem 37. gedruckten Jahresberichte der deutschen Gemeinde in Liverpool, die sich seit mehr als 30 Jahren die Fürsorge für die deutschen Seeleute hat angelegen sein lassen, heisst es: Unser Gemeindehelfer, Hafen- und Auswanderer-Missionar, im vergangenen Jahre kränklich, hat nach seinen Berichten 173 Besuche auf Schiffen, 111 in Gasthäusern und 109 in Auswanderer-Häusern gemacht, 76 mal war er in den Krankenhäusern bei deutschen Kranken, die meistens Seeleute sind. Mehr als 5500 sonntägliche Predigten von Berlin sind an Gemeindemitglieder, an Seeleute und Auswanderer verteilt, ausserdem noch circa 1400 andere Blätter und kleinere Schriften, sowie 33 Neue Testamente und 215 Evangelien; 11 Bibeln wurden besorgt. Auf eine Bitte von der Kanzel liefen über 70 erwünschte Bücher oder Jahrgänge von Zeitschriften wieder ein, die jetzt in den englischen Krankenhäusern, Strangers' Rest (Fremdenruh), Sailors' Home (Seemanns-Heim) etc., sich einsam fühlenden Landsleuten eine stille und wohlthuende Gesellschaft leisten. — Ausserdem steht ein deutscher fliegender Buchhändler im Dienst einer englischen Gesellschaft.

Hieran schlossen sich sehr lebhaft geführte Verhandlungen betreffend die Inangriffnahme der Fürsorge für die deutschen Seeleute in dem an Verführungen so entsetzlich reichen London und zwar durch einen deutschen Ausschuss. Die Reden der verschiedenen Herren, meist aus London (Pastor *Wagner*, Kaufmann *Zorn*, Pastor *Harms*-Sunderland, Pastor *Horst*-Hull, General-Konsul *Jordan*, Kaufmann *Meister*-Liverpool, Pastor *Ehemann*, Dr. med. *Lasseron*, Konsul-Sekretär *Neef*, Konsul *Eschholz*-Newcastle o/Tyne, beleuchteten reichlich das geringe „Wider" und das übermächtige „Für". Aengstlichen Gedanken und bangen Rücksichten trat Glaubensmut und fröhlicher Eifer zu dem in London höchst nötigen Werk entgegen. Es wurde auch nachgewiesen, dass bis jetzt die englische City-Mission Männer für den Dienst an ausländischen Seeleuten in der Arbeit habe; ja, dass durch Pastor *Wagner* in dem grossen Seemanns-Hospital zu Greenwich (free to Seamen of all nations) an den Deutschen durch Krankenbesuch, Gottesdienst, Austeilung des H. Abendmahls und Verteilung guter Bücher aus einer deutschen Bücherei thatsächlich ein Anfang zur Seemanns-Mission gemacht sei. Auf die schliessliche Rundfrage von Pastor *Wagner* traten die Londoner Herren zu einem vorbereitenden Ausschuss zusammen. Der noch verstärkte Ausschuss hat sich mittlerweile fest eingesetzt und nimmt die Arbeit in Angriff.

Nach einigen Aenderungen der Stiftungsgesetze erstattet der Schatzmeister seinen Jahresbericht. Vice-Konsul *Grunsdorff*-Newport sieht erst eine ganz geringe Ursache zum Rühmen und eine sehr grosse zum Klagen über die Lauheit der deutschen Christen im Geben für dieses so hochwichtige Werk. Es scheint, als ob wenig Glaube in Deutschland ist, jedenfalls wenig Glaube, der im Geben für die am Lande oft genug an Leib und Seele zu Grunde gehenden Seeleute lebendig ist. Kennen die deutschen Christen das Wort unseres HErrn nicht: „Geben ist seliger denn Nehmen?" Wenn die Gaben nicht noch ganz anders fliessen, so steht es bedenklich um unsere Sache! Von circa einer Million Lesern des Aufrufs sind eingekommen £ 53. 14. 4., ausgegeben bis jetzt £ 13. 2. 6., so dass der augenblickliche Bestand der Kasse £ 40. 11. 10. beträgt. Ausserdem hat der Bremer Orts-Verein £ 75 (= 1500 M) für die deutsche Seemanns-Mission in England an den engern Ausschuss in Berlin eingezahlt. Aber mit £ 115. können wir keine neue Anstalt anfangen. Gott gebe, dass es bald besser werde! — Der Kassenbericht wurde genehmigt.

Verschiedene Vorlagen und Anträge des Geschäfts-Ausschusses werden beraten und fast sämmtlich angenommen. — Gott gebe uns zum Raten in London das Thaten im Vaterland, damit die Deutschen in England in den Stand gesetzt werden den deutschen Seeleuten in den englischen und walschen Häfen schützend und helfend nachzugehen zur Förderung von Schifffahrt und Handel, zum Heil ihres Leibes und ihrer Seele, zum Wohl unseres Volkes und unserer Kirche, und zum Preise unseres himmlischen HErrn.

Fischereihäfen vor Scheveningen und am Norddeich gegenüber Norderney.

Der vor einiger Zeit in niederländischen Blättern besprochene Plan der Anlage eines Fischereihafens vor Scheveningen scheint in einen anderen Abschnitt gekommen zu sein. Es hiess anfänglich, Kapitalisten oder der Staat sollten oder wollten nach Art der Arbeiten an der neuen Maasmündung und bei Ymuiden nach See zu convergirende Fangdämme in die freie See hinauslegen, und den von ihnen umschlossenen Strandabschnitt soweit nötig ausbaggern, damit dann die Fischerfahrzeuge nicht wie bisher am freien Strande bezw. in offener See, sondern im Schutz dieser Steindämme löschen und sich wieder seefertig machen könnten. Aber die Erfahrungen, welche die Holländer an den beiden andern Punkten betreffs der kostspieligen Anlage und namentlich Unterhaltung solcher Werke gemacht haben, werden wohl nicht gerade förderlich für den Scheveninger Plan gewirkt haben. Die Verschiebungen des losen Sandes längs des Strandes infolge von Ebbe und Flut und von starken Winden sind so bedeutend, dass die Offenhaltung der Mündung eines stromlosen Hafens und die Behauptung einer gewissen Tiefe innerhalb desselben stete Baggerungen verlangen und diese die Kosten des regelmässigen Unterhalts, ganz abgesehen von Sturmschäden an den völlig freiliegenden Werken selber, zu einer grossen Höhe hinauftreiben müssen. Ausserdem ist nicht recht abzusehen, wenn man auch für ruhige Winterlage einen Hafen schaffen wollte, warum für die Geschäftszeit des Jahres ein zweiseitig eingeschlossener Hafen erforderlich sein sollte. Für den Fischereibetrieb während der guten Jahreszeit würde auch ein Damm genügen, längs dessen die Schiffe je nach dem Winde im Norden oder Süden anlegen könnten.

Diese Ueberzeugung, sowie eine augenfällige Rücksicht auf die Badegäste des Orts scheint den neuen Bauplänen zu grunde zu liegen, welche englische — Londoner — Bauunternehmer jetzt der holländischen Regierung unterbreitet haben. Dieselben, ein Kaufmann, Henry Hemans, Mitglied der Handelskammer zu London, und zwei Civil-Ingenieure, E. Matheson und S. Pergrine Birch, beabsichtigen in Scheveningen, wie in vielen englischen Seebädern schon geschehen, einen Damm — Pier — nach See hinaus zu bauen, von im Ganzen 325 m Länge, welcher auf einem 10 m breiten, 4 m über ordinairer Springflut hohem Wege zu einem Kopf — Pierhead — von 90 m Länge und 38 m Breite hinausführt, und auf welchem letztern dann wohl eine Musikhalle für die Badegäste auch Platz finden würde. Sie wollen sich dabei das Recht vorbehalten, dort am Ende für Dampfer eine Anlegestelle von 120 m [illegible] so dass die ganze Dammlänge dann sich auf 445 m belaufen würde, und sollen dort zugleich Anlegeplätze für kleine Boote und Vorrichtungen für Badende, die bei jedem Wasserstande zu benutzen wären, eingerichtet werden. Letzterer Ausbau scheint darum beabsichtigt zu sein, weil der Damm nach englischem Muster jedenfalls wol aus eisernem Gitterwerk gebaut werden soll, welches unterwegs kein Anlegen von Schiffen ausser an luftigen durchbrochenen Treppen gestattet. Aber auch die bisherige Löschmethode der Ilomschiffe in längsseit gefahrne Wagen während der Ebbezeit würde auf dem niedrigern Vorsprung und über den ganzen Damm auch nur unter grossen Unbequemlichkeiten auszuführen sein, und will uns überall die Vereinigung von Fischereizwecken mit den Ansprüchen einer verwöhnten Badegesellschaft nur sehr schwer oder gar nicht ausführbar erscheinen.

Am Norddeich liegen die Umstände vielfach anders, doch sind sie dort in anderer Beziehung wo möglich noch verwickelter und schwieriger. Eine Kollision der Ansprüche von Badegästen und Fischern ist nicht zu befürchten, da letztere feiern, so lange erstere die Insel Nordernei besuchen. Der Fischfang auf Nordernei beschränkt sich auf die Zeit nach Schluss des Bades bis zum Eintritt des Frostes, sobald derselbe den Norderneier Südstrand mit Eis füllt und nicht mehr auf Würmer, d. h. den Köder für Schellfisch zu graben gestattet, und auf die Zeit nach Aufhören des Winters bis vor Beginn der Badezeit, wenn die Häuser der Norderneier zum Empfang der Badegäste hergerichtet werden. Sollte selbst eine neue Fangmethode, z. B. mit Netzen, die altbewährte mit Angeln ablösen, so setzt der Frost mit der Eisbildung im Watt der Benutzung des Watts seitens der hölzernen Segelschiffe eine unbedingt einzuhaltende Grenze. Die Anlage eines Fischereihafens darf also eine Sommerpause und eine Winterpause, muss zugleich aber eine starke Benutzung seitens des Passagier- und Frachtverkehrs während der Badezeit in Aussicht nehmen.

Eine fernere und sehr zarte Rücksicht muss sodann auf die Anforderungen des Deichverbandes genommen werden. Der von jeder Flut bis zu 6 Fuss senkrechter Höhe und von Sturmfluten wol bis zu 16 Fuss senkrechter Höhe frei von dem Wattenmeer bespülte Deich ist so sehr ein „Rühr mich nicht an“ des gestrengen Herrn Deichvogts, dass hier die peinlichste Vorsorge zu treffen ist, damit nicht der Deich durch die Anlage einer Schlenge oder Damms oder Gitterwerks und den über ihn hinwegzuführenden Verkehr Schaden leide, wenn man sich nicht dem absoluten Veto des Deichverbandes aussetzen will, welcher kaum ein Schaf an der Binnenseite zu weiden, geschweige denn ein Befahren der Deichkappe ausser zu Deichzwecken gestattet. Die Anlage eines regelrechten Lösch- und Ladehafens am Norddeich mit durchgehendem Wagen- oder Kanalverkehr nach Norden wird wol noch lange ein frommer Wunsch einzelner Norder Kreise bleiben. Das Nächsterreichbare dürfte nach anderer Richtung zu suchen und damit eine Probe auf höhere Ansprüche zu machen sein.

Die Erfahrungen Tausender von Badegästen von Nordernei dürften sich mit den unsrigen darin begegnen, dass das Ein- und Aussteigen am Norddeich trotz aller Verbesserungen der beiden letzten Jahrzehnte — unter hannoverscher Herrschaft war alles selbstverständlich „gut“ — noch viel zu wünschen übrig lassen, und dass ein tiefer Griff in den Beutel gethan werden muss, um endlich befriedigende Zustände und genügende Bequemlichkeit zu schaffen. Die Fischerfahrzeuge löschen so nahe am Deich als sie herankommen können, spülen dann korbweise ihren Fang in dem schlammigen übelriechenden Ebbwasser ab, und schaffen ihn in Körben über den Deich, worauf die Fische (Schellfische) ausgenommen, leicht gesalzen und in Eis für das Binnenland in neuen Körben verpackt werden. Mit Hülfe vieler Hände geht das wie bei aller Fischerei freilich nicht sehr appetitliche Verfahren rasch vor sich; tritt aber die Ebbe zu früh ein, [illegible] an den Deich selber zu kommen befürchten müssen, so bleiben sie auf Nordernei und müssen die nächste Flut abwarten. Letzteres ist besonders in den kurzen Wintertagen ein Uebelstand, der die Fischer häufig veranlasst, gar nicht nach dem Norddeich, sondern direct aus See nach Ems, Jade oder Weser zu fahren, woselbst die Fische, aber nicht so frisch als am Norddeich, gelandet werden können.

Bevor wir unsere Ansicht, wie hier Badegästen und Fischern zu helfen sei, entwickeln können, müssen wir aber einen Blick auf die Beschaffenheit des vor dem Deich liegenden Teils des Wattenmeeres werfen. Fast seine ganze Fläche läuft bei jeder Ebbe auf längere Stunden trocken, so dass man kaum in weiter Ferne vom Deich Wasserblinke sieht. Und selbst zur Flut- oder Hochwasserzeit folgen die Kurse der Schiffe einer tiefern Fahrrinne, welche das „Busetief“ genannt sich vom Norderneier Seegatt an aus 12—10 m Tiefe allmählich zu 3 m Tiefe abflacht, und mit dieser Wassertiefe bei Niedrigwasser, welche für dortige Zwecke aber völlig ausreicht, als „Balge“ vor dem Fährhause am Norddeich in etwa 1 Sm. Entfernung dem Deich parallel hinzieht. (Vergl. Karte von Grapow aus 1868-69.) Verschiedene seitliche Zuflüsse gestatten freilich in geringerer Wassertiefe von 0,7 bis sogar 0,4 Sm. sich dem Deich vom Watt aus zu nähern, aber dann fängt das flache bei Ebbe wasserleere Watt jedenfalls an. Kurz, und da der Deichverband schwerlich oder sicher nicht gestatten wird, dass man durch Kunstwerke die Balge näher an den Deich heranzieht, so hat man damit zu rechnen, dass unter allen Umständen oder zu jeder Zeit fahrbares Wasser nicht früher als in etwa ⅔ Seemeile oder 1 200 m Entfernung vom Deich anzutreffen ist. Dass eine Anlage aus Stein oder Eisengitter in Form eines langgestreckten T die Kosten einer von Flut und Ebbe unabhängigen Landevorrichtung nicht lohnen würde, ist leicht einzusehen; auch würde ein harter Winter mit Eisgang bald mit jeder derartigen Anlage aufräumen. Ebensowenig würden Verlängerungen der seitlichen Ausläufer der Balge nach dem Deiche zu, wegen mangelnden Spülwassers nicht offen zu halten sein. Solche Vorschläge von nicht ortskundigen Leuten klingen gut, sind aber nicht praktisch, und erwecken nur unberechtigte Wünsche.

Am Norddeich bleibt deshalb wol nichts anderes übrig als die Anlage eines oder zweier viel kürzerer Hochwasserdämme. Mit zwei convergirenden massiven Dämmen würde ein Hafenbecken abgesondert werden, welches Schiffen jedenfalls eine sichere Lage gewähren würde, wenn auch bei der Anfahrt und Abfahrt die freie Bewegung durch die schmale Mündung etwas eingeengt würde. Da bei gutem Wetter Schiffe auch an der Aussenseite der Dämme anlegen könnten, so wird ein Gedränge nicht zu befürchten sein, da zwei Dämme immer drei benutzbare Seiten darbieten, während die jetzigen Schlengen häufig nur eine Seite zu benutzen gestatten. Man darf dabei im Auge behalten, dass die Benutzung des Busetiefs und seines Ausläufers, der Balge, nach halber Tiede stets eine äusserst beschränkte bleiben wird, so lange die Fahrzeuge nicht auf einem Buge segeln können.

Mit einem einzigen recht nordwärts sich ausstreckenden Damm würde vor den herrschenden Westwinden und Weststürmen ein wirksamer Schutz geboten werden, besonders wenn er so hoch massiv aufgeführt würde, dass nur hohe Sturmfluten ihn überschwemmen könnten. Allen bisherigen derartigen Anlagen hat es an Breite gefehlt; wird dieselbe nicht zu knapp bemessen, so lässt sich recht wohl oben eine starke Bohlen-, Eisen- oder Steinwand gewinnen, welche Badegästen mehr Schutz gegen Wind und Spritzwasser als bisher gewährt. Da bei Sturmwetter jeder *Fahr*verkehr aufhört, so wäre nur auf die Sicherheit der einmal festgemachten Schiffe Rücksicht zu nehmen, und dass Schutz suchende Fahrzeuge binnen laufen können; den Traverseenen bei bloss rauhem Wetter wäre aber vorgebeugt. Ein breite treppenartige Anlage der Seitenwände würde die Benutzung (Anslegen der Stege etc.) bei verschiedenem Wasserstande wirksam erleichtern.

Nach unserer Ansicht wäre ein breiter, etwa 100—150 m langer, ziemlich flutfreier Pier die einwandfreieste und dabei mit mässigen Kosten ausführbare Anlage, die sowohl dem Personen- als dem Frachtverkehr, wie auch den Fischereibedürfnissen entgegen käme. Eine Zuwässerungs-Rinne nach der Halge wäre vielleicht vor dem Deichrogt zu rechtfertigen und könnte man damit der Schiffahrt vor der tiefsten Ebbe und nach der ersten Flut freundlich entgegenkommen. Doch würde ein zweiseitig umschlossener Hafen vorzuziehen sein.

Die Verladung des Petroleums als Pumpgut (in Buik).

Die Zahl der Petroleum-Tankschiffe, welche das Oel von den Ursprungstätten, statt in Fässern oder Blechbüchsen, in grossen im Schiff lose oder fest angebrachten Behältern (Tanks) oder als Pumpgut (in Bulk) nach den Consumländern transportiren, ist im Steigen begriffen und wird noch viel grössere Zunahme erfahren, sobald die engl. Rheder und Schiffseigentümer die neue Transportweise annehmen und sich dann mehr als bisher an der Ueberfuhr von Petroleum beteiligen.

Im Verhältnis zu ihrer Schiffs- und Tonnenzahl haben die englische und amerikanische Flagge bisher nicht an derselben teilgenommen. Das beruht auf verschiedenen Gründen. So lange einem Schiffe andere Frachten zu Gebote stehen, wird es ungern Petroleum laden, weil dasselbe, besonders in hölzernen Schiffen, einen derartigen Geruch zurücklässt, dass es hinfort für andere Ladung ungeeignet wird, es sei denn für Holz, Steinkohlen und derartige indifferente Ladungen. Die Verwendung eines Schiffes ist also als abgeschlossen zu betrachten, sobald es einmal längere Zeit Petroleum in seinem Innern beherbergt hat. Aus diesem Grunde allein haben jedoch die englische und amerikanische Flagge den seit 30 Jahren aufgekommenen Petroleum-Transport fremden Flaggen nicht überlassen.

Auch die ökonomische Seite der Petroleum-Fracht, wie sie bislang betrieben wurde, war nicht gerade verlockend für Schiffe, welche andere Frachten bekommen konnten. Petroleum wird angebracht zum grössten Teil in Fässern, zum kleinern in Zinnbüchsen, welche mit Holz umkleidet sind. Ein Petroleumfass misst 81 cm in Länge und 63 cm im Spunddurchmesser, und fasst 190 Liter. Es wiegt leer 64 ℔, und gefüllt 400 ℔, so dass also das leere Fass etwa 1/6 des vollen, oder 1/5 des Gewichts des Oeles selber wiegt. Da nun 3 1/2 Fass durchschnittlich auf eine Tonne von 56 Cub. Fuss = 1,4 Cbm. verladen werden, so nehmen diese 1 400 ℔ Ladung den Raum 70 Cub. Fuss oder 2 Cbm. per Ton Schwergut ein. Es würde mithin ein Schiff, welches 1 000 Tons Schwergut laden kann und damit den nötigen Freibord behält, mit Petroleum beladen nur 720 Tons Schwergut einnehmen. Und da von diesem Betrage noch die 16 pCt. Tara für die Fässer abgehen, also die 720 Tons auf 675 Tons abmindern, und von diesen noch 2 pCt. für Lecken abzuziehen sind, so vermindert sich die frachtzahlende Tonnenzahl des 1 000 Tons Schwergut ladenden Schiffs in Wirklichkeit auf ca. 660 Tons, d. h. auf 2/3 der nominellen Grösse des Schiffes, während das spezifische Gewicht des Oels selber gestattet, das Schiff in Tanks mit Oel vollauf zu beladen.

Dieser unangenehme Ausfall von einem vollen Drittel des ladefähigen Raumes vermehrt sich aber noch, wenn, wie das nach britischen Häfen vielfach geschieht, die Verschiffung des Petroleums in Zinnbüchsen vorgenommen wird, welche fast soviel als das von ihnen gefasste Oel kosten und schliesslich nach Entleerung nichts wert sind, so dass ihre Anschaffungskosten auf das Oel geschlagen werden müssen. Die Fässer dagegen kosten in Amerika 4 bis 5 ℳ., und werden hier in Deutschland zu 3 ℳ. etwa verrechnet und deshalb oft noch wieder für ein billiges nach Amerika zurückbefördert. Jedenfalls würde aber die Differenz der ersten und letzten Werte von der Seefracht gespart werden, wenn das Petroleum als Pumpgut in grossen Tanks über See angebracht würde.

Endlich fällt, namentlich beim Transport des Petroleums in grossen mehrdeckigen Dampfern, noch der Zeitgewinn ins Gewicht, welcher beim Löschen aus Tanks, statt in Fässern zu erzielen ist. Während das Leerpumpen der Tanks in vorhandene grosse Cisternen nur eine Anzahl Stunden verlangt, nimmt das Löschen der Fässer oder Büchsen ebenso viele Tage in Anspruch.

Diese drei Umstände, der Gewinn an ladefähigem also frachtzahlendem Raum, die Ersparnis an dem Wertverlust der Fässer oder Büchsen und endlich der Zeitgewinn beim Laden und Löschen sind es, welche vom Standpunkt der Rhederei entschieden der Verschiffung des Petroleums als Pumpgut das Wort reden. Ob die persischen Schiffer, welche schon seit der Mitte des vorigen Jahrhunderts in letztgenannter Weise das rohe Oel von Baku über den Caspisee fahren, von diesen Erwägungen geleitet wurden, mag dahin gestellt bleiben; die Thatsache beweist beiläufig, dass die Verschiffung des Petroleums als Pumpgut keineswegs eine Erfindung der Neuzeit ist. Die ersten Versuche in unsern Tagen, Petroleum als Pumpgut zu verfrachten, sollen von 1869 bis 1872 von einem Schiff „Charles" von 794 Tons gemacht sein. In dasselbe wurden 2 Reihen eiserner Tanks im Unterschiff und ebenfalls 2 Reihen im Zwischendeck eingebaut, im ganzen 59 Tanks, von welchen die im Zwischendeck jeder 12 Tons, die im Unterraum und mittschiffs je 30 Tons Oel fassten. Diese Tanks standen frei neben einander, ohne jede Verbindung zwischen ihnen, mussten also jeder für sich gefüllt und geleert werden, hatten auch keine Auffüllkammen, falls durch das nicht seltene Lecken durch die ziemlich dünnen Wände Hohlräume entstanden. Der Kapitän pflegte dieselben listiger Weise durch Seewasser wegzuschaffen, was dem rohen Oel allerdings nicht schadete. Das Schiff verbrannte im Jahre 1872. Mehrere Nachfolger sind ebenfalls, oft auf unbekannte Weise, mitunter auf der ersten Reise verschwunden; sie haben aber angedeutet, welche Fehler bei den ersten Anlagen gemacht wurden und so den Weg gewiesen, wie man jetzt beim Bau der Petroleum-Tankschiffe verfahren soll. Der erste Dampfer, welcher für Petroleum-Transport als Pumpgut gebaut wurde, war das einer Philadelphia Firma Palmer & Co. gehörige „Vaderland", von 320 Fuss Länge, 38 Fuss Breite, 31 Fuss Tiefe und 2 748 To. gr. Reg. Der Dampfer sollte zwischen Amerika und Antwerpen fahren, aber die Hafenbehörde in letzterm Ort verbot die Anlage von Cisternen zur Lagerung des Petroleums und die Amerikanischen Behörden verboten, das Schiff zur Rückfracht von Passagieren zu benutzen. So ist es gekommen, dass das Schiff seiner eigentlichen Bestimmung völlig entzogen und als der bekannte Passagierdampfer ausgebaut wurde, als welcher er, so viel wir wissen, noch unter dem weissen Stern fährt.

Es ist nun nicht ohne Bedeutung, dass die seemässig richtige Einrichtung von Petroleum-Tanks, welche zugleich auch den Anforderungen für länger dauernden Landtransport genügt, wieder von der alten Beförderungsstelle am Caspisee ausgegangen ist. Als nach Aufhebung gewisser Acciseabgaben seitens der russischen Regierung die Petroleumausbeute von Baku sich von 25 000 Tons in 1872, rasch zu 250 000 Tons in 1877, und 300 000 Tons in 1880 hob, und die Gebrüder Nobel, die dortigen Hauptunternehmer, wegen der Seltenheit des Holzes in jenen Gegenden und der mangelnden Segelschiffsräume sich 1878 zum Bau von eisernen Behältern und Verwendung von Dampfern entschlossen, hatten sie bei dem Bau dieser modernen Fahrzeuge, welche bald in Zahl von 80 Schiffen und in Grössen von 200 bis 250 Fuss Länge, 24 bis 28 Fuss Breite und 11 Fuss Tiefgang von Baku zur Wolgamündung fahren und ihre Ladung auf ähnliche Einrichtungen auf den Waggons der Eisenbahnen entluden, vollauf Gelegenheit, alle [illegible], welchen das Schiffs- und Eisenbahntransportgefässe genügen mussten.

Als solche sind ganz besonders hervorzuheben:

1. dass bei allen Aufnahmegefässen oder Tanks gebührende Rücksicht auf die Ausdehnung des Oels bei Zunahme der Wärme genommen wird, welche zu 1 % bei jeden 10 ° C. angenommen werden muss. Daher die Vorsichtsmassregel, niemals die Behälter mit Petroleum voll anzufüllen. Dennoch muss

2. für eine Vorrichtung gesorgt werden, welche die Behälter stets gut gefüllt hält, damit nicht beim Schlingern des Schiffs das Oel mit hin und her schlingert, und so Havarie und selbst den Untergang des Schiffs herbeizuführen hilft. Derselbe würde nicht allein durch Teilnahme am Schlingern befördert, sondern auch durch die Abnahme der wirklichen metacentrischen Höhe und damit der Stabilität des Schiffes. Im Zusammenhange damit stehen bestimmte Rücksichten auf die Wahl der Dimensionen und die Art und Beschaffenheit des eingetauchten Teils des Schiffskörpers.

3. Muss für die Entweichung der Oelgase gesorgt werden, welche sich bei allen Temperaturen bilden; sonst ist die Bildung explosiver Gase eine sichere Folge der Vernachlässigung dieser Vorsicht.

4. Ist grosse Sorgfalt gegen ein Entweichen von Lecköl in die Kesselabteilung der Dampfer anzuwenden. Ueberhaupt sind die Behälter mit grosser Sorgfalt zu vernieten, und mit allen Rücksichten wie die Dampfkessel selber zu erbauen. Die Maschine steht durchweg hinter allen Tanks, nicht etwa mittschiffs zwischen ihnen, teils wegen der Feuersgefährlichkeit letzterer Aufstellung, teils um den Schraubenschaft frei von den Behältern und Schotten zu halten. Dass man die Behälter nicht mehr als gesonderte Behälter, sondern als Teile des Schiffsraums selber einbaut, ist schon früher von uns ausgeführt, als wir die Nachfolger der „Andromeda" (vergl. Hansa 1885 S. 104, 172 und Hansa 1886 S. 142) beschrieben. Doch bedeutet das System Sone von Newyork, das Petroleum in lange von Luke zu Luke reichende Cylinder zu füllen, und die Cylinder lagenweise über einander zu verstauen, eine Rückkehr zum ersten System, so dass diese Frage noch nicht als abgeschlossen betrachtet werden kann.

Während der Dampfer „Primate" mit 12 Schottenabteilungen für 1750 Tons Oel versehen wird, hat Sone's „Crusader" schon 3 glückliche Reisen nach London mit seinen 47 cylindrischen Behältern von je 100 Tons vollführt zur völligen Zufriedenheit der Eigner, und die „Andromeda" hat schon seit vorigem Jahr verschiedene Reisen mit ihren 14 000 Fass haltenden 72 gesonderten Tanks gemacht, die in 2 Reihen von 3 Lagen über einander stehen.

(Schluss folgt.)

Nautische Literatur.

Flächen- und Körperberechnung in Lehrsätzen und Aufgaben nebst Regeln und Uebungsbeispielen aus der Arithmetik und Algebra zum Gebrauch für Navigationsschulen von P. Seelhoff, dritte, veränderte und vermehrte Auflage. Bremen. Heinsius'sche Buchhandlung. 106 S. kl. 8 vo. Preis M 2.

Es ist charakteristisch für die Behandlung der Nautik in den älteren Werken von Albrecht und Vierow und Bumcker auf der einen, und von Brensing und von Freeden auf der andern Seite, dass sich um letztere ein ganzer Kreis von Vorbereitungs- oder Einführungsschriften in der Form von Sammlungen von Uebungsbeispielen angesammelt hat, während erstere Bücher in einsamer Stille ihr Leben fortführen oder bereits beendet haben. Der Grund ist unschwer darin zu finden, dass letztere in ihrer durchsichtigen, planmässigen, wissenschaftlichen Anordnung dem gelernten Mathematiker überall die Anknüpfungspunkte für eine weitere Ausführung der gemachten Andeutungen bieten, während die empirische Auswahl des Unterrichtsmaterials in ersteren Werken jeder wissenschaftlichen Anordnung von Hülfsmaterialien einen starren unüberwindlichen Widerstand entgegensetzt. Der Hülfsarbeiter musste eben noch empirischer und eklektischer als die Hauptpersonen auftreten und dann wäre die Karikatur eine vollendete.

Die vorliegende Beispielsammlung lehnt sich an Brensing's Steuermannskunst an, ohne über deren Vorschriften hinauszugehen. Also „ein Bruch wird multiplicirt, wenn man seinen Zähler multiplicirt". $\frac{7}{8}.4 = \frac{28}{8}$ und indem man mit 4 hebt $= \frac{7}{2}$. [illegible] zu emanzipiren und zu sagen: „ein Bruch wird multiplicirt, indem man den Nenner dividirt" (dies allemal erst versuchen) oder den Zähler multiplicirt (wenn es nicht anders geht). Ebenso laut Seelhoff-Brensing: „Ein Bruch wird dividirt, wenn man seinen Nenner multiplicirt" statt in *einfacher Folgerung* aus dem vorigen Satze zu sagen: „Ein Bruch wird dividirt, indem man den Zähler dividirt (wenn es angeht) oder den Nenner multiplicirt (wenn nichts anderes übrig bleibt). Es hat kein Kleinerer als Gauss allen Rechnern empfohlen, immer sich die kleinsten Zahlen zu verschaffen zu suchen. Welcher Lehrer quält jetzt noch seine Schüler mit Brüchen-Ungeheuern wie [illegible] etc., die man in den alten Rechenbüchern vor 18[illegible] u. s. w. noch zu Tausenden fand, und soviele junge Leute vom Rechnen abschreckten. Das Ungeheuer gleicht $\frac{13}{127}$ oder gar $\frac{1}{10}$ auf ein Haar, wenigstens so nahe, als es sich in unserm Geldsystem wiedergeben lässt.

Abgesehen von diesen Eigentümlichkeiten und einer versuchten Verdeutschung eines an Bord unter anderm Namen geläufigen Begriffs, die nicht nach unserm Geschmack ist, („Knaut" eines Mastes statt des üblichen Topp oder Top) wird die Sammlung von Beispielen mit Vorteil benutzt werden, so lange man sich, wie bei der Berechnung der Segelflächen, innerhalb der gesteckten Grenzen hält und die Sache mit der mathematischen Seite nicht für abgethan hält. Warum für unsern Standpunkt den Regeln zuviel und der Entwickelung zu wenig Raum gewährt wird, wollen wir als zuweit führend hier unerörtert lassen; für uns ist die Nautik eben keine „Kunst", sondern eine Anwendung der Mathematik, wie soviele andere, wenn sie auch den alten holländischen aus dem Schifferstande hervorgegangenen Lehrern und Schriftstellern als eine „Kunst" erschienen sein mag, deren Erlernung und Wiedergabe ihnen gewiss viel Kopfbrechens bereitete.

Der Ocean. Eine Einführung in die allgemeine Meereskunde von Dr. O. Krümmel, Prof. der Geographie an der Univ. Kiel. Mit 77 in den Text gedruckten Abbildungen. Leipzig. G. Freytag 1886. 242 S. kl. 8 vo. Preis 1 M.

Das „Wissen der Gegenwart" wird uns in der „deutschen Universalbibliothek für Gebildete" zum Preise von 1 M für den Band in so geschmackvoller ausgewählter Weise entgegen gebracht, dass man sich jedesmal freut, wenn in der Reihe der vorgeführten Gegenstände wieder einmal das specielle Fach berührt wird. Auch diese Beleuchtung der Verhältnisse des Oceans wird ihre Freunde unter den Seefahrern finden. In den einzelnen Kapiteln „die Meeresflächen und ihre Gliederung", „die Meerestiefen," (das Niveau des Meeres, die Tiefseelotungen, das Bodenrelief der Meeresbecken, die Bodensedimente,) „das Meerwasser" (allgemeine Eigenschaften desselben, die Verteilung der Wärme und die Eisverhältnisse) endlich „die Bewegungen des Meeres" (Meereswellen, Gezeiten, Meeresströmungen) finden wir eine Fülle interessanter anregender Bemerkungen und Auseinandersetzungen, welche von trefflich ausgeführten Abbildungen wirksam unterstützt werden. Den historischen Nachweisen ist umsichtig genügt und sind sowohl aus der Vergangenheit die Anknüpfungspunkte gesucht als der Gegenwart ihr volles Recht geworden ist. Ein gutes Register erleichtert das Nachschlagen nach den zahllosen Einzelheiten, welche wie die Resaca von San Sebastian und so vieles andere, manchem alten Seefahrer oft völlig unbekannt, selbst ungenannt, sein mögen.

Ruder- und Segel-Almanach für 1886.

Der soeben zur Versendung kommende Ruder- und Segelalmanach von 1886 ist genau so eingerichtet, wie der von 1885. In elegantem roth Calicot-Einband zeigt derselbe ein recht handliches Taschenformat. Der Umfang beträgt diesesmal 304 Seiten gegen 288 im vergangenen Jahr, der Inhalt ist somit wiederum ein reichhaltigerer geworden, was in der Fortentwickelung des deutschen Wassersports seinen Grund hat. Oesterreich wird in diesem Jahre zum ersten Male getrennt aufgeführt. Zusammen mit Oesterreich hat Deutschland nunmehr 357 wassersportliche Vereinigungen (1885: 294). Hiervon entfallen auf Deutschland 276, auf Oesterreich 81.

Die wichtigsten sportlichen Ereignisse des Jahres 1885 für Rudern, Segeln, Schwimmen und Eislauf sind bei den einzelnen Rubriken, sowie in einer Chronik übersichtlich geordnet angegeben, ein Verzeichnis der bedeutenden jährlichen Rennen und Preise für Rudern und Segeln ist neu eingefügt. Das Kalendarium enthält die wassersportlichen Gedenktage.

Dem Werkchen ist ein Kalendarium mit Notizblättern beigefügt, sowie verschiedene wissenswerte Tabellen. Auch eine Zusammenstellung empfehlenswerter Bezugsquellen für wassersportliche Gegenstände fehlt nicht. — Die oben gegebenen

Zahlen beweisen am besten, welchen enormen Aufschwung der Wassersport von Jahr zu Jahr in Deutschland nimmt. Wir konnten bei Erscheinen des Almanachs von 1884 bereits konstatiren, dass Deutschland nächst England in der ganzen Welt den 2. Platz im Rudersport einnimmt. Es hatte im letzten Jahr seine sämmtlichen Nachbarländer (Frankreich etc.) bedeutend überflügelt und dürfte nunmehr England an Zahl der Vereine etc. bereits eingeholt haben. Der Almanach enthält die genauen Adressen sämmtlicher wassersportlicher Vereine und kann Geschäftsleuten, welche einschlägliche Artikel poussiren wollen, als Adressbuch bestens empfohlen werden. — Die Ausstattung ist in dem jetzigen neuen Einbande eine sehr ansprechende und der Preis von 1½ Mark ein ungeheuer billiger.

Verschiedenes.

Angenäherte Werte von Wurzelgrössen. Für ältere Personen, die längere Zeit schon der Schule entrückt sind, dürfte es von Interesse sein, wie man sich mit ziemlicher Annäherung an die Wahrheit in den Besitz des wirklichen Werts von Wurzelgrössen setzen kann, ohne die Wurzel direct auszuziehen.

Gefragt sei $\sqrt{2}$. Es ist $\sqrt{2} = \sqrt{\frac{50}{25}} = \frac{\sqrt{50}}{\sqrt{25}} =$ nahezu $\frac{\sqrt{49}}{\sqrt{25}} = \frac{7}{5} = 1.4$, etwas zu klein, da der genaue Wert $1.414\ldots$ beträgt.

Oder $\sqrt{3}$? Es ist $\sqrt{3} = \sqrt{\frac{48}{16}} = \frac{\sqrt{48}}{\sqrt{16}} =$ nahezu $\frac{\sqrt{49}}{\sqrt{16}} = \frac{7}{4} = 1.73$, etwas zu gross, da der genaue Wert $1.732\ldots$ beträgt.

Ebenso $\sqrt{5} = \sqrt{\frac{80}{16}} =$ nahezu $\frac{\sqrt{81}}{\sqrt{16}} = \frac{9}{4} = 2.25$.

Eine methodische Auffindung des Näherungswerts ersieht man leicht aus folgender schematischer Aufstellung $\sqrt{6}$? Schreibe alle Quadratzahlen nach einander in den Nenner, und die 6 fachen Werte derselben in den Zähler und vergleiche mit den Quadraten der ersten 30 Ziffern. Letztere sind 4, 9, 16, 25, 36, 49, 64, 81, 100, 121, 144, 169, 196, 225, 256, 289, 324, 361, 400, 441, 484, 629, 576, 625, 676, 729, 784, 841, 900. Nun findet sich

$$\sqrt{6} = \sqrt{\frac{24}{4}\ \frac{54}{9}\ \frac{96}{16}\ \frac{150}{25}\ \frac{216}{36}\ \frac{294}{49}\ \frac{384}{64}\ \frac{486}{81}\ \frac{600}{100}\ \frac{726}{121}\ \frac{864}{144}}$$

Von ihnen geben die unterstrichenen desto brauchbarere Näherungswerte, je entfernter die Zahlen in der Reihe stehen. Es ist nämlich

$\sqrt{6}$ kleiner als $\frac{\sqrt{25}}{\sqrt{4}} = \frac{5}{2} = 2.5$

$\sqrt{6}$ grösser als $\frac{\sqrt{289}}{\sqrt{49}} = \frac{17}{7} = 2.428\ldots$

$\sqrt{6}$ grösser als $\frac{\sqrt{484}}{\sqrt{81}} = \frac{22}{9} = 2.444\ldots$

$\sqrt{6}$ kleiner als $\frac{\sqrt{729}}{\sqrt{121}} = \frac{27}{11} = 2.455\ldots$

durch Teilung des Unterschieds der beiden letzten Werte würde man mit dem Näherungswert 2.4495 dem wahren Wert von $\sqrt{6} = 2.44948\ldots$ offenbar in den drei ersten Decimalen gleichkommen.

U. s. w. als Ferienstudie.

Unsere Schiffsbau- und Stahlindustrie gewinnt im Auslande von Tag zu Tag mehr Terrain. So befinden sich in *Elbing* nach dem Jahresbericht der Handelskammer nicht weniger als 27 Torpedoboote in Arbeit, und zwar 4 für die deutsche Marine, 8 für die chinesische, 9 für die russische, 1 für die italienische und 2 für die österreichisch-ungarische Monarchie. Ebenso hat die Firma *Krupp* von der japanischen Regierung eine Bestellung von 900 Geschützen erhalten. Das japanische Kriegsministerium beabsichtigt nämlich 50 neue Forts zu bauen und die bestehenden Befestigungen zu vervollständigen, um auf diese Weise die Küstenverteidigung Japans wirksamer zu machen.

Eine **Telegraphenverbindung mit Island** wurde schon lange von der Norddeutschen Seewarte, welche Schottland mit Island zu verbinden in London befürwortete, und von den *Kopenhagener Meteorologen* herbeigewünscht. Der verstorbene Vorsteher des meteorologischen Instituts in Kopenhagen, Kapitän Hoffmeyer, entwickelte grosse Thätigkeit, um den Plan verwirklicht zu sehen, und brachte auch die Sache so weit, dass einem Engländer, Baird, die Genehmigung zur Anlage erteilt werden sollte. Nachdem die Sache seit dem Tode Hoffmeyers geruht hat, soll jetzt endlich die Erlaubnis dem Herrn Baird zusammen mit einem Herrn Wood erteilt worden sein und die Bewilligungsinhaber beabsichtigen dem Vernehmen nach mit der Auslegung des Kabels sofort zu beginnen.

Der von einer französischen Gesellschaft ausgehende Plan der Herstellung eines **Tunnels unter dem Sund** zwischen *Kopenhagen* und *Malmö* hat in den skandinavischen Ländern ein überaus grosses Interesse hervorgerufen und auch die Regierungen von Dänemark und Schweden wenden dem Plane ihre volle Aufmerksamkeit zu. Das schwedische Ministerium des Auswärtigen hatte sofort, nachdem der Plan der Regierung vorgelegt worden war, seine Vertretung in Paris beauftragt, nähere Auskünfte über die Vertrauenswürdigkeit der betreffenden Gesellschaft, sowie auch über die Person des Bevollmächtigten derselben, François Delouche, der als Bewerber auftritt, einzuholen. Die schwedisch-norwegische Gesandtschaft in Paris hat nun ihrer Regierung mitgeteilt, dass nach ihren Erkundigungen Herr Delouche, ein früherer Beamter im Ministerium des Innern, bestens empfohlen werden könne, und dass seine Auftraggeber, die „Banque maritime“, das „Comptoir d'Escompte“ und die „Banque de Paris et des Pays-Bas“ Häuser seien, welche den besten Ruf geniessen und sehr beträchtliche Kapitalien zur Verfügung hätten. Gleich der schwedischen hat auch die dänische Regierung diesen Tunnelbauplan sehr günstig aufgenommen, jedoch sofort erklärt, dass sie erst dann die begehrte Bewilligung zu erteilen in der Lage sein wird, wenn ein aus Technikern zusammengesetzter besonderer Ausschuss sich über den Plan und die Ausführbarkeit desselben in befriedigender Weise ausgesprochen haben wird. Gegenwärtig wird die Idee vom schwedischen Departement für Weg- und Wasserbauten studirt. Wie der Berichterstatter der „Pol. Corr.“ aus guter Quelle erfährt, darf es als gewiss angesehen werden, dass das genannte Departement, welchem die ausgezeichnetsten Ingenieure Schwedens angehören, die Erteilung einer Bewilligung zu dem Tunnelbau zwischen Kopenhagen und Malmö befürworten wird. Die Unternehmer sollen beabsichtigen, die Arbeiten binnen einem Jahre in Angriff nehmen zu lassen, so dass der Tunnelbau längstens in zehn Jahren beendigt sein würde. In fachmännischen Kreisen glaubt man indessen, der Tunnelbau könne sogar innerhalb einer Frist von weniger als fünf Jahren vollendet werden, wenn die Arbeiten gleichzeitig auf der dänischen und der schwedischen Seite in Angriff genommen werden. Es wird dabei betont, dass der Boden des Sund aus festem Kalk besteht, dessen Durchbohrung keine grösseren Schwierigkeiten darbieten dürfte.

In dem Gesetz über die **Nationalität der Kauffahrteischiffe vom 15 Okt. 1867** befindet sich die doctrinäre Bestimmung, dass das Recht zur Führung der Reichsflagge erlöschen soll, sobald auch nur ein Anteil vom Schiffe in das Eigentum eines Ausländers übergeht. Nachdem auf dem nautischen Vereinstage die nachteiligen Folgen dieser Bestimmung von dem Commerzienrat A. Gibsone überzeugend dargelegt wurden, soll endlich eine Aenderung derselben in Aussicht genommen und dieserhalb eine Umfrage bei den Beteiligten und Sachverständigen ins Werk gesetzt sein. Auch verlautet von einer Wiederaufnahme der Verhandlungen zu einer *gesetzlichen* Regelung der an Bord eines Seeschiffs zu führenden Rettungsfahrzeuge, welche vor 8 Jahren vom Reichstag zurückgewiesen wurde. Unsers Erachtens ist es wichtiger, Massregeln zur Verhütung von Unglücksfällen zu befürworten, als die beschränkte Art und Zahl der Rettungsmittel nach eingetretenem Unfall zu bemängeln, und empfehlen wir deshalb der Reichsregierung, u. a. die Mitnahme von schwerem zähen Oel an Bord seegehender Schiffe anzuordnen, wodurch viel Unglück auf hoher See abgewendet werden kann, also an Stellen, wo alle Mittel nach eingetretenem Unfall uns in Stich lassen.

„Zwischen Donau und Kaukasus". *Land- und Seefahrten im Bereiche des Schwarzen Meeres.* Von A. v. Schweiger-Lerchenfeld. (Mit 215 Illustrationen und 11 Karten, worunter zwei grosse Uebersichtskarten in Wandkarten-Format. 25 Lieferungen à 30 Kr. = 60 Pf. = 80 Cts. = 36 Kop. Wien, Pest, Leipzig: A. Hartleben's Verlag. Ausgegeben Lieferung 1 bis 12.) In den soeben erschienenen Lieferungen 7 bis 12 dieses ebenso zeitgemässen als hübsch ausgestatteten Werkes gelangen die Schilderungen über die Krim zum Abschlusse. Den Kern derselben bildet die Erstürmung von Sewastopol mit interessanten Mitteilungen über das allmälige Wiedererstehen dieses einst so berühmten Bollwerkes. Mit den weiteren Abschnitten treten wir so recht eigentlich in den von der Aussenwelt wenig berührten Teil des östlichen und südöstlichen Russland. Was uns hier besonders fesselt, sind die ausführlichen Mitteilungen über die Don'schen Kosaken und ihr Land und das russische Sectirerwesen mit seinen unglaublichen Ausschreitungen und Verirrungen. Selbst Dostojewski's berühmter Roman „Raskolnikow" tritt in den Kreis der Betrachtungen des Verfassers, der es versteht, mit Heranziehung dieses ergreifenden Seelengemäldes unser Interesse für die abenteuerlichen Gestaltungen eines religiösen Lebens, das seinesgleichen nicht hat, rege zu erhalten. Alsdann durchwandern wir die grossartigen Landschaften an der Wolga und lernen, immer durch farbige Schilderungen und treffliche Illustrationen unterstützt, das Leben in den unermesslichen Steppen kennen — Bild an Bild gereiht in den mannigfaltigen Erscheinungen, die der Wechsel der Jahreszeiten in jenem Gebiete bedingt. Ganz besonders entsprechend aber scheinen uns die geographischen Schilderungen und Lebensbilder aus der Kaukasus-Region. Der geographische Ueberblick, mit Heranziehung von Vergleichen mit den Alpen, dann die bunte Mannigfaltigkeit der kaukasischen Völkersplitter, sowie die hieran sich knüpfenden Rückblicke auf die schier endlosen Kämpfe der Russen bis zur Bezwingung Schamyl's geben ein ungemein farbenreiches und abwechslungsvolles Gesammtbild. Die Illustrationen welche, durchwegs nach neuen photographischen Aufnahmen hergestellt wurden, sind namentlich in Bezug auf die figuralen Motive, die seltsamen Trachten und merkwürdigen Typen sehr instructiv. Das Werk hat einen ausgiebigen Schritt nach vorwärts gethan und wird sich hierbei, wie bisher, zahlreiche neue Freunde erwerben.

Nautik in der portugiesischen Marine. Das Kriegsschiff „Alfonso Albuquerque", welches vor einiger Zeit den König von Portugal nach Plymouth bringen sollte, ist glücklich am Landungsplatz vorübergedampft, und hat bis nach Startpoint den Kanal hinauf nach dem unbekannten Hafen gesucht. Dort traf sie endlich eine Yacht, welche ihr den Weg zurück nach Eddystone zeigte, von wo ein Lotse das Kriegsschiff nach Plymouth hinnen brachte. Dort wurde dasselbe von der Königl. Yacht „Victoria und Albert" mit dem Herzog von Connaught an Bord erwartet, welche den König alsbald nach Osborne auf Wight überführte.

Die norwegische Ausfuhr von Seefischereiprodukten belief sich von 1866 bis 1881 im Durchschnitt jährlich auf etwas mehr als 42 Mill. Kronen (46 Mill. Mark), sodass Norwegen für ausgeführte Fische ungefähr dieselbe Summe einnimmt, welche Deutschland für eingeführte Fische aus Ausland (Norwegen, England, Holland) zahlt.

Von diesem jährlichen Gesammtwert der Ausfuhr kamen im Durchschnitt auf die Produkte der Kabliaufischereien, also *Klippfisch* (d. h. von Kopf, Rückengräten, Eingeweiden befreiter, gesalzener und getrockneter Kabliau) Stockfisch (ebenso gereinigter aber ungesalzen getrockneter Kabliau) Thran, Rogen (Kabliaurogen dient gesalzen den französischen Sardinenfischern als Köder), Fischmagen, Fischmehl und Fischguano, 65 % oder 27 1/2 Mill. Kronen; auf die Produkte der Heringsfischereien (gesalzene und geräucherte Heringe, Anchovis) 32 % oder 13 1/2 Mill. Kronen, und auf andere Fische 3 % oder 1 1/2 Mill. Kronen, (davon 430 000 Kronen auf frischen Lachs, 501 000 Kronen auf frische Makrelen und 406 000 Kronen auf frischen Hummer). Die Ausfuhr der letzten drei Artikel steigt fortwährend mit der Verbesserung der Aufbewahrungsmethoden.

Bergen führt hauptsächlich Stockfisch, Thran, Rogen, Salzheringe, *Christianssund* in Ramsdal Klippfisch (theurer als Stockfisch) und Fischguano, *Christiansand* und *Farsund* Lachs, Makrelen, Hummer, *Christiania* Anchovis, *Bod* und *Vadso* Fischguano aus. Den Klippfisch importirt hauptsächlich Spanien, Stockfisch Italien, Oesterreich, Schweden, Holland, Salzhering Deutschland und Schweden; Makrelen, Lachs, Hummer Grossbritannien, Leberthran Deutschland und Holland, Rogen Frankreich, Fischguano Grossbritanien und Deutschland.

Das Alter der deutschen Universitäten. Eine Zusammenstellung der jetzt bestehenden Universitäten deutscher Sprache unter Beifügung des Gründungsjahres ergiebt nachfolgende Reihenfolge: Prag 1348, Wien 1365, Heidelberg 1386, Leipzig 1409, Freiburg 1454, Greifswald 1456, Basel 1460, München 1472, Tübingen 1477, Marburg 1527, Königsberg 1544, Jena 1558, Würzburg 1582, Giessen 1607, Kiel 1665, Halle 1694, Breslau 1702, Göttingen 1737, Erlangen 1743, Berlin 1810, Bonn 1818, Zürich 1833, Bern 1834, Strassburg 1872 (1567).

Der Königin von England wurde vor einiger Zeit im Windsorschlosse von dem Diamantenhändler Ochs **ein in Südafrika gefundener Diamant** gezeigt, der 180 Karat wiegt und der kaiserliche Diamant genannt wird. Es ist der grösste Brillant, den man kennt.

In Gravesend wurde kürzlich **ein Matrosenheim** eröffnet, welches eine Zweiganstalt des grossen Londoner Matrosenheims in Dockstreet bildet. Das Gebäude, welches sich neben dem Zollamt befindet, wurde mit einem Kostenaufwande von 6000 £ errichtet und kann 150 Matrosen aufnehmen.

Verlag von H. W. Silomon in Bremen. Druck von Aug. Meyer & Dieckmann. Hamburg. Alterwall 59.

Beilage zur HANSA No. 19. 1886.

Angra-Pequeña,

nach dem Urteil eines Franzosen, aus Revue Mar. et. Col. 1884 VI. auszugsweise übersetzt von **A. Schück.**

Der Aviso „Segond" langte an in Angra-Pequeña am 15. September 1884 5½ Uhr Nm.

Nichts Traurigeres kann man sich vorstellen als den Anblick der Küste, wenn man in A.-P. nach Sonnenuntergang ankommt. Diese Inseln, diese Berge in ihrer Wüstheit und Verlassenheit sind kläglich anzuschauen, — nicht ein Baum, nicht ein Grashalm, der sich dem Auge darböte, überall unfruchtbarer Fels und vom Winde ausgedörrter Sand. Man hat das Gefühl der Todeseinsamkeit, man ist geneigt zu sagen, dass mit der Einfahrt in diese Bai man auch den ersten Schritt ins Nichts macht. — Am nächsten Morgen, bei blauem, wolkenlosem Himmel ändert sich dieser Eindruck; allerdings hat man noch ein Gefühl von Einsamkeit, aber es ist lebendige Einsamkeit — so geben die Strahlen der Sonne der Natur Leben, selbst da, wo letztere wüst ist.

(Dr. L. Canolle unterscheidet Angra Bai und Angra Bucht; die Grenze der ersteren bildet Diaz Pt. und SO Cap, die Grenze der letzteren Angra Pt. und N Pt. von Shark I.)

Zwischen dem stets über Wasser befindlichen Angra Fels und dem Angra Pt. ist ein scheinbar ganz reiner Pass mit 5 m Wassertiefe, durch den wir mit dem „Segond" fuhren; da aber das Meer, welches bei dem hier häufig stürmischen Wetter mit grosser Gewalt brandet, einzelne Felsblöcke in den Pass gewälzt haben kann, ist es vorzuziehen, nördlich um Angra Klippe zu fahren und von ihr ¼ Sm. entfernt zu bleiben, wegen des von ihr nach Norden streckenden Riffes. Wenn die Bai häufiger besucht wird, hat man auf der Klippe eine Bake zu errichten und auf das Nordende der Bank eine Boje zu legen.

Die Angra Bucht reicht ungefähr 3 Sm. nach Süden, aber nur die Hälfte dieser Strecke ist für Schiffe benutzbar; die Wassertiefe, die am Eingange 13—14 m beträgt, nimmt nach Süden hin allmählig ab; der Strand am Ende der Bucht bietet bequemen Landungsplatz. An der Westseite der Bucht ist ein kleiner Einschnitt mit geringer Wassertiefe, Kielplatz genannt, weil in ihm Küstenfahrer in voller Sicherheit ausbessern; dort ist ein 3 m tiefer Brunnen, aber mit brackischem Wasser. Der Ankerplatz ist quer ab von Shark I., mittewegs zwischen ihr und der Westseite, auf 7—8 m Wassertiefe (nach der Skizze von S. M. Kbt. Nautilus müssen Schiffe quer vom Nordende der Insel in 9—13 m Wassertiefe noch gut liegen). Dieser Ankerplatz ist neben der Saldanha Bai einer der besten an der SW Küste Afrika's; er ist gegen S und SW Wind vollständig geschützt, d. h. gegen den Wind der an dieser Küste 9 Monate im Jahre vorherrscht.

Zwischen Penguin I. und Shark I. einerseits, dem Festlande andererseits liegt Robert Hafen (nach der Karten-Skizze ist man geneigt, diesen Namen nur auf den Einschnitt zu beziehen, der südlich von Nautilus Pt. liegt; aber indem die Skizze den Namen dorthin gestellt hat, liess sie die Lotungen klar und deutlich); auch dies ist ein guter Ankerplatz, ¾ Sm. breit mit Thongrund und bis 9 m Wassertiefe. Man kann hierher nördlich und südlich um Penguin I. gelangen, aber der südliche Weg ist der sicherere und bietet 10 bis 11 m Wassertiefe; man hält die Mitte zwischen Shark und Penguin I., um die von ihren Enden bis ¼ Sm. ausstreckenden Riffe zu vermeiden; wenn das Südende der letzteren passirt ist, dreht man nach Backbord auf und ankert in 8—9 m. Kleine Fahrzeuge können auch ostwärts von Shark I. ankern, mittwegs zwischen ihr und dem Festlande auf 4—5 m Wassertiefe, thoniger Mudgrund (Mud mit Klei, zäher Mud). Wenn man nordwärts von Penguin I. in den Hafen fährt, muss man sich vor Tiger Fels in Acht nehmen, der ½ Sm. von der Insel abliegt und bei Hochwasser bedeckt ist. In Robert Hafen ist leicht landen; Herr Lüderitz hat vor seinen Häusern eine kleine Landungsbrücke errichten lassen, an deren Stelle ohne Schwierigkeit eine festere und grössere Kaje gebaut werden könnte.

¾ Sm. nördlich von Penguin I. liegt Seal I., die ungefähr 1 Sm. lang ist; der Pass zwischen beiden Inseln

hat 9—13 m Wassertiefe, ist aber als nur ¼ Sm. breit zu betrachten, weil Riffe bezw. Banken von den Inseln abstrecken; der Pass zwischen dem Nordende von Seal I. und NO Pt. von Angra-Pequeña wird zu ¼ Sm. verengt, da von letzterer eine Steinbank fast ¾ Sm. südwärts streckt. Zwischen Seal I. und dem Festlande ist ein ungefähr 1¼ Sm. breiter Raum mit 5—9 m Wassertiefe, der jedoch weniger geschützt ist als der jederzeit vorzuziehende Robert Hafen (S. M. S. Leipzig klagte in letzterem über starke Dünung, im Mt. Juli d. h. im Winter der südlichen Erdhälfte). Auf Seal I. liegen noch zahlreiche Skelette der früher hier getödteten Robben, deren grösste und stärkste Teile die von Lüderitz in Dienst genommenen Eingeborenen zu Stützen ihrer Kraale verwenden.

Ueber den von August bis Mai vorherrschenden Sturmesstärke erreichenden SW Wind sagt Dr. L. C.: Er erinnerte mich in seinem Auftreten ganz und gar an den Mistral des südlichen Frankreich; er hat dessen Stärke, dessen Böen, die unbequeme Staubmassen bringen; wie jener nimmt er bald gegen Abend oder in der Nacht ab, bald frischt er zur selben Zeit auf; auch er bringt Frische und Gesundheit. So lange er weht, liegt oft auf dem Horizont bis 14° und 20° über diesem so dichter Nebel, dass man vom Meere aus das Land nicht sehen kann; dann ist das erste Anzeichen des nahen Landes der Lärm, oder erst der Anblick der Brandung, welche das Meer mit einförmiger aber erschreckender Gewalt an der Küste veranlasst. Der NNW Wind, welcher von Mitte Mai bis Mitte August auftritt, aber unregelmässig und schwächer als der S Wind, ist gewöhnlich von Nebel und Feuchtigkeit begleitet, er soll starke Grunddünung bringen (vergl. oben).

Das Klima ist ausgezeichnet: die Temperatur wenig schwankend, an der Küste 2—3° geringer als auf dem Meere, 17—15° C. im Schatten; allerdings hat bei wolkenlosem Himmel und Windstille die Sonne im Sommer grosse Hitzkraft. Man muss stets mit dickem wollenem Zeug versehen sein, denn der Südwind ist zuweilen so scharf, dass er die Haut des Gesichtes wund und die Lippen aufspringen macht; mitten im September (in 26,5° S Frühling) besonders gegen Abend konnten wir recht gut unsere dickste Winterkleidung ertragen (Pelze wahrscheinlich ausgeschlossen).

Ein dichter Nebel bedeckt gewöhnlich die Küste während des Vormittags, besonders 4—6 Sm. von Land, gegen 3—4 Uhr Nm., pflegt er sich zu verteilen; oft genug sieht man unter ihm die Brandung, wenn man auch die Küste nicht bemerkt. In Angra-Pequeña regnet es fast nie, aber während der Nacht fällt starker Thau, auch schlägt während der dichten Winternebel viel Feuchtigkeit auf allen Gegenständen nieder.

Wenn ich unter dieser schönen Sonne das mich umgebende wüste Land ausser Acht lasse, nur den blauen Himmel und das Meer betrachtend, meine Kleidung vom starken Winde aufgebläht fühle und bei 13—15° C. die scharfe, gesundeste Luft mit vollen Zügen einathme, kann ich mich im Süden Frankreichs wähnen, auf einem Fels am Ufer der Hyères oder bei Toulon nach dem Horizont sehend, der sich in das Unendliche verliert. Wenn man von den ungesunden, sumpfigen, nebligen, feuchten, warmen und erstickenden Küsten Gaboons, Bananas und andrer Todesstationen des westlichen Afrikas kommt, so fühlt man sich unter diesem so reinen Himmel Angra-Pequeña's angenehm von den Strahlen der Sonne durchwärmt, man glaubt sich glücklich und gleichsam mit langen Zügen ruckweise Gesundheit zu athmen.

Die Unfruchtbarkeit von Angra-Pequeña wird hervorgebracht durch die stetige Wirkung der Sonnenstrahlen, und weil die vom SO Passat getriebenen Wolken bei dem Zuge über den Kontinent auf diesem ihre Feuchtigkeit liessen, in Folge dessen es an der Westküste Süd Afrika's selten regnet. Dennoch wird Angra-Pequeña seit langer Zeit von Kaufleuten zu Tauschhandelszwecken besucht; abgesehen von vorübergehend, aber sehr lohnend, dort betriebenem Robbenschlag und Guano-Verschiffen. Herr Lüderitz hatte anfangs zwei nur Erdgeschoss besitzende, vor unsrer Ankunft war ein in Deutschland hergerichtetes, in A.-P. nur zusammengesetztes Wohnhaus erbaut, sehr bequem, gross, geräumig, gut möblirt. Die Magazine enthielten Waaren aller Art, wohl geordnet, gut etikettirt, ein wahrer Bazar in eine Wüste verlegt. Ich habe mich dort überzeugt von dem vollständigen Fehlen des Branntweins, diesem Tauschartikel par excellence West Afrika's, mit dem man die Völker, welche man civilisiren will, verwildert, wenn man sich nicht — wie früher beim Sklavenhandel [illegible] machen, und dann ihre Trunkenheit missbraucht, um einen guten Handel abzuschliessen.

Wenn mir kurz und bündig die Frage gestellt wird: hat diese Kolonie eine Zukunft? so antworte ich: Ja, ich glaube es, weil das Klima gut und die Zähigkeit des deutschen Karakters bekannt ist; — ganz besonders, wenn das Vorhandensein von Metall-Adern bestätigt wird. — Diese Meinung muss überraschen nach der Beschreibung dieses gleichsam enterbten Landes, mit seiner trostlosen, öden, gänzlich verlassenen, des Wassers entbehrenden Küste. Wenn der Boden die Schätze, die er verspricht, hergiebt, so wird man Wasser erhalten, sei es durch artesische Brunnen, sei es durch Destillation, wie es sich gewisse Städte Amerika's verschaffen.

Hier bietet sich ein günstiges Klima für eine dauernde Ansiedelung, umsomehr da sich hier die europäische Rasse fortpflanzen kann. Das Klima ist „Alles", wenn man nach dem Bestehen einer Kolonie fragt. In ungesunden Gegenden kann der Handel nichts Dauerndes gründen, in einem gesunden Lande ist Alles möglich: das Klima ist der beste Bundesgenosse jedes Geschäftes, der mächtigste Antrieb zur Ausdauer.

In Bezug auf Ackerbau, dürfen sich die Deutschen nicht verhehlen, dass die Zukunft des Landes wenig verspricht. Man kann Bäume pflanzen, welche dem Einfluss des starken Windes widerstehen, z. B. Cypressen, die man im Süden Frankreichs mitten in der Ebene von Cran verwendet, um Schutzhecken zu bilden für Gärten und für gewisse Feldfrüchte; man könnte durch artesische Brunnen oder Wasserdestillation und derartige Anpflanzungen die beiden natürlichen Feinde der Küste, Trockenheit und Wind bekämpfen, aber mit so grossen Kosten, dass man nie an gewinnbringende Bodenkultur in grossem Maassstabe denken kann: man wird genug erreicht haben, wenn man dem Boden alles abgewinnt, was den Bedarf der mehr oder weniger grossen kaufmännischen Ansiedelung, die sich in Angra-Pequeña bilden wird, befriedigen kann.

Schritt für Schritt mit dem Beschaffen von Wasser und Lebensmitteln, werden allmälich Ansiedler in vollem Vertrauen hierher gelangen; es wird sich ein Handel ausbilden, indem man den Eingeborenen des Innern Produkte deutscher Industrie verkauft, die andern wegen ihrer Billigkeit vorgezogen werden, und indem man von den Eingeborenen Felle, Straussenfedern, Elfenbein, Rinder, kurz, die verschiedenen Handelsgegenstände des Landes einkauft.

Weil die Deutschen zu ihren Unternehmungen Geduld mitbringen, und bei den mässigen Preisen ihrer Waaren und der Zurückhaltung, die sie gegen raschen Gewinn bewahren, es verstehen Alles von der Zeit zu erwarten, so kann dort Import und Export von Jahr zu Jahr zunehmen, sodass trotz der Nähe des Caps eine ziemlich wichtige Handelsstation entstehen wird. Allerdings ohne Ergiebigkeit der Metall-Adern werden die Ufer der Bai niemals eine ziemlich grosse Stadt entstehen sehen: wenn aber die Hoffnungen, welche man auf derartige Hülfsquellen setzt, sich verwirklichen, so kann man eines schönen Tages im Hintergrunde der Bai von Angra-Pequeña, sich eines der wichtigsten Civilisationscentren erheben sehen.

Nachdem ich Angra-Pequeña besucht habe, bin ich überzeugt, dass Deutschland zwar nichts davon merken lässt, aber nicht ohne Verständnis ist für die politische Wichtigkeit, welche diese Bai haben kann. Man wird die Vorsorge nicht darauf beschränken, dort ein Kohlendepot anzulegen. Ich bin überzeugt, sollte ich in einigen Jahren nach Angra-Pequeña zurückkehren, so werde ich grosse Veränderungen in dieser Bai sehen, die bis jetzt so [illegible] wenig besucht ist, dass der „Segond" das erste französische Schiff war, welches seit 53 Jahren dort wieder ankerte. Ausser Kohlen-, Proviant- und dgl. Magazinen werden die Deutschen zur Verteidigung des Hafens nötige Festungswerke errichten, welche nebenbei bemerkt keine grosse Kosten veranlassen dürften.

Sobald man als gewiss annimmt, dass vom August bis Mai, also in 9 Monaten des Jahres an der Küste bis zur Walfischbai S Wind mit der Regelmässigkeit eines Passats weht, der mit Hülfe anderer Brise, es ermöglicht [illegible] Zeit sicher ist, nach und von A.-P. gelangen zu können mit regelmässigem Winde, der seewärts zu anderem ebenso regelmässigen und gut gekanntem Winde führt — dann sieht man ein, dass in Kriegszeiten A.-P. ein Zufluchts- und Ausrüstungshafen für Kreuzer werden kann, welche in der Nähe gelegene feindliche Kolonien beunruhigen sollen, die Jagd zu machen haben auf Stationsschiffe der Westküste Afrikas, noch mehr auf solche, die vom Atlantik oder nach dem Atlantik den Weg ums Cap nehmen: diese Kreuzerfahrten lassen sich ohne grossen Kohlenverbrauch unterhalten.

Soviel steht fest, zu der Zeit, in der Afrika von allen Seiten von *verschiedenen Nationen eingeschlossen wird*, die seine nur wenig gekannten Küsten besitzen, und sich bestreben die Geheimnisse seines gänzlich unbekannten Innern aufzudecken, um ihm den Reichtum zu entreissen, den man dort verborgen glaubt, — zu dieser Zeit hat Deutschland auch seinen Ort haben wollen, von dem aus es vordringen kann, um nach kürzerer oder längerer Zeit, aus dem Innern dieses Kontinents seinen Anteil an der Beute zu erhalten. Als ersten Anhaltspunkt, als Ausgangspunkt zum Vordringen ins Innere hat es gewählt eine nicht in Besitz genommene, vergessene Bai, bisher wegen der Unfruchtbarkeit ihrer Küste unberücksichtigt — die aber in Friedenszeit Schiffen sichern Schutz bietet, in Kriegszeiten leicht unzugänglich gemacht werden kann und in Bezug auf Klima ein Erholungsplatz ist für die Mannschaften, welche die ungesunden Küsten des westlichen äquatorealen Afrikas geschwächt haben.

Mit der Zeit, mit gutem Willen, mit ein wenig Gelegenheit stellt sich heraus, dass diese Bai, von mildem Himmel begünstigt, auch ein wichtiger civilisirter Hauptort des Randes von diesem Afrika werden kann, welches zur Weide aufgeworfen ist für alle Arten des Handelseifers, welche in gewissen Punkten sich nicht durch Hitze, durch Krankheit, durch Tod schrecken lassen.

Man sagt vielleicht bei meinen Voraussagungen sei ich Optimist; ich bin weit entfernt es zu glauben, möge mich die Zukunft Lügen strafen.

Montevideo, 30 Oktober 1885; Am Bord des „Lartigue".

Dr. *Léon Canolle*.

Oberstabsarzt der (franz.) Marine, vorher Stabsarzt des »Segond«.

Herr Oberstabsarzt Canolle ist also der Meinung, dass das Volk und die Regenten, welche aus des deutschen Reiches Sand- und Streubüchse nicht allein ein Königreich Preussen erstehen liessen, sondern der grollenden Mitwelt zum Trotz durch Zähigkeit eine nie für möglich gehaltene Einigkeit in Deutschland erzielten, auch aus Angra-Pequeña machen werden, was aus solcher Sand- und Streubüchse gemacht werden kann. Unrecht wird er nicht haben. Bei der Beurteilung der strategischen Wichtigkeit hält er sich in den richtigen Grenzen; wir wollen es auch thun und offen gestehen, dass in Bezug auf Schaden, der durch Kreuzer angerichtet werden kann, wir England und Frankreich noch lange nicht ebenbürtig sind; aber ich bin der Meinung, dass ebenso wie unsere Schlachtschiffe für England und Frankreich kein zu verachtender Bundesgenosse sind, so sind es unsere Kreuzer event. als Kreuzer armirte Schiffe auch nicht, ebenso wenig als ein derartiger Hafen. Der Wink in Bezug auf Anpflanzungen ist nicht zu unterschätzen; auch zu ihnen gehört deutsche Geduld und Ausdauer. Sollten französische Schiffe unsere Häfen aufsuchen, um entkräftete Mannschaft zu erfrischen und zu stärken, so können sie des grösstmöglichsten Entgegenkommens sicher sein, schon aus Dank für die Genesung und Stärkung, die Deutsche in französischen Hafenorten erhalten haben und erhalten.

Verlag von H. W. Schünemann in Bremen. Druck von Aug. Meyer & Dieckmann, Hamburg, Alterwall 10.

HANSA

Redigirt und herausgegeben
von
W. von Freeden, BONN, Thomasstrasse 9.

Abonnementspreis:
vierteljährlich für Hamburg 2½ ℳ,
für auswärts 3 ℳ = 3 sh. Sterl.
Einzelne Nummern 60 ₰ = 6 d.

Zeitschrift für Seewesen.

No. 20. HAMBURG, Sonntag, den 3. Oktober 1886. 23. Jahrgang.

Inhalt:

Die Veränderlichkeit der Deviation des Kompasses an Bord eines eisernen Schiffes.

Ein gewaltiger, in zweifacher Hinsicht bedeutungsvoller, Umschwung hat sich in der modernen Schiffahrt teilweise schon im Laufe der letzten Jahrzehnte vollzogen, und vollzieht sich teilweise noch täglich vor unsern Augen, nämlich einmal der Uebergang der Segelschiffahrt in Dampfschiffahrt, dann aber auch der Uebergang vom Holz als Baumaterial der Schiffe zum Eisen. Von diesen beiden Veränderungen hat, abgesehen von den Leiden der Besitzer von Segelschiffen, die erstere unserm Verkehrsleben grossartige und kaum geahnte Vorteile gebracht; denn nach der Einführung des Dampfes werden die einzelnen Reisen der Schiffe in fabelhaft kurzer Zeit ausgeführt, und es heisst heute mehr denn je „Zeit ist Geld." Wenn früher der Kaufmann unter ungünstigen Umständen Wochen lang auf das Eintreffen seiner Waaren warten musste, so kann er heute diesen Zeitpunkt nicht nur nach Tagen, sondern unter normalen Verhältnissen fast nach Stunden genau vorhersagen, auch verfliesst zwischen Bestellung und Empfang einer selbst von weit entlegenen Weltteilen bezogenen Waare nur eine kurze Spanne Zeit. Der Verkehr nach fast allen Erdteilen, sowohl der persönliche, als auch der briefliche, haben ungemein gewonnen, denn man reist beispielsweise heutzutage mit den grossen transatlantischen Passagierdampfern schneller vom europäischen Festland nach Newyork als früher mit den Segelschiffen nach England, und ein Brief, der in Hamburg auf die Post gegeben wird, erreicht seinen Adressaten in Hongkong heute innerhalb kürzerer Frist, als er vor der Einführung des Dampfes nötig hatte, um über See nach Lissabon oder Petersburg zu gelangen.

Dieses sind Vorteile, welche für Handel und Industrie von unberechenbarem Werte sind, ja sie wären unschätzbar, wenn mit der vermehrten Schnelligkeit der Dampfer auch die Sicherheit der Reisen eine grössere geworden wäre. Dieses ist aber leider nicht der Fall und daran trägt zu einem nicht geringen Teil der Uebergang vom Holz als Baumaterial der Schiffe zum Eisen die Schuld, weil das Eisen die unliebsame Eigenschaft besitzt, die Kompassnadel aus ihrer richtigen Lage abzulenken, wodurch die Bestimmung des thatsächlich gesteuerten magnetischen Kurses in hohem Grade erschwert wird. Da aber die Kenntnis des gesteuerten Kurses eine der Grundbedingungen ist für die sichere Führung eines Schiffes über See, so ist es Sache des Schiffsführers, durch Beobachtung zu ermitteln, wie viel die Kompassnadel auf jedem einzelnen Kurse durch die eben erwähnte Eigenschaft des Eisens abgelenkt wird und die Resultate dieser Beobachtungen in einer Tabelle zusammenzustellen, damit er jeder Zeit in der Lage ist, mit Hülfe derselben den gesteuerten Kompasskurs in den magnetischen zu verwandeln. Dieses nennt man bekanntlich die Anfertigung einer Deviationstabelle für den betr. Kompass. Nun wird zwar jedem angehenden Schiffsführer auf der Navigationsschule gelehrt, wie die Deviation des Kompasses für jeden Kurs auf hoher See durch astronomische Beobachtung gefunden werden kann, und es wird ihm auch wiederholt dringend ans Herz gelegt, wie äusserst wichtig für die Sicherheit der Führung seines Schiffes gerade die *täglich* wiederholte Anfertigung einer solchen Deviationstabelle ist, da die Deviation des Kompasses fortwährenden Aenderungen unterworfen ist; trotzdem aber wird heutzutage der zuletzt beregte Punkt leider noch zu oft ausser Acht gelassen, indem sich der Schiffsführer in der Regel damit begnügt, allemal nur die Deviation seines Kompasses für den Kurs zu bestimmen, den er augenblicklich steuert. Durch Aufführung wissenschaftlich festgestellter Thatsachen hierin eine Aenderung zum Bessern anzubahnen, soll der Zweck nachstehender Zeilen sein.

Wie bekannt, setzt sich die Deviation (δ) eines Kompasses zusammen aus zwei wesentlich verschiedenen Teilen, nämlich aus der halbkreisigen (semicirculären) und der viertelkreisigen (quadrantalen) Deviation und lässt sich wenn sie den Betrag von höchstens 2 Strich nicht überschreitet, für jeden einzelnen Kompasskurs (z) in der Praxis genau genug berechnen durch die Formel:

$$J = B. \sin z + C. \cos z + D. \sin 2 z.$$

In dieser Formel sind B und C die Koeffizienten der halbkreisigen Deviation, während D der Koeffizient der viertelkreisigen Deviation ist: sie müssen sämtlich durch Beobachtung der Deviation des Kompasses auf verschiedenen Kursen gefunden werden. Wären nun diese Koeffizienten unveränderlich (konstant), so wäre es ja leicht dieselben vor Beginn der Reise zu bestimmen und nun mit Hülfe derselben eine für alle Reisen richtige Deviationstabelle anzufertigen. Dem ist aber leider nicht so. Als konstant ist eigentlich nur der Koeffizient der viertelkreisigen Deviation D anzusehen, und zwar so lange als keine wesentlichen baulichen Veränderungen am Schiffskörper vorgenommen und keine grossen Eisenmassen (Eisenladung) an Bord geschafft werden. Die beiden Koeffizienten der halbkreisigen Deviation B und C sind fortwährenden Veränderungen unterworfen, welche aus folgenden Ursachen entstehen.

Die halbkreisige Deviation des Kompasses an Bord eines eisernen Schiffes setzt sich zusammen aus 3 Teilen, nämlich: 1. aus dem festen (permanenten) Magnetismus, 2. aus dem halbfesten (remanenten) Magnetismus und 3. aus dem flüchtigen im vertikalen Eisen induzirten Magnetismus.

1. *Fester Magnetismus.* Einem jeden Schiffsführer dürfte es bekannt sein, dass einer Eisenstange oder einer Eisenplatte, überhaupt jedem Eisenkörper durch die magnetische Kraft unserer Erde Magnetismus in höherem oder geringerem Grade induzirt wird, wenn derselbe längere oder kürzere Zeit in derselben Lage verharrt. Dieser im Eisen induzirte Magnetismus hat die Eigenschaft, dass die Lage seiner Pole eine andere wird, wenn das Eisen in eine andere Lage gebracht wird, und aus diesem Grunde nennt man diesen Magnetismus den flüchtigen (transienten). Demnach ist es einleuchtend, dass in allen Eisenteilen eines Schiffes ein solcher flüchtiger Magnetismus vorhanden sein muss. Wird aber ein Eisenkörper längere Zeit in derselben Lage festgehalten und während dieser Zeit heftigen Erschütterungen ausgesetzt, so wird die Lage der magnetischen Pole in diesem Eisen dadurch gefestigt und bleibt, wenn das Eisen hart genug ist, lange Zeit dieselbe. Nun ist es einleuchtend, dass beim Bau eines eisernen Schiffes solche heftige Erschütterungen unvermeidlich sind, und daher werden wir auch in jedem eisernen Schiffe 2 feste magnetische Pole finden, deren Lage im Schiff von dem Baukurse desselben abhängig ist. Diese Pole sind es, welche denjenigen Teil der halbkreisigen Deviation hervorrufen, welchen ich oben unter 1) angeführt habe, und welcher den am wenigsten veränderlichen Teil der halbkreisigen Deviation repräsentirt.

2. *Halbfester Magnetismus.* Ein Schiff, besonders ein Dampfer, welcher sich auf hoher See in Fahrt befindet, verharrt in der Regel längere Zeit auf demselben Kurse und ist infolge der Bewegung der Maschine und des Seegangs fortwährenden Erschütterungen ausgesetzt, welche bewirken, dass halbfester Magnetismus in den Eisenmassen desselben sich entwickelt. Die Stärke der so gebildeten Pole ist abhängig von der Länge der Zeit, während welcher die Erschütterungen stattfanden, von der Stärke derselben und von der Stärke der induzirenden Kraft, welche in diesem Falle die Totalkraft des Erdmagnetismus ist. Die Lage der Pole im Schiffe richtet sich natürlich nach dem Kurse, welcher während der Zeit, wo der halbfeste Magnetismus aufgenommen wurde, gesteuert worden ist, und zwar wird ein magnetischer Nordpol in der Richtung vom Kompass entstehen, wohin während des zuletzt gesteuerten Kurses magnetisch „Nord" lag. Als der zuletzt gesteuerte Kurs ist erfahrungsgemäss bei Dampfschiffen der Generalkurs der letzten 24 Stunden bei Segelschiffen der Generalkurs aus den zuletzt zurückgelegten 200 Seemeilen anzusehen, denn man hat gefunden, dass nach dieser Zeit keine für die Praxis noch in Betracht kommende Zunahme des halbfesten Magnetismus beobachtet worden ist. Aus dieser Thatsache folgt, dass dieser Teil der halbkreisigen Deviation an Bord eines in Fahrt befindlichen Schiffes nur äusserst selten konstant sein wird, vielmehr muss derselbe wegen der oft erfolgenden Kursänderung eine fortwährende Veränderung der Deviation des Kompasses hervorrufen.

3. *Der flüchtige im vertikalen Eisen induzirte Magnetismus.* Infolge der Induktion der vertikalen Komponente der magnetischen Totalkraft der Erde wird der ganze Schiffskörper auf nördlichen Breiten oben südmagnetisch, unten aber nordmagnetisch werden; auf südlichen Breiten wird natürlich das Gegenteil stattfinden. Da nun der Kompass über dem Oberdeck aufgestellt ist, so wird in unsern Breiten jedenfalls der Südpol des Schiffes auf denselben einwirken müssen. Die Lage dieses Südpols im Schiffe ist abhängig einmal von der Bauart des Schiffes, dann aber auch von der grössern oder geringern Fähigkeit des Eisens Magnetismus in sich aufzunehmen; seine Wirkung auf den Kompass aber ist abhängig von dem Orte, an welchem der Kompass aufgestellt ist und ganz besonders von der Grösse der vertikalen Komponente des Erdmagnetismus. Nimmt man nun an, dass der Aufstellungsort des Kompasses sowohl, als auch die Lage des Pols im Schiffe unveränderlich sind, so wird die durch diesen Magnetismus hervorgebrachte Deviation des Kompasses veränderlich oder konstant sein, je nachdem die vertikale Komponente des Erdmagnetismus sich ändert oder konstant bleibt. Um also die Veränderungen der Deviation, welche durch diesen flüchtigen Magnetismus hervorgebracht werden, verstehen zu können, muss man über die Veränderungen der vertikalen Komponente des Erdmagnetismus vollständig im Klaren sein. Nach einer, jedem Schiffsführer bekannten Formel ist aber die vertikale Komponente (v) gleich der magnetischen Totalkraft der Erde (T), multiplicirt mit dem sinus der Inklination (I). In Zeichen:

$$v = T. \sin. I.$$

In dieser Formel ist sin. I. veränderlich, da bekanntlich unter dem magnetischen Aequator, welcher nahezu mit dem Erdäquator zusammenfällt, die Inklination 0, in der Nähe der Pole aber 90° ist; ausserdem ist auf Nordbreite das Nordende einer freischwebenden Magnetnadel, auf Südbreite das Südende derselben nach unten geneigt.

Aus dieser Betrachtung geht hervor, dass, wenn ein Schiff seine Breite erheblich ändert, auch die vertikale Komponente der erdmagnetischen Kraft sich ändert, und in Folge dessen muss auch eine Zu- oder Abnahme der Stärke des magnetischen Pols im Schiffe stattfinden, wodurch wiederum eine Aenderung der Deviation des Kompasses bedingt wird. Geht nun gar ein Schiff auf einer Reise von der nördlichen Halbkugel zur südlichen über, so ändert sich nicht nur die Stärke, sondern auch das Wesen dieses Pols im Schiffe, da wir dann an derselben Stelle, wo auf nördl. Breite ein Südpol war, auf südlicher Breite einen Nordpol finden, welcher allerdings mit derselben Stärke auf den Kompass wirkt, aber eine entgegengesetzte Wirkung hervorbringt, da ein magnetischer Nordpol bekanntlich das Nordende der Kompassnadel abstösst, wogegen ein Südpol dasselbe anzieht.

Nach dem Vorstehenden wird es jedem Schiffsführer klar geworden sein, dass die Veränderungen, welche durch den im vertikalen Eisen induzirten Magnetismus in der Deviation eines Kompasses mit der Ortsveränderung des Schiffes vor sich gehen, sehr bedeutend sein können, und sie bedingen in der That den weitaus grössten Teil derselben. Da nun auf allen grösseren Reisen die geographische Breite an Bord eines Dampfers innerhalb 24 Stunden nicht unbedeutend verändert wird, so ist es einleuchtend, dass auch die Deviation des Kompasses sich täglich ändern muss.

Aus den angeführten Thatsachen ergiebt sich für die Praxis:

Die halbkreisige Deviation und infolge dessen auch die Gesamt-Deviation eines Kompasses ändert sich: 1. bei einer erheblichen Kursänderung, 2. bei einer erheblichen Aenderung der geographischen Breite.

Hieraus folgt zugleich, dass die im Hafen vor Beginn der Reise angefertigten Deviationstabellen höchstens für einen Zeitraum von 24 Stunden Anspruch auf Genauigkeit machen können. Will der Schiffsführer also nach Verlauf dieser Zeit die Deviation seines Kompasses auf dem Kurse, den er zu steuern gezwungen ist, genau kennen, so muss er sie natürlich wieder von Neuem bestimmen. Nun ist es aber meines Erachtens heutzutage nicht genügend, wenn der Schiffsführer nur die Deviation auf dem Kurse genau kennt, den er augenblicklich steuert, da leider nur zu oft Umstände eintreten können, die ihn veranlassen, plötzlich einen ganz andern Kurs steuern zu müssen. Derartige Umstände sind: Kollisionen, Stossen auf Grund, plötzliches Leckwerden des Schiffes, Bergen eines in Not befindlichen Schiffes u. s. w.; ausserdem ist recht wohl zu beachten, dass ihm auf See nicht zu jeder Zeit Gelegenheit geboten wird, eine Deviationsbeobachtung auszuführen, da die Beschaffenheit der Atmosphäre eine solche nicht selten unmöglich macht. Auch das Aufsuchen eines Nothafens kann selbstredend nur dann mit Sicherheit ausgeführt werden, wenn die Deviation des Kompasses auf allen Kursen mit hinreichender Genauigkeit bekannt ist. Hieraus folgt, dass es heutzutage eine der ersten Pflichten des Führers eines eisernen Schiffes ist, *täglich* eine Deviationstabelle für sämtliche Kurse des Regelkompasses anzufertigen und hiernach die Führung des Schiffes zu leiten. Die tägliche Ausführung der hierzu erforderlichen Beobachtungen muss dem Schiffsführer der Jetztzeit ebenso notwendig erscheinen, wie die tägliche Beobachtung seiner geographischen Breite und Länge; denn was nützt es ihm, dass er den Schiffsort mit hinreichender Genauigkeit in der Karte absetzen kann, wenn er über die Richtung des einzuschlagenden Weges nicht vollständig im Klaren ist? Dieser letztere Umstand kann, wie leicht erklärlich, für Schiff, Ladung und Besatzung äusserst verhängnisvoll werden und ist in der That schon manchmal die Ursache gewesen, wenn ein grosser Verlust an Menschen und Kapital zu beklagen war.

Nun ist die Bestimmung der Deviation eines Kompasses auf allen Kursen während der Reise, namentlich wenn dies täglich geschehen soll, nicht nur sehr umständlich, sondern auch zeitraubend, und dieser letztere Umstand ist wohl die Hauptursache, weshalb die Vorsichtsmassregel heute noch fast immer ausser Acht gelassen wird, insofern als, wie gesagt, der Schiffsführer sich damit begnügt, die Deviation seines Kompasses auf dem Kurse zu bestimmen, den er augenblicklich steuert. Um diesem Uebelstande abzuhelfen, haben sich die *Navigationslehrer Jessen und Lüning in Flensburg der Mühe unterzogen, etwa 1600 Deviationstabellen zu berechnen und übersichtlich geordnet in einem Tafelbuche zusammen zu stellen, welches bei J. B. Meyer in Flensburg im Druck erschienen und für 9 M. im Buchhandel zu beziehen ist.* *) Durch dieses Werk, welches sowohl von den ersten Autoritäten auf diesem Gebiete, als auch von verschiedenen Schiffsführern, denen dasselbe von den Verfassern und vom deutschen Nautischen Verein zur Prüfung mit an Bord gegeben war, als äusserst praktisch und für eiserne Schiffe heutzutage als unentbehrlich bezeichnet worden ist, wird jeder Schiffsführer in den Stand gesetzt, durch Beobachtung der Deviation auf nur zwei Kursen (Nord und Ost, oder Süd und Ost, oder Nord und West, oder Süd und West) in kürzester Zeit (etwa 10 Minuten) fast ohne Rechnung eine Deviationstabelle für sämtliche Kurse seines Regelkompasses anzufertigen. Die Einrichtung des Buches ist so getroffen, dass jeder Schiffsführer ohne irgend welche Kenntnis der Theorie der Deviation, dasselbe benutzen kann, nachdem er die den Tafeln vorangeschickten Erklärungen aufmerksam durchgelesen hat. Somit wird sich in Zukunft nach einem eingetretenen Unglücksfalle kein Schiffsführer, welcher die tägliche Anfertigung einer Deviationstabelle unterlassen hat, vor seinem Rheder oder vor dem Seeamte damit entschuldigen können, dass die dazu erforderliche Arbeit zu umständlich und zu zeitraubend sei, und es liegt unzweifelhaft die Zeit nicht fern, wo die *tägliche* Anfertigung einer Deviationstabelle dem Schiffsführer *gesetzlich* ebenso zur Pflicht gemacht wird, wie die tägliche Bestimmung des Schiffsorts und Aufzeichnung desselben im Schiffsjournal: denn das erstere ist meines Erachtens für die sichere Führung des Schiffes ebenso wichtig, wie das letztere.

Möge jeder Führer eines eisernen Schiffes, dem diese Zeilen zu Gesicht kommen, durch die in denselben dargelegten Gründe sich veranlasst sehen, auf See die Anfertigung einer Deviationstabelle für seinen Regelkompass, wenn irgend möglich, täglich vorzunehmen, dann wird die nicht geringe Arbeit der Verfasser des genannten Tafelbuchs reichlich dadurch belohnt werden, dass den Schiffsführern auf See der weitaus grösste Teil der hierzu erforderlichen Arbeit erspart, gleichzeitig aber der Verlust an Menschenleben und Eigentum in Zukunft ein erheblich geringerer werden wird. D.

*) Vergl. auch die Besprechung dieses Werks in Hansa 1885 S. 65.

Zur Geschichte des Rettungswesens zur See.

Joseph Francis

Im Jahre 1889 werden es hundert Jahr, seit an der Küste von Shields das englische Schiff «Adventure» strandete und vor den Augen von Tausenden zur Unthätigkeit verurteilter Zuschauer die ganze Mannschaft den Tod in den Wellen fand. Das traurige Ereignis erregte viel Aufsehen, es wurden Risse und Pläne unversinkbarer Boote eingefordert und auch geliefert, aber die politischen Ereignisse am Ende des vorigen und Anfang des jetzigen Jahrhunderts verschlangen alles Interesse an den menschenfreundlichen Regungen, wenn man auch annehmen darf, dass das Ereignis von Shields den Wendepunkt bezeichnet, seit welchem sich die praktische Teilnahme des grössern Publikums dem Rettungswerke Schiffbrüchiger zuwandte. Dass aber gerade im Jahre 1825 die englische Gesellschaft zur Rettung Schiffbrüchiger sich bildete, und gleichzeitig in Frankreich an verschiedenen besonders gefährlichen Küstenpunkten Rettungsboote und Mörserapparate verteilt wurden, (die einheitliche Gesellschaft zur Rettung Schiffbrüchiger wurde in Frankreich 1866, ein Jahr nach der deutschen Gesellschaft gegründet), das hatte seinen bestimmenden Grund in Ereignissen und Erfindungen jenseits des Oceans. Die Kunde davon wirkte anregend auf die bisherigen latenten Bemühungen Einzelner, welche erst mit Hülfe eines vollendeten Bootsmodells die unschlüssigen grossen Massen mit sich fortreissen konnten zur Bildung eines das ganze Küstengebiet umspannenden kapitalkräftigen Vereins.

Der transatlantische Erfinder ist niemand anders als Joseph Francis, welcher das erste wirklich praktische und noch jetzt nach ihm benannte Rettungsboot und auch den Rettungsstuhl erfand, und dessen Verdienste um das Rettungswesen zur See der amerikanische Kongress spät zwar aber doch nicht zu spät im vorigen Jahr durch eine Nationalbelohnung anerkannte. Joseph Francis, ein freundlicher alter Herr von 85 Jahren, wohnt seit längerer Zeit in Stevens House in dem untern Teil des Broadway in Newyork, wo man ihn mit seinen hellblauen Augen, die Jedermann freundlich anlächeln, als ob er Jedermanns Freund sei, grauem Schnurrbart und feinem Knebelbart, im altmodischen Frack und Vatermördern und in feintuchenen Hosen häufig herumwandern sehen kann.

Schon in frühester Jugend hatten Berichte von Schiffbrüchen seine Aufmerksamkeit auf die Art und Weise hingelenkt, wie man schiffbrüchige Mannschaften vor dem Wellentode bewahren könne. Elf Jahre alt baute er ein Boot mit Abteilungen vorn und achter, welche er mit Korkblöcken anfüllte. Er geriet fast ausser sich vor Freude, als er das Boot mit Wasser füllte und sah, dass es nicht allein nicht [illegible] mit 4 Mann in [illegible] schwimmen blieb. Das war das erste wirkliche in Amerika gebaute Rettungsboot. Nachdem er verschiedene Verbesserungen angebracht hatte, legte er es dem Technischen Institut von Massachusetts vor, welches dem knabenhaften Erfinder dafür eine Belohnung zuerkannte, und wichtiger als das, Männer von Verstand und Vermögen für die Erfindung gewann. Im Jahre 1825 baute er darauf ein Rettungsboot mit Luftkammern längs den Seiten und in den früheren Abteilungen für Kork, am Vorder- und Hinterteil des Bootes. Das Boot lief so steil vom Stapel, dass es unter das Wasser schoss, aber alsbald wieder auftauchte, mit dem Kiel nach unten; mehrere Personen stiegen hinein, konnten es aber weder zum Sinken noch zum Umfallen bringen. Dies Boot stellte er in Philadelphia aus und erhielt alsbald 2 Bestellungen auf das Modell von englischer Seite, welche für die Küste von Kanada bestimmt wurden. Dann häuften sich die Bestellungen mehr und mehr, da die praktische Bedeutung der Erfindung diesseits des Oceans bereitwilligst gewürdigt wurde, wenn auch das System des Engländers Peake und dessen Ausführung in Holz in England vielfach den neuerdings in Wellblech ausgeführten Booten von Francis vorgezogen wird. Noch jetzt sind an den englischen Steilküsten die schwerern Peakeboote häufiger, als die leichtern Francisboote, welche letztern sich wegen leichtern und weitern Transports mehr zum Gebrauch an Flachküsten eignen.

Im Verfolg weiterer Versuche erbaute Francis 1838 einen Rettungsstuhl für Schiffbrüchige, mit welchem es ihm 1850 gelang, von dem gestrandeten britischen Schiff Ayrshire von den an Bord befindlichen 201 Personen alle bis auf eine zu retten, welche beim Sprunge nach dem Stuhl verunglückte. Aus Gesundheitsrücksichten machte er bald nachher eine Reise nach Europa, auf welcher er vor dem Kaiser Napoleon III. auf der Seine eine so befriedigende Vorstellung mit seinem Rettungsstuhl zum Besten gab, dass der Kaiser ihm eine mit 86 Diamanten besetzte goldene Tabaksdose mit den Kaiserlichen Anfangsbuchstaben schenkte. Viele andere Herrscher und Gesllschaften ehrten ihn durch Medaillen und Diplome, und bei der Rückkehr von der Reise fand er, dass seine Regierung seinen Rettungsstuhl und Rettungswagen ebenfalls angenommen hatte.

Englands Hülfsquellen im Fall eines grössern Seekrieges.

Welche Hülfsquellen England aus der eigenen Kauffahrteiflotte von Dampfern zufliessen, ersieht man aus einem dieser Tage ausgegebenen parlamentarischen Bericht über seine vorbereitenden Rüstungen, als vor 3 Jahren der Streit mit Russland wegen der afghanischen Grenzen auszubrechen drohte, und letzterem Staate nachgesagt wurde, dass er in Amerika Kaper ausrüsten wolle. England mietete damals eine Anzahl der schnellsten Kauffahrteidampfer, welche englischen Rhedern gehörten, obwohl in der Oeffentlichkeit meist nur von einem, dem jetzt untergegangenen „Oregon", und dessen Umbau zu einem bewaffneten Kreuzer die Rede war. Dieser Bericht nun veröffentlicht Zahl, Namen, Rheder, Grösse, Mietsumme, die Ausrüstungskosten zu Kreuzern und wiederum die Vergütungen für die Abrüstung zu Kauffahrteizwecken für die seit Sept. 1883 von der Admiralität gemieteten Kreuzer und Transportschiffe.

Zu Kreuzern wurden nachstehende 14 Dampfer von der Admiralität gemietet und ausgerüstet:

America	Nationallinie	5 527	To. für £	26 375	Miete
Oregon	Cunardlinie	7 375	" " "	39 590	"
Umbria	"	7 718	" " "	36 824	"
Arizona	W. Pearce	5 148	" " "	19 365	"
Alaska	"	6 932	" " "	31 694	"
[illegible]	P. & O. Comp.	[illegible]	" " "	[illegible]	"
Massilia	"	4 908	" " "	42 000	"
India	Brit. Ind. Comp.	4 065	" " "	26 438	"
Glenogle	"	3 749	" " "	25 305	"
Lusitania	Orientlinie	3 832	" " "	25 622	"
Moor	Unionlinie	3 688	" " "	18 827	"
Mexican	"	4 588	" " "	37 804	"
Britannia	Pacificlinie	4 129	" " "	25 283	"
Coptic	Oceanic S. S. Comp.	4 448	" " "	27 524	"
Im Ganzen für Dampfermiete				£ 407 289	

	£ 407 289
Dazu kommen noch als weitere Items	
Für Ausrüstung zu Kreuzern	" 29 824
Für Abrüstung zu Kauffahrteischiffen	" 51 585
Für Verschiedenes	" 46 773
Unkosten der Kreuzermieten	£ 535 471
Für gemietete Transportschiffe wurden bezahlt im Jahre 1883	" 39 828
" " 1884	" 168 959
" " 1885	" 791 167

worin die Schleppdampferkosten eingerechnet zu sein scheinen. Das macht im Ganzen £ 1 535 425 oder rund 30 Mill. Mark für vergebliche Kriegsrüstungen zu Wasser. Indessen „das Geld bleibt im Lande!" wie man sich hierorts einstens über eine nutzlose Mobilmachung tröstete.

Aus Briefen Deutscher Kapitäne. X.

Westindische Punkte.

1. Bahama-Kanal und Havana. 2. Laguna de Terminos.

Auf der Höhe von Sisal, 29. Juni 1886.

Geehrte Redaktion!

Da ich gerade der interessanten Beschäftigung obliege, bei totaler Windstille und Gegenstrom von Laguna nach Kap Catoche aufzukreuzen, so will ich Ihrem ausgesprochenen Wunsche nachzukommen versuchen und Ihnen über die zuletzt von mir besuchten Häfen Einiges mitteilen, wäre es auch nur, um der tötlichen Langeweile zu entgehen. Ich studire zwar in letzter Zeit Spanisch und lasse auch sonst keine Gelegenheit vorübergehen, um meine Kenntnisse zu erweitern, aber der Mensch will doch auch mal eine kleine Veränderung haben, wie es in dem klassischen Liede heisst, also —.

Zuerst sei **Havana, Cuba** erwähnt. Was die *Ausegelung* des Platzes anbelangt, so wüsste ich den vorhandenen Anweisungen wenig hinzuzufügen, nur wäre ich fast geneigt, auch für die Zeit der Norder, December bis März, die Passage durch den Alten Bahama-Kanal anzuraten, anstatt um Kap Antonio herum. Denn wenn es auch für ein Schiff keine angenehme Situation wäre, im engsten Teile der Passage von einem Norder überrascht zu werden, so ist doch selbst in diesem schlimmsten Falle ein Zurücklaufen bis hinter die Musaras-Shoals leicht möglich, und hat man hier unter Lee der grossen Bahama-Bank, bei der NW bis N Richtung des Windes genügend Platz, schlechtes Wetter abzuhalten. Auch der Ankerplatz unter Kap Confites auf der cubanischen Seite, Kap Lobos Feuer schräg gegenüber, ist leicht zu finden und soll genügend Schutz gewähren, so dass man also in diesem Falle das Zurücklaufen vermeidet. Die Advokaten der Route um Kap Antonio machen allerdings geltend, dass die auf der nördlichen Route durch einen Norder verlorene Zeit genügend wäre, von der südlichen Route her Havana zu erreichen, und zwar mit grösserer Sicherheit. Ganz kann ich hiermit nicht übereinstimmen, denn wenn auch nicht jeder an der Nordseite der Insel wehende Norder sich südlich von derselben fühlbar macht, so ist das Vorkommen nördlicher und westlicher Winde in den genannten Monaten südlich von Cuba doch keineswegs so selten, dass man mit Sicherheit auf eine rasche, ungestörte Reise rechnen könnte. Sicherer ist es allerdings, südlich von der Insel herumzugehen, doch sind die Gefahren der andern Route auch nicht der Art, dass ihnen durch Achtsamkeit nicht zu begegnen wäre. Auf ein paar schlaflose Wachen muss man sich allerdings gefasst machen. Strömung fand ich nur auf der Strecke von Maternillos-Pt. bis Kap Lobos, wo dieselbe scharf auf's Land setzte; von Kap Lobos durch den Nicholas-Kanal bis zum Meridian von Kap Sal war keine, und nur von letzterem Punkte nach Havana machte sich der Golfstrom recht bemerkbar.

Die Feuer und Seezeichen der cubanischen Küste sind erster Klasse und werden scharf in Ordnung gehalten.

Der Hafen von Havana ist einer der besten Naturhäfen, welche ich je gesehen, nur die Richtung der Einfahrt, SOzO½O, für Segler bei dem herrschenden Winde etwas unbequem. Bei der grossen Enge des Fahrwassers, ca. zwei Kabellängen, und der Höhe des Landes beim Morro-Kastell, welches man innerhalb einer Schiffslänge passirt, ist das Einsegeln für grössere Raaschiffe wohl nur selten möglich. Die umspringenden Winde nötigen die Schiffe fast immer, zu ankern und dann einen Dampfer zu nehmen, wenn man nicht vorzieht, dies gleich zu thun. Die beste Aussicht einzusegeln hat man mit dem ersten Einsetzen der Seebriese, gegen 1—2 Uhr Nachmittags. Dampfergeld geht nach Tarif, doch kann man gewöhnlich 30—40% abhandeln. Für mein Schiff wurde 25 $ Gold verlangt, doch kam man bis $ 15 herab.

Es existirt Lotszwang sowohl für eingehende wie für ausgehende Schiffe, doch kommen die Herren erst innerhalb des Morroforts an Bord. Lotsgeld wird pro Reg.-Ton und nicht nach Tiefgang erhoben.

Desgleichen benötigt man für jede Bewegung im Hafen eines Lotsen, und bei der Unordnung, mit welcher die Schiffe über die ganze Bai verstreut liegen, auch fast immer eines Dampfers. Havana selbst, eine Stadt von 250—300 000 Einwohnern, Sitz des Gouvernements etc. liegt auf der vom Meere und der Bai gebildeten Halbinsel, an der rechten Seite der Einfahrt. Vom Meere aus gewährt die Stadt einen malerischen Anblick, und verliert auch in der Nähe nicht so sehr. In der Altstadt sind die Strassen zwar eng und in Folge davon drückend heiss, aber doch sauber gehalten, ausserhalb der jetzt niedergelegten Stadtmauern ist es aber anders: breite Boulevards und parkähnliche Plätze von grossen, schönen Gebäuden eingefasst sind häufig. Die Geschäfte sind grösstenteils in der untern Stadt. Eine gute Kaje zieht sich um die Stadt herum, doch löschen die Schiffe hier alle mittelst grosser Stellagen über den Bug, was sowohl wegen der Stellage wie auch wegen vermehrten Arbeitslohns nicht unbedeutende Kosten verursacht. Dampfer liegen meist quer ab von Fort Cubana, der Stadt gegenüber, vertäut und löschen in Leichter. Durch die Dampfer sowohl wie durch die andern vertäuten Schiffe auf der Stadtseite wird das ohnehin schmale Fahrwasser noch ungebührlich eingeengt, wie überhaupt die Handhabung der Hafenordnung vieles zu wünschen übrig lässt.

Die der Stadt gegenüber liegenden Plätze, wie Guanabacoa, Ost- und West-Regla etc. haben ebenfalls ausgedehnte Kajenanlagen, und besonders West-Regla riesige Waarenschuppen hauptsächlich für Zucker und Melasse. Ich selber löschte meine Ladung Guano in Packhäuser in West-Regla, und ist man, abgesehen von der Entfernung von der Stadt, dort viel besser gestellt als in Havana; man liegt längsseit an der Kaje und hat weniger Unkosten. Letztere sind hier in Havana sehr hoch, wie die nachfolgende Uebersicht zeigt, und werden durch allerlei Gebräuche und Usancen, welche natürlich wie immer zu unserm Nachteile sind, noch unnötiger Weise erhöht. So bezahlt man erstens über die ganze Fracht eine Adresskommission von 2½%, selbst wenn dieselbe, wie häufig geschieht, schon im Abgangshafen bezahlt ist, dann nochmals 2½% auf Ship's disbursements, dann wurde zu diesen zweimal 2½% bis vor einigen Jahren von der Regierung noch je 1% erhoben; wofür mag der Himmel wissen, doch ist diese Abgabe jetzt abgeschafft. Eine andere famose Einrichtung noch einige Dollars herauszudrücken ist die sog. Desinfizirung des Schiffes. Geschähe dies bei Ankunft in Havana, so läge, wie man auch über den Nutzen der Quarantäne etc. denken mag, doch immer noch ein gewisser Sinn darin, aber hier geschieht es bei der Abfahrt, wahrscheinlich damit die dem Lande eigentümlichen Fieber nicht exportirt werden. Man kauft selber, aber in einer bestimmt bezeichneten Apotheke, das Desinfizirungspulver; die andern Apotheken führen keine gute Waare, heisst es. Die Sache ist aber die, dass in der bezeichneten Apotheke die Sachen gerade das Doppelte kosten als sonstwo und werden die Herren sich wohl in den Ueberschuss teilen. Nachdem man auf diese Art in Besitz der Chemikalien gelangt ist, notifizirt man der Sanitätsbehörde seine Bereitschaft, das Boot kommt längsseit, löst die Etiquette von dem Desinfizirungspacket, befiehlt das Pulver in Wasser zu lösen, teilweise in die Pumpen zu giessen, den Rest im Schiff herum zu spritzen, und fährt dann weg, ohne sich um die Ausführung der Ordres zu bekümmern und ohne dass nur ein Mann der Sanitätsbehörde den Fuss auf Deck setzt. Da es mir nun nicht um den Gestank im Schiffe zu thun war, habe ich dem wegfahrenden Boote den ganzen Schund nachgeworfen, worauf die Herren sich noch gegenseitig unter Gelächter aufmerksam machten.

Solcher Sachen giebt es hier noch mehrere, man lacht wohl darüber, aber es ist doch immer gutes Geld, was für solche Narrheiten oder gerade heraus gesagt, Erpressungen, bezahlt werden muss. Einem Amerikaner, welcher seine Chemikalien nicht in der bezeichneten Apotheke gekauft hatte, wurde der Morropass verweigert; er machte aber soviel Lärm, worin er von uns, durch Inserate in dem Weekly Report, die Sache aufklärend, so kräftig unterstützt wurde, dass er schliesslich förmlich aus dem Hafen gejagt wurde, und zwar ohne geräuchert zu sein. Freilich kostete ihm die Sache auch drei Tage, und später blieb doch Alles beim Alten. Der Gesundheitszustand zur Zeit meines Aufenthalts, Mai 1886, war gut. Gelbes Fieber soll sich schon seit Jahren nicht mehr epidemisch gezeigt haben. Eine unserm Marschfieber ähnliche Krankheit zeigte sich vereinzelt, verlor sich jedoch unter Behandlung mit Chinin bald.

Der Frachtenverkehr war zur Zeit nicht bedeutend. Hauptexportartikel sind Melassen und Zucker, dann Mahagoni, Taback etc. Melassen werden gewöhnlich per 110 Gallonen gechartert, zur Zeit ca. $ 2.50, Zucker per Hogshead, wobei jedoch die Grösse specifizirt wird mit gewöhnlich 10% Tierces als broken stowage (Stautücken), Mahagoni gewöhnlich per 50 Cubikfuss, zur Zeit 34 sh. Dabei sind die Usancen über „frei an Bord", „frei von Leichter" etc. so mannigfach, dass ich nichts darüber sagen kann, da fast jeder Platz in dieser Hinsicht seine eigene Usance hat. In Havana ist Leichtergeld zu Lasten des Kaufmanns, in dem nur wenige Meilen entfernten Sagua Grande zu Lasten des Schiffes etc., so dass ohne genaue Lokalkenntnis nicht durchzukommen ist.

Schiffsbedürfnisse aller Art sind zu mässigen Preisen zu haben. Frisches Fleisch guter Qualität 15 cts. pr. ℔, frische Gemüse recht billig. Wasser 1 ct. pr. Gallone oder 4½ Liter, in der trockenen Jahreszeit 1½ ct., Arbeitslohn 4 $ Papier, Ballast je nachdem von $ 1.30—1.80 Gold, letzteres für trockene Steine, ersteres für Strassenkehricht. Reparaturen aller Art können in dem grossen Trockendock ausgeführt werden. Genaues über die Kosten habe ich nicht erfahren, doch sollen sie sehr hoch sein.

Die herrschende Münze ist der Gold-Dollar zu 8 Real oder 100 Cents, zur Zeit ca. ℳ 3.72 d. h. im kaufmännischen Verkehr. Als Scheidemünze und so von Hand zu Hand kursirt der Papier-Dollar, dessen Kurs aber manchmal um 15—20 % schwankt per Tag. Zur Zeit standen $ 2.15 bis $ 2.30 = 1 $ Gold. $ Gold 4.44 + 21 % Prämie, also ca. $ Gold 5.37 = 1 £. Ein eigentümlicher Gebrauch herrscht hier in Betreff des Gold-Dollars. Dass Gold gegen Silber einen Vorzug oder Agio hat, ist ja etwas gewöhnliches, hier aber werden 100 Doll. Gold d. h. 100 goldene Dollarstücke oder etwa 20 Fünfdollarstücke als 106 Doll. Gold gerechnet. Zu welchem Zwecke begreife ich nicht recht, auf die Art erhält das Gold ja doch keinen höhern Wert. Für Wechsel auf London, 60 Tage Sicht, bezahlte ich $ Gold 5.37 per £. Drei Tage Sicht bedeutend ungünstiger, doch erinnere ich mich des Kurses nicht mehr. Das Löschen und Abfertigen der Schiffe geht im Ganzen rasch; man hört selten, dass Schiffe aufgehalten werden.

Der entsetzlich schwerfällige und kostspielige Gerichtsapparat macht das Eintreiben kleinerer Forderungen wie Liegegeld etc. fast unmöglich. Ich hatte z. B. in meiner Charter erst die Klausel „Charterers liability to cease on Captains signing Bills of Lading" und später „Captain to have an absolute lien, on the cargo, for all freight, dead freight and demurrage. Man sollte sagen die Sache wäre klar und deutlich. Glücklicher Weise hatte ich nicht nötig, extreme Massregeln zu ergreifen, da meine Fracht anstand-los bezahlt wurde. Um mir aber doch ein Urteil über den praktischen Wert obiger Klauseln zu bilden, zog ich bei einigen hier etablirten Schulkameraden Erkundigungen ein und erfuhr, dass eine einfache Beschlagleguug auf die Ladung ca. 250 $ Gold kosten würde. Die Herren waren so freundlich, mir eine Art Rechnung aufzustellen, und lief Einem eine Gänsehaut über, beim Anblick aller dieser Posten, wie Applikationen an's Gericht, Auszüge und Uebersetzungen der Charterpartie, alles auf Stempelpapier vom offiziellen Dolmetscher, Anlegen von Siegeln und Certifikate dazu, Gerichts-porteln und Gott weiss was sonst noch Alles. Dass unter diesen Umständen selbst die gerechteste Forderung illusorisch wird, wenn es sich nicht um so bedeutende Beträge handelt, dass die Kosten darauf stehen können, liegt auf der Hand, und liegt hierin auch wohl der Grund, dass Missbräuche wie die oben betreffs Kommission etc. erwähnten, sich so lange haben erhalten können.

Nachstehend folgt eine Uebersicht meiner Auslagen für mein Schiff von 272 Reg.-To., mit Ladung ein- und in Ballast ausgehend.

	$ Gold
Lotsengeld einkommend	11.—
Verholen nach der Kaje und Vertäuen	8.50
Abholen von „ etc.	8.50
Dampfer einkommend	15.—
Gesundheitsvisite	8.—
Uebersetzung der Manifeste und Proviantliste	21.25
Tonnengelder 1.30, wenn auch in Ladung ausgehend 1.35	353.60
2½ % auf obige disbursements	10.62
Luken- und Garnierbesichtigung (wenn verlangt)	6.50
Desinfiziren des Schiffes	4.25
60 Tons Ballast à 1.50	90.—
Wasser füllen	5.—
Aufsicht beim Ballastnehmen und Permit	1.—
Lotsgeld ausgehend	11.—
Dampfer „	12.—
Gesundheitspass	6.75
Visa desselben u. der Ballastmanifeste (mex. Konsul)	9.60
Konsulatsgebühren u. Verklarung (deutscher Konsul)	8.—
Klariren aus und ein	16.—
Frisches Fleisch etc. Arbeitslohn u. sonstige Auslagen	65.—
Summa $ Gold	673.57

ein recht hübsches Butterbrot, meinen Sie nicht auch, für ein Schiff wie das meinige? Ich hatte glücklicherweise damals in Havre noch eine den Umständen nach gute Fracht erhalten, so dass ich nicht Alles hier zu lassen brauchte; ein Kollege von Genua mit Marmor hierher bestimmt, kam mit seiner ganzen Fracht nicht aus. Aber genug hierüber; es sollte mich freuen, wenn Ihnen meine Schreiberei gefällt und will ich, da ich gerade dabei bin, in Folgendem einige Angaben über Laguna de Terminos oder Puerta del Carmen machen. (Schluss folgt.)

Die Verladung des Petroleums als Pumpgut (in Bulk).

II.

Den Petroleum-Tank-Schiffen droht ein böser Widerstand seitens der bei der bisherigen Methode der Verschiffung in Fässern beteiligten Arbeiter und Oelgesellschaften. Oilmen, Longshoremen etc., welche bekanntlich in Newyork wie in keinem Seeplatze der Welt sich zu festen Innungen zusammengethan haben, und wie schon öfters an dieser Stelle von Schiffsführern beklagt ist, den Schiffern und Verladern gleichmässig ihre Gesetze vorschreiben, wie und wie lange, mit wem und für welche Entschädigung sie arbeiten wollen, haben sich mit den Küfern und Oelgesellschaften, welche selber ausgedehnte Küferwerkstätten besitzen, verbunden, um der Tankverschiffung Hindernisse in den Weg zu legen. Zunächst ist von ihnen vereinbart, dass die Liegetage der Tankschiffe eben so viele sein sollen, wie der Fassschiffe. Damit wäre ein grosser Vorteil der Tankschiffe illusorisch gemacht, da letztere nur ein Zehntel der Zeit zum Laden bedürfen, welche das Fassschiff bedarf. Dem Dampfer „Glückauf" ist diese ruinirende Zumutung schon gestellt, es steht zu erwarten, dass dessen eventuelle Nachfolger nicht glimpflicher behandelt werden. Es ist eine grimme Notwendigkeit, vor welche die Tankschiffe gestellt werden, sie kommen leer in Newyork an und dort erschwert man ihnen die einzige Rückladung durch ruinöse Zumutungen. Bleibt nichts übrig als Newyork gänzlich den Rücken zu wenden und den Transport von Batum zu unternehmen, falls sich das nach andern Rücksichten lohnt.

Es wird allerdings von Batum nach Fiume und andern Häfen viel rohes oder halb rohes Petroleum verfahren, doch sollen die Verschiffungen unter vielen Gefahren stattfinden. Das rohe Oel verwandelt sich schon bei niedriger Temperatur teilweise in ein sehr entzündliches und explosives Gas, und dennoch wird es in sehr sorgloser Weise in Batum verladen. Die Fässer sind schwach und ungleich gross und gestaltet, verstauen sich deshalb schlecht und lecken sehr, sodass bei der Entlöschung in Fiume das Lecköl nicht selten einen Fuss hoch im Raume steht. Daher ist das Verbrennen dieser Schiffe nichts seltenes, wenn das Bilgeöl den Kesselraum erreicht; sogar schon am nächsten Tage nach der Abreise von Batum kam es vor. Hingegen würde von vorsichtig gebauten Tankschiffen das rohe Oel ebenso sicher verfahren werden können als das reine Oel.

Es wird nun vorläufig keine Frage sein, dass die Eigner von Petroleumschiffen, die an Nordsee und Atlantic wohnen, lieber Oel von Amerika verfahren als von dem entlegenen schwieriger zugänglichen Batum. Aber es wird davon abhängen, dass der Widerstand der Amerikaner gebrochen werde, welche an die Tankschiffe Oel nicht oder unter sehr erschwerenden Umständen verkaufen wollen, ob dies System der Verladung des Oels als Pumpgut an Ausbreitung gewinnt oder nicht. Allerdings scheint sich in England eine Stimmung vorzubereiten, sich mit Macht auf diese Art des Transports zu werfen, wozu die starke Vermehrung der amerikanischen Ausfuhr gegenüber der mindergrossen von Batum allerdings verlockend wirkt. Die Zahlen beweisen, dass Grund zur Teilnahme am Verkehr vorhanden ist. In den letzten 15 Jahren führten nach Herrn *Martell* *Amerika* und *Batum* aus

Amerika		Batum	
1870... 334 000	Tons	1878... 97 550	Tons
1872... 427 000	„	1879... 110 000	„
1874... 729 000	„	1880... 150 000	„
1876... 717 000	„	1881... 183 000	„
1878... 997 000	„	1882... 202 000	„
1880... 1 247 000	„	1883... 206 000	„
1882... 1 647 000	„	1884... 348 400	„
1884... 1 510 700	„		
1885... 1 531 000	„		

Dass die Ausfuhr von Batum einer grössern Steigerung fähig ist, lässt sich nicht bestreiten. Jetzt noch wird das Oel vom Gewinnungsort Baku am Caspisee 560 Sm. weit über Land durch eine einspurige Eisenbahn nach Batum gebracht und dort verladen. Aber bei drängendem Bedarf wird man ebensowie in Amerika dazu übergehen, (vergl. Hansa 1885 S. 126) Röhrenleitungen von Baku nach Batum zu legen, sodass es direct von Baku in die Cisternen von Batum fliesst, in wenig Stunden in die Schiffstanks gefüllt und nach dem Bestimmungsort verfahren wird, um dort ebenfalls in wenig Stunden in dort vorhandene Cisternen übergepumpt zu werden, bis es von da in den kleinen Verkehr übergeht. Die Fassfrage wird dann Sache des Consumlandes, und bleibt nicht wie in Amerika Sache des Productionslandes. Diese Aenderung wird sich um so leichter mit dem kaukasischen Oel in die Wege leiten lassen, als die östlichen Gegenden so holzarm als die westlichen Gestade holzreich sind.

Ein letzter Grund dürfte der Pflege der Verschiffung von Batum das Wort reden, besonders wenn erst die Röhrenleitung die grossen Kosten des Landtransports, und die Tankverschiffung die Kosten des Seetransports vermindert hat. Denn ausser um die Verschiffung des Petroleums zu Leuchtzwecken handelt es sich um die Verschiffung der Rückstände der russischen Petroleumraffinerie zu Baku, und die Verwendung dieser *„Astatki“* genannten Rückstände zur Kesselheizung. Die technischen Schwierigkeiten der Heizung der Dampfkessel mit Petroleumrückständen dürfen als überwunden angesehen werden, aber die Benutzung des neuen Triumphs der Ingenieurkunst scheiterte bisher an dem Kostenpunkt. Gegenüber dem Preise von ℳ. 9 pr. T. gute Kohle zu Cardiff, und trotz der doppelten Leistungsfähigkeit des Petroleums gegenüber der Kohle, Wasser in Dampf zu verwandeln, steht die Bilanz doch zu Ungunsten des erstern Materials. Denn in Baku schwankt der Preis des Astatki von ℳ. 0.40 bis ℳ. 1.25 pr. T., steigt aber durch den Landtransport bis Batum auf ℳ. 20 und durch die Verschiffung nach Kanalhäfen bis auf ℳ. 42 pr. T.; rechnet man also auch nur ½ Ton Petroleum gleichkräftig mit 1 Ton Kohle, so hat jenes doch noch eine Unterbilanz von ℳ. 12 pr. T., welche erst durch Ermässigung der Transportkosten ausgeglichen werden muss, bevor an eine geschäftsmässige Verwendung zu denken ist. Immerhin wird es gut sein, die Verschiffung von Batum zu befördern, schon um dem Widerstand der Amerikaner ein Paroli zu biegen.

Verschiedenes.

American Drinks auf der Liverpooler Shipperies-Ausstellung. Ein amerikanischer Berichterstatter besuchte am 4. Juli, dem „Day we celebrate“, die Schiffbau-Ausstellung zu Liverpool und äussert sich ziemlich unzufrieden darüber, dass sein Heimatsland so mangelhaft dort vertreten ist und die wenigen und meist unbedeutenden Gegenstände noch dazu unter Staub und Unrat versteckt sind. Selbst die Karten, Hafenpläne und Pilot charts des U. S. Hydrographic Office befänden sich in einer nichts weniger als ebenbürtigen Umgebung, gegenüber einer „artistic display“ von Seifen und Parfüms, so dass jeder ächte Yankee klagend sich an den U. S. Kommissar wenden („go darn“, statt down) müsse, um Abhülfe zu schaffen. Er selber freilich hilft sich in anderer Weise darüber weg, dass die Ausstellung seines Landes so verbummelt und verloddert aussieht und flüchtet sich zwecks Abkühlung seines Ingrimms zur Amer. Bar. Als er endlich vor dem Pagoden-Kiosk-Tempelartigen Bau steht, fällt sein Blick auf die fett gedruckte Preisliste der verschiedenen auserwählten Getränke, welche dort für 6, 9, 12 Pence ausgeboten werden, und kopirt dieselbe rasch zum Nutzen der Menschheit. Um seiner wohlwollenden Absicht entgegenzukommen, sei dies Ausstellungsstück amerikanischer Gourmandise hier in der Ursprache wiederholt:

International Exhibition, Liverpool.
American Bar.
List of Drinks.

Short Drinks, 6 d. each. — Champagne Cocktail, Brandy Cocktail, Gin Cocktail, Whiskey Cocktail, Vermouth Cocktail, Brandy Sour, Whiskey Sour, Gin Sour, Brandy Twist, Whiskey Twist, Gin Twist, Brandy Crusta, Whiskey Crusta, Gin Crusta, Rye Skin, Bourbon Skin, Bourbon Cocktail, Rye Cocktail, Sherry Flip, Brandy Flip, Egg Flip, Prairie Oyster, Nightcap.

Long Drinks, 9 d. each. — Sherry Cobler, Claret Cobler, Hock Cobler, John Collins, Brandy Collins, Whiskey Collins, Claret Punch, Whiskey Punch, Brandy Punch, Rum Punch, Milk Punch, Egg Nogg, Soda Nogg, Brandy Sling, Gin Sling, Whiskey Sling, Claret Cup, Hock Cup, Champagne Cup, Lemon Squash, Brandy Squash, Soda Cocktail, Shipperies Lemonade.

Specialities, 1 sh. each. — Morning Call, Bosom Caresser, Heap of Comfort, Flash of Lightning, Port Flip, Ladies' Delight, Black Stripe, Boston Punch, Fairies' Kiss, New York Punch, Rattlesnake, Saugaree, Maiden's Blush, Magnolia, Flip Flap, Eye Opener, Pousse l'Amour, A Yard of Silk, A Yard of Flannel, Corpse Reviver, Victoria Punch, Pousse Café, Shipperies Punch.

Wines, Spirits, Liqueurs, Ice Cream, Soda, Fruit, Drinks.

Statt sich aber über die Erfindungsgabe und die reiche Phantasie seiner landsmännischen Schnapsfreunde zu freuen, ärgert sich unser Berichterstatter darüber, wie dieser — Engländer — seinen arglosen Landsleuten mit diesen sog. „American Drinks“, wie er sie tauft, Sand in die Augen streut. Er hätte dem Schenkwirt einen „Bosom Caresser“ hinter die Ohren, einen „Port Flip“ an die Steuerbordseite seiner Nase, einen „Black Stripe“ auf den Rücken, einen „Flip-Flop“ unter das Kinn, einen „Corpse Reviver“ in die Tiefe seines Bauchs geben, und mit einer „Yard of Flannel“ seine von einer „Maiden's Blush“ nie berührten Wangen zusammenbinden mögen. Aber er hätte seinen Patriotismus noch an vielen andern Dingen loslassen müssen, deshalb ist er lieber auf und zur Musikbande gegangen, um ihr Spiel zum 4. Juli zu hören. Die Gesellschaft war gut gestimmt und „gab allerlei süsse Musikstücke zum Besten, aber weder „Yankee Doodle“, noch „Hail Columbia“, noch „Mulligan Guard“, noch der „Mickadoo“ und noch andere musikalische Blüten liessen sich hören, deshalb nahm er an, dass sie den „Day we celebrate“ ganz vergessen hatten, und überliess den Leuten von „Baulton“ (Bolton) sich daran zu erquicken, liess sich von seiner Hauswirtin einen „Morning Call“ in Gestalt eines Schoppens von Alsopp's bestem Ale kredenzen und schlief dann den Schlaf der Gerechten in der Hoffnung, den nächsten 4. Juli in der Heimat mitten zwischen dem Krachen der Schwärmer und dem Donner der verschiedenen Artillerie zu verleben.

Der sechste am 15. August geschlossene **Nachtrag zum Register des Germanischen Lloyd** enthält 15 Berichte über neu aufgenommene, resp. neu klassifizirte Schiffe, welche dem Register pro 1886 hinzuzufügen sind, und dazu 123 Berichte über Veränderungen und Korrekturen, welche die bereits im Register pro 1886 enthaltenen Schiffe betreffen.

Zinn-Säbel für englische Dragoner. In welcher wirklich unverschämten landesverräterischen Weise die engl. Armeeverwaltung von ihren Lieferanten und Landsleuten betrogen wird, davon liefert die „Admiralty and Horse Guards Gazette“ vom 28. Aug. ein neues Beispiel. Das zweite Garde-Dragoner-Regiment (Queens Bays) ist fertig zur Abfahrt nach Ostindien. Das Glück will es so, dass der Oberst einige der neuen Säbel in der Reitschule probirt, indem er mit ihnen nach einem sog. Türkenkopf schlägt. Eine Klinge nach der andern zerspringt ihm in der Hand! Die Untersuchung ergab, dass die Waffe, mit welcher der Dragoner für sein Land fechten sollte, aus **Zinn** bestand. Es ist dasselbe Spiel wie mit den Kanonen, die schon bei halber Ladung bersten oder in zwei Teile zerreissen. Wie lange wird es noch dauern, bis ihm ein unharmonisches Halt geboten wird? Für solche verrottete Beutelschneider sollten wir die *Kastanien* aus dem bulgarischen Feuer holen, meinte das würdige Kleeblatt Bamberger, Richter, Sonnemann nebst den verschiedenen Moses, Cohn in der Presse.

Der **Fischfang auf den Bänken von Neufundland** wird jetzt fast nur noch mit Schunern von ca. 75 To. statt mit den alten grossen Schiffen betrieben: die von den Amerikanern sog. *Dories*, kleine Walboote von geringem (160 Kilo ca.) Gewicht, die deshalb nur von 2 Mann bedient werden, sind an die Stelle der grossen Schaloppen getreten, welche durch ihren Raumbedarf und die Schwierigkeit der Behandlung immer ein Gegenstand der Klagen der Mannschaften waren. Jene Schuner teilen oft das Schicksal vieler Droschkengäule, die früher auch andere Tage gesehen hatten. Sie haben früher vielleicht dem Yachtsport der reichen Newyorker und Bostoner Liebhaber gedient, sind dann ausrangirt und nun von einem paar Fischer für 3 bis 4000 Dollars angekauft, um als Fischerfahrzeuge zu enden. So können jetzt weniger vermögende Leute als selbstständige Fischer ihrem Handwerk obliegen, welches, mit Angeln betrieben, ja keine kostspielige spezielle Ausrüstung bedingt.

Eisenbahn durch das Watt nach Norderney. Welche Blüten ein so schöner Nachsommer wie der heurige zu zeitigen vermag, ersieht man aus folgender Notiz aus Norderney 16. Septb., laut welcher „daselbst augenblicklich zwei Ingenieure sich aufhalten, welche die geplante Eisenbahn von hier durch das Watt über Hilgenriedersiel nach Bahnhof Hage ausmessen, die zwei deutsche in England wohnende Unternehmer wollen bauen lassen. Die Idee gilt ganz bestimmt für ausführbar und werden darnach täglich drei Züge hier ankommen und abgehen."

Also eine Eisenbahn durch ein Watt, welches täglich auf eine Strecke von 7—8 Km sich 4—6—10' hoch mit Wasser füllt, je nach der Richtung und Stärke des Windes, und fortwährend zur Flutzeit von Schiffen befahren wird, die noch dazu häufig auf dem hohen Rücken des Postweges auffahren und sitzen bleiben bis zum nächsten Hochwasser. Wie man sich bei täglich nur zwei mal und zu wechselnden Zeiten wiederkehrender Ebbe einen regelmässigen Fahrplan mit 3 täglichen Zügen denkt, mögen die Unternehmer wissen. Sie werden wie die Natur die Nacht zu Hülfe nehmen müssen und könnten dann die Reisenden sich auf schöne Kollisionen mit sitzengebliebenen Schiffen, mit Entgleisungen infolge Unterwaschungen im meilenweit öden Watt und noch bedenklichere Zwischenfälle vertraut machen. Und die Unternehmer werden wohl daran thun, vorab der Regierung ihren nach allen Seiten waghalsigen Plan möglichst plausibel zu machen, um die Erlaubnis zum Bau durchzusetzen und sodann sich in jedem Frühjahr auf umfassende Ergänzungen bezw. Neuanlagen einzurichten, wenn ein Eisgang im Watt den Schienenstrang versandet oder völlig entführt hat. Dass die Anlage unmöglich sei, wollen wir in unserer Zeit nicht behaupten, aber dass der Betrieb sich in den 4 Monaten Badezeit *verzinse*, wagen wir bestimmt zu bezweifeln, selbst wenn Norderney auch noch von doppelt so viel Badegästen besucht wird, als der heurige Sommer dahin gelockt hat. Man darf doch bei allen darauf gerichteten Unternehmungen nur auf einen Bruchteil der Fahrgäste rechnen; andere grosse Bruchteile werden die vorhandenen Gelegenheiten nach wie vor benutzen.

Die **Rheinschiffsflotte** zählt nach dem vom Rheinschiffregister-Verbande herausgegebenen statistischen Auszuge zum Rheinschiffs-Register 4767 Segelschiffe und Schleppkähne und 407 Dampfboote. Von den letztern sind [illegible] Schraubendampfer und 160 Raddampfer. Sie zählen zusammen 28 553 P. K. und besitzen, soweit sie zur Güterbeförderung benutzt werden, 404 194 Ctr. Tragfähigkeit. Schleppschiffe sind darunter 288 Stück. Die Tragfähigkeit der Segelschiffe und Schleppkähne dagegen beläuft sich auf 17 372 276 Ctr. Nach der Staatsangehörigkeit sind von den Segelschiffen und Schleppkähnen 1647 mit 8 342 761 Ctr. Ladefähigkeit deutsch, 2721 mit 8 370 53[illegible] Ctr. holländisch, 158 mit 370 739 Ctr. belgisch u. s. f. Von den Dampfern gehören 235 mit 19 356 P. K. nach Deutschland, 179 mit 7000 P. K. nach Holland und [illegible] mit 2191 P. K. nach Belgien. Ihren Wohnsitz von Deutschland nach Holland hatten die Besitzer von 150 Schiffen mit 1 477 046 Ctr. Tragfähigkeit verlegt.

Die durch die Belagerung von Paris 1870/71 wieder in die Mode gekommene **Luftschiffahrt** versteigt sich zu immer grossartigern Aufgaben sowohl im Kriegsdienst wie für Friedenszwecke. Der abenteuerliche französische Kriegsminister Boulanger wird nächstens von den wieder zusammentretenden Kammern einen Kredit von 3 Millionen Franken verlangen, damit jedes Armeecorps mit dem nötigen Apparat von Ballons und Zubehör ausgerüstet werden könne. In Francisco aber dauert den Leuten die 6—7 tägige Eisenbahnfahrt über den Kontinent schon zu lang, und will ein Grossunternehmer van Tassel jetzt mit dem *grössten Ballon der Welt*, von 150 000 Kubikfuss Rauminhalt, eine Fahrt von Ocean zu Ocean unternehmen. Vom Boden der Gondel bis zur Spitze des gefüllten Ballons misst dieser Riese 119 Fuss in Höhe, und der Durchmesser des Ballons ist 68 Fuss. Die Gondel hat 22 Fuss im Umring, also 7 Fuss äussere Weite, hat Wände von 34 Zoll Höhe und soll 15 Personen aufnehmen können. Glückliche Reise und angenehme Wärme zur Fahrt über die Eiswüsten des Felsengebirges!

Berichtigung. In dem in der Nummer 8 [illegible] mitgeteilten „Alter der deutschen Universitäten" ist leider eine der ältesten deutschen Hochschulen, Rostock mit dem Gründungsjahre 1419 übergangen, was wir hiemit berichtigend bemerken.

Verlag von H. W. Silomon in Bremen. Druck von Aug. Meyer & Dieckmann. Hamburg, Altenwall 21.

HANSA

Redigirt und herausgegeben
von
W. von Freeden, BONN, Thomastrasse 8.
Telegramm-Adresse:
Freeden Bonn,
oder
Hansa Alterwall 28 Hamburg.

Verlag von M. W. Silomon in Bremen.
Die „Hansa" erscheint jeden 2ten Sonntag. Bestellungen auf die „Hansa" nehmen alle Buchhandlungen, sowie alle Postämter und Zeitungsexpeditionen entgegen, desgl. die Redaktion in Bonn, Thomastrasse 8, die Verlagshandlung in Bremen, Obernstrasse 14 und die Druckerei in Hamburg, Alterwall 28. Sendungen für die Redaktion oder Expedition werden an den letztgenannten drei Stellen angenommen. Abonnement jederzeit, frühere Nummern werden nachgeliefert.

Abonnementspreis:
vierteljährlich für Hamburg 2½ ℳ,
für auswärts 3 ℳ = 3 sh. Sterl.
Einzelne Nummern 60 ₰ = 6 d.

Wegen Inserate, welche mit 25 ₰ die Petitzeile oder deren Raum berechnet werden, beliebe man sich an die Verlagshandlung in Bremen oder die Expedition in Hamburg oder die Redaktion in Bonn zu wenden.

Frühere, komplete, gebundene Jahrgänge v. 1873, 1874, 1876, 1877, 1878, 1879, 1880 1881, 1882, 1883, 1884, 1885 sind durch alle Buchhandlungen, sowie durch die Redaktion, die Druckerei und die Verlagshandlung zu beziehen. Preis ℳ 6; für letzten und vorletzten Jahrgang ℳ 8.

Zeitschrift für Seewesen.

No. 21. HAMBURG, Sonntag, den 17. Oktober 1886. 23. Jahrgang.

Inhalt:

Deutscher Nautischer Verein.

Drittes Rundschreiben.

Wie, anscheinend aus unterrichteter Quelle, in den Blättern mitgeteilt wird, beabsichtigt die Reichsregierung dem Reichstage in seiner nächsten Session einen Gesetzentwurf betreffend *die Unfallversicherung der Seeleute* vorzulegen. Inwieweit sich diese Vorlage von dem im September v. J. bekannt gewordenen Entwurfe, — der sich bekanntlich als Anhang zu den stenographischen Berichten über den 17. Vereinstag abgedruckt findet — entfernt, lässt sich nicht sagen, da über den Inhalt derselben bis jetzt Bestimmtes nicht bekannt geworden ist. Sobald nähere Mitteilungen vorliegen, werde ich mich unverzüglich mit den Vereinen in Verbindung setzen und alsdann von der mir durch den Vereinstag gewährten Berechtigung Gebrauch machen, den nächsten Vereinstag zu einem früheren Zeitpunkt als gebräuchlich einzuberufen, falls dies durch die Umstände gerechtfertigt erscheinen sollte.

Immerhin glaube ich den Vereinen schon heute empfehlen zu müssen, etwaige vorbereitende Schritte zur Behandlung dieser wichtigen Frage, die sie für angebracht halten mögen, rechtzeitig vorzunehmen.

Im Anschluss an den ersten Teil meines zweiten Rundschreibens erlaube ich mir noch darauf hinzuweisen, dass nach einer mir gewordenen Zuschrift des Grossherzoglich-Mecklenburgischen Ministeriums des Innern in Schwerin vom 31. August als Antwort auf die Eingabe vom 6. Mai d. J., betreffend die *Zulassung der Schiffer pp. zu den medizinisch-chirurgischen Lehrkursen* der Deutschen Navigationsschulen, „an der Grossherzoglichen Navigationsschule zu *Wustrow* auf dem Fischlande sich bisher wegen Mangels eines dazu geeigneten ärztlichen Personals ein solcher Lehrkursus nicht hat einrichten lassen, dass jedoch an der Navigationsschule zu *Rostock* ein medizinisch-chirurgischer Lehrkursus besteht und die Teilnahme an demselben den vom Nautischen Vereine bezeichneten Schiffern und Steuerleuten, und zwar kostenfrei, gestattet wird. Sollte sich mit der Zeit die Möglichkeit ergeben, auch an der Navigationsschule zu Wustrow einen ähnlichen Kursus einzurichten, so wird der Wunsch des Nautischen Vereins in Berücksichtigung gezogen werden". Es ist in hohem Grade erfreulich und gewiss dankbar anzuerkennen, dass der infolge eines Antrages des Herrn Kapitän Steinorth von Barth gefasste Beschluss betreffend die erweiterte Nutzbarmachung jenes Unterrichtszweiges in unsern Navigationsschulen, überall die entgegenkommendste Aufnahme gefunden hat.

Der Vorsitzende des Deutschen Nautischen Vereins.
Sartori.

Reminiscenzen.

Als ich Ende der fünfziger Jahre ein neues Schiff ausrüstete, brachte mir der Mechaniker mit den Kompassen mehrere Pinnen mit verschieden gearbeiteten Spitzen und mehrere Bleiringe von verschiedener Schwere. Auf meine verwunderte Frage, was ich damit solle, antwortete er mir: Wenn die Rosen laufen, stecken sie erst eine stumpfere Pinne ein und wenn das nicht genug hilft, legen sie einen Bleiring auf die Rose; das Laufen wird dann geringer werden. Sobald ich Zeit dazu fand, probierte ich die Prozedur und fand natürlich, dass die Schwingungen der Rose auf der stumpfen Pinne und bei aufgelegtem Bleiringe schneller abnahmen als zuerst. Zugleich fiel mir auf, dass die Rose eine grössere Schwingungszeit bekam. Ich schob alles auf die vergrösserte Reibung und hatte keine Ahnung davon, dass noch ein anderer Faktor mitspiele. In See bei schlechtem Wetter genötigt, von obigen Mitteln Gebrauch zu machen, fand ich dieselben ziemlich probat und dachte nicht daran, dass die vergrösserte Schwingungszeit die Ursache der grössern Ruhe der Rose sein könnte. (Hansa 1885 No. 4 (Irrwege).)

Auf dem Schiffe, welches ich in den Jahren 1862 und 63 führte, hatte ich viel Mühe mit dem Laufen der Kompassrose, sobald wir vor dem Winde lenzten und das Schiff langsam rollte, während sie bei schnellerm Schlingern bei dem Winde oder mit halben Winde gut funktionirte. Pinnen und Hütchen waren tadellos, also musste nach der damals ausschliesslich herrschenden Ansicht, die magnetische Kraft [illegible] förmige Nadel aufmagnetisiren, aber war es schlimm gewesen, so wurde es nachher noch schlimmer. Einen Bleiring hatte ich nicht, die Pinne etwas stumpfer machen, half nicht, also was beginnen? Ich schloss: Bei grösserer magnetischer Kraft ist es schlimmer geworden, also muss es bei kleinerer Kraft besser werden. Um die magnetische Kraft der Nadel zu verringern, strich ich dieselbe, mit allerlei Eisen, wie es gerade zur Hand war, umgekehrt, wie man eine Stahlnadel magnetisirt, aber der Erfolg blieb aus nahe liegenden Gründen aus. Endlich verfiel ich auf die Idee, radial unter der Rose rechtwinklig von derselben abstehende Streifen Papier zu befestigen, (Visitenkarten) so breit wie die Tiefe des Kessels es erlaubte, welche beim Laufen wie die bekannten Windflügel wirken sollten. Der Erfolg war nicht zu verkennen, aber durchgreifend war derselbe auch nicht.

Etwa um die Mitte der siebziger Jahre hörte ich von dem bekannten Kapitain Rehder zu Grossefehn, Vorsitzenden des ostfriesischen nautischen Vereins, folgendes originelle Mittel. Wenn der Kompass gar zu sehr läuft, setze man ihn in einen eisernen Grapen (gusseiserner Topf mit halbkugelförmigen Boden), er wird darauf viel ruhiger gehen. Nach der damals allein herrschenden Ansicht, dass das magnetische Moment der Rose so gross als möglich sein solle und jede Verringerung ihrer Richtkraft schädlich wirke, involvirte das Experiment einfach einen Unsinn und als solchen versuchte ich die Sache darzustellen, allein die positive Behauptung des Herrn Rehder, dass er das Mittel probat gefunden habe, machte mich doch stutzig, so dass ich die Sache im Auge behielt und hin und wieder bei älteren Schiffern Nachfrage hielt. Nur sehr wenige wussten etwas davon und keiner hatte es versucht, ein Beweis, dass die Kenntniss von diesem Experiment nicht sehr verbreitet sein kann.

Erst als ich die in der Hansa No. 4 und 8 Jahrgang 1885 beschriebenen Untersuchungen anstellte und zu der Ueberzeugung gelangte, dass eine Rose desto ruhiger geht, je mehr ihre Schwingungszeit die des Schiffes übertrifft, kam mir die Erkenntniss, dass das Experiment durchaus kein Unsinn sei, dass vielmehr die im Volk aufgespeicherte Erfahrung wieder einmal mit gelehrten Hypothesen in Widerstreit geraten sei und das Feld behauptet hätte.

Nehmen wir an, dass der Grapen bis dahin im Gebrauch täglich erhitzt worden ist, so hat er keinen festen sondern nur flüchtigen Magnetismus, dessen Pole stets den gleichnamigen Polen der Rose gegenüber liegen und damit die Richtkraft der Rose schwächen, dadurch wird die Schwingungszeit eine grössere und das Laufen geringer.

Vielleicht sind den deutschen Schiffern noch andere Methoden bekannt, Kompassrosen eventuell zu beruhigen, und es wäre gewiss nicht ohne Interesse, dieselben kennen zu lernen, zu sammeln und zu veröffentlichen, um sie so vor dem Aussterben zu bewahren, einerlei ob man sie für gereimt oder ungereimt ansieht. Wir haben ja Beispiele genug, dass man zu Zeiten etwas als Unsinn verwirft, was im Licht einer bessern Erkenntniss völlig richtig erscheint. Der Unterzeichnete ist gern erbötig, dahingehende Mitteilungen entgegen zu nehmen und bekannt zu geben.

Geestemünde, d. 1. Oct. 1886. *Jungclaus*, Navigationslehrer.

Fischereihäfen in Norderney und am Norddeich.

Die Badesaison ist zu Ende; die Angelfischerei der Norderneyer Fischer wird wohl in Bälde beginnen; die Leute sind schon fleissig dabei, Fahrzeuge und Fischerleinen fertig zu stellen.

Es sind dies recht eigentlich einige Ruhetage für die im Badebetrieb und Handel thätigen Geschäftsleute. Diese Pause wollte auch ich benutzen und so stöberte ich in zurückgelegten Fischerei- und Fachblättern herum, da deren Inhalt, Fischerei betreffend, für die Inselbewohner am meisten Interesse hat. Ich lese nun in No 8 vom August d. J. der «Mitteilungen der Sektion für Küsten- und Hochseefischerei» auch einen Aufsatz von Herrn Dr. M. Lindemann, betitelt: «Anlage eines Lande- und Löschungsplatzes für Seefischfahrzeuge am Norddeich», und da vermisse ich in jenem Aufsatz, so wohlgemeint solcher auch gehalten ist, des Pudels Kern. Soviel mir bekannt ist, beabsichtigt die hohe Regierung die Förderung der Hochseefischerei. Weil sich nun der Fang der Fische am leichtesten betreiben lässt, je näher den Fischgründen man sich befindet, so ist, weil solcher Fall hier vorliegt, man berechtigt, von hier Vorschläge zu machen, dahin gehend, die Anlagen in Norderney (und am Norddeich) zu verbessern, d. h. einen Hafen, der als nationaler Fischereihafen dienen kann, zu schaffen, damit Fischer von der Elbe oder andern Plätzen solchen ruhig als Winterquartier wählen können, falls der Winter rasch herein bricht und die Flüsse Treibeis führen. Welche Verluste hatten dieses Jahr die Finkenwärder Fischer, die statt im Februar ihre Thätigkeit erst im April aufnehmen konnten. Wo an der deutschen Küste ist es so eisfrei wie hier, bei einem Salzgehalt des Seewassers von 3%? Wie gering ist das Gefrieren und wie bald ist die Auftauung des Eises hier geschehen! In der Regel haben Flüsse Wochen, ja Monate lang Eistreiben, wo hier in Norderney Alles längst eisfrei ist.

Eine rationelle Hafenanlage, selbst wenn solche eine Million und mehr kosten sollte, hat im Hintergrunde, dass dort naturgemäss eine grosse Fischerei entstehen muss. Wird ein solcher Hafen gebaut, der nur Seewasser enthält, so würde dies gestatten, dass Fische, Crustaceen und Mollusken lebendig erhalten werden können. Zu billigen Preisen resp. mit geringem Aufwand an Arbeitskraft lassen sich Millionen Austern den Bänken der Nordsee, die vor unserer Thür liegen, entnehmen, und Deutschland wird dann gewiss diese gesunde billige Ware mehr konsumiren, falls es in solchem Hafen Raum gäbe, um die Austern daselbst aufbewahren zu können. Es ist unbestreitbar, dass für eine zu entwickelnde grosse deutsche Seefischerei nicht ein anderweitig günstigerer Punkt zu bezeichnen ist, als der Norderney, und deshalb bedaure ich sehr, in dem beregten Aufsatz des Dr. Lindemann nur Worte zu lesen, die vorhandene Verhältnisse fördern, doch nicht erkennen lassen, was dazu dienen kann, Deutschland eine grosse Seefischerei zu schaffen. Um aber die Fischerei entstehen zu lassen, ist eine vollständig geschützte Hafenanlage erforderlich, der auf derselben oder ähnlichen Weise, wie solche der hohen Regierung bereits vorgelegt worden ist, auszuführen ist.

Norderney, 1. Oct. 1886.

Aus Briefen deutscher Kapitäne. X.

(Schluss).

Westindische Punkte.

2. **Laguna di Terminos**, am westlichen Ausfluss der gleichnamigen Lagune gelegen, ist eine Stadt von ca. 4000 Einwohnern und der bedeutendste Handelsplatz des südöstlichen Mexico.

Die *Ansegelung* bietet seit Einrichtung des neuen Leuchtturms auf Xicolango keine Schwierigkeiten. Die in der Karte verzeichneten Baken und Bojen sind zwar bis auf eine auf der Restinga Bank längst verschwunden, doch genügen die Peilungen des Leuchtturms, Pt. Sagatals und der Stadt vollständig, um selbst einem Fremden das Einlaufen zu gestatten, d. h. bei einem Tiefgange von nicht über zwölf Fuss engl. Auf der Barre stehen im Allgemeinen zwölf Fuss engl., manchmal etwas mehr manchmal weniger; da dieselbe aber aus weichem Mud besteht, hält es nicht schwer, mit guter Briese 13—13½ Fuss durchzusegeln. Bei der Stadt stehen ca. 6—7 Faden Wasser, und liegen die Schiffe an leichten Brücken vertäut zum Laden. Das Löschen geschieht im Allgemeinen an der Zollbrücke, doch wird bei nicht zollpflichtigen Waaren manchmal den Kaufleuten gestattet, direkt in ihre Waarenhäuser zu löschen.

Es existirt in Laguna Lotsenzwang, sowohl eingehend wie ausgehend. Das Lotsgeld beträgt ½ Dollar per Fuss Tiefgang nebst 3 Doll. für das Boot, Verholen im Hafen Doll. 4. Früher konnte man den Ballast überall löschen, jetzt muss man ihn oberhalb der Stadt mit Kanoes an Land bringen lassen. Das Hafenreglement ist einfach, wird aber seit Kurzem strenge beobachtet: ein Ausgehen der Ankerlaterne wird am folgenden Tage unfehlbar mit 5 Doll. gebüsst. Auf eigenmächtiges Verholen des Schiffes steht 100 Doll. Strafe etc. Schiffsbedürfnisse sind ausser frischem Fleisch, Fischen, Früchten und schwarzen Bohnen (frijoles) nicht zu haben, wenigstens nicht immer. Für Wasser bezahlt man 4—6 Doll. und holt dann soviel als man nötig hat. Hospitalgeld wird pr. Reg.-To. bezahlt, einerlei ob man Krankheit hat oder nicht. Tonnengebühr 1 Doll., wenn in Ladung, in Ballast nichts oder 5 cts. Die Zollgesetze sind seit dem Inkrafttreten des neuen Gesetzes vom 24. Jan. 1885 sehr strenge, es ist fast unmöglich ohne Strafe frei zu kommen, besonders bei Stückgutladungen. Einem Norweger wurde hier kürzlich, weil das Gewicht einer Anzahl Kisten nicht für jede Kiste einzeln sondern für je zwei zusammen angegeben war, für jedesmal eine Strafe von 5 Doll. zuerkannt, macht, da es 84 mal geschehen war, 420 Doll. Dabei war er noch von dem mexicanischen Konsul, in Hamburg glaube ich, klarirt. Vorige Reise wurde ich selber mit ca. 30 Kollegen allein hier in Laguna zu 500 Doll. verdonnert, weil wir nicht die genügende Anzahl von Ballastmanifesten gehabt hatten; unsere Reklamationen dagegen hatten jedoch Erfolg, und musste die Zollbehörde den Raub wieder herausgeben, allerdings erst nach 3 Monaten. Das ganze neue Gesetz ist übrigens, wie ein Blick zeigt, nur darauf berechnet, durch Brüche die leeren Kassen zu füllen. Ich habe damals schon den für uns hauptsächlich in Betracht kommenden Teil im Auszug an meinen Rheder geschickt, sonst würde ich Ihnen auch noch als Kuriosität einige Paragraphen mitteilen.*) Eine andere Bestimmung giebt der Zollbehörde das Recht, das Haus, Schiff etc., in welchem Kontrebande gefunden wird, ohne Weiteres zu konfisciren und liegt hier jetzt unter anderm auch der Blankeneser Dreimastschoner „Holstein", welcher eine sog. Slopchest mit 4—5 Dutzend wollener und baumwollener Hemden für die Leute an Bord hatte; obendrein hatte er die Sachen angegeben, allerdings ohne sie zu spezifiziren. Das Schiff ist vorläufig mit Beschlag belegt und liegt schon 3½ Monate so, aller Wahrscheinlichkeit nach liegt es nächstes Jahr hier auch noch.

Aber genug hiervon, ich ärgere mich schon, wenn ich nur daran denke. Ich kann einem hierher, überhaupt nach Mexico, bestimmten Schiffsführer nur raten, beim Klariren nach mexicanischen Häfen nichts zu versäumen, er wird etwaige Fehler teuer büssen müssen. Auch wenn von einem mexicanischen Hafen nach dem andern bestimmt, sind Ballastmanifeste und Gesundheitspass erforderlich, bei schwerer Strafe. Ein kürzlich hier von Jamaica angekommener amerikanischer Schoner wurde, weil ohne Gesundheitspass, zu 40 Tagen Quarantäne verurteilt.

*) Leider haben wir uns vergeblich an die betreffende Stelle gewandt, sonst hätten wir hier das Nötige mitgeteilt.
D. Red.

Haupt- oder fast die einzigen Exportartikel sind Mahagoni und Blauholz, welche in ziemlich bedeutenden Quantitäten verschifft werden. Im Jahre 1885 waren allein 44 deutsche Schiffe von durchschnittlich 230 Reg.-To. im hiesigen Hafen, daneben stellen Norweger und Franzosen das Hauptkontingent.

Die Qualität des Blauholzes hat in den letzten Jahren recht abgenommen. Während früher Schiffe manchesmal nicht voll wurden, laden sie jetzt nur mehr durchschnittlich 15—25 % über Reg.-Tons. Mahagoni wird meistens nach Gewicht verfrachtet, obwol mitunter auch nach Maass.

An Stauerlohn beim Mahagoni bezahlt man 80—90 Cts. pr. Ton, wenn Blauholz als broken stowage gegeben wird, 1 Doll. Arbeitslohn, je nachdem, 1½—2 Doll., für das Hinausbringen von Ladung über die Barre zahlt man Doll. 2.50 pr. Ton. Dieser hohe Preis hat seinen Grund darin, dass manchmal die Schiffe wegen Stillte wochenlang liegen, ehe sie hinaus kommen können, und so lange muss der Leichter auch warten. Hat er Glück, so kann er sein Geld in einem Tage verdienen, kann aber auch wochenlang darauf warten müssen. In den Sommermonaten liegt man ausserhalb der Barre ganz gut, im Winter ist es gewagt.

Die gangbare Münze in Laguna ist der mexicanische Silber-Dollar zu 8 Real. Gold hat 20—22 % Agio, man sieht es aber nie. Nominell hat der Dollar noch immer einen Werth von ℳ 4, uns werden von den Kaufleuten sogar ℳ 4.20—4.30 abgenommen, doch hatte ich in Havanna keine Schwierigkeit, meinen Bedarf für ℳ 3.20 pr. Dollar zu decken.

Umstehend gebe ich noch eine Uebersicht meiner Auslagen in Laguna, und will dann nur schliessen.

Unkosten in Laguna.	Dollar
Lotsgeld ein und aus	55.56
Hospital	22.81
Visiren des Gesundheitspasses (franz. Konsul)	2.50
Uebersetzen der Proviantliste	2.50
Offnen des Registers (Erlaubnis zum Laden)	8.—
Stempel beim Klariren	2.—
Konsulatsgebühren	5.50
Wasser	6.—
Gratifikation an Lotsen (Schiff lag zu tief)	2.—
Ballast löschen	12.—
Stauer-Arbeitslohn	35.—
Summa . . . Doll.	153.87

Nebenbei für Fleisch, Gemüse etc. noch diverse Doll., doch gehört das ja strenge genommen nicht hierher.

W. D.

Das Oelen der See bei Sturmwetter.

Aus einem Vortrage des Schiffslieutenants A. B. Wyckoff vor der Amerikanischen Philosophischen Gesellschaft.

Wissenschaftliche Erklärung der Thatsache.

Anm. **Der Fall mit dem Postdampfer „Werra."**

Die Aufmerksamkeit des Vortragenden wurde im Jahre 1881 auf dies Verfahren gelenkt bald nach Uebernahme der Leitung des Zweigamts Philadelphia des Hydrographischen Amts zu Washington. Verschiedene Schiffsführer hatten Beschreibungen ihres Verfahrens und Schilderungen des auffälligen Nutzens desselben eingereicht. Er überzeugte sich von der grossen Nützlichkeit und berichtete deshalb im November 1884 darüber an das Hydrographische Amt zu Washington. Bald nachher wurden Befehle an alle Zweigämter erlassen, alle erhältlichen Mitteilungen über das Oelen der Sturmsee an das Centralbureau einzuschicken, und schon im Januar 1885 wurden die so gesammelten Thatbestände den „Monatlichen Pilot Charts des Atlantischen Oceans" einverleibt. Dies Verfahren ist seitdem beibehalten und der U. S. Hydrograph, Commander J. R. Bartlett, hat seine ganze Kraft daran gesetzt, die Seeleute für den Gegenstand zu interessiren. Infolge dessen haben sich jetzt häufig Schiffe mit diesem Hülfsmittel für Notfälle versehen, während früher nur selten ein Schiff Oel dazu an Bord führte. Angesichts des nie fehlenden Erfolges muss die Zeit nahe sein, wo kein Schiff mehr einen Hafen verlässt, ohne ein billiges Fisch- oder Pflanzenöl zu diesem Zweck mitzunehmen. Assekuranzgesellschaften, Rheder und Schiffsführer sind zu sehr dabei interessirt, als dass sie diese Vorsichtsmassregel länger vernachlässigen sollten.

Die Verwendung von Oel zur Beruhigung aufgeregter Gewässer war offenbar schon den Alten bekannt, weil Aristoteles, Plutarch und Plinius dessen in ihren Schriften Erwähnung thun. Die Taucher des Mittelmeers gebrauchen das Oel noch heutigentags in der von Plinius beschriebenen Weise — sie nehmen einen Mund voll Oel ein und speien ab und zu davon aus, um die Oberfläche des Meeres zu beruhigen und dem Lichte friedlichern Durchgang von ihnen nach dem Meeresboden zu gestatten. Mit dem Speer dem Fange obliegende Fischer gebrauchen Oel zur Beruhigung der Oberfläche, weil sie dann ihre Beute besser erkennen können. Die wettergehärteten Fischer der schottischen und norwegischen Küsten kennen seit Jahrhunderten diese Verwendung des Oels. Wenn sie eine gefährliche Barre oder Gezeitenkabbelung passiren, oder in der Brandung landen müssen, pressen sie Fischlebern aus, bis das Oel ausschwitzt, und werfen sie dann vor ihren Fahrzeugen aus. Die Lissaboner Fischer nehmen Oel mit, um davon bei rauhem Wetter auf der Barre des Tajo Gebrauch zu machen. Walfischfänger nehmen in schwerem Sturm seit Jahrhunderten ihre Zuflucht zu Thran und Speck. Ein alter Walfischfänger hing grosse Speckseiten zu beiden Seiten des Schiffs frei ins Wasser, wenn er vor einer schweren See lenzte und nie kam ihm die Brechsee an Deck.

Die Mitglieder der nautischen Gesellschaften sollten sich des Gegenstandes annehmen und ihre Vorsteher eigene Versuche anstellen, falls sie den grossen Nutzen des Oels zu diesem Zwecke noch bezweifeln. An einem stürmischen Tage hat der Vorstand der Amer. Phil. Gesellschaft einen See von einem halben Acker Oberfläche durch einen Theelöffel voll Oel von der Luvseite her beruhigt. Nachher stellte er mühsame Versuche über die Meereswellen an und gab eine **wissenschaftliche Erklärung von der Art der Wirkung des Oels.** Diese Erklärung dürfte das Wesentliche der Sache treffen.

Die Wasserteilchen bewegen sich frei und die Reibung der über die Wasseroberfläche streichenden Luft an den Wasserteilchen der Oberfläche erzeugt die Wellen. Diese nehmen an Grösse zu im Verhältnis zur Tiefe des Wassers, der Ausbreitung nach Lee, der Stärke und Dauer des Windes. Doch übersteigen sie nie eine gewisse Höhe, als welche man 12 m annehmen kann.

Den Vorläufer eines schweren atlantischen Sturmes bildet ganz gewöhnlich eine starke Dünung, welche oft das Schiff erreicht, während der Wind noch gar nicht gespürt wird. Die Dünung besteht in einer langen, hohen Wellenbewegung, die, vom Sturm veranlasst, ihm über den Ocean vorausschreitet. An der Küste Californiens und Westafrikas hat man oft Gelegenheit, die schreckliche Dünung zu beobachten, welche von westlichen Stürmen in den weiten Flächen der vorliegenden Oceane hervorgerufen wird. Diese Wogen gehören zu den denkbar höchsten und doch kann man bei stillem Wetter in einem Walfischboot unversehrt über sie wegfahren. Diese Dünung gleicht einer geölten Welle. Das Boot oder Schiff läuft an ihrer Vorderseite hinauf und gleitet an der Rückseite herunter. Springt aber plötzlich ein Sturm auf, wie z. B. ein Norder im Golf von Mexiro, so wird aus der harmlosen Dünung eine wütende Brechsee. Wie geht diese Veränderung vor sich?

Die Reibung des Windes an der ihm zugekehrten hinteren Seite des Abhangs ruft kleine Unregelmässigkeiten auf der Oberfläche hervor. Diese kleinen Wellen werden den Abhang hinauf bis zum Kamm des Wellenbergs getrieben. Gleichzeitig ist die Vorderseite der Woge ziemlich geschützt vor dem Winde und wird infolge ihrer Trägheit, mit welcher sie sich der Fortbewegung widersetzt, immer steiler und steiler. Wer jemals eine Sanddüne in der Passatzone sah, hat dort die Sturmwelle so zu sagen im gefrorenen Zustande gesehen — einen langen sanften Abhang an der Luv-, und einen steilen Abstieg an der Leeseite. Der sich beständig verschärfende Kamm der Sturmwelle wird schliesslich kopfüber und herunter geworfen mit einer seiner Schwere und Schnelligkeit proportionalen Gewalt. Erreicht solche Sturmwelle ein Schiff, so kann dasselbe an der steilen Seite nicht schnell genug emporsteigen, es hindert obendrein das Fortschreiten des Fusses der Welle und deshalb stürzt der Kamm mit fürchterlicher Gewalt über dasselbe hin, füllt das Deck mit Wasser und reisst mit sich, selbst was niet- und nagelfest ist. Die Sturmwelle war vielleicht gar nicht höher als die hohe Dünung und unterscheidet sich von ihr nur durch ihre Gestalt, das Oel aber wandelt die Sturmwelle wieder um in eine schwere Dünung. Es schwimmt wegen seiner geringeren spezifischen Schwere auf dem Wasser, auf dessen Oberfläche es sich wie ein äusserst dünner Filz oder Decke ausbreitet. Klebrig und schlüpfrig wie es ist, widersteht es dem Winde, der die Decke zu zerreissen trachtet, dabei aber einzelne Teilchen zur Spitze der Welle hinauf sendet. Gleichzeitig wird das Wasser unter dem Oel dem Angriff des Windes entzogen, und wenn auch die Gewalt des Windes die Wellenbewegung im Ganzen steigert, so erzeugt sie doch nur eine höhere Dünung, schmälert aber die Form der Sturmwelle. Diese Wirkung lässt sich auf See immer erreichen, wenn man nur das geeignetes Oel verwendet. Man hat auch an eine chemische Wirkung des Oels gedacht, indem es den Schaum auflöse, wie man in einer Papierfabrik sehen kann, wenn es das Schäumen des Papierbreis verhindert, aber wahrscheinlicher bleibt die einfach mechanische Einwirkung.

Unter 115 im Hydrographischen Amt eingegangenen Berichten haben sich bloss 4 gefunden, laut welchen die Wirkung gleich Null gewesen sei. In diesen 4 Fällen hat man gereinigtes Petroleum verwandt. Bei einem Falle hat man verdicktes Spermöl gebraucht, welches sich nicht frei ausbreiten konnte, in 4 andern erwies dies sich als ganz geeignet. Thran wurde 9 mal, rohes Petroleum 2, Fichtensamenöl 3, Leinöl 22, Speck 5, Kuhfüsse 1, Rüböl 2, Firniss 3 mal verwandt. Bei 58 Versuchen war die Art des Oels nicht angegeben; augenscheinlich sind die schweren Oele die wirksamern. In jedem Fall ist das Resultat der Gegenstand der Bewunderung von Neulingen. Ein einziger Versuch genügt, um Jedermann zu überzeugen, und bald wird die ganze Zunft der Kauffahrteioffiziere bekehrt sein, und „nie ohne dieses" nach See gehen.

Wenn man Oel zu diesem Zweck verwendet, so muss man Sorge tragen, dass es sich luvwärts ausbreitet und so seine Wirkung äussert. Ein gegen eine Kopfsee anarbeitender Dampfer oder ein aufkreuzendes Segelschiff werden keinen Nutzen davon haben. Aber jedes vor dem Sturm lenzende oder beigedreht treibende Schiff kann sich vollständig dadurch schützen. Da alle Schiffe ausser vielleicht die transatlantischen Schnelldampfer einmal in diese Lage kommen können, so werden sie von der Thatsache Nutzen erwarten dürfen.

Und selbst die schnellen Passagierdampfer können im winterlichen Sturm ostwärts lenzend oder wenn sie wegen Schadens an der Maschine stoppen müssen, ihre Boote und Deckhäuser durch Oel vor der Brechsee schützen.*) Manche Schiffer haben es mit Nutzen angewandt, um durch das gefürchtete Wellenthal zu schlüpfen, wenn sie beidrehen oder ihr Schiff vor den Wind bringen wollten.

*) Anm. Dass auch die **transatlantischen Schnelldampfer** in die Lage kommen können, nützliche Anwendung von dem Oel in äusserst kritischer Lage zu machen, beweist die letzte Reise der »Werra« vom Norddeutschen Lloyd. Dieser wegen der Schnelligkeit und Regelmässigkeit seiner Fahrten berühmte Dampfer verlor auf der letzten Hausreise mitten im Ocean Schraube und Welle, wie sein Führer, Kapt. Bussius, meint, durch Anschlagen der Schraubenflügel an treibende Wrackstücke, deren im Ocean eine so gefährliche Menge umhertreiben soll,

Die gewöhnliche Art der Verwendung ist, das Oel entweder durch Röhren vorn ausfliessen zu lassen, oder es allein oder zugleich mit Werg in durchlöcherten Segeltuchsäcken oder in leichten Säcken von schlechterm Material wie Pulver- oder Kornsäcken überbord auszuhängen, wo es am vorteilhaftesten geschehen kann. Nach der Ansicht vieler Kapitäne sollte man die Säcke immer über den Bug hängen, damit es sich während des Fortgangs des Schiffes bestens ausbreite und wenn man beiliegt, soweit als möglich nach vorn. Nach allen Berichten schützt ein Liter ein Schiff mindestens eine Stunde hindurch.

Auch wenn bei starkem Seegange ein Boot zu Wasser gelassen werden muss, erweist sich das Oel sehr nützlich. Wenn man die Mannschaft eines schiffbrüchigen Fahrzeugs zu retten hat, sollte das rettende Schiff sich luvwärts halten und nun etwas Oel ausgiessen. Sind dann die Boote abgefahren, so sollte das rettende Schiff sich nach Lee begeben, und dort die Boote mit den geretteten Mannschaften wieder aufnehmen. Auch die Boote sollten Oel mitnehmen, weil sie dann sicherer vor der See laufen.

Eine Flasche Oel mit einer Federpose darin sollte an jeden Rettungsgürtel befestigt werden. Wenn ein Mann über Bord fällt und ergreift die Rettungsboje, so verhindert das Oel das Brechen der Wellen über ihm und erleichtert der ihn aufsuchenden Mannschaft, ihn an der Glätte des Wassers zu erkennen. Ein Oelfass sollte sich in jedem Schiffsboot befinden, für den Fall, dass man das Schiff verlassen muss. Vor einem aus Masten oder Rundhölzern gebauten Floss rettend kann ein Boot durch ein geringes Opfer an Oel lange in schwerem Sturm vor dem Untergange bewahrt bleiben.

Ueber Versuche in England, bei Strandungen oder Landungen in der Brandung oder Kreuzen einer Barre bei schwerem Seegang haben wir schon früher 1883 berichtet. Wenn Oel auch nicht die Brandung selber, (die durch die abnehmende Tiefe und den Rücklauf der vorangehenden Welle entsteht, welche den Fortgang der Basis der folgenden Welle hindert und aufhält), verhindern kann, so wird es doch die Brecher auf den Aussenriffen weiter ab vom Strande mässigen und dadurch dem Boote gestatten, näher an den festen Strand zu kommen, und so seine Gefahren vermindern. Jedenfalls ist schon manches Boot durch Brecher und Brandung hindurchgelangt, welches ohne Oel niemals den Strand erreicht hätte, was sich z. B. die Norderneier Schellfischschaluppen merken sollten, welche öfters mit peinlicher Vorsicht die Lücken der Brandung auf dem Aussenriff zu passiren suchen, um glücklich aus See zurück zu kommen. Mit etwas Oel dürfen sie das Aussenriff an jeder Stelle passiren, da sie damit die gefährliche Brandung in eine ungefährliche Dünung verwandeln können.

---

dass die amerikanische Regierung sich mit den Hauptseestaaten Europas in die Arbeit teilen will, dieselben gemeinschaftlich aufzuspüren und zu versenken. Hier war das Unglück aber einmal geschehen und Kapt. Bussius suchte sich mit seinen Segeln so gut zu helfen als möglich, nahm aber dankbar das Anerbieten des ihm entgegen kommenden Dampfers »Venetian«, Kapt. Traut, an, ihn nach einem Hafen der Union zurückzuschleppen. Anfangs ging alles gut, aber am Abend des 8. Aug. setzte ein schwerer Sturm aus WNW, also aus gerade entgegengesetzter Richtung ein, in welchem die »Werra« bald so zu stampfen anfing, dass ihr Vorderdeck beständig unter Wasser lag und die höchste Gefahr an das Schiff herantrat, dass die Bugsirtaue brechen möchten. In dieser kritischen Stunde liess Kapt. Traut zu beiden Seiten der »Venetian« ein Fass mit Oel aushängen, und eine Strecke vom Schiff hinterherschleppen. Der augenblickliche Erfolg war, dass die Seen nicht mehr über dem Bug der »Werra« sich brachen. Kapitän und Offiziere der »Werra« standen bei Tagesanbruch verwundert vorn auf der Back der »Werra« und schauten neugierig nach der »Venetian« hinüber, um zu erfahren, wie der Wechsel bewirkt sei. Durch Signale von der »Venetian« verständigt, berichtete die »Werra« zurück, dass seit dem Aushängen der Oelfässer kein Tropfen Seewasser mehr an Deck der »Werra« gekommen sei und dass das Schiff in jeder Hinsicht bequemer arbeite. Bekanntlich ist es vom »Venetian« auch glücklich nach Boston hinnengebracht.

Der merkwürdige Taifun vom 14. August 1886,

welcher in der China-See nördlich von Formosa fast eine Woche hindurch tobte, und unter andern den englischen Dampfer „Madras" zum Stranden mit Totalverlust brachte, den deutschen Dampfer „Hever" stranden aber wieder abkommen liess und andern Dampfern, wie dem „Nierstein" doppelt so lange Reise verursachte, ohne ihm sonstigen Schaden zuzufügen, wird vom Pater Dechevrens zu Shanghai in der North China Daily News einer eingehenden Betrachtung und Zergliederung unterzogen.

„Der Taifun vom 14. Aug. 1886 war für Shanghai merkwürdig durch die lange Dauer des niedrigen Luftdrucks, welcher vom 14. 8 U. Vm. bis zum 18. Aug. 5 U. Vm., also volle 93 Stunden anhielt. Die ganze Zeit hindurch wehte es hart, zuweilen wie am 16., 17. und in der Nacht vom 17. zum 18. sogar schwer, und fielen in den letztgenannten beiden Tagen über 6 Zoll Regen.

Um die Ursache dieser vereinzelten und sehr seltenen Erscheinung zu erfahren, muss man den Taifun auf seinem Wege verfolgen, welcher in der That mit hinlänglicher Genauigkeit auf der Karte niedergelegt werden kann. Dieser Taifun, wie auch der von 1881 von mir bei damaliger Gelegenheit geschilderte, kam aus der freien See zu uns, doch hielt er sich der japanischen Küste etwas ferner als unserer. Am 11. liess der Barometerstand zu Manila einen Taifun vermuten, der weit im NO von Luzon und im O von Formosa stand. Derselbe muss über die Liukiu-Inseln am 13. Aug. Nachmittags weggezogen sein. Mittags den 14. Aug. erreichte er thatsächlich zuerst ganz in der Nähe von Wenchow die chinesische Festlandsküste. Am engl. Dampfer „Bokhara" ging das Centrum in ganz kurzer Entfernung nordwärts um Mitternacht vorbei (Bar. 28".73, Wind W, Stärke 10), in 27° 30' N. Br. und 121° 40' Ostlänge, während der Dampfer „Fayew" den niedrigsten Barometerstand erst um 8 U. Vm. spürte (Bar. 29".19, Wind WSW, Stärke 7); derselbe lag damals vor Anker hinter der Insel Fuyang nahe der Küste des Festlands in 26° 57' N und 120° 13' O. Für beide Schiffe bewegte sich der Taifun rechtweisend von Ost nach West. Daraus erkennt man die Ungenauigkeit des von Hongkong abgelassenen Telegrams, welches am 14. 4 U. Nm. ankündigte, dass damals ein Taifun im NO von Formosa stehen müsse, welcher sich von Süden nach Norden bewege; das Centrum stand in Wirklichkeit um jene Zeit 200 Sm. weiter westwärts, und bewegte sich schon seit länger denn 2 Tagen in westlicher Richtung.

Nachdem der Taifun das Festland erreicht hatte, rückte er noch einige Zeit in westlicher Richtung durch Kiangsi vor, dann aber teilte er sich; ein Teil drehte sich rückwärts nach Kwangsi und Tongking und lässt sich leicht durch die täglichen Beobachtungen in Amoy und Hongkong verfolgen; der andere Teil der Depression wandte sich gen Norden und rückte dem Yangtsekiang näher. Dieser letztere Teil kam dort bald zum Stillstande, und wurde im Westen von Shanghai durch den andern längere Zeit nach Süden wandernden Teil der Depression aufgehalten.

Am Morgen des 18. Aug. fand eine völlige Veränderung in den atmosphärischen Verhältnissen statt. Unsere Depression wurde wiederum geteilt, und während der nördlichere Teil sich zu einem besonderen Sturm entwickelte und sich nordwärts vertief, rückte der zurückbleibende Teil näher an Shanghai heran und wandte sich nach dem Meere zurück durch die Mündung des Yantsekiang, um sich dann nach SO zu wenden. Sobald sich Shanghai auf diese Art zwischen den beiden Cyclonen befand, beruhigte sich die Luft auffallend rasch, als ob sie nicht wusste, wohin sie sich wenden sollte.

Während so die beiden Depressionen sich in entgegengesetzter Richtung von einander entfernen, steigt hier das Barometer, ohne dass ein starker Wind weht. Das ist eine neue Phase in einem solchen bemerkenswerten Taifun, dessen Centrum recht nahe bei uns vorübergeht, ohne einen Sturm zu veranlassen, ausser demjenigen, welcher der Teilung und dem Vorbeimarsch voraufgegangen war.

Diese verschiedenen Bewegungen treten deutlich hervor in den zuerst von Nagasaki, dann von Amoy angelangten Telegrammen, wo das Barometer am 18. bei frischem Südwind von neuem fiel, zum deutlichen Beweise, dass der Taifun sich nunmehr der Strasse von Formosa näherte."

Germanischer Lloyd.

Deutsche Handels-Marine: Seeunfälle vom Monat Aug. 1886 soweit solche bis zum 15. Septbr. cr. im Central-Bureau des Germanischen Lloyd gemeldet und bekannt geworden sind.

I. Segelschiffe.	Im ganzen	Ladung (Güter, Getreide, Salz, Holz, Kohlen, Steine, Cement, Thee, unbekannt)	Klasse *) (I, II, O., unbekannt)	Alter (Jahre)	Heimat (Preussen, Elbe, Weser, Mecklb.)
a. m. gering. Schaden eingekom.	4	[illegible]	[illegible]	[illegible]	[illegible]
b. m. schwer. Schaden eingekom.	2	[illegible]	[illegible]	[illegible]	[illegible]
c. an Grund gerat., od. gestrd., u. abgebr.	8	[illegible]	[illegible]	[illegible]	[illegible]
d. gestrandt. und nicht abgebr.	1	[illegible]	[illegible]	[illegible]	[illegible]
e. Collision.	1	[illegible]	[illegible]	[illegible]	[illegible]
f. Totalverlust **)	4	[illegible]	[illegible]	[illegible]	[illegible]
Summa	19				
II. Dampfschiffe.					
a. m. Schad. eingekom.	3	[illegible]	[illegible]	[illegible]	[illegible]
b. an Grund geraten	1	[illegible]	[illegible]	[illegible]	[illegible]
c. Collision	6	[illegible]	[illegible]	[illegible]	[illegible]
d. Totalverlust	[illegible]	[illegible]	[illegible]	[illegible]	[illegible]
Summa	11				

*) Soweit zu ermitteln, Klasse einer Schiffsklassificierungs-Gesellschaft. O. = keine Klasse. Umgekommene Seeleute: 35.

**) Tonnengehalt von 2 Schiffen 1900 Tons.

BERLIN, d. 15. September 1886.

Nautische Literatur.

Lehrbuch der Navigation und ihrer mathematischen Hülfswissenschaften. Für die Königl. Preussischen Navigationsschulen bearbeitet von M. F. Albrecht, Navigationsschul-Director und C. J. Vierow, Navigationslehrer. Sechste Auflage. Herausgegeben im Auftrage des Königl. Ministeriums für Handel und Gewerbe. Berlin 1886. R. v. Decker's Verlag, G. Schenk.

Motto: Und allegorisch wie die Lumpen sind,
Sie werden ihr um desto mehr behagen.
Göthe, Faust, der Tragödie 2. Teil.

Wer von unsern Lesern, kennte ihn nicht den „Albrecht und Vierow", der seit dem Jahre 1854 dem Unterricht an den Kgl. Preussischen Navigationsschulen zu Grunde gelegt worden ist. Gar Vielen ist er eine Quelle des Wissens und Könnens, ein lieber und treuer Gefährte und Ratgeber auf den pfadlosen Wogen des Oceans gewesen, denn war er auch hier und dort ein wenig zu gelehrt, er gab, was er seiner Zeit geben konnte, gab es richtig und verständig, daher die Liebe, die Anhänglichkeit und die Achtung vor dem Buche und seinen Verfassern. Albrecht und Vierow sind beide tot und wie schön, wie ehrenvoll wäre das Begräbnis gewesen, hätte man ihnen das Lehrbuch mit in den Sarg gegeben. Das hat nicht sollen sein, wir stehen einer neuen Auflage, der sechsten, aus dem Jahre 1886 gegenüber und es giebt keinen denkbaren Grund für uns, es ist auch kein solcher auch nur angedeutet, der uns verhindern könnte, der neuen Auflage in objectiver Beurteilung entgegen zu treten. —

Einige Teile des Lehrbuchs haben ein neues Gepräge erhalten, andere weisen keinerlei Fortschritte auf, wieder andere stecken voller Fehler und Mängel. In einer Vorrede zur sechsten Auflage, April 1886, sind die Aenderungen aufgezählt. Dieselben beziehen sich lediglich auf die Navigation und doch wäre unseres Erachtens eine Neubearbeitung der Vorkenntnisse, der beiden Trigonometrieen, der Abschnitte über die Differentialrechnung und über die Ellipse mindestens ebenso notwendig gewesen.

Wer in aller Welt trägt denn heute noch die Lehre von den trigonometrischen Funktionen und überhaupt die analytische Trigonometrie in dieser veralteten Manier vor? In keinem deutschen Gymnasium, in keiner Gewerbeschule wird sie noch angewendet, denn sie ist einfach ein Hemmschuh bei der Entwickelung der analytischen Trigonometrie, wie auch beim Verständnis der trigonometrischen Tafeln, der Koppeltafeln u. s. w. Es kann nicht Wunder nehmen, dass selbst die verständigeren Seeleute die Koppeltafeln eben nur zum Aufmachen des Koppelkurses zu gebrauchen verstehen.

Anfangs wird gesagt: „Wir wollen die Bezeichnungen der trigonometrischen Linien sin etc. mit *grossen* Anfangsbuchstaben schreiben, um sie von den trig. Funktionen zu unterscheiden, [illegible] man das nennen? Ebenso buntschockig sieht es in der Abteilung: „Sphärische Trigonometrie" aus. Sieben Grundgleichungen werden abgeleitet, nur vier davon gebraucht; die Segmentenregeln werden gegeben, um gar nicht gebraucht zu werden. — Wie einfach und bequem erscheint die Ableitung der Segmentenregeln in Ramker's Handbuch der Navigation, und wozu erst alles mögliche vorführen und lehren, um es nachher gar nicht zu gebrauchen? In dieser Beziehung hätte man sich Breusing's Steuermannskunst mehr zum Vorbild dienen lassen sollen; Breusing giebt nur das, aber auch Alles was gebraucht wird in der Navigation; was nicht gebraucht wird, ist ausser Acht gelassen, weil es nicht zur Sache gehört, denn man wird auf Navigationsschulen doch nicht Mathematik um ihrer selbst willen lehren wollen? Wir denken, sie ist hier nur Mittel zum Zweck. Doch was man hier nicht gebraucht, lässt man einfach unbeachtet, wenn schon die Druckerschwärze auch für das unnütze Zeug Geld kostet; aber mit diesem leidigen Troste kommt man über die beiden folgenden Abschnitte nicht hinweg. Erst Differential-Rechnung, dann die Lehre von der Ellipse! Man hat offenbar keine Ahnung davon, dass die Differentialrechnung ohne Verständnis der analytischen Geometrie ein Buch mit sieben Siegeln bleibt. Hat denn Löhsen niemals eine Einleitung zur analytischen Geometrie geschrieben? Wer könnte aus dem Gegebenen sich den Begriff des Differentials bilden? Wozu dann noch geometrische Ableitungen, wenn erst die Differentiale gelehrt worden sind? Wozu die vielen Lehrsätze über die Ellipse, von denen kaum die Hälfte in der Navigation gebraucht wird? Und wozu gebraucht wird!

„Jene Erdmessungen haben gleichzeitig ergeben, dass der kleine Durchmesser der Erde senkrecht auf dem grossen steht; *die Abplattung findet demnach an den Endpunkten des kleinen Durchmessers statt*; so steht's Seite 121 gedruckt!

Ueberaus amüsant ist das Kapitel über *Magnetismus und Deviation*; aus der reichen Zahl der Gallimathias nur Einige.

Seite 136 unten heisst es: die magnetische Kraft ist an zwei Punkten eines Magnets am wirksamsten, welche deshalb auch seine Pole genannt worden.

Seite 138: Bildet der Stab — der weiche Eisenstab — einen Winkel mit der Inklinationsnadel, so wird er weniger magnetisch, und zwar im Verhältnis dieses Winkels mal den Cosinus der Inklination. (Wer versteht's?)

Seite 111: Das Nordlicht bringt die meisten Veränderungen in der Lage dieser grösseren Magnetnadeln hervor etc. etc. (Sind Nordlicht und Veränderungen nicht Wirkungen einer und derselben Ursache?)

Seite 144: Die in einem Kasten auf einem Stifte horizontal schwebende, eine Kreiseinteilung tragende oder in einem geteilten Kreis sich bewegende Magnetnadel heisst Kompass. (Wir nahmen seither an, dass Magnetnadel, Rose, Pinne, Kessel, Aufhängung etc. etc. zusammengenommen einen Kompass ausmachen und erlauben uns, das auch fernerhin anzunehmen.)

Seite 145: Bei einer Nadel lässt sich die ungestörte Gleichgewichtslage, welche durch jene — 2 oder 4 Nadeln — erlangt wird, nie erreichen.

Seite 147: Um bei flach liegenden Magneten die Rose umlegen zu können, befindet sich ein bewegliches Doppelhütchen in einer Hülse; das Hütchen verschiebt sich so viel, dass der Schwerpunkt noch unter der Rose liegt, wenn auch die Nadeln beim Umlegen nach oben zu liegen kommen. (O heilige Einfalt.)

Seite 150 unter 1 wird der Kompass noch nach der Anzahl der Schwingungen beurteilt.

Seite 155 heisst es: Im Allgemeinen scheint die Wirkung des im Schiffe befindlichen Eisens auf die Kompassnadel auf den Pol derselben gerichtet zu sein, welcher gegen den Horizont geneigt ist. (Nun ja, so gefällt's!)

Seite 156: Die Wirkung des in einem Schiffe befindlichen magnetischen Eisens auf die Kompassnadel heisst Lokalattraktion (örtliche Anziehung) und die dadurch entstehende Ablenkung der horizontal schwebenden Nadel von der magnetischen Meridianebene wird Lokaldeviation (örtliche Ablenkung) genannt. (Wir haben gedacht, die Deviation sei eben die Wirkung des magnetischen Eisens und sind so frei, das auch ferner zu denken.)

Seite 176: Die quadrantale Deviation hängt von der Horizontal-Intensität allein ab. (Da $D = \frac{1}{2}\lambda \frac{a - e}{2}$; $E = \frac{1}{2}\lambda \frac{b + d}{2}$ ist, so ist dieser Satz nicht zu deuten; die quadrantale Deviation ist von der Horizontal-Intensität unabhängig.)

Die Art der Bearbeitung dieser Abtheilung des Buches — wie noch so manches andere — ist nur erklärlich, wenn man annimmt, dass der Bearbeiter, abseits der Heerstrasse des Lebens und Treibens, dieses nicht einmal durch die Brille der Bücher kennen gelernt hat. Der beschriebene Kompass hat die veraltete und nur bei billigster Waare noch beibehaltene Konstruktion; ein Ritchie, Dent, Thomson, Ludolph, Peichl, Hechelmann u. a. scheinen nie gelebt und gearbeitet zu haben; das Handbuch der Navigation, herausgegeben vom Hydrographischen Amte der Kaiserlichen Admiralität, welches bereits in zweiter Auflage erschienen ist, scheint dem Bearbeiter nie in die Hand gekommen zu sein, sonst wären die Formulare auf Seite 161 und 162 sehr sonderbar. —

Hat der Bearbeiter der neuen Auflage wohl je das Lehrbuch der Navigation von W. von Freeden gelesen? Es scheint nicht so, sonst würde der unendlich schwerfällige Apparat der grössten Kreissegelung, wie er auf Seite 214 und ff. vorgeführt wird, durch eine neue Arbeit ersetzt worden sein. Wenn das Buch ein Lehrbuch sein soll, so dürfen doch die Fortschritte im Instrumentenwesen nicht so vollständig unbeachtet bleiben, als es geschehen ist: Thomsons Lotapparat existirt nicht für das Buch; von den Barometern sind nur die älteren Konstruktionen vorgeführt, und sehr auffällig muss es erscheinen, dass von der vielbesprochenen und vielbeschriebenen Untersuchung der Kompasse, Sextanten, Oktanten, Barometer und Chronometer durch die Seewarte nicht eine Silbe erwähnt wird. Doch wo fänden wir ein Ende, wollten wir alle Ausstellungen vorführen, die wir zu machen haben! Eine nur noch zwängt sich uns in die Feder.

In den Beispielen zur Zeitbestimmung sind Breite etc. etc. auf Zehntel Minuten und die trigonometrischen Funktionen resp. die Linien mit fünf Dezimalstellen gerechnet. In Domke's Tafeln sind überall sechs Stellen gegeben und die Einrichtung für Sekundenrechnung getroffen. Und mit diesem Tafelbuche müssen die Schüler fünfstellig und auf zehntel Minuten rechnen!! Bedächten doch die Herren, dass die Breite leicht um 5 Min., die Höhe leicht um 2 Min. unsicher ist, so müssten sie diese Zehntel-Minuten-Rechnerei fallen lassen, wie es längst jeder vernünftige Schiffsoffizier thut. Breusing hat ganz recht, wenn er seinen Schülern sagt: „Wir sind die Praktiker; jene spielen sich gerne als Theoretiker auf". Wenn nun gar in der neuen Auflage auf Seite 531 unter 4 die in Breusings Steuermannskunst 1877 Seite 247 mehr als scharf gegeisselten sinnlosen Wiederholungen auf's Neue empfohlen werden, wenn auf Seite 534. — wenn Breite und Deklination *ungleichnamig* sind, diese als *ungleichartige* Grössen und also statt „Breite — Deklination" dann „Breite + Deklination" zu nehmen gelehrt wird so — — —

„So sag' ich mit lustigem Kritikerton:
Siehst du, das ist der Humor davon!"

Die verstimmte Lyra.

Verschiedenes.

Die Eisenbahnanlage vom Festlande nach Norderney wird auch in der „Zeitschrift des Vereins deutscher Ingenieure" Band XXX, S. 652 besprochen, indem dort die Ausführung des „Oberbaus mit schraubenförmigen Glocken" nach dem Vorschlage der Ing. Vogt und Figge des nähern auseinander gesetzt wird.

Von der gewiss richtigen Ansicht ausgehend, dass die Wattstrecke dieser Bahn einen *„submarinen Character"* habe, und dass „die bisher bekannten Oberbausysteme" sich nicht für eine Anlage eignen, welche gegen Versandung wie Unterspülung zu schützen ist, auch eine leichte Ausführbarkeit von Ausbesserungen der „Geleisveränderungen im senkrechten Sinne" gestatten muss, schlagen jene Herren vor, den Oberbau auf den unsern Lesern (vergl. Hansa 1875 S. 131) bekannten Patent-Bohrankern von Bohlken zu fundiren, auf welche Schraubenpfähle die Herren Vogt und Figge dann Glocken als Träger der Schienen, nach einem von ihnen des weitern beschriebenen Ausführungssystem verwenden wollen. Wenn auch diese *ersten* Träger ebensolche Erschütterungen den Fahrgästen der Bahn bereiten werden, wie s. Z. die in Baden auf festen Sandsteinblöcken fundirten Eisenbahngeleise, so ist doch andererseits die Solidität der Ausführung nicht wol zu bezweifeln, da die einmal eingeschraubten Pfähle eine äusserst bedeutende Widerstandsfähigkeit gegen vertikale wie geneigte oder horizontale Zugkräfte besitzen.

Wir fragen aber, was ist in Wirklichkeit dadurch gewonnen? Da die Herren selber zugeben, dass „die Benutzung der Bahn auf die Zeit der Ebbe beschränkt bleibt", so besteht der Gewinn doch in nichts weiterem, als dass *eine Gelegenheit mehr* am Tage unter den übrigen Gelegenheiten vom Norddeich (mit ihrer kleinsten Wasserfahrt von reichlich halbstündiger Dauer) von Emden (4 Stunden), Leer (5 Stunden), Wilhelmshaven (5 Stunden), Bremerhaven (6 Stunden mindestens) dem Badepublikum geboten würde. Alle übrigen Zufälle teilt die Bahn mit den Dampferlinien in mindestens gleichem Masse. Wie die Dampfer mitunter, besonders im Herbst, wegen stürmischer Witterung nicht fahren, so wird die Eisenbahn gelegentlich nicht benutzt werden können, wenn Schiffe auf dem Hohenwege festgeraten sind oder der Sturm das Abebben der Wattgewässer verhindert. Die übrigen „Unbequemlichkeiten des meist grossen Umweges," „das wiederholte Umsteigen", der „Aufenthalt zwischen der Eisenbahnfahrt" auf dem Festlande und der Wattfahrt, „der unmittelbare Anschluss" an die Wattfahrt, werden die mit Eisenbahnfahrkarten versehenen Reisenden ebenso empfinden wie diejenigen, welche die Wasserreise mit dem Dampfschiff zurücklegen wollen. Wie aber von dem Bruchteil der Badegäste, welche wie eine gewisse Menschenrasse die ausgesprochene „Furcht vor dem Wasser" erfüllt, die etwa 20 Km. lange Nebenbahn, davon 8 Km. Wattbahn, rentabel gemacht werden soll, entzieht sich unserer Fassungskraft. Für diese Sorte Menschen möchten wir als radikales Aushülfsmittel eine *Drahtseilbahn* nach der Insel empfehlen; das gäbe eine gemütliche Fahrt zu zweien, und wäre doch mal etwas Originelles.

Denn was weiter von einer Fortführung der Bahn rund um die Insel in dem beregten Artikel verlautbart, ist zu luftiger Natur, um ernsthaft genommen zu werden. Allerdings ist Norderney nicht verwöhnt in Betreff einer thatkräftigen voraussichtigen Badeverwaltung, aber den Badeverwalter möchten wir doch kennen lernen, der gestatten würde, dass der unvergleichliche Badestrand Norderneis, der Tummelplatz unzähliger Erwachsener und Kinder, welche dort See- und Luftbäder zugleich geniessen, durch einen Schienenstrang entstellt und verkümmert würde. Einen solchen, an dem eigentlichen Lebensnerv Norderneis nagenden, Wurm müsste man ja je eher je lieber zertreten, bevor er eine Anlage gestattete, welche einige faule Dickwänste „rascher nach der Giftbude befördern" könnte.

Die **Vertiefung der Seine bis Paris** soll jetzt soweit gefördert werden, dass Schiffe von 1000 Tons, die nicht mehr als 3 m Tiefgang haben, und Masten und Schornsteine vor den Brücken niederlegen können, bis an die Hauptstadt hinauffahren dürfen.

Die verschiedenen **Erd- und Seebeben**, welche im verflossenen Monat den Süden der Vereinigten Staaten, namentlich Charleston verheert haben und auch in der Nähe der Linie im Atlantic, sowie im Mittelmeer (Galita) gespürt sind, dauern noch immer fort, und verraten damit eine grossartige Störung des Gleichgewichts der Erdkruste.

Ein **fahrbarer elektrischer Feuerturm** bestehend aus 1. einem teleskopischen System von kupfernen Röhren, welche oben den Leuchtapparat tragen; 2. einer Drei-Cylinder-Dampfmaschine zur Bewegung einer Gramme-Maschine oder einer Saug- und Druckpumpe; 3. einem senkrechten Röhrenkessel und 4. einem Wasserbehälter, ist von einem H. Bedawe in Lüttich erfunden. Er soll dienen zur Küstenbeleuchtung auf bestimmte Zeit, sodann zur Beleuchtung bei grösseren Arbeiten, Versammlungen an öffentlichen Orten, Festen, bei Unfällen aller Art u. s. w. Der ganze Bau wird auf einem vierräderigen Wagen von Ort zu Ort gefahren. Der Leuchtapparat und die teleskopischen Röhren werden durch hydraulische Kraft gehoben.

Die **Verbreitung meteorologischer Wettervorhersagungen über das flache Land** war bisher die denkbar unvollkommenste, ungenügendste Leistung der Wetterpropheten aller Länder. Das meteorologische Amt zu Christiania in Norwegen hat seit dem 1. Juli ein wie man hört beifällig aufgenommenes System zur Verbreitung derselben befolgt. Es hat die über Tag von der Hauptstadt in's Land abgehenden Züge mit allerhand weissen Dreiecken, Kugeln, Vierecken u. s. w. versehen, durch deren einfache oder kombinirte Aufstellung auf den Wagen der Eisenbahnzüge es den Anwohnern der Bahnstrecken kundgibt, welches Wetter für die nächsten 24 Stunden zu erwarten steht. Auch haben einige Küstendampfer diese Wetterzeiger schon vom Mast ihrer Schiffe aufgehängt.

Suez-Kanal, Nachtfahrten durch denselben. Seit die Suezkanalverwaltung den Schiffen, welche mit elektrischem Licht versehen sind, gestattet hat, den Kanal auch während der Nachtzeit zu passiren, wird von dieser Erlaubniss schon vielfach Gebrauch gemacht, so dass die Kanaldurchfahrt, statt 2 Tage zu erfordern, jetzt schon binnen 20 Stunden vollendet wird. Getadelt wird aber die von der Kanalgesellschaft empfohlene bezw. befohlene Aufstellung des Leuchtapparats auf der Brücke, weil dadurch die Ausguckposten geblendet werden. Es hat deshalb die Gesellschaft schon nachgegeben, und werden die elektrischen Leuchten jetzt auf halber Bordhöhe zu beiden Seiten in oder hinter den Fockrusten angebracht, und dazu ein Reflexionsapparat am Vorsteven in 3 m Höhe über dem Wasser und desgl. einer am Heck. Die 63 Sm. eigentliche Kanalfahrt wird nunmehr mit der erlaubten Fahrgeschwindigkeit von reichlich 5 Sm. in der Stunde in 11 Stunden zurückgelegt und die Seen mit voller Fahrt von 8—10 Sm., so dass bei gar keinem Aufenthalt die Durchfahrt eigentlich nur 15—16 Stunden erfordert.

Musikalisches. *Um den Kindern eine Freude zu bereiten* und denselben gleichzeitig ein Organ zur frühzeitigen musikalischen Ausbildung anzuschaffen, abonniere man auf die im Verlage von **P. J. Tonger in Köln** erscheinende *Musikalische Jugendpost*, Abonnementspreis pro Quartal nur *M. 1.—*.

Die soeben erschienene Nr. 17 enthält: „Aus dem Leben des Sonatinenvaters Muzio Clementi" von C. Haas. — „Maëstro Koch", aus Beethovens Leben von C. Cassau, mit Illustration von Clemens Kissel. — „Hannchen im Vogelkonzert" von Ella Weiler. — „Einführung in die Oper" in Erzählungen und belehrenden Unterhaltungen. IV. „Orpheus von Chr. W. von Gluck" von Ernst Pasqué, mit 2 Illustrationen von Professor H. Müller. — „Volkstümliche Liederreigen" von Petersen-Grönwald II. Folge. — „Lustiges Musikalisches Allerlei" gesammelt von Fr. Litterscheid. — Rätsel. — Litteratur. — Briefkasten.

Musikbeilagen: W. Teuber. „Wiegenlied" für 1 Singstimme und Klavier. — Chr. W. von Gluck „Melodie aus der Oper Orpheus" für Violine und Klavier. — Albert Methfessel „In die Ferne", Vortragsstück für Klavier. —

Probe-Nummern gratis durch alle Buch- und Musikhandlungen, ebenso bereits erschienene Quartale zur Ansicht.

Das **„Liederbuch für Kaufleute"** enthält 52 die Freuden und Leiden des kaufmännischen Standes in heiterer oder ernster Weise besingende Lieder, gedichtet und verlegt von Ernst Stachelhaus in Bonn. Die Melodieen sind die der besten Volkslieder und der bekanntesten akademischen Commerslieder. Um den praktischen Wert des Liederbuches bedeutend zu steigern, hat der Verfasser von letzteren eine beträchtliche Anzahl der beliebtesten in einem Anhange beigefügt. Preis: hochelegant brochirt, auf feinem Velinpapier, 8 Bogen 8° mit künstlerischem Titelkupfer: **1 Mark.** Zu beziehen gegen Einsendung in Briefmarken durch den Verlag von E. Stachelhaus, Bonn.

Verlag von H. W. Silomon in Bremen. Druck von Aug. Meyer & Dieckmann, Hamburg, Alterwall 26.

HANSA

Redigirt und herausgegeben
von
W. von Freeden, BONN, Thomastrasse 9.
Telegramm-Adresse:
Freeden Bonn,
oder
Hansa Alterwall 28 Hamburg.

Verlag von [illegible] in Bremen.
Die „Hansa" erscheint jeden [illegible] Sonntag.
Bestellungen auf die „Hansa" nehmen alle Buchhandlungen, sowie alle Postämter und Zeitungsexpeditionen entgegen, desgl. die Redaktion in Bonn, Thomastrasse 9, die Verlagshandlung in Bremen, [illegible] und die Druckerei in Hamburg, Alterwall 38. Sendungen für die Redaktion oder Expedition werden an den letztgenannten drei Stellen angenommen. Abonnement jederzeit, frühere Nummern werden nachgeliefert.

Abonnementspreis:
vierteljährlich für Hamburg $2\frac{1}{2}$ ℳ,
für auswärts 3 ℳ = 3 sh. Sterl.
Einzelne Nummern 60 ₰ = 6 d.

Wegen Inserate, welche mit [illegible] ₰ die Petitzeile oder deren Raum berechnet werden, beliebe man sich an die Verlagshandlung in Bremen oder die Expedition in Hamburg oder die Redaktion in Bonn zu wenden.

Frühere, komplete, gebundene Jahrgänge v. 1872, 1874, 1876, 1877, 1878, 1879, 1880, 1881, 1882, 1883, 1884, 1885 sind durch alle Buchhandlungen, sowie durch die Redaktion, die [illegible] zu beziehen. Preis ℳ [illegible]; für letzten und vorletzten Jahrgang ℳ [illegible].

Zeitschrift für Seewesen.

No. 22. HAMBURG, Sonntag, den 31. Oktober 1886. 23. Jahrgang.

Inhalt:

Die Hauptursachen der Totalverlüste auf hoher See.

Ueber dieses Thema hielt auf der diesjährigen Sommerversammlung der britischen Schiffbaumeister und Schiffsmaschineningenieure Professor Elgar, bisheriger erster Lehrer an der von John Elder gegründeten Schiffbauschule in Glasgow, (neuerdings zum Chefconstructeur der britischen Marine ernannt), einen längern Vortrag, welcher sehr beifällig aufgenommen wurde. Der Vortragende hatte grossen Fleiss darauf verwandt, die vielfach unzureichende oder dunkle Statistik der verschiedenen Gesellschaften und Behörden, welche sich um Seeverlüste bekümmern, zu sichten und zu ordnen und aus dem ganzen Wust von Nachrichten über eigentliche See- (Dampf- oder Segel-) Schiffe, Jachten, Fischer-Fahrzeuge, Fluss- und Küstenschiffe die erstgenannte Klasse, und zwar in Grössen von mindestens 300 To., auszuscheiden, um so zu einem einheitlicher gestalteten Ausgangspunkt für seine Untersuchungen und Schlüsse zu gelangen. Als Grundlage dienen ihm die Verlüste des Unglücksjahres 1881 und von 1882 und 1883. Da unser Raum nicht ausreicht, den ganzen Vortrag hier wiederzugeben, so interessant und bedeutsam er auch für Schiffbauer, Rheder, Versicherer und die Seeleute selber ist, und wir sie dieserhalb auf die „Notes upon Losses at Sea, by Professor Francis Elgar, LLD., F. R. S. E.; Abstract of paper read at the twenty-seventh session of the Institution of Naval Architects at Liverpool", bezw. auf den wörtlichen Abdruck in No. 1075—1078 von „Engineering 1886" verweisen müssen, so glauben wir doch unsern Beitrag zur Bekanntgebung dieses Vortrags dadurch liefern zu sollen, dass wir die Schlusssätze des Vortrags hier kurz zusammenfassen.

Professor Elgar fasst seine Folgerungen aus den vorgetragenen Untersuchungen, welche vorzugsweise auf die mangelhafte Stabilität als Grund des Untergangs gerichtet blieben, in nachstehende 8 Sätze zusammen:

1. Das Uebergehen der Ladungen ist eine der hauptsächlichsten Ursachen des Unterganges von Dampf- und eisernen Segelschiffen auf hoher See, ohne Rücksicht auf die blosse Tiefe der Beladung.

2. Gefährliches Uebergehen von Kornladungen wird zuweilen veranlasst durch hastige unvollkommene Stauung, zu leichte Längsschotten oder schwache Querschotten an beiden Enden, oder durch Unterlassung genügender Dichtung der Letztern, wie es die Dichtigkeit der Ladung verlangt. Kohlen gehen öfters in gefahrdrohender Weise über, wenn sie in nicht mit Längsschotten versehenen Abteilungen verladen wurden.

3. Viele mit Kohlen oder Korn beladene Dampfer — besonders die Klasse der vor mehreren Jahren viel gebauten schmalen Dreidecker — sind Schiffe von ungenügender Steifheit, um bei voller Ladung dem Ueberholen bis zu einem gefährlichen Winkel zu widerstehen, im Fall die Ladung übergeht oder Wasser unten eindringt.

4. Die gewöhnliche Wirkung der beiden letztgenannten Fälle ist, dass das Schiff sich ganz beträchtlich auf die Seite legt, ohne geradezu zu kentern.

5. Grosse Pumpkraft ist oft ein wirksames hülfreiches Mittel, um Totalverlust unter diesen Umständen vorzubeugen und das Schiff wieder aufzurichten.

6. Die Stabilität dieser Schiffe bei den verschiedenen Ladungen, welche sie voraussichtlich einnehmen werden, sollte durch scharfe Rechnung vorher festgestellt werden, bevor sie nach See gehen, und zur Richtschnur für alle für die Beladung verantwortlichen Personen sollte man klare auf jene Rechnungsresultate begründete Verhaltungsregeln dem Schiffer mitgeben. Diese Regeln sollten nach besondere Vorschriften geben über die im Zwischendeck verbleibenden leeren Räume, sowie über das Gewicht des zu führenden Ballastes, oder über beide Teile, und zwar für jede Art von Ladung.

7. Zum Besten aller bei der Schiffahrt Beteiligten sollten alle beglaubigten Einzelheiten über untergegangene und vermisste Schiffe, sowie über die nähern Umstände und die Art, in welcher die gesunkenen Schiffe verloren gingen, gesammelt und in bestimmten Zeiträumen veröffentlicht werden.

8. Verluste von Dampfern durch das Uebergehen der Ladungen scheinen vorzugsweise unter den schmalen Dreideckern [illegible] gebaut wurden. Die Dreideckdampfer, welche in neuerer Zeit gebaut wurden, haben mehr Breite und viel grössere Stabilität als jene frühern, und man darf die zuversichtliche Hoffnung aussprechen, dass die auf diese Umstände neuerdings gerichtete Aufmerksamkeit, und die seitdem bei diesem Schiffstyp eingeführten Verbesserungen zu einer Verminderung der Verluste derselben beitragen werden.

Cap Horn. Winde und Stürme.*)

Ein Blick auf die verschiedenen Segelanweisungen, zeigt die Verschiedenheit der Ansichten der Schiffer über das Wetter dieser vielbefahrenen Gegend, und zwar rührt dieselbe nicht so sehr von der geringen Zahl der Beobachtungen als vielmehr davon her, dass bislang keine *vollständige regelmässige Beobachtungsreihe* vorlag, welche sich über einen hinlänglich grossen Zeitraum erstreckte. Bei einer Durchsicht der ständlichen Beobachtungen fällt zunächst die nahe Beziehung zwischen der Windstärke und der jährlichen und täglichen Bewegung der Sonne über dem Horizonte auf, wie dies schon Fitzroy in seinen wertvollen Bemerkungen über das Klima dieser Gegend, nach den Beobachtungen der Adventure und Beagle im Jahre 1839, hervorgehoben hat. Während der langen Sommertage folgt die mittlere Windstärke den Veränderungen der Deklination der Sonne, nimmt regelmässig zu vom September bis Januar und nimmt von da bis April ab; bleibt aber während der Zeit der kurzen Wintertage sich fast stets gleich. Im Allgemeinen ist der *Januar der eigentliche Sturmmonat*; ein Sturm folgt häufig jeden zweiten Tag auf den andern, sodass die *mittlere Windstärke des Januar* dem einer „frischen Briese" gleich kommt; dagegen ist die *mittlere Windstärke des Juni* die einer „leichten Briese". Die *höchste Windstärke* pflegt zwischen 1 und 3 U. Nm. einzutreten, worauf der Wind bis Sonnenuntergang gemach abnimmt. Die Tagesstunden, in welchen die mittlere Windstärke am besten dem allgemeinen Mittel der Windstärke entspricht, verändern sich mit der Jahreszeit, liegen jedoch immer zwischen 8 und 10 U. Vm. und zwischen 7 und 8 U. Nm., während das Jahresmittel der Windstärke entweder auf 8 U. 45 Min. Vm. od. 7 U. 45 Min. Nm. fällt. *Windstillen* sind weit häufiger, als man nach der mittleren Windstärke erwarten sollte; sie füllen in jedem Monat 10 % der sämtlichen Beobachtungsstunden aus und folgen meistens den Stürmen, wenn sie ihnen nicht etwa vorhergehen. Sie dauern verschieden lang, öfters sogar 24 Stunden hindurch; wenn aber dann nicht bei beständigem Regen das Barometer aufhört zu fallen, so hat man sich auf bald eintretendes sehr schlechtes Wetter gefasst zu machen. Im April kommen die Windstillen am häufigsten vor, und füllen dann fast 20 % der sämtlichen Beobachtungsstunden aus, im Januar dagegen nur 5 % derselben. Die *unklare Windrichtung* ist laut den Anemometerablesungen eine westliche.

Während der bei Cap Horn sehr häufigen Böen weht der Wind gewöhnlich aus NW bis SSW. Die *Zahl und Stärke* derselben nimmt vom Sommer zum Winter ab. In den *Sommermonaten* hat man im Mittel auf 50 Stunden Sturm, in den *Wintermonaten* dagegen nur auf 23 Stunden Sturm zu rechnen. Durchweg sind Januar, Februar und März die *gefährlichsten Monate*; die beste Jahreszeit dehnt sich vom 20. April bis zur Juni-Sonnenwende und selbst bis zum 15. Juli aus. In der Bucht von Nassau und innerhalb 40 bis 50 Sm. von diesem südlichsten Punkte Amerikas werden die Stürme gewöhnlich durch das Fallen des Barometers bei einer Totenstille oder leichten und veränderlichen Winden 4 bis 5 Stunden, oft auch 12 bis 15 Stunden vorher angekündigt; dann setzt eine erste Böe oft ganz plötzlich ein, sodass ohne irgend welchen Uebergang nach bloss wenigen Minuten ein heftiger Sturm einer Totenstille nachfolgt, und darin besteht gerade die Hauptgefahr derselben. Zu diesen ersten *vorläufigen Warnungszeichen* gesellen sich als fernere Vorboten schlechten Wetters ein unregelmässiges Steigen des Dunstdrucks, beharrlicher Regen und eine gleichmässig graue Atmosphäre, durch welche ein bis zwei Stunden vor der ersten Böe kleine Wolkenballen rasch und niedrig vorüberziehen. Wenn der Schiffsort solche Beobachtungen gestattet, sollte man die Verdichtung der Wolkenmassen nicht unbeachtet lassen, welche anfangs die Berggipfel krönen, später aber regelmässig längs der westlichen Abhänge herabsinken und rasch über die nach der Pacific Seite hin offenen Schluchten und Thäler ostwärts ziehen.

Mit den aus W. und SW. kommenden Böen brechen die Stürme los, während das Barometer sehr rasch zu steigen beginnt, sobald der Wind nach WNW. od. WSW. geht. Nimmt das Steigen des Barometers seinen regelmässigen Fortgang, so ist dies ein Anzeichen des normalen Verlaufs des Sturmwetters, d. h. in 1 bis 2 Stunden nach dem Anfang des Steigens geht der WNW. oder Westwind nach WSW. oder SW. herum und nimmt an Stärke zu, dann setzen unter rasch auf einander folgenden Regen-, Hagel- und Schneemuss-Schauern heftige Windböen ein, der Wind geht bei aufklarendem Himmel noch weiter nach SSW. und Süd herum, während gleichzeitig die Luftwärme abnimmt und die Windstösse weniger häufig und weniger heftig werden.

Im *Winter* dreht sich der Wind sogar recht schnell durch Süd bis in den SO. Quadraten; es folgen zuweilen einige schöne Tage, bis während eines neuen Steigens des Barometers starke Böen von NNO. und NNW. einsetzen, während welcher die Temperatur der feuchten Thermometerkugel stark sinkt bei verhältnismässiger hoher Luftwärme. Im letztern Falle ziehen sich die Böen schliesslich immer mehr nach N. und NNW., bis durch die Gegenwirkung der Winde von den hohen Bergen eine leidliche Ruhe geschaffen wird, während das Barometer rascher sinkt und frische Böen aus WNW. und SW. heranziehen.

Im *Sommer* verläuft das Unwetter anders, der Sturm stirbt ab, der Wind geht nach SW. oder SSW., geht dann rasch zurück nach NW. und NNW., worauf ein neuer Sturm dem eben beendeten folgt. Und so wechseln in dieser Jahreszeit Windstillen und Stürme regelmässig mit einander ab, und lassen für gewöhnliche Winde nur kurze Zwischenräume übrig.

Die *Dauer der Stürme* ist sehr verschieden, jedoch darf man behaupten, dass sie mit Vorliebe in der zweiten Hälfte der Nacht oder mit Tagwerden einsetzen, und in der zweiten Hälfte des Nachmittags oder während des Abends aufhören. Diese Wahrnehmung ist von grosser Bedeutung, denn wenn der Wind statt abzunehmen gegen Abend zunimmt, während das Barometer zu steigen aufhört, oder gar Neigung zum Fallen zeigt, so kann man sich auf einen schweren Sturm in der zweiten Hälfte der Nacht und den folgenden Tag hindurch gefasst machen. Wenn nach einem stürmischen Tage der Wind Abends nach NW. zurückgeht, so deutet das mit Wahrscheinlichkeit auf schönes Wetter am folgenden Tage, es sei denn, dass das Barometer eilends steigt, in welchem Fall auf

*) Nach französischen Stationsbeobachtungen in der Orange-Bai und den Wahrnehmungen der »Romanche« im feuerländischen Archipel und des Missionar Bridges im Beagle-Kanal, desgl. nach 14jährigen anderweitigen Beobachtungen engl. Missionare in der Nähe des Cap Horn, zusammengestellt vom franz. Mar. Lieutenant J. Lephay, und veröffentlicht von der franz. Regierung. Laut Naut. Mag. Dec.-Heft 1885.

handliches oder schönes Wetter für den nächsten Tag zu rechnen ist.

SO. Stürme kommen am Cap Horn sehr selten vor; nach den Berichten der englischen Missionare wehen starke Winde aus dieser Richtung nur während weniger kalter Wintertage.

Auch aus dem NO. Quadranten kommen heftige Stürme nur selten vor, häufiger dagegen im Herbst frische Winde und rauhe sehr unregelmässige Böen. Das Fallen des feuchten Thermometers, steigende Luftwärme und eine blasse durch einen gleichmässig dichten Schleier von grauem Dunst kaum sichtbare Sonne kündigen immer Winde aus dieser Gegend vorher an, welche aber selten von Regen und Böen begleitet werden. In der Regel sterben die nördlichen Winde ab oder schiessen plötzlich nach W oder SW, welches ein schwarzer drohend aussehender Himmel über letzterem Horizont stets vorher kund gibt. Im Augenblick des Umspringens löst sich dort eine grosse Nimbus Wolke ab, und dann folgt eine heftige Böe aus W. oder SW.

Die *Eigentümlichkeiten der Stürme beim Cap Horn* und in der Nähe der südlichen Küsten des Feuerlandes lassen sich durch den *Einfluss des hohen Landes erklären*, welches für den Augenblick die atmosphärischen Luftströmungen auf ihrem Wege von WNW. nach OSO. aufhält. Während im Westen und Süden der hohen Bergketten des Archipels des Feuerlandes der nordöstliche, die östlichen bis nordwestlichen Winde enthaltende Teil des atmosphärischen Wirbels durch die Berge bekalmt wird, beobachten die davon betroffenen Gegenden ein Fallen des Barometers mit Windstille oder leichten Winden, bis der ganze Wirbel von dem Hochlande frei gekommen ist. Sobald das Centrum der Depression hinlänglich weit nach S. oder SO. von Cap Horn fortgerückt ist, so dass die drehende Bewegung und das dieselbe begleitende Wetter an der Oberfläche des Meeres gespürt werden können, bricht der Sturm plötzlich los und bringt das Schiff in grosse Gefahr, wenn aus Unachtsamkeit gegen die Anzeichen des Barometers und die andern meteorologischen Warnungen der Schiffsführer nicht bereits gegen die plötzlichen und unheilvollen Folgen des Sturmes Vorsorge getroffen hat. In dem Maasse, wie das Centrum der Depression nach O. fortschreitet, geht der Wind nach W. und S. herum, bis eine neue von West kommende Depression die Wirkung der abziehenden aufhebt und Windstille oder ein Umspringen des Windes nach NW. bei neuem Fallen des Barometers hervorruft.

Wenn deshalb *ein Schiff, welches auf westlichem Kurse dicht um das Cap Horn herumsegeln will*, während der ersten Stunden der dem ersten Ausbruch des Sturms vorhergehenden leichten NO. bis NW. Winde *mit Steuerbordhalsen an Bord nach SW. wegsteht*, so läuft es gerade in den Teil des Wirbels hinein, in welchem schwere W. bis SW. Winde vorherrschen; liegt es *dagegen rasch nach SO. weg*, so wird es finden, dass der Wind nach N. und NO. herumholt, vielleicht sogar nach SO., wenn es noch vor dem Centrum der Depression vorüberlaufen kann. Im letzteren Fall kommt es aus dem gefährlichen in den handlichen Halbkreis des Sturms.

Aus diesem auf Geratewohl aus den vielen möglichen Fällen herausgegriffenen Beispiel erhellt zur Genüge, wie viel für einen Schiffsführer, der beim Cap Horn Schiff und Mannschaft schonen will, die Bekanntschaft mit den Bewegungsgesetzen der Atmosphäre und den verschiedenen meteorologischen Folgen derselben wert ist.

Es würde zu weit führen, wollten wir alle Hauptfälle in der Befahrung dieser Gewässer mit Bezug auf das System der Winde und Stürme im Einzelnen durchgehen; es wird genügen, den *gewöhnlichsten Fall, nämlich den Seeweg eines vom Atlantic nach dem Pacific fahrenden Segelschiffs im Sommer und auch im Winter* gesondert zu besprechen.

Im *Sommer* der südlichen Erdhälfte liegt infolge allgemeiner und dauernder Ursachen ein barometrisches Minimum über den weiten Ebenen von Patagonien und der Argentina, und es werden durch die beständige Anziehungskraft dieses atmosphärischen Systems die vom Pacific nach dem Atlantic fortschreitenden Minima nach Norden abgelenkt, wodurch am Cap Horn und im Feuerlande heftige Stürme hervorgerufen werden. Unter diesen Umständen sollte ein Schiff, nachdem es durch Le Maire Strasse oder um Staaten Eiland herum gesegelt ist, SSW. wegliegen, um so rasch als möglich, wenn das Eis es gestattet, nach 59 bis 60° Breite zu kommen, wo es den Einfluss des handlichen Halbkreises des atmosphärischen Wirbels an den leichten dort vorherrschenden NO. bis SO. Winden spüren wird, welche für seine Fahrt nach dem Pacific entschieden günstig sind. Auf diesem Breitenparallel wird man trotz dem Eise leichter, und für Schiff und Mannschaft bequemer, West gutmachen, als auf dem Parallel von 57 oder 58° S., wo das Schiff oft tagelang wegen rasch sich folgender Stürme aus WNW. bis SW. beidrehen muss. Während dieser Tage konnte es leicht erst 2 bis 3 Grad südlich wegstehen, dann West aufgehen, um den Pacific zu erreichen und nordwärts Kurs zu setzen.

Diese aus einer einfachen Erwägung der allgemeinen atmosphärischen Verhältnisse hergeleitete Segelanweisung wird durch die Schilderungen und Ansichten erfahrener Schiffsführer wie Weddel und J. C. Ross bestätigt, welche behaupten, dass man in 60 bis 62° Breite eher auf handliches Wetter und östliche Winde rechnen darf als in der Nähe des Cap Horn selber.

Im *Winter und selbst im Herbst*, wenn über den Pampas ein System hohen Drucks liegt, auch die Depressionen weniger zahlreich und seltener sind, sollte man nicht so weit südlich wegstehen als im Sommer. Die niedrige Temperatur, die kurzen Tage, welche noch dazu immer mehr abnehmen, je näher man dem Polarkreise rückt, und die sehr oft an den Küsten des Feuerlandes vorherrschenden N. und NO. Winde, sind Veranlassungen genug, dem Schiffsführer den Parallel von 57° und nordwärts von demselben zu empfehlen, besonders wenn er südlich von Staaten Eiland auf N. bis NO. Winde rechnen darf.

Ein *dritter Weg steht Schiffen mit schwachen Hülfsmaschinen*, oder welchen wegen Kriegsgefahr der Weg durch die Magelhaensstrasse verschlossen ist, jederzeit offen. Derselbe führt von Nassau-Bai durch die Strasse zwischen der Hardy-Halbinsel und den Wollastone — und Hermite — Inseln. Nachdem man Le-Maire Strasse passirt ist, halte man dicht unter Land, und wird, ohne viele Kohlen zu gebrauchen, bequem durch Kreuzen und Ankern nach Orange-Bai oder Lort-Bai an der Ostseite von Hardy-Halbinsel gelangen, und dort in völliger Sicherheit auf vortrefflichem Ankergrunde eine günstige Gelegenheit abwarten, um False Cap Horn zu umsegeln, und in kurzen Schlägen unter den Inseln St. Ildefonso oder Diego Ramirez aufzukreuzen, worauf nur wenige Stunden genügen werden, nordwärts in den Pacific aufzusteuern.

Berichte über das Rhederei-Geschäft im II. Quartal 1886.

Danzig. Der Rückgang der Frachten hat im abgelaufenen Quartal weitere Fortschritte gemacht. Wenn trotzdem die Zahl der hier aufgelegten Schiffe etwas abgenommen hat, so findet sich die Erklärung dafür in dem Umstande, dass manche Rheder es vorziehen, einen Verlust auf der Reise zu erleiden, als die Schiffe der Gefahr des allmäligen Verderbens auszusetzen.

In unserm Hafen sind im abgelaufenen Quartal 471 Schiffe eingekommen und 531 von da ausgegangen.

Flensburg. Im Frachtgeschäft ist keine Besserung eingetreten. Während ein grosser Teil der hier angekommenen, nicht in regelmässigen Linien fahrenden Dampfer unsern Hafen ohne Ladung verlassen musste, haben andere solche zwar erhalten, jedoch zu Raten, welche kaum die Kosten der Reise deckten. Eisen- und Kohlenfrachten von

England verharrten auf einem sehr niedrigen Standpunkt, und an Getreidefrachten von Russland hat es bisher fast ganz gefehlt. Für spätere Abladungen von Petersburg nach hier sind Frachten bewilligt, welche um 15—20% gegen die vorjährigen zurückbleiben.

Von den Segelschiffen, die hier zum Winter aufgelegt hatten, liegt immer noch eine erhebliche Zahl ohne Beschäftigung, während von den in Fahrt gesetzten viele der verlustbringenden Fahrten wegen hierher zurückgekehrt sind. Ein grosser Teil der hier eingekommenen fremden Segelschiffe hat daher in Ballast wieder versegeln müssen.

Kiel. Dem Befrachtungsgeschäft fehlt jegliche Belebung. Nur mit Mühe konnte für die vorhandenen Räume Beschäftigung gefunden werden, die in den meisten Fällen nicht gelohnt hat. In Folge dessen mussten verschiedene Schiffe noch früher als in den Vorjahren aufgelegt werden. Von englischen Dampfschiffs-Rhedern wurde im Monat April eine Konvention abgeschlossen, den Kohlentransport, namentlich nach den Ostsee- und Mittelmeerhäfen, nicht unter bestimmten, niedrig bemessenen Sätzen auszuführen, welche Vereinbarung nominell zwar noch besteht, aber nur vorübergehend Erfolg gehabt hat.

Lübeck. Unser Schiffahrts- und Speditionsverkehr verlief während des verflossenen Quartals im Allgemeinen ausserordentlich still. Nur die ersten Wochen des April brachten einen lebhafteren Verkehr in Folge der späten Eröffnung der Schiffahrt, namentlich entwickelte sich in jener Zeit ein sehr lebhafter Stückgutverkehr von hier nach Dänemark und Schweden. Zufuhren waren ebenfalls um genannten Zeitpunkt, namentlich von russischem Spiritus von Libau, recht bedeutend. Seitdem ist aber auf fast allen Routen nach dem Norden der Verkehr sehr schwach geworden. Unsere Tourendampfer gehen nach den verschiedenen Plätzen in der Regel nur mit viertel oder halber Ladung von hier und haben teilweise grosse Not, Rückfrachten nach hier zu finden. Die Folge hiervon war, dass auch mehrere Dampfer bereits wieder aufgelegt haben. Während einiger Wochen des Monats Juni ging eine grössere Anzahl Dampfer und Segelschiffe mit Holzladungen von dem Norden ein.

Vom 1. Jan. bis 30. Juni sind in unserm Hafen eingelaufen:

1886...557 Dampfer,	285 Segelschiffe	=	842 Schiffe
1885...661 „	389 „	=	1053 „
1886. — 87 Dampfer	— 104 Segelschiffe	—	191 Schiffe.

Darunter befanden sich in diesem Jahre 73 Dampfer und 121 Segelschiffe mit Holzladung, sowie 19 Dampfer und 2 Segelschiffe mit Steinkohle. Die mit Steinkohle beladenen Schiffe hatten eine Gesamttragfähigkeit von 12 018 Reg.-To. Während im vergangenen Jahre 34 691 Gebinde Sprit eintrafen, sind in diesem Jahre bis zum 1. Juli 38 353 Gebinde angekommen, mithin 3662 Gebinde mehr als im ganzen Vorjahre.

Memel. Im zweiten Quartal sind in den hiesigen Hafen

66 Schiffe in Ballast (gegen 180 in 1885)
130 „ mit Waaren (gegen 148 in 1885)

eingelaufen; dagegen

12 Schiffe in Ballast (gegen 11 in 1885)
2 „ Nothafen und versegelt
218 „ mit Waaren (gegen 353 in 1885)

ausgegangen.

Stettin. In der Rhederei ist keine Besserung zu verzeichnen. Während ein grosser Teil der hier angekommenen, nicht in regelmässigen Linien fahrenden Dampfer unsern Hafen ohne Ladung verlassen musste, haben andere solche zwar erhalten, jedoch zu Raten, welche kaum die Kosten der Reise deckten. Eisen- und Kohlenfrachten von England verharrten auf einem sehr niedrigen Standpunkte, und an Getreidefrachten von Russland hat es bisher fast ganz gefehlt. Für spätere Abladungen von Petersburg nach hier sind Frachten bewilligt, welche um 15—20% gegen die vorjährigen zurückbleiben.

Von den Segelschiffen, die hier zum Winter aufgelegt hatten, liegt immer noch eine erhebliche Zahl ohne Beschäftigung, während von den in Fahrt gesetzten viele der verlustbringenden Fahrten wegen hierher zurückgekehrt sind: Ein grosser Teil der hier eingekommenen fremden Segelschiffe hat daher in Ballast wieder versegeln müssen.

Stralsund. Für die Segelschiffahrt sind die Fahrten auch in diesem Frühjahr so niedrig gewesen, dass an eine Deckung der Kosten und Assekuranz nicht zu denken ist: nur die in den transoceanischen Gewässern fahrenden [illegible] stellenden Gewinn. —s—

Der neue Flottengründungsplan der Vereinigten Staaten von Nordamerika

hat reichlich lange auf sich warten lassen, so dass es beinahe schien, als ob die Vereinigten Staaten gänzlich als Seemacht aufhören wollten aufzutreten. Jetzt sollen an Stelle der grösstenteils veralteten und unbrauchbaren Schiffe 22 neue Schiffe neuester Bauart treten, alle aus Stahl, gleichviel ob aus amerikanischen oder aus fremden Bezugsquellen, wenn derselbe nur die geforderte Widerstandsfähigkeit besitzt. Unter den 22 Schiffen sollen die 4 fertigen Stahlkreuzer „Atalanta“, „Boston“, „Chicago“ und „Dolphin“ mitzählen; 2 weitere Kreuzer und 2 Kanonenboote werden nächstens in Angriff genommen; ihnen folgen 2 Panzerfregatten von 6000 T. Wasserverdrängung und 6000 P. K. mit Panzern von 245 mm Stärke und darauch eine Anzahl, zunächst 4, Torpedoboote und 3 weitere Kreuzer von 3000—5000 T. Wasserverdrängung.

Im Ganzen sollen für diese Neubauten und ihre Bestückung 12 Mill. Dollars aufgewandt werden.

Die Neubauten der französischen Kriegsflotte.

Ein parlamentarischer Bericht stellt fest, dass die französische Flotte am 1. Januar 1886 einen Wert von 398 Mill. hatte, d. h. 169 Millionen mehr wert war als am 1. Januar 1862. Die französische Flotte wurde seit dieser Zeit vermehrt um 12 Geschwaderpanzerschiffe, 7 Kreuzerpanzerschiffe, 8 Panzerküstenwächter, 7 Kreuzer mit Batterieen, 9 Kreuzer erster Klasse, 8 zweiter Klasse, 2 dritter Klasse, 1 Torpedokreuzer, 12 Avisos erster Klasse, 23 Avisos zweiter Klasse, 7 Aviso-Transportschiffe, 8 Torpedo-Avisos, 14 Kanonenboote, 32 Schaluppen-Kanonenboote, 8 Dampfschaluppen, 9 Torpedoschiffe für die hohe See, 80 Torpedoschiffe, 10 Transportschiffe erster Klasse, 1 Transportschiff für das Gerät. Auf den Werften befanden sich am 31. Dezember 1885 im Bau 6 Geschwaderpanzerschiffe, 4 Panzerkanonenboote, 2 Kreuzer mit Batterieen, 8 Kreuzer dritter Klasse, 3 Torpedokreuzer, 2 Avisos, 3 Aviso-Transportschiffe, 45 Torpedoschiffe, 1 Transportschiff dritter Klasse, 2 Segelfregatten. Die Artillerie dieser verschiedenen Schiffe ist folgendermassen zusammengesetzt: Die sechs nach dem neuen Modell gebauten Geschwaderpanzerschiffe haben 4 Kanonen von 42 cm, 12 von 34 cm, 16 von 27 cm, 4 von 16 cm und 32 von 14 cm. Die Schnelligkeit dieser Schiffe beträgt 14 Knoten. Die 7 Geschwaderschiffe, die weniger stark sind und deren Schnelligkeit geringer ist, haben 42 Kanonen von 27, 24, 24, 19 und 14 cm. Die 4 Panzerkreuzer, deren Schnelligkeit 14 Knoten beträgt, besitzen eine gute Artillerie von 24 cm. Drei andere Schiffe dieser Gattung, die eine geringere Geschwindigkeit haben, werden in Friedenszeiten bei den Stationen verwandt. Die sechs Küstenwachtschiffe haben zusammengenommen 6 Kanonen von 27 cm. Ihre Geschwindigkeit ist eine geringe und man hofft sie mit Vorteil zur Unterstützung der Torpedoschiffsgeschwader gebrauchen zu können. Die vier Panzerkanonenboote sind ein jedes mit einer Kanone von 27 oder 24 cm ausgerüstet. Der Bericht bemerkt ferner, dass die französische Flotte keine Kreuzer von grosser Schnelligkeit besitzt. Ein einziger legt 18 Knoten in der Stunde zurück. Ein Torpedokreuzer besitzt die nämliche Geschwindigkeit. „Diese sind“ — so heisst es in dem Bericht — „die einzigen Fahrzeuge, welche wir den Schnelldampfern entgegenzustellen haben, die der Feind im Kriegsfall ausrüsten könnte. Diese Lage flösst Besorgnis ein. Binnen einigen Monaten werden wir jedoch acht Torpedo-Avisos besitzen, die eine Schnelligkeit von 18 Knoten haben. Dieselben können zum Plänklerdienst verwandt werden. Unsere Kreuzer erster und zweiter Klasse haben im Durchschnitt eine Schnelligkeit von 11 bis 16 Knoten“. Das Torpedoschiffsgeschwader besteht nach dem Bericht aus 9 Torpedoschiffen für die hohe See, aus 18 Torpedoschiffen erster Klasse, aus 44 zweiter Klasse und aus 9 Torpedo-Wachtschiffen. Nach dem Berichterstatter [illegible]. Das Ausland hat Panzerschiffe von einer Schnelligkeit von 17 bis 18 Knoten: die französischen haben nur eine Schnelligkeit von höchstens 15 Knoten. Die vom Ausschuss bewilligten Gelder sollen hauptsächlich diesem Uebelstande abhelfen. 12¾ Millionen werden zur Fortsetzung des Baues sechs grosser Panzerschiffe bestimmt, von denen eins 1887, zwei andere 1888 beendet sein werden. Zwei Millionen sind für den Bau von 4 Kanonenbooten bestimmt. Ausserdem werden bis 1889 zwei grosse Kreuzer mit Batterieen und ferner 2 Kreuzer erster Klasse, 2 Kreuzer zweiter Klasse, 3 Kreuzer dritter Klasse, 3 Torpedokreuzer und 2 Avisos erbaut werden. 51 im Jahre 1886 bestellte, nach einem ganz neuen Modell auf den Werften der Loire gebaute Torpedoschiffe sollen 1867 abgeliefert werden.

K. Z.

Bestand der Deutschen Kauffahrteiflotte am 1. Januar 1886.

Am 1. Januar 1886 bestand die Deutsche Kauffahrteiflotte aus 3471 Segelschiffen von 861 844 Reg.-T. Netto-Raumgehalt mit 24 925 Mann Besatzung und aus 664 Dampfschiffen von 420 605 Reg.-T. Netto-Raumgehalt mit 14 006 Mann Besatzung, zusammen aus 4 135 registrirten Seeschiffen von 1 282 449 Reg.-T. Netto-Raumgehalt und 38 931 Mann Besatzung. Diese Flotte zerfiel der Gattung (Bauart und Takelung) nach in:

a) Segelschiffe	Anzahl	Reg.-T.	Mann Bes.
Vollschiffe (darunter 2 viermastige)	152	183 894	3 159
Barken	780	429 849	10 480
Schunerbarken	12	3 256	119
Dreimastige Schuner	114	33 148	1 045
Andere dreimast. Schiffe (1 Logger)	1	163	12
Brigs	290	71 799	2 691
Schunerbrigs, Brigantinen	115	29 396	1 087
Schuner	308	32 341	1 608
Schunergalioten, Galeassen und Galioten	271	20 641	1 139
Gaffelschuner und Schmacken	61	3 840	245
Andere zweimastige Schiffe	682	26 612	1 839
Einmastige Schiffe	655	24 905	1 501
zusammen Segelschiffe	3 471	861 841	24 925
b) Dampfschiffe			
Räderdampfschiffe	46	5 219	405
Schraubendampfschiffe	618	415 386	13 601
zusammen Dampfschiffe	664	420 605	14 006

Nach *Grössenklassen* unterschieden gab es am 1. Jan. 1886: 26 Dampfschiffe und 5 Segelschiffe von mehr als 2 000 Reg.-T.; den grossen Raumgehalt hatte davon ein Dampfschiff von 2951 Reg.-T.; es gehörten zur Grössenklasse

von 1 400—2 000	Reg.-T.	121 Schiffe
„ 1 000—1 400	„	211 „
„ 500—1 000	„	469 „
„ 300—500	„	593 „
„ 200—300	„	451 „
„ 100—200	„	429 „
„ 50—100	„	538 „
„ 30—50	„	600 „
unter 30	„	723 „

In Bezug auf das *Alter* der am 1. Januar 1886 vorhandenen Deutschen Seeschiffe lassen sich folgende Zahlenverhältnisse aufstellen:

Es gab	Dampf-Schiffe	Segel-Schiffe	Reg. T.
unter 1 Jahr alte Schiffe	22	39	21 500
1 bis unter 3 Jahre	144	124	140 623
3 „ „ 5 „	133	91	146 580
5 „ „ 7 „	61	131	59 277
7 „ „ 10 „	47	317	113 901
10 „ „ 15 „	127	501	218 179
15 „ „ 20 „	64	550	206 437
20 „ „ 30 „	51	1 056	285 539
30 „ „ 40 „	10	412	68 690
40 „ „ 50 „	1	166	18 007
von 50 Jahren und darüber	—	38	2 595
Erbauungsjahr unbekannt	1	16	1 121

Von den Schiffen, die ein höheres Alter als 50 Jahre hatten, waren 30 Schiffe von 50 bis unter 60, 5 Schiffe von 60 bis unter 70, 2 Schiffe von 70 bis unter 80 und 1 Schiff von 90 bis unter 100 Jahren.

Als *Hauptmaterial*, aus dem die Schiffe gebaut sind, diente:

Eisen	bei 654 Dampf-,	195	Segelschiffen
Hartes Holz	„ 10 „	3 191	„
Weiches „	„ — „	16	„
Hartes u. weiches Holz	„ — „	60	„
Hartes Holz u. Eisen	„ — „	9	„

Chronometer führten am 1. Januar 1886 im Ganzen 1 671 Schiffe, darunter 364 Dampfschiffe. Die Gesammtzahl der an Bord befindlichen Chronometer betrug 1789, da 118 Schiffe 2 Chronometer führten.

Heimathshäfen der Seeschiffe am 1. Januar 1886. Die Zahl der Heimathshäfen der gesammten Deutschen Kauffahrteiflotte betrug 263, von denen 55 auf das Ostsee- und 208 auf das Nordsee-Gebiet fallen.

Heimathshafen in	Anzahl d. Häfen	Dampf-Schiffe	Segel-Schiffe	Reg.-T.
Prov. Ostpreussen	3	20	62	30 161
„ Westpreussen	2	30	77	43 870
„ Pommern	20	94	649	145 473
Grossh. Mecklbrg.-Schwerin	2	14	313	107 293
Freie Stadt Lübeck	1	29	6	10 650
Prov. Schlesw.-Holst., Ostküste	27	140	176	83 619
zus. Ostsee-Gebiet	55	327	1 283	421 366
Prov. Schlesw.-Holst. Westküste	65	16	380	35 249
Freie Stadt Hamburg	2	159	290	322 691
„ „ Bremen	3	111	246	319 255
Grossh. Oldenburg	23	6	328	88 880
Prov. Hannover	115	15	944	95 008
zus. Nordsee-Gebiet	208	337	2 188	861 083

Veränderungen im Bestande der Seeschiffe im Jahre 1885:

1. Abgang	Dampf-Schiffe	Segel-Schiffe	Reg.-To.
a) an Schiffen sind:			
1. abgewrackt (abgebrochen)	2	11	430
2. verunglückt	7	119	32 906
3. verschollen	1	13	3 580
4. kondemnirt	—	8	1 868
5. verbrannt	—	1	157
6. als Seeschiff ausser Verwendung getreten	2	19	923
7. verkauft nach deutsch. Staaten	5	37	10 824
8. „ „ ausserdeutschen Staaten	9	52	17 702
b) an Tragfähigkeit wurde verloren:			
durch bauliche Veränderungen	—	—	355
„ neue Vermessung	—	—	144
gesammter Abgang	26	260	68 909
2. Zugang			
a) an Schiffen sind:			
1. neu gebaut in deutsch. Staaten	26	42	22 241
und in ausserdeutsch. „	1	1	885
2. als Seeschiff in Verwendung genommen	1	12	422
3. als Wrack angekauft und aufgebaut	—	2	76
4. angekauft aus deutsch. Staaten	5	34	11 034
und aus ausserdeutsch. „	4	33	21 053
b) an Tragfähigkeit wurde gewonnen:			
durch bauliche Veränderungen	—	—	536
„ neue Vermessung	—	—	823
gesammter Zugang	40	124	57 070
3. Vergleichung			
Bestand am 1. Januar 1885	650	3 607	1 294 288
Mehr ab- als zugegangen	—	136	11 839
Mehr zu- als abgegangen	14	—	—
Mithin der Bestand am Jahresschluss	664	3 471	1 282 449

Hiernach ergiebt sich für das Deutsche Reich eine Verringerung der Schiffe um 122, sowie eine Verringerung des gesammten Raumgehalts um 11 839 Reg.-T.

—s—

Der neue Niagara-Sport in Amerika.

Ein Wagehals lockt den andern heran, das sieht man so recht an dem neuen Wagnis, welches jetzt in Nord-Amerika sportmässig betrieben wird, nämlich durch die Strudel des Niagara unterhalb der Fälle und demnächst über die Niagara-Fälle selber hinabzufahren. Nachdem die Fahrten über den Ocean im kleinen einsamen Boot zu einem alltäglichen Versuch, ums Leben zu kommen, [illegible] sind, ist jetzt das [illegible] die Strudel des Niagara zu *fahren*, nachdem Kapt. Webb beim Versuch sie zu durchschwimmen, verunglückt ist, in nordamerikanischen Kreisen in die Mode gekommen; und da die Fahrt in einem Fahrzeug zu machen ist, welches jede halsbrecherische Wendung, jeden Sturz, kurz jede Bewegung vorwärts und rückwärts, aufwärts und abwärts muss vollfahren können, ohne seine Schwimmfähigkeit einzubüssen, so war es ziemlich natürlich, dass nicht den Bootbauern, sondern den Küfern die Führung im Bau eines passenden Fahrzeugs überlassen blieb. Dieselben haben sich ihrer Aufgabe bis jetzt in zwei Formen entledigt, indem zuerst ein Küfer Graham ein Fass in der Form eines abgestutzten Kegels, und nach ihm zwei Kollegen Hazlett und Potts ein Schiff in der Form eines ringsgeschlossenen Torpedoboots oder einer Cigarre zu der Fahrt durch die Stromschnellen und Strudel benutzt haben. Das letztere Fahrzeug war sogar mit Schraube und Ruder zur selbstständigen Fortbewegung und Steuerung versehen, während Graham's Fass widerstandslos dem Zuge der Gewässer folgte.

Die Fahrzeuge selbst wurden aus kernfesten $1\frac{1}{2}$zölligen Fassdauben in Eisenringen hergestellt, wobei ein sogenanntes Ochsenauge dem Licht spärlichen Zutritt in das Innere gestattete. Graham's Fass war 84 Zoll hoch, 23 Zoll an der dicksten Stelle weit, hatte Böden von 17 und 26 Zoll Durchmesser, und war beschwert mit nur 60 # Ballast, welcher genügte im Verein mit dem 125 # schweren Fahrgast das Fass in ruhigem Wasser aufrecht zu erhalten. Da es sonst wasserdicht verschlossen war, so hatte sich Graham vorher zur Probe 15 Minuten lang einschliessen lassen und gefunden, dass beim Oeffnen des Mannlochs er so wohl wäre, dass er es wohl eine Stunde hätte aushalten können. Das Innere war sonst nur mit einer Hängematte und verschiedenen Handgriffen versehen, durch welche der Insasse sich möglichst vor Berührung mit den Fasswänden hüten konnte.

Das Boot von Hazlett und Potts, welches sie sich in ihrem Wohnort Chippewa oberhalb der Fälle auch selber gebaut haben, ist ebenfalls aus $1\frac{1}{2}$zölligen Fassdauben gemacht, ist 10 Fuss lang und hat ein abgerundetes mit Eisenblech beschlagenes Vorderteil, während es hinten, glatt abgeschnitten, noch 2 Fuss Durchmesser hat. Ein Kiel geht unter der ganzen Länge durch. Am Hinterteil ragen eine 12zöllige Schraube, deren Schaft einwendig durch eine Kurbel gedreht werden kann, und ein Ruder, welches durch Eisendrähte aus dem Innern bewegt wird, hervor; beide Teile sind durch Eisenstäbe gegen Stösse von aussen gesichert. Der grösste Durchmesser des ganzen Schiffs beträgt 3 Fuss, und der für die Insassen verfügbare Raum im Innern ist nur 6 Fuss lang und durch eine starke Wand von Segeltuch in 2 Hälften geschieden, damit jeder Insasse an seiner Seite bleiben muss, und dadurch das Fahrzeug stabiler macht. Ein Schott trennt das Vorderteil von dem übrigen Boot, so dass das Vorderteil eingestossen werden kann, ohne dass das Boot selber sich mit Wasser füllt und untergeht. In der Mitte des Oberdecks befindet sich ein Türmchen, welches als Luke zum Einsteigen dient, und zwei Ochsenaugen zur Beleuchtung und $1\frac{1}{2}$zölliges Eisenrohr zur Zuführung frischer Luft enthält. Als Ballast wurden 300 # Sand, und zur Abkühlung der Luft dicke Eisstücke mitgenommen, und damit waren die Vorbereitungen zur Fahrt beendet.

Den Dienst bei den Fällen zur Ueberfahr von Reisenden, welche sich den Fällen von unterhalb her möglichst nähern wollen, versieht ein Dampfer „Maid of the Mist", welcher das einzige Fahrzeug ist, welches einmal die 5 Km. unterhalb der Fälle belegenen Strudel unversehrt passirt ist. Dasselbe hat auch diese beiden Fahrzeuge bis in die Nähe der Strudel gebracht, und sie dann dem Strome überlassen.

Der 52 Km. lange Niagarastrom, welcher beim Austritt aus dem Eriesee etwa 4000 Fuss breit ist, d. h. etwa 3 mal so breit als der Rhein bei Bonn, verengt sich bald auf die Hälfte, [illegible] kurz oberhalb der Fälle eine kleinere Insel, die Ziegeninsel, und stürzt sich dann in 2 Fällen hinunter, deren östlicher, der amerikanische Fall, 1070 Fuss breit und 163 Fuss hoch, während der westliche, kanadische oder Hufeisenfall 1880 Fuss längs den Felsen breit und 160 Fuss hoch ist. Unterhalb der Fälle führen 2 Hängebrücken, die den Fällen nächste für Fussgänger, die 3 Km. von ihnen entfernte von unserm Landsmann Röbling, dem nachherigen Erbauer der Wunderbrücke zu Newyork erbaute, zu Eisenbahnzwecken dienende Brücke über den Fluss. Da letztere Brücke nur 800 Fuss lang ist, so erkennt man, wie der Strom unterhalb der Fälle eingeengt wird. Die dadurch und durch den Sturz mächtig erregte Strömung erlangt nun den höchsten Punkt der Raserei 5 Km. unterhalb der Fälle, wo der von Süd nach Nord fliessende etwa 1000 Fuss breite Strom sich plötzlich nach Westen wendet und dort in der Biegung die gefürchteten Wirbel und Strudel (Whirlpool) veranlasst, welche seine Gewässer nach der Mitte 7 Fuss über den Stand am Ufer in die Höhe treiben. Noch 5 Km. weiter bei Queenstown wird der Strom dann schiffbar, und ergiesst sich 11 Km. weiter unterhalb in den Ontariosee.

Bis eben oberhalb der zweiten Hängebrücke 4 Km oberhalb der Wirbel haben sich nun die tollkühnen Bootsgäste fahren und bugsiren lassen, von da ab sind sie sich selber überlassen geblieben, Graham ein willenloses Spiel der bald sich brechenden Wellen, Hazlett und Potts an der Arbeit bei Schraube und Ruder, um so lange als möglich die Führung ihres Boots zu behaupten. Um 5 U. Nachm. am 6. Aug. erreichten Hazlett und Potts (Graham hatte schon im Juli seinen ersten Versuch gemacht) die ersten Brecher, welche sie geschickt nahmen. Die zweiten Brecher stürzten das Fahrzeug über Kopf, doch wehte, als es sich wieder aufgerichtet hatte, die amerikanische Flagge vom Hinterteil, ihre Stange war also nicht gebrochen. Hail Columbia! Eilends rollte und stampfte es dann weiter und weiter, bis der letzte Brecher es in den ersten Wirbel selber stiess. In demselben blieb es nahezu 4 Minuten, wurde dabei aber glücklicher und merkwürdiger Weise so nahe nach dem steilen 300 Fuss hohen Ufer verschlagen, dass Potts den Kopf aus der Luke steckte und sich umschaute. Hail Columbia! Sie glaubten das Schlimmste überstanden zu haben und behaupteten nachher, sie hätten dort landen können. Nach weiteren 2 Minuten wurden sie aber der zweiten Folge von Strudeln zugeführt, und hatten kaum Zeit die Luke wieder zu schliessen. In diesen zweiten Strudeln, deren Durchfahrt 16 Minuten erforderte, wurden sie arg herumgestossen, ihr Schiff streifte mehrfach die Felsen und wurde öfters so lange untergetaucht, dass durch das $1\frac{1}{2}$zöllige Luftrohr eine Menge Wasser eindrang, besonders bei dem sog. Teufelsloch. Endlich erreichten sie um 5 U. 20 Min. stilleres Wasser und wurden nun bald von einer Flotille von Ruderbooten mit Jubel und Hurrah in Empfang genommen. Um 5 U. 30 M., eine Stunde nach der Einschiffung, konnten sie in Queenstown, arg zerstossen freilich, aber unverletzt ihr Gefängnis verlassen; das Fahrzeug war unversehrt, sogar die Flagge und der Flaggenstock heil geblieben. Hail Columbia!

Diese glückliche Fahrt der beiden Kollegen hat nun Graham aus dem Häuschen gebracht. Da das letzte Ziel bei diesen halsbrecherischen Wagnissen doch immer die allerdings noch gefürchtete Fahrt die Fälle hinunter bleibt, so hat in Vorbereitung dazu Graham seine Kollegen herausgefordert, mit ihm sich von der 250 Fuss hohen zweiten

Gitter- oder Eisenbahnbrücke fallen zu lassen und jeder Teil in seinem Fahrzeug noch einmal die Strudel zu durchfahren. „Der Fall that ja nicht weh, höchstens das plötzliche Stoppen.“ Hazlett und Potts haben die Herausforderung einstweilen aber auf sich beruhen lassen, ebenso wie das Anerbieten verschiedener sich herandrängenden Schwindler, sich an einem Tau von unterhalb her durch die Strudel bis zur Gitterbrücke ziehen zu lassen.

Graham hat übrigens seine „Studien“ am Hufeisenfall selber beendet und beschäftigt sich mit dem Bau eines dem früheren ähnlichen aus zweizölligen Dauben herzustellenden Fasses, welches einen Ueberzug von zwei Zoll dickem Kork erhalten soll. Die Hängematte im Innern soll fast kugelförmig, und dabei elastischer und stärker werden als die frühere. In diesem Fass will er sich zur Probe erst von einer der Brücken hinunterwerfen lassen, bevor er die Fahrt über die Fälle antritt. Man soll ihn dann unterhalb der Brücke auffischen und nicht durch die Strudel hindurchtreiben lassen; denn, sagt er: „gehe ich dabei zu Grunde, so weiss man nachher nicht, ob der Fall oder die Strudel mir das Garaus gemacht haben, während wenn man mich unterhalb der Brücke auffischt, man sehen kann, ob ich vom Fall betäubt worden bin oder nicht.“ Glückliche Reise!

Graham empfängt übrigens jeden Tag zahlreiche Briefe von liebeskranken oder romantischen amerikanischen Fräulein; an Hazlett und Potts gehen diese Versuchungen vorüber, da sie verheiratet sind und ihre Frauen unter den vordersten Zuschauern sich befanden, geleitet von den 7 Brüdern Hazlett's. Dessen Name wird also jedenfalls fortleben, wenn dem Senior auch mal etwas Menschliches passirt. Hail Columbia! K. Z.

Nautische Literatur.

Durch die Kalahari-Wüste. Streif- und Jagdzüge nach dem Ngami-See in Südafrika von G. A. Farini. Autorisirte deutsche Ausgabe. Aus dem Englischen von W. von Freeden. Mit 46 Abbildungen und 2 Kartenskizzen. Leipzig. F. A. Brockhaus, 1886.

In dem letzten Jahrzehnt ist die Afrika-Forschung in ein neues Stadium getreten. Es sind nicht mehr die Mungo Park, Hornemann, Barth, Vogel, v. Beurmann, Rohlfs u. a., welche ausziehen, um die Geheimnisse der Sahara- und Lybischen Wüste, oder der westlichen und südlichen Grenzländer derselben und die Frage nach dem Lauf des Niger zu lüften, nicht mehr die Minutoli, Hompesch, Ehrenberg, Russegger, Schweinfurth, Munzinger, Piaggia, Baker, welche von Norden her oder die Krapff, Rebmann, Livingstone, Burton, Speke u. a. welche von Osten her die altberühmte Nilfrage lösen, die Quellen des grossen Stromes und die bei ihnen vermuteten grossen Seen und Schneeberge geographisch festlegen wollen, und deren Untersuchungen schliesslich auf Stanley's grosser Reise durch den dunkeln Weltteil*) zugleich mit der Lösung der neuen Kongofrage zum Abschluss gelangten — eben seit jenem epochemachenden Jahre 1876 hat die ganze Afrikaforschung eine viel weniger wissenschaftliche oder geographische als vielmehr eine praktische, auf die Kultivation und Kolonisation dieser neu aufgeschlossenen Gebiete zielende Richtung eingeschlagen. Bestimmend hat hierbei wohl der Entschluss der deutschen Reichsregierung gewirkt, dass Deutschland seinen durch die teilnahmvollen Anstrengungen seiner Söhne wie durch seine europäische Machtstellung und Schiffahrt wohlverdienten Anteil an dem zu erwerbenden Kolonialbesitz beanspruchen solle, ein Entschluss, welcher nothwendig seine Spitze auf praktische Resultate mehr als auf bloss wissenschaftliche lenken musste. So hat denn die weitere detaillirtere Aufschliessung der einzelnen Teile des westlichen, südwestlichen und östlichen Afrika gleichen Schritt gehalten mit der Formirung des Reichslandes Kamerun, der Bildung des internationalen Kongoreiches, der südwestafrikanischen Gesellschaft von Angra-Pequena und der ostafrikanischen Gesellschaft, welche sich die Erwerbung der Ostküsten Afrikas nördlich von Sansibar und die Kultivation der Hinterländer d. h. der die Mondberge nördlich und südlich umfassenden Negerreiche zum Ziel setzte. Dieselbe schon genannte Verlagshandlung von F. A. Brockhaus in Leipzig, ist diesem Vorgehen der Nation mit der Veröffentlichung einer Reihe von Reisewerken*) vorangeeilt, welche jene von den deutschen Pionieren bevorzugten Gegenden in klimatischer, ethnographischer, naturgeschichtlicher, politischer, commerzieller und sprachlicher Hinsicht ausführlich schildern und ein wahrheitgetreues klares durchsichtiges Bild jener bislang unbekannten Länderstriche uns vorführen.

Eine letzte Ergänzung dieser vorbereitenden Kulturarbeit bringt das vorliegende so eben veröffentlichte Reisewerk von Farini, welches das Hinterland des bis dahin übergangenen südwestafrikanischen Schutzgebiets Deutschlands, die Kalahari-Wüste, uns vorführt. Diesmal ist es ein Amerikaner, welcher von der eigentümlich praktischen Anschauungs- und Beurteilungsweise seines Volkes aus sich die Frage vorgelegt hat, ob nicht die sog. viel verrufene, von frühern Reisenden ziemlich ängstlich umgangene Kalahari-Wüste sich zur Viehzucht in dem grossen Stil der nordamerikanischen cattle-barons eigne. Und zwar ist die Frage nicht gestellt, um durch den pikanten Beigeschmack das Interesse des Lesers zu reizen, sondern es ist ihm völliger Ernst mit der Lösung derselben, während ein zweites Reiseziel, durch Diamantensuche die Reiseunkosten herauszuschlagen, nach einigen mühsamen „wenn auch gesunden“ Arbeitsstunden wieder verlassen wird, nachdem er vorab in ziemlicher Ausführlichkeit die Geschichte und Entwickelung der Diamantgräbereien in Südafrika vorgeführt hat.

Von der Capstadt als dem Anfangspunkt der Reise ausgehend und mit der Eisenbahn die damals nach dreijähriger Dürre völlig vertrocknete Karroo-Wüste durchquerend, wo nur noch einige Straussenzüchtereien der Unbill der Witterung trotzboten, gelangte Farini auf mehr nördlichem Kurse nach 3stündiger Fahrt zur Endstation der Eisenbahn bei Hopetown und nach weitern 110 Km. in der Postkutsche nach Kimberley, dem Mittelpunkt der südafrikanischen Diamantgräberei. Hier wurden die für die Fahrt durch die Kalahariwüste nötigen Fuhrwerke, Tiere und Geräte eingekauft und dann die Fahrt in meist nördlicher Richtung fortgesetzt. Die sog. Kalahari-Wüste erscheint auf unsern Karten als eine mit nur spärlichen Namen und Reisewegen versehene Fläche zwischen 29° und 16° südl. Breite und 27° bis 18° östl. Länge, die also etwa die doppelte Grösse unseres deutschen Vaterlandes hat. Selbst der kühnste und ausdauerndste der afrikanischen Pionniere, Livingstone, welcher hier im Betschuanenlande 1870 die Tochter des Missionars Moffat heiratete, um mit ihr seine Reise fortzusetzen, hatte nur gewagt, am östlichen Rande der Kalahari bis zum Ngami-See hinaufzupilgern, während Farini mit seinem gleichgesinnten Landsmann als Reisegefährten, an einem westlichern Ausgangspunkt in die Wüste eintrat, noch über den Ngami-See hinaus bis zu den dem Lande eigentümlichen Zwerggrassen nordwärts zog und dann längs der Mittelaxe des ganzen Gebiets wieder zum Oranjefluss und damit zu cultivirten Gegenden zurückkehrte. Die Schilderung der mit vielen hohen Büschelgräsern bestandenen Wüste, die zudem zum grossen Teil ein zusammenhängendes Waldgebiet und die Zuflucht zahlloser wilder Tiere bildet, während die eigentliche Wüste die Heimat der sog. Sama, einer wilden Wassermelone ist, die von den dortigen Viehrassen äusserst gern gefressen wird, und durch ihren Wasserreichtum auch den Menschen eine willkommene Labung bietet, ist von hohem culturellen wie ethnographischem Interesse. Farini entdeckt Spuren ältester Kultur in mehreren architektonischen Kunstbauten, welche die geologische Wahrnehmung desto glaubwürdiger machen, dass dies Land ursprünglich viel tiefer gelegen habe und erst in neuerer geologischer Zeit zur jetzigen Meereshöhe emporgehoben ist. Die vielen kleinen Völkerschaften, von denen das Land bewohnt ist, erweisen sich als harmlose genügsame Menschen, meistens dem Stamm der Buschmänner angehörig, während den Hottentotten im Süden und Westen ein weniger günstiges Sittenzeugnis ausgestellt wird. Alle leben von Ackerbau d. h. eigentlich Gartenwirthschaft, Viehzucht und dem Ertrage der Jagd.

Letztere beschäftigt unsere Reisenden denn auch bald vollauf, nachdem sie erfahren haben, dass „Jagen ein besser Handwerk sei als Diamantengraben“. Während aber die Eingeborenen fast nur der für sie mehr lohnenden Straussenjagd und wegen des schmackhaften Wildprets der Jagd auf Springböcke obliegen, dehnten Farini und seine Begleiter ihre Jagd teils aus Liebhaberei, teils aber der Not gehorchend auf alle grössern Antilopen, von denen die Wüste wimmelt, ferner

*) Durch den dunkeln Weltteil, oder die Quellen des Nils. Reisen um die grossen Seen des aequatorialen Afrika und den Kongo abwärts nach dem Atlantischen Ocean von Henry M. Stanley. Autorisirte deutsche Ausgabe. Aus dem Englischen von Professor Dr. C. Böttger. In zwei Bänden. Mit Karten und Abbildungen. Leipzig, F. A. Brockhaus 1878.

*) 1. *Der Kongo.* Reise von seiner Mündung bis Bolobo, nebst einer Schilderung der klimat., naturg. und ethnogr. Verh. d. westl. Kongogebiets von H. H. Johnston. Deutsch von W. v. Freeden. Leipzig 1884.
2. *Durch Massai-Land.* Forschungsreise in Ostafrika zu d. Schneebg. und wilden Stämm. zwischen Kil.-Ndj. Victoria-Njansa in den Jahren 1883 und 1884, v. Jos. Thomson. Deutsch von W. v. Freeden. Leipzig 1885.
3. *Der Kilima-Ndjaro.* Forschungsreise im östlichen aequat. Afr. nebst Schildg. d. naturg. und commerziel. Verhältn., sowie d. Sprache d. Kil.-Ndj.-Gebiets von H. H. Johnston. Deutsch von W. v. Freeden, Leipzig 1886.

auf Giraffen, Büffel, Löwen, Leoparden, Hyänen, Elefanten etc. usw., und wird der Leser in dem Buche eine Anzahl Beschreibungen dieser Jagden im kleinsten Detail finden, wie sie die kühnste Phantasie sich nicht träumen lässt. Da die Erzählung zudem meist in dialogischer Form fortgeführt wird, so gewinnt die Schilderung der Ereignisse dadurch ein nicht wohl zu übertreffendes dramatisches Leben, sodass man sich immer mitten zwischen die Jäger mit ihren Freuden und Aengsten versetzt fühlt.

Auf dem Rückwege überzeugt sich Farini, dass sein Plan einer Anlage von [illegible] bereits Leben und Gestalt gewonnen hat, da er an den Gehöften mehrerer aus der europäischen Civilisation versprengten Landsleute und kontinentalen Europäer vorbeikommt, die gleich ihm schon denselben Vorsatz gefasst und — ausgeführt haben. Auch erfahren wir aus vielen Verhandlungen mit den Eingeborenen, dass diese nur darauf lauern, bis andere Europäer, namentlich Deutsche, kommen und sich auf ihrem Grund und Boden, den sie gern käuflich abtreten wollen, ansiedeln. Ihnen ist längst bekannt, dass der Küstenpunkt Angra-Pequena von Deutschen okkupirt ist, und ein Geschäftsträger des Reichs im Nordosten der Wüste, im wiesenreichen Herrerolande, sich niedergelassen hat. Da sie von den Engländern der Capkolonie sowohl als von den Boers im Norden der Capkolonie vielfach brutal behandelt sind, so blicken sie auf das Erscheinen der deutschen Rassen wie auf eine Erlösung von ungerechtem Druck.

Den Schluss des interessanten Werks verschönert eine eingehende erste Beschreibung der grossartigen Wasserfälle des Oranjeflusses, in welchen dieser bedeutendste Strom Südafrikas sich von dem innerafrikanischen Hochlande zum atlantischen Küsten- und Tieflande herunterstürzt. Da Farini als Amerikaner sie über die Niagarafälle seiner Heimat stellt, so kann man sich denken, welchen überwältigenden Eindruck die von ihm auch dichterisch verherrlichten „Hundert Fälle" auf ihn gemacht haben müssen. Und somit empfehlen wir das Studium dieses nach so verschiedenen Richtungen bedeutsamen bahnbrechenden Werkes allen denen, welche über diesen bisher fast ungekannten und stets verkannten Fleck afrikanischer Erde sich unterrichten und zugleich angenehm anregende Stunden bei der Lectüre der äusserst zahlreichen Zwischenfälle dieser „Wüsten"-reise zubringen wollen. Sie werden jedenfalls von dem eigentlichen Character der „Wüste" andere Begriffe heimbringen und dem Verfasser dankbar sein, dass er diese Belehrung in so anziehender Form erteilt, und sie mit einigen Menschen bekannt gemacht hat, deren unerschütterlicher Humor selbst in den bedenklichsten Lagen, keckes Draufgehen und Wagen nach vernünftigem Wägen, kurz gesunder Menschenverstand und klare Auffassung der Verhältnisse sie uns auf jeder Blattseite von neuem liebgewinnen lassen. *P. L.*

Verschiedenes.

Der **Tunnel unter der Meerenge von Messina** würde eine Länge von 13,6 Km erhalten müssen, da er bis zu einer Tiefe von 130 m unter der Meeresoberfläche hinuntergehen muss, und diese Tiefe nur durch spiralförmigen Abstieg erreichen kann. Die Kosten sind auf 57 Millionen Mark und die Bauzeit auf ca. 5½ Jahr veranschlagt.

Die **alten Dreidecker-Flaggschiffe** werden in England schon mehr und mehr ausser Dienst gestellt und durch bereits veraltete Panzerschiffe ersetzt. Der „Duke of Wellington", Flaggschiff in Portsmouth, macht dem Panzerschiff „Achilles", die „Royal Adelaide" zu Devonport, dem Truppenschiff „Simoom", das Schiessübungsschiff „Excellent" zu Portsmouth und der Tender „Calcutta" den Panzerschiffen „Defence" und „Valiant", und das Schiessübungsschiff „Cambridge" dem Panzerschiff „Resistance" Platz. Das Leben der Panzerschiffe erscheint noch kürzer als das der frühern Eichenholzschiffe.

Das neueste und mächtigste Panzerschiff der englischen Flotte wird der *„Benbow"* von 10 000 To. und 7500 P. K., welcher jetzt von Sheerness aus seine Probefahrten antreten soll. Er führt in 2 16 Zoll dicken Panzertürmen 2 Hinterlader von 110 Tons, die schwersten je auf einem Kriegsschiff untergebrachten Geschütze, daneben 10 6 zöllige Geschütze von Stahl, auf Vavasseur-Laffetten, 12 schnellfeuernde Geschütze für Granaten, 8 Nordenfeldt Kanonen, 2 Gardner Maschinenkanonen, und 4 Lancirrohre für Torpedos, deren er 12 Whitworth an Bord führt. Bewegt wird der „Benbow" ausschliesslich durch Dampf, doch führt er einen „militairischen" Mast, welcher die 2 Gardner Kanonen trägt. Der „Benbow" wird 12 Mill. Mark kosten.

Kanalfahrt Dover-Calais in einer Stunde. Vor kurzem machte der auf der Fairfield Shipbuilding and Engeneering Comp. Werft am Clyde für die London, Chatham and Dover Eisenbahngesellschaft neuerbaute Dampfer „Victoria" seine erste Probefahrt über den Kanal. Die Rückfahrt wurde in 1 St. 11m zurückgelegt, in welcher kurzen Zeit noch niemals diese Reise gemacht ist, so dass man glaubt, wenn sich die Maschinisten erst mit der eigenartigen Maschine vertraut gemacht haben, dann die Reise in einer Stunde ausführen zu können.

Der **Schiffbau am Clyde** liegt wie nie zuvor darnieder. Die Zahl der im August fertig gestellten Schiffe ist die bisher niedrigste für diesen Monat; im Januar und März dieses Jahres waren sie freilich noch geringer. Es liefen ab im August 6 Schiffe von zusammen 10 160 To., mehr als die Hälfte weniger als im August vorigen Jahres. Zwei dieser Schiffe hielten 3500 bezw. 2500 To., und zwei waren Segelschiffe von 2000 und von 1560 Tons; also waren die beiden andern Schiffe kleine Fahrzeuge von zusammen 600 Tons.

Die **Verstärkung des Bishop Rock Feuerturms** auf den Scilly Inseln ist jetzt beendet, nachdem der letzte Stein von 3½ Tons Gewicht in die Gallerie eingemauert ist. Im ganzen sind 3000 Tons Granitblöcke in das Mauerwerk des alten Turms eingefügt. Der neue Turm ist um 30 Fuss höher geworden als der alte war und ragt sein Licht 143 Fuss über Hochwassermarke empor. Es liegt die Absicht vor, auf demselben ein Oel-Blinkfeuer ersten Ranges, das stärker als jedes andere bekannte leuchten soll, einzurichten.

Die **grösste Dampfmaschine der Welt** soll in den Zinkgruben bei Friedensville in Pennsylvania thätig sein. Sie hat 16 Kessel und besitzt 5000 Pferdekräfte, beides lässt sich verdoppeln. Bei jeder Umdrehung wirft sie genug Wasser auf, um einen ansehnlichen Teich von ca. 75 000 Liter zu füllen. Sie verschlingt täglich 28 Tons Kohlen, und machen ihre Schwungräder, die 37' im Durchmesser halten und je 40 Tons wiegen, 7 Umdrehungen und wenn's gewünscht wird, auch 14 Umdrehungen in der Minute. 7 Jahre lang stand sie still; seit letzten März ist sie aber wieder beständig in Thätigkeit.

Verlag von H. W. Silomon in Bremen. Druck von Aug. Meyer & Dieckmann, Hamburg, Alterwall 35.

HANSA

Redigirt und herausgegeben
von
W. von Freeden, BONN, Thomasstrasse 2.
Telegramm-Adresse:
Freeden Bonn,
oder
Hansa Alterwall 28 Hamburg.

Verlag von M. W. Silomon in Bremen. Die „Hansa" erscheint jeden 2ten Sonntag. Bestellungen auf die „Hansa" nehmen alle Buchhandlungen, sowie alle Postämter und Zeitungsexpeditionen entgegen, desgl. die Redaktion in Bonn, Thomasstrasse 2, die Verlagshandlung in Bremen, Obernstrasse 44 und die Druckerei in Hamburg, Alterwall 28. Sendungen für die Redaktion oder Expedition werden an den letztgenannten drei Stellen angenommen. Abonnement jederzeit, frühere Nummern werden nachgeliefert.

Abonnementspreis:
vierteljährlich für Hamburg 2½ ℳ,
für auswärts 3 ℳ = 3 sh. Sterl.
Einzelne Nummern 60 ₰ = 6 d.

Wegen Inserate, welche mit 30 ₰ die Petitzeile oder deren Raum berechnet werden, beliebe man sich an die Verlagshandlung in Bremen oder die Expedition in Hamburg oder die Redaktion in Bonn zu wenden.

Frühere, komplete, gebundene Jahrgänge v. 1873, 1874, 1876, 1877, 1878, 1879, 1880 1881, 1882, 1883, 1884, 1885 sind durch alle Buchhandlungen, sowie durch die Redaktion, die Druckerei und die Verlagshandlung zu beziehen. Preis ℳ 8; für [illegible] und verletzten Jahrgang ℳ 6.

Zeitschrift für Seewesen.

No. 23. HAMBURG, Sonntag, den 14. November 1886. 23. Jahrgang.

Inhalt:

Ein Expert der sog. „Veritas" in seiner gleichzeitigen Eigenschaft als Agent der Versicherungsgesellschaften.

October 1886.

In den Kreisen der Rheder und der bei den Versicherungsgesellschaften beteiligten Interessenten wird zur Zeit viel über einen Fall debattirt, der eine, von uns bereits früher wiederholt beregte, Ungehörigkeit betrifft, nämlich die zweifache Thätigkeit derjenigen Experten des »Bureau Veritas«, welche ausser ihrer Thätigkeit bei dem französischen Classifications-Institut (Veritas) auch als Sachverständige und Agenten der Versicherungsgesellschaften arbeiten, und im Allgemeinen dabei ein ganz erkleckliches Geschäft zu machen scheinen.

Der Fall ist der Folgende:

Der Kapitain eines, von der Firma R. in D., nach den Vorschriften des Bureau Veritas, und unter specieller Aufsicht desselben vor 3 Jahren erbauten Schrauben-Dampfers mit der Klasse ³/₃ 1. 1., berichtet seiner Rhederei, dass das Schiff in schwerer See Anzeichen von Bewegung zeige und empfiehlt Verstärkungen!

Die vorliegende Frage wird, unter Hinzuziehung von sachverständigen Technikern und den Mitrhedern, aber unter Ausschluss des Experten des Bureau Veritas eingehend besprochen, und man beschliesst zunächst eine Verdoppelung des ersten, unter dem Scheergang anliegenden Plattenganges auf circa 30 m. Länge, die Aufstellung eines Rahmenschotts vor dem Fockmast und Anbringung von Stützplatten zur Seite der Wellenlagerböcke, um ein wiederholtes schnelles Auslaufen der Lagerschalen zu verhindern.

Welche Erörterungen infolge dieses Beschlusses zwischen der Rhederei und dem Experten des Bureau Veritas, welcher die beabsichtigte Verdoppelung der Aussenhaut etc. nicht für nötig erachtete, stattgefunden haben, wollen wir nicht untersuchen, — Thatsache ist aber, dass die beabsichtigten Verstärkungen nicht nur ausgeführt, sondern sogar durch Verbreiterung des Raumstringers und Versteifung der Raumbalken noch vermehrt wurden, so dass also die Verbände des Schiffes bedeutend dadurch gewonnen haben.

Der Expert des Bureau Veritas war darüber äusserst ergrimmt, und verfehlte nicht seinem Unmut wiederholten Ausdruck zu geben.

Auch die Schiffsmaschine und ihre einzelnen Teile wurden durch den von dem Bureau Veritas angestellten Maschinen-Inspektor einer gründlichen Untersuchung unterzogen; unter anderem auch die Kurbelwelle herausgenommen, um drei kleine Haarrisse, welche von Anfang an in derselben vorhanden gewesen waren, und mit denen die Welle, unter fortgesetzter, gewissenhaftester Beobachtung, ohne Zeichen der geringsten Veränderung 3 Jahre lang gefahren hatte, wieder genau zu besichtigen.

Obgleich der genannte Maschinen-Inspektor, also der Kollege des zuerst erwähnten Experten, keinen Anstand nahm, die Welle auch für fernere Zwecke brauchbar zu erklären und sich die beiden vereidigten Sachverständigen, welche von der Rhederei zur Abgabe eines Urteils herangezogen waren, dem Urteil anschlossen, — wurde dasselbe dennoch von dem Experten der französischen Veritas beanstandet und seine vorher ausgestossene Drohung, das Schiff in den Augen der Assekuradeure als unsicher zu bezeichnen, zur Wahrheit, — somit also der Versuch gemacht, die Rhederei in einer unerhörten Weise zu schädigen und den Credit des Schiffes herabzusetzen.

Wir fragen, was soll man von solchem Vorgehen halten und mit welchem Namen es bezeichnen?

Steht es dem Experten der Veritas, der vom Schiffsmaschinenwesen keine oder doch nur höchst oberflächliche Kenntnisse hat, zu, der wirklichen Thatsache zuwider und dem Urteil der vereidigten Sachverständigen entgegen, ein Schiff in seinem Wert herabzusetzen, nachdem es drei Jahre lang mit der ersten Klasse der Veritas unbeanstandet gefahren, bis dahin keine Veranlassung zu Ausstellungen und Klagen gegeben hat und jetzt sogar durch Verstärkungen noch verbessert worden ist! Müssen wir nicht in diesen Handlungen die Auslassungen eines empfindlichen, auf Rache sinnenden Menschen erblicken, der sich, durch eigenen Unverstand geblendet, herbeilässt, dort Fehler zu finden, wo sie nicht zu suchen sind?

Wir können den Rhedern nicht Glück wünschen, deren Interessen von solcher Seite begutachtet werden, und den Versicherern nicht entgegenkommen, die auf Insinuationen dieser Art ihre Versicherungs-Prämien festsetzen; — wir können darin nur eine unerlaubte Beeinflussung erblicken, die unseren Rhedereien Veranlassung zu schleunigster und baldigster Abhülfe bieten sollte.

Es ist traurig genug, wenn sich unsere deutsche Rhederei noch immer von Beamten eines Instituts bevormunden lassen muss, die sich einbilden, das alte Sprichwort «Niemand kann zweien Herren dienen» zu Schanden machen zu können.

Zu welchen Missständen es führt, wenn diesem alten Erfahrungssatz zuwider gehandelt wird, ergiebt sich klar und unwiderleglich aus dem hier geschilderten Vorfalle.

Aus Briefen deutscher Kapitäne.

XI.

Port Arthur.

Port Arthur, chinesich Lu-shun-kau, liegt etwa 5 Sm. vom Kap Liau-ti-shan am Nordeingange zum Golf von Petschili.

Es ist nur Kriegshafen, und kommen Handelsschiffe nur, um Kriegsmaterialien, Maschinerien und Kohlen dorthin zu bringen. Für erstere hat die Regierung jetzt einen eigenen Dampfer, welcher zwischen Shanghai, Taku und Port Arthur läuft. Kohlen werden bis jetzt von Japan gebracht, die bekannte chinesische Firma Ching Cheong hat den Kontrakt; die rationellere Ausbeutung der Kaiping-Minen (in der Umgegend von Tientsin) und die Güte dieser Kohle wird die japanische aber bald verdrängen. In Tientsin und Newchwang nehmen Dampfer nur noch Kaiping-Kohle in die Bunker.

Nach Port Arthur bestimmt, hat man in Chefoo ein- und auszuklariren; Dampfer sind laut Charter verpflichtet Leichter mit hinüberzuschleppen; Kulis muss man immer mitnehmen, da am Platze keine zu haben. Laden und Löschen ist Charterers Sache und geht sehr langsam, da in Fischerboote gelöscht wird, und sollte man sich mit Liegetagen versehen, da „as customary“ eben nur „so gemütlich als möglich“ bedeutet. Ein Dampfer mit 4 Luken und 3 Ladepforten löschte z. B. 5 Tage auf 900 Tons Kohlen. Um Kriegsmaterialien und Maschinerien zu löschen hat man einen schwimmenden Krahn. Telegraphische Verbindung mit Newchwang ist vorhanden, doch verweigern die Behörden die Benutzung für andere als Kriegszwecke, „weil Dampferkapitäne immer in einer verrückten Hast seien um die Kohlen herauszubekommen, sobald sie ein Telegramm erhielten“, wurde Schreiber dieses vom Adjutanten des kommandirenden Generals gesagt. Die Ansegelung ist leicht. Man hat am Kap Liau-ti-shan eine gute Landmarke und findet die sehr enge Einfahrt leicht durch die an beiden Seiten sehr hoch liegenden Forts. Man bringe einen alten Wachtturm auf den der Einfahrt gegenüber liegenden Hügel, genau in die Mitte derselben, und steuere ruhig ein. Zwei Einsegelungsbaaken auf demselben Hügel werden gewöhnlich von den dort grasenden Kameelen umgeworfen und von den Kulis an irgend einem Platze wieder aufgestellt, so das man sich nicht auf dieselben verlassen darf. Der Hafen besteht nur aus der Einfahrt und einem kleinen Stück ausgebaggerten Wassers, und hat kaum für 3 eng gemoorte Schiffe Platz. Eines der von Deutschland herausgekommenen Panzerschiffe konnte mit dem siebenten Prinzen an Bord nur in der Einfahrt, an allen vier Ecken festgemacht, liegen. Lotsen sind nicht vorhanden, doch kommt der Hafenmeister, ein Deutscher, zu Segelschiffen mit einem Schleppdampfer heraus und bringt das Schiff zu Anker. Ist derselbe nicht da, so legt man sich eben hin, wo man Platz hat; sieht man einkommend, dass 3 oder mehr Schiffe dort sind, ankere man in der Einfahrt gegenüber dem Fort an der Ostseite.

Auf irgend welche Hülfe oder Entgegenkommen von Seiten der Behörden rechne man nicht, und kann man sich ausser mit den europäischen Instrukteuren, auch mit Niemandem verständlich machen; Alles ist eben rein chinesisch und ein Eingeweihter weiss was dies bedeutet. Proviant, selbst Fische, ist gar nicht zu haben. Postverbindung ist nicht vorhanden und ist man auf zufällige Gelegenheiten oder chinesische Dschunken angewiesen.

Noch einige Worte über den Kriegshafen. Ob Port Arthur als Kriegshafen noch einmal irgend welche Bedeutung bekommt, ist wohl sehr zweifelhaft; jedenfalls müssen den schon verbrauchten Millionen noch viele nachgeworfen werden, damit irgend wie Schiffe gesichert dort landen können, und alle Millionen der Welt werden ein Zufrieren der Docks in jedem Winter nicht hindern. Dazu liegt es auf einer sehr schmalen Halbinsel, an welcher man im Sommer bei dem immer schlichten Wasser überall leicht landen kann. Die hochliegenden Forts, bis zu 400 Fuss hoch, sind jedenfalls genügend um Schiffe abzuhalten, auf der Landseite würde aber eine grosse Armee dazu gehören, um einen wirksamen Widerstand zu leisten, und diese wäre leicht von jeder Zufuhr abzuschneiden. Ja, wenn Alles so wäre wie es sein sollte und könnte, und nicht die chinesischen Mandarinen, sondern die Europäer in ihren Diensten, das Kommando und die Verfügung hätten, da würde es schon anders sein. Da liegen die schönen Krupps mit ihren Lafetten, Pivots etc. im Salzwasser am Strande herum, von jeder Flut fast bedeckt; im grossen Dock, (die westliche Hälfte der geräumigen aber ungemein flachen Bai wird hierzu eingerichtet), besteht die eine Mauer aus treppenförmig über einander gelegten Steinen, so dass die Schiffe mit ihrem Boden und ihren Schrauben anliegen, wenn sie oben noch 20—30 Fuss frei liegen. Eine zweite Mauer, von Europäern aufgeführt, ist senkrecht und gemauert, so dass Schiffe heranlegen können. Das ganze grosse Dock wird von Kulis vermittelst kleiner Körbe leer getragen! Jeder Kuli hat deren zwei, welche zusammen etwa 100 Pfund Erde fassen, und damit dauert jeder Gang oft über eine Viertelstunde und noch mehr. Die europäischen Techniker und Instrukteure scheinen einen schweren Stand zu haben, da die Mandarinen ihnen so viel Schwierigkeiten wie möglich bereiten. Muss ein Techniker irgend etwas haben, so wird von dem chinesischen Vorgesetzten nach Peking berichtet (oder auch nicht) und der Mann muss so lange warten. Den Instrukteuren scheinen die chinesischen Offiziere am meisten Schmerzen zu bereiten, und dass ein Hauptmann mal mit der Reitpeitsche regalirt wird, kommt auch vor; der gemeine Soldat soll sehr bildungsfähig sein und gut aushalten. Einen sehr komischen Eindruck macht es auf den Fremdling, hier in „the far East“ sich einem richtigen preussischen Exercirplatze mit Pumphosen und Zöpfen gegenüber zu sehen. Da sind dieselben Unteroffiziere, die dem Rekraten beweisen, dass er noch nicht gehen kann, dieselben Schnäcke werden auch wohl schon dabei gemacht werden, und wenn man dabei dann das schafsdämliche Kuliangesicht vor sich hat, so kann man bis zu Thränen gerührt werden. Es ist aber jedenfalls eine tüchtige Leistung der deutschen Instrukteure, die Leute schon so weit gebracht zu haben, aber was nützt es, wenn die eigenen Offiziere das Gesindel sind. Chinesische Wirtschaft ist und bleibt wohl für immer chinesische Wirtschaft. So lange der Europäer noch die Sache in Händen hat, geht es noch, sind sie aber sich selbst überlassen, dann ist es auch vorbei. 10 Minuten Aufenthalt auf einem der neuesten Panzerschiffe zeigen schon wie es hergeht; da hängen die schönsten Handwaffen, von aussen halb rein, von innen etc. etc. verrostet, die Federn gespannt, ein 15 Centimeter-Geschütz von innen mit dickem roten Rost bedeckt, so dass von den Spiegelwänden nichts zu sehen ist. Wie es im Uebrigen bestellt ist auf diesen Schiffen, zeigt die Affaire in Nagasaki, wo kürzlich chinesische Kriegsschiffsleute mit den Japanern in Streit gerieten. Die Offiziere haben nicht die geringste Gewalt, und um die zahlreichen Verwundeten zu verbinden, mussten Aerzte von europäischen Schiffen und die beiden in Nagasaki ansässigen Europäer geholt werden.

Auf dem ganzen grossen chinesischen Geschwader soll, trotzdem der berühmte englische Admiral Lang den Oberbefehl hatte, kein einziger Doktor, und kein einziger Offizier, der Kommando über seine Kulis gehabt, gewesen sein! Was chinesische Tapferkeit bedeutet, ist aus dieser Geschichte auch wieder klar zu ersehen; so lange mindestens 10 gegen 1 sind, geht es, und zwar wie Bestien sind sie. Dass Admiral Lang keine Besucher an Bord kommen liess, soll nach einigen englischen Blättern die Schlechtigkeit der in Deutschland gebauten Schiffe zur Ursache haben. Andere Leute behaupten aber, dass das Aussehen und die Wirtschaft an Bord eben eine derartige sei, dass man geschwätzige, oder vielmehr beobachtende und verständige Europäer nicht hineinblicken lassen darf.

Die Unfallversicherung für Seeleute.

Der Gesetzentwurf betr. die Unfallversicherung der Seeleute, welcher nun doch den Bundesrat und den Reichstag beschäftigen soll, umfasst in 10 Abschnitten 126 Paragraphen, so dass seine wörtliche Wiedergabe in der Tagespresse unmöglich ist. Nachstehender Auszug wird genügen, ein Bild der weitläufigen Vorlage zu geben. Jedenfalls bleibt abzuwarten, was der Reichstag dazu sagen wird. Der Gesetzentwurf soll nur die Rheder belasten, die offenbar noch immer zuviel verdienen!!

Abschnitt I. (allgemeine Bestimmungen) bestimmt, dass Personen (auch Ausländer), welche auf deutschen Seefahrzeugen von mehr als 50 Kbm. Bruttoraumgehalt als Seeleute (Schiffer) oder im Lotsen- oder Rettungsdienst gegen Gehalt oder Lohn beschäftigt sind, gegen die Folgen der bei dem Betriebe sich ereignenden Unfälle zu versichern sind. Als Seefahrt gilt auch die Fahrt auf Buchten, Haffen und Watten der See und anderen mit der See in Verbindung stehenden Gewässern. Als Seeleute werden auch Maschinisten, Aufwärter oder sonstige Schiffsbedienstete, angesehen. Unter das Gesetz fällt demnach die grosse Seefischerei. Der Bundesrat kann die Versicherungspflicht auch auf Fischerfahrzeuge und -Boote von weniger als 50 kbm. Bruttoraumgehalt ausdehnen. Als Schranke der Versicherungspflicht ist, wie im Gesetz von 1884 ,ein 2000 ℳ übersteigendes Gehalt angenommen. Durch das Genossenschaftsstatut aber kann die Versicherung ebenso auf diese Personen wie auf die Rheder oder selbstständigen Lotsen ausgedehnt werden. Der Berechnung der Entschädigung wird der zehnmonatliche Betrag der Durchschnittsgage, der Monat zu 30 Tage gerechnet, einschliesslich des für örtliche Bezirke festzusetzenden Geldwertes der auf Schiffen gewährten Beköstigung und der neben der Heuer gewährten Nebeneinnahme zu Grunde gelegt. Entschädigung wird gewährt für Körperverletzung oder Tötung. Im ersterem Falle besteht der Schadenersatz in den Kosten des Heilverfahrens, welche nach Beendigung der gesetzlichen Fürsorgepflicht des Rheders, oder, soweit eine solche nicht besteht, vom Beginn der 14. Woche nach Eintritt des Unfalls entsteht; ferner in einer dem Verletzten von der 14. Woche ab für die Dauer der Erwerbsunfähigkeit zu gewährenden Rente. Dieselbe beträgt im Falle völliger Erwerbsunfähigkeit zwei Drittel des Jahresverdienstes, wobei der 1200 ℳ übersteigende Betrag desselben nur mit einem Drittel zur Anrechnung kommt; im Falle teilweiser Erwerbsunfähigkeit in einem Teile der Rente nach Massgabe der Erwerbsunfähigkeit. An die Stelle dieser Leistungen kann, wie im Arbeiterunfallgesetz und unter den dort stipulirten Bedingungen freie Kur und Verpflegung in einem Krankenhause, oder mit Zustimmung des Verletzten, an Bord des Fahrzeugs gewährt werden. Während dieser Zeit steht den Angehörigen des Verletzten ein Anspruch in soweit zu, als sie einen solchen im Falle des Todes desselben erheben könnten. Hat der Verletzte den Unfall vorsätzlich herbeigeführt, so fällt jeder Entschädigungsanspruch weg. Steht Versicherten ein gesetzlicher Anspruch in Krankheitsfällen weder gegen Rheder noch gegen Krankenkassen zu, so hat der Rheder bezw. Arbeitgeber auch während der ersten 18 Wochen aus eigenen Mitteln nach Massgabe der Seemannsordnung bezw. des Unfallgesetzes von 1884 Fürsorge zu gewähren!! Diese Verpflichtung kann durch Statut auf die Berufsgenossenschaft übertragen werden. Streitigkeiten werden durch die Aufsichtsbehörde bezw. das Seemannsamt, in zweiter Instanz durch das Reichsversicherungsamt entschieden. Im Falle der Tötung ist ausserdem an Schadenersatz zu leisten: 1) als Ersatz für Beerdigungskosten für Seeleute $^{1}/_{3}$ des Monatsverdienstes, für andere Versicherte $^{1}/_{15}$ des Jahresverdienstes, aber mindestens 30 ℳ, vorausgesetzt, dass der Rheder nicht nach den Bestimmungen der Seemannsordnung oder des Handelsgesetzbuches die Beerdigungskosten trägt und dass die Beerdigung zu Lande erfolgt; 2) als Rente für die Wittwe 20 pCt., für jedes Kind bis zum 15. Lebensjahre 15 pCt., und wenn das Kind mutterlos, 20 pCt. des Jahresverdienstes. Der Gesammtbetrag der Renten darf 60 pCt. nicht übersteigen. Im Falle der Wiederverheiratung erhält die Wittwe den dreifachen Betrag ihrer Rente als Abfindung. War der Verstorbene der einzige Ernährer der Eltern, Grosseltern, so erhalten diese bis zum Wegfall der Bedürftigkeit 20 pCt. des Jahresverdienstes, falls nicht schon die Hinterbliebenen den Höchstbetrag der Rente in Anspruch nehmen. Die Hinterbliebenen von Ausländern haben einen Anspruch auf Rente nur, wenn sie zur Zeit des Unfalls im Inlande gewohnt haben. Der Tod eines Versicherten gilt als erwiesen, wenn das Fahrzeug, auf dem er sich befand, untergegangen und seit dem Untergange des Schiffes ein Jahr verflossen ist, ohne dass glaubhafte Nachrichten von dem Leben des Versicherten eingegangen. Wann das Fahrzeug als untergegangen anzusehen ist, richtet sich nach dem Handelsgesetzbuch. Der Anspruch auf Rente beginnt mit dem Tage des Untergangs des Fahrzeuges, oder, wenn dasselbe verschollen, nach Ablauf von 15 Tagen seit dem Einlaufen der letzten Nachricht. Wird das Leben des Versicherten nachgewiesen, so erlischt der Anspruch auf Rente. Träger der Versicherung sind die zu einer einzigen Berufsgenossenschaft vereinigten Rheder, bezw. Arbeitgeber. Die Mittel zur Deckung der Entschädigungsbeträge und Verwaltungskosten werden durch jährliche Umlegung auf die Mitglieder aufgebracht. Zur Bestreitung der Verwaltungskosten können im ersten Jahre Beiträge im Voraus erhoben werden und zwar, vorbehältlich des Statuts, nach dem Bruttoraumgehalt der Fahrzeuge.

Abschnitt II. Bildung u. s. w. der Berufsgenossenschaft, Anmeldung der Eigentümer der nicht registrirten Schiffe durch Einreichung des Messbriefes an die Ortsbehörde, Anzeige der im Lotsen- und Rettungsdienst durchschnittlich beschäftigten Personenzahl. In der konstituirenden

Genossenschaftsversammlung haben Eigentümer von Fahrzeugen von weniger als 50 Kbm. Bruttoraumgehalt je eine, diejenigen von Fahrzeugen bis zu 300 Kbm. für je 50 Kbm. eine Stimme, von über 300 Kbm. für je weitere 100 Kbm. je eine Stimme mehr. Die Arbeitgeber von Lotsen- und Rettungsböten führen für je zwei Versicherte eine Stimme. Die Versammlung wählt den provisorischen Genossenschaftsvorstand durch Stimmenmehrheit. [illegible] Feststellung des Statuts durch die Versammlung. Die Bildung des Reservefonds erfolgt nach § 18 des Arbeiterunfallgesetzes. Durch das Statut kann die Berufsgenossenschaft in örtlich abgegrenzte Sektionen eingeteilt und können Vertrauensmänner als örtliche Genossenschaftsorgane eingesetzt werden. Das Statut unterliegt der Genehmigung des Reichsversicherungsamts, gegen dessen Entscheidung innerhalb 4 Wochen Berufung an den Bundesrat zulässig ist. Wird die Genehmigung versagt, so muss die Genossenschaft binnen 4 Wochen zu anderweiter Beschlussfassung über das Statut berufen werden. Nach nochmaliger Versagung der Genehmigung wird das Statut von dem Reichsversicherungsamt erlassen. Die Vorschriften über die Veröffentlichung des Namens u. s. w. der Genossenschaft, die Genossenschaftsvorstände entsprechen den §§ 21—27 des Gesetzes von 1884; ebenso bezüglich der Bildung der Gefahrenklassen den § 28 des gen. Gesetzes aber mit der Ergänzung, dass durch das Statut bei besonders gefährlicher Ladung — oder Reisen in besonders gefährlichen Gewässern oder Jahreszeiten höhere Beiträge vorgeschrieben werden können. Für jedes Fahrzeug wird die durchschnittliche Zahl der als Besatzung erforderlichen Seeleute abgeschätzt.

Abschnitt III. regelt die Mitgliedschaft der Betriebe, Genossenschaftskataster, Veränderungen und Löschung im Schiffsregister. Mitglieder haben sich über die Ausübung des Stimmrechts zu verständigen.

Abschnitt IV. regelt die Vertretung der Versicherten in den Schiedsgerichten durch zwei Beisitzer und durch ein nichtständiges Mitglied des Reichsversicherungsamts.

Abschnitt V. enthält die Bestimmungen über die Schiedsgerichte. Die Wahl von 2 Beisitzern erfolgt nicht durch die Versicherten selbst, sondern durch die Vorstände der obrigkeitlich genehmigten Seemannskassen und zur Wahrung anderer Interessen der Seeleute bestimmten obrigkeitlich genehmigten Vereinigungen von Seeleuten, denen mindestens 10 im Bezirk des Schiedsgerichts wohnende Versicherte als Mitglieder angehören, oder wo solche nicht vorhanden, durch den Vorsitzenden des Schiedsgerichts. Die Beisitzer erhalten Tagegelder und event. Reisekosten. Im Uebrigen entsprechen die Bestimmungen dem Arbeiterunfallgesetz. Nach der O. Z.

Schwingende Dreifach-Expansions-Dampfmaschinen von R. A. Ziese in St. Petersburg.

Der Drang der Zeit, den dreifachen Expansionsmaschinen immer mehr Verbreitung unter den Schiffsdampfmaschinen zu verschaffen, hat dem Ingenieur Ziese in St. Petersburg den Gedanken eingegeben, das Dreifach-Expansionssystem, welches unter Schraubenschiffsmaschinen bereits sehr verbreitet ist, auch in *Raddampfmaschinen* einzuführen, ohne den für die Maschine im Schiff nötigen Platz zu vergrössern.

Die Firma Specht, Ziese & Co., Patent- und technisches Bureau in Hamburg, Fischmarkt 2, hat auf die Ausführung dieser Idee ein Patent genommen, dessen Inhalt in der Patentschrift No. 36658, ausgegeben den 28. August 1886, kurz veröffentlicht wird.

Nach der beigegebenen Zeichnung sind der Hochdruckcylinder und der Mitteldruckcylinder zu einem einzigen Gussstück mit gemeinsamen Schwingzapfen vereinigt, durch deren einen der Dampf vom Kessel in den Schieberkasten des Hochdruckcylinders tritt, während der andere den vom Schieberkasten des Mitteldruckcylinders abgehenden Dampf durch ein anderes Rohr dem Niederdruckcylinder zuführt; von diesem gelangt der Dampf durch ein drittes Rohr in den Kondensator.

Die 3 Kolbenstangen greifen annähernd unter einem rechten Winkel zueinander, d. h. die Hochdruck- und die Mitteldruckkolbenstange einerseits, und die Niederdruckkolbenstange andererseits, an [illegible] am vorteilhaftesten die Stangen des Hochdruck- und des Mitteldruckcylinders zu beiden Seiten der Kolbenstange des Niederdruckcylinders. Die Kolbenquerschnitte sind so zu wählen, dass die Kraftwirkung des Niederdruckcylinders der vereinten Wirkung des Hochdruck- und des Mitteldruckcylinders etwa gleichkommt.

Der gewiss praktischen Idee wünschen wir von Herzen recht baldige praktische Verwertung an auszuführenden Neubauten oder Umbauten.

Fischereihäfen auf Norderney und am Norddeich.

Nachdem in Ihrer No. 19 die Pläne für eine verbesserte Landungsbrücke am Norddeich gegenüber Norderney und in No. 21 von einem Norderneier Interessenten die Anlage eines grossen internationalen Fischereihafens auf Norderney besprochen sind, gestatten Sie mir wohl, noch einmal auf beide Pläne zurückzukommen. Dieselben schliessen sich durchaus nicht gegenseitig aus; wenn ich auch in dem letztgenannten sog. Norderneier Plan nicht gerade „des Pudels Kern“ erkennen kann, so ist allein schon die Aussicht auf die Erhöhung des regierungsseitig zu beantragenden Unterstützungsbeitrags für Hochseefischereizwecke ein genügender Sporn, in der Presse mit wohlerwogenen Vorschlägen vorzuarbeiten.

Die Anlage eines grossen Fischereihafens auf Norderney im Sinne der No. 21 ds. Bl. hat zur Voraussetzung die Anlage eines mehrere Kilometer langen, mindestens 2 bis 2½ m über Wattgrund aufzuführenden Fangdamms längs der Norderneier Balge ostwärts nach der sog. Poststrasse durchs Watt. Dieser aus Steinen aufzuführende Fangdamm müsste das die Norderneier Rhede auffüllende Flutwasser hindern, bei Eintritt der Ebbe dem natürlichen Zuge zur Balge zu folgen und es vielmehr zwingen, westlich in der Richtung nach dem bekannten Landungsdamm und längs demselben seinen Abfluss nach der See zu suchen. Dadurch würde dort jedenfalls ein neues Tief sich bilden, und dieses den gewünschten Hafen abgeben. Dass bei kühner energischer Verfolgung dieses Plans, besonders wenn mit den Anlagegeldern nicht gespart wird, ganz auffällige Resultate erzielt werden können, ersieht man aus den gleichartigen Anlagen in Nieuwediep und Terschelling; am ersten Ort hat man bis zu 70′ Fahrwassertiefe erzielt und ganze Schiffsladungen voll Steinen hinunterwerfen müssen, um diese übergrosse Tiefe abzumindern, und beabsichtigt man jetzt den Fangdamm erheblich abzukürzen, um so dem Ebbestrom seine übergrosse Wucht zu entziehen. Dennoch erheben sich in Norderney mehrfach Stimmen dagegen, weil die bisher freie Benutzung der Rhede vielfach eingeschränkt würde, und eine Vereisung, die bei der jetzt freiliegenden Rhede nicht so leicht stattfindet, dann allerdings in dem engern Tief leichter eintreten könnte. Zudem werden bei offenem Wasser die Fische lieber an dem steilen West- oder Damenstrande gelöscht und nur bei stürmischem Wetter die geschützte Rhede im Süden der Insel aufgesucht. Doch würde ein wegen seiner Tiefe stets zugänglicher Hafen in oben gedachter Ausführung zu jeder Jahreszeit eine schätzenswerte Erleichterung für den Fischereiverkehr bieten, und als sicherer, den Fischgründen nächster Winterhafen von unschätzbarem Werte für die Nordseefischerei sein.

Wir sind aber der Ansicht, dass daneben eine verbesserte Landungsbrücke am Norddeich der ganzen Anlage erst die Krone aufsetzen würde. Ganz abgesehen von den

Bedürfnissen des Seebadeverkehrs ist bei der Fischerei die Schnelligkeit des Transports des gefangenen Fisches an den Markt eine bestimmende Hauptsache. Es wäre aber ohne Frage besser, wenn die Entladung am Norddeich, d. h. am festen Wall, ½ Stunden vom nächsten Bahnhof stattfände, als auf der 6 Sm. von der Küste liegenden Insel, von wo sie erst mit der nächsten Tide d. h. 12 Stunden später nach dem Festlande und damit zu den Binnenmärkten verfahren werden können. Die Fischerfahrzeuge werden gern die längere Fahrt machen, die 1—2 Stunden erfordert, und dann lieber gleich darauf zur Insel zurückkehren, um sich zur nächsten Ausfahrt nach See vorzubereiten.

In Ihrer No. 19 ist dabei einer Schwierigkeit gedacht, nämlich wie man den nach dem Deich sich streckenden Ausläufer der Balge vertiefen bezw. zu einem länger zu benutzenden Fahrwasser nach dem Deich umgestalten könne. Uns will die grosse Schwierigkeit dieser Aenderung nicht recht einleuchten. Ostwärts vom Fährhause bis zur zweiten grossen Biegung des Deichs nach Osten streckt sich ein entschieden höheres und deshalb von der Schiffahrt gemiedenes Watt meilenweit aus. Würde man in etwa 1 km Entfernung vom Deich und ziemlich parallel demselben einen ähnlichen Fangdamm anlegen, so könnte man auch hier die fallenden Gewässer zwingen, in einer bestimmten Richtung nach dem Ausläufer der Balge abzuebben, und dadurch sich einen vertieften Zugang zur Landungsbrücke am Deich schaffen.

Jedenfalls scheint es uns, dass die eine Anlage die andere bedingt, und dass es wohlgethan wäre, wenn an *beiden* Stellen mit frischer starker Hand helfend zugegriffen würde, um so mehr, als jetzt die Bildung von Hochseefischereigenossenschaften in naher Aussicht steht, welche, um lebensfähig zu werden, unbedingt einer kräftigern Förderung von Seiten des Staats bedürfen, als der in Hoffnung darauf vor 12 Jahren gegründeten Dampfschiffahrtsgesellschaft zu teil geworden ist. Dass diese trotzdem gedeiht, beweist nur, dass hier entwickelungsfähige Verhältnisse sich vorfinden.

Germanischer Lloyd.

Deutsche Handels-Marine: Seeunfälle vom Monat Sept. 1866 soweit solche bis zum 15. Octobr. cr. im Central-Bureau des Germanischen Lloyd gemeldet und bekannt geworden sind.

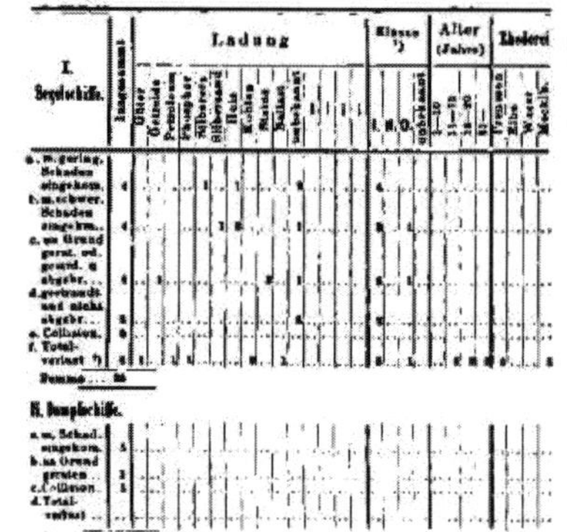

I. Segelschiffe.	Insgesammt
a. m. gering. Schaden eingekom.	4
b. m. schwer. Schaden eingekom.	4
c. an Grund gerat. od. gestrand. u. abgebr.	4
d. gestrandet und nicht abgebr.	2
e. Collision.	6
f. Totalverlust ²)	6
Summe	26

II. Dampfschiffe.	Insgesammt
a. m. Schad. eingekom.	5
b. an Grund geraten	1
c. Collision	1
d. Totalverlust	
Summe	7

¹) Soweit zu ermitteln, Klasse einer Schiffsklassifizierungs-Gesellschaft. O. = keine Klasse. Umgekommene Seeleute: 18.
²) Tonnengehalt von 6 Schiffen 1299 Tons.

BERLIN, d. 15. October 1884.

Nautische Literatur.

Unter der Kriegsflagge des Deutschen Reichs. Bilder und Skizzen von der Weltreise S. M. S. „Elisabeth", 1881—1883, von P. G. Heims, Kaiserl. Marinepfarrer. Mit mehreren Karten der Reise. 400 Seiten Octav. Preis 8 M. Leipzig, Ferd. Hirt & Sohn.

Die im Jahre 1868 in Danzig vom Stapel gelassene gedeckte Korvette „Elisabeth" gehört zu dem Schiffstypus, welcher die Geschützarmirung für je 15 cm Krupp'sche Ringgeschütze und ganz vorn je 1 12 cm Geschütz in besonderer Batterie unter Deck führt, während die Glattdeckskorvetten ihre Kanonen auf dem Oberdeck führen, auf welchem die „Elisabeth" nur als Bugjagdgeschütz einen 15 cm Hinterlader nebst einigen andern kleinen Geschützen führte. Dies Schiff wurde 1881 dazu ausersehen, als Seekadetten-Schulschiff hinauszugehen und den Einen zur Lehr', dem Deutschtum draussen zur Wehr', dem Reiche zur Ehr' die Flagge mit dem schwarzen Kreuz im weissen Feld, rechts oben im schwarz-weiss-roten Feld das eiserne Kreuz, in der Mitte den Adler mit Krone, Reichsapfel und Scepter, in zweijähriger Fahrt um die Welt zu tragen. Nachdem dann das Schiff mit seiner Besatzung von nahezu vierhundert Mann unter Kommando des Kapitäns z. S. Hollmann am 1. Oktb. in Dienst gestellt und am 14. Okt. seeklar geworden war, trat es am 16. Oktb. 1881 seine Reise an, welche zunächst über Madeira, Montevideo, durch die Magelhaens-Strasse nach Valparaiso und Callao führte, woselbst die Wracks verschiedener peruanischer und chilenischer Kriegsschiffe an die Ereignisse des jüngst beendeten Krieges mahnten, und der freilich nur kurze Aufenthalt auf dem südamerikanischen Kontinent mit einer hochinteressanten Fahrt auf der berühmten Andesbahn nach Chicla einen prächtigen Abschluss fand. Von da ging es weiter über den Stillen Ocean nach Honolulu, mit welcher Schilderung das erste Buch, die *Ausreise*, schliesst.

Das zweite Buch schildert den Aufenthalt der Korvette in Japan, speziell Yokohama und einigen unerschlossenen Häfen an der Ostküste, in Nord-Nipon und Hakodate, von wo ein Abstecher nach Wladiwostock und Ostsibirien gemacht wird. Von da ging es die Küste herunter ins Chinesische Meer zunächst nach Chefoo, und wurde im Golf von Petschili mit den dort zusammengezogenen Korvetten „Stosch" und Kanonenboot „Wolf" stramm manövrirt, evolutionirt, scharf und blind geschossen und was sonst dazu gehört, und zuletzt der dort an die Küste tretenden *chinesischen Mauer* ein Besuch abgestattet. Nachdem das Kanonenboot „Wolf" nach Schluss der Uebungen sich in einen Passagierdampfer verwandelt hatte, führte es unsere Reisenden, allerdings in sehr beschränkter Anzahl, noch hinauf nach Peking, woselbst sie mit gebührenden Ehren empfangen wurden, dann aber setzte die „Elisabeth" ihre Reise nach dem Hauptemporium des Handels im fernen Osten, nach Shanghai fort, und kehrte nach vorübergehendem Besuch von Amoy und Swatow wieder nach dem südlichen Japan zurück, woselbst sie eine prachtvolle Folge von Reisen durch die südjapanischen Häfen und namentlich die Binnenlandsee ausführt. Den Schluss der ostasiatischen Reisen bildet die Fahrt über Hongkong nach Cochinchina, Singapore und Anjer auf Java. Hier sollten die Reisenden Augenzeugen eines ebenso eigentümlichen als grossartigen Naturereignisses werden. Als das Schiff am Morgen des 20. Mai 1883 9 Uhr die Anker lichtete, um von der Sunda-Strasse aus die *Heimreise* anzutreten und an Bord nach der Sonntagsroutine Alles seinen regelmässigen Gang ging, stieg gerade hinter ihnen in etwa 17 Sm. Entfernung eine enorme, glänzend weisse Dampfsäule mit reissender Schnelligkeit auf, erreichte in kurzer Frist die kolossale Höhe von nicht unter 11 000 m., in fast schneeiger Helle von dem klaren blauen Himmel sich abhebend, in sich gerundet und geringelt, vergleichbar einem gigantischen weissen Korallenstock von keulenartiger Form oder noch mehr einem riesigen Blumenkohlkopf, nachdem der Oberwind angefangen hatte die Spitze der Aschensäule seitwärts auszuwehen; denn über die Natur dieses Gewölkes sollten die Reisenden nicht lange in Zweifel bleiben. Mit dem einsetzenden frischen SO-Passat machte sich von der Luvseite von See her ganz allmählich ein ganz feiner Aschenregen bemerkbar; offenbar war der ausgeworfene Lavastaub von einer höhern Luftströmung zu dem Anti-Passat vom Land her hoch über die See fortgeführt und der tiefer gehende SO-Passat schickte die niedersinkenden Teile auf das Schiff zurück. Die Verschleierung des Himmels war dabei so dicht und gleichmässig, dass der beinahe volle Mond am Abend und während der Nacht kaum als schwach erleuchtete Gegend dort oben erkennbar war. So wurden unsere Reisenden die Zeugen des ersten gewaltigen vulkanischen Ausbruchs, welcher in seinem ferneren Verlauf die Hälfte der 2600' hohen Insel Krakatoa im Meere begrub und am 21. Mai morgens der sonst so schmucken „Elisabeth" das Aussehen einer schwimmenden Cementfabrik gab.

Am 21. Juni kam dann die Küste von Afrika in Sicht.

Die Heimreise führte an Port Natal und Kapstadt vorbei und darauf abseits vom gewöhnlichen Wege längs den Küsten unserer neuerworbenen westafrikanischen Kolonien und über die Kap Verden-Inseln nach Hause, wo am 21. Sept. 1883 der Leuchtturm von Bülk in Sicht kam.

Ein Hauptvorzug des ganzen Reisewerks ist, dass der Verfasser nur Selbsterlebtes und Selbstgeschautes schildert und dadurch alle so beliebten Längen und Exkurse vieler Reisewerke vermeidet, so dass der Leser immer in der Gegenwart bleibt. Dadurch gewinnt diese Reiseschilderung, so selten auch der Kurs des Schiffes von den gewohnten Wegen abweicht, doch ein ganz spezielles Interesse für den Leser, der sich in der Welt an Bord und draussen bald so heimisch wie im eigenen Hause fühlt. Die vielen Extragenüsse, welche ein Kriegsdampfer vor einem Postdampfer voraus bieten kann, [illegible] durch in um so freundlichere Beleuchtung und können wir um so mehr die Lektüre dieses wohlthuenden Reisewerkes empfehlen.

***Wertschätzungstabellen** für die den Rhein und anschliessende Gewässer befahrenden Dampf- und Segelschiffe, ausgearbeitet und herausgegeben von Peter Willemsen, Havarie-Kommissär, vereidеter Dispacheur, Expert des „Germanischen Lloyd" und des „Rheinschiffsregister-Verbandes". 24 S. 16°. Düsseldorf 1886.*

Vorstehende Tabellen sind hauptsächlich im Interesse der Versicherungsgesellschaften und Schiffer entworfen, um soviel als möglich eine im Interesse aller Beteiligten liegende einheitliche Taxe der Fahrzeuge herzustellen; auch für Havariefälle werden die Tabellen sich verwerten lassen können.

Die Anlage des kleinen Heftes ist eine sehr übersichtlich geordnete, und giebt die Taxen der Räderschleppdampfschiffe (Niederdruck- und Kompoundsystem), der Schraubenschleppdampfschiffe (Kompoundsystem), der Schraubenschleppdampfschiffe (Hochdrucksystem ohne Kondensation), der Güterschraubendampfschiffe in vier gesonderten Tabellen nebst nötigen Erklärungen und Beispielen in einer ersten Abteilung.

In einer zweiten Abteilung folgen dann die Tabellen für eiserne Schleppkähne, grössere und kleinere eiserne Segelschiffe, ferner für hölzerne eigentliche Flussschiffe und für die vielen Tjalken, welche ja zugleich auch häufig Seeschiffe sind. Da der Verfasser, in Düsseldorf, Kronprinzenstrasse 16, wohnhaft, diese gewiss sehr verdienstlichen Wertschätzungstabellen im eigenen Verlag herausgegeben hat, so sei hinsichtlich des Preises noch bemerkt, dass sie in Mengen von 50 Stück zu ℳ 0.40, in Mengen von 25 Stück zu ℳ 0.60 und im Einzelverkauf zu ℳ 1.— abgegeben werden.

Wir empfehlen sie zu weitester Verbreitung, zumal Druck und Papier musterhaft gut und ansprechend sind und über den praktischen Wert der Tabellen kein Zweifel möglich ist.

***Viertausend Meilen unter Sturmsegeln** auf Sr. Königl. Hoheit des Prinzen Heinrich von Bourbon, Grafen von Bardi, Yacht „Aldegonda". Von Detlev von Heydebrand und der Lasa. Mit einem Portrait in Lichtdruck, 106 Illustrationen und einer Karte. Wien, Pest, Leipzig, A. Hartleben's Verlag.*

Den Inhalt des äusserlich prächtig ausgestatteten Reisewerks bildet die Schilderung einer Wintersegelfahrt vom Kanal durch die spanische See, an der portugiesischen Küste vorbei, zunächst nach Gibraltar, wo Station und ein romantischer Ausflug ins spanische Gebiet gemacht wird. Da die Reise in die letzten Tage des November und die erste Hälfte des December fällt, so ist sie sowohl wie die weitere Fortsetzung unter den Pithyusen-Inseln und Sardinien nach Malta, wie auch die weitere Fortsetzung nach Korfu von schweren Stürmen begleitet, welche aber gelegentlich zu guten Segeletmalen von 400 Sm. in 36 Stunden benutzt werden. In Korfu kommt S. Hoheit an Bord, welcher von Cattaro aus einen sehr schwierigen Uebergang über das winterliche Gebirge nach Montenegro hinein veranlasst, bei welcher Gelegenheit wir die fürstliche Gastfreundschaft des Beherrschers von Montenegro kennen lernen. Die Fahrt führt dann weiter nach Spalato und an Lissa vorbei nach Pola, wo die Ausschiffung stattfindet.

Die Seefahrt sowohl als namentlich auch die Abstecher ins Binnenland sind unleugbar in sehr anmutender Weise geschildert und wird ihr Eindruck noch gehoben durch eine Anzahl originaler Illustrationen; doch möchten wir an dieser Stelle Verwahrung einlegen gegen die ostensible Weise, mit welcher in nur losem Zusammenhange zur Erzählung eine Darstellung der Pflichten eines Bootsmannes oder Steuermanns an Bord eines Segelschiffes versucht und eine Einführung in die Technik der Schiffssprache dem allgemeinen Lesepublikum geboten wird. Da wir die spezielle Veranlassung zu diesen häufigen den Gang der Erzählung unterbrechenden Exkursen wohl nicht mit Unrecht in dem Gegenstande der Widmung suchen, so erscheint uns in solchem Fall es angezeigt, entweder durch einen Vorbemerk, „als Manuscript gedruckt", die Ausnahmestellung des Verfassers anzudeuten, oder den Titel dem nachfolgenden Inhalt gemäss angemessen zu erweitern.

***Zur See** etc. etc. Lieferung 7 und 10. Herausgegeben von Vice-Admiral z. D. Henk und Marinemaler E. Niethe. Verlag von A. Hoffmann & Co. (Vergl. „Hansa" No. 9.)*

Die länger rückständige mit einem Prachtbilde „Der Hamburger Hafen" geschmückte 7. Lieferung schildert zunächst die zur weiteren Ausrüstung des Schiffes gehörenden Gegenstände namentlich Flaggen und Signale und die Verproviantirung des Schiffes, wendet sich dann aber zu einer kurzen Schilderung der Handelsschiffe, deren Haupttypen sowohl der Segel- wie der Dampfschiffe hier besprochen werden. Eine zweite Abteilung führt uns sodann auf verschiedene Rheden und Häfen, unter denen die Geschichte des Baues von Wilhelmshaven und die Schilderung des Hamburger Hafens und Elbverkehrs eine hervorragende Stellung einnehmen. Eine dritte Abteilung schildert uns den Sicherheitsdienst vor und an den Küsten und [illegible] eine vierte Abteilung uns in ausführlichster Weise das Seerettungswesen vorführt. Die 10. Lieferung bringt uns den Schluss der fünften Abteilung, „Seemannsleben an Bord und an Land" und nach vielen kriegerischen und nichtkriegerischen Intermezzos die letzten Berichte über die Weltumsegelung der „Mathilde" aus der Südsee, dem malayischen Meer, dem indischen Ocean, und um das Kap der Guten Hoffnung herum in den atlantischen Ocean, in der anschaulichen, häufig drastischen Darstellungsweise des bekannten Verfassers dieser Episode des grossartig angelegten Marinewerks.

Uebersicht

sämtlicher auf das Seerecht bezüglichen Entscheidungen der deutschen und fremden Gerichtshöfe, Reskripte etc. der betreffenden Behörden etc., einschliesslich der Literatur der dahin bezüglichen Schriften, Abhandlungen, Aufsätze etc.

Titel V.

Frachtgeschäft zur Beförderung von Gütern.

Durchgehendes Konnossement. Begriff und Wesen desselben im Gegensatz zu einem Konnossement mit einer den Schiffer zur Umladung befugenden Klausel.

Thatbestand:

Die Kläger verluden mit dem Dampfschiff „Vulkan", dessen Rheder der Beklagte ist, 38 Tonnen Heringe von Hamburg nach Galatz. In dem Konnossement behielt sich der Schiffer das Recht vor, den Transport durch ein anderes Schiff ausführen zu lassen. Unterwegs in Syra wurden die Güter in ein der Gesellschaft Fr. & Comp. gehöriges Schiff übergeladen. Diese Gesellschaft offerirte dem zur Empfangnahme der Güter legitimirten Vertreter der Kläger in Galatz, Tonnen mit unrichtigen Marken und Nummern, deren Annahme derselbe verweigerte. Kläger verlangen nunmehr von dem Beklagten den Ersatz des Fakturawertes der inzwischen verdorbenen und wertlos gewordenen Waare. Aus den *Entscheidungsgründen* des den Verklagten verurteilenden Berufungsurteiles: „Die Behauptung des Beklagten, dass man es hier mit einem sog. durchgehenden Konnossement zu thun habe, bei welchem der Aussteller nur solange hafte, als er selbst den Transport ausführe, ist irrig. Das Wesen dieser Konnossemente besteht darin, dass sie nicht das Versprechen des Ausstellers zur eigenen Bewirkung des ganzen übernommenen Transports enthalten, sondern vielmehr dahin gehen, dass der Aussteller nur bis zu einem (meist bekannten und durch seinen Geschäftsbetrieb gegebenen) Punkte die Waare bringen, dort aber sie einem bestimmten anderen Frachtführer übergeben soll. Von einem solchen Kontrakt ist hier nicht die Rede. Das Konnossement giebt als Reiseziel des Schiffs „Vulkan" die Orte Odessa, Galatz und Braila an und verspricht, die klägerischen Güter in guter Beschaffenheit in Galatz abzuliefern. Wenn sich bei einem solchen Frachtkontrakt der Schiffer die Befugnis ausbedingt, in den Zwischenhäfen die Güter umzuladen und durch ein anderes Schiff an ihren Bestimmungsort bringen zu lassen, so kann nicht davon die Rede sein, dass er von der Erfüllung seines Versprechens der richtigen Ablieferung der Waare im Bestimmungshafen dadurch befreit wäre, dass er dieselbe wirklich unterwegs einem anderen Schiff übergeben hat. Vielmehr führt dieses andere Schiff nur seinen Kontrakt für ihn aus und die Klausel hat, wie keinen anderen Inhalt, so auch keine andere Wirkung, als ihn von der Verpflichtung, die Waaren gerade in seinem und in keinem anderen Schiffe zu transportiren, zu befreien. Mit Recht ist aus dem Inhalte der abgedruckten Konnossementsformulare abzuleiten, dass bei *solchen* Bedingungen der Aussteller für Verschuldungen der hinzutretenden Transportführer nicht verantwortlich sei. Mit jenem durchgehenden Konnossement aber hat das vorliegende Konnossement nicht die geringste Aehnlichkeit. Dazu kommt, dass Beklagter nicht hat behaupten können, den Klägern ein von der Gesellschaft Fr. & Comp. ausgestelltes Konnossement eingehändigt zu haben. Hieraus ergiebt sich auf das deutlichste, einerseits, dass er bis Galatz den Klägern als Frachtführer gegenüber trat, und verpflichtet war, in Galatz nach Massgabe des von ihm ausgestellten Konnossements zu erfüllen und andererseits, dass er kein Recht hat, die Kläger an Fr. & Comp. zu verweisen, denen Kläger vielmehr ohne alle rechtlich zu erzwingenden Ansprüche gegenüber stünden". (Urt. des Ober-Landesgerichts zu Hamburg vom 24. Oktober 1885; Seuffert, Archiv, Bd. XII, S. 198 f.)

Titel VIII.

Havarie.

Zusammenstoss zwischen einem geschleppten und einem dritten Schiff.

Aus den **Entscheidungsgründen:**

„Die für Kollisionen von Schiffen und deren Folgen massgebenden Grundsätze sind in den Art. 736 ff. H. G. Bs. für den Fall des Zusammenstossens zweier Schiffe aufgestellt, wobei regelmässig an die direkte Berührung der beiden Schiffskörper zu denken ist. Allein, dass es nicht die Absicht des Gesetzgebers war, nur und ausschliesslich für diesen einen hauptsächlichen und gewöhnlichen Fall der Kollision die Grundsätze aufzustellen, muss schon aus der prinzipiellen Natur der Bestimmungen geschlossen werden. Dafür spricht auch Artikel 741 H. G. Bs. Zwar könnte man aus der besonderen Hinzufügung dieser gesetzlichen Ausdehnung gerade folgern zu müssen glauben, dass man die Artikel 736 ff. strikt auszulegen habe, weil es sonst des Artikel 741 nicht bedurft hätte. Vgl. auch die Protok. S. 4130, wonach einige Mitglieder der Konferenz den Inhalt des Artikel 741 für überflüssig weil selbstverständlich hielten. Allein für die Hinzufügung lag ein erheblicher Anlass in dem Umstande, dass im Falle des Artikel 741 keinerlei direkte oder durch Zubehör des schuldigen Schiffs bewirkte Beschädigung des dritten Schiffs vorhanden ist. Indem aber der Gesetzgeber auch für die Fälle des Artikel 741 jene Grundsätze als massgebend bezeichnet, kann es einem Zweifel nicht wohl unterliegen, dass die innerhalb dieser weitergehenden Ausdehnung liegenden Fälle, wo das den Zusammenstoss verursachende Schiff mit dem dritten kollidirenden körperlich — hier durch Taue — zu einer Einheit verbunden ist, jedenfalls unter die Normen des Artikel 736 ff. zu subsumiren sind. — Das geschleppte Schiff ist solchenfalls nur ein der eigenen Bewegung unfähiges Anhängsel und Zubehör des schleppenden. Ueberall aber, wo das der Fall und auf Seiten des regierenden Dampfschiffs die Schuld des Zusammenstosses liegt, muss dieses bezl. seine Rhederei haften". (Er., d. Ob. Land. Ger. zu Hamburg vom 31. Oktober 1885; Seuffert, Arch. Bd. XL. 1. S. 200.)

Verschiedenes.

Schnelligkeit verschiedener Kriegsschiffe. Ein römisches offizielles Blatt veröffentlicht nachstehende Angaben über die Geschwindigkeit verschiedener grosser Schlachtschiffe der Gegenwart:

Italien...	„Italia"	18.00 Knot.
„	„Lepanto", „Umberto", „Sicilia", „Sardegna"	17.50 „
Engl....	„Warspite"	17.20 „
„	„Imperieuse"	17.00 „
Italien...	„Ruggiero", „Morosina", „Andrea Doria"	16.50 „
Engl....	„Nile", „Trafalgar", „Sanspareil", „Anson," „Camperdown," „Benbow", „Rodney", „Howe", „Collingwood," „Colossus", „Edinburgh"	16.00 „
Italien...	„Duilio"	15.50 „
„	„Dandolo"	15.20 „
Franz...	„Devastation"	15.17 „
Engl....	„Alexandra"	15.00 „
Franz...	„Foudroyant", „Admiral Baudin", „Marceaux", „Magenta"	15.00 „
Engl....	„Hercules"	14.69 „
Franz...	„Redoutable"	14.66 „
Engl....	„Temeraire"	14.65 „
„	„Dreadnought"	14.52 „
Italien...	„Affondatore"	14.50 „
Franz...	„Terrible", „Indomitable", „Caiman", „Requin"	14.50 „
Franz...	„Duperre"	14.47 „
Engl....	„Sultan"	14.30 „
„	„Neptune"	14.20 „
„	„Inflexible"	14.00 „
Franz...	„Vauban"	14.00 „

Wilson's System der Unterbringung der Schiffsboote trägt der Voraussicht Rechnung, dass binnen kurzer oder langer Zeit die grossen Passagierdampfer genötigt sein werden, die vielleicht doppelte Zahl von Schiffsbooten mitzuführen, d. h. soviel, dass Jedermann der ganzen Besatzung des Schiffes an Mannschaften und Passagieren im Notfall Platz im Boote finden kann. Wilson schlägt zu dem Ende vor, je 2 Boote über einander so zu stellen, dass das untere Boot kielaufwärts auf dem Decklager liegt, und das oberste Boot wie gewöhnlich aufrecht auf dem Kiel des untern steht. Am Ende der Boote stehen eiserne Träger (Davits), welche mit Hülfe einer Schraube ohne Ende und eines gezahnten Rades von der Grösse eines Viertelkreises horizontal nach aussenbords umgelegt werden können, um erst das oberste Boot, und wieder aufgerichtet und nochmals umgelegt auch das unterste Boot zu Wasser zu lassen, welches beim Fieren zunächst umschwingt. So kann ein Passagierdampfer die doppelte Anzahl Boote führen, ohne ihnen mehr Platz als der einfachen Zahl zuzuwenden, und ein im Deckraum beschränkter Frachtdampfer den Platz für die Boote auf die Hälfte vermindern. Ob aber nicht gegen den Seeschlag verbesserte Vorkehrung zu treffen sei, dürfte kaum bezweifelt werden. Wilson ist Oberingenieur auf der bekannten Werft von J. & G. Thompson, Clydebank bei Glasgow.

Die **Ausbeute an Gold und Silber in den Vereinigten Staaten** für das Jahr 1885 hat betragen, in Dollars, im Staat oder Gebiet

	Gold	Silber	Im Ganzen $
Alaska	200 000	—	200 000
Arizona	930 000	4 500 000	5 430 000
California	13 600 000	3 000 000	16 600 000
Colorado	4 250 000	16 000 000	20 250 000
Dakota	3 300 000	150 000	3 450 000
Georgia	137 000	—	137 000
Idaho	1 250 000	2 720 000	3 970 000
Montana	2 170 000	7 000 000	9 170 000
Nevada	3 500 000	5 600 000	9 100 000
Neu-Mexico	300 000	3 000 000	3 300 000
Nord-Carolina	157 000	3 500	160 500
Oregon	660 000	20 000	680 000
Süd-Carolina	57 000	500	57 500
Utah	120 000	6 800 000	6 920 000
Virginia	2 000	—	2 000
Washington	85 000	1 000	86 000
Wyoming	6 000	—	6 000
Alabama, Tenessee etc.	76 000	5 000	81 000
Zusammen	30 800 000	48 800 000	79 600 000

Angesichts dieser ungeheuren Ausbeute, zumal an Silber, und allein aus den Vereinigten Staaten, also ungerechnet die südamerikanische, australische, afrikanische und asiatische oder europäische Ausbeute braucht man sich über das Sinken des Silberpreises nicht zu wundern. Auch hier scheint eine Ueberproduktion stattzufinden.

Die **Dicke des Kalklagers**, welches an den englischen Kanalküsten so sichtbar zu Tage tritt, ist dieser Tage durch Bohrung eines artesischen Brunnens in der Nähe der Küste in Surrey zu 331.5 m bestimmt, nachdem erst rund 10 m tief durch schwarze Erde gebohrt war. Die obersten Kalkschichten waren merkwürdig wasserarm: erst in 150 m Tiefe, nachdem man die Feuersteinlagen längst passirt hatte, stiess man auf reichlichen Wasservorrat, dessen Oberfläche sich dauernd in 36 m Tiefe hielt.

Die **koloniale und indische Ausstellung in London** wurde seit ihrer Eröffnung bis zum 7. Aug. von 2 418 518 Personen besucht, und in der ersten Augustwoche allein von 259 528 Personen. So geht's noch immer fort.

Die **Minenbevölkerung Grossbritanniens** betrug im verflossenen Rechnungsjahr 561 676, von denen 520 632 Personen in den Kohleminen beschäftigt waren. Unglücksfälle kamen 866 vor, 51 weniger als im vorhergehenden Jahr, und Todesfälle 1214, d. h. 216 weniger als im vorhergehenden Jahre.

Auf der **Probefahrt der „Saale"**, des achten Stahldampfers, welchen binnen 5 Jahren die Fairfield Comp. für den Nordd. Lloyd gebaut hat, wurden 18 Sm. Geschwindigkeit erzielt. Das Schiff ist 455' lang, 48' breit, 36' 3" tief, misst 5 400 To. und hat eine dreifache Expansionsmaschine von 8000 I. P. K., Kohlenverbrauch 1,4 # schott. Kohle per indiz. P. K., bei 150 # Dampfdruck im Kessel. Dieselben sind auch von Stahl. Das Schiff kann 224 Passagiere I., 91 II., 850 III. Klasse führen und hat eine Mannschaft von 170 Köpfen.

Die verschiedenen Enthüllungen über die englischen Geschütze und Schiffbauten haben bereits die Wirkung gehabt, dass **Professor Elgar**, der bisherige erste Lehrer an der vor einigen Jahren von John Elder, der bekannten Schiffbaufirma am Clyde, gestifteten Schiffbauschule in Glasgow, zum **Direktor der britischen Werften** ernannt worden ist, so dass der von ihm bisher eingenommene Lehrstuhl erledigt ist.

Die Barre bei Sandyhook vor dem Hafen von Newyork soll auf 30′ bei Niedrigwasser vertieft werden, damit die grössten Dampfer bei jedem Stande der Gezeit ein- und ausfahren können. Es sind vom Senat für die auf 3 Jahre veranschlagte Arbeit bereits 1 Mill. Doll. bewilligt, und wird General Newton, welcher die Arbeiten im Hell Gate geleitet hat, auch diese Arbeit übernehmen.

Ein **erster Japanischer Ueberland-Eisenbahnzug** von 80 Waggonladungen Thee geht über St. Francisco nach England, um den Beweis zu liefern, dass der Ueberlandweg kürzere Zeit erfordert, als durch den Suez-Kanal. Wird er aber gegen die vermehrte Geschwindigkeit der von deutscher Seite in Fahrt gestellten Dampfer aufkommen? Da der Lloyd schon Thee in Durchfracht über Bremen nach Newyork annimmt, so wird die St. Francisco-Route wohl bald wieder verlassen werden.

Wie weit dringt das Licht in Seewasser ein? Darüber sind neuerdings im Golf von Nizza Versuche angestellt, welche ergaben, dass im April das Tageslicht um Mittag bei schönem Wetter 400 m eindrang, und dass das Tageslicht, so lange die Sonne über dem Horizont steht, mindestens 300 m und 350 m während 8 Tagesstunden eindringt. Man lässt zu dem Ende lichtempfindliche Photographieplatten mit einem Senkblei in die Tiefe und schützt sie vor der Einwirkung des Seewassers durch einen Firniss.

Reiche Kohlenlager sollen kürzlich **in der Krimm**, nahe bei Sebastopol und im Thal der Alma entdeckt worden sein, welche durch ihre vortreffliche Beschaffenheit und ihre Ausdehnung von mehreren deutschen Quadratmeilen von grosser Wichtigkeit für den russischen Handel und ganz besonders auch für die Petroleum-Ausfuhr von Batum werden können; desgleichen für die freiere Bewegung der russischen Pontusflotte.

Eine interessante **Uebersicht der französischen Gewerbe** bringt die Revue industrielle. Nach derselben lebt die Hälfte der Bevölkerung Frankreichs vom Ackerbau, ein Viertel von der Industrie, ein Zehntel vom Handel, vier Hundertel von freier Arbeit und sechs Hundertel sind Rentner. Unter den Ackerbauern sind 9 176 000 Grundbesitzer, welche ihr eigenes Land bebauen, die Andern sind Pächter in verschiedener Weise, Arbeiter oder sehr kleine Grundeigentümer, welche auch für Andere arbeiten. Die Grossindustrie, wie die Minen, Steinbrüche und die wichtigern Fabriken und Werkstätten beschäftigen 1 130 000 Personen, das Kleingewerbe dagegen 6 093 000 Personen. Zum Personal des Handels gehören 789 000 Bankiers, Makler und Grosshändler, 1 895 000 Kleinhändler und Ladenbesitzer, sowie 1 164 000 Wirte und Schenkwirte. Die Eisenbahnen und die verschiedenen Fuhrunternehmungen auf dem Lande nebst der Handelsmarine beschäftigen 800 000 Personen. Die verschiedenen Beamten der Regierung und der Gemeinde zählen 806 000 Köpfe.

Einfuhr gefrorenen Fleisches in London. Neulich kamen in einem einzigen Schiff, dem Dampfer „Selembria" der Falkland Islands Meat Company" gehörig, 30 000 gefrorene Hammel in ausgezeichnetem Zustande von den Falkland-Inseln in London an. Dies war die grösste Zufuhr, welche je ein Schiff angebracht, und die ganze Hälfte von der mit Viehzüchtern der Falkland-Inseln verabredeten Lieferung. Die „Selembria" hält 3041 Reg.-Tons, und gehört J. & C. Hall von Dartford und London. Vier beispiellos grosse Maschinen an Bord erzeugen die kalte Luft zum Gefrieren, Wände von Holz und Kohlen im Innern verhüten das Eindringen strahlender Wärme.

In Beantwortung der Anfrage von J. D. in H: **Kerosin** ist raffinirtes Petroleum.

Verlag von H. W. Silomon in Bremen. Druck von Aug. Meyer & Dieckmann, Hamburg, Alterwall 14.

HANSA

Redigirt und herausgegeben
von
W. von Freeden, BONN, Thomasstrasse 8.
Telegramm-Adressen:
Freeden Bonn,
oder
Hansa Alterwall 28 Hamburg.

Verlag von H. W. Silomon in Bremen. Die „Hansa" erscheint jeden 2ten Sonntag. Bestellungen auf die „Hansa" nehmen alle Buchhandlungen, sowie alle Postämter und Zeitungsexpeditionen entgegen, desgl. die Redaktion in Bonn, Thomasstrasse 8, die Verlagshandlung in Bremen, Obernstrasse 44 und die Druckerei in Hamburg, Alterwall 28. Sendungen für die Redaktion oder Expedition werden an den letztgenannten drei Stellen angenommen. Abonnement jederzeit, frühere Nummern werden nachgeliefert.

Abonnementspreis:
vierteljährlich für Hamburg 2½ ℳ,
für auswärts 3 ℳ = 3 sh. Sterl.
Einzelne Nummern 60 ₰ = 6 d.

Wegen Inserate, welche mit 25 ₰ die Petitzeile oder deren Raum berechnet werden, beliebe man sich an die Verlagshandlung in Bremen oder die Expedition in Hamburg oder die Redaktion in Bonn zu wenden.

Frühere, komplete, gebundene Jahrgänge v. 1873, 1874, 1876, 1877, 1878, 1879, 1880 1881, 1882, 1883, 1884, 1885 sind durch alle Buchhandlungen, sowie durch die Redaktion, die Druckerei und die Verlagshandlung zu beziehen. Preis ℳ 6; für letzten und vorletzten Jahrgang ℳ 8.

Zeitschrift für Seewesen.

No. **24.** HAMBURG, Sonntag, den 28. November 1886. **23.** Jahrgang.

Inhalt:

Die Unfallversicherung für Seeleute.

I.

Ein unheimliches Gespenst hat sich über unsere Nord- und Ostseeküsten gelagert. Der Alpdruck, unter welchem seit Jahren die Segelschiffsrhederei, namentlich die der kleinen Fahrzeuge, seufzt, ist in eine ernstliche, tötliche Herzensbeklemmung übergegangen. Alle Achtung vor dem guten Willen unseres ehrwürdigen Kaisers, aber wenn die von ihm angestrebte Wohlthat dahin führt, dass ein Jahrtausende altes ehrenwertes Gewerbe darüber vorzeitig zu Grabe gebracht wird, da dürfen die Beteiligten eine gerechte *Prüfung ihrer Einreden* erwarten.

Wir sind nun nach wie vor der Ansicht, (vergl. No. 25 v. v. J. und No. 1 v. d. J.), dass *diese Vorlage* für den Reichstag an sich **ungeeignet** und **mindestens unzeitig** oder **verfrüht** ist. Wir sind nach wie vor *grundsätzlich* gegen die einfache Uebertragung der Grundsätze, welche zu der Unfallversicherung für am Lande betriebene Gewerbe geführt haben, auf die Unfallversicherung in der Seefahrt, weil die Verhältnisse, unter denen Gewerbe zu Lande und das Seefahrtsgewerbe betrieben werden, nicht allein völlig von einander verschieden sind, sondern bei der Seefahrt schon seit unvordenklicher Zeit die höhere Gefahr des Berufs durch eine entsprechende Erhöhung des Lohnes *ausgeglichen* ist. Die *Verschiedenheit der innern Verhältnisse* beruht aber wesentlich darin, dass bei der Seefahrt die höhere Gefahr hauptsächlich von der *„höheren Gewalt"* herrührt, gegen welche der Mensch ohnmächtig wird, bei am Lande betriebenen Gewerben aber vielfach Leichtsinn, Gewöhnung, Verachtung der Gefahr eine verderbenbringende Rolle spielen. Wird ein Vollmatrose vorn auf den Klüverbaum hinausgeschickt, um den Aussenklüver festzumachen, so weiss er recht wohl, dass er in Lebensgefahr sich begeben muss, aber er leistet seine Arbeit auch mit ganz anderer Sammlung des Geistes und offenen nüchternen Augen, als der leichtsinnige von Gott weiss was für verderblichen Gedanken im Kneipleben erfüllte Bergmann oder Fabrikarbeiter, der sich in der Kohlengrube seine Pfeife am geöffneten Grubenlicht anzündet, oder in den stauberfüllten Fabrikräumen die geheime Schnapsflasche herauszieht und nun längs den Maschinen hintrollt. Warum sind denn die Landgewerbe von der Pflicht entbunden, für Unglücksfälle aus höherer Gewalt aufzukommen, und warum will man mit ihnen gerade die Seefahrt belasten? Was dem einen Teil schon Recht ist, sollte dem andern Teil doch aus Billigkeit auch gewährt werden, zumal er längst selber eine Vergütung dafür im internationalen Heuersatze bewilligt hat.

Jedenfalls ist aber die Vorlage *unzeitig* oder *verfrüht*. Ja, wenn die Rhedereien noch so leistungsfähig wären wie vor 15—30 Jahren, dann möchten sie die ungerechte Belastung ohne grössere Schädigung am Leben selber tragen; jetzt aber, in dieser Zeit des höchsten Notstandes, den sie seit den Kriegsjahren im Anfang dieses Jahrhunderts gekannt haben, ihnen mit dieser Ungebühr zu kommen, verrät eine *kaum zu qualifizirende Gefühls- und Rücksichtslosigkeit.* Hat denn der Unfalls-Fanatiker, welcher diese Ungeheuerlichkeit am grünen Tische zu Berlin ausgeheckt hat, nie davon gehört, in welcher geradezu elenden Lage sich die Rhedereien von wohl 2000 bis 2500

Segelschiffen an der Ost- und Nordsee kümmerlich ihr Leben fristen bezw. am Hungertuche nagen; wie sie Jahr für Jahr weiter zurückgehen, jeden Dezember mit Verlust abschliessen, kaum oder nicht die Assekuranzgebühren aus dem Ertrage zu decken vermögen, vielfach ihre Schiffe auflegen und wie der *ostfriesische Handelskammerbericht* allen Ernstes empfiehlt, sie lieber abzuwracken und für altes Holz und Eisen zu verkaufen, um doch etwas zu retten, statt sie mit direktem Verlust und Schaden weiter fahren zu lassen! Ist es dem Herrn gänzlich unbekannt, dass nur noch die grössten Segelschiffe und die kapitalkräftigen Dampfergesellschaften etwas zu erübrigen vermögen, die kleinen Fahrzeuge bis zu 800 Tons hinauf längst keine Dividende oder nur ausnahmsweise solche verteilen, welche keine regelrechte Abschreibung etc. gestatten! Und nun sollen diese längst unhaltbar gewordenen Rhedereien noch mit einer Mehrbelastung heimgesucht werden, welche die *Schiffer- und Rhedereigesellschaft „Concordia" zu Elsfleth* für die dortige, etwa 100 Schiffe umfassende Rhederei auf eine *jährliche Ausgabe von ℳ 32000* berechnet, d. h. weit mehr als das ganze Einkommen, welches der Ort aus dem Schiffergewerbe bezieht! Das heisst doch wahrlich den Ast absägen, um die Früchte zu pflücken. Und das kann doch unmöglich die Absicht unseres erhabenen Staatsoberhauptes sein, die Rhedereien vollends zu ruiniren, bloss um die Seeleute vor den Gefahren des Berufs sicherer zu stellen. Man wird mit dieser Maassregel nichts weiter erreichen, als den Ausgang des Todeskampfs der Mehrzahl der Rhedereien früher herbeizurufen, das Kapital von fernerer Anlage in Seewerten zurückzuschrecken, und den Notstand aus den Kreisen der Rheder auch noch in die Kreise der Schiffer und Matrosen zu übertragen. *Kein Geld, kein Schiff; keine Seefahrt, kein Seefahrer!* so wirds kommen, das möge sich auch die *Kriegsmarine* merken.

Allen Ernstes sei es hiermit gesagt, dass nur eine völlige Verkennung der wirklichen Sachlage dieses Gesetz befürworten kann, und weiter sei **allen Ernstes empfohlen,** *damit noch 10—15 Jahre zu warten*, bis der natürliche Verlauf der Dinge den Rhedereien der kleinen Schiffe gestattet haben wird, sich in angemessener Weise ihrer unzeitgemäss gewordenen Schiffe zu entledigen. Lassen Sie, meine Herren, das Schicksal sie zermalmen, aber heben Sie nicht selber die Hand auf mit dem Rufe «steiniget sie!» Das ist *unmenschlich*!

Und *unpatriotisch* zugleich! Denn wenn irgendwo die Leichtfertigkeit der Uebertragung der Idee der Unfallversicherung bei Landbetrieben auf das Seefahrtsgewerbe grell zu Tage tritt, so ist es in der völligen Verkennung des *internationalen Characters der Seefahrt*. Es ist unserer Regierung mit Recht zum Ruhm angerechnet, dass Deutschland mit seinem Unfallsversicherungsgesetz für Landgewerbe der ganzen Welt vorangegangen ist und ihr eine Leuchte aufgesteckt hat, der die übrigen Völker nachstreben sollten. Wir erkennen das rückhaltslos an. Man wolle aber dabei nicht übersehen, dass die Gefahr, einen Schnitt in's eigene Fleisch zu verüben, hier lange nicht so gross war, als wenn man nun dies Gesetz ohne weiteres auf das Seefahrtsgewerbe übertragen will. Der Arbeiter am Lande ist an die Scholle gebunden, ihm ist der Uebertritt ins Ausland durch alle möglichen Rücksichten erschwert, wenn nicht unmöglich gemacht. Dagegen ist der Schiffer durchweg mehr im Auslande oder wenigstens fern von der Heimat, er muss sich gerade durch den Verkehr mit der fernen Welt sein Brod suchen und verdienen. Was wird nun die Folge der geplanten *tötlichen* Mehrbelastung der Rhedereien sein? Die Rhedereien werden zunächst vielfach ihre Schiffe unter fremde Flagge bringen; Das ist nicht zur Ehre des Heimatlandes, aber Not bricht Eisen! Ferner werden sie die freiwillig gebotene Mehrheuer gegenüber den ländlichen Gewerben in Zukunft nicht mehr geben, sie werden sogar noch unter die Löhne der ländlichen Gewerbe heruntergehen, um die ihnen leichtfertig auferlegten Mehrlasten zu decken. Will der inländische Matrose sich das nicht gefallen lassen, gut, so mag er [illegible], [illegible] und wo er bleibt, es bieten sich ja Ausländer genug an, die entweder für diese Heuer fahren, oder denen man ja ruhig die alten Heuern zahlen kann, da sie nicht unter das Gesetz fallen. Wie wirkt also das Gesetz? Als eine Prämie auf die Auswanderung der Rhedereien, als eine Bedrückung des inländischen, als eine Bevorzugung des ausländischen Schiffsvolks. Die Folgen sind noch ernstlichere. Unsere deutsche Rhederei hat bislang in dem internationalen Wettbewerb sich notdürftig behauptet, trotzdem sie nunmehr an einem Ueberfluss von kleinen Segelschiffen leidet, welche sie abzustossen bemüht ist, ohne bislang dies zu Ende gebracht zu haben. Sie muss also in ihrer an sich ungünstigen Lage dem Wettbewerb der übrigen seefahrenden Völker die Stirn bieten. Aber letztere kennen kein Unfallsversicherungsgesetz bei sich zu Lande. Es wird uns also, die wir einseitig damit vorgehen, der Wettbewerb noch künstlich und gesetzlich erschwert; das Gesetz wirkt also wie eine ans Ausland gezahlte Prämie! Jawohl, gezahlte Prämie, in klingender Münze auf dem internationalen Frachtenmarkt, mein Herr Unfalls-Fanatiker am grünen Tisch an der Spree!

Eine Schlauheit von Ihnen wollen wir gern anerkennen, es ist aber auch die einzige im ganzen Entwurf. Sie huldigen dem Fechtergrundsatz *Divide**) hoffentlich können Sie nicht hinzusetzen: *et impera*. Sie haben die Güte gehabt, *die Schiffsleute von den Beiträgen zu entbinden*, und die Lasten des Gesetzes den Rhedern allein aufzubürden. Wie kurzsichtig Sie dabei verfahren sind, und wie wenig Sie die Hülfsmittel des gewerblichen Lebens kennen, haben wir Ihnen schon so eben vorgeführt, aber wir möchten doch auch in den Jubelruf gewisser Schifferkreise einige Töne hineinklingen lassen, welche ihnen beweisen werden, wie schwach ihr Verständnis für die bis dahin gepflegte Harmonie der Rheder und Schifferinteressen in Wirklichkeit gewesen ist. Mit Ausnahme der grossen Rhedereifirmen und Dampfer-Gesellschaften haben fast alle Schiffer, welche es schliesslich zu Vermögen und zur Selbstständigkeit brachten, sich letztere dadurch erworben, dass sie mit dem Verdienst aus der praktischen Fahrt sich Schiffsanteile kauften und nun als *Rheder und Führer* ihrer Schiffe *doppelt* verdienten, bis sie sich aus dem praktischen Seedienst *zurückziehen* konnten, und nun in die Reihen der Rheder übertraten. Sollten sie wirklich so naiv sein zu glauben, dass diese natürliche Entwickelung fernerhin sich vollziehen wird, wenn von oben her mit so ungeschickter Hand in den Schiffahrtsbetrieb eingegriffen wird. Mögen sie, wie wir es ihnen schon in der No. 1 d. J. zugerufen haben, sich doppelt bedenken, ob sie gegen die Rheder für das Gesetz Front machen wollen: auch sie könnten bald in die Lage kommen, dass sie mit dem abgesägten Ast zu Boden fallen. Welcher Schiffer sich der Sirenenstimme an der Spree sich locken lässt, der verkennt die wahre Natur seiner Stellung im bürgerlichen Leben und begeht einen Akt der Undankbarkeit gegen die Klasse, welche ihn bisher hat gross werden lassen.

An einer andern Stelle des Entwurfs, in dem ominösen Art. 40 hätten wir eine Teilung der Lasten für mehr gerechtfertigt gehalten. Dort wird aber der

*) Teile, und herrsche!

reine Kommunismus gepredigt. Können die schlechter gestellten Rhedereien die Lasten des Gesetzes nicht tragen, so sollen die wirtschaftlich besser gestellten in den Riss springen. Soll das etwa soviel heissen, als dass die Rhedereien der Ostsee und der Ems sich an den Fetttöpfen der Weser (vergl. oben) und Elbe schadlos halten sollen. Warum sind aber überhaupt keine einzelne Bezirke, wie sie z. B. das statistische Amt längst eingebürgert hat, in diesem Gesetze beliebt, da doch die Landbetriebe unter sich in viele Genossenschaften eingeteilt und verteilt sind. Glaubt Vogel Strauss nur den Kopf in den Sand stecken zu brauchen, damit der vielbeklagte Gegensatz der Ostsee und Nordsee nicht wieder auflebe, und im wirtschaftlichen *Kampfe* erst recht lebendig erhalten bleibe. Wenn der ganze Körper krank ist, hilft es da, den Füssen alle Last aufzuerlegen, bloss um den Händen etwas mehr Gelenkigkeit zu erhalten.

Soviel im Allgemeinen gegen den jetzt dem Bundesrat vorgelegten Gesetzentwurf. Wir haben zu seinen seefahrtskundigen Mitgliedern das Vertrauen, dass sie allerdings bereit und imstande sein werden, die anstössigsten Artikel aus dem Gesetz zu entfernen oder wenigstens in gerechter Weise umzugestalten. *Vom Reichstag aber erwarten wir eine Vertagung des ganzen Gesetzes bis auf günstigere Zeit durch Ablehnung des ersten Artikels.*

Wir können aber nicht umhin zum Schluss eine Frage zu stellen, wie nämlich die **„technische Kommission für die Seefahrt"** zu diesem Gesetzentwurf steht. Man sollte doch sagen, dass dieselbe vorher darüber gehört worden ist. Nun denn, ist diese Vorlage mit ihrer Zustimmung an den Bundesrat gelangt? Oder hat sie dieselbe verweigert und ist diese Vorlage trotzdem in diesem unheilvollen Geiste ausgearbeitet und weiter befördert? So wenig wir ersteres anzunehmen in der Lage sind, so tief müssten wir bedauern, wenn in einer solchen eigentlichen Lebensangelegenheit der Schiffahrt der gute Rat der Kommission nicht gehört oder nicht berücksichtigt ist. Im Reichstage spätestens muss diese Kommission in dieser oder jener Weise sich dazu äussern, soll sie nicht einfach zu den Toten gelegt werden. Schweigt sie sich aus, so legt sie sich selber in's Grab. Es wäre Schwachheit, in solcher Lage Rücksichten vorschützen zu lassen.

Neue Kompassnöten.

Das Thema ist, trotz aller guten und schlechten, nichtamtlichen und amtlichen Regulirungen, noch immer nicht erschöpft. Das Leben selbst schafft neue Notstände und Kapitalfragen, sobald die wahre und die falsche Wissenschaft sich glaubt ein Genüge gethan zu haben. Lassen sie sich auch in irgend ein bekanntes Fach schliesslich einregistriren, so sind sie selber doch so neuartig, dass man auf die Gefahr hin, einer Münchhausiade geziehen zu werden, es nicht unterlassen darf, mitzuteilen, was in ernsthaften Blättern darüber aus der Praxis des Seemannslebens erzählt wird.

Ein holländischer Kapitän befindet sich eines Morgens der Küste viel näher, als er nach dem aufgegebenen und anscheinend gesteuerten Kurse hätte sein sollen. Eine genaue Nachforschung ergab, dass der Rudersmann eine polirte Stahlkette um den Leib trug, an welcher seine Messerscheide hing; man liess den Mann längs dem Kompass hin- und hergehen und bemerkte, dass die Nadel seinen Bewegungen folgte. Hätte man nicht beständig das Lot im Gange gehalten, und aus der abnehmenden Tiefe die erste Mahnung zur Vorsicht erhalten, so wäre das Schiff leicht in Ungelegenheit gekommen.

Diesen Fall sollten Kapitäne, Steuerleute und Lotsen sich merken; nicht minder den folgenden:

Auch hier veranlasste eine merkwürdige Annäherung an eine angesteuerte vorspringende Landspitze den Kapitän zur sorgfältigen Prüfung der ganzen Nachbarschaft des seines Wissens kurz vorher regulirten Kompasses. Nach langem emsigen Forschen entdeckte man, dass der Rudersmann einen Rheumatismusgürtel am Leibe trug. Da dieser Schwindel jetzt mehrfach seinen Weg von Land auf See gefunden zu haben scheint, und imstande ist, hier direktes Unheil anzustiften, so mag auf diesen Störenfried mit Fingern gewiesen werden; eine Nachfrage kann jedenfalls nicht schaden.

Dass Seitengewehre mitfahrender Soldaten, selbst die Metallspitzen und Stahlfedern von Regenschirmen schon allerlei Unfug angerichtet haben, dürfte bekannter sein; die Toronto Mail berichtet über einen Fall, den wir jedoch unter Vorbehalt mitteilen. Auf einer Vergnügungsfahrt über den Ontariosee zum Niagara geriet das Dampfschiff völlig aus seinem Kurse; der Kapitän erschöpft sich in Mutmassungen über den Grund des Kompassfehlers. Plötzlich, während er ratlos die Kompassnadel anstarrt, sieht er sie mit einem Ruck seitwärts laufen; unwillkürlich aufschauend sieht er nur einen korpulenten Herrn sich nach derselben Richtung bewegen, der vorher still vor dem Kompasshause gesessen hatte. Er veranlasst den Herrn zurückzugehen, stehen zu bleiben, wieder sich zu bewegen, vorwärts, rückwärts — die Nadel folgt ihm mit unwandelbarer Treue. Eine Untersuchung der Taschen etc. führte zu keinem Resultate, da gesteht der Herr, so heisst es wörtlich, dass er seit längerer Zeit Eisenlösungen in medicinischem Gebrauch zu sich nehme, und der Kapitän ist wenigstens soweit überzeugt von der Möglichkeit einer Einwirkung, dass er den Fall dem „Philosophischen Institut" zur Prüfung mitteilt.

Dass Jemand durch Einnehmen von Metalllösungen zu einem wandelnden Magnet geworden sei, mag fabelhaft klingen, aber was will man zu dem aus Calcutta von einem ostindischen Dampferkapitän gemeldeten Erlebnis sagen, der einem lange im Binnenlande stationirt gewesenen Offizier die Annäherung an den Kompass untersagte, weil er dort soviel Stahlmedizin verschluckt habe, dass sein Körper stets die Nadel aus ihrer richtigen Lage brachte.

Und gar zu folgender Kur, welche nachweislich und offenkundig in Ostindien in Gebrauch ist! Wer in Englisch-Ostindien viel Quecksilber eingenommen hat und das Metall wieder aus dem Körper treiben will, begiebt sich in ein Salzwasserbad, stellt sich daselbst auf eine kupferne Platte, und berührt nun die beiden Pole einer elektrischen Batterie. Infolgedessen wird das Quecksilber nach der kupfernen Platte getrieben, welche davon einen silberartigen Ueberzug bekommt. Damit ist der Beweis geliefert, dass das dem Körper zugeführte Metall in demselben verblieben und durch dies Verfahren wieder aus dem Körper ausgeschieden ist. Es wäre demnach wohl denkbar, dass ein kürzlich aus dem Hospital entlassener Matrose, welcher dort zur Stärkung Eisen- oder Stahlmixturen in grösserer Menge zu sich genommen hätte, so lange zum Rudersmanne nicht passend erachtet werden müsste, bis er die Metalle wieder verarbeitet und ausgeschieden hätte.

Auf alle Fälle, mag man sich nun als mehr oder minder gläubiger Thomas diesen Mitteilungen gegenüber verhalten, sollte jeder Schiffsführer daraus die Warnung entnehmen, seinem Kompass niemals zu viel Vertrauen zu schenken, und jedenfalls seine nützlichen Begleiter und Stützen, Logge, Lot und Ausguck niemals ausser Funktion setzen.

(Nach „Scheepvaart")

Das Kriegsschiff der Zukunft.

Die grossen Seemächte sind seit einer Reihe von Jahren mit der Wiederholung von Duellen beschäftigt, welche sie zwischen den Stahlplatten ihrer stets riesiger werdenden Panzerschiffe und den gezogenen Kanonen Krupps und anderer Giesser anstellen lassen. Man ist dabei sowohl in Bezug auf die Dicke der Platten wie auf die Durchbohrungsgewalt der Geschosse an die Grenze des Möglichen, jedenfalls an die des Rätlichen gelangt. Durch die immer vollständigere und schwerere Bepanzerung der Kriegsschiffe hat man Seeungetüme von mehr als 11 000 Tonnen geschaffen, die, zum Manövriren schwerfällig und immer grösserer Dampfkraft bedürftig, zuletzt nur dazu da zu sein scheinen, um von dem furchtbaren Sporn eines Widders durchbohrt oder von einem geschickt geleiteten Torpedoboote unter dem Wasserspiegel offen gesprengt und dem Wasser geöffnet zu werden. Der chilenisch-peruanische Krieg von 1880—82 hat einige Beispiele der Unzulänglichkeit der Panzerschiffe geliefert; ferner denke man an das mehrfache Untergehen derselben in europäischen Gewässern bei blossem zufälligem Zusammenstoss mit anderen Schiffen.

Die Aufmerksamkeit der Marine-Ingenieure musste sich darauf richten, die schwere Panzerbekleidung durch ein Material zu ersetzen, welches zugleich weit leichter als Stahl ist, mithin den auf's Ungeheure gewachsenen Tonnengehalt der Kriegsschiffe zu vermindern erlaubt, und einen wirksameren Schutz während der Schlacht selbst gewährt, und zwar nicht nur gegen die modernen Riesengeschosse, sondern, was weit wichtiger, gegen die Sprengkraft der Torpedoboote und gegen die gewaltige Stosskraft des Widderschiffs. Der Körper, welcher die zu dem Allem erforderlichen Eigenschaften in merkwürdiger Weise vereinigt, ist die Rinde und das Holz der Korkeiche. Eine Korkschicht unterhalb der Wasserlinie als äussere Bekleidung der Schiffsplanken, unterstützt durch zwei oder drei festgeschraubte Korkmatratzenschichten im Innern der Schiffswand, würden den Wirkungen der Torpedos Widerstand leisten? Versuche, die in Cherbourg angestellt worden, ergaben, dass die zweite innere Korkschicht unzerrissen geblieben war. Aehnliche Erfahrungen würde man mit der neuen Schutzbekleidung machen, wenn man sie dem Stosse eines Widderschiffes aussetzte. Der Kork besitzt eben zwei Eigentümlichkeiten, welche ihn dem gewaltigsten äusseren Druck und Stoss gegenüber unbiegsam machen. Zunächst ist er ausserordentlich elastisch, sodann aber schliesst er sich nicht allein sofort nach dem Durchgang eines Geschosses oder Sprenggases wieder zusammen, sondern er schwillt auch eben so rasch an, als das Wasser des Meeres in das in ihm geöffnete Loch eindringt. Indem er dies Wasser aufsaugt und seinen Umfang dadurch vermehrt, hält er das äussere Meerwasser vom weiteren Eindringen ab. Dadurch wird erreicht, was in der Seeschlacht die Hauptsache ist, dass das Kriegsschiff seine Lage und seinen Tiefgang unverändert beibehält, mithin fortwährend sich seinem Hauptzwecke, der Bekämpfung der feindlichen Schiffe, unausgesetzt widmen kann. Denn auch die stärksten Kanonenkugeln werden nicht im Stande sein, diese Kampffähigkeit zu zerstören. Maschinen und Komandobrücke und Steuer, also Herz und Kopf des Schiffes, sind gegen sie geschützt, die erste durch die erwähnten Korkschichten, wobei noch die geringere Grösse der Maschinen ins Gewicht fällt, in Folge der bedeutend verminderten Gesamtlast des Schiffes, und die zweite und dritte durch eine Stahlplattenverblendung, wodurch namentlich jenem während der Schlacht so verderblichen Wechsel des Oberbefehls vorgebeugt wird, der bis jetzt so oft vorgekommen ist. Während die zum Schutz der erwähnten Teile des Schiffs, sowie der Kanonen erforderliche Panzerverkleidung an Tonnengewicht die der entsprechenden Teile der bisherigen Panzerschiffe wenig übersteigt, fällt der jetzt bis zu 1983 Tonnen schwere äussere senkrechte Stahlpanzer über der Wasserlinie beim Kriegsschiff der Zukunft ganz weg. Ferner ergibt sich zu Gunsten des letzteren eine Gewichtsersparung von 330 Tonnen an den Dampfmaschinen und Schrauben, die kleiner sein können (am besten drei Schrauben), als bei dem schweren Panzerschiff. Es würde sich im Ganzen das Gewicht des zu schaffenden Kriegsschiffes auf 8 533 Tonnen stellen gegen 11 362 Tonnen des französischen Panzerschiffs „Admiral Baudin". Der in ähnlicher Weise auszuführende Widder und das Torpedoschiff, von welchen die jetzt noch gebräuchliche Artillerie auszuschliessen wäre, würden alsdann nur 3 675 Tonnen Gehalt haben, eine wesentliche Ersparung, welche der Herstellung einer grösseren Anzahl der Korkpanzerschiffe zu Gute käme, in welchen der Verfasser des Aufsatzes in der August-Nummer der „Revue des deux Mondes", welcher wir die Einzelheiten entnehmen, das Kriegsschiff der Zukunft par excellence erblickt. In der That sind in England und Italien bereits Versuche zu dieser Umbildung des Kriegsschiffes in grösserem Massstabe gemacht. Der „Inflexible" ist mit einer Seitenbekleidung versehen, die aus geteerten Geweben und aus Kork zusammengesetzt ist, und der „Duilio" wie der „Dandolo" haben eine Matratzenschicht aus Kork erhalten. Ballu de la Barrière, der Verfasser des erwähnten Aufsatzes, verspricht sich von der Anwendung des Korksystems auf die französische Seemacht Ausserordentliches.

A. S.

Die Entweichungen von Seeleuten der deutschen Handelsmarine im Jahre 1885.

Nach den im Septemberheft der „Monatshefte zur Statistik des Deutschen Reichs", 1886, gegebenen Nachweisen sind im Laufe des Jahres 1885 im Ganzen 2861 Entweichungen von Seeleuten der deutschen Handelsmarine zur Anzeige gekommen, von denen 130 noch in das Vorjahr fallen. Dagegen hatte die Zahl der zur Anzeige gebrachten Entweichungen betragen

im Jahre 1884	4 109	im Jahre 1881	4 052
1883	4 540	1880	3 661
1882	4 400		

Hiernach ist die Zahl der angezeigten Entweichungsfälle 1880 bis 1883 von Jahr zu Jahr wesentlich gestiegen, nämlich von 1880 auf 1881 um 11,5 %, von 1881 auf 1882 um 7,8 %, von 1882 auf 1883 um 3,2 % und von 1880 auf 1883 überhaupt um 24,0 %. Im folgenden Jahre ging die Zahl zwar zurück (gegen 1883 um 9,5 %), blieb aber immer noch grösser als in den Jahren 1880 und 1881. Dagegen weist das Jahr 1885 im Vergleich zu sämmtlichen 5 Vorjahren einen ganz beträchtlichen Rückgang der Entweichungen auf (gegen 1884 um 30,4 %, gegen 1883 sogar um 37 % und gegen den Durchschnitt der Jahre 1880 bis 1884 um 31,2 %). Wenn auch die Gesammtbesatzung der deutschen Kauffahrteiflotte namentlich in Folge der Verringerung des Bestandes an Segelschiffen im letzten Jahre etwas zurückgegangen ist, (dieselbe ist für den 1. Januar 1885 zu 39 911 und den 1. Januar 1886 nur zu 38,931 Mann nachgewiesen), so zeigt sich doch auch im Vergleich zu dieser eine beträchtliche Abnahme der Desertionsfälle, indem auf 1000 Mann Besatzung für das Jahr 1880 91, 1881 103, 1882 113, 1883 116 und 1884 101, dagegen für 1885 nur 72 zur Anzeige gebrachte Entweichungen sich ergeben. Da auch in der Zahl und dem Umfange der Seereisen deutscher Schiffe im Jahre 1885 eine wesentliche Veränderung nicht stattgefunden hat, also die Gelegenheit zum Entweichen sich nicht erheblich anders gestaltet haben wird, so muss der Rückgang in der Zahl der Entweichungen im Allgemeinen auf eine geringere Neigung resp. Verlockung hierzu zurückgeführt werden. Ob dieser veränderte Zustand von Dauer ist, werden erst die entsprechenden Ergebnisse der folgenden Jahre zeigen.

Der Jahreszeit nach kommen von den für das Jahr 1885 verzeichneten Entweichungen, soweit entsprechende Angaben vorliegen, auf die Monate März bis Oktober durchschnittlich je 256, November bis Februar dagegen durchschnittlich nur 164, und die geringste Zahl mit 128 auf den Monat Dezember. In ähnlicher Weise haben auch in den Vorjahren die Sommermonate von den Wintermonaten durch eine grössere Zahl von Entweichungsfällen sich ausgezeichnet, ohne Zweifel deshalb, weil der Schiffsverkehr der deutschen Handelsflotte in den erstgedachten

Monaten stärker ist als in den letzteren, in welchem ein nicht unbeträchtlicher Teil derselben wegen schwieriger Schiffahrt, höheren Risiko's u. s. w. ganz still liegt.

Nach der dienstlichen Stellung, dem Alter, der Nationalität und dem Militärverhältniss (der Entwichenen deutscher Nationalität) unterscheiden sich die Deserteure folgendermassen für die Jahre 1880 bis 1885.

Dienstliche Stellung der Entwichenen	Zahl der Entwichenen 1880	1881	1882	1883	1884	1885
Steuerleute u. Bootsleute	36	44	53	83	25	18
Schiffshandwerker	316	330	347	334	290	206
Matrosen und Leichtmatrosen	2185	2356	2602	2590	2340	1675
Schiffsjungen	431	479	459	391	423	317
Maschinisten und Assistenten	7	13	14	14	14	8
Heizer u. Kohlenzieher etc.	564	757	811	954	925	679
Lagermeister etc.	59	62	54	51	49	59
Personen unbek. Stellung	64	42	60	174	43	19
Von den Entwichenen waren						
unter 15 Jahr alt	5	14	9	6	5	8
v. 15 bis unter 20 Jahr alt	669	703	833	792	708	598
„ 20 „ „ 25 „ „	984	992	1063	1158	1092	635
„ 25 „ „ 30 „ „	672	827	739	827	716	546
„ 30 „ „ 40 „ „	394	463	483	500	420	264
„ 40 „ „ 50 „ „	98	110	101	128	85	78
50 Jahr und darüber alt	10	7	26	13	13	7
unbekannten Alters	835	966	1147	1118	1069	820
Unter den Entwichenen befanden sich:						
Deutsche	2207	2623	2900	2880	2645	1789
Ausländer	1315	1330	1517	1566	1434	1019
Personen unbek. Herkunft	140	129	83	74	40	54
In Bezug auf die angegebene Zahl der deutschen Angehörigen war die engere Heimat:						
unbekannt bei	391	565	1624	1640	1350	922
Preussen „	1289	1518	910	907	982	652
Hamburg „	164	191	48	94	85	60
Bremen „	91	120	45	46	52	27
Oldenburg „	64	64	36	84	29	13
Mecklenburg „	55	69	48	44	29	35
das übrige Deutschland „	158	166	89	115	118	80

Mit Heuer, also mit Aneignung eines noch nicht verdienten Vorschusses sind entwichen 399 Seeleute oder 13,9 % der Gesammtzahl gegen 599 oder 14,5 % im Jahre 1884, 851 oder 18,7 % im Jahre 1883, 945 oder 21,5 % im Jahre 1882, 942 oder 23,1 % im Jahre 1881 und 757 oder 20,7 % im Jahre 1880. Bestimmte Schlüsse lassen sich aus diesen Zahlen nicht ziehen. Grösser als die Zahl der mit Heuer Entwichenen wird die Zahl derjenigen gewesen sein, welche mit Zurücklassung von Heuerguthaben entflohen sind; denn nach § 36 der Seemannsordnung vom 27. Dezember 1872 ist die Heuer dem Schiffsmann in der Regel erst nach Beendigung der Reise bezw. des Dienstverhältnisses im vollen Betrage auszuzahlen.

In deutschen Häfen betrug die Zahl der angezeigten Entweichungen 247 oder 8,6 % der Gesammtzahl (gegen 296 oder 7,2 % im Vorjahr, 275 oder 6,1 % im Jahre 1883, 143 oder 3,3 % im Jahre 1882, 122 oder 3 % im Jahre 1881 und 153 oder 4,2 % im Jahre 1880); Davon kommen 107 auf Hamburg, 39 auf Bremen, 14 auf Danzig und 17 auf Stettin. Unter diesen Entwichenen waren 230, also die weit überwiegende Mehrzahl, Deutsche.

Bemerkenswert ist, dass der Prozentzahl nach die Entweichungen in den Häfen der Vereinigten Staaten von Amerika und speziell dem von New-York seit dem Jahre 1881 nicht unerheblich nachgelassen haben, und auch die Entweichungen in den britischen Häfen in den letzten Jahren zurückgegangen sind, obgleich der Verkehr deutscher Schiffe in den genannten Häfen annähernd derselbe geblieben ist. Dagegen haben die Desertionen in den Central- und südamerikanischen Häfen in den Jahren 1884 und 1885 im Vergleich zu den Vorjahren wesentlich zugenommen, welcher Umstand in erster Linie in Verbindung stehen wird mit dem gegen früher nicht unerheblich gesteigerten Verkehr deutscher Schiffe in den brasilianischen und La Plata-Häfen sowie den Häfen Chile's.

Es sind entwichen im Jahre 1885: In den Vereinigten Staaten von Amerika 1628, davon in Baltimore 94, New-York 1056, Philadelphia 177, San Francisco 140, Wilmington N. C. 79, in Central- und südamerikanischen Häfen 257, in Häfen Australiens und der Südsee 132, in russischen Häfen 29, in britischen Häfen 269, davon in Cardiff 71, Hull 24, Liverpool 23, London 28, Newcastle o. T. 17. Shields 3, in niederländischen Häfen 29, in belgischen Häfen 32, in französischen Häfen 47, in sonstigen europäischen Häfen 42, in ostindischen Häfen 35, in chinesischen Häfen 81, in japanischen Häfen 5, in afrikanischen Häfen 12, in Häfen von Britisch Nordamerika 10.

— s —

Veränderte Prüfungsvorschriften für Seeschiffer und Seesteuerleute.

Wie schon aus den der Seefischerei näher stehenden Kreisen von einer fast unheimlichen Rührigkeit der einzelnen Regierungen berichtet wird, die endlich ihre langjährigen Versäumnisse einholen wollen, so verlautet auch von einer neuen Veränderung der Prüfungsvorschriften für Seeschiffer und Seesteuerleute. Für die Steuermannsprüfung wird beabsichtigt, die Aufgabe über die Bestimmung der Uhrcorrection oder der Ortszeit fallen zu lassen, da die Stundenwinkelrechnung hinreichend bei der Chronometerlänge geübt wird. Dagegen soll wieder etwas mehr in der Bestimmung der örtlichen Ablenkung der Kompasse verlangt werden. In den Vorschriften zur Schifferprüfung, wo es heisst Bestimmung der Missweisung durch Azimut und Amplituden der *Sonne* soll es in Zukunft *ganz allgemein heissen:* Bestimmung der Missweisung. Geradezu verändert werden aber die Bestimmungen in Bezug auf die *Zulassung zur Schifferprüfung*, indem von jetzt an ein zweijähriger *ausschliesslicher* Dienst in der Kriegsmarine dazu berechtigen soll. Obendrein sollen *Marineoffiziere* (geschwenkte wie nicht geschwenkte) ohne weiteres die *Berechtigung erhalten Kauffahrteischiffe zu führen*. Ja wenn dieser ungebührlichen Forderung noch die Befugnis gegenübergestellt würde, dass Kauffahrteioffiziere in der Kriegsflotte weiter dienen könnten, ohne durch die Kadettenschule gegangen zu sein, so liesse sich darüber reden, da ja jeder Rheder sich vorher überzeugen darf, ob der Flottenoffizier die nöthigen Kenntnisse von der praktischen Beladung und Führung eines Kauffahrers, sowie von Fracht- und Assekuranzgeschäft sich erworben hat.

Nicht mit Unrecht wird schon von Einsichtigen getadelt, dass auf einigen Navigationsschulen gar wenig Gewicht auf praktische Kenntnisse gelegt wird, und in Zukunft der Seemannschaft erhöhte Aufmerksamkeit zu schenken ist.

Nautische Literatur.

Zwischen Donau und Kaukasus. *Land und Seefahrten im Bereiche des Schwarzen Meeres. Von A. v. Schweiger-Lerchenfeld. (Mit 215 Illustrationen und 11 Karten, worunter zwei grosse Uebersichtskarten in Wandkarten-Format. 25 Lieferungen à 30 Kr. = 60 Pf. = 80 Cts. = 36 Kop. Wien, Pest, Leipzig; A. Hartleben's Verlag. Ausgegeben Lieferung 1 bis 18.)*

Persien ist dasjenige Land des Orients, das unter allen mohammedanischen Reichen in den letzten Jahrzehnten am wenigsten von sich reden gemacht hat. Das kommt daher, weil es seit dem Wiedererwachen der sogenannten „Orientalischen Frage", in dem englisch-russischem Interessenstreite um die wichtigsten morgenländischen Gebiete — Balkanhalbinsel, Aegypten und Indien — in die Mitte zu stehen kam, also gewissermassen zu einem neutralen Gebiete wurde. Wie lange dieser Zustand noch anhalten wird, ist nicht voraus zubestimmen, angesichts der mannigfachen Berührungspunkte, die sich zwischen Russland und dem Sonnenreiche neuerdings ergeben haben. Wie sich Persien zu seinen dermaligen Verhältnissen ausgestaltet hat; wie seine Isolierung zum Teile durch religiöses Bekenntnis — die schiitischen Perser sind scharfe Antagonisten der übrigen sunnitischen Mohammedaner — hervorgerufen wurde; wie das Land, von dem einst die Lichtreligion des Zoroaster ausging, und Throne aufgerichtet sah, von denen aus mächtige Despoten halb Asien beherrschten, zu Verfall und Zerrüttung, zu Elend, Gewaltherrschaft und vollständiger Degeneration gelangte; wie schliesslich Russland durch Eroberung des Turkmenengebietes das benachbarte Afghanistan unmittelbar in den grossen Machtstreit zwischen den beiden europäischen Rivalen auf asiatischem Boden hereinzog; das Alles und noch vieles andere findet der Leser in den letzten ausgegebenen Heften des obgenannten Werkes. Das äussere Hilfsmittel von Karten und Illustrationen zur Belebung des Stoffes ist auch hier, in Auswahl und technischer Ausführung gleich vorzüglich, wie in den vorangegangenen Lieferungen, in Anwendung gekommen. Ein ganz eigenartiges Interesse erwecken die weiteren Abschnitte, welche sich mit Armenien befassen. Es ist ja das Land, welches ganz besonders eine geistige Ausschau in die ältesten Menschenschicksale gestattet. Die Abschnitte über die Abstammung der Armenier, die Wanderung ihrer Urväter, über altarmenische Kultur und die schweren Kämpfe mit den Beherrschern Irans sind hier zum ersten Male zu einem übersichtlichen Gesammtbilde zusammengezogen. Als Untergrund all' dieser ereignissreichen Schicksale eines uralten Kulturvolkes dient eine höchst plastische Darstellung der armenischen Hochländer, mit ihren Denkmalresten und bei uns fast ungekannten Ruinenstädten. Eine reiche Literatur — zum Teile im Staube der Büchereien schlummernd, vergessen und verschollen — musste förmlich wiedererweckt werden, um mit seiner Fülle und Mannigfaltigkeit Bausteine zu diesem Werke abgeben zu können.

Der von derselben Firma soeben angegebene *Verlagskatalog* sei zu Weihnachten bestens empfohlen.

***Flächen- und Körperberechnung** in Lehrsätzen und Aufgaben nebst Regeln und Uebungsbeispielen aus der Arithmetik und Algebra, zum Gebrauche für Navigationsschulen von **P. Seelhoff.** Dritte, veränderte und vermehrte Auflage. Bremen, Druck und Verlag von M. Heinsius, 1886. 106 S. klein Octav. Preis 2 ℳ*

Der Umstand, dass wir es hier mit einer *dritten* Auflage eines Schulbuchs zu thun haben, dürfte schon als ausreichender Beweis gelten, dass dasselbe seinem Zweck entspricht. Im Anschluss an die bekannte „Steuermannskunst von A. Breusing" bringt es Aufgaben über die Behandlung der gemeinen und Dezimalbrüche, der Zahlen mit Vorzeichen, der Potenzen, Wurzeln, Logarithmen und Gleichungen; ferner die Flächen- und Körperberechnung, darunter die der Schiffs-Segel und schliesslich eine Zusammenstellung der neuen Maasse, Gewichte und Geldsorten. Die Beispiele sind gut und praktisch gewählt, so dass die Durcharbeitung derselben sicherlich nicht ohne erspriesslichen Nutzen bleiben wird.

***Karte von Afrika** mit besonderer Berücksichtigung der deutschen Kolonien von W. Liebenow, Chef des Kartographischen Bureaus im Königl. Preuss. Ministerium der öffentlichen Arbeiten. Berlin 1886, Verlag des Berliner Lithogr. Instituts (Julius Moser) Potsdamerstr. 110. Preis 6 ℳ*

Eine sehr verdienstliche Arbeit, namentlich gegenüber der ungebührlich grossen Karte Afrikas, welche neuerdings bei Justus Perthes erschienen ist. Liebenow's im Maassstabe von 1 : 10 000 000 entworfene, 80 und 90 cm haltende Karte bringt ein handliches, bequem übersichtliches Bild des jetzt im Vordergrunde des Interesses stehenden Weltteils in wohlthuender deutlicher Koloratur und einen anzuerkennenden Versuch der geographischen Abgrenzung der vielen einzelnen Negerreiche, deren Grösse so oft die Verzweiflung der sich mit afrikanischer Literatur beschäftigenden Leser hervorruft. Die freien Meeresteile, deren Ausfüllung mit nachträglich zu bezahlender Statistik so viele Käufer der Perthes'schen Karte mit Verdruss erfüllt hat, enthalten hier Spezialkarten einzelner uns besonders wichtiger Landesteile in vergrössertem Maasstab, wie Angra-Pequena, Kamerun, Togo-Gebiet im Westen nebst einer Karte von Deutschland im Maasstabe des Hauptblatts zur Vergleichung der Grösse, und des Witu-Gebiets im Osten; ausserdem an weitern freien Stellen der Ränder (Arabien z. B.) das Nil-Gebiet bei Chartum, Massaua und das östliche Abessinien, sowie die Assab- und Tadschurra-Bai im Süden der Strasse von Bab-el-Mandeb, endlich im Norden noch eine Spezialkarte von Tunis und Umgegend.

Die Karte kommt so vielen Wünschen in bequemem Format, anschaulicher Deutlichkeit und kartographischer Genauigkeit entgegen, dass wir sie als die beste und zugleich weitaus billigste (6 ℳ) der uns bekannten Wandkarten von Afrika empfehlen dürfen.

***Stern-Atlas für Freunde der Himmelsbeobachtung,** enthaltend sämtliche Sterne 1.—6. Grösse zwischen dem Nordpol und 34. Grad südl. Deklination, alle Nebelflecken und Sternhaufen, welche in Ferngläsern mittlerer Grösse sichtbar sind, sowie Spezialkarten besonders interessanter Sternobjecte. Mit ausführlichem erläuternden Text von Hermann J. Klein, Dr. phil. etc. Folio 18 Karten und 10 Bogen Text. In 10 monatlichen Lieferungen in elegantem Umschlag zum Subscriptionspreis von ℳ 1.20.*

Ein lebhaftes Interesse hat sich unter Astronomen wie Laien und Freunden der Astronomie neuerdings der Uranographie und Uranometrie zugewandt. Es gipfelt in dem Plan, auf photographischem Wege eine Sternkarte des ganzen Himmels zu entwerfen, welche alle, dem menschlichen (natürlichen oder verstärkten) Auge sichtbaren, wie auch viele ihm nicht sichtbaren aber durch unsere photographischen Mittel nachweisbaren Sterne der Jetztzeit enthalten soll. Da hierfür eine Arbeitszeit von 30 Jahren veranschlagt ist und das eventuelle Resultat jedenfalls nur für Fachgelehrte bestimmt ist, so scheidet sich diese Bestrebung scharf ab von den übrigen Darstellungen des Himmels, wie sie die oben angeführte Karte unsers verdienstvollen Herausgebers, oder auch z. B. die Tabulae coelestes von Rich. Schurig bieten. Klein's Karte bringt zudem eine Ergänzung vorhandener aber weit teurerer Sternkarten, indem sie auch die zahlreichen *Sternhaufen* und *Nebelflecke*, welche in den bisherigen Sternkarten fehlten und in Fernröhren mittlerer Grösse schon zu erkennen sind, enthält; dazu enthält sie die aus irgend einem Grunde interessanten *veränderlichen Sterne* und *Doppelsterne*, selbst wenn sie die 6. und 7. Grösse nicht erreichen. Da ein beigegebener fortlaufender Text stets Rückbeziehung auf die Karte und umgekehrt gestattet, so darf dieser Stern-Atlas in seiner prachtvollen deutlichen Ausführung mit Recht als ein *Muster-Atlas* empfohlen werden.

Das Ozean. Eine Einführung in die allgemeine Meereskunde von Dr. Otto Krümmel, Professor der Geographie an der Universität Kiel. Mit 77 in den Text gedruckten Abbildungen. Klein Octav, 242 S. Preis 1 ℳ Leipzig, G. Freytag.

Eine vorzügliche kleine Schrift, welche wir namentlich Schiffsführern und Steuerleuten zum Gebrauch und Nachschlagen auf See empfehlen möchten. Sie finden in den verschiedenen Kapiteln: die Meeresflächen und ihre Gliederung, die Meerestiefen (Meeresniveau, Tiefseelotungen, Bodenrelief der Meeresbecken, Bodensedimente), das Meerwasser (allgemeine Eigenschaften, Wärmeverteilung, Eisverhältnisse) endlich die Bewegungen des Meeres (die Meereswellen, die Gezeiten und die Meeresströmungen) stets neue Anregung zu eigener Wahrnehmung und sehen den Verfasser stets auf der Höhe der jetzigen Wissenschaft und Kunde vom Meere. Ein genaues Inhaltsverzeichnis und am Schluss ein ausgiebiges Namen- und Sachregister erleichtern die Benutzung des Bändchens, welches sich seinen 51 Vorgängern in der „Universalbibliothek für Gebildete, das Wissen der Gegenwart" Preis jeden Bandes 1 ℳ, würdig anschliesst.

***Das Wetter und der Mond.** Eine meteorologische Studie von Rud. Falb. 6 Bogen Octav. Elegant geheftet. Preis 1 ℳ 50 Pf. A. Hartleben's Verlag. Wien, Pest, Leipzig.*

Obgleich Quetelet aus dreissigjährigen Brüsseler Beobachtungen nachgewiesen haben will, dass der Mond keinen messbaren Einfluss auf das Wetter der Erde ausübt, so kommt Falb unter Anführung eines geflügelten Worts des bekannten Göttinger Professors G. Ch. Lichtenberg, „der Mond *sollte* zwar keinen Einfluss auf das Wetter haben, er hat aber einen" doch auf Grund zahlreichen Beobachtungsmaterials zu dem Schluss, dass der vielfach geleugnete Einfluss des Mondes auf das Wetter nicht nur thatsächlich vorhanden, sondern auch zu gewissen, vorauszubestimmenden Zeiten wenigstens, sehr hervorragend sei. Die Erörterung, wie es kam, dass dieses Resultat nicht längst schon zu Tage gefördert wurde, bietet einen der interessantesten Abschnitte dieser Schrift, deren Stil dem grossen Kreise derjenigen sowohl, die sich für die Beobachtung der Witterung im Allgemeinen interessiren, als auch der Leser, welche mehr die wissenschaftliche Seite der Frage in's Auge fassen, in gleicher Weise gerecht zu werden versucht. Einige der vorgeführten Thatsachen und Gesichtspunkte bieten dem Verfasser Gelegenheit zu den beachtenswerten Episoden über die Schlagwetter in den Bergwerken und die grossen Abendröten des Jahres 1883, durch deren originelle Erklärung zwei entgegenstehende Ansichten über den Ursprung derselben harmonisch vereinigt erscheinen. Seeleute würden gewiss oft Gelegenheit finden, ihre Wahrnehmungen an der Hand dieser Schrift zu vertiefen.

***Jungclaus Magnetismus und Deviation der Kompasse** in eisernen Schiffen für den Unterricht in Navigationsschulen sowie zum Selbstunterricht. Zweite, mit vielen Beispielen und mit Uebungs-Aufgaben versehene Auflage. Bremen, Verlag von Chr. G. Tienken.*

Frisch aus dem vollpulsirenden Leben herausgeschrieben hat Jungclaus sein Werk: „Magnetismus und Deviation" in zweiter Auflage erscheinen lassen. Die erste Auflage erschien 1881 teils als Uebersetzung des Merrifield'schen: „Magnetism and Deviation of the Compass", teils als eigene Bearbeitung dieses Stoffes und wurde von vielen Seiten als völlig elementar gehaltener und allgemein verständlicher Leitfaden, namentlich aber von den Kapitänen und Offizieren an eisernen Dampfschiffen freundlich begrüsst und willkommen aufgenommen. Die vorliegende zweite Auflage ist ein vollständig umgearbeitetes Werk und als eigenste Arbeit gegründet auf allen zugänglichen Erfahrungen und Beobachtungen anderer Meister in diesem Fache; zum nicht geringen Teile aber auf eigenen Beobachtungen und Erfahrungen.

Wer der Entwickelung der Lehre von der Deviation gefolgt ist, dem kann es nicht entgangen sein, wie die praktische Erfahrung immer auf's Neue zu eingehenden Versuchen drängte, immer aufs Neue Fragen aufwarf, die beantwortet sein wollten.

Jungclaus hat versucht, einige dieser Fragen zu beantworten; deshalb ist seine Arbeit nicht sowohl für die Kenner des Schiffskompasses und der Deviation, sondern in erster Linie für die Lernenden geschrieben. Diesen Zwecken gemäss ist auf Einiges, was der strengen Wissenschaft angehört, verzichtet. Nicht in der Fülle und Ausdehnung des Stoffes, sondern in der

Beschränkung und Auswahl desselben hat der Verfasser versucht, sich einen Preis zu erringen; seine Thätigkeit ist mehr auf die Form als auf den Inhalt gerichtet; dieser ist ihm von den Forschern, welche an den Grenzen unseres Wissens arbeiten und das bisher Unbekannte offenbaren, gegeben: jener ist sein freies Werk. Jungclaus Arbeit zeigt ihre Stärke vorzugsweise darin, dass er bearbeitet hat, obschon er sich stellenweise und namentlich auf dem Gebiete der Theorie der Kompass-Rosen versucht hat; mit welchem Erfolg, das zeigen die § 20 und folgende, sowie seine bezüglichen hochinteressanten Veröffentlichungen in der „Hansa“.

Die Gesichtspunkte, aus denen heraus Jungclaus sein Buch bearbeitet hat, sind von ihm selbst in der Vorrede angedeutet; er sagt darüber: „Es fehlt uns noch immer ein völlig elementar gehaltener Leitfaden, der dem Standpunkt der Wissenschaft im Augenblick, so weit es eben geht, entspricht, aus welchem der Schiffer sich in den meisten Fällen Rat holen und an welchen das Weiterstudium recht leicht angeschlossen werden kann. Dass der Weg dazu nur über die Poisson'sche Gleichung führt, ist bekannt und grade, um auf sie vorzubereiten, habe ich den vorliegenden Weg der Ableitung eingeschlagen, auf welchem die Bedeutung der Koeffizienten allmählig und eingehend zum Bewusstsein kommt. Sowohl bei der Bearbeitung dieser, als auch der ersten Auflage bin ich von dem Grundsatze ausgegangen: „Es kommt nichts in den Verstand, was (es hiesse wol besser: dessen Anfänge) nicht mit den Sinnen wahrgenommen ist. Während ich diesen Grundsatz in der ersten Auflage vielleicht etwas auf die Spitze getrieben habe, habe ich ihn in dieser nach der eingeklammerten Lesart festgehalten.“

Demgemäss beginnt der Verfasser überall mit der unmittelbaren Anschauung, zu welcher auch dem Schiffer in See das Material nicht unerreichbar ist: Zeichnungen und dergl. immerhin nur dürftige Hülfsmittel meidet er. Der unmittelbar sinnlichen Anschauung, Auffassung und bewussten Beobachtung folgt die Vorstellung, aus welcher der Begriff hervorgeht: nicht, als ob diese Stufen im strengen Sinne von einander geschieden wären oder geschieden werden könnten, sie zeichnen nur das Verfahren im Allgemeinen, dem sinnlichen Erkennen verknüpft sich unmittelbar die Thätigkeit des Vorstellungsvermögens und des Verstandes. Und so erscheint das vorliegende Werk als ein Elementarbuch im vollsten Sinne des Wortes; nicht minder aber auch im Sinne unseres Lessing, wenn er sagt: „Ein Elementarbuch darf gar wol dieses oder jenes wichtige Stück der Wissenschaft oder Kunst, die es vorträgt, mit Stillschweigen übergehen, von dem der Pädagog urteilt, dass es den Fähigkeiten der Lernenden, für die er schrieb, noch nicht angemessen sei. Aber es darf schlechterdings nichts enthalten, was den Lernenden den Weg zu den zurückbehaltenen wichtigen Stücken versperre oder verlege, vielmehr müssen ihm alle Zugänge zu denselben sorgfältig offen gehalten werden, und sie nur von einem einzigen dieser Zugänge ableiten oder verursachen, dass sie denselben später nicht betreten, würde allein die Unvollständigkeit des Elementarbuchs zu einem wesentlichen Fehler machen“.

Die *Methode* der Darstellung, welche Jungclaus gewählt hat, den denkenden Leser allmählig mit der Sache bekannt zu machen, ihm die Dinge wiederholt und von verschiedenen Gesichtspunkten aus in den mannigfachsten Verbindungen vorzuführen, eine Methode, bei welcher Wiederholungen absichtlich eintreten, weil sie als Mittel dienen, dunkel gebliebenes aufzuhellen, leicht gefasstes zu befestigen, erscheint uns als eine sehr glückliche, Lernenden gegenüber, denen mit einem wissenschaftlichen System mit seinen Grundsätzen und Erklärungen (wir müssen [? Vergl. Rümelin] die Fremdwörter: Principien, Definitionen, Deductionen, Subsummirungen etc. vermeiden, um keinen Anstoss zu erregen) wenig gedient wäre.

Die strengste Einhaltung der Anforderungen, wie sie ein Dieiterweg, Lessing, Arago u. A. an ein gutes Lehrbuch aufgestellt haben, macht das Jungclaus'sche Werkchen sehr wohl geeignet, dem Unterricht an den Navigationsschulen zu Grunde gelegt zu werden. Kann auch nicht alles durchgenommen werden, eine passende Auswahl wird nicht schwer fallen und man hebe nur den Schüler auf's Pferd, das Reiten wird er dann schon lernen, ohnehin wird eine nicht geringe Zahl von Schiffsoffizieren das Buch in die Hände bekommen, und sich dann nur mit Aufwand grösserer Mühe und Zeit darin zurechtzufinden. Wir wünschen also zum Schluss, dass im Interesse der Seefahrer und zur Belohnung der Mühe und des Fleisses der Arbeit des Verfassers nach einer unbefangenen Prüfung das Buch als Lehrbuch an unseren deutschen Navigationsschulen eingeführt werden möge.

Die Lyra.

Verschiedenes.

Feiernde Schiffe. Auf dem Tyne lagen im März d. J. nicht weniger als 130 Dampfer von 122 377 To. und 25 Segler von 15 591 To. müssig. Anfangs November war die Zahl der feiernden Dampfer daselbst auf 35 von 26 835 To. gesunken, die Zahl der Segler auf 32 von 21 377 To. gestiegen.

Und das in einem einzigen Hafen Englands.

Der neue für die ostasiatische Linie fertig gewordene **Dampfer „Preussen“** des Nordd. Lloyd (eins der sechs *grössern* beim „Volcan“ bestellten Schiffe, denen die drei *kleinern* „Stettin“, „Lübeck“, „Danzig“ bereits vorangegangen sind) ist lang in der Wasserlinie 388′ engl., breit 44′, tief 33′, hat einen Rauminhalt von 4000 Tons, einen Tiefgang von 20′ und soll 14—16 Knoten machen können. Die Maschinen sind nach dem Dreicylindersystem und indiziren 3500 P.K. Vier Doppelkessel erzeugen den nötigen Dampf, je 2 derselben haben einen gemeinsamen Schornstein, dessen Doppelwände zugleich der Ventilation dienen. An Kohlenvorrat kann er 900 To. einnehmen. Die Schiffswand besteht aus Martin-Stahl; das Schiff führt 3 Decks von vorn bis achter, ausser ihnen vorn noch ein Orlopdeck. Die Brücke befindet sich mittschiffs, von ihr führen bewegliche Brücken nach einem vordern und hintern Aufbau. Das Schiff führt 9 wasserdichte Schotten, von denen sechs bis ans obere Deck reichen, und ladet in 4 Laderäumen; dazu kann es 118 Passagiere I. Klasse und 200 II. Klasse aufnehmen. Es führt 2 Masten und wird erhellt durch 340 elektrische Lampen.

Vlissingen statt Antwerpen als Anlegestation der Dampfer des Nordd. Lloyd. Dass wir mit unserer Befürwortung Vlissingens als Anlegestation der nach Asien und Australien bestimmten Dampfer im Rechte waren, so lange keine politischen Gründe für Antwerpen angezogen werden, beweisen die thatsächlichen Umstände von einer Reise zur andern immer deutlicher. Zum grossen Aerger der Passagiere und Offiziere müssen die Schiffe oft stundenlang auf der Rhede von Vlissingen mit ihrer deutschen Post an Bord liegen bleiben, bis die Flutverhältnisse ihnen gestatten, nach Antwerpen hinaufzufahren. Diesen Aufenthalt sowie die zweimalige Reisedauer hinauf und abwärts würden sie umgehen, falls ihre Ladung in Vlissingen bereit läge; den schlimmsten Einwand würde aber ein strenger Winter schaffen, der Antwerpen fast oder völlig unzugänglich machte, während Vlissingen stets eisfrei bleibt. Da der Vertrag über Antwerpen nur auf 1 Jahr lautet, so ist die Einleitung neuer Verhandlungen erklärlich.

Die vielfach bemängelten **englischen Geschützlieferungen** angehend, so ist jetzt festgestellt, dass die frühern und jetzigen Mitglieder des betreffenden Militairausschusses (Ordnance Committee), welche berufsmūssig die Regierung beraten und auf deren Rat die Regierung die Bestellungen erlässt, mit einander für £ 685 000 Aktien in der Elswick-Gesellschaft von Sir W. Armstrong besitzen, und dass diese Gesellschaft ferner so zu sagen die einzige Geschützlieferantin an die Regierung und überhaupt die am meisten beschäftigte Geschützfirma in England ist. Kein Wunder, dass sich die öffentliche Meinung in England über dieses Verhältnis beunruhigt fühlt und die Ausrede der Regierung, sie könne nur auf einen prima facie verdächtigen Fall hin zu einer offiziellen Untersuchung schreiten, für übertrieben rücksichtsvoll ansieht.

Eine **Maschinistenschule für Seeleute** existirt in Holland und zwar in Amsterdam schon seit 1878; sie wird jährlich von ca. 90 Schülern besucht; im Ganzen sind seit der Gründung 405 Schüler aufgenommen und 398 von ihnen angestellt. Auch bei uns ist jetzt in *Flensburg* eine Maschinistenschule eröffnet worden. Sie enthält drei Klassen, welche für die Vorbereitung zur Maschinistenprüfung dritter, zweiter und erster Klasse bestimmt sind. Unterrichtsgegenstände sind: Deutsch, Englisch, Physik, Maschinenlehre, Mechanik, Zeichnen, Arithmetik, Planimetrie, Stereometrie und ebene Trigonometrie. Der Unterricht wird nur in den Monaten Oktober bis April erteilt.

Ein Antrag Preussens beim Bundetrat betreffend die Abänderung der Vorschriften über die Prüfung der Maschinisten auf Seedampfern geht übrigens dahin, dass der Bundesrat die Vorschriften über den Nachweis der Befähigung und das Verfahren bei den Prüfungen der Maschinisten auf deutschen Seedampfschiffen dahin abändern wolle, dass statt „50 Seemeilen von der Küste“ gesetzt werde „50 Seemeilen von der deutschen, niederländischen oder belgischen Küste“. Die Absicht geht dahin, dass die der deutschen Küstendampfschiffahrt gegenüber der weitern europäischen Fahrt gewährte Erleichterung auch der neuerdings vom Rhein, insbesondere von Köln aus ins Leben getretenen Seedampfschiffahrt zugute komme. In den bisherigen Bestimmungen erblicken die Beteiligten mit Recht eine Benachteiligung besonders gegenüber den fremden, mit der Schiffahrt auf dem Rhein und dessen Mündungsgewässer wettbewerbenden Dampfern, welche ähnlichen Vorschriften nicht unterliegen; technische Bedenken sind ausgeschlossen. Die Erweiterung wird für für Rhein-Seeschiffe ausreichen, weil solche dann nicht nur vom Rhein direkt nach deutschen Seeplätzen und umgekehrt fahren, sondern auch noch in die Themse-Mündung gelangen können, ohne mehr als einen Maschinisten dritter Klasse an Bord haben zu müssen.

Die Firma **Armstrong, Mitchell & Co.** Schiff- und Maschinenbau in Elswick bei Newcastle, bringt es trotz der drückenden Not in den Kreisen der Betriebsgenossen fertig, ihren Aktionären 9½ % Dividende in Aussicht zu stellen, nachdem sie in den nächstvorhergehenden Jahren 8 % bezw. 7½ % verteilt hat. Die Firma arbeitet bekanntlich wesentlich im Auftrage der englischen, aber auch auswärtiger Regierungen, deren Bestellungen sie sich gesichert hat. Die Art und Weise wie das geschieht, hat gerade zu den von uns bereits in No. 15 besprochenen Anklagen gegen den grossen Gun-Ring geführt, und hat dieselbe also einen Beigeschmack. Die hohe Dividende in dieser dividendenarmen Zeit, das Platzen der grossen Geschütze dieser Firma, die Rechenfehler beim Tiefgang von ihr gebauter Schiffe u. s. w., u. s. w., mögen gerade keinen harmonischen Dreiklang in den Ohren des britischen Steuerzahlers hinterlassen.

Verlag von H. W. Silomon in Bremen. Druck von Aug. Meyer & Dieckmann. Hamburg, Alterwall 58.

Beilage zur HANSA No. 24. 1886.

Zur Jubelfeier des österreichisch-ungarischen Lloyd in Triest.

Es bleibt anzuerkennen, dass schon in den Anfängen der dreissiger Jahre, als die grosse Seefahrt Norddeutschlands noch grossenteils von Engländern und Amerikanern beherrscht wurde, und Bremen mit der Gründung Bremerhavens erst angefangen hatte, dieser Schiffahrt gewisse Erleichterungen zu bereiten, in Triest das Streben sich zeigte, sich sowohl im Seeversicherungswesen durch Gründung des österreichischen Lloyd zu Triest von den Lloydgesellschaften zu London und Paris zu emancipiren, als auch die Verbindungen mit den Häfen der Adria und der Levante durch eine sich dem Lloyd anschliessende Dampfschiffahrtsgesellschaft zu kultiviren. Die Gründung der **ersten Sektion** *des österreich. Lloyd*, der Versicherungsgesellschaft, am 20. April 1833, folgte am 2. August 1836 die auf vorläufig 20 Jahre beschlossene Gründung der **zweiten Sektion** *des Lloyd*, die der Dampfschiffahrt, und zu deren in diesem Jahre gefeierten Jubiläum hat der Lloyd eine Festschrift erlassen, deren reicher Inhalt hier in aller gebotenen Kürze wiedergegeben werden mag.

Wie im Programm vorgesehen war, sollten vorläufig nur kleine Dampfer zum Besuch der wichtigsten Häfen der Adria, Griechenlands und der Türkei verwandt werden. Dem halboffiziellen Charakter der Gesellschaft entsprechend, welche mit einem Gründungskapital von 1 Mill. Gulden Conv. Münze den Postverkehr mit dem Süden und Osten übernahm und zwar so, dass sie die sämtlichen Eingänge aus demselben für sich vereinnahmte, und ausserdem durch eine Reihe wertvoller Privilegien von der Regierung unterstützt wurde, erhielten die 6 ersten Raddampfer von ca. 136', 22', 13' die Namen „Arciduca Lodovico d'Austria", „Arciduca Giovanni d'Austria", „Principe Metternich", „Conte Kolowrat", „Barone Eichoff" und „Mahmudie", Namen, welche dem jüngern Geschlecht schon etwas seltsam in die Ohren klingen mögen. Am 12. April 1837 lief der erstgenannte in England gebaute Dampfer in Triest ein, „wo er seine vollständige Ausrüstung und Bemannung erhielt und dann nach Konstantinopel gesandt wurde, um in der Levante die Eröffnung der Fahrten der Gesellschaft zu verkünden, und einstweilen in den Fahrten zwischen Konstantinopel und Smyrna so lange Verwendung zu finden, bis sämtliche Schiffahrtslinien in Betrieb gesetzt würden. Der Dampfer ging von Triest am 16. Mai 1837 mit 53 Passagieren und voller Ladung ab und gelangte am 30. Mai glücklich nach Konstantinopel, nachdem er die Häfen von Ancona, Corfu, Patras, Piraeus, Syra und Smyrna berührt hatte, „überall von der Menge sowohl, wie von den Behörden mit Kundgebungen freudigster Teilnahme begrüsst".

Inzwischen war am 8. Juni 1837 der zweite Dampfer aus England eingetroffen, während auf der sofort eingerichteten Werft zu Triest der Bau des Dampfers „Conte Kolowrat" zu Ende geführt und der „Principe Metternich" am 17. Juni 1837 vom Stapel gelassen wurde. Auch kaufte der Verwaltungsrat einer englischen zwischen Triest und Venedig fahrenden Linie das Privileg und die Schiffe ab, sowie eine vollständig eingerichtete Schmiedewerkstätte und schuf sich so freiere Bewegung in der Heimat. Der Dampfer „Principe Metternich" wurde Ende 1837 nach Alexandrien geschickt, und noch zwei weitere Boote „Conte Mittrowsky" und „Barone Stürmer" zu bauen beschlossen. Auf diese Weise wurden im ersten Betriebsjahr 1 direkte Fahrt von Triest nach Konstantinopel, 9 Fahrten zwischen Konstantinopel und Smyrna, 8 Fahrten zwischen Triest und Konstantinopel, 1 direkte von Triest nach Alexandrien, 2 Fahrten zwischen Triest und Alexandrien und 8 Versuchsreisen zwischen Triest, Venedig, Ancona, Fiume und Dalmatien vollendet, und zwar mit dem Erfolg, dass die Unkosten gedeckt wurden, trotz aller Schwierigkeiten, mit denen jedes neue Unternehmen zu kämpfen hat, und ungeachtet die Sanitätsvorschriften von sechs Regierungen eingehalten werden mussten.

Die Regierungen des Kirchenstaats, der Jonischen Inseln und Griechenlands zeigten sich beflissen, ebensowie die Türkei und Egypten dem Lloyd-Unternehmen jede mögliche Begünstigung zuzuwenden; die kaiserlich-österreichische Regierung gewährte die Befreiung von den Hafengebühren in allen Häfen der Monarchie, die gänzliche Ueberlassung der Einnahmen aus der Briefbeförderung und die Reservirung des Alleinrechts für die Linie Triest-Venedig, weiter, dass fremde Dampfer, wenn nicht durch besondere Verträge dazu ermächtigt, in den adriatischen Häfen nicht Schiffahrt treiben durften, endlich, dass die zwischen Triest und Syra verkehrenden Dampfer zur Vereinfachung der Contumaz-Handhabung von einem Sanitätswächter begleitet werden konnten.

Mit der Peninsular und Oriental Steam Navigation Comp (P. & O. Line), die für die englische Regierung die Briefbeförderung von England nach Malta und von da einerseits nach Alexandrien, anderseits nach Corfu übernommen hatte, wurde ein vorteilhaftes Abkommen getroffen, und so das Unternehmen nach innen wie nach aussen gestärkt, das Aktienkapital nach Bedarf vergrössert und neue Schiffe für neue Linien in Bau gegeben. Die Maschinenstärke dieser Fahrzeuge wird ca. 90 P. K. nom.*) betragen haben, wie aus einer Uebersicht S. 22 der Festschrift hervorgeht. Im Jahre 1845 gelang der Ankauf aller Seedampfer der Donau-Dampfschiffahrtsgesellschaft, sodass der Lloyd von nun ab den Dienst dieser Gesellschaft im schwarzen Meer übernehmen konnte, wozu für die Fahrt Konstantinopel-Trapezunt noch ein neuer Dampfer mit 300 Pf.-K. eingestellt wurde, um der Konkurrenz der grossen englischen Dampfer wirksam zu begegnen. Da der Fiscus die Kaufsumme vorschoss, so stieg damit die auch aus anderweitigen Vorschüssen entstandene Schuld der Gesellschaft an den Staat auf $1\frac{1}{2}$ Mill. Gulden, die mit 4% zu verzinsen waren, und deren Tilgung durch Erhöhung des Gesellschaftskapitals auf 3 Mill. Gulden unter Garantie der Stadt Triest durchgeführt wurde, während gleichzeitig der Lloyd zur Staatspostanstalt erhoben wurde. Auch wurden bereits 1845 Unterhandlungen angeknüpft, um die ostindische Ueberlandpost über Triest und Deutschland statt über Marseille zu befördern, und zu dem Ende zwei neue Schiffe, Germania und Italia, im genauen Anschluss an die Ankunft und Abfahrt der ostindischen Dampfer von Alexandrien in Fahrt gestellt. Eine erfreuliche Anerkennung der Sicherheit der Lloyddampfer lieferten die Versicherungsgesellschaften, indem sie eine ganz erhebliche Herabminderung der Prämiensätze eintreten liessen.

So hatte sich im ersten Jahrzehnt des Bestehens des Lloyd sein Kapital verdreifacht, die Zahl der Dampfer von 6 auf 25 vermehrt (20 in Fahrt, 5 im Bau) und die Einnahmen, welche im ersten Jahr nur 160 000 Fl. betragen hatten, bereits auf über eine $\frac{1}{2}$ Million gehoben. Die Fahrtenzahl der Schiffe hatte sich vervierfacht, die Zahl der Reisenden verzwanzigfacht und die Zahl der Angestellten an der Hauptstation und den 44 Agenturen war von 207 auf 1049 gestiegen. Deutlicher überblickt man die Verkehrsentwickelung im ersten Jahrzehnt 1836/37—46 aus nachstehender Uebersicht.

---

*) Die veraltete Bezeichnung der Maschinenstärke durch nominelle Pferdekraft, in die neuerdings übliche durch indizirte P. K. umzuwandeln, multiplicire man die nom. P. K. mit 4, wodurch man so ziemlich das Richtige trifft.

Jahr	Aktien, Kapital und Anleihen fl. ö. W.	Dampfer Zahl	P. K. nom.	Reg.-Tons. brutto	Wert der Dampfer fl. ö. W.	Zahl der Reisen	Gutgemachte Meilen	Zahl der Reisenden	Waaren in Mtr. Ctr.	Stückzahl der Packete	Betrag der beförderten Gelder in fl. ö. W.
1836/37	1 050 000	7	630	1777	858 765	87	45 658	7 967	5 888	6 767	4 130 982
1838	1 575 000	10	860	2600	1 293 311	214	82 715	21 959	20 898	14 138	11 391 886
1839	2100 m	10	„	„	„	245	116 970	27 930	22 605	15 561	11 511 282
1840	„	10	„	„	„	285	135 740	38 896	29 895	21 681	13 178 178
1841	[illegible]	10	[illegible]	[illegible]	1 262 100	[illegible]	[illegible]	[illegible]	[illegible]	[illegible]	[illegible]
1842	„	11	[illegible]	[illegible]	[illegible]	283	125 740	34 801	36 761	[illegible]	[illegible]
1843	„	11	910	2814	1 239 000	300	150 132	39 497	28 191	24 383	18 459 128
1844	„	14	1380	4164	1 729 075	390	185 832	65 476	36 726	24 636	12 836 069
1845	2150 m	20	2110	6305	2 530 500	704	331 718	117 949	132 716	31 706	26 807 929
1846	„	20	2110	6310	2 404 500	717	834 405	124 985	133 769	36 367	33 418 516

Im Ganzen hatten die Schiffe des Lloyd im ersten Jahrzehnt 3447 Reisen gemacht, 1 629 606 Sm. durchlaufen, 504 091 Reisende, 490 233 Metr. Centr. Waaren, 218 922 Packete und 158 511 641 fl. ö. W. befördert.

In das *zweite Jahrzehnt*, 1847—56, fallen die Schwierigkeiten der politischen Lage von 1848 und des Krimkrieges, der vermehrte Wettbewerb von Seiten der englischen und französischen Linien, die erste Unterbilanz in 1854 und die Anrufung und Gewährung einer Staatsunterstützung von 1 Mill. fl., die Ausdehnung der Fahrten im schwarzen Meere, auf dem Po, dem Lago Maggiore, die Errichtung zahlreicher Agenturen in Ostindien und China, die Anlage des Arsenals in Triest, der teilweise Uebergang von der Räderdampfschiffahrt zur Schraubenschiffahrt, zunächst für den Waarentransport, Einrichtung eines Pensionsfonds für die Beamten der Gesellschaft und die energische Fortsetzung des Baues weiterer grösserer und schnellerer Schiffe, auch der erste Verlust eines solchen durch Strandung. Infolge dessen stieg das Aktienkapital bis 1856 auf 15 750 000 fl., die Zahl der Dampfer auf 61, ihrer nominellen Pferdekräfte auf 10 460, ihres Brutto-Tonnengehalts auf 26 400 Reg.-Tons, und ihr Buchwert auf 10 726 800 fl. ö. W. An Reisen wurden in allen 10 Jahren 13 296 gemacht und dabei 8 154 206 Sm. durchlaufen, ferner 2 470 956 Reisende, 5 215 972 Metr. Cntr. Waaren, 418 149 Packete und 593 038 831 fl. ö. W. baare Gelder befördert, woraus der grosse Fortschritt gegen das erste Jahrzehnt erhellt.

Nachdem schon im Jahre 1850 die erste Sektion des Lloyd ausschliesslich den vereinigten Versicherungsgesellschaften, die zweite der Dampfschiffahrt zugewiesen und ausserdem eine *dritte Sektion* gebildet war, welche die Druckerei, die Herausgabe der Journale, die Unterhaltung der Lesesäle und eine xylographische Anstalt etc. umfasste, wurde nunmehr im *dritten Jahrzehnt* auch eine Abteilung für Statistik und Revision organisirt und mit 20 Beamten besetzt. Nach Beschaffung neuer Mittel auf dem Wege der Obligationenausgabe wurden neue Linien zwischen Corfu, Messina, Malta und von Triest nach Barcelona eröffnet und damit die alten blühenden Handelsbeziehungen zwischen Oesterreich und Spanien neugeboren; dagegen wurden die unausgiebigen Pofahrten eingestellt, die Fahrten auf der Donau aber vermehrt. Das Kriegsjahr 1859 führte grosse Schwierigkeiten für die Gesellschaft herbei, doch wurden alle noch so zerstreuten Schiffe rechtzeitig in heimischen und neutralen Hafen in Sicherheit gebracht und der Regierung sogar mancher nützliche Dienst durch Truppentransporte etc. erwiesen. Der Postvertrag wurde dahin abgeändert, dass die Entschädigung nach der zurückgelegten Meilenzahl, also endlich nach der gegenseitigen Leistung bemessen wurde. Dass trotzdem im Jahre 1859 keine Dividende abgeteilt werden konnte, braucht nach aller Störung des Verkehrs und der durch sie angelockten grossen Konkurrenz fremder Gesellschaften und Herabsetzung der Frachten nicht wunder nehmen, zumal allmälig der erste Zweck der Gesellschaft, den Transport der Reisenden und Posten zu besorgen, zurückgestellt und dem Warentransport die hauptsächlichste Aufmerksamkeit zugewandt werden musste. Demgemäss wurden die Schiffe auf grösseres Tragvermögen und geringern Kohlenverbrauch eingerichtet.

Im Jahre 1861 wurde der grossartige Bau des neuen Arsenals beendet, nachdem er 4 990 386 fl. beansprucht hatte; die Verwaltung wurde in 5 Sektionen geteilt. Der Credit der Gesellschaft hatte von jeher seine Stütze an dem Fiskus gehabt, und so wurde auch jetzt eine 3 Mill.-Anleihe mit ihm abgeschlossen, ein Modus vivendi, wie ihn die grossen norddeutschen Dampfergesellschaften nie gekannt haben. Der Bau neuer Dampfer ganz aus österreichischem Eisen erscheint als eine gewisse Art von Gegenleistung; daneben dauerten freilich Bestellungen in England und in Stettin fort. Ein neuer Postvertrag stellte im Jahre 1865 fest, dass die Regierung 1. auf auswärtigen Linien mit Schnellverkehr fl. 1.20, 2. auf auswärtigen Linien mit gewöhnlicher Fahrt fl. 2.50, für jede durchlaufene Meile vergütete, dagegen 3. die Linien innerhalb der einheimischen Gewässer unentgeldlich bedient wurden. Die Cholera in 1865 und der Krieg von 1866 beeinflussten natürlich die Geschäfte der Gesellschaft im ungünstigen Sinn, doch wurde 1866 noch eine Linie Triest-London eröffnet.

Die Uebersicht über die Verkehrsentwickelung im dritten Jahrzehnt 1857-1866 ergibt eine Steigerung des Gesellschaftskapitals von 15 Mill. auf 21 018 587 fl. ö. W., die Gesellschaft besass 64 Dampfer von 13 840 nom. P.-K., 45 513 Tons Brutto im Gesamtwert von 13 040 500 fl., $1^1/_2$ Mill. weniger als im Anfang desselben. Ebenso fielen die Reisezahl von 2 229 auf 1 422, die durchlaufene Meilenzahl von 1 042 284 auf 976 171, die Zahl der Reisenden von 426 432 auf 251 537, die Stückzahl der Packete von 61 349 auf 42 726, dagegen hob sich das Gewicht der transportirten Waren von 1 387 796 M.C. nach bedeutsamen Schwankungen auf 1502112 und der Betrag der beförderten Gelder von 97 622 125 fl. auf 107 245 939 fl. ö. W.

War das dritte Jahrzehnt die Prüfungszeit für die Aktionaire und den Verwaltungsrat gewesen, so gestaltete sich das *vierte Jahrzehnt* desto günstiger. Die Umwandlung der veralteten kohlenfressenden Niederdruck- in Compoundmaschinen, womit 1869 der Anfang gemacht wurde, das Abstossen einer Reihe alter Schiffe und ihr Ersatz durch neue, endlich die Eröffnung des Suez-Kanals am 17. Nov. 1869 und die gleichzeitig erfolgende Einrichtung direkter ostindischer Linien, deren Rückfrachten in Port Said auf dort wartende Lloydschiffe nach ihren verschiedenen Bestimmungsorten übergeladen wurden, hoben das Vertrauen des Publikums so sehr, dass 3000 von den bereits 1855 bewilligten 6000 Aktien bereitwillig übernommen wurden, bis die hohen Kohlenpreise, die Finanzkrisis von 1874 und die Nachwehen der Cholera wieder neue Not über die Gesellschaft brachten. Trotzdem wurden die Fahrten nach dem Osten bis China und in den persischen Golf ausgedehnt, statt der Silberwährung die Goldwährung bei Berechnung der Frachten 1876 eingeführt, und mit dem Umbau der Flotte und ihrer Maschinen fortgefahren. Die Uebersicht über die Verkehrsentwickelung von 1867—76 ergab eine Verminderung des Gesellschaftskapitals von 20½ Mill. Gulden auf 18 103 888 fl., eine

Vermehrung der Dampfer von 64 auf 65, der Pferdekräfte von 13 840 auf 15 260, des Tonnengehalts von 45 513 auf 70 016 Reg.-Tons, des Werts der Dampfer von 11.7 Mill. auf 13 110 500 fl., der Zahl der Reisen von 1 265 auf 1 318, der durchlaufenen Meilenzahl von 961 460 auf 1 257 095 Sm., der Zahl der Reisenden von 252 543 auf 283 799, des Gewichts der Waren von 2 Mill. auf 4 407 475 Metr. Centr., der Stückzahl der Packete von 53 146 auf 55 633 und des Betrags der beförderten Gelder von 115 Mill. fl. auf 149 444 400 fl., also überall eine wesentliche Verstärkung der Position der Gesellschaft.

Im *fünften Jahrzehnt* wurden die vielfach unklaren Verhältnisse der Gesellschaft zur Regierung, welche letztere öfters einen Einfluss auf ihre Verwaltung auszuüben suchte, ohne dieselben von kommerziellen Erwägungen leiten zu lassen, durch vereinzelte Abkommen mit Ungarn und mit Oesterreich einigermassen geregelt, infolge dessen eine Ausdehnung der ostindischen Fahrten über Bombay hinaus nach Calcutta und selbst nach Singapore und Hongkong ins Leben trat, an welchen Plätzen die österreichische Flagge sehr sympathisch begrüsst wurde. Es zeigte sich recht, wie eigennützig die bis dahin allmächtige P. & O. Gesellschaft ihr thatsächliches Monopol missbraucht hatte; der neuerliche grosse Erfolg des Nordd. Lloyd wird den englischen Eigentümern dieser vielfach jämmerlichen Schiffe den Standpunkt wohl vollends klar machen. Die Kriegsläufe von 1878 und 1882 brachten der Gesellschaft viele unerwartete Arbeit. In 1878 transportirten ihre Schiffe 136 000 Auswanderer aus der europäischen in die asiatische Türkei, und für die heimische Regierung 72 000 Soldaten, 8 000 Pferde, 90 000 Tons Kriegsmaterial von Triest nach Dalmatien. 1882 musste der Lloyd nach der Beschiessung Alexandriens nolens volens 8 000 Flüchtlinge nach Europa schaffen, wofür die Bezahlung wohl noch grossenteils aussteht. Dennoch besserten sich die Verhältnisse zusehends, so dass selbst gewinnbringende Fahrten nach Brasilien unternommen wurden, und die Gesellschaft bei ihrem fünfzigjährigen Jubiläum von neuem Direktorialgebäude aus auf befriedigende Zustände nach innen wie nach aussen verweisen konnte. Das Gesellschaftskapital stieg im fünften Jahrzehnt von 16.8 Mill. auf 19 463 000 fl., die Zahl der Dampfer von 66 auf 84, ihre nom. Pferdestärken von 15 330 auf 22 110, ihr Tonnengehalt Brutto von 70 726 auf 119 787 und ihr Buchwert von 12.7 Mill. auf 18 240 700 fl. Die Zahl der Reisen vermehrte sich von 1 282 auf 1 687, die durchlaufene Meilenzahl auf 1 732 519, die Zahl der Reisenden auf 380 129, das Gewicht der Waren auf 6 037 361 Mtr. Ctr., dagegen fiel die Stückzahl der Packete auf 47 832 und der Betrag der beförderten Gelder auf 108 567 129 fl. ö. W. Die Flotte der Gesellschaft besteht jetzt aus 87 Schiffen, vom bescheidenen Küstendampfer „Hebe“ von 148′ 18.8′ 11.5′ bis zum stolzen Seedampfer „Imperator“ (im Bau) von 390′, 45′, 33′.5; letzterer wird 3 500 eff. P. K. als stärkstes Schiff halten; die geringsten eff. P. K. hat „S. Carlo“ mit 129 P.-K., den geringsten Tonnengehalt hat „Pan“ mit 132 R.-T. netto, den grössten bislang „Poseidon“ mit 2 510 T.

Von diesen 87 Schiffen der Gesellschaft wurden 41 im Inlande, im Arsenal der Gesellschaft, und 46 im Auslande d. h. in England 42, und 4 in Stettin erbaut. In Dumbarton wurden 16, Glasgow 6, London 6, Stockton, Sunderland je 3, Liverpool 2, Jarrow, Greenock, Leith, Hull je 1 erbaut. Vereinzelt trifft man noch englische Ingenieure auf den Schiffen; früher waren sie in Ueberzahl da.

Die jetzige Lage der Rhedereien,

besonders der ostfriesischen kleinen, schildert die „Ostfriesische Zeitung“ wie folgt: „Es muss besonders traurig um ein Geschäft stehen, wenn allen Ernstes das als die einzige Möglichkeit, noch Etwas von dem Anlagekapital zu retten, hingestellt wird, dass man das Betriebsmaterial abbricht und verkauft. Soweit scheint es in der That mit dem früher in *Ostfriesland* so blühenden Rhedereibetriebe gekommen zu sein. Man kann sich eines Gefühls von Wehmut nicht erwehren, wenn man an massgebender Stelle, im Jahresberichte der Handelskammer, mit dürren Worten liest, dass den Eigentümern älterer Segelschiffe empfohlen wird, dieselben abzubrechen und das Material zu verkaufen, weil das unter den jetzigen Verhältnissen die einzige Möglichkeit sei, noch ein wenig von dem Anlagekapital zu retten, abgesehen von einem durch die Assekuranz gedeckten Totalverluste. Es klingt das verzweifelt, sagt der Bericht selbst, aber die tägliche Erfahrung lehrt, dass diese Schiffe nicht nur keine Dividende abwerfen, sondern fortwährend Zubusse erfordern. Der Wert älterer Segelschiffe ist ein erschreckend geringer, und manche Familie, die sich früher im Besitze eines Schiffes von mittlerer Grösse in behäbigen Verhältnissen fühlte, ist jetzt in Armut und Not geraten. Hier und da gelingt es noch Einzelnen, welche für ein in den jetzigen Verhältnissen entsprechendes geringes Anlagekapital ein Schiff aus der Fahrt erworben haben, sich durchzuschlagen, besonders, wenn sie das Glück haben, ihre Reisen einiger Massen schnell zurückzulegen; aber die grosse Mehrzahl der Schiffer aus der kleinen Fahrt geht allmählig zu Grunde; ganze Gemeinwesen, deren Wohlstand zum Teil auf der früher so blühenden Schifffahrt beruhte, fühlen ihre Leistungsfähigkeit bedeutend geschwächt. Was für ein enormer Unterschied in den Frachtverhältnissen in den letzten 10—12 Jahren eingetreten ist, zeigt eine Zusammenstellung im letzten Jahresberichte der „Handelskammer für Ostfriesland und Papenburg“ über den durchschnittlichen Frachtsatz zwischen einigen Nord- und Ostseehäfen und Emden für Holz und Kohlen. Darnach betrug die Fracht für 80 Kubikfuss Dielen ab Memel 1873 noch 25 — 26 ℳ, 1885 dagegen nur noch 16½ — 8 ℳ; für 80 Kubikfuss Dielen oder Kantholz ab Laurvig 1873 noch 16½ — 21 ℳ, 1885 dagegen nur 12 ℳ; für das Keel Kohlen ab Firth of Forth 1873 noch 9 — 13½ £, 1885 jedoch nur 6½ £. Stände dieser Abnahme der Frachtsätze um mehr als 50 % eine entsprechende Verminderung der Betriebskosten gegenüber, dann liesse sich vielleicht noch mit den jetzigen Verhältnissen rechnen; aber jeder Kundige weiss, dass das nicht der Fall ist und darum spiegelt sich in dieser stetigen Abnahme der Frachtsätze das ganze Elend wider, sagt der Handelskammerbericht, welche das Rhedereigeschäft hat durchmachen müssen, soweit es sich mit der Nord- und Ostseefahrt beschäftigte. Eine notwendige Folge dieser traurigen Frachtverhältnisse ist der fortwährende, stetige Niedergang des Rhedereibetriebes. An einen entsprechenden Ersatz für das abgehende Material durch Neubauten von Schiffen ist nicht zu denken. Die Schiffsbauereien und die mit ihnen in Verbindung stehenden Gewerbe liegen in Folge dessen darnieder. Im verflossenen Jahre, sagt der Handelskammerbericht, konnten nur einige Neubauten auf feste Bestellung in Angriff genommen werden, und von den ohne feste Bestellung unternommenen Bauten waren gegen Ende des Jahres noch einige nicht verkauft. Die Neigung, Kapital in Schiffen anzulegen, schwindet mehr und mehr. Deswegen nimmt auch von Jahr zu Jahr der Bestand an Schiffen in unserem Bezirke ab. Die vier Heimatshäfen Papenburg, Emden, Leer und Weener hatten im Jahre 1873 noch 328 Schiffe zu 39 565 Reg.-T., im Jahre 1885 betrug der Bestand nur noch 209 Schiffe zu 28 375 Reg.-T. Der ganze Bezirk besass Ende 1885 noch 549 Schiffe zu 50 573 Reg.-T., während 1882 noch 653 Schiffe zu 60 278 Reg.-T. vorhanden waren. Ueberall, wo man bei der Durchsicht des Berichts der Handelskammer auf Punkte trifft, welche sich mit der Schiffahrt und den damit in Verbindung stehenden Geschäften befassen, da predigen die angegebenen Zahlen und die kurzen erläuternden Bemerkungen ein langsames, stetiges Absterben, und den Schmerz über dieses Dahinsterben kann man durchklingen hören in der Leichenpredigt, die zwischen den Zeilen zu lesen ist."

Verschiedenes.

Postpacketdienst mit den Straits Settlements, mit Hongkong und verschiedenen chinesischen Plätzen, ferner mit Apia und Tongatabu. Mittelst der deutschen Postdampfer können fortan Postpackete im Gewichte bis zu 3 Kg. nach den Straits Settlements, und Hongkong, sowie über Hongkong nach Amoy, Kanton, Foo-Chow, (Futschau) Hankow, Hoihow, (Kiung-Schow), Ningpo, Shanghai und Swatow, ferner Postpackete im Gewichte bis zu 5 Kg. nach Apia (Samoa-Inseln) und Tongatabu (Tonga-Inseln versandt werden.

Das vom Absender im Voraus zu entrichtende Porto beträgt für ein Packet im vorgedachten Gewicht:

nach den Straits Settlements . . . . 3 ℳ. 80 Pf.
„ Hongkong und Shanghai . . . . 3 „ 40 „
„ Amoy, Kanton, Foo-Chow (Futschau) Hankow, Hoihow (Kiung-Schow), Ningpo und Swatow . . . . 3 „ 60 „
„ Apia und Tongatabu . . . . 3 „ 20 „

Bei Packeten nach Apia und Tongatabu ist eine Werthangabe bis zu 400 ℳ. zulässig. Im Falle der Werthangabe tritt dem Porto eine Versicherungsgebühr von 16 Pf. für je 160 ℳ. hinzu.

Die **Emder Häringsfischerei** hat in diesem Jahr im Ganzen 12 334 Tonnen, und im Durchschnitt jeder Logger 822,3 Tonnen, gegen 11 926 oder durchschnittlich 851,9 Tonnen in 1885 gefangen. In Bezug auf die *Quantität* der Anfuhr ist die diesjährige Saison der vorjährigen gegenüber also verhältnissmässig nicht unbedeutend zurückgeblieben. Die *Qualität* liess indessen nach allgemeinen Urteilen auch in diesem Jahre Nichts zu wünschen übrig.

Von der 4. Reise, auf welche von den 15 nur 10 Logger ausliefen, wurden im Ganzen 1177 oder durchschnittlich vom Logger 117.7 Tonnen heimgebracht gegenüber 952 oder im Durchschnitt pro Logger 86,5 Tonnen im vorigen Jahre, in welchem 11 von 14 Loggern die 4. Reise machten.

Nach dem Verzeichnisse der von den einzelnen Loggern angebrachten Tonnenzahl hat der Logger „Stadt Norden", Rösener, welcher im Ganzen 1062 Tonnen anbrachte, dies Mal den ersten Preis errungen; wir bemerken indessen ausdrücklich, dass den vorstehenden Angaben überall die betr. Zeitungsangaben zu Grunde liegen, welche letztere sich wiederum auf „offizielle Mitteilungen stützen, und dass unter „Tonnen" überall nur sog. „Kantjes" d. h. Seepackung (nicht so dicht als die nachfolgende Landpackung) zu verstehen sind.

Die **schwimmenden Bimssteininseln**, welche vor Jahr und Tag durch die Eruption des Krakatoa in der Java-See entstanden, treiben jetzt im Indischen Ocean 670 Sm. in der Richtung WzS von der Stelle umher, wo sie sich ein Jahr zuvor befanden.

Die Firma **Fleming & Ferguson,** Dredging Speciality, Paisley, erbietet sich in ihren Anzeigen, mit ihren auf eigenen Schiffen untergebrachten Baggermaschinen (Hopper-dredgers), bei Anlage von Kanälen oder Vertiefung von Fahrwassern (Weser), die Kosten der Ausbaggerung und Entlöschung des Baggermaterials unter 1 Penny pr. Ton zu halten (dredging and discharging costing under one penny per ton). Weniger kann man wol nicht verlangen.

Der **Ursprung des Namens „Steuerbord."** Derselbe soll daher stammen, dass in frühern alten Zeiten die Schiffe das Steuerruder nicht wie jetzt in der Mittellinie des Schiffes, sondern an dessen rechter Seite führten. Da das Steuer einen wichtigen Teil des Schiffes bildet und von einer Hauptperson der Besatzung gelenkt wurde, so erklärt sich die mit dem Namen „Steuerbord" bei allen seefahrenden Nationen altherkömmlich verbundene Bevorzugung von selbst: Steuerbordwache hat bei beginnender Reise die erste Wache und gehört dem Kapitän, auf Kriegsschiffen bekommt sie den ersten Urlaub, die Steuerbordseite des Achterdecks gehört im Hafen dem Kommandanten und dem wachhabenden Offizier (auf See die Luvseite), und die Backbordseite den übrigen.

Die **Gegensätze chinesischen und europäischen Lebens** schildert „Zur See" Liefg. 10, S. 308 also: Die Bücher der Chinesen beginnen hinten, der Schüler dreht dem Lehrer, wenn er etwas aufsagt, den Rücken zu; bei Besuchen und Festlichkeiten behält man den Hut auf und zieht die dicksten Schuhe an, die man auftreiben kann; wenn man dem Wirt entgegentritt, schüttelt man nicht ihm, sondern sich selbst die Hand. Die zärtliche Mutter hält ihren Säugling an die Nase, um ihn zu riechen, statt ihn zu küssen, der Vornamen steht hinter dem Vaternamen; der Reiter schwingt sich von der rechten Seite auf das Pferd, die Greise lassen Drachen steigen, während die Jugend zuschaut. Die Mahlzeiten beginnen mit Süssigkeiten und enden mit Suppe und Fisch; die Trauerfarbe ist weiss und ebenso wichst man die Schuhe weiss, statt schwarz wie bei uns. Ihre Magnetnadel zeigt nach Süden, und die Militairmandarinen tragen zwar keine Waffen, dafür aber einen gestickten Unterrock, ein Perlenhalsband und einen Fächer. Die linke Seite ist der Ehrenplatz, der Sitz der Vernunft ist nach chinesischen Begriffen im Magen, und wenn der Sohn dem betagten Vater einen besonderen Beweis seiner Liebe und Achtung geben will, schenkt er ihm einen Sarg. Dutzendweise sieht man die Frauen an den Landstrassen sitzen, um Steine zu klopfen, sie sägen Holz und schleppen Balken, und selbst beim Steinklopfen wissen sie ihr reiches schwarzes Haar stets so künstlich aufzubinden, als wollten sie zu Balle gehen.

Die **deutsche Kolonie in Shanghai** dürfte auf dem von Kapt. Pfeiffer bei der ersten Anwesenheit der „Oder" an Bord seines Schiffes gegebenen Festessen wol ziemlich vollständig vertreten gewesen sein. Wer sich dafür interessirt, möge sie in der nachstehenden Liste der Tafelgäste, welche „Shanghai Mercury" vom 27. Aug. brachte, vergleichen. Neben Kapt. Pfeiffer an der Spitze des Mitteltisches sassen Frau Jantzen und Frau Burmeister, neben letzterer General-Konsul Dr. Lührsen, während der Chef der Firma Melchers & Co., Herr Jantzen Ag. des Nordd. Lloyd, am andern Ende des Tisches sass. Die übrigen Gäste waren: Dr. Hirth und Frau, Herr und Frau Overbeck, Herr u. Frau von Pustau, Herr u. Frau Rodewald, Herr u. Frau Burmeister, Herr u. Frau H. M. Schultz, Herr u. Frau Grobian, Herr u. Frau Nolting, Herr u. Frau Reiss und Fräul. Alice Reiss, Fräul. Wöbken, die Herren O. Beurmann, B. Schmacker, v. Syburg, K. Streich, W. Kölling, A. Ehlers, P. A. W. Ottomeyer, A. Kirchner, G. Lucke, A. Korff, J. Thyen, A. Haupt, H. Wilkens, W. Melchers, H. Flotow, P. Borkowski, J. Hertz, A. Ellert, F. Gebhardt, O. Schuffenhausen, A. Gültzow, M. Sievogt, H. Suethlage, W. Ebbs, F. Huchting, A. Schröder, Dr. Zedelius, E. Grahitz, A. Schroers, J. Jürgensen, Herr Exner, Postmeister Anding und die folgenden Offiziere der „Oder" Dr. Friedrich und die Herren Obersteuermann Blanke und Ober-Ingenieur Heise.

Der **siebente**, am 20. Oktober geschlossene, **Nachtrag zum Register des Germanischen Lloyd** enthält 27 Berichte über neu aufgenommene, resp. neu klassificirte Schiffe, welche dem Register pro 1886 hinzuzufügen sind, und 167 Berichte über Veränderungen und Korrekturen, welche die bereits im Register pro 1886 enthaltenen Schiffe betreffen.

Verlag von H. W. Silomon in Bremen. Druck von Aug. Meyer & Dieckmann. Hamburg, Alterwall 10.

H    

Redigirt und herausgegeben
von
W. von Freeden, BONN, Thomasstrasse 9.
Telegramm-Adresse:
Freeden Bonn,
oder
Hansa Alterwall 33 Hamburg.

Verlag von H. W. Silomon in Bremen.
Die „Hansa“ erscheint jeden 2ten Sonntag. Bestellungen auf die „Hansa“ nehmen alle Buchhandlungen, sowie alle Postämter und Zeitungsexpeditionen entgegen, desgl. die Redaktion in Bonn, Thomasstrasse 9, die Verlagshandlung in Bremen, Obernstrasse 44 und die Druckerei in Hamburg, Alterwall 33. Sendungen für die Redaktion oder Expedition werden an den letztgenannten drei Stellen angenommen. Abonnement jederzeit, frühere Nummern werden nachgeliefert.

Abonnementspreis:
vierteljährlich für Hamburg 2½ ℳ.
für auswärts 3 ℳ = 3 sh. Sterl.
Einzelne Nummern 60 ₰ = 6 d.

Wegen Inserate, welche mit 35 ₰ die Petitzeile oder deren Raum berechnet werden, beliebe man sich an die Verlagshandlung in Bremen oder die Expedition in Hamburg oder die Redaktion in Bonn zu wenden.

Frühere, komplete, gebundene Jahrgänge v. 1872, 1874, 1876, 1877, 1878, 1879, 1880, 1881, 1882, 1883, 1884, 1885 sind durch alle Buchhandlungen, sowie durch die Redaktion, die Druckerei und die Verlagshandlung zu beziehen. Preis ℳ 5; für letzten und vorletzten Jahrgang ℳ 3.

Zeitschrift für Seewesen.

No. 25. HAMBURG, Sonntag, den 12. December 1886. 23. Jahrgang.

Inhalt:

Die Unfallversicherung für Seeleute.

II.

Aus verschiedenen Zuschriften von nah und fern glauben wir eine freundschaftliche Warnung herauslesen zu sollen, dass, wenn wir uns gegen eine Unfallversicherung für Seeleute *überhaupt* erklären, wir damit unserm berechtigten und gern willkommen geheissenen Widerstande gegen diese bestimmte Gesetzesvorlage die Spitze abbrechen. Wir glauben in diesem Punkt einfach *missverstanden* zu sein, und den Antrag auf «nicht schuldig» stellen zu dürfen. Vielleicht erledigt die Einrede am sichersten der Hinweis auf die nächsten Bekannten und Freunde, welchen längst zur Versicherung gegen See-Unfall aller Art geraten war. Das geschah aber *freiwillig*, in voller Erkenntniss der Zweckmässigkeit und Notwendigkeit den an sein Geschick Gebundenen gegenüber, und dieser Weg ist für Jedermann frei und gangbar. Allerdings finden wir die Prämien einer gewissen deutschen Gesellschaft unverhältnissmässig hoch, aber da die Forderungen der Gesellschaften sehr verschieden sind, z. B. die *Lebensversicherungsgesellschaft* «New-york» weit niedrigere Prämien verlangt, und viele engherzige Klauseln deutscher Gesellschaften gar nicht kennt, so wäre das seefahrende Publikum nur des nähern aufzuklären, um eine geeignete Wahl zu treffen. Es ist nun schon so oft hervorgehoben, dass der freie Entschluss des Versicherungnehmers und die freie Wahl der versichernden Gesellschaft besser sei als der staatliche Zwang zur Versicherung unter staatlicher Leitung, dass wir darauf nur ungern zurückkommen. Denn mit unserem Bekenntniss, dass auch in diesem Fall mit der Freiheit, oder auf deutsch mit dem sog. «laissez faire», «laissez aller» es durchaus nicht allein gethan ist, sondern ein gewisser staatlicher Eingriff recht wohl begründet, angeraten und aufrecht erhalten werden darf, werden wir wahrscheinlich wieder einen alten Vorwurf gegen unsern gegenüber den Steuervorlagen eingenommenen Standpunkt wachrufen, dass mit unsern auch in dieser Hinsicht keineswegs radikalen, oder sagen wir manchesterlichen Gesinnungen die Hansa unter «falscher Flagge» segele, einen Vorwurf, den wir uns freilich angesichts der thatsächlichen Umstände leichten Mutes ferner gefallen lassen werden.

Also nicht gegen *eine* Unfallversicherung für Seeleute überhaupt, und selbst nicht gegen eine *vom Staate in passender Weise beaufsichtigte* Unfallversicherung derselben wenden sich unsere Einreden, sondern vielmehr *gegen diese bestimmte Vorlage*, welche wie aus vielfachen positiven und negativen Andeutungen der Tagesblätter deutlich hervor schimmert, obendrein gegen den warnenden guten Rat der «technischen Kommission für Seeschiffahrt» ausgearbeitet, seitdem von allen Küstenblättern *einhellig angegriffen* worden ist, und jetzt im Bundesrat von den *Vertretern der Seestaaten* als den Nächstbeteiligten und Sachkennern in ihren anstössigsten Artikeln *ebenfalls bekämpft zu werden scheint*. Diese sind aber u. E. von uns schon ziemlich deutlich herausgehoben, so dass wir nur mit wenig Worten darauf zurückkommen brauchen.

Die Vorlage enthält mit dürren Worten die *Zumutung an die Rhedereien*, für den Kopf der auf ihren Schiffen bediensteten Mannschaften ca. 32 ℳ Versicherungsprämie alljährlich einzuzahlen; für eine kleine Bark mit 12 Mann Besatzung würde das schon ca. 400 ℳ jährlich ausmachen. Alles in Allem zählt unsere Kauffahrteiflotte noch ca. 36900 Mann; die Motive sollen im Durchschnitt der ersten 17 Jahre einen Beitrag der Rhedereien von 1 288 161 ℳ herausrechnen, welcher sich nach geraum doppelt so viel Jahren schon auf 2011 800 ℳ steigern wird. Nichts natürlicher als dass die Rhedereien sich nach Gründen umsehen, warum *sie allein* diese Mehrbelastung tragen sollen, und dass sie unter gerechter Erwägung der Umstände dahin kommen, der Vorlage den Vorwurf zu machen, dass sie die Seeleute selber von der Beitragspflicht ganz entbindet, und die ganze Last einseitig den Rhedereien aufbürdet. Da die Unfallversicherung für Seeleute nur eine Fortsetzung der [illegible] Unfallversicherung für Landbetriebe ist, so durfte man auch erwarten dass ähnliche Leitmotive festgehalten worden seien, das ist aber mit nichten geschehen. Im grellen Gegensatze zu den Industrietreibenden am Lande, wo die Arbeitnehmer jetzt ²/₃ der Krankenversicherungskosten zu decken haben, müssen die Rhedereien bereits seit vielen Jahren die ganze Krankenversicherung allein übernehmen und ausserdem dem erkrankten Seemann die volle Heuer während der Krankheit vergüten. Die Verpflegungskosten sind noch 3 bezw. 6 Monate nach dem Verlassen des Schiffs weiter zu zahlen und kommen da Fälle vor, das ein Schiff für einen Mann 600, ja 1400 ℳ einschliesslich der Reisekosten zu zahlen hatte. Angesichts solcher bereits übernommenen Lasten, welche die Landbetriebe einfach nicht kennen, ist es doch mehr als gerechtfertigt, dass neue Lasten nicht blos dem leidenden, sondern auch dem geniessenden Teil aufgebürdet werden. In diesem Punkt bleiben wir unentwegt feststehen, und ist das ganze Gesetz für uns einfach unannehmbar, wenn diese Beitragspflicht nicht nach gleichen Gerechtigkeitsgrundsätzen geregelt wird, und namentlich den **Rhedereien der kleinen hölzernen Segelschiffe ihre Fortexistenz nicht völlig unmöglich gemacht wird.** *)

Wir haben freilich in Aussicht gestellt, dass die *zukünftigen Löhne*, um die Unbill der Vorlage auszugleichen, entsprechend, etwa um 3 ℳ monatlich, würden *herabgesetzt* werden. Ja, das ist aber doch nur cum grano salis, will sagen, bedingt zu verstehen. Allen Patriotismus und jede Gefühlspolitik in Geschäftssachen einmal bei Seite gesetzt, wer bestimmt denn die Höhe der Monatsgagen? Etwa der Wille der Rheder allein? Womit soll der durchgesetzt werden! Das Anheuern der Seeleute geschieht ja auf offenem internationalen Markt, im freiesten Angebot der Welt, und beruht die Heuer auf einer Uebereinkunft zweier gleich freier Parteien. Der Hamburger Matrose, dem die Hamburger Heuern nicht gefallen, meldet sich nach Bremen oder Stettin, oder Hull und London, und der Hamburger Rheder, der die Hamburger Heuern nicht zahlen will, lässt sich von denselben Plätzen andere, deutsche oder fremde Leute kommen. Das geschieht schon jetzt alle Tage, und würde eine absichtlich geplante Herabsetzung der deutschen Heuern unsere Märkte nicht wohl der Gefahr preisgeben können, dass sie jeweilig von sich anbietenden Mannschaften entblösst würden, so dass der Erfolg der allerdings natürlich erscheinenden Massregel so ganz sicher nicht zu nennen ist. Ebenso wenig glauben wir freilich an die Wirkung des Gesetzes, dass es die *deutschen Matrosen* zunächst alle den heimischen Rhedereien wieder *zuführen würde*. Das *Gros* der unter das Versicherungsgesetz fallenden Seeleute besteht aus *Matrosen*; die deutschen Matrosen, welche der heimischen Flagge jährlich Lebewohl sagen und sich auf fremde Schiffe vermieten, unternehmen diesen Schritt ganz gewiss nicht wegen einer kleinlichen Heuerdifferenz von 3 ℳ monatlich, sondern aus viel triftigern, in ihren Augen wenigstens richtigern Gründen; sie wollen 1 bis 1½ £ monatlich mehr verdienen und oft noch viel mehr, sie wollen fremde Sitten, fremde Eigenart, fremde Sprachen lernen, um nicht Gründe zu nennen, welche uns die Liebe zum Vaterlande wiederzugeben verbietet.

Dass solche Matrosen bloss wegen der Deckung durch die Unfallversicherung zur heimischen Flagge zurückkehren sollten, können nur binnenländische [illegible] neuen Zuwachs für unsere Kriegsmarine zu erwarten, oder anzunehmen, dass die Kriegsmarine hieraus Veranlassung nehmen sollte, der Vorlage freundlich gegenüberzustehen, scheint uns ebenfalls am Ziel vorbeizuschiessen.

Wir haben so eben angenommen, dass die Matrosen das Gros der Seeleute bilden, welche mit den Wohlthaten der Vorlage bedacht werden sollen. Die Annahme wird gerechtfertigt sein, nicht aber etwa der Schluss, dass mehr als die Hälfte der Mannschaften unverheiratet sei; im Gegenteil weisst die Statistik nach, dass *etwas mehr als die Hälfte unserer Seeleute, 52 % etwa, Frauen haben*, während freilich unter den an Betrieben am Lande Beteiligten volle 88 % verheirathet sind, also hier ein weit grösserer Antrieb zur Versicherung zu Gunsten der Angehörigen obwaltet. Aber diese 52 % unserer Seeleute, welche jährlich ca. 200 Wittwen und ca. 380 Kinder unter 15 Jahren zurücklassen, sind wiederum meistens soweit in den Jahren, dass sie mit dem Dienst in der Marine *nichts mehr zu thun* haben; es wird also auch nach dieser Richtung hin ein wahrnehmbares Interesse der Kriegsmarine schwerlich anzunehmen sein.

Soviel ist aber thatsächlich gewiss, und das spricht deutlicher als alles andere gegen diese durchaus unzeitgemässe Vorlage, dass *noch niemals der Andrang ausländischer Schiffsleute zum deutschen Markt grösser gewesen ist, als gerade jetzt*. Wie in dieser Zeitschrift bereits zum öftern erwähnt ist, haben augenblicklich in England so grosse Massen von Schiffen aufgelegt, dass englische Matrosen zu Tausenden müssig in den Hafenstädten umherlungern, und, zumal da sehr viele englische Schiffsführer deutsche Matrosen den englischen vorziehen, zu jedem Preise Heuern auf deutschen Schiffen annehmen. Wenn jetzt in Hamburg Vollmatrosen zu 42 ℳ, Untersteuerleute zu 55 bis 56 ℳ, beste Obersteuerleute zu 80 ℳ, Zimmerleute zu 50 ℳ, Köche zu 60 bis 65 ℳ zu heuern sind, so weiss jeder Kundige, dass diese Löhne, gegen die von 1885 gehalten, einen Rückgang von 20 % bedeuten. Die Prämie auf die Auswanderung vom heimischen Heerd braucht also gar nicht durch diese neue Vorlage erhöht zu werden, sie ist durch die Geschäftslage der Welt schon so hoch hinaufgetrieben, dass dagegen selbst die günstigsten Prophezeiungen der Schwärmer für das Gesetz in Schatten treten müssen.

Um so mehr haben wir das Recht, für jetzt uns gegen diese Vorlage ablehnend zu verhalten.

Um jedoch nicht blos von diesem knappen verneinenden Standpunkte aus das Gesetz einfach zu entkennen, wollen wir gern andeuten, wie die von uns geforderte Beitragspflicht der Seeleute vielleicht zu umgehen wäre. Wir greifen zur Vergleichung wieder auf das bestehende Unfallversicherungsgesetz für Landbetriebe zurück und sagen, *entweder soll, wie dort geschieht, der Seemann mitzahlen*, oder *es muss seine Invaliditätsrente um ⅓ niedriger als auf dem Lande üblich ist, gestellt werden* und ebenso die der nachgebliebenen Wittwen und Waisen, *und jedenfalls muss bei Bemessung der Rente nicht die Beköstigung an Bord zu Gelde gerechnet werden*. Diese Forderung erscheint uns als Abschlagsforderung so billig, dass

* (Anm. d. Red. Die Thronrede zur Eröffnung des Reichstags schweigt sich völlig aus über den Gegenstand, und kündigt nur an, dass ein Gesetzentwurf vorgelegt werden soll, welcher die Unfallversicherung für Seeleute angeht. Das ist allerdings kurz, wenn auch nicht sehr bündig.

der Reichstag vor derselben sich nicht verschliessen wird, falls dieser Punkt nicht schon in der Kommission angenommen wird.

Derselben legen wir ferner ans Herz, doch ja die *so höchst anstössigen Gefahrenklassen und die Ueberwachung des seemännischen Betriebes aus der Vorlage zu entfernen.* Ob letztere je mit der wünschenswerten und erforderlichen Genauigkeit durchgeführt werden könnte, steht nach allen bisherigen Erfahrungen sehr zu bezweifeln, die Gefahrenklassen sind aber ganz unmöglich einzuhalten. Da sollen z. B. klimatische Krankheiten keine Unfälle sein! Ja aber woher rühren denn die meisten Todesfälle anders als von klimatischen Krankheiten und deren Folgen? Und da denke man sich den Neid unter den Wittwen, von denen die eine, deren Mann ebenso treu gedient hat und der tückischen westindischen, oder afrikanischen, oder ostindischen Malaria, oder dem gelben Fieber von Nord- und Südamerika im Schiffsdienst zum Opfer gefallen ist, sich beklagt, dass ihr Mann ihr kein Anrecht auf Pension hinterlassen hat, während vielleicht die Wittwe eines durch eigene Unvorsichtigkeit von der Raa gestürzten Schiffsmanns entschädigt wird. Da sagen wir auch wieder, was einem recht ist, sollte dem andern billig sein, und Willkür vom Gesetz ferngehalten werden.

Zum Schluss für heute nur noch ein *Antrag!* So gern wir zugeben, dass die Vorlage mit ihren 122 Artikeln ja leidlich umfangreich geworden ist, so vermissen wir doch einen Sicherheitsparagraphen, welcher uns nach bisherigen Erfahrungen nichts destoweniger in die Vorlage hineinzugehören scheint. Das Gesetz greift ja in so viele Lebenseigentümlichkeiten der Kauffahrteischiffahrt hinein, die richtige Beurteilung der zur Cognition der Behörden kommenden Todes- und Invaliditätsfälle (beiläufig jährlich 1,55 bezw. 0,28 % der seemännischen Bevölkerung von wie oben angegeben 36900 Mann) erfordert eine so intime Bekanntschaft mit dem innern Dienst an Bord eines Kauffahrers und den dort üblichen Gepflogenheiten, dass wir nicht unterlassen können **zu beantragen, dass alle diese Fälle nur von Berufsgenossen aus der Kauffahrteiflotte abgeurteilt werden dürfen, und Niemand sonst zum Amt als Vorsitzer oder Beisitzer berufen werden darf.**

Die nächsten Aussichten für Schiff- und Maschinenbauer

auf Neubauten sind bekanntlich nicht gerade günstig zu nennen, da die Ueberproduktion in verfügbaren Schiffsräumen Neubauten auf längere Zeit einschränken wird. Desto mehr und dauernde Arbeit dürfte ihnen zugehen, sobald die Rheder zur Einsicht kommen, dass sie mit ihren veralteten Schiffen und Maschinen den Wettbewerb gegen die neuern Bauten nicht aushalten und nun sich entschliessen, namentlich neuere Maschinen einzuführen. Der Vorsitzer der Ingenieure und Schiffbauer der Ostküste Englands hat in seiner Eröffnungsrede zum diesjährigen Vereinstag dazu trostreiche Worte gesprochen.

Aus dem „Neuen Universal-Register" des Lloyd ergiebt sich, *wie* in den 6 Perioden von 5 Jahren seit 1855 die *Grösse* der Dampfer über 200 To. *zugenommen* hat, nämlich die der Dampfer von 200 bis 500 To. um das 4fache, von 500 bis 1000 To. um das 7fache, von 1000 bis 1500 To. um das 25fache, von 1500 bis 2000 To. um das 43fache, von 2500 bis 3000 To. um das 28fache, von 3000 bis 4000 To. um das 37fache, dass also die Dampfergrösse zwischen 1500 und 2000 To. sich am stärksten vervielfältigt hat. Dagegen ergiebt sich aus den zwei letzten fünfjährigen Perioden des Registers, dass die Dampfer von 3000 To. und darüber *sich am stärksten* vermehrt haben. Die *mittlere Grösse* der Dampfer hat stetig zugenommen, ausgenommen in der Zeit von 1876—80, wo sie unverändert blieb, und zwar von 753 To. in 1856—60 (ungerechnet den Great Eastern) bis zu 1437 To. in 1881—86. Eine weitere geradezu verblüffende Thatsache ist aber, dass der *schwimmende Dampfertonnengehalt* überhaupt fast zur Hälfte seit 1880 geschaffen ist, also innerhalb der letzten 5½ Jahre. Dem *Alter* nach folgen sich die Dampfer also:

von					
1856—60	einschlssl. sind	276	Dampfer v.	220 307	T. Grösse gebaut:
1861—65	»	» 655	»	» 631 984	» » » ;
1866—70	»	» 786	»	» 853 183	» » » ;
1871—75	»	» 1586	»	» 1 929 582	» » » ;
1876—80	»	» 1581	»	» 1 906 417	» » » ;
1881—86	»	» 3006	»	» 4 321 137	» » » ;

wobei aber nur ein Teil des letztgenannten Jahres in Rechnung gesetzt ist. Das macht im Ganzen 1856—86 einschliesslich 7889 Dampfer von 9 855 560 To. und mithin sind 41 % des ganzen Tonnengehalts seit 1880 erbaut, seit 1870 aber die ungeheure Zahl von 6173 Dampfern mit 8 150 086 To. Gehalt gegen nur 1716 Dampfer mit 1 705 474 To. in den vorhergehenden 15 Jahren.

Wenn man nun die gegenwärtig vorhandene Kauffahrteiflotte in *drei* Klassen zerlegt, so wird sowohl der Rheder mit Leichtigkeit erkennen, in welche Klasse seine Schiffe gehören, als auch der Schiffbauer und Ingenieur sich ein Urteil über die ihnen notwendig zufallende Arbeit zu bilden vermögen. In die *erste Klasse* gehören alle modernen Schiffe, welche noch für einige Zeit mit Vorteil fahren können, selbst wenn sie keine dreifachen Expansionsmaschinen führen. In die zweite Klasse fallen alle diejenigen Schiffe, welche neue, also dreifache Expansionsmaschinen bekommen müssen, um mit Erfolg den Wettbewerb gegen die Schiffe erster Klasse aufnehmen und fortführen zu können. Zur dritten Klasse sind die Schiffe zu rechnen, welche veraltet und die Umbaukosten nicht wert sind. Die *erste* Klasse nun wird gebildet 1. durch die seit 1880 gebauten 3006 Dampfer von 4 321 137 T., so wenig von ihnen auch mit dreifachen Expansionsmaschinen versehen sind; 2. durch die eine Hälfte der von 1876—80 gebauten Dampfer, also von 791 Schiffen mit 952 709 To., weil sie als leidlich ökonomisch anzusehen sind und noch keiner neuen Maschinen bedürfen, — das macht zusammen also:

I. Klasse......3797 Dampfer von 5 273 846 To.

Zur *zweiten* Klasse sind zu rechnen die zweite Hälfte der Boote von 1876—80, ferner alle Schiffe von 1871—75 und 25% der von 1866—70, zusammen:

II. Klasse......2573 Dampfer von 3 089 536 To.

den Rest bildet dann die

III. Klasse.....1519 Dampfer von 1 492 178 To.

Man erhält nun ein der Wirklichkeit sich näherndes Bild, wenn man nur die zweite Klasse als das künftige Arbeitsfeld der Schiff- und Maschinenbauingenieure sich denkt. Wenn auch nur die eine Hälfte derselben neue Maschinen und Hochdruckkessel bekommt, so giebt dies für 1286 Dampfer von 1 544 768 To. eine Arbeit im *Wert* von 5 Mill. £, und dazu noch 1 Mill. £ für die Schiffbauer, während der Umbau der Maschinen für die andere Hälfte mindestens 3 Mill. £, die Schiffsarbeit 500 000 £ erfordern würde. Das gäbe im Ganzen *eine Arbeitsleistung im Wert* von 9 500 000 £. Und wenn sein Urteil als massgebend anerkannt würde, (Das dürfte nun nicht so ohne weiteres geschehen, da hier die Post-, Passagier- und Frachtdampfer, deren Tonnengehalt einen besonders grossen Beitrag zum Ganzen liefert, unterschiedlos durch einander gerechnet sind. Die Red.), so sollten diese 9½ Mill. sofort angelegt werden, damit diese Schiffe den Wettbewerb mit der ersten Klasse aushalten könnten.

Es entsteht nun die Frage, *ob es sich lohnen wird.* Schätzt man die Maschinenkraft dieser 2 573 Dampfer zu 1 730 000 P.-K., und den Kohlenverbrauch zu 2½ *#* für 1 P. K. und 1 Stunde, und letztere Annahme dürfte hinter der Wirklichkeit zurückbleiben, und nimmt ferner im Jahr 250 Tage unter Dampf an, so folgt daraus ein *Kohlenverbrauch* von 11 565 000 To. Da aber nicht stets die Dampfer mit voller Kraft fahren, so wollen wir nur 10 000 000 Tons rechnen; da aber die dreifachen Expansionsmaschinen gewiss 25 % Kohlen sparen, so würden mit ihnen ausgerüstete Dampfer *jährlich 2 Mill. Tons sparen.* Dieselben wird man leicht zu 20 sh. die Tonne rechnen dürfen, in Rücksicht auf die zu führende Mehrladung und die Anschaffungskosten der Kohle (wenn auch im nordatlantischen Verkehr wegen mangelnder Ausfracht [illegible] zu 10 sh. die Tonne zu [illegible] sein dürfte, so darf man sie auf anderen Verkehrsrichtungen um soviel höher veranschlagen) und also eine *jährliche Ersparnis von 2 Mill. £* annehmen dürfen.

Um nun den *reellen Vorteil* zu berechnen, den die allgemeine Einführung der dreifachen Expansionsmaschinen in die Schiffe der zweiten Klasse bringen würde, muss man von den auf 9.5 Mill. geschätzten Kosten der Umwandlung den Betrag abziehen, welcher so wie so für Ausbesserung der Maschinen und Kessel und der Schiffskörper aufgewandt werden müsste, um sie seefähig zu erhalten, und dieser Betrag dürfte wohl auf 3.5 Mill. zu veranschlagen sein. Dann steht einem *einmaligen Mehraufwand von 6 Millionen* für völlig neue Kessel, Maschinen und gründlich überholte Schiffskörper eine *jährliche Ersparnis von 2 Mill. £* gegenüber, welche noch vermehrt wird durch die Ersparnisse an Lohn für nicht überzunehmende 2 Mill. Tons Kohlen.

Dazu kommt noch, dass in den nächsten 10 Jahren etwa *2 500 Dampfer der ersten* Klasse neue Maschinen erhalten müssen, die nach demselben Massstab geschätzt etwa 10½ Mill. £ Kosten verursachen werden, **dass also innerhalb dieser Zeit 20 Mill. £,** d. h. **jährlich 2 Mill. £, aufzuwenden sind, um die älteren Schiffe den neuesten ebenbürtig zu machen.** Die dreifachen Expansionsmaschinen haben freilich erst angefangen sich einzubürgern, und trotzdem ist man schon zu vierfachen Expansionsmaschinen übergegangen; doch haben Rheder die letztgenannte Erweiterung des Systems nicht zu fürchten, da wenigstens bei dem gegenwärtigen Kesselbausystem, welche eine Steigerung des Drucks von 70—80 # auf 160 # ertragen hat, eine Erhöhung des Dampfdrucks nicht wol möglich ist, und von einer neuen Bauart der Kessel noch nirgendwo etwas verlautet. *N. D.*

Ueber das Laufen der Kompassrosen

von H. A. Jungclaus, Navigationslehrer.

Fängt eine Kompassrose mit grossem magnetischen Moment und daher kleiner Schwingungszeit an zu laufen, so dass nicht oder schlecht danach gesteuert oder gepeilt werden kann, so sind zunächst Pinne und Hütchen zu untersuchen. Sind dieselben nicht untadelhaft, so hat man sie auszuwechseln oder zu reparieren. Läuft die Rose auch, wenn Pinne und Hütchen sich in gutem Zustande befinden, so können zunächst drei Hauptursachen des Laufens unterschieden werden. *)

1. Wenn die Deviation eines Kompasses an einem Orte durch Kompensation möglichst klein gemacht ist, wird sie doch mit einem Wechsel der magnetischen Breite wieder grösser werden. Dann wird auf einem beliebigen Kurse eine gewisse Deviation vorhanden sein, auf einem benachbarten Kurse, auf den das Schiff giert, eine andere. Damit ist dann eine Drehung der Rose verbunden, die mit der, welche durch Reibung auf der Pinne entsteht, die Rose in Bewegung bringen kann.

2. Wenn der Krängungsfehler auch an einem Orte genau aufgehoben wäre, so würde er bei Veränderungen der magnetischen Breite doch sofort wieder erscheinen. Bei den weitaus meisten Kompassen wird dieser Fehler nicht kompensiert. Legt sich das Schiff nach einer Seite über, so verlegt sich die Komponente der magnetischen Kraft des Schiffes, welche bei vierkanter Lage senkrecht auf die Rose wirkt und deshalb keine Drehung derselben hervorbringt, nun nach der Luvseite und zieht, wollen wir sagen, weil es meistens der Fall ist, das Nordende der Kompassnadel an sich, wodurch die Rose in eine entsprechende Drehung kommt. Nach wenigen Sekunden richtet sich das Schiff wieder mehr auf oder neigt sich gar nach der andern Seite, wodurch der anziehende Punkt nach der nunmehr hohen Schiffsseite vom Kompass verlegt wird. Die Rose erhält dadurch einen Antrieb, sich nach einer Richtung zu drehen, die der ersten entgegengesetzt ist. So geht es bei rollendem Schiffe unaufhörlich weiter, jede Neigung giebt der Rose neuen Antrieb sich zu drehen.

3. Auch bei der saubersten Arbeit wird eine Kompassnadel nie ganz gleichmässig gearbeitet sein, nämlich dass für jedes Teilchen derselben ein genau gleiches in gleicher Entfernung an der entgegengesetzten Seite vom Centrum vorhanden ist. Das Trägheitsmoment einer Rose wird, auch wenn sie gegen die Schwere gut im Gleichgewicht ist, doch leicht an einer Seite grösser sein als an der entgegengesetzten; je mehr Masse eine Rose enthält und auf je breiteren Raum diese verteilt ist, desto eher wird jenes der Fall sein.

Denken wir uns, das Trägheitsmoment sei an der Vorderseite grösser als an der Hinterseite, dann wird bei einem Rollen nach Steuerbord die Vorderseite zurückbleiben und die Hinterseite voraneilen, die Rose wird sich also links herum drehen. Ist diese Rollbewegung zu Ende, so schnellt die Vorderseite im Sinne der bisherigen Rollbewegung vor, durch die Bewegung nach Backbord wird der Antrieb zu der neuen Bewegung noch vergrössert und die Rose dreht sich rechts herum.

Da es leicht vorkommen kann, dass auf irgend einem Kurse die *eine* Rose ihr grösstes Trägheitsmoment an der Vorderseite hat, während eine andere im selben Ruderhause befindliche Rose dasselbe an der Hinterseite hat, so kann der Fall eintreten, dass man die eine rechts drehen sieht, während die andere links dreht.

Dass das Stampfen des Schiffes, Stösse die von der Maschine, vom Abfeuern schwerer Geschütze oder aus noch anderen Ursachen herrühren von genau gleicher Wirkung auf die Bewegungen der Kompassrose sind, ist wohl von selbst klar.

Bekommt eine Rose, deren Schwingungszeit erheblich grösser als die des Schiffes ist, einen Antrieb nach rechts herum zu drehen, derselbe möge eine Ursache haben, welche er wolle, so wird eine solche mit grosser Schwingungskraft diesem Antriebe nur langsam folgen, besonders wenn der Ruhecoefficient gross ist. Dem ersten Antriebe wird bald ein zweiter folgen, der in entgegengesetzter Richtung wirkt. Dieser muss zunächst der entstandenen Drehung entgegen wirken, dass die Rose zum Stillstand kommt und erst dann kann er sie zu der entgegengesetzten Drehung zwingen.

Denken wir uns z. B. eine Rose von 20 Sekunden Schwingungszeit auf einem Schiffe, welches 10 Sekunden zu einer Rollbewegung braucht (Grössere Schwingungszeiten dürften auf Handelsschiffen kaum vorkommen. Vergleiche White, Handbuch für den Schiffbau, Seite 203 pp. *Der* Schnelldampfer „Fulda" brauchte auf einer Reise zwischen New York und Bremen 5—8 Sekunden). Durch eine Rollbewegung erhalte die Rose einen Antrieb rechts herum zu drehen, sie folgt diesem auch, wenn auch erst spät und langsam. Nach 10 Sekunden kommt ein zweiter Antrieb, links herum zu drehen. Da die Rose aber 20 Sek. zu einer Schwingung braucht, so hat sie die erste Drehung resp. Schwingung erst halb vollendet. Der neue Antrieb muss also zunächst das Bestreben der Rose, ihre ganze Schwingungszeit zu vollenden, aufheben und kann sie erst dann nach links herum drehen. Wenn die Rose bei ihrer Langsamkeit kaum eine Drehung angefangen hat, wechselt der Antrieb schon wieder und die Folge ist, dass eine langsam schwingende Rose ruhig in ihrer Lage bleibt. (cf. Hansa 1885, Seite 62 und Jungclaus, Magnetismus und Deviation, pp. Seite 28 pp.).

*) cf. Jungclaus, Magnetismus und Deviation der Kompasse in eisernen Schiffen. 1887.

Denken wir uns hingegen eine Rose von nahezu gleicher Schwingungszeit wie das rollende Schiff. Durch eine Rollbewegung des Schiffes erhalte diese Rose einen Antrieb, rechts herum zu drehen, dann wird sie diese Drehung nahe gleichzeitig mit dem Schiffe vollführt haben. Die magnetische Kraft der Rose wird sie darauf in ihre Ruhelage zurückzuführen streben, desto energischer, je grösser ihr magnetisches Moment ist, und die entgegengesetzte Bewegung des Schiffes hilft dabei. Hierdurch erhält sie einen starken Antrieb, links herum zu drehen und wird schon ziemlich weit über ihre Ruhelage hinaus schwingen. Bei der nächsten Rollbewegung geht es wieder gerade so und wir sehen eine solche Rose nicht blos um einige Grade sondern um viele Striche laufen.

Wenn man von der Schwingungszeit einer Rose spricht, so meint man eigentlich damit die Anzahl Sekunden, welche dieselbe zu einer unendlich kleinen Schwingung braucht; je grösser die Schwingungen werden, desto mehr Zeit gebraucht sie dazu, genau wie das Pendel. Bei Schwingungen unter 10—15° ist diese Zunahme noch sehr gering, nimmt dann aber ziemlich rasch zu. (Vergl. White, Handbuch für Schiffbau, Leipzig 1879, Seite 214.)

Nehmen wir der Einfachheit wegen an, dass das Schiff zu einer Rollbewegung immer gleich viele Sekunden gebrauche und im Anfang der Rose, die, wie gesagt, damit gleiche Schwingungszeit hat, jedesmal einen neuen Antrieb zum Laufen erteilt.

Dadurch werden die Schwingungsbögen der Rose immer grösser und dieselbe braucht dazu immer längere Zeit. Die Schwingungen des Schiffes und der Rose werden sich also mehr und mehr gegen einander verschieben und es tritt endlich der Zeitpunkt ein, dass die sich rechts herum drehende Rose vom Schiffe einen Antrieb bekommt, links zu drehen und umgekehrt. Hierdurch werden die Schwingungsbogen der Rose allmählich wieder kleiner und dieselbe wird ruhiger.

Da die Wellen, welche dem Schiffe den Antrieb zum Rollen erteilen, durchaus nicht ganz regelmässig auf einander folgen, auch die Zeit, welche das Schiff zu einer Rollbewegung braucht, nur sehr selten mit der Schwingungszeit der Wellen übereinstimmen wird, so dass ersteres stärker, bald weniger stark rollt und recht oft durch eine unregelmässig zwischen der andern laufende See aus der regelmässigen Rollbewegung kommt, so sehen wir das Spiel sich unablässig wiederholen: bald gerät die Rose in immer grössere Schwingungen, bald werden sie wieder kleiner.

Es fragt sich nun: Wie kann man eine laufende Rose ruhiger machen? Wie ich in dem kleinen in Nr. 21 dieses Jahrgangs der Hansa veröffentlichten Artikel berichtet habe, versuchte man dies früher hier allgemein durch Beschwerung der Rose, wandte aber ein falsches Prinzip dabei an, indem man das Gewicht dem Centrum zu nahe anbrachte. Einen viel besseren Erfolg würde man erzielt haben, wenn man dasselbe Gewicht am Umfange der Rose angebracht hätte, indem man einen Messing- oder Bleiring von nahe der Grösse der Rose auf dieselbe gelegt und befestigt hätte, denn dadurch hätte man das Trägheitsmoment der Rose und damit ihre Schwingungszeit sehr vergrössert. Schlagen andere Mittel fehl oder sind dieselben nicht anzuwenden, so wird man immerhin einen Messing- oder Kupfer- oder Bleidraht passend zurecht biegen und hämmern können und mit etwas Lack oder dergleichen oder mittelst eines Zwirnsfadens so über oder unter der Rose befestigen können, dass dieselbe wieder im Gleichgewicht ist, wenn man sie auf die Pinne legt. Es ist selbstverständlich, dass man diesen Ring auch nicht allzuschwer zu nehmen hat, weil dann die Einstellung der Rose zu ungenau wird; auch muss man bedenken, dass bei dem grösseren Gewicht, Pinne und Hütchen leichter abnutzen.

(Schluss folgt.)

Eine Lücke im Strassenrecht zur See.

Danzig, den 19. Novbr. 1886.

Geehrte Redaktion!

Der unterzeichnete See-Schiffer-Verein erlaubt sich nachstehend auf eine zwar schon längst empfundene, aber noch nie genügend berücksichtigte *Lücke in dem „Strassenrecht auf See“* aufmerksam zu machen, deren Abhülfe von dem Schiffahrt treibenden Publikum jedenfalls mit Freuden begrüsst werden würde.

Es ist hier nämlich das gänzliche Fehlen einer Bestimmung im obigen Gesetze ins Auge gefasst, die für die Fischer, welche ihre Netze aus haben resp. vor ihren Netzen segeln oder treiben, das Führen von Abzeichen bei Tage anordnet, damit Schiffe, die sich in ihrer Nähe befinden, auch bei Tage sofort unterscheiden können, ob der in Sicht befindliche Fischer sein Netz aus hat oder nicht; im erstern Falle wird das unter Segel befindliche Schiff dem Fischer unter allen Umständen ausweichen, im andern Falle wird der Fischer denselben Vorschriften über das Ausweichen zur Verhinderung eines Zusammenstosses unterworfen sein, wie andre Segelschiffe.

Bei Nacht lässt sich aus den Signallichtern der Fischer sofort erkennen, ob sie ihre Netze aushaben; schwieriger aber und häufig unmöglich ist dieses bei Tage; und doch kann es von der grössten Wichtigkeit für den wachhabenden Offizier eines entgegenkommenden Schiffes sein, darüber sofort Gewissheit zu haben, weil die von ihm auszuführenden Manöver zur Abwendung eines Zusammenstosses einem Fischer mit Netz und einem Fischer ohne Netz gegenüber häufig ganz entgegengesetzt sein können.

Segelt ein Schiff bei klarem Wetter im raumen Fahrwasser und hat es auch nicht viele andre Schiffe bei sich, so wird der Führer desselben auch bei Tage gewöhnlich keine grosse Schwierigkeit darin finden, bei einem oder einigen in Sicht befindlichen Fischern rechtzeitig zu beurteilen, ob sie mit ihren Netzen segeln oder ob sie ihre Netze aufgeholt haben, indem der betreffende Offizier dann Zeit genug hat, die letztern längere Zeit zu beobachten und festzustellen, in welcher Richtung und in welchem Zeitmass sie ihre Stellung seinem Schiffe gegenüber verändern. Anders verhält es sich aber bei dickem, diesigem Wetter, wenn keine Zeit dazu ist, den oder die plötzlich in Sicht gekommenen Fischer längere Zeit zu beobachten, sondern es darauf ankommt, sofort einen Entschluss darüber zu fassen, mit welchem Manöver einer etwaigen Gefahr des Zusammenstossens vorgebeugt werden kann.

Gerade in den Meeresteilen, in denen man grosse Fischerflotten am häufigsten antrifft, dem südlichen Teil der Nordsee und dem englischen Kanal, ist auch dickes, diesiges Wetter sehr häufig, und jeder Seemann, der in diesen Gewässern einige Jahre gefahren hat, wird es oft genug erlebt haben, dass er sich bei solchem Wetter plötzlich von einer Fischerflotte umringt sah und er eine Zeit lang in einer grössern oder geringern Gefahr schwebte, mit derselben in Kollision zu geraten, weil sich eben nicht im Augenblick feststellen liess, ob und welche Fischer ihr Netz aus hatten und welche frei ohne Netz umhersegelten. Es wird in solchen Fällen auch bei dem fähigsten Schiffsoffizier doch immer ein Zufall oder eine Glückssache bleiben, ob er eine solche Lage richtig beurteilt und demgemäss das richtige Manöver ausführt. Dieser Uebelstand sollte beseitigt werden, der Fischer, welcher sein Netz aus hat und von allen ihm begegnenden Schiffen erwartet, dass sie ihm aus dem Wege steuern, der sollte auch bei Tage ein äusseres Erkennungszeichen führen; ebenso gut wie Segel- und Dampfschiffe, wenn sie nicht manövrirfähig sind, dieses durch das Aufheissen von 3 Bällen anzeigen, so sollten auch Fischer, wenn ihre Manövrirfähigkeit durch das Netz behindert ist, ein ähnliches Signal, vielleicht einen Ball am vordersten Stag aufheissen resp. führen.

Wir verkennen nun zwar keineswegs die Schwierigkeit, welche damit verbunden ist, ein erst kürzlich eingeführtes internationales Gesetz zu ändern, dennoch ersuchen wir die geehrte Redaktion der „Hansa“, unsern Artikel in ihrer geschätzten Zeitschrift zu publiziren, und rechnen auf die Unterstützung derjenigen Nautiker und Freunde des Seewesens, welche mit uns eine und dieselbe Meinung über den besagten Gegenstand haben. Andererseits wird es uns auch lieb sein, die Gegner unseres Vorschlags zu hören und sind wir bereit, Beispiele von Zusammenstössen anzuführen, welche sicher vermieden worden wären, wenn ein Gesetzesparagraph, wie wir ihn empfehlen, damals existirt hätte.

Mit besonderer Hochachtung
Der Vorstand des Danziger „Seeschiffer-Vereins“
Carl Lamm.

Die maschinenschwachen Dampfer

scheinen nachgerade eine ständige Rubrik in den in China erscheinenden Blättern geworden zu sein. Es dürfte auch schwerlich ein Meer geben, wo solche maschinenschwache Schiffe weniger am Platz sind als das chinesich-japanische Meer. Unter gewöhnlichen Umständen weht Jahr aus Jahr ein mit halbjährlichem Wechsel der oft recht steife NO- bezw. SW-Monsun, gegen welchen diese Dampfer dann oft nur mit 2, 3, 4 Sm. Fortgang aufkommen. In den Taifun-Monaten, und diese bilden die grössere Hälfte des Jahres, sind diese lahmen Schiffe erst recht schlimm daran. Ein Hauptvorteil, welcher in solchen Sturmwettern ein Dampfer vor dem Segler voraus hat, beruht in der Freiheit seiner Bewegungen, so dass er ohne weiteres nach gehöriger Peilung des Centrums und annähernder Schätzung der Richtung von dessen Fortbewegung sich einen Kurs wählen kann, der ihn möglichst rasch aus der gefahrdrohenden Nähe des Centrums fortführt. Was hilft aber alle Kunst, Geschicklichkeit und Erfahrung des Kapitäns, wenn sein Schiff in dem unvermeidlich höhern Seegang und bei dem immerhin doch schon starken Wind nicht von der Stelle zu bringen ist. Es ist wahr, es bedarf geringer Kraft, um ein Schiff von z. B. 1000 To. bei schlichter See mit 8—9 Meilen Fahrt durchs Wasser zu drängen, und mag eine solche *stete* Geschwindigkeit für Frachtdampfer völlig ausreichend sein. Aber die Maschinenkraft sollte damit noch nicht völlig erschöpft sein, und einem gelegentlichen durch Luft oder See gebotenen höhern Widerstande gegenüber nicht völlig lahmgelegt sein. Das ist aber thatsächlich mit vielen in der Chinafahrt beschäftigten Dampfern der Fall, die mit 80 P. K. und ca. 1000 To. Wasserverdrängung hinausgeschickt sind, um Geld zu verdienen. Hier scheint immer deutlicher ein innerer Widerspruch sich zu offenbaren. Diese Schiffe, kaum den gewöhnlichen Umständen gewachsen, sind aussergewöhnlichen Zufällen gegenüber mehr oder weniger wehrlos, und büssen diese an der ganzen Küste bekannten Eigenschaften mit der Einbusse an Beschäftigung, welche sich in niedrigern Frachtraten oder seltenern Chartern ausprägt. Seit die starken deutschen subventionirten Dampfer thatsächlich sofort auf der ersten Reise gezeigt haben, wie man mit ihnen einen so gefährlichen Taifun wie den vom 14. Aug. d. J. durchwettern kann, in welchem eine Anzahl schwacher Schiffe verloren gegangen, havarirt, mindestens Tage lang aufgehalten sind, während der Postdampfer stolz den Taifun durchfuhr, ist die Verstimmung unter den chinesischen Verfrachtern in stetem Zunehmen, und dem entsprechend die Niedergeschlagenheit unter den Schiffsführern. Da hilft nichts als eine neue Maschinirung. Abstossen der alten für andere Verhältnisse ausreichenden Maschinen und Ersatz durch um 30 % kräftigere. Der Andrang von neuen Schiffen zur Chinafahrt ist ein zu grosser, als dass man dem vermehrten Wettbewerb mit untergeschlagenen Armen zusehen dürfte. Da alle neuen Dampfer wenigstens mit Compound-, viele aber schon mit dreifachen Expansionsmaschinen hinausgingen, so sind der Umwandlung in stärkere Maschinen die Wege dadurch geebnet, dass man in den meisten Fällen mit dem Umtausch der einen Cylinders und Kessels die Verstärkung wird durchführen können, ein verhältnismässig geringes Opfer, welches sich bald durch häufigere und reichlichere Frachten bezahlt machen würde. Aber nur nicht lange gezaudert, denn jeden Tag häufen sich die Misserfolge für die jetzigen *maschinenschwachen Dampfer.*

Germanischer Lloyd.

Deutsche Handels-Marine: Seeunfälle vom Monat Okt. [illegible], soweit solche bis zum 15. Novbr. cr. im Central-Bureau des Germanischen Lloyd gemeldet und bekannt geworden sind.

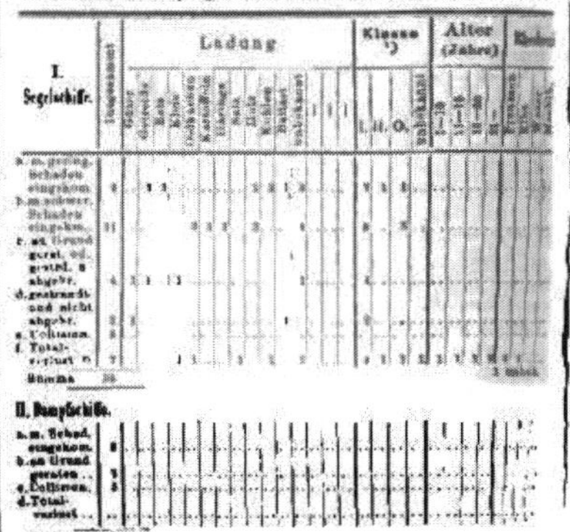

I. Segelschiffe	Insgesammt	Ladung	Klasse *)	Alter (Jahre)	[illegible]
a. m. gering. Schaden eingekom.	[illegible]	[illegible]	[illegible]	[illegible]	[illegible]
b. m. schwer. Schaden eingekom.	[illegible]	[illegible]	[illegible]	[illegible]	[illegible]
c. a. Grund gerat. od. gestrand. u. abgebr.	[illegible]	[illegible]	[illegible]	[illegible]	[illegible]
d. gestrandet und nicht abgebr.	[illegible]	[illegible]	[illegible]	[illegible]	[illegible]
e. Collision	[illegible]	[illegible]	[illegible]	[illegible]	[illegible]
f. Totalverlust	[illegible]	[illegible]	[illegible]	[illegible]	[illegible]
Summa	[illegible]	[illegible]	[illegible]	[illegible]	[illegible]

II. Dampfschiffe	Insgesammt	[illegible]
a. m. Schad. eingekom.	[illegible]	[illegible]
b. an Grund geraten	[illegible]	[illegible]
c. Collision	[illegible]	[illegible]
d. Totalverlust	[illegible]	[illegible]
Summa	[illegible]	[illegible]

*) Soweit zu ermitteln, Klasse einer Schiffsklassifizirungs-Gesellschaft O. = keine Klasse. Umgekommene Seeleute: 15.

*) Tonnengehalt von [illegible] Schiffen [illegible] Tons.

BERLIN, d. 18. November [illegible]

Die berüchtigten neuen Zollgesetze in Laguna,

welche wir in unserer No. 21 erwähnten, lauten nach dem dort angezogenen uns nachträglich mitgeteilten Auszuge in den die Schiffsführer besonders interessirenden Artikeln, wie folgt:

Art. 28 „Die Schiffsmanifeste müssen enthalten die Namen des Bestimmungsorts, des Kapitäns, die Gattung des Schiffes ob Bark, Brig oder Schuner, sowie Namen, Nationalität und Ladefähigkeit in Reg.-Tons sowohl in Zahlen als in Schrift, und den Namen des Adressaten; wenn aber derselbe nicht bekannt ist, so kann der Kapitän an sich selber oder an Order konsigniren, indem er es ins Manifest schreibt; dann muss binnen 24 Stunden nach Ankunft des Schiffes der Name des wirklichen Adressaten auf dem Zollamt angemeldet werden.“

Im Manifest müssen ferner in Zahlen und in Schrift die Menge Tonnen Ladung (oder Ballast) bemerkt sein und deren Wert ebenfalls in Zahlen und in Schrift; überhaupt ist als allgemeine Regel festzuhalten, dass alle Zahlenbeträge und Mengen in Zahlen sowohl als in Schrift anzugeben sind; wer diese Vorschrift missachtet, dessen Schiff soll mit 10 $ für jeden einzelnen Fall gebrücht werden. Derselbe Art. 28 verlangt ferner, dass der Name des Abfahrtsorts, von dem das Schiff kommt, im Manifest angegeben werde, sowie der Tag der Abfahrt, und der Kapitän soll der Wahrheit gemäss bekennen, „er habe keine andere Waare als die vorhin genannten an Bord“, sowie „dass das Schiff zum Zwecke gesetzmässigen Handels nach den Ver. Staaten von Mexico komme.“ Kapitän möge beachten, dass das Manifest keinerlei Abänderungen, Zwischenschrift oder Korrekturen enthalten darf, weil jede Entdeckung einer solchen mit 100 $ Strafe belegt wird.

Art. 28 der Zollgesetze befiehlt: „dass der Schiffsführer dem mexikanischen Konsul, Konsular- oder Handelsagenten des Abfahrtsorts als Certifikat vier Abschriften des allgemeinen Waaren- (oder Ballast-) Manifests vorlege, welche er für den mexikanischen Hafen an Bord hat; drei Abschriften sollen im mexikanischen Konsulat oder der Handelsagentur verbleiben und eine Abschrift soll der Kapitän gehörig beglaubigt vom Konsul oder Konsular-Agent zurückerhalten nebst einer Bescheinigung, dass die Abschriften in vorgeschriebener Zahl abgegeben sind.

Art. 29 schreibt vor, dass, wenn kein mexikanischer Konsul oder dergl. im Abgangshafen vorhanden ist, der Kapitän drei

Abschriften des Manifests anfertigen und dieselben dem Zolleinnehmer des Abgangshafens oder einer andern bürgerlichen oder militärischen Obrigkeit vorlegen und sich von ihm die Richtigkeit des Manifests und den Tag der Abreise bescheinigen lassen soll, sowie dass kein mexikanischer Vertreter sich am Ort befindet. Nach regelrechter Beglaubigung soll der Kapitän die Abschriften wieder an sich nehmen, und eine derselben im Briefumschlag sofort an den Secretario de hacienda, Mexico, und eine zweite im Briefumschlag an den Zolleinnehmer (Collector of Customs) seines Bestimmungshafens absenden, wobei auf dem Umschlag der Tag der Abgabe an die Post zu vermerken ist; jeder dieser Briefe ist „eingeschrieben“ abzugeben und der Kapitän muss den Empfangschein der Post, welcher den deklarirten Inhalt und die Adresse angiebt, nebst der in Händen habenden dritten Abschrift bei Ankunft im Bestimmungshafen sofort dem Zollbeamten überliefern.

Eine Uebertretung dieser Vorschriften kann dem Schiff eine Strafe bis zu 500 $, und wenn gar kein Manifest überhaupt vorhanden ist, bis zu 1000 $ zuziehen.

Art. 31 schreibt vor, dass bei Ankunft im Hafen der Kapitän dem Zollbeamten das Manifest nebst den konsularquittungen über die oben erwähnten Abschriften vorlege, und ausserdem ein Verzeichnis der Lebensmittel sowie, wenn welche da sind, der Passagiere und deren Gepäck; über die Ablieferung dieser Schriftstücke soll der Beamte eine förmliche Empfangsbescheinigung ausstellen, welche der Kapitän auf Verlangen jederzeit vorzulegen hat.

Es ist durchaus erforderlich, dass der Kapitän einen gut beglaubigten Gesundheitspass vom letzten Hafen mitbringe.

Der Kapitän bemerkt am Schluss noch, dass diese Bestimmungen höchst wahrscheinlich binnen kurzer Zeit wieder abgeändert werden, dass aber Kapitäne schwerlich etwas besseres thun können, als sich vorläufig bis auf weiteres nach Vorstehendem zu richten.

R. C. Rickmers †.

Die deutsche Rhederei und Geschäftswelt hat einen schweren Verlust zu beklagen. In Bremerhaven, der Stadt, welche er so zu sagen mit gegründet hat, deren Wachsen und Gedeihen er mit hingebendster Bürgertreue sein ganzes Leben hindurch hat fördern helfen, und die allen Grund hat, seiner für immer in Dankbarkeit zu gedenken, starb im hohen Alter von 80 Jahren am 27. Novbr. der Kommerzienrat R. C. Rickmers, Schiffbauer von Jugend auf und durch erfolgreichen Schiffbau und Rhedereibetrieb demnächst einer der grössten Grossindustriellen der Nordseeküste. Helgolander von Geburt, kam er mit 26 Jahren im eigenen Boot, seiner ganzen Habe, aber mit hellen Augen und gesunden Armen ausgerüstet, nach dem kaum erst 100 Einwohner zählenden Bremerhaven. Um allein die ersten Mühen der zu erringenden bürgerlichen Existenz zu überwinden, hatte er seine ihm erst vor kurzem angetraute Frau auf der Heimatsinsel zurückgelassen, wusste sich aber als Boot- und Schiffbauer derartig Arbeit und Geltung zu verschaffen, dass er sie schon im nächsten Jahre nachfolgen lassen konnte, als er sich ein eigenes Geschäft als Schiffbauer gründete, welchem er bis an sein Lebensende mit einem wahrhaft seltenen Geschick und genialem Scharfblick in die fortschreitende Entwickelung dieses Gewerbes vorstand. Die für deutsche, ausländische, bald auch für eigene Rechnung gebauten Schiffe des „alten Rickmers“ sind in allen Schiffslisten zu finden, und haben seinen Namen über die ganze Erde getragen. Da er die Gewohnheit hatte viel zu reisen und sich in der Fremde umzuschauen, so erkannte er zuerst mit zutreffender Findigkeit, dass der Reis nicht die ihm gebührende Rolle als Volksnahrungsmittel in Deutschland spielte, und machte nach gehöriger Umschau in England Bremen zum deutschen Stapelplatz für diesen Artikel, erbaute daselbst eine grosse Reisschälfabrik und in Münden bald darauf eine gleich bedeutende Reisstärkefabrik. Die von der Firma R. C. Rickmers bewerkstelligten kolossalen Einfuhren, teils in eigenen, teils in fremden Schiffen, haben wir in diesem Blatte schon öfters erwähnt und nur noch hinzuzufügen, dass sie noch fortwährend gesteigert sind.

Von Charakter war der „alte Herr“ ein Biedermann echten Schlages; wie so viele „selbstgemachte“ Leute stets mit offener Hand zur Hülfe Anderer bereit, dabei aufgeweckt, heitern Sinnes, scharfen Auges und nach sorgfältig erwogener Wahl kräftig entschlossen und kühn vorwärts trachtend. Dazu ein wackerer Patriot, der im entscheidenden Augenblick zu handeln verstand: so riet er 1870 seinen Helgolandern ab, doch den die Elbe und Weser blockirenden Franzosen ja keine Lotsen zu geben und erbaute ihnen nachher zum Dank für treu befolgten Rat eine neue Kirche, während er seine zweite Heimat mit einem grossartigen Krankenhause und vielen andern Stiftungen bedachte. Leider wurde er in den letzten Jahren von schwerer Krankheit heimgesucht, doch blieb sein Geist frisch und jugendlich bis zum letzten Augenblick.

Er ruhe in Frieden!

Nautische Literatur.

Canada, das Land und seine Leute. Ein Führer und geographisches Handbuch enthaltend Schilderungen über Canada unter besonderer Berücksichtigung seiner wirtschaftlichen Verhältnisse, sowie der Ansiedelung und Kolonisation, von Heinrich Lemcke, Redacteur und Verleger der „Deutsch-Amerikanischen Korrespondenz“ in Newyork. Mit zahlreichen Illustrationen und einer Karte. Leipzig, Eduard Heinrich Mayer, 1887.

Die unter Mitwirkung der jüngst eröffneten Canada-Pacific-Eisenbahn, des grössten Eisenbahn-Unternehmens der Welt, in dem ganz Europa an Fläche gleichkommenden, von der Natur mit allen Erleichterungen des Verkehrs grossartig ausgestatteten Canada sich vollziehende wunderbare Entwickelung und Umwandlung dieses gottgesegneten Landes ist es, welche dem der nordamerikanischen Verhältnisse wie wenige andere, kundige Verfasser die Feder in die Hand gedrückt hat, um dem im Titel ausführlich wiedergespiegelten Ziel nachzustreben. Die Früchte sechsjähriger in diesem Werke niedergelegter Reisen durch ganz Canada vom Osten bis nach dem fernsten Westen werden uns hier geboten in einer vollendet klaren überzeugenden Darstellung und glänzendem äussern Gewande, sowie in höchst charakteristischen gewählten Bildern. Die Geschichte und klimatischen Verhältnisse des Landes, die Reiserouten von Europa nach Canada und in dem Lande, seine Seen, Flüsse, Territorien, Städte, Kanäle, Eisenbahnen, staatlichen Einrichtungen, wechseln mit prächtigen Länder- und Städtebildern u. Schilderungen aus dem Nordwesten der Fischerei- und Jagdgebiete und schliessen endlich mit dankenswerten praktischen Ratschlägen für Auswanderer, welche auch die transatlantische Reise umfassen. Kurz, wer die 2[illegible] Seiten dieses ansprechenden Werkes durchgelesen hat wird sich so orientirt wie in seiner Heimat fühlen, und das von guten, freien Gesetzen regierte, von gedeihlich sich entwickelnden Einwohnern bewohnte Land lieb gewonnen haben.

Unterrichtsbuch, Kleines, über die Seemannskunde. Die gebräuchlichsten Begriffe derselben erläutert für Nichtseeleute. Mit 13 Tafeln in Steindruck. ℳ 0,80.

Leitfaden für den Unterricht der Mannschaften der Kaiserl. Marine. Geographische Instruktion. ℳ 0,40.

Galster, C., (Kapt.-Lieut.), Pulver und Munition der deutschen Marine-Artillerie. Mit 47 Holzschnitten im Text. ℳ 3. Berlin, E. S. Mittler & Sohn, Hofbuchh.

Ein Unterrichtsbuch für die Mannschaften der Kaiserl. Marine, welches die Kais. Admiralität kürzlich herausgegeben hat, wird um seines allgemein belehrenden Inhalts willen dem grössern Publikum gleichzeitig als ein „Unterrichtsbuch über die Seemannskunde für Nichtseeleute“ dargeboten. In der That enthält es eine Zusammenstellung und Erläuterung der für seemännische Kenntnis wichtigsten Begriffe, Belehrung über die Hauptteile und alles Zubehör der Schiffe, namentlich über Takelung und Segel, unter Beigabe zahlreicher Abbildungen (Pr. 80 Pf.) und in einem ergänzenden, einzeln käuflichen Teile (40 Pf.) die für den Seemann wichtigsten geographischen Kenntnisse.

Die grosse Mannigfaltigkeit und Eigentümlichkeit der in der Marine-Artillerie anzuwendenden technischen Formen und Mittel und nicht minder die ungemein schnelle Entwickelung derselben, die sich fortwährend steigernden Anforderungen an ihre Leistungen, die immer neuen ihr gestellten Aufgaben machen eine besondere fachwissenschaftliche Darstellung ihres Materials für das Seeoffizierkorps und das artilleristische und fachindustrielle Publikum überhaupt notwendig. Nachdem der Verfasser in seinem kürzlich in 2. Auflage erschienenen Hauptwerke die Schiffs- und Küstengeschütze der deutschen Marine abgehandelt hat, stellt er in Ergänzung dessen in einem besonderen Werke Pulver und Munition derselben dar: er beschreibt die verschiedenen Sorten des Pulvers, dessen Bestandteile und Anfertigung, dessen Verbrennung und Kraftäusserung, dessen Aufbewahrung, Untersuchung und Transport; ebenso die Geschützladungen, sämtliche Geschosse der Marine-Artillerie und schliesslich die Geschoss- und Geschützzündungen. Zahlreiche Abbildungen erläutern den Text. Das Buch bildet in Verbindung mit den „Schiffs- und Küstengeschützen“ desselben Verfassers nunmehr einen vollständigen Marine-Artillerie-Kursus.

Unser Büchertisch ist freilich noch so voll und unser Raum so beengt, dass wir uns vorläufig mit der blossen Anzeige folgender Schriften begnügen müssen:

Dr. H. Schubert, System der Arithmetik und Algebra. Potsdam, A. Stein, 1885.

Dr. O. Janisch, Aufgaben aus der analytischen Geometrie der Ebene. Potsdam, A. Stein, 1885.

Dr. H. Funke, Analytische und projectivische Geometrie der Ebene. Potsdam, A. Stein 1885.

[illegible]

Albert Benecke, Englisches Vokabular, mit Bezeichnung der Aussprache. V. Auflage. Potsdam, A. Stein, 1885.

K. Barthold, Wahrnehmungen bei der Entwickelung der Transportmittel. Berlin, Leonhard Simion 1886.

Prof. Buonaventura und Dr. Schmidt, Sprachliche Unterrichtsbriefe. Italienisch. II. Cursus, Brief 21—40. L. L. Morgenstern, Leipzig.

Transoceanische Reise S. M. Korvette „Saida" in den Jahren 1884—1886; als Beilage zu den „Mittheilungen aus dem Gebiete des Seewesens." Pola 1886.

Verschiedenes.

Gegen das Fischen mit Dampf hat sich eine grosse Fischer- und Rhederversammlung zu Hull ausgesprochen, indem sie einstimmig den Beschluss fasste, die Regierung zu ersuchen, die Verwendung von Steam-Trawlers zu verbieten, wenn sie anders wünsche, dass auch fernerhin der Nation ständige Fischnahrung zugeführt werde.

Japanische Eisenbahnen. Die erste Eisenbahn in Japan wurde im Jahre 1872 eröffnet, und Ende März 1885 besass das Land 428 Km. Eisenbahnen, welche mit einem Aufwand von 68 955 200 ℳ. erbaut waren. Im Bau begriffen sind jetzt 438 km und weitere Linien von 644 km Gesammtlänge wurden vermessen. Die erste Eisenbahnlinie war die zwischen Tokio und Jokohama, deren Bau von 1870 bis 1872 dauerte; anfänglich eingeleisig wurde sie 1880 mit dem zweiten Geleise ausgestattet. Sie hat an Transportmaterial 16 Lokomotiven, 82 Personen- und Gepäck-Waggons, 134 offene Güterwagen. Die Japanischen Eisenbahnen zerfallen in zwei Klassen, die Staatsbahnen und die Bahnen der Japanischen Eisenbahngesellschaft. An Staatsbahnen sind im Betrieb 297 km, im Bau 428 km, und weitere 200 km in Vorbereitung, während die Japanische Eisenbahngesellschaft 140 km in Betrieb hat, und zu 645 km die Vermessungen eingeleitet sind. Das ganze rollende Betriebsmaterial wurde anfangs von England beschafft, doch liefern jetzt die Regierungsfabriken zu Schinbas einen Teil desselben. Lokomotiven werden aber noch von auswärts, auch von deutschen Fabriken bezogen.

William Ruby, der älteste Schiffs- und Maschinenbauingenieur Englands ist dieser Tage gestorben. Er hat an dem Bau der ältesten Maschinen für „Dumbarton Castle", „Greenock", „Rothesay Castle" in den Jahren 1814 und 1815, wie nicht minder am Bau der Maschinen der grossen Cunard-Dampfer „Umbria" und „Etruria" mitgewirkt, und repräsentirte auf diese Art in seiner Person die Entwickelung des Schiffs- und Maschinenbaues während des ereignissvollsten Jahrhunderts, welches die Ingenieurkunst je erlebt hat.

Über die **drei Leitfeuer im Twesgatt der Weser** schreibt man uns aus Brake, dass die drei Leuchttürme für Evessand und Meyers Legde jetzt an Ort und Stelle sind. Es wird noch an der Vollendung der Türme gearbeitet, doch sollen sie erst im nächsten Frühjahr mit Leuchtapparaten versehen werden.

Die **Postbeförderung des Norddeutschen Lloyd** in Bremen erweitert sich zusehends. Kaum ist in diesem Sommer erst der deutsche Postdienst nach China, Australien und der Südsee übernommen, so hören wir jetzt von einer teilweisen Uebernahme der englischen Post nach New-York. Die drei Linien von Inman, Guion und des Norddeutschen Lloyd teilen sich vom 1. Dec. ab derartig in die englische Post, dass die Schiffe der Inman-Linie am Dienstag von Liverpool, die des Norddeutschen Lloyd am Donnerstag von Southampton und die der Guion-Linie am Sonntag von Liverpool fahren; die Liverpooler legen dann am folgenden Tage noch in Queenstown an, um letzte Briefsäcke in Empfang zu nehmen. Die englischen Blätter blicken etwas scheel auf den deutschen Wettbewerb, aber der Generalpostmeister wird wol seine guten Gründe gehabt haben.

Verlag von H. W. Silomon in Bremen. Druck von Aug. Meyer & Dieckmann. Hamburg, Alterwall 56.

HANSA

Redigirt und herausgegeben
von
W. von Freeden, BONN, Thomastrasse 9.
Telegramm-Adresse:
Freeden Bonn,
oder
Hansa Alterwall 28 Hamburg.
Verlag von H. W. Silomon in Bremen.
Die „Hansa“ erscheint jeden 2ten Sonntag.
Bestellungen auf die „Hansa“ nehmen alle Buchhandlungen, sowie alle Postämter und Zeitungsexpeditionen entgegen, desgl. die Redaktion in Bonn, Thomasstrasse 9, die Verlagshandlung in Bremen, Obernstrasse 44 und die Druckerei in Hamburg, Alterwall 28. Sendungen für die Redaktion oder Expedition werden an den letztgenannten drei Stellen angenommen. Abonnement jederzeit, frühere Nummern werden nachgeliefert.

Abonnementspreis:
vierteljährlich für Hamburg 2½ ℳ,
für auswärts 3 ℳ = 3 sh. Sterl.
Einzelne Nummern 60 ₰ = 6 d.
Wegen Inserate, welche mit 30 ₰ die Petitzeile oder deren Raum berechnet werden, beliebe man sich an die Verlagshandlung in Bremen oder die Expedition in Hamburg oder die Redaktion in Bonn zu wenden.
Frühere, komplete, gebundene Jahrgänge v. 1873, 1874, 1876, 1877, 1878, 1879, 1880, 1881, 1882, 1883, 1884, 1885 sind durch alle Buchhandlungen, sowie durch die Redaktion, die Druckerei und die Verlagshandlung zu beziehen. Preis ℳ 5; für letzten und vorletzten Jahrgang ℳ 8.

Zeitschrift für Seewesen.

No. 26. HAMBURG, Sonntag, den 26. December 1886. 23. Jahrgang.

Das Abonnement
auf unsere Zeitschrift bitten wir baldigst zu bestellen. Die Post verlangt vor Anfang jeden Quartals neue Bestellung und Vorausbezahlung.

Inhalt:

Kiel, den 14. November 1886.

Deutscher Nautischer Verein.

Viertes Rundschreiben. [1])

Beifolgend beehre ich mich, den Vereinen diejenigen Nummern der „Hamburgischen Börsenhalle“ und der „Hamburger Nachrichten“ zuzustellen, welche den vor Kurzem dem Bundesrat zugegangenen *Gesetzentwurf, betreffend die Unfallversicherung der Seeleute und anderer bei der Seeschiffahrt beteiligten Personen*, im Wortlaut enthalten. Im Bundesrat ist für die Beratung der Vorlage zunächst ein Ausschuss gebildet worden, in welchem der Hanseatische Vertreter, Herr Ministerresident Dr. Krüger, den Vorsitz führt. Es dürfte anzunehmen sein, dass die Behandlung des sehr umfangreichen Entwurfs angesichts der Schwierigkeiten der Materie dort nicht allzu schnell erledigt sein wird. Inwieweit dabei schon Aenderungen erfolgen, entzieht sich selbstredend der Beurteilung; indess lässt sich m. E. kaum annehmen, dass dieselben die eigentlichen *Grundzüge* des Entwurfs beeinflussen werden.[2])

[1]) Anm. Durch Zufall verspätet.
[2]) Anm. Soll inzwischen doch geschehen sein.

Dass der Gegenstand den Hauptpunkt der Tagesordnung unseres nächsten Vereinstages bilden wird, ist durch die Verhältnisse gegeben und entspricht auch dem in der letzten Jahresversammlung gefassten Beschlusse. Ob es notwendig sein sollte, den Vereinstag in dieser Veranlassung früher wie gewöhnlich — in der zweiten Hälfte des Monats Februar — einzuberufen, muss der weitere Verlauf der Angelegenheit lehren.

Völlig ausgeschlossen scheint es, mit bestimmten, sachlich begründeten Abänderungsvorschlägen des Deutschen Nautischen Vereins gegenüber der Vorlage so zeitig zu kommen, dass dieselben schon dem Bundesrat unterbreitet werden könnten; unserer Vereinigung bleibt vorbehalten, dem *Reichstage* die Wünsche und Anträge der deutschen Schiffahrts-Interessenten vorzutragen. Ich hoffe, dass ich mich in dieser Auffassung mit allen Einzel-Vereinen völlig einig wissen darf. Zur Vorbereitung dessen nun erlaube ich mir, für die Prüfung des Entwurfs eine Reihe von Bemerkungen folgen zu lassen, welche die wesentlichen Einzelheiten des Gesetzentwurfs, die wirklichen Kernpunkte desselben hervorheben. Diese Ausführungen decken sich, wie ich betone, in sachlicher Hinsicht zumeist völlig mit den in Frageform abgefassten Sätzen, welche für die Behandlung der technischen Kommission für Seeschiffahrt zugegangenen Gesetzesvorlage durch den vorigen Vereinstag (siehe mein 8. Rundschreiben vom 30. Januar d. J.) aufgestellt waren:

1. Bei dem *Umfange der Versicherung* ist zu beachten, dass
   a) die Minimalgrösse der in Betracht kommenden Segelfahrzeuge, wenigstens zunächst, auf 50 cbm festgestellt ist, die ganze Dampfschiffahrt dagegen einbegriffen wird;
   b) zu den unter das Gesetz fallenden Kategorien von Mannschaften, für deren Versicherungspflicht der Bezug von „Gehalt oder Lohn“ massgebend ist, auch die *Rettungsmannschaften* gehören (§ 1);
   c) die Versicherung sich auf einen Jahresverdienst bis einschliesslich 2000 ℳ erstreckt, ein höherer Versicherungsbetrag aber durch die Genossenschaft beschlossen werden kann (§ 5).

2. Rhedern und Mitrhedern ist die *Selbstversicherung* gestattet (§ 2).
3. Die *Feststellung des Jahresarbeitsverdienstes* bei den verschiedenen Mannschaftskategorien als Grundlage für die Berechnung der Beiträge wie für die Abmessung der Rentenbezüge erfolgt durch den Herrn Reichskanzler nach Anhörung der Landes-Centralbehörden *einheitlich für die ganze deutsche Küste* (§ 6).
4. Der *Umfang der Entschädigungen* bei Unfällen ist genau nach denselben Grundsätzen geregelt wie für die gewerblichen und ländlichen Arbeiter (§§ 8 u. 14).
5. Zulässig ist die *Uebernahme der Lasten aus der Seemannsordnung* resp. *dem Handelsgesetzbuch* auf die *Berufsgenossenschaft* (§ 11), deren *eine* für die gesammte deutsche Schiffahrt gebildet wird.
6. *Träger der Versicherung* sind die Rheder etc. (§ 17), womit die Pflicht zur Aufbringung der Mittel ausschliesslich von *ihrer* Seite in Verbindung steht.
7. Für jedes Fahrzeug ist im Heimatshafen ein „*Bevollmächtigter*“ zu bestellen, falls der Rheder dort nicht selbst seinen Wohnsitz hat (§ 16).
8. Die *Aufbringung der Mittel* zur Deckung der zu leistenden Entschädigungsbeiträge etc. erfolgt durch eine alljährliche *Umlage* auf die Mitglieder (§ 19).
9. Hinsichtlich der *Bildung der Berufsgenossenschaft* ist das im § 23 geordnete Stimmenverhältniss zu beachten.
10. Für die *Bildung eines Reservefonds* ist ein System von *Zuschlägen* zu dem laufenden Jahresbedarf vorgesehen (§ 25).
11. Für jedes Fahrzeug wird die durchschnittliche Zahl derjenigen Seeleute *abgeschätzt*, welche als *Besatzung* desselben erforderlich sind (§ 35).
12. Der Genossenschaft ist die Einführung von *Gefahrenklassen* überlassen (§ 36—39, ferner §§ 40—42).
13. Der § 49 sieht die *Vertretung der Versicherten* vor; die folgenden Bestimmungen (§§ 50 ff.) beziehen sich auf die Bildung der *Schiedsgerichte*, in denen die Versicherten mitzuwirken haben.
14. Die §§ 58—66 regeln die *Anzeige* und *Untersuchung* vorgekommener Unfälle.
15. *Ausländer* sind von den Wohlthaten des Gesetzes nicht grundsätzlich ausgeschlossen (§ 76).
16. Das *Umlage- und Erhebungsverfahren* beruht auf den §§ 79—87. Der § 17 erhält hierin seine Ausführung.
17. Den zeitweilig *unbeschäftigten Schiffen* gegenüber soll der § 81 eine gewisse Rücksichtnahme zulassen.
18. In umfassender Weise wendet der Gesetzentwurf der *Unfallverhütung* sowie der *Ueberwachung der Betriebe* Aufmerksamkeit zu (§§ 91—97).
19. Sehr einschneidender Art sind teilweise die Bestimmungen über die *Haftpflicht der Unternehmer* (§§ 110—112) und die *Strafandrohungen* (§§ 118—122).

Da nicht daran gedacht werden kann, auf dem Vereinstag alle einzelnen Paragraphen des Entwurfs durchzunehmen, so empfiehlt es sich wohl, die Erörterung vor Allem auf die vorstehend gekennzeichneten Grundgedanken zu richten — was die Einzel-Vereine vielleicht auch schon in ihren Vorberatungen zu beachten Gelegenheit nehmen dürften. Weitere Mitteilungen in der Sache werden gemacht, sobald diese in ein ferneres Stadium getreten ist. Die lokalen Vereine sollten aber jedenfalls keine Zeit verlieren, die Prüfung der Vorlage zu beginnen, um einem etwa notwendigen vorzeitigen Zusammentritt des Gesammtvereins gegenüber hinreichend vorbereitet zu sein. Ich bitte die verehrlichen Vorstände dringend, alle in den Vereinen beschlossenen Abänderungsvorschläge zu dem Gesetzentwurf mit kurzer Begründung mir bekannt geben zu wollen, die ich in geeigneter Form zusammenstellen und sämmtlichen Vereinen zur Kenntniss bringen würde. Aus diesem Material [illegible] diejenigen Kardinalpunkte feststellen, welche bei den entscheidenden Beschlussfassungen auf dem Vereinstage in Frage kommen müssten.

Der Vorsitzende des Deutschen Nautischen Vereins:
Sartori.

Ueber das Laufen der Kompassrosen

von H. A. Jungclaus, Navigationslehrer.
(Schluss.)

Statt durch Vergrösserung des Trägheitsmomentes kann man denselben Zweck, nämlich die Schwingungszeit und damit die Ruhe der Rose zu vergrössern, dadurch erreichen, dass man ihr magnetisches Moment oder was dem Seemann besser verständlich sein wird, ihre Richtkraft verkleinert. (Eigentlich ist dieser letzte Ausdruck nicht richtig, denn die Richtkraft der Rose setzt sich zusammen aus: 1. ihrem magnetischen Moment, 2. der Horizontal-Intensität der Erde am Beobachtungsorte und 3. λ für den anliegenden Kurs.)

Bei den sogenannten Normalrosen besteht jeder der 4 Magnete aus 2 Lamellen. Man wird die Richtkraft verringern, wenn man gewisse Lamellen wegnimmt. Zu diesem Zwecke schraube man das ganze Magnetsystem von der Rose ab, nehme von den beiden Magneten, welche dem Hütchen zunächst liegen, je eine Lamelle weg und befestige Alles wieder am alten Orte. Man braucht durchaus nicht ängstlich zu sein, dass die Rose nun nicht Richtkraft genug behält, um sich genau genug wieder einzustellen. Stellte sie sich früher am Lande nach einer Ablenkung genau wieder ein, dann wird nach Wegnahme jener zwei Lamellen der Einstellungsfehler höchstens 0,2° betragen, eine Grösse, die in keiner Weise in Betracht kommen kann.

Durch Wegnahme dieser Lamellen wird die Richtkraft der Rose meistens mehr geschwächt, als durch Wegnahme zweier Lamellen der äussern und kleinern Magnete; hingegen wird das Trägheitsmoment der Rose durch Fortlassung der innern Lamellen bei weitem nicht so viel geschwächt als durch Fortlassung von einem Paar der äusseren, denn man bedenke, dass das Trägheitsmoment einer Masse gleich ihrem Gewichte mal dem Quadrat ihres Abstandes vom Drehungspunkt ist.

Ist die Rose noch zu unruhig, dann nehme man auch ein Paar der äusseren Lamellen weg, je eine von jeder Seite. Jedoch sei man jetzt im Gebrauch der Rose vorsichtig, denn es ist möglich, dass sie sich, besonders bei kleiner Horizontal-Intensität der Erde, nicht genau genug einstellt, um das Schiff mit Sicherheit danach führen zu können. Durch Vergleichung mit einem andern Kompasse wird man leicht herausfinden, ob man die Ruhe der Rose vielleicht durch zu starke Preisgabe der Richtkraft erworben hat, oder ob dieselbe noch Richtkraft genug besitzt. Es kommt nämlich nicht selten vor, dass Lamellen sehr viel von ihrer magnetischen Kraft eingebüsst haben, und wenn gerade diese unter der Rose belassen sind, so kann deren Richtkraft zu klein werden. Man muss nicht denken, dass die Richtkraft einer Rose bei der halben Zahl der Lamellen auf die Hälfte der ursprünglichen gebracht sei. Wenn alle Lamellen vom selben Stahl und völlig mit Magnetismus gesättigt also nahe im Verhältnis ihrer Länge magnetisch sind, dann wird die Richtkraft nicht viel mehr als etwa um $^1/_3$ geschwächt werden. Die Richtkräfte werden sich also nahe wie $1 : {}^2/_3$ verhalten.

Als Beispiel erlaube ich mir, eine am 24. August 1884 angestellte Beobachtung anzuführen. Von einer Normalrose mit 2 Nadeln à 2 Lamellen fand ich K = 380,5 M = 19,87, p = 90 g, t = 10,3 Sekunden. M/p = 0,221, also recht klein. Ich legte die Rose genau magn. Ost von der Horizontal-Nadel eines Magnetometers und fand die

Ablenkung	13,2°
der westliche Magnet allein (Lamellen m & n) ergab	6,8°
„ östliche „ „ („ o & p) „	6,8°
die Lamelle m	3,7°
„ „ n	3,7°
„ „ o	[illegible]
„ „ p	3,0°

Hierauf strich ich die Lamellen einzeln auf einem Hufeisenmagneten und erzielte dann in derselben Entfernung mit der Lamelle p eine Ablenkung von .... 6,1 °
" " " o " " " .... 5,7 °
" " " n " " " .... 5,7 °
" " " m " " " .... 5,0 °
" dem östlichen Magneten (Lamellen o und p) 9,3 °
" " westlichen " (" m und n) 9,7 °
" der ganzen Rose (alle Lamellen) .... 17,1 °

Wie die Schwingungszeiten der Rose sich zu einander verhalten vor und nach Weglassung mehrerer Lamellen ist schwer zu sagen, denn dieselben verhalten sich umgekehrt wie die Quadratwurzeln aus den magnetischen Momenten, aber in geradem Verhältnis wie die Quadratwurzeln aus den Trägheitsmomenten. Man gebe sich also nicht der Hoffnung hin, dass man die Schwingungszeit auf die doppelte Anzahl der Sekunden bringen wird, dieselbe wird vielmehr nur um wenige Sekunden vergrössert werden. Welche Wirkung die Vergrösserung der Schwingungszeit von nur ein paar Sekunden auf die Ruhe einer Rose haben kann, wurde z. B. auf dem neuen N. D. Lloyd-Dampfer „Preussen" bei der Ueberführung von Swinemünde nach Bremerhaven beobachtet. Auf dem Achter-Steuerkompass lag die Rose No. 4, deren d = 254 mm, p = 17,7 g, M/p=0,175, K/p=10,17, t=17,8 Sekunden waren. Dieselbe wurde bei ziemlich starkem Stampfen von dem durch die Schraube verursachten Schütteln unruhig und bald darauf durch eine Rose No. 8 ersetzt, deren d=254 mm, p=20,8, M/p=0,113, K/p=8,61, t=20,5 Sekunden waren. Dieselbe funktionirte ruhig und stellte sich in jeder Beziehung genau genug ein.

Um alle Umstände zu besprechen, ist ferner zu bedenken, dass die Schwingungszeit einer Rose von der Horizontal-Intensität der Erde abhängig ist; $t = \pi \cdot \sqrt{\frac{K}{H\,M}}$ genauer von dem umgekehrten Werte derselben. Je grösser H wird, desto kleiner wird die Schwingungszeit, je kleiner H wird, desto grösser wird die letztere. Auf Reisen aequatorwärts wird H grösser. Wenn also in unseren Breiten eine Rose sich genau genug einstellt, dann wird sie dies weiter nach dem Aequator hin erst recht thun. Eine Rose, die bei uns ruhig geht, kann weiter nach dem Aequator hin unruhig werden, weil ihre Richtkraft zu gross und damit ihre Schwingungszeit zu klein wird. Nach den von der deutschen Seewarte herausgegebenen Karten ist H bei uns in Gaussischen Einheiten 1,8, wächst auf der Reise nach dem magnetischen Aequator bis zu 3,2, bei Kap Horn ist sie 2,6, bei Kap der guten Hoffnung 2,0; auf der Reise vom letzten Orte nach Australien kommt das Schiff in oder doch in die Nähe der 1,8 Linie; in der Nähe der Südküste Australiens ist H=2,0. Schiffe, welche diese Gewässer befahren, haben demnach die kleinste Horizontal-Intensität in unseren heimischen Gewässern; wenn die Kompasse, besser die Rosen, hier Richtkraft genug haben, haben sie anderwärts dieselbe erst recht über genug. Solche Schiffe, die nach dem weissen Meere fahren, haben beim Nordkap ein H von etwa 1,2, solche die nach dem St. Lorenzstrom fahren, ebenfalls, nur Walfisch- und Robbenfänger kommen auf ein noch kleineres H. Solche Schiffe dürfen natürlich mit der Richtkraft, besser gesagt, dem Einstellungs-Koefficienten, einer Rose nicht so weit heruntergehen, wie die nach Süden bestimmten Schiffe, bezw. sie müssen für den Gebrauch auf höheren Breiten Rosen mit grösserm magnetischen Moment in Reserve haben und diese zu geeigneter Zeit in Benutzung nehmen.

Endlich ist noch in Betracht zu ziehen, dass die Horizontal-Intensität der Erde auf einem eisernen Schiffe mehr oder weniger geschwächt wird (sie kann auf gewissen Kursen auch vergrössert sein). Ist die halbkreisige Deviation gut kompensirt, so wird diese Schwächung auf allen Kursen nahe gleich viel betragen, jedenfalls nicht gar zu viel differiren. Bei Reisen weit nach Süden, z. B. rund Kap der guten Hoffnung und rund Kap Horn tritt hauptsächlich der Aenderung von $\frac{c}{\lambda} = \operatorname{tg} J$ wegen wieder eine grössere Deviation auf und dann wird auf *einem* Kurse die Schwächung am meisten, auf dem entgegengesetzten am wenigsten betragen. Ist das letztere der Fall, dann kann es vorkommen, dass auf *einem* Kurse eine Rose recht gut geht, weil sie gerade eine passende Schwingungszeit hat und sich dabei genau genug einstellt, während sie kurz nachher auf einem anderen Kurse nicht gut functionirt, weil sie entweder zu rasch schwingt oder sich nicht genau genug einstellt, um das Schiff mit Sicherheit danach navigiren zu können.

Zuletzt ist noch die Stauung der Ladung eines Schiffes von Einfluss auf die Ruhe einer Rose, weil die Schwingungszeit des Schiffes davon abhängig ist.

Je kleiner die metacentrische Höhe eines Schiffes ist, desto ranker ist es und desto langsamer rollt es; je grösser die metacentrische Höhe ist, desto steifer ist es und desto kleiner ist seine Schwingungszeit. Aus diesen Ursachen kann es recht gut vorkommen, dass eine Rose auf einer Reise oder im Anfange derselben recht gut geht, sagen wir, wenn das Schiff gerade recht steif ist, und auf der nächsten Reise oder gegen das Ende derselben z. B. wenn die Kohlen aus den Bunkern verbraucht sind und das Schiff dadurch ranker geworden ist, nicht mehr ruhig genug.

Wie finde ich mich in diesem Gewirr von Ursachen und Wirkungen zurecht? wird der praktische Schiffer fragen. Die Antwort ist garnicht so kompliciert, wie sie auf den ersten Blick zu sein scheint. Wird eine Rose unruhig, so suche ihre Schwingungszeit zu verlängern

1. Durch Vergrösserung ihres Trägheitsmoments,
2. Durch Verkleinerung ihres magnetischen Moments,

oder lege eine Reserverose von grösserer Schwingungszeit in den Kompass, und passe immer gut auf, dass Pinne und Stein gut in Ordnung sind.

Ist der Einstellungskoefficient einer Rose, d. h. ihr magnetisches Moment im Verhältniss zu ihrem Gewicht zu klein, was der aufmerksame Schiffer leicht daran gewahr wird, dass sie den Bewegungen des Schiffes nicht schnell genug folgt, so lege eine Rose von kleinerer Schwingungszeit in den Kompass.

Die Dampfer des Norddeutschen Lloyd werden deshalb, soweit sie mit Thomson-Kompassen versehen sind, für jeden derselben mit 2 Rosen versehen, von denen die erste einen Einstellungs-Koefficienten von 0,14—0,15 und 17—18 Sekunden Schwingungszeit, die andere einen Einstellungs-Koeffizienten von 0,10—0,12 und 20—21 Sek. Schwingungszeit hat, damit je nach Umständen damit gewechselt werden kann. Liegt das Schiff bei gutem Wetter ruhig, so wird in unseren Breiten am liebsten die erste Rose gebraucht, besonders im Regelkompass. In den Tropen und bei schlechtem Wetter, wenn die starke Rose unruhig wird, gebraucht man lieber die schwächere, weil sie ruhiger geht und selbst in unseren Breiten sich noch genau genug einstellt, dass die Deviation innerhalb eines Grades danach bestimmt werden kann.

Ob eine Rose Richtkraft genug hat, kann man bei Empfangnahme derselben leicht untersuchen. Man lege sie in den betreffenden Kompass und sehe zu, wie sie sich einstellt; hierauf lenke man sie durch einen Magneten oder durch eine andere Rose etwas ab, wobei man jedoch die Vorsicht anwenden muss, den ablenkenden Magneten in der Ebene der abzulenkenden Rose zu halten, damit sie nicht in vertikale Schwingungen gerät, und beobachte wieder die Einstellung. Von 4 — 5 so erhaltenen Einstellungen nehme das Mittel, und sehe zu, wie viel jede einzelne davon abweicht. Beträgt der Unterschied bei einer solchen 1 Grad und darüber, so ist ihr magnetisches Moment für den gewöhnlichen Gebrauch zu schwach.

Läuft eine Rose mit kleiner Schwingungszeit um mehrere Strich nach jeder Seite von ihrer Ruhelage, so ist kaum auf $^1/_4$ Strich danach zu steuern; bei stärkerem Laufen wird das Steuern noch ungenauer. Eine Rose mit grosser Schwingungszeit läuft dann nur $^3/_4$ — $^1/_2$ so viel, und selbst wenn sie sich nur auf einen Grad genau einstellt, kann man doch viel genauer danach steuern und peilen, als nach jener Rose. Was hilft dem Schiffer das Bewusstsein, deine Rose stellt sich ganz genau ein, wenn nicht danach zu steuern oder zu peilen ist!

Nachtrag:

Nach älterer Ansicht sollen die Normalrosen nicht [illegible] 7 Zoll englisch [illegible] 17 [illegible] grössere Rosen wurden in Deutschland immer mit zweifelhaften Blicken angesehen. Dennoch kamen mit jedem in England gebauten Schiffe Kompasse nach Deutschland, deren Rosen 11—12 Zoll und mehr an Durchmesser hatten. Ich habe selbst gegen dieselben geeifert, und meine auch jetzt noch nicht, dass diese gewaltig schweren Rosen so besonders schön sind. Besonders nachdem Thomson seine schöne Erfindung gemacht und damit die alte Theorie über den Haufen geworfen hat, sollten dieselben doch endlich verschwinden. Zu ihrer Zeit waren dieselben indessen so ziemlich am Platze. Als ich einen englischen Kapitän fragte, warum er auf seinem schönen, neuen Schiffe noch so grosse, schwere Rosen genommen und darauf hinwies, dass nach den Untersuchungen der engl. Admiralität Rosen von 8 Zoll Durchmesser die besten seien, meinte er lakonisch: „Yes in smooth water, but not in bad weather". Der Herr hatte nicht Unrecht. Da die Marienglasplatten sehr gross und in Folge davon recht stark genommen werden mussten und ferner die langen, schweren Magnete weit von der Drehungsaxe lagen, hatte und hat eine solche Rose einen verhältnismässig grossen Ruhekoefficienten ($=K/p$). Die grossen Magnetnadeln haben nach Verhältnis ihres Gewichts ein geringeres magnetisches Moment als kleinere, deshalb haben diese Rosen einen geringern Einstellungs-Koefficienten (M/p) als die achtzölligen. Das Gesamtresultat ergiebt, dass die grossen Rosen eine längere Schwingungszeit haben und somit ruhiger gehen müssen als die kleinern, und das ist meines Erachtens die Ursache, dass sich dieselben bis jetzt trotz aller Gegenreden gehalten haben.

Fischereihäfen an der Nordsee.

Norderney, im Dec. 1886.

Die „Emder Zeitung" No. 263 bringt unterm 9. v. M. einen Artikel, *Deutsche Fischerei* betitelt, in welchem der Director der Emder Heringsfischerei, Herr Lindemann, zum Schluss bemerkt: „Auch Deutschland besitzt in Borkum ein Stück Grund, von wo aus es ganz Mittel-Europa mit Fisch versehen könnte und welches für die Fischgründe ebenso günstig liegt. Wenn dort ein Hafen gebaut würde, wo tüchtige Seefischerfahrzeuge auch mit niedrigem Wasser ein- und ausgehen könnten, dann würde Ymuiden als Fischerhafen eine bedeutende deutsche Konkurrenz haben. Es muss aber ein Hafen werden von der Süd-Westseite der Insel in tiefes Wasser hinein und nicht auf dem Watt, wie der geplante Hafen von Norddeich, wo man unter dem Deckmantel, die Fischerei zu fördern, nur die Bequemlichkeit der Badegäste für Norderney im Auge hat und unter den günstigsten Verhältnissen nur erreichen würde, dass einige Stunden pro Tag Schiffe von einem Fuss und einer Faust Tiefgang ein- und ausgehen könnten."

Diese Behauptung ist so unrichtig, als unwahr, und kann eine solche Darstellung der deutschen Fischerei nicht förderlich, sondern nur schädlich werden. Vermutlich will Her Direktor L. in Borkum den Hafen nur deshalb angelegt sehen, um die Emder Heringsfischerei dahin zu verlegen und den Heringsgründen näher zu kommen. Herr L. scheint darauf grosses Gewicht zu legen, und doch kann solche einseitige Fischerei, wie der Heringsfang, sehr gut von vorhandenen Häfen aus betrieben werden.

Die geringere Distanz kommt bei den grösseren Entfernungen der Heringsgründe nicht so sehr in Betracht; ich glaube sogar, es liesse sich sehr vorteilhaft ab Cuxhaven eine grössere Heringsfischerei betreiben, wie der jüngst verstorbene Herr Maass von Scheveningen schon vor Jahren vorschlug. Denn mit einer solchen Hülfe, wie die bis zur böhmischen Grenze schiffbare Elbe bietet, ist der Absatz schon zur Hälfte gesichert. Man weiss es ja recht gut, dass die 3 *M.* Schutzzoll durch Mehrkosten ab Emden verloren gehen.

Ein Hafenbau in Borkum würde also der Heringsfischerei sehr wenig nützen, aber für den Frischfischfang liegt Borkum durchaus ungünstig, weil die [illegible] bis zur Bahn zu weit ist; Delfzyl könnte höchstens einigen Nutzen davon haben.

Fragen Sie, Herr Director, nur deutsche Fischer von der Elbe, keiner wird Ihnen beipflichten und kein Fischer würde Borkum als Zufluchtshafen nehmen, wenn er Norderney, die Weser oder Elbe bekommen könnte. Durch haltlose Behauptungen schaden Sie einer guten Sache und ich glaube auch, Sie verstehen von der Frisch-Fischerei zu wenig. Nicht für Schiffe von „einem Fuss und einer Faust Tiefgang" wird der Hafen gewünscht; nein! hier wünscht man durch die Hafen-Anlage Norddeich zu seetüchtigeren Schiffen zu kommen, wofür wir heute keinen Schutz und keine Unterkunft haben. Auch Ihre Wattenkunde scheint sich bei Ihren grossen Seereisen wohl verloren zu haben; gestatten Sie mir darauf hinzuweisen, dass das Norderneyer Seegatt in direkter Verbindung mit dem bedeutenden Busetief steht, welches genügende Tiefe für die grössten Fischerschiffe hat und sich bis auf 1000—1200 Meter an den Norddeich erstreckt; bis dahin ist die Anlage eines Hafendammes nötig und durch Zuleitung von Ebbewasser andauernd tief genug zu erhalten.

Ich will Ihnen auch sagen, zu welchem Zwecke wir diese Anlage wünschen: nicht allein zur Bequemlichkeit der Badegäste*, sondern, weil diese Anlage eine grosse Verbesserung für die Norderneyer Fischerei mit sich bringen würde; denn die gefangenen Fische könnten zu jeder Zeit frisch angebracht werden, die Elbfischer könnten ihre Erträge wesentlich frischer ohne Erschwerungen absetzen und sich dort wieder mit Eis zum nächsten Fange versehen.

Es werden sich dort dann bald Elbfischer ansiedeln, es werden dort selbstständige Fischereien entstehen und vermutlich machen Ihnen demnächst die Fischer sogar im Heringsfange Konkurrenz. Flüsse führen im Winter Eis, Süsswasser-Eis ist hart, für Holzschiffe nicht dienlich, Flüsse sind auch viel länger geschlossen. Monatelang waren letzten Winter die Ems und die Elbe für Fischerschiffe nicht fahrbar, hier in Norderney aber war die Verbindung mit dem Norddeich nur wenige Tage unterbrochen.

Bei dem starken Salzgehalt und dem mangelnden Zufluss an frischem Wasser, bietet entschieden der Norddeich den günstigsten Platz zur Erbauung eines Fischereihafens, denn monatelang waren die Finkenwärder Fischer im letzten Winter am Auslaufen gehindert, so dass den Fischern dadurch 100 000 *M.* verloren gegangen sind, die der Staat ebenfalls einbüsste.

Nützlich für den Staat ist es sicherlich, gute Fischereihäfen zu erbauen, denn ohne dieselben ist an ein Aufblühen der Fischerei nicht zu denken und wenn auch heute so mancher von Aktienunternehmungen zu Fischereien spricht, so halte ich doch eine Fischerei für besser, in der der Schiffer Anteil im Schiffe hat und Eigner werden kann, gleich unseren Kapitänen der Handelsflotte, die selbst eigene See-Schiffe hatten und noch haben; und wenn diese Willens sind, zur Fischerei überzugehen, so muss auch ein möglichst eisfreier Hafen in nächster Nähe der

---

* Anm. d. Red. Wir empfehlen hierbei Herrn L., die weise Regel nicht aus den Augen zu verlieren, aus einem Glashause nicht mit Steinen zu werfen. Seitdem die Beherrschung der Norderneyer Passagierfahrt den Emder Rhedereien abhanden gekommen ist, erscheint nichts natürlicher, als dass sie Ersatz in der Borkumfahrt suchen, wo allerdings das Landen der Passagiere in der Fischerbalje, die eine volle Stunde vom Dorf entfernt liegt, zu Zeiten recht unbequem ausfällt. Es ist aber [illegible] Jemand [illegible] Norddeich eingefallen, die [illegible], in Borkum bessere Zustände zu schaffen, mit neidischen Augen anzusehen, oder gar hämisch zu verlästern.

reichsten Fischgründe vorhanden sein, damit auch mit Sicherheit solche besseren Schiffe Schutz in einem richtigen Entlöschungspunkt haben, welcher zugleich Bahnverbindung mit dem Inlande hat.

Nun liegt der Norddeich so günstig wie kein zweiter Punkt an der Küste, und wenn Sie mir demnächst wohl entgegnen, das Norderneyer Seegatt wäre bei schwerem Wetter nicht passirbar, so würde in solchen vereinzelten Fällen der Fischer sich der Elbe, und nimmer der luvwärts liegenden Ems nähern.

Dann reden Sie in Ihrem Artikel von offenen Booten, die einige Meilen in See gehen: das ist wiederum falsch, denn erstens haben wir an der Nordseeküste keine offenen Boote, sondern Deckboote und diese gehen nicht etwa einige Meilen von Land, wie Sie sagen, sondern bis 15 geographische Meilen von der Küste. Dass dazu freilich mitunter grössere Schiffe erwünscht sind, gebe ich zu, deshalb gönnen sie den mutigen Fischern den Hafen an dem Norddeich, damit sie sich auch demnächst seetüchtigere Schiffe zulegen können.

C. G. v. Oterendorp.

Die französischen Messageries maritimes.

Je seltener in deutschen Blättern über die Thätigkeit dieser grossen Gesellschaft etwas verlautet, desto willkommener mögen die folgenden Jahresberichte aufgenommen werden, welche wir im wesentlichen der englischen Zeitschrift „Engineering" entnahmen (No. 1072, Vol. XLII). Sie werden darthun, dass diese Gesellschaft fortfährt, ihren Platz unter den ersten Dampfschiffsunternehmungen der Welt zu behaupten, namentlich nachdem ihr von der französischen Kammer eine reichliche Subvention für erste Ausrüstung und durchlaufene Meilenzahl bewilligt wurde, wodurch sie den Wettbewerb, besonders der englischen und deutschen Gesellschaften, arg bedroht. Freilich leidet sie auch unter dem Druck der schweren Zeit für Rhedereien aller Art, und ist infolge dessen ihre Dividende von 7 % auf 5 % im letzten Jahre herabgesunken.

Die *Flotte* der Gesellschaft bestand im Beginn des laufenden Jahres aus 55 Dampfern von zusammen 151 151 Tons Ladefähigkeit und 219 197 Tons Wasserverdrängung, 24 175 nom. P.-K. und 95 762 ind. P.-K. Sie stand Ende 1885 zu Buch mit 95 363 600 ℳ, wozu noch 1 286 250 ℳ kommen für Neubauten, so dass ein *Gesammt-Buchwert* von 96 649 850 ℳ herauskommt, 3 633 400 ℳ mehr als 1884. Dieser Mehrwert rührt davon her, dass 4 neue grosse Dampfer in Fahrt gesetzt wurden, nämlich „Océanien" für den Postdienst nach Australien und Neukaledonien, „Matapan" und „Ortegal" für beliebige Fahrten, besonders aber für die Fahrten nach London, und „Haiphong" für die Saigon-Fahrten. Dagegen hat die Gesellschaft *im verflossenen Jahr* verloren: den „Seewandre", welcher infolge einer Collision bei Gibraltar sank, wofür 930 440 ℳ weggeschrieben werden mussten. Das Ausrüstungsconto stieg im verflossenen Jahr um 72 600 ℳ. Die Vorräte der Gesellschaft in Marseille, La Ciotat, Bordeaux und anderen Plätzen bewerteten sich auf 9 598 120 ℳ am Ende des Jahres 1885 gegen 10 313 822 ℳ am Ende des Jahres 1884.

Im Ganzen *durchliefen* während des Jahres 1885 die Schiffe der Gesellschaft auf ihren eigentlichen Seereisen 2 182 468 Seemeilen, ungerechnet die kleineren Strecken zu Reparaturzwecken, d. h. 91 800 Sm. mehr als in 1883, wofür die Mehreinnahme 3 360 000 ℳ, die Mehrausgabe 960 000 ℳ betrug, so dass 5 % Dividende verteilt werden konnten. Unter der gesammten durchlaufenen Distanz in 1885 figuriren 1 788 531 Sm. im Postdienst und zwar 1 641 699 Sm. im direkten Postdienst Frankreichs und 143 832 Sm. im Postdienst der Colonien in Cochin-China, Réunion, und den Comoren. Im Verlauf des verflossenen Jahres wurde eine neue Linie zwischen Saigon und Manila eröffnet, sowie eine andere zwischen den Mascarenen-Inseln und Mozambique, doch waren die dort durchlaufenen Strecken nur unbedeutend. Im Jahre 1885 fanden 28 Spezialreisen statt u. a. die beiden der „Amazone" und „Ava", welche französische Truppen nach Haiphong und zurück nach Frankreich brachten; auch die Fahrten auf den Linien nach Manila und Madagascar und verschiedene besondere Reisen nach Häfen der „Clientel" der Gesellschaft werden als Spezialreisen aufgeführt. Die *durchschnittliche*, von den Dampfern der Gesellschaft *zurückgelegte Strecke im vorigen Jahr* betrug 36 378 Sm., welches Resultat in keinem vorhergehenden Jahre erreicht worden ist, obgleich die Fahrten unter dem Wiederausbruch der Cholera in Marseille *litten*, infolge deren die Häfen in Italien, Sicilien und Griechenland für die Dampfer der Gesellschaft verschlossen, und ihnen in Egypten, der Türkei, Algerien und Mauritius mehr oder weniger lästige Quarantainen auferlegt wurden. Aber auf die Cholera allein beschränkten sich die Verlegenheiten der Gesellschaft nicht, denn auch die brasilianische Linie musste unter dem gelben Fieber in Brasilien leiden. Dagegen hatte der Abschluss des Friedens von Tientsin einen günstigen Einfluss auf die Geschäfte der Gesellschaft, weil nun die langjährigen Verwickelungen mit China ein Ende hatten. Es war die höchste Zeit, dass diese Schwierigkeiten beigelegt wurden, weil sie einen unerquicklichen Stand der Dinge, nicht Krieg nicht Frieden, herbeigeführt hatten, und thatsächlich die Franzosen vom Shanghae-Markt Monate hindurch ausgeschlossen waren.

Trotz aller Hindernisse hat die Gesellschaft ihre Obliegenheiten prompt und pünktlich erfüllt, und die von der Regierung bedungene *Fahrgeschwindigkeit* noch überholt. Um nur einige Beispiele anzuführen, so betrug dieselbe auf den Reisen nach und von China im Mittel 12.33 Sm., während nur 10.25 Sm. gefordert waren; auf der Brasilianischen und La Plata Linie betrug die erreichte mittlere Geschwindigkeit sogar 12.63 Sm., und auf der Australischen Linie 12.17 Sm. per Stunde.

Die *Zahl der Passagiere* belief sich auf 106 223, das *Gesammtgewicht der Güter* auf 421 801 Tons, und der Wert der Baar- und Wertsendungen auf 139 071 600 ℳ gegen 83 721 Passagiere, 394 647 Tons und 132 000000 ℳ in 1884. Der Passagierverkehr nahm also um 27 %, der Güterverkehr um 7 % und der Wertverkehr um 13 % zu; die *Zunahme* des Passagierverkehrs kommt jedoch hauptsächlich auf Veranlassung der Truppensendungen. Aber auch die übrigen Linien erfreuten sich gesteigerten Verkehrs: so die Mittelmeer-Linie um 4 %, die Brasilien- und La Plata-Linie um 8 % und die Australische Linie um 15 %, worin wohl die Wirkungen der für durchlaufene Meilenzahl (coûte que coûte) vom Staate gezahlten Prämien zum Ausdruck gelangen. Obgleich die laufenden Unkosten im verflossenen Jahr sich mehrten, so wurden doch grosse Ersparnisse im Kohlenverbrauch erzielt, trotzdem die durchschnittliche Fahrgeschwindigkeit gesteigert wurde, so dass die Ausgaben der Gesellschaft sich nicht vergrösserten.

Die *ganze Einnahme* der Messageries maritimes belief sich für das Jahr 1885 auf 40 597 380 ℳ, die Ausgaben auf 37 558 660 ℳ, so dass sich ein Ueberschuss von 3 038 720 ℳ ergab, wovon 2 400 000 ℳ als 5 % *Dividende* unter die Aktionäre verteilt wurden.

Resultate des deutschen und holländischen Heringsfanges in 1886.

Die *Emder Heringsfischerei-Aktien-Gesellschaft* veröffentlicht über die Resultate der Fischerei in dem verflossenen Jahre nachstehenden Bericht: Unsere Schiffe brachten 11 230 fertig für den Handel aufgepackte Tonnen Heringe an, welche für 302 130 ℳ verkauft wurden. Der etwas *geringere* Fang als im Vorjahre ist durch die im Juli und August dieses Jahres nicht sehr ergiebige Fischerei verursacht, in Folge dessen auch die Schotten plm. 200 000 Tonnen weniger als im Vorjahre gefangen haben. Verluste von Fischereigeräten fanden nicht statt. Die

Schiffe waren mit der ganzen Bemannung von 15 Mann durchschnittlich 146 Tage in Dienst. Ausser den hier am Platze und in Einzelfracht verkauften Heringen sind 43 einfache und 96 Doppel-Waggons Heringe zum Versandt gebracht. Vorerwähnte 11 280 Tonnen enthielten nach Abzug von Salz und Tonnen ein Gewicht von 1 300 000 Kilo Fisch. Unsere 15 Logger messen 2925 Kbm. Raumgehalt und sind somit per Kbm. Raumgehalt in 146 Tagen 444 Kilo Fisch gefangen und jedes Kilo Fisch zu [illegible] Pf. verkauft. An Bord eines jeden Loggers befinden sich 11 erwachsene Leute und 3 Knaben, mithin an Bord von 15 Schiffen 210 Personen ausschliesslich der Schiffer. Der Verdienst für diese Leute für die Zeit von 146 Tagen gelangte mit 82 370 ℳ. zur Auszahlung. Ausserdem wurde für Proviant 18 730 ℳ. verausgabt. Schliesslich wollen wir noch bemerken, dass in diesem wie auch im vorigen Jahre das Leben der Loggermannschaften versichert gewesen ist, wofür die Prämie teils von den Leuten selbst, teils von der Gesellschaft bezahlt wurde; glücklicher Weise haben wir aber Verluste von Menschenleben nicht zu beklagen. Von den 3 Wittwen, deren Männer durch den Verlust des Loggers „Mary and Jenny" verschollen sind, ist eine wieder verheiratet; den anderen beiden wurde die gewöhnliche Unterstützung zu Teil.

Dagegen berichten die *holländischen* Fischereigesellschaften, deren letzter Logger am 2. Dec. aus See zurückgekommen ist, dass *das Jahr 1886 ein geradezu beispielloses zu nennen sei*, weil 1. nie soviel Heringe gefangen seien als in diesem Jahr, 2. kein Schiff, 3. nicht einmal ein Netz verloren gegangen sei. Im Ganzen sind von holländischen Schiffen angebracht rund ca. 332 000 Tonnen, gegen rund 276 000 Tonnen in 1885, selbst in dem reichen Fangjahr 1884 wurden kaum 300 000 Tonnen gefangen.

Bremens Seeschiffahrt im Jahre 1885.

Im Jahre 1885 kamen an:

2 979 Schiffe von 1 289 399 Reg.-Tonnen,
gegen 1884 2 992 » » 1 345 808 » »

und es gingen ab:

1885 3 157 Schiffe von 1 272 617 Reg.-Tonnen,
gegen 1884 3 182 » » 1 330 308 » »

Auf die einzelnen Länder verteilt sich die Gesammtbewegung wie folgt:

	1885 Schiffe	1885 Reg.-T.	1884 Schiffe	1884 Reg.-T.
es kamen an:				
von deutschen Häfen	1 342	119 806	1 280	117 422
» Grossbritannien u. Irland	428	204 998	438	231 681
» dem übrigen Europa	443	193 073	700	205 890
» Nordamerika	828	628 571	857	563 619
» Mittel- u. Südamerika	86	97 526	71	90 790
» Westindien	41	18 475	67	32 463
» Asien	98	125 553	65	100 730
» Afrika, Australien und den Sandwichinseln	2	1 397	4	2 404
zusammen	2 979	1 289 399	2 992	1 345 508
davon Dampfer	976	915 499	1 038	983 692
und es gingen ab:				
nach deutschen Häfen	1 358	140 138	1 357	156 885
» Grossbritannien u. Irland	653	473 461	660	484 112
» dem übrigen Europa	826	150 615	794	142 788
» Nordamerika	260	432 856	279	455 833
» Mittel- u. Südamerika	39	54 421	40	55 706
» Westindien	18	7 282	21	8 815
» Asien	10	6 085	5	3 468
» Afrika, Australien und den Sandwichinseln	2	3 457	6	2 801
zusammen	3 157	1 272 617	3 162	1 330 308
davon Dampfer	975	911 842	1 012	934 960

— s —

Weser-Handelsflotte.

Dieselbe bestand am	31. Dez. 1885 Schiffe	31. Dez. 1885 Reg.-To.	31. Dez. 1884 Schiffe	31. Dez. 1884 Reg.-To.
aus Bremischen	357	319 213	364	319 465
» Oldenburgischen	171	31 031	181	80 388
» Preussischen	41	32 796	43	35 085
zusammen	569	433 040	588	434 838

Somit hat sich die Weser-Handelsflotte um 19 Schiffe und 1798 Reg.-To. vermindert.

Unter den Bremischen Schiffen befanden sich:

am 31. Dez. 1877 60 Dampfer von 57 380 Reg.-To.
» 31. Dez. 1885 111 » » 101 256 »

Die Handelsflotte der Weser zählte:

1847 .... 273 Schiffe von 84 003 Reg.-To.
1885 .... 569 » » 433 040 »

Zunahme der Ladungsfähigkeit gegen 1847 415,51 pCt.

Die Bemannung der Bremischen Seeschiffe betrug
am 1. Januar 1885 ... 5 828 Personen ohne Kapitäne
» 1. Januar 1884 ... 6 423 » »

Ausserdem gehörten zur Bemannung 314 Kapitäne. —+—

Verkehr deutscher Schiffe im Jahre 1885.

[illegible] Im Jahre 1885 haben [illegible] deutsche Schiffe von zusammen 13 857 T. die Häfen der algerischen Küste besucht, und zwar sind eingelaufen

in den Hafen von Algier .... 11 Schiffe
» » » » Oran .... 8 »
» » » » Arzew .... 3 »
» » » » Philippeville ... 3 »
» » » » Bem caf .... 1 Schiff
» » » » Bona .... 1 »

3 Schiffe haben in Mokaganem Ladung eingenommen. Sämmtliche Fahrzeuge kamen von fremden Häfen; 4 Schiffe, welche in Algier und Oran Wein und Pflanzenhaar eingenommen hatten, gingen nach deutschen, die übrigen nach anderen Häfen in See.

Great Yarmouth. Im Jahre 1885 sind hier 24 deutsche Schiffe von zusammen 5 167 Reg.-T. ein- und ausgegangen. Sämmtliche Schiffe liefen mit Ladung aus.

Singapore. Von den 198 in 1885 eingelaufenen deutschen Schiffen von zus. 190 189 Reg.-T. waren 146 Dampf- und 52 Segelschiffe.

Das grösste Dampfschiff hatte einen Tonnengehalt von 2 295 britischen Reg.-T., das kleinste einen solchen von 161; das grösste Segelschiff einen Gehalt von 1 815, das kleinste einen solchen von 235 Reg.-T.

Beladen waren: 56 Schiffe mit Steinkohlen
120 » » Stückgütern u. gemischter Ladung
5 » » Reis
3 » » Kriegsmaterial
3 » » Salz
2 » » Zucker u. Hanf
1 » » Thee
1 » » Cement
7 » kamen in Ballast an.

Von den 120 Schiffen mit gemischter Ladung brachten 8 auch chinesische Arbeiter mit.

Der lebhafteste Verkehr fand im Monat Januar mit 21 Ein- und Ausklarirungen, der schwächste im April mit 22 Ein- und Ausklarirungen statt.

An der Küstenfahrt waren etwa 10 bis 15 Schiffe beteiligt, darunter in erster Linie mehrere Flensburger Dampfer.

Das Frachtgeschäft war während des ganzen Jahres, insbesondere für Segelschiffe, äusserst leblos bei stets weichenden Frachtraten, welche für Frachten nach London und Liverpool bis auf 20 Schilling für das T. heruntergingen. Manche Schiffe konnten trotz langen Wartens und vielfacher Bemühung überhaupt keine Fracht finden. Dampfer erlangten nur in den mittleren Monaten des Jahres gute Frachten.

Stockholm. Im Hafen von Stockholm verkehrten im Jahre 1885 187 deutsche Schiffe von zus. 67 890 Reg.-T., worunter 138 Dampfschiffe von 51 623 Reg.-T.

Sundsvall. Ein- und ausgegangen 124 deutsche Schiffe von zusammen 39 636 Reg.-T., und zwar 26 Dampfer und 98 Segelschiffe. 74 derselben kamen in Ballast und 16 leer an, 1 lief in Ballast und 2 liefen leer wieder aus.

Landskrona. Eingegangen 57 deutsche Schiffe von zus. 8 040 Reg.-T., und zwar 6 Dampfer und 51 Segelschiffe, darunter 1 in Ballast und 1 leer. Ausgegangen 53 Schiffe, darunter 11 in Ballast und 24 leer. Am Jahresschlusse lagen 4 Schiffe von zusammen 1 067 Reg.-T. im Hafen.

Bordeaux. Deutsche Schiffe sind 79 eingegangen, und zwar 24 Dampfschiffe und 55 Segelschiffe, 4 derselben (2 Dampfschiffe und 2 Segelschiffe) kamen in Ballast und 1 (Segelschiff) teilweise in Ballast an. Von diesen Schiffen sind im Laufe des Jahres 77 wieder ausgegangen, darunter 22 (4 Dampfschiffe und 18 Segelschiffe) in Ballast. Am Jahresschlusse waren 2 deutsche Segelschiffe im Hafen. — s —

Dänemarks Handelsflotte 1884.

Die ganze unter dänischer Flagge fahrende Handelsflotte hatte am Schlusse des Jahres 1884 folgenden Umfang:

	Segelschiffe Anzahl	Segelschiffe Reg.-T. netto	Dampfsch. Anzahl	Dampfsch. Reg.-T. netto	Zusammen Anzahl	Zusammen Reg.-T. netto
Im eigentlichen Königr.	2 854	181 791	274	90 710 (32 068 Pfdkrft.)	3 128	272 501
Auf den Färinseln	31	1 476	—		31	1 476
Auf Island	92	3 140	—	—	92	3 140
Auf d. Dän.-Westind. Inseln	38	4 227	—	—	38	4 227
Im Ganzen	3 015	190 634	274	90 710	3 289	281 344

Die Handelsflotte ist im Laufe des Jahres 1884 um 18 Schiffe und 6 105 Reg.-T. oder um etwa 2½ pCt. vermehrt worden. Die Vermehrung in der Anzahl fällt allein auf die Dampfschiffe, deren Zahl um 16 zugenommen hat, wogegen die Zahl der Segelschiffe sich um 3 vermindert hat. Die Vermehrung in der Zahl der Reg.-T. fällt ebenfalls ausschliesslich auf die Dampfschiffe, indem diese um 9 669 T. oder gegen 12 pCt. vermehrt worden sind, während der Tonnengehalt der Segelschiffe um 3 564 oder etwa 2 pCt. abgenommen hat.

Nautische Literatur.

***Madagaskar und die Inseln Seychellen, Aldabra, Komoren und Maskarenen** von Prof. Dr. R. Hartmann. Der 57. Band aus dem „Wissen der Gegenwart". Leipzig, G. Freytag, 1886. Preis 1 M.*

Uns ist selten ein Buch vorgekommen, in welchem so viel Belehrendes in so knapper gedrängter Ausführung und dabei anmuthender Darstellung geboten wurde. Die streng systematische Schilderung der einzelnen Inseln (von denen Madagaskar, die drittgrösste Insel der Erde, mit seinen 591 563 qkm Fläche das Deutsche Reich noch um 51 041 qkm an Fläche übertrifft) umfasst zunächst die Topographie und den geologischen Aufbau derselben, dann die Fauna und Flora, wobei die Verwandtschaften der Thier- und Menschenwelt mit den Formen in Ceylon, Malaysia und Afrika auf Landverbindungen in vorhistorischer Zeit hindeuten, sodann die gesellschaftliche Entwickelung der Einwohner in Staat und Kirche, wobei zuletzt auch noch der mit den Zwergstämmen der Kalahari-Wüste verwandten Zwerge Madagaskars, sowie vorher der schon längst ausgerotteten eigenthümlichen Vögel, der Dudus, Erwähnung geschieht, welche Darwin so geschickt zu seiner Theorie der Umwandlung der Tierformen benutzt hat. Am Schluss finden wir überall eingehende Mittheilungen über die Stellung der einzelnen Inseln im Welthandel und darf deshalb das Büchelchen von 151 Seiten Rhedern, Schiffern und Kaufleuten gleichmässig warm empfohlen werden.

***Rang- und Quartierliste der Kais. Deutschen Marine** für das Jahr 1887 (abgeschlossen am 1. Novbr. 1886). Redaction: die Kaiserl. Admiralität. E. S. Mittler & Sohn, Berlin, Kochstr. 68—70 und Universitätsbuchhandlung Kiel, Schumacherstr. 8. Preis M 2.50.*

In gewohnter Pünktlichkeit dem Publikum übergeben, bringt sie übersichtliche Personalien über die Admiralität, die Kommandos der Marinestationen der Ost- und Nordsee, die Inspektionen der Marineartillerie und des Torpedowesens, die Kommandanturen, Schiffsprüfungskommission, technische Versuchskommission, technische und wissenschaftliche Institute, Verwaltungsbehörden, sowie endlich die verschiedenen einzelnen Offizierstäbe; ein Namenregister dient zur ferneren Orientirung.

Dem Umschlage entnehmen wir die hochwillkommene Ankündigung, dass in diesem Monat December der *erste Band* des *deutsch-dänischen Krieges von 1864* in demselben Verlage ausgegeben wird.

Verschiedenes.

Der dritte kleine **Subventions-Dampfer** „Danzig" ist jetzt, vom Vulkan noch zuletzt mit einem hintern Ueberbau versehen, auch nach Bremen abgegangen. Dieses Schildkrötendeck ist so eingerichtet, dass es herunter geklappt werden kann, wenn gutes Wetter ist, bei hohem Seegange dagegen dem Achterdeck und den Ruderleuten Schutz gewährt. Am 22. Dec. sollte der grosse Subventionsdampfer „Baiern" eine Probefahrt in See antreten.

Die **Ausfuhr und Einfuhr der Vereinigten Staaten** betrug nach den Angaben des statistischen Bureaus für September 1886, und die 4, 10, 12 Monate vor Ende October 1886

1. an Waaren:

1886	Oktober	4 Monate	10 Monate	12 Monate
Ausfuhren	$ 49 633 506	227 663 983	656 984 867	697 020 862
Einfuhren	$ 44 772 260	224 426 460	453 028 072	556 880 776
1885				
Ausfuhren	$ 72 334 727	210 187 050	646 523 782	716 672 617
Einfuhren	$ 53 807 937	204 083 820	485 064 969	572 437 378

2. an Gold und Silber:

1886				
Ausfuhren	$ 1 997 101	10 229 946	61 973 604	69 515 774
Einfuhren	$ 6 989 232	21 872 326	33 757 605	47 229 814
1886				
Ausfuhren	$ 2 663 943	13 177 583	37 155 479	43 540 992
Einfuhren	$ 3 249 040	13 236 168	27 945 820	41 307 258

Daraus kann man sich leicht eine Vorstellung von der Handelsbilanz machen.

Die **Unfallversicherung für Seeleute betreffend**, so werden unsere Vorhersagungen, dass schon im Bundesrat die anstössigsten Artikel des Entwurfs würden ausgemerzt werden, jetzt von allen Seiten bestätigt. Der Entwurf soll sogar derartig umgearbeitet sein, dass die vielen Anträge der Subkommission noch in der zweiten Lesung längere Erörterungen hervorrufen würden, nachdem die erste Lesung zu Ende geführt sei. Sollte sich das Alles bestätigen, so fragt man doch mit Recht, warum denn der Entwurf entgegen allen früher gegebenen Ratschlägen so verdreht ausgearbeitet wurde, dass jetzt soviel Zeit und Mühe und Kosten aufgewandt werden müssen, um dem Wechselbalg ein passirbares Aeussere und einen sachlich gerechtfertigten Inhalt zu geben! Oder haben wir wirklich nichts besseres zu thun, als uns solche Kraftverschwendung zu leisten.

Der neue **amerikanische Flottengründungsplan**, dessen allgemeine Züge wir in No. 22 mittheilten, gewinnt allmälig genauere Gestalt. Vorläufig sind die 4 vom Kongress bewilligten Kreuzer jetzt dahin näher bestimmt, dass man einen nicht gepanzerten Kreuzer von nicht weniger als 3 730 To., sodann einen mit Vor- und Hinterkastell versehenen Kreuzer von 4 000 To., ferner ein schwer gepanzertes Kanonenboot von 1 700 To. und noch ein leichtgepanzertes Kanonenboot von 870 To. erbauen will.

Chinesen in St. Francisco. Vor einigen Wochen dampfte die „City of Pekin" mit einer Ladung von 1400 Chinesen von Francisco nach China ab, meist alten, kranken, verkrüppelten und armen Männern nebst einer Anzahl Weiber und Kinder. Die Kosten bezahlten in den meisten Fällen die chinesischen Gesellschaften, welche fürchten, dass die Leute ihnen bei den vielleicht bevorstehenden Unruhen zur Last fallen.

Das **Oelen der sturmbewegten Gewässer** wird auf den grossen Seen Nordamerikas schon ganz systematisch und als zur Seeschiffahrt gehörig betrieben. Die amerikanischen Blätter erzählen häufig von durch Oelen bewirkten Rettungen aus Seenot.

Die **Negerregimenter** (colored troops) **der Vereinigten Staaten** werden in den Blättern gelobt wegen ihrer Schiessfertigkeit und Fahnentreue. Ein Infanterie-Regiment steht an der Spitze aller Truppen, was Gewandtheit im Schiessen anbelangt, und ein zweites folgt bald hinter drein. Ebenso zeigten das 25. und 24. Regiment weniger Desertionen als die weissen Infanterie-Regimenter, da das 25. nur 2, das 24. nur 10 Fahnenflüchtige zählte, während die Durchschnittszahl im Jahr bei der Infanterie sich auf 33 beläuft. Dasselbe gilt von der Kavallerie. Das 10. Regiment verlor bloss 10 Mann durch Desertion und das 9. Regiment nur 34, während die Zahl der fahnenflüchtigen Kavalleristen, jene Regimenter eingerechnet, 51 beträgt, und kein weisses Regiment so wenige als das 9te zählt. Die Zahl der Fahnenflüchtigen des 25. Regiments wird wohl in den meisten geworbenen Armeen übertroffen.

Der Rückgang des Schiffergewerbes in Grossbritannien erhellt am deutlichsten aus der jährlichen Abnahme der Zahl der sich zur Anmusterung meldenden britischen Schiffsjungen; die jungen Leute haben keine Lust mehr dazu, weil sie wie in Amerika an Land mehr verdienen und ein bequemeres Leben führen können. Auch wird der Bedarf nicht mehr so gross sein, da der Zuwachs der Dampferflotte den Ausfall an Bedarf durch die Abnahme der Segelschiffe nicht decken kann.

Im Jahre 1845 betrug noch die Anzahl der eingeschriebenen Schiffsjungen 15 704, während durch Tod, Ende des Kontrakts u. s. w. nur 7412 abgingen; in 1885 wurden aber nur noch 2504 Schiffsjungen zum ersten Male angemustert, während aus genannten Gründen der Abgang 2845 betrug. Schiffsjungen werden also in England bald zu den historischen Erinnerungen gehören.

Unter diesen Umständen ist es nicht zu verwundern, dass die Zahl der fremden Matrosen auf britischen Schiffen in steter Zunahme begriffen ist, wie aus nachstehender

Tabelle deutlich hervorgeht. Es dienten auf nationalbritischen Schiffen im

Jahr	Brit. Matr.	Fremde Matr.	Zus.	Fremde auf je 100 Br.
1851	136 144	5 793	141 937	4. 2
1855	155 610	12 927	168 537	8. 3
1860	157 312	14 280	171 592	9. 0
1865	177 363	20 280	197 643	11. 4
1870	177 951	18 011	195 962	10. 1
1875	178 994	20 673	199 667	11.55
1880	[illegible]	[illegible]	[illegible]	[illegible]
1885	171 585	27 196	198 781	15.85

Allerdings erscheinen die ausländischen Matrosen noch bedeutend in der Minderheit, aber ihre stetige Vermehrung ist doch sehr augenfällig.

Ein Handbuch für Reisende und Verfrachter giebt jetzt die P. & O. Compagnie heraus, welches die Tabellen für die Aus- und Hausreisen ihrer Schiffe auf den zahlreichen Fahrlinien von London nach Yokohama und Sidney, Rathschläge für beste Weiterbeförderung von Personen und Waaren von angelaufenen Punkten, Auskünfte über Frachten und Zolleigenthümlichkeiten enthält und auf beigegebener Karte alle einzelnen Fahrlinien mit einem Blick zur Uebersicht bringt. Die Gesellschaft besitzt jetzt 31 Schiffe, darunter freilich sehr viele alte von sehr fragwürdiger Güte, hat aber 2 neue Schiffe von je 6500 To. in Bestellung gegeben.

Celluloid-Platten sollen sich **als Bodenbelag von Schiffen** bewährt haben. Vor fünf Jahren soll laut „Scheepvaart" ein Schiff damit belegt, und jedes Jahr nachgesehen sein, und sollen alle mit diesen Platten belegte Stellen der Aussenhaut ganz frei von Anwachs geblieben sein, während die nicht belegten Stellen vollständig bewachsen erschienen. Die Anregung soll gleichzeitig von Berlin (F. Capitaine?) und von Paris (J. Bernard) ausgegangen sein.

Der **furchtbare Sturm vom 8./9. Dez.** mit seinem fast beispiellos niedrigen Barometerstande hat vor und in dem Kanal und an den übrigen Küsten Englands und Dänemarks eine Anzahl traurigster Schiffbrüche im Gefolge gehabt. Bei einem Rettungsversuch in der Mersey sind sogar 2 Rettungsböte mit 26 Mann verunglückt, ein seltener Fall in den Annalen des englischen Rettungswesens, welches in den letzten 32 Jahren überhaupt 76 Rettungsmannschaften verlor, während ca. 12000 Menschen gerettet wurden. Glücklicher Weise ging der Wind nicht nach NO herum, sonst wäre unser Südwall in die äusserste Gefahr gerathen, da gerade auch Springtide war.

Brockhaus' Conversations-Lexikon liegt in der mit Abbildungen und Karten reich illustrirten dreizehnten Auflage nahezu vollendet vor, denn der Abschluss des letzten Bandes, von dem schon mehrere Hefte erschienen, ist bis zum Feste zu erwarten. Für den diesjährigen Weihnachtstisch empfiehlt sich somit dieses altberühmte Werk — in seiner abermaligen Verjüngung jetzt das neueste und zuverlässigste Conversations-Lexikon — als ein besonders passendes Geschenk. Der vor kurzem ausgegebene fünfzehnte Band enthält gegen den entsprechenden Band in der vorigen Auflage wieder eine mehr als dreifach vermehrte Zahl von Artikeln: 6190 gegen 1958. Er schliesst mit dem biographischen Artikel über General Ulrich, den Verteidiger von Strassburg, und merkwürdigerweise sollte der Bogen gerade in die Presse gehen, als die Nachricht von Ulrich's am 9. October erfolgten Tode eintraf. Von andern durch Neuheit des verarbeiteten Stoffs [illegible] genannt: Spanische Litteratur und Kunst, Sparkassen, Sprachwissenschaft, Steuern, Strike, Sudan, Tabacksbesteuerung, Telephon, Tonking, Torpedo, Trambahnen, Troja, Tuberkulose, Türkische Litteratur. Wie immer kommen die realen und die idealen Gebiete gleichmässig zu ihrem Recht. In den Text sind 45 Holzschnitte eingedruckt. Die 19 separaten Tafeln und Karten bringen Darstellungen aus der Naturgeschichte, der gewerblichen Technik, dem Marinewesen, eine farbige Veranschaulichung der Spectralanalyse, Karten von Spanien und Portugal, Südamerika, der Südsee und dem nördlichen Sternhimmel. Von besonderm Interesse sind dabei die Bildertafeln Telegraph und Telephon, Tiefseeforschung, Torpedos und Seeminen sowie die überraschend naturgetreu und künstlerisch ausgeführten Tafeln der Vögel (Spechte, Stelzvögel, Strausse, Tauben.)

Zucker als Bestandteil guten Cements. Wenn man Rohrzucker zu gewöhnlichem gutgelöschten Kalk mischt, so erhält man einen sehr gut bindenden Cement; selbst Sirup soll schon gute Dienste dazu leisten. Dieser Cement soll an Bindekraft dem besten Portland-Cement gleichkommen, es wäre auch möglich, dass eine Beimischung von Zucker oder Sirup zum Portland-Cement dessen Bindekraft noch erhöhte. Auch beim Kitten zerbrochenen Glases leistet der Kalk-Zucker-Cement vortreffliche Dienste. Diese neue Verwendung des Zuckers könnte der notleidenden Zuckerindustrie aufhelfen. Der Erfinder Thomson Hankey spricht in seinen Briefen an die Times allerdings nur von einer Verwendung von Rohrzucker, aber Rübenzucker wird wohl dasselbe leisten.

Einen ungewohnt langen Spaziergang hat jüngst ein aus Geestemünde gebürtiger Seemann nachgewiesenermassen ausgeführt, nämlich von Genua nach Geestemünde. Am 15. Sept. musterte der mit einem deutschen Dampfer nach Genua gelangte Seemann ab, trat die Fussreise an über Mailand, Verona, Innsbruck, München, Nürnberg, Erlangen, Koburg, Gotha, Göttingen, Hannover und Bremen und kam am Sonnabend, den 6. November, wohlbehalten bei den Seinen in Geestemünde an. Der Weg vom mittelländischen Meere bis zu unserer Nordseeküste ist also in etwa 50 Tagen zurückgelegt. Wind und Wetter haben den Fusswanderer begünstigt und der Seemann hat mit geringen Mitteln sich auch auf dem Festlande durchzuhelfen gewusst.

Verlag von H. W. Silomon in Bremen. Druck von Aug. Meyer & Dieckmann, Hamburg, Alterwall 10.

FSC
www.fsc.org
MIX
antwortungsvollen
Quellen
Paper from
responsible sources
FSC® C141904

Druck:
Customized Business Services GmbH
im Auftrag der KNV-Gruppe
Ferdinand-Jühlke-Str. 7
99095 Erfurt